漢検
四字熟語辞典

【第二版】

公益財団法人　日本漢字能力検定協会

はしがき

四字熟語のもとになっている漢字は、一字一字が固有の概念を備えた「語」であり、一字が一音節で発音されるという特徴をもっていることは周知のことです。この漢語の特質を生かして、口ずさみやすい四字句、四音節の、しかも含蓄に富む意味内容を表現する漢語が四字熟語です。これが古来、日本人が好んで四字熟語を用いてきた最大の理由です。

本辞典に収めた四字熟語は、中国の故事を背景にもつもの、仏教語にもとづくもの、成句や格言としての性格をもつものなどを主に、現代の日本人の言語生活の中からうまれたものなども収めています。

この古今彼我とりまぜた四字熟語が、本辞典を利用していただく方の漢字漢語力をみがき、言語生活をより豊かにするのに役立つものになることを期待します。

二〇一三年六月

公益財団法人　日本漢字能力検定協会

この辞典の内容

▼この辞典には、故事成語を含む四字熟語約四、〇〇〇語を収録しました。

1. 見出し語は、四字熟語の読みの五十音順に配列しました。
2. 見出し語の字体は、手で書く場合の参考になるよう、筆写体に近い文字を使用しました。
3. 見出し語の読みは、原則として、その語の「音読み」によりましたが、一部「訓読み」のものも相当箇所に配列しました。それぞれの読みは、熟語の組み立てがわかるように語構成で区切り、読みが（二字＋二字）でないものについては、「補説」で説明しました。
4. 見出し語の下に、日本漢字能力検定受検のための目安として「検定級」を示しました。
（例：5級 は5級以上で出題される可能性があることを示しています。）
なお、「検定級」の表示のない見出し語は、漢検配当外の漢字もしくは音訓を含むものです。
5. 巻頭・巻末に、いろいろの視点・角度から熟語が引けるユニークな索引六種を設けました。

▼用いた主な記号の内容は、次の通りです。

意味……はじめに、漢字検定の上級の出題形式に準じて、抽象化・普遍化した意味を太字で示し、つづいて具体的な内容を解説しました。

補説……訓読みのある語や別の読み方のあるもの、同じ意味で字が違っているもの、語構成が特殊なものについて、きめこまかく触れました。

字体……見出し語の漢字と、字形のいちじるしく違う旧字体を取り上げました。

注意……読み誤りやすい語、書き誤りやすい語の注意を喚起しました。

故事……故事来歴の明確な語には、平易簡明に解説を掲げました。

出典……典拠となった書名・編名・章名を示し、作品に拠ったものには作者・作品名を記しました。なお作品名が長いものについては単に詩または文としたものもあります。

目　次

下二文字から引く索引

この索引は、四字熟語の下二字がわかっていて、上二字を知りたい場合に利用してください。

●あ

あいあい 藹藹（和気↓）……四七九
あいか 哀歌（独弦↓）……三六五
あいご 愛語（和顔↓）……四七九
あいこく 愛国（忠君↓）……三三二
あいじん 愛人（敬天↓）……一七五
あいめい 哀鳴（鴻雁↓）……一八七
あいらく 哀楽（喜怒↓）……一四八
あがん 下頷（阿爺↓）……六四
あくしょく 悪食（悪衣↓）……六二
あくせ 悪世（五濁↓）……二〇八
あくはつ 握髪（吐哺↓）……三六九
あせい 阿世（曲学↓）……一五八
あだなみ 仇波（浅瀬↓）……六三
あっか 悪果（悪因↓）……六二
あっかん 圧巻（科挙↓）……一一三
あめい 蛙鳴（蟬噪↓）……三〇一
あもう 阿蒙（呉下↓）……二〇三
あんか 暗化（潜移↓）……二九四
あんが 晏駕（宮車↓）……一五一
あんき 晏起（蚤寝↓）……三〇八
あんき 暗鬼（疑心↓）……一四六
あんぎゃ 行脚（雲水↓）……一〇一
あんこう 安行（生知↓）……二八六
あんこん 暗恨（幽愁↓）……四五七
あんじ 暗示（自己↓）……二三〇
あんど 安堵（本領↓）……四四一
あんとう 暗投（明珠↓）……四四九
あんない 案内（不知↓）……四一九
あんばい 塩梅（和羹↓）……四七九
あんぶん 安分（知足↓）……三三一
あんや 暗夜（如法↓）……三七五

●い

いかん 衣冠（優孟↓）……四五八
いき 為貴（用和↓）……四六二
いぎょう 易行（易往↓）……六七
いきょく 異曲（同工↓）……三五八
いこう 衣香（扇影↓）……二九四
いざん 移山（愚公↓）……一六七
いじ 維持（現状↓）……一八二
いしき 意識（潜在↓）……二九七
いしゅ 遺珠（滄海↓）……三〇六
いしゅう 閨秀（閨英↓）……一七一
いじょう 囲繞（旋転↓）……三〇二
いぜん 依然（旧態↓）……一五一
いそく 意足（心満↓）……二七四
いぞく 異俗（同声↓）……三六〇
いだ 委蛇（紆余↓）……九九
いたい 衣帯（不解↓）……四一四
いたい 韋帯（藜杖↓）……四七五
いたん 異端（邪説↓）……二四三
いちい 一意（専心↓）……三〇〇
いちう 一宇（八紘↓）……三八八
いちえ 一会（一期↓）……七三
いちえい 一盈（一虚↓）……八一
いちえい 一詠（一觴↓）……八四
いちがい 一害（一利↓）……七八
いちがく 一壑（一丘↓）……八一
いちぐう 一遇（千載↓）……二九七
いちげ 一下（一上↓）……七四
いちご 一期（蜉蝣↓）……四二一
いちごう 一毫（一糸↓）……八三
いちじつ 一日（十年↓）……二四八
いちじつ 一実（一虚↓）……八一
いちじょう 一乗（妙法↓）……四四三
いちじょく 一辱（一栄↓）……七三
いちぞく 一粟（滄海↓）……三〇六
いちだい 一代（一世↓）……八六

いちだく　一諾（季布↓）……一四八
いちどう　一動（一挙↓）……八一
いちにょう　一如（形影↓）……一七一
いちにょう　一如（身心↓）……二七一
いちにょう　一如（凡聖↓）……四四〇
いちにょう　一如（迷悟↓）……四四八
いちにん　一人（斗南↓）……三六九
いちば　一馬（万物↓）……三九五
いちばく　一暴（十寒↓）……二三七
いちばん　一番（緊褌↓）……一六四
いちばん　一番（大死↓）……三一八
いちびゃく　一闢（一闔↓）……八三
いちもう　一毛（九牛↓）……一五〇
いちもく　一黙（維摩↓）……四五六
いちゆう　一憂（一喜↓）……八〇
いちゆう　一蕕（一薫↓）……八三
いちよ　一予（一遊↓）……七八
いちよう　一葉（梧桐↓）……二一〇
いちよう　一様（尋常↓）……二七〇
いちらい　一来（一往↓）……七三
いちらん　一乱（一治↓）……八七
いちりつ　一律（千篇↓）……三〇四
いちりん　一厘（一銭↓）……八六
いちろ　一路（真実↓）……二六九
いっかく　一画（一措↓）……八七
いっかく　一画（一点↓）……八八
いっかく　一鶴（一琴↓）……八三
いっかく　一鶴（群鶏↓）……一七〇
いっかく　一鶴（鶏群↓）……一七三
いっかつ　一割（鉛刀↓）……一〇八
いっかつ　一葛（一裘↓）……八一
いっかん　一貫（終始↓）……二四六
いっかん　一貫（首尾↓）……二五三
いっき　一揆（百姓↓）……四〇二
いっけい　一系（万世↓）……三九四
いっけつ　一決（衆議↓）……二四五
いっけん　一剣（十年↓）……二四八
いっこ　一呼（振臂↓）……二七四
いっこ　一顧（伯楽↓）……三八六
いっこう　一行（一言↓）……七三
いっこう　一紅（万緑↓）……三九七
いっこく　一刻（春宵↓）……二五四
いっこく　一刻（千金↓）……二九六
いっさい　一菜（一汁↓）……七四
いっさく　一策（窮余↓）……一五三
いっさん　一爨（三世↓）……二三三
いっし　一弛（一張↓）……八七
いっし　一枝（桂林↓）……一七七
いっし　一枝（巣林↓）……三一一
いっし　一指（天地↓）……三五三
いっし　一視（同仁↓）……三六〇
いっしつ　一失（一得↓）……八九
いっしつ　一失（千慮↓）……三〇五
いっしつ　一失（智者↓）……三三〇
いっしゃく　一尺（眉間↓）……三九八
いっしょう　一生（九死↓）……一五一
いっしょう　一生（十死↓）……二三七
いっしょう　一笑（一顰↓）……九〇
いっしょう　一笑（破顔↓）……三八〇
いっしょう　一觴（一詠↓）……七三
いっしょく　一触（鎧袖↓）……一一八
いっしん　一心（一徳↓）……八九
いっしん　一心（上下↓）……二五五
いっしん　一心（万能↓）……三九五
いっしん　一身（寵愛↓）……三三五
いっしん　一針（頂門↓）……三四〇
いっしん　一新（人心↓）……二七一
いっしん　一新（面目↓）……四五一
いっしん　一新（輪奐↓）……四七三
いっすい　一水（盈盈↓）……一〇三
いっすい　一炊（黄粱↓）……二〇〇
いっせい　一生（万死↓）……三九三
いっせい　一声（大喝↓）……三一六
いっせい　一声（霹靂↓）……四二八
いっせき　一夕（一朝↓）……八七
いっせつ　一節（夷険↓）……六九
いっせん　一洗（碧落↓）……四二八
いっせん　一閃（光芒↓）……一九八

いっせん　一閃(紫電↓)……二三九
いっそう　一草(一木↓)……七六
いったい　一体(渾然↓)……二一三
いったい　一体(三位↓)……二二六
いったい　一体(表裏↓)……四〇八
いったい　一体(名実↓)……四四八
いったい　一体(物我↓)……四五三
いったい　一退(一進↓)……八五
いったく　一啄(一飲↓)……七三
いったん　一短(一長↓)……八七
いったん　一箪(一瓢↓)……九〇
いっち　一致(挙国↓)……一六〇
いっち　一致(言行↓)……一八一
いっち　一致(言文↓)……一八四
いっち　一致(祭政↓)……二一六
いっち　一致(衆口↓)……二四五
いっち　一致(忠孝↓)……三三三
いっちょ　一猪(一竜↓)……七九
いっちょう　一長(一短↓)……八七
いっちょう　一張(一弛↓)……八三
いっちょう　一朝(槿花↓)……一六三
いってき　一擲(乾坤↓)……一八一
いってき　一擲(千金↓)……二九六
いってつ　一徹(頑固↓)……一三五
いってん　一転(心機↓)……二六七
いっと　一途(文武↓)……四二四

いっとう　一灯(貧者↓)……四〇九
いっとう　一到(精神↓)……二八四
いっとう　一答(一問↓)……七七
いっとく　一得(愚者↓)……一六八
いっとく　一得(千慮↓)……三〇五
いっとく　一徳(一心↓)……八五
いっぱい　一杯(即時↓)……三一二
いっぱつ　一髪(危機↓)……一四三
いっぱつ　一髪(千鈞↓)……二九六
いっぱん　一斑(全豹↓)……三〇三
いっぱん　一飯(一宿↓)……八四
いっぴん　一顰(一笑↓)……八四
いっぺい　一瓶(一種↓)……八四
いっぺき　一碧(水天↓)……二七八
いっぺん　一片(打成↓)……三三三
いてき　夷狄(禽獣↓)……一六五
いとく　以徳(道之↓)……三五九
いとく　以徳(報怨↓)……四三一
いば　為馬(指鹿↓)……二六六
いば　意馬(心猿↓)……二六七
いび　委靡(頽堕↓)……三二〇
いぶ　緯武(経文↓)……一七六
いふう　遺風(鄒魯↓)……二八〇
いふく　倚伏(禍福↓)……一三〇
いむ　異夢(同床↓)……三六〇
いらい　以来(一別↓)……七六

いらく　為楽(寂滅↓)……二四二
いらん　意乱(心慌↓)……二六八
いんいつ　淫佚(奢侈↓)……二四二
いんいつ　淫逸(驕奢↓)……一五五
いんう　飲羽(射石↓)……二四三
いんぎん　慇懃(馬鹿↓)……三八〇
いんこう　引光(穿壁↓)……三〇四
いんこう　淫巧(奇技↓)……一四三
いんし　隠士(穎水↓)……一〇三
いんじ　韻事(風流↓)……四一三
いんしん　殷辛(夏癸↓)……一二三
いんすい　引水(我田↓)……一三〇
いんそう　隠爪(能鷹↓)……三七七
いんちん　飲鴆(止渇↓)……二三八
いんぶ　允武(允文↓)……九五
いんぷ　殷富(万物↓)……三九五
いんめつ　隠滅(証拠↓)……二五六
いんろ　飲露(吸風↓)……一五三

● う

うい　羽衣(霓裳↓)……一七四
ううん　雨雲(楚夢↓)……三一四
うえん　迂遠(婉曲↓)……一〇七
うおう　右往(左往↓)……二一七
うか　羽化(銀盃↓)……一六六
うが　雨臥(風餐↓)……四一二
うかい　烏喙(長頸↓)……三三七

うき　雨奇（晴好↓）……二八二
うく　嫗煦（翼覆↓）……四六二
うこ　右顧（左眄↓）……二一九
うし　雨施（雲行↓）……一〇〇
うじょう　有情（一切↓）……八三
うちゅう　雨注（弾丸↓）……三三五
うつりつ　鬱崒（神荼↓）……二七四
うどく　雨読（晴耕↓）……二八二
うひ　于飛（鳳凰↓）……四三一
うひ　烏飛（兎走↓）……三六八
うびん　雨鬢（風鬟↓）……四一〇
うふく　雨覆（雲翻↓）……一〇三
うべん　右眄（左顧↓）……二一八
うぼう　羽旄（干戚↓）……一三七
うもく　雨沐（風櫛↓）……四一二
うらうら　浦浦（津津↓）……三四五
うんい　云為（動静↓）……三六〇
うんう　雲雨（巫山↓）……四一七
うんかく　雲客（卿相↓）……一七四
うんかく　雲客（月卿↓）……一七八
うんけつ　雲譎（波詭↓）……三八〇
うんてい　雲梯（魯般↓）……四七九
うんぷ　雲布（星羅↓）……二八七
うんぽん　雲奔（雷騰↓）……四六三

● え

えいいつ　永逸（一労↓）……七九
えいえい　盈盈（一水↓）……八五
えいが　栄華（栄耀↓）……一〇四
えいが　栄華（富貴↓）……四一一
えいかん　纓冠（被髪↓）……四〇一
えいきょ　盈虚（消息↓）……二六〇
えいごう　永劫（未来↓）……四四三
えいじつ　翳日（浮雲↓）……四一三
えいせき　影隻（形単↓）……一七五
えいせつ　映雪（孫康↓）……三一四
えいち　叡知（聡明↓）……三一〇
えいばつ　英抜（神采↓）……二六九
えいへい　曳兵（棄甲↓）……一四四
えいり　影裏（電光↓）……三五一
えきぞく　易俗（移風↓）……九一
えきてつ　易轍（改弦↓）……一一七
えしゃく　会釈（遠慮↓）……一一〇
えど　穢土（厭離↓）……一一五
えんえん　奄奄（気息↓）……一四七
えんえん　奄奄（残息↓）……二二四
えんがい　円蓋（方底↓）……四三四
えんぎょう　偃仰（傾側↓）……一七五
えんけん　偃蹇（突怒↓）……三六八
えんざ　縁坐（反逆↓）……三九二
えんさく　円鑿（方枘↓）……四三三
えんしつ　艶質（姸姿↓）……一八二
えんしゃ　塩車（驥服↓）……一四八
えんしゃ　塩車（麪市↓）……四五一
えんじゅく　円熟（老成↓）……四七七
えんせき　燕石（魚目↓）……一六一
えんせつ　燕説（郢書↓）……一〇三
えんたい　烟態（雲容↓）……一〇三
えんにゅう　円融（三諦↓）……二二四
えんねん　延年（美意↓）……三九七
えんばく　燕麦（兎葵↓）……三六四
えんばく　燕麦（菟糸↓）……三六七
えんぼう　遠謀（深慮↓）……二七五
えんぼく　縁木（求魚↓）……一五〇
えんまん　円満（福徳↓）……四一六
えんよく　怨欲（克伐↓）……二〇四
えんりょ　遠慮（深謀↓）……二七四
えんろ　円顱（方趾↓）……四三三
えんろう　煙浪（雲濤↓）……一〇一

● お

おうじょう　往生（極楽↓）……二〇五
おうじょう　往生（無理↓）……四四七
おうじょう　往生（蓮華↓）……四七六
おうたい　応対（灑掃↓）……二一六
おうたい　応対（接見↓）……二九二
おうとう　応答（質疑↓）……二三七
おうどう　応同（随類↓）……二七九
おうへん　応変（随機↓）……二七六
おうへん　応変（臨機↓）……四七三

おうほう　応報（因果↓）……九三
おうぼつ　蓊勃（暗香↓）……六五
おうまつ　横抹（縦塗↓）……二四八
おくう　屋烏（愛及↓）……六一
おくそく　臆測（揣摩↓）……二四一
おくど　億土（十万↓）……二四九
おくりょう　屋梁（落月↓）……四六三
おつばく　乙駁（甲論↓）……二〇一
おんきん　温衾（扇枕↓）……三〇三
おんく　陰苦（五盛↓）……二〇七
おんじき　飲食（百味↓）……四〇五
おんせい　温凊（定省↓）……三四六
おんぶん　温文（爾雅↓）……二二八

● か

かい　可畏（後生↓）……一九三
かいい　魁偉（容貌↓）……四六一
かいいん　誨淫（誨盗↓）……一二〇
がいえき　外易（左建↓）……二一八
かいえん　解怨（杯酒↓）……三七八
かいか　開化（文明↓）……四二五
かいか　開花（鉄樹↓）……三四七
かいかい　怪怪（奇奇↓）……一四三
かいかい　恢恢（天網↓）……三五五
かいかく　乖隔（牽攣↓）……一八五
かいがく　海壑（君恩↓）……一六九
かいかつ　海闊（天空↓）……三五一
かいがん　開眼（点睛↓）……三五二
がいかん　外患（内憂↓）……三七二
かいき　回帰（永劫↓）……一〇三
かいき　怪奇（複雑↓）……四一五
かいぎょく　懐玉（被褐↓）……三九七
かいくう　皆空（五蘊↓）……二〇一
かいご　開悟（転迷↓）……三五五
かいこう　開闔（天門↓）……三五五
がいごう　外剛（内柔↓）……三七一
がいさい　睚眥（万目↓）……四四二
かいし　海市（蜃楼↓）……二七六
かいし　隗始（先従↓）……二九八
かいじ　怪事（咄咄↓）……三六八
がいし　亥豕（魯魚↓）……四七八
かいじつ　愒日（翫歳↓）……一三六
かいしゃ　膾炙（人口↓）……二六八
がいしゅ　艾酒（朮羹↓）……二五三
がいじゅう　外柔（内剛↓）……三七一
がいしん　外親（内疎↓）……三七二
かいせい　回生（起死↓）……一四五
がいせい　蓋世（抜山↓）……三八八
かいせき　晦迹（韜光↓）……三五八
かいそく　喙息（跂行↓）……一四四
がいだく　外濁（内清↓）……三七一
がいち　蓋地（蓋天↓）……一二〇
がいちょく　外直（中通↓）……三三四
かいてい　潰堤（螻蟻↓）……四七六
かいでん　皆伝（免許↓）……四五〇
かいとう　誨盗（誨淫↓）……一一六
かいびゃく　開闢（天地↓）……三五三
かいへい　皆兵（草木↓）……三一一
かいほう　開放（門戸↓）……四五四
かいらん　壊乱（風俗↓）……四一二
かおく　架屋（屋上↓）……一一四
かおく　架屋（畳牀↓）……二五七
かがい　花街（柳巷↓）……四六八
がかい　瓦解（土崩↓）……三六九
がかい　瓦解（氷消↓）……四〇七
かかく　過客（百代↓）……四〇三
かかん　果敢（進取↓）……二七〇
かかん　果敢（勇猛↓）……四五八
かがん　過眼（雲烟↓）……一〇〇
かがん　過眼（烟雲↓）……一〇六
がき　餓鬼（有財↓）……九七
かきょ　可居（奇貨↓）……一四二
かきょう　佳境（漸入↓）……三〇三
かくえん　鶴怨（彦倫↓）……一八五
かくかく　赫赫（名声↓）……四四九
かくかく　赫赫（明明↓）……四五〇
がくがく　諤諤（一士↓）……八三
がくがく　諤諤（侃侃↓）……一三四
かくけい　客卿（子墨↓）……二四〇

かくこ　革故(鼎新↓)……三四六
かくさん　拡散(乱離↓)……四六六
かくし　鶴子(梅妻↓)……三七七
かくしゅく　画粥(断薺↓)……三二七
かくじょう　角上(蝸牛↓)……一二三
かくじん　嚇人(鬼面↓)……一四八
かくにく　霍肉(漿酒↓)……二五七
かくはつ　鶴髪(鶏皮↓)……一七五
かくぶつ　格物(致知↓)……三三一
かくめい　革命(易姓↓)……一〇五
がくもん　学問(外題↓)……一七七
かくりん　獲麟(西狩↓)……二八四
かくれい　鶴唳(華亭↓)……一三〇
かくれい　鶴唳(風声↓)……四一二
かくろん　覈論(危言↓)……一四四
がけい　瓦鶏(陶犬↓)……三五八
かげき　過隙(騏驥↓)……一四三
かけつ　果決(堅忍↓)……一八三
かげん　寡言(沈黙↓)……三四四
かこう　下効(上行↓)……二五六
かこう　花紅(柳緑↓)……四六九
かこう　花香(鳥語↓)……三三七
かこう　佳肴(珍味↓)……三四四
かこう　佳肴(美酒↓)……三九九
がこう　瓦狗(泥車↓)……三四六
かさい　火災(対岸↓)……三一六

かざん　火山(風林↓)……四一三
がし　画脂(凋氷↓)……三四〇
かじつ　過実(名声↓)……四四九
かしゅ　火種(刀耕↓)……三五八
がしゅ　臥酒(呑花↓)……三七〇
かしゅう　下湿(上漏↓)……二六二
かしょく　花燭(洞房↓)……三六二
かしん　可親(灯火↓)……三五六
かしん　禍心(包蔵↓)……四三四
かしん　寡信(軽諾↓)……一七五
かじん　佳人(才子↓)……二一五
かすい　下推(上援↓)……二五五
かせい　呵成(一気↓)……八〇
かせい　河清(笑比↓)……二六〇
かせい　河清(百年↓)……四〇四
かせい　夏凊(冬温↓)……三五六
かせい　歌声(曽参↓)……三〇八
かせき　下石(落穽↓)……四六三
がぜん　瓦全(玉砕↓)……一五八
かたい　河帯(山礪↓)……二二六
かたつ　下達(上意↓)……二五五
かだん　果断(剛毅↓)……一八八
かだん　果断(迅速↓)……二七三
かちょく　過直(矯枉↓)……一五三
かつう　括羽(鏃礪↓)……三一三
かっきょ　割拠(群雄↓)……一七一

かっきん　恪勤(精励↓)……二八八
かっけい　割鶏(牛刀↓)……一五三
かつごう　渇仰(随喜↓)……二七六
かっさい　喝采(拍手↓)……三八三
がっさい　合切(一切↓)……八三
かったつ　闊達(英明↓)……一〇四
かったつ　闊達(自由↓)……二四五
かったつ　闊達(明朗↓)……四五〇
かつだつ　滑脱(円転↓)……一〇八
かっちょう　刮腸(呑刀↓)……三七一
かって　勝手(得手↓)……一〇六
かっぱく　活剝(生呑↓)……二八六
がっぺき　合壁(近所↓)……一六五
かっぽ　闊歩(横行↓)……一一一
かっぽ　闊歩(高談↓)……一九五
がてつ　臥轍(侯覇↓)……一九六
がてつ　臥轍(攀轅↓)……三九一
かでん　瓜田(李下↓)……四六六
がと　画塗(彗氾↓)……二七九
かとう　科頭(跣跔↓)……三六五
がび　蛾眉(宛転↓)……一〇八
かふく　禍福(吉凶↓)……一四七
かぶん　瓜分(豆剖↓)……三六二
かぶん　寡聞(孤陋↓)……二二二
かへき　加璧(束帛↓)……三一三
かへき　和璧(隋珠↓)……二七七

かほう　果報（馬鹿↓）……三八〇
がほう　果報（杓子↓）……二四二
かみん　寡民（小国↓）……二五六
かめい　花明（柳暗↓）……四六八
かめつ　火滅（薪尽↓）……二七一
がもん　我聞（如是↓）……三七五
かやく　下薬（対症↓）……三一九
かよく　寡欲（恬淡↓）……三五三
がらん　伽藍（七堂↓）……二三五
がらん　伽藍（堂塔↓）……三六一
がりょう　臥竜（孔明↓）……一九八
かれん　可憐（紅顔↓）……一八八
かれん　可憐（純情↓）……二五四
かろ　夏鑪（冬扇↓）……三六〇
かんい　簡易（蕩佚↓）……三五六
かんえい　涵泳（優游↓）……四五八
かんえん　檻猿（籠鳥↓）……四七七
かんか　干戈（倒載↓）……三五九
かんか　坎坷（崎嶇↓）……一四三
かんか　矜寡（孤独↓）……二一〇
かんか　看花（走馬↓）……三一〇
かんか　観火（隔岸↓）……一一三
かんが　閑雅（静寂↓）……二八三
かんが　閑雅（体貌↓）……三三一
かんかん　汗簡（青史↓）……二八三
かんかん　閑閑（悠悠↓）……四五八
かんがん　寒巌（枯木↓）……二一一
かんぎ　看戯（矮子↓）……四七九
かんきゃく　冠脚（偏旁↓）……四三〇
かんきゅう　緩急（一旦↓）……八七
がんきゅう　含糗（羹藜↓）……二〇一
かんきょ　閑居（小人↓）……二五八
かんきょう　還郷（衣錦↓）……六九
かんぎょく　銜玉（泥首↓）……三四六
かんげき　感激（恐懼↓）……一五五
がんげつ　玩月（中秋↓）……三三四
かんげん　管弦（詩歌↓）……二二七
かんげん　諫言（折檻↓）……二九一
がんこ　紈袴（綺襦↓）……一四五
がんこう　含垢（国君↓）……二〇九
かんこつ　換骨（奪胎↓）……三三四
かんさい　漢才（和魂↓）……四八〇
かんさく　銜索（枯魚↓）……二〇三
かんし　寒歯（亡脣↓）……四三三
かんし　灌枝（釈根↓）……二四一
かんしき　観色（察言↓）……二一九
かんじつ　貫日（白虹↓）……三八二
かんじゃ　奸邪（醜悪↓）……二四四
かんしゅ　換酒（金亀↓）……一六三
かんしゅ　還珠（買櫝↓）……三七九
がんしょ　銜書（鳳凰↓）……四三一
かんしょう　干渉（内政↓）……三七三
かんじょう　勘定（百舌↓）……四五三
かんじょう　灌頂（結縁↓）……一七七
かんしょく　旰食（宵衣↓）……二五五
かんぜつ　乾舌（焦唇↓）……二五九
かんそう　乾燥（無味↓）……四四七
かんだい　寛大（徳量↓）……三六六
がんだん　雁断（衡陽↓）……一九九
かんつう　貫通（血脈↓）……一七九
かんてつ　貫徹（初志↓）……二六三
かんとう　竿頭（百尺↓）……四〇三
かんなん　艱難（国歩↓）……二〇五
かんなん　艱難（天歩↓）……三五五
かんねい　奸佞（邪智↓）……二四四
かんぱつ　煥発（才気↓）……二一五
かんばん　看板（一枚↓）……七六
がんみ　玩味（熟読↓）……二五〇
かんめい　簡明（直截↓）……三四二
かんめん　換面（改頭↓）……一二〇
かんらく　歓楽（活計↓）……一二八
かんわ　緩和（規制↓）……一四六

●き

きえい　気鋭（少壮↓）……二五九
きえい　気鋭（新進↓）……二七三
きえん　奇縁（合縁↓）……六一
きえん　機縁（向上↓）……一九二
きかい　帰海（百川↓）……四〇三

きぎ　棄義(背信↓)……三七八
ききょ　帰去(陶潜↓)……三六〇
ききん　綦巾(縞衣↓)……一八六
きく　規矩(鉤縄↓)……一九二
きけい　詭計(陰謀↓)……九五
きげん　危言(草茅↓)……三一〇
きご　綺語(狂言↓)……一五五
きこう　危行(危言↓)……一四四
きこう　琦行(瑰意↓)……一一六
きざ　箕坐(跛立↓)……三九一
きさい　鬼才(仙才↓)……二九七
きさく　奇策(妙計↓)……四四三
きし　危思(安居↓)……六五
きし　気使(目指↓)……四五三
きし　奇士(海内↓)……一一九
きし　季子(延陵↓)……一一〇
きし　起死(回生↓)……一一九
きしゃく　毀釈(廃仏↓)……三七九
きしょ　棊処(蠹居↓)……三六四
きしん　棄薪(噬指↓)……二八三
ぎじん　欺人(英雄↓)……一〇四
きすい　癸水(桃花↓)……三五六
きせい　規制(総量↓)……三一一
きせん　貴賤(貧富↓)……四〇九
きたん　奇譚(異聞↓)……九二
ぎたん　義胆(忠魂↓)……三三三

きち　喜地(歓天↓)……一三九
きちじつ　吉日(大安↓)……三一五
きちにち　吉日(黄道↓)……一九五
きちょ　企佇(鶴立↓)……一三四
きっすい　汲水(採菓↓)……二一四
きつりつ　屹立(巍然↓)……一四六
きてん　窺天(用管↓)……四五九
きとう　祈禱(加持↓)……一二六
きはつ　貴発(賤斂↓)……三〇五
きばつ　奇抜(斬新↓)……三三三
きひ　翬飛(鳥革↓)……三三六
きび　旗靡(轍乱↓)……三四八
きび　驥尾(蒼蠅↓)……三二一
きひょう　窺豹(管中↓)……一三九
ぎひょう　疑氷(夏虫↓)……一二八
きふ　鬼斧(神工↓)……二六八
きほう　奇峰(夏雲↓)……一三三
きほう　起鳳(騰蛟↓)……三五八
きほう　饑飽(寒煖↓)……一三八
きぼう　鬼謀(神算↓)……二六九
きぼつ　鬼没(神出↓)……二七〇
きめい　寄命(託孤↓)……三三三
きもう　亀毛(兎角↓)……三六四
ぎゃくし　逆施(倒行↓)……三五八
ぎゃくじ　逆耳(忠言↓)……三三三
きゆう　豨勇(豬突↓)……三四二

きゅうえん　求遠(在邇↓)……二一五
きゅうえん　求遠(舎近↓)……二四一
きゅうか　求火(敲氷↓)……一九七
きゅうか　救火(抱薪↓)……四三三
きゅうがい　窮骸(痩骨↓)……三〇七
きゅうかつ　求活(死中↓)……三三六
きゅうかん　急管(繁絃↓)……三九二
きゅうきゅう　九丘(八索↓)……三八八
きゅうきょ　鳩居(鵲巣↓)……二四二
きゅうぎょ　求魚(縁木↓)……一〇九
きゅうきょく　九棘(三槐↓)……三三〇
きゅうけい　窮経(白首↓)……三八三
きゅうけん　求剣(刻舟↓)……二〇四
ぎゅうご　牛後(鶏口↓)……一七三
きゅうこう　九叩(三跪↓)……三三〇
きゅうこう　躬行(実践↓)……二三八
きゅうこう　躬行(率先↓)……三一四
きゅうさん　吸酸(三聖↓)……三三三
きゅうし　九思(君子↓)……一七〇
きゅうし　久視(長生↓)……三三八
きゅうし　求疵(吹毛↓)……二七九
きゅうし　泣糸(墨子↓)……四三八
きゅうじょ　九如(天保↓)……三五五
きゅうじょう　泣杖(伯兪↓)……三八六
ぎゅうしょう　牛従(鶏尸↓)……一七四
きゅうすい　汲水(採薪↓)……二一六

きゅうすい　汲水（負薪↓）……四一八
きゅうぜ　求是（実事↓）……二三七
きゅうせん　級甎（蓋瓦↓）……一一六
きゅうせん　鳩占（鵲巣↓）……二四三
きゅうぞう　弓蔵（鳥尽↓）……三三八
きゅうだい　休題（閑話↓）……一四一
きゅうちゅう　九疇（洪範↓）……一九七
きゅうと　窮途（末路↓）……四四一
ぎゅうとう　牛刀（割鶏↓）……一二八
きゅうはい　九拝（三拝↓）……二三五
ぎゅうひ　牛皮（面張↓）……四五一
きゅうへい　休兵（按甲↓）……六五
きゅうへき　泣璧（卞和↓）……四二八
きゅうぼく　糾纆（禍福↓）……一三一
きゅうまい　及米（舐糠↓）……二三〇
きゅうり　窮理（居敬↓）……一六〇
きゅうれん　泣練（哭岐↓）……二〇三
きよう　餼羊（告朔↓）……二〇四
きょうう　峡雨（桟雲↓）……二一九
きょうえい　共栄（共存↓）……一五六
きょうおん　跫音（空谷↓）……一六六
きょうか　鏡花（水月↓）……二七七
きょうかん　叫喚（阿鼻↓）……六三
きょうかん　強幹（精明↓）……二八七
ぎょうかん　仰観（俯察↓）……四一七
きょうき　凶器（兵者↓）……四二七
きょうき　強記（博聞↓）……三八五
きょうき　強記（博覧↓）……三八六
ぎょうぎ　凝議（鳩首↓）……一五一
きょうきょう　洶洶（人心↓）……二七二
きょうきょう　兢兢（戦戦↓）……三〇一
ぎょうぎょう　業業（兢兢↓）……一五四
きょうけん　恭倹（温良↓）……一一六
きょうさい　共済（和衷↓）……四八〇
きょうし　教師（反面↓）……三九六
きょうしき　彊識（博聞↓）……三八五
きょうしょく　強食（弱肉↓）……二四二
きょうしん　協心（戮力↓）……四六七
きょうしん　響震（影駭↓）……一〇二
きょうせい　共生（片利↓）……四三〇
きょうぜん　強善（強悪↓）……一五三
きょうぜん　跫然（足音↓）……三一一
ぎょうそう　凝想（沈思↓）……三四三
きょうだ　驚蛇（打草↓）……三三四
きょうだん　杏壇（緇林↓）……二六六
きょうちん　共枕（同衾↓）……三五七
きょうどう　協同（和衷↓）……四八〇
ぎょうねん　尭年（舜日↓）……二五三
きょうへい　強兵（富国↓）……四一七
きょうりょう　驚竜（浮雲↓）……四一三
ぎょうりょう　驚竜（游雲↓）……四五六
きょかつ　虚喝（恫疑↓）……三五七
きょくがく　曲学（阿世↓）……六三
きょくく　棘句（鉤章↓）……一九二
ぎょくさい　玉釵（宝鈿↓）……四三四
きょくし　棘矢（桃弧↓）……三五九
ぎょくしつ　玉質（仙姿↓）……二九八
ぎょくじゅ　玉樹（芝蘭↓）……二六五
ぎょくじょう　玉条（金科↓）……一六三
ぎょくしょく　玉食（錦衣↓）……一六二
ぎょくしん　玉振（金声↓）……一六六
きょくすい　曲水（流觴↓）……四六八
ぎょくせき　玉石（鼎鐺↓）……三四六
きょくせつ　曲折（紆余↓）……九九
きょくせつ　曲折（波瀾↓）……三九〇
ぎょくせつ　玉折（蘭摧↓）……四六五
ぎょくせつ　玉雪（肌肉↓）……一四八
ぎょくたく　玉琢（粉粧↓）……四二三
きょくちょく　曲直（是非↓）……二九四
きょくちょく　曲直（理非↓）……四六八
ぎょくと　玉斗（鴻門↓）……一九九
ぎょくと　玉兎（金烏↓）……一六二
ぎょくはい　玉杯（象箸↓）……三〇九
きょくひつ　曲筆（舞文↓）……四二〇
きょくほ　曲浦（長汀↓）……三三九
ぎょくよう　玉葉（金枝↓）……一六五
ぎょくよう　玉葉（瓊枝↓）……一七四
きょくろ　棘路（槐門↓）……一二一

ぎょくろう　玉楼(金殿↓)……一六六
きょし　去私(則天↓)……三一三
きょしょう　挙踵(延頸↓)……一〇七
きょしょく　遽色(疾言↓)……二三七
きょしん　虚心(平気↓)……四二六
きょせい　居正(体元↓)……三一七
きょせい　虚静(敦篤↓)……三七一
きょせい　渠成(水到↓)……二七八
きょぞう　虚造(嚮壁↓)……一五七
きょっかん　極諫(直言↓)……三四二
ぎょっこう　玉匣(珠襦↓)……二五一
ぎょっこつ　玉骨(氷肌↓)……四〇七
ぎょっこん　玉昆(金友↓)……一六六
ぎょぶ　禦侮(折衝↓)……二九二
ぎょふく　魚服(白竜↓)……三八六
ぎょほ　漁父(渭浜↓)……九一
きょむ　虚無(清淡↓)……二八五
ぎょやく　魚躍(鳶飛↓)……一〇九
ぎょらん　魚爛(土崩↓)……三六九
きり　棄利(絶巧↓)……二九二
きりょう　亀竜(麟鳳↓)……四七四
ぎれつ　義烈(忠勇↓)……三三五
きんか　近火(遠水↓)……一〇八
きんきょ　襟裾(馬牛↓)……三八〇
きんげん　謹言(恐恐↓)……一五四
きんげん　謹言(恐惶↓)……一五五
きんこう　近攻(遠交↓)……一〇七
きんし　近思(切問↓)……二九四
きんし　金枝(玉葉↓)……一六〇
きんしゅう　錦繍(綾羅↓)……四七三
きんじゅう　禽獣(草木↓)……三一一
きんせい　禁制(女人↓)……三七五
ぎんせん　銀蟾(玉兎↓)……一五九
きんたい　襟帯(山河↓)……二三〇
きんだん　禁断(殺生↓)……二九三
きんつい　金椎(頂門↓)……三四一
きんと　金兎(玉蟾↓)……一五九
ぎんとう　銀濤(素波↓)……三一四
きんゆう　近憂(遠慮↓)……一一〇
きんゆう　金友(玉昆↓)……一六一
きんり　近裏(鞭辟↓)……四二九

● く

くうかつ　空闊(迂疎↓)……九七
くうけん　空拳(赤手↓)……二八九
くうけん　空拳(徒手↓)……三六七
ぐうご　偶語(沙中↓)……二一九
くうこく　空谷(跫音↓)……一五三
くうこく　空谷(白駒↓)……三八八
くうろん　空論(空理↓)……一六七
くぎょう　苦行(難行↓)……三七二
ぐそく　具足(円満↓)……一一〇
くちゃ　苦茶(無茶↓)……四四六
くっせつ　屈節(卑躬↓)……三九八
くとう　苦闘(悪戦↓)……六二
くとう　狗盗(鶏鳴↓)……一七六
くとう　狗盗(鼠窃↓)……三一四
ぐとう　愚答(愚問↓)……一六九
くにく　苦肉(反間↓)……三九一
くにく　狗肉(羊頭↓)……四六一
くねん　九年(面壁↓)……四五一
くふう　工夫(創意↓)……三〇五
くほ　矩歩(規行↓)……一四四
くほ　矩歩(方領↓)……四三七
くほう　狗烹(兎死↓)……三六七
ぐまい　愚昧(賢明↓)……一八五
くやく　九厄(七難↓)……二三五
くよう　供養(開眼↓)……一一七
くり　苦李(道傍↓)……三六二
くりょ　苦慮(焦心↓)……二五九
くんこう　訓誥(典謨↓)……三五五
くんし　君子(聖人↓)……二八四
くんし　君子(梁上↓)……四七一
ぐんばい　群吠(邑犬↓)……四五六

● け

けいうん　慶雲(和風↓)……四八〇
けいえい　経営(惨憺↓)……二二四
けいか　桂花(天香↓)……三五一
けいがい　形骸(土木↓)……三六九

けいがい　傾蓋（程孔↓）……三四五
けいかん　軽悍（剽疾↓）……四〇七
けいきゅう　軽裘（肥馬↓）……四〇一
けいきょく　荊棘（銅駝↓）……三六一
けいけい　炯炯（眼光↓）……一三五
けいけい　醯鶏（甕裡↓）……一一三
けいこう　径行（直情↓）……三四二
けいこう　景行（高山↓）……一九一
げいごう　迎合（阿附↓）……六四
けいこく　傾国（傾城↓）……一七四
けいしゅ　傾首（低頭↓）……三四六
けいしゅ　稽首（厥角↓）……一七八
けいじゅ　瓊樹（瑶林↓）……四六三
けいしゅう　勁檝（犀舟↓）……二一六
けいしゅう　敬終（慎始↓）……二六九
げいしん　迎新（送故↓）……三〇七
けいせい　傾城（一顧↓）……八二
けいせい　傾城（哲婦↓）……三四八
けいそう　勁草（疾風↓）……二三八
けいそう　蛍窓（雪案↓）……二九一
けいそつ　軽率（短慮↓）……三三九
けいたい　蕙帯（荷衣↓）……一一七
けいだつ　傾奪（阿諛↓）……六四
けいちゅう　恵中（秀外↓）……二四五
けいちょう　軽重（挙足↓）……一六〇
けいちょう　軽重（問鼎↓）……四五四

けいちん　警枕（円木↓）……一一〇
けいてい　兄弟（四海↓）……二二七
けいふく　桂馥（蘭薫↓）……四六五
けいぶん　経文（緯武↓）……九二
けいめい　景明（春和↓）……二五五
けいゆう　啓牖（鑿窓↓）……二一八
けか　悔過（吉祥↓）……一四七
げきしゅ　鷁首（竜舟↓）……四七〇
げきしゅ　鷁首（竜頭↓）……四七二
げきじょう　撃壌（鼓腹↓）……二一一
げきせき　撃石（敲金↓）……一八九
げきぜつ　鴃舌（南蛮↓）……三七三
げきたく　撃柝（抱関↓）……四三三
げきだく　激濁（揚清↓）……四六〇
げきりょ　逆旅（万物↓）……三九五
げきりん　逆鱗（人主↓）……二七〇
げきれい　激励（鼓舞↓）……二一一
げきれい　激励（叱咤↓）……二三八
げつおう　月殃（年災↓）……三七六
けつが　血河（屍山↓）……二三一
けっかい　結界（七里↓）……二三六
けっかつ　契闊（死生↓）……二三四
けっき　潔飢（鳴蟬↓）……四四九
けつぎ　結義（桃園↓）……三五六
けっけい　結契（芝蘭↓）……二六五
けつげん　結言（千里↓）……三〇四

けっさい　潔斎（精進↓）……二五九
けっさん　決算（粉飾↓）……四二三
げっしょ　月諸（日居↓）……三七四
けっしん　決心（一大↓）……七五
げっせい　月性（雲心↓）……一〇一
げっせき　月夕（花朝↓）……一二八
けつぜつ　結舌（瞠目↓）……三六三
げったい　月替（日陵↓）……三七四
げったん　月旦（舌端↓）……二九三
けっぱく　潔白（清廉↓）……二八八
げっぽ　月歩（日進↓）……三七五
けつぼう　欠乏（困苦↓）……二二三
げつろ　月露（風雲↓）……四一〇
けんあい　兼愛（墨子↓）……四三八
けんえい　剣影（刀光↓）……三五八
げんえき　減益（減収↓）……一八二
げんがい　言外（意在↓）……七〇
げんきつ　元吉（黄裳↓）……一九二
けんきょう　懸鏡（虚堂↓）……一六一
けんぎょう　検校（一夜↓）……七八
けんご　堅固（堅牢↓）……一八五
けんご　堅固（志操↓）……二三四
けんご　堅固（要害↓）……四五九
けんこう　兼行（昼夜↓）……三三五
けんこう　軒昂（意気↓）……六八
げんこう　玄黄（天地↓）……三五三

げんし　蚖肆（竜蟠↓）……四七二
けんじつ　見日（撥雲↓）……三八七
けんじつ　顕実（開権↓）……一一七
けんじゅ　剣樹（刀山↓）……三五九
げんしゅ　玄酒（太羹↓）……三一七
けんじょ　巻舒（旌旗↓）……二八二
けんしょう　顕正（破邪↓）……三八七
けんせい　見誠（開心↓）……一一九
けんぞく　眷族（一家↓）……八〇
けんぞく　眷族（妻子↓）……二二五
げんたく　玄度（風月↓）……四二一
けんたん　形単（影隻↓）……一〇四
けんたん　懸胆（坐薪↓）……二一九
げんつう　玄通（微妙↓）……四〇二
けんでん　硯田（筆耕↓）……四〇〇
けんどう　兼道（晨夜↓）……二七五
げんどう　言動（視聴↓）……二三六
けんばい　犬吠（驢鳴↓）……四七九
けんばつ　剣抜（弩張↓）……三六八
けんび　兼備（才色↓）……二一六
けんび　兼備（智勇↓）……三三三
げんび　言微（身軽↓）……二六八
けんぴょう　堅氷（履霜↓）……四六七
けんぼ　賢母（良妻↓）……四七〇
けんま　肩摩（轂撃↓）……二〇四
けんめい　懸命（一所↓）……八五
けんめい　懸命（一生↓）……八四
けんゆう　懸疣（附贅↓）……四一八
けんよう　牽羊（肉袒↓）……三七四
けんらん　絢爛（豪華↓）……一八七
けんり　兼利（氾愛↓）……三九一
けんりゅう　兼隆（功徳↓）……一九六

●こ

こい　虎威（狐仮↓）……二〇三
ごう　五雨（十風↓）……二四八
こうい　縞衣（玄裳↓）……一八二
ごういつ　合一（知行↓）……三三〇
こういん　光陰（一寸↓）……八六
こううん　江雲（渭樹↓）……七〇
こうえん　香怨（粉愁↓）……四二三
こうか　効果（波及↓）……三八〇
ごうか　豪華（絢爛↓）……一八五
ごうが　聱牙（佶屈↓）……一四七
こうかい　後戒（前覆↓）……三〇四
こうかい　高会（置酒↓）……三三一
こうがい　慷慨（悲歌↓）……三九七
こうがい　慷慨（悲憤↓）……四〇二
こうかく　後獲（先難↓）……三〇三
こうかく　黄馘（槁項↓）……一九〇
こうかん　浩瀚（載籍↓）……二一六
こうがん　厚顔（無恥↓）……四四六
こうがん　紅顔（朝有↓）……三四一
こうき　興起（観感↓）……一三四
こうき　興起（感奮↓）……一四一
こうき　興起（発憤↓）……三八九
こうぎゅう　咬牛（蚊子↓）……四二三
こうきょう　後恭（前倨↓）……二九五
こうぎん　高吟（放歌↓）……四三三
こうく　攻苦（一意↓）……七二
こうくう　行空（天馬↓）……三五四
こうけい　後勁（中権↓）……三三二
こうけい　紅閨（翠帳↓）……二七八
こうげき　攻撃（先制↓）……三〇〇
こうけつ　高潔（風霜↓）……四二二
ごうけつ　豪傑（英俊↓）……一〇三
こうげん　後言（面従↓）……四五一
ごうけん　剛健（質実↓）……二三七
こうこ　後虎（前狼↓）……三〇五
こうご　巷語（街談↓）……一一九
こうこう　佼佼（庸中↓）……四六一
こうこう　後行（三思↓）……二三三
こうこう　後庚（先庚↓）……二九六
こうこう　膏肓（泉石↓）……三〇一
こうこう　膏肓（病入↓）……四〇八
ごうごう　囂囂（喧喧↓）……一八一
ごうごう　囂囂（非難↓）……四〇一
ごうごう　囂囂（物論↓）……四一九
こうさい　幸災（楽禍↓）……四六三

こうさい　高才（有智↓）……九七
こうし　孝子（家貧↓）……一三〇
こうし　皓歯（朱脣↓）……二五一
こうし　皓歯（曼理↓）……四四二
こうし　皓歯（明眸↓）……四五〇
こうしつ　膠漆（雷陳↓）……四六三
こうじゃく　耗弱（心神↓）……二七二
こうしゅ　厚酒（肥肉↓）……四〇一
こうじゅ　坑儒（焚書↓）……四三三
こうしゅう　羔袖（狐裘↓）……二〇二
こうしょ　苟且（因循↓）……九四
こうしょ　高所（大所↓）……三一九
こうしょう　工商（士農↓）……二三九
こうしょう　勾消（一筆↓）……八九
こうじょう　攻城（野戦↓）……四五五
こうしん　亢進（心悸↓）……二六七
こうしん　考新（覧古↓）……四六五
こうせい　更生（自力↓）……二六五
こうせつ　高節（晏子↓）……六五
こうせつ　講説（口耳↓）……一九一
こうそう　倥偬（干戈↓）……一三三
こうそう　倥偬（戎馬↓）……二四八
こうそう　倥偬（兵馬↓）……四二七
こうそう　降霜（鄒衍↓）……二七九
こうそう　鴻爪（雪泥↓）……二九三
こうぞう　行蔵（用舎↓）……四六〇
ごうそう　豪壮（雄大↓）……四五八
こうたい　荒堆（冷土↓）……四七五
こうたつ　曠達（阮簡↓）……一八〇
こうち　後疐（前跋↓）……三〇三
ごうちく　豪竹（哀糸↓）……六一
こうてい　膏渟（黛蓄↓）……三二〇
こうてい　扛鼎（筆力↓）……四〇〇
こうてい　光底（流星↓）……四六八
こうとう　紅灯（緑酒↓）……四七三
こうなん　行難（言易↓）……一七九
こうにく　行肉（走尸↓）……三〇七
こうはつ　皓髪（尨眉↓）……四三五
ごうび　豪眉（美須↓）……三九九
ごうびょう　嚙猫（窮鼠↓）……一五一
こうふ　曠夫（怨女↓）……一〇八
こうぶん　洽聞（博識↓）……三八三
こうほ　行歩（坐臥↓）……二一七
こうぼう　厚亡（多蔵↓）……三三四
こうぼう　荒亡（流連↓）……四六九
こうぼう　興亡（治乱↓）……三四二
こうみ　右見（左見↓）……三七〇
こうめい　光明（心地↓）……二七三
こうめん　垢面（蓬頭↓）……四三四
こうもう　紅毛（碧眼↓）……四二八
こうもう　鴻毛（泰山↓）……三一八
こうもん　高門（于公↓）……九六
こうやく　膏薬（内股↓）……九七
こうやく　膏薬（二股↓）……四一九
こうらく　後楽（先憂↓）……三〇四
こうり　交利（兼愛↓）……一七九
こうり　後利（先義↓）……二九五
こうり　蒿里（薤露↓）……一二一
こうり　鴻離（魚網↓）……一六一
こうりょう　荒涼（満目↓）……四四二
こうりん　降臨（天孫↓）……三五二
こうるい　高塁（深溝↓）……二六八
こうれい　伉儷（栄諧↓）……一〇二
こうろ　行路（人生↓）……二七二
こうろう　後狼（前虎↓）……二九七
こうろう　高楼（大廈↓）……三一五
こうろん　高論（放言↓）……四三二
こが　虎臥（竜跳↓）……四七一
こき　古稀（七十↓）……二三五
こき　故鬼（新鬼↓）……二六七
こきゅう　狐裘（晏嬰↓）……六五
こきょ　虎踞（竜蟠↓）……四七二
ごきょう　五経（四書↓）……二三三
ごぎょう　五行（陰陽↓）……九五
こく　孤苦（零丁↓）……四七五
こくい　黒衣（円頂↓）……一〇八
こくけい　鵠形（鳥面↓）……三四〇
こくげき　轂撃（肩摩↓）……一八四

こくこく　刻刻(時時↓)……三三一
こくし　黒子(弾丸↓)……三三五
こくし　黒痣(弾丸↓)……三三五
こくしょく　国色(天香↓)……三五一
こくしょく　国色(天姿↓)……三五二
こくち　告知(受胎↓)……二五一
こくはく　酷薄(残忍↓)……二三五
こくる　刻鏤(雕文↓)……三四〇
こけい　虎頸(燕頷↓)……一〇六
ごご　五五(三三↓)……二三一
ここう　孤高(狷介↓)……一七九
ここう　枯槁(形容↓)……一七七
ここう　湖光(嵐影↓)……四六五
ごこう　五更(三老↓)……二二六
ごこう　呉広(陳勝↓)……三四三
ここつ　枯骨(冢中↓)……三三九
ここん　古今(東西↓)……三五九
こし　虎子(虎穴↓)……二〇六
こし　虎視(竜驤↓)……四七〇
こし　虎視(狼貪↓)……四七七
こじ　居士(一言↓)……七三
こしつ　痼疾(烟霞↓)……一〇六
こじつ　故実(有職↓)……四五七
こしょう　虎嘯(竜吟↓)……四六九
こしょう　孤峭(風岸↓)……四一一
こしょう　孤証(単文↓)……三一八
こしょう　壺漿(簞食↓)……三三六
ごじょう　五常(五倫↓)……二二二
ごじょう　五常(三綱↓)……二二一
ごじょう　五常(馬氏↓)……三八六
こしん　孤進(僑軍↓)……一五五
こじん　故人(清風↓)……二八七
ごしん　五申(三令↓)……二三六
こすい　鼓吹(詩腸↓)……二三六
ごすい　五衰(天人↓)……三五四
こつがら　骨柄(人品↓)……二七四
こっこう　骨鯁(直言↓)……三四二
こつこつ　惚惚(恍恍↓)……一九〇
こつらく　鶻落(兎起↓)……三六四
こつりつ　骨立(哀毀↓)……六一
こてい　固柢(深根↓)……二六九
こてき　虎擲(竜拏↓)……四七一
ことう　虎頭(燕頷↓)……一〇六
ことう　虎闘(竜騰↓)……四七二
こどく　孤独(鰥寡↓)……一三三
こどく　孤独(天涯↓)……三五〇
こば　呼馬(呼牛↓)……二〇三
こはく　虎搏(竜攘↓)……四七一
こひ　虎皮(羊質↓)……四六〇
こひ　孤飛(白雲↓)……三八一
こぶ　鼓舞(歓欣↓)……一三五
こふく　鼓腹(含哺↓)……一四一
こふん　虎吻(鴟目↓)……二四一
こへん　虎変(大賢↓)……三一七
こへん　虎変(大人↓)……三一九
こぼう　顧望(低回↓)……三四五
こぼく　枯木(寒巌↓)……一三四
こめい　狐鳴(篝火↓)……一八七
こもごも　交交(悲喜↓)……三九八
こりつ　孤立(無援↓)……四四四
ごりょう　五竜(敦煌↓)……三七一
こるい　固塁(堅塞↓)……一八二
ごれつ　五裂(四分↓)……二四〇
ころう　固陋(頑迷↓)……一四一
ころう　固陋(狷介↓)……一七九
ころう　孤陋(独学↓)……三六四
こんう　今雨(旧雨↓)……一四九
こんきん　渾金(璞玉↓)……三八二
こんげい　坤倪(乾端↓)……一八三
こんこう　混淆(玉石↓)……一五八
こんこう　混淆(黒白↓)……二〇五
こんこう　混淆(神仏↓)……二七四
こんごう　金剛(不壊↓)……四一四
こんこん　滾滾(濁流↓)……三三三
こんぜ　今是(昨非↓)……二一八
こんだく　溷濁(澆季↓)……一五四
こんぱい　困憊(疲労↓)……四〇九
こんらい　今来(古往↓)……二〇二

● さ

さいい　裁衣（量体↓）……四七一
さいかい　斎戒（沐浴↓）……四五三
さいげつ　歳月（蹉跎↓）……二一九
さいこ　細故（薄物↓）……三八五
さいこう　菜羹（七種↓）……二三五
さいさい　歳歳（年年↓）……三七六
さいし　才子（佳人↓）……一二七
さいし　再四（再三↓）……二一五
さいじ　砕辞（煩言↓）……三九二
さいじ　細膩（瑣砕↓）……二一八
さいしゅう　済衆（博施↓）……三八三
さいじゅう　再入（一入↓）……七四
さいしょ　細書（蠅頭↓）……四六一
さいしょう　宰相（白衣↓）……三八一
さいしょう　宰相（伴食↓）……三九三
さいしん　砕身（粉骨↓）……四二三
ざいしん　在心（高下↓）……一八九
さいせい　豺声（蜂目↓）……四三六
さいそ　才疎（志大↓）……二三四
ざいそく　在側（伏寇↓）……四一五
さいたい　妻帯（肉食↓）……三七三
さいてん　采椽（茅屋↓）……四三一
ざいてん　在天（富貴↓）……四一一
さいど　済度（衆生↓）……二五一
ざいど　在笯（鳳凰↓）……四三一

さいはい　再拝（頓首↓）……三七一
さいほう　彩鳳（随鴉↓）……二七六
さいみん　済民（救世↓）……一五一
さいみん　済民（経世↓）……一七四
さいむ　猜霧（疑雲↓）……一四二
さいりょう　最良（白眉↓）……三八五
さおう　左往（右往↓）……九六
ざが　坐臥（行住↓）……一五五
ざが　坐臥（常住↓）……二五七
ざが　坐臥（日常↓）……三七四
さき　索驥（按図↓）……六六
さくご　錯誤（試行↓）……二三〇
さくご　錯誤（時代↓）……二三四
さくさく　嘖嘖（好評↓）……一九七
さくしゅん　索駿（按図↓）……六六
さくせつ　錯節（槃根↓）……三九三
さくぜん　索然（興味↓）……一五七
さくばく　索莫（秋風↓）……二四八
さくはん　索瘢（洗垢↓）……二九六
さくひ　昨非（今是↓）……二一三
さくひょう　作氷（煎水↓）……三〇〇
さくよう　作様（装模↓）……三一一
さくらく　錯落（参差↓）……二六九
さじき　桟敷（天井↓）……三五三
さじん　左衽（被髪↓）……四〇一
させき　左戚（右賢↓）……四五七

さつぎゅう　殺牛（矯角↓）……一五四
さっきょ　索居（離群↓）……四六七
さっくん　策勲（飲至↓）……九四
さっしゅ　撒手（懸崖↓）……一七九
さつじん　殺人（寸鉄↓）……二八〇
さつじん　殺人（曽参↓）……三〇八
さっそう　颯爽（英姿↓）……一〇三
ざった　雑多（種種↓）……二五一
さはん　茶飯（家常↓）……一二六
さはん　茶飯（日常↓）……三七四
さぶ　左武（右文↓）……四五八
さべん　左眄（右顧↓）……九七
さんい　三畏（君子↓）……一七〇
さんが　山河（百二↓）……四〇四
ざんか　残花（敗柳↓）……三七九
さんかい　三戒（君子↓）……一七〇
さんかい　三槐（九棘↓）……一五〇
さんかく　山郭（水村↓）……二七八
ざんかん　残簡（断編↓）……三三八
さんきゃく　三脚（二人↓）……三七五
ざんきょく　斬棘（披荊↓）……三九八
さんくつ　三窟（狡兎↓）……一九六
さんくん　三薫（三浴↓）……二三六
さんこ　三顧（草廬↓）……三一一
さんご　珊瑚（鉄網↓）……三四八
さんこう　三公（白衣↓）……三八一

さんごう　三楽（益者↓）……一〇五
ざんこう　残香（遺風↓）……九一
ざんざん　残山（剰水↓）……二五九
さんじゃく　三尺（喙長↓）……一三〇
さんじゃく　三尺（尭階↓）……一五四
さんじゃく　三尺（秋霜↓）……二四七
さんじゃく　三尺（垂涎↓）……二七八
さんしゅう　三舟（一月↓）……七二
さんしゅう　三秋（一日↓）……七四
さんしょう　三笑（虎渓↓）……二〇六
さんしょう　三章（約法↓）……四五五
さんじょう　三上（作文↓）……二一八
さんじょう　三畳（陽関↓）……四五九
さんずん　三寸（舌先↓）……三三四
さんぜつ　三絶（韋編↓）……九二
さんせん　三遷（孟母↓）……四五二
さんぜん　燦然（光輝↓）……一八八
さんだい　三諦（円融↓）……一〇八
さんたん　三嘆（一読↓）……七五
さんたん　三歎（一倡↓）……八四
さんたん　惨澹（意匠↓）……七〇
さんたん　惨憺（苦心↓）……一六八
さんたん　惨憺（経営↓）……一七一
さんちょう　三長（作史↓）……二一八
さんでん　三伝（市虎↓）……二三一
さんと　三斗（冷汗↓）……四七五
さんとう　三到（読書↓）……三六五
さんとう　三等（土階↓）……三六三
さんどう　参同（形名↓）……一七六
さんぶ　三分（入木↓）……三七五
さんぷく　三伏（九夏↓）……一四九
さんぼう　三宝（南無↓）……三七二
ざんぼう　讒謗（罵詈↓）……三九一
さんぼく　散木（樗櫟↓）……三四二
ざんまい　三昧（一行↓）……七三
ざんまい　三昧（贅沢↓）……二八五
ざんまい　三昧（念仏↓）……三七六
ざんまい　三昧（風流↓）……四一三
ざんまい　三昧（放蕩↓）……四三五
ざんまい　三昧（法華↓）……四三九
ざんまい　三昧（遊戯↓）……四五九
さんめい　山盟（海誓↓）……一一九
さんもく　三沐（三薫↓）……二三〇
さんもん　三文（二束↓）……三七四
さんもん　山門（葷酒↓）……一七一
さんゆう　三友（益者↓）……一〇五
さんゆう　三友（歳寒↓）……二一四
さんゆう　三友（損者↓）……三一五
さんゆう　三友（北窓↓）……四三八
さんよ　三余（読書↓）……三六五
さんよう　三様（三者↓）……二三三
さんよく　三浴（三釁↓）……二三〇
さんらい　三礼（一刀↓）……八八
さんらく　三楽（君子↓）……一七〇
さんりゃく　三略（六韜↓）……四六七

●し

じあい　自愛（彊食↓）……一五六
しい　緇衣（狗吠↓）……一六八
しいじ　四時（天地↓）……三五三
じう　慈雨（旱天↓）……一三九
しおう　雌黄（口中↓）……一九五
しおん　四温（三寒↓）……二三〇
しか　紙価（洛陽↓）……四六四
じが　爾雅（温文↓）……一一五
しかい　四海（一天↓）……八八
しかい　死灰（槁木↓）……一九八
しがく　志学（十五↓）……二四六
しかつ　止渇（飲鴆↓）……九五
しかつ　歯豁（頭童↓）……三六一
しかん　止観（円頓↓）……一〇八
しかん　屍諫（史魚↓）……二三九
しかん　歯寒（脣亡↓）……二七四
しき　死帰（生寄↓）……二八二
しき　恣睢（暴戻↓）……四三七
しぎ　死義（蹈節↓）……三六〇
じき　自棄（自暴↓）……二四〇
じきにゅう　直入（一超↓）……八八
じきょう　自強（変法↓）……四三〇

じぎょう 事業(回天↓)……一二〇
しきりょう 識量(山濤↓)……二二五
じきん 辞金(端木↓)……三一八
じくじ 忸怩(顔厚↓)……一三五
しげん 思源(飲水↓)…… 九五
しこ 刺股(懸頭↓)……一八三
じご 而後(而今↓)……三一一
しこう 四皓(商山↓)……二五六
しごう 至剛(至大↓)……二三四
しごく 至極(残念↓)……二三五
じごく 地獄(無間↓)……四四五
しさ 咨嗟(瞻望↓)……三〇四
しさい 斉衰(斬衰↓)……三二一
じざい 自在(活殺↓)……一二九
じざい 自在(闊達↓)……一二九
じざい 自在(緩急↓)……一三四
じざい 自在(擒縦↓)……一六五
じざい 自在(自由↓)……二四六
じざい 自在(逍遥↓)……二六二
じざい 自在(変幻↓)……四二九
しさん 詩撰(杜黙↓)……三七〇
じさん 自賛(自画↓)……二二八
しし 枝指(駢拇↓)……四三〇
しし 偲偲(切切↓)……二九三
しじ 指示(発縦↓)……三八八
じし 耳視(目食↓)……四五三
じし 自資(傭書↓)……四六〇
じしつ 自失(茫然↓)……四三四
じじゃく 自若(言笑↓)……一八二
じじゃく 自若(神色↓)……二七一
じじゃく 自若(泰然↓)……三一九
しじゅう 始終(一部↓)…… 七六
しじゅん 至順(至恭↓)……二二九
じじゅん 字順(文従↓)……四二三
じじゅん 耳順(六十↓)……四七八
ししょ 詩書(塗抹↓)……三七〇
じじょ 自如(意気↓)…… 六八
ししょう 施牀(牀上↓)……二五八
しじょう 私情(烏鳥↓)…… 九八
じしょう 自性(名詮↓)……四四三
じしょく 辞職(聯袂↓)……四七六
ししん 徙薪(曲突↓)……一五九
しじん 詩人(桂冠↓)……一七三
じしん 自新(改過↓)……一一六
しすい 止水(明鏡↓)……四四八
しせい 思斉(見賢↓)……一八一
しせき 咫尺(天威↓)……三四九
しせき 咫尺(天顔↓)……三五〇
しぜん 自然(無為↓)……四四三
じせん 自煎(膏火↓)……一八七
しそう 思想(神仙↓)……二七二
しそく 四塞(黄霧↓)……一九八
じそく 自足(自給↓)……二二九
じそん 自尊(独立↓)……三六六
じだい 自大(夜郎↓)……四五五
じだい 事大(生死↓)……二五七
じち 弍地(参天↓)……二二四
じち 自知(冷暖↓)……四七五
しちきん 七擒(七縦↓)……二三五
しちけん 七賢(竹林↓)……三三〇
しちし 七紙(倚馬↓)…… 九一
しちしょう 七生(一死↓)…… 八三
しちせい 七星(北斗↓)……四三八
しちゅう 砥柱(中流↓)……三三五
じちょう 自重(隠忍↓)…… 九五
じちょう 持重(老成↓)……四七七
しつう 思痛(痛定↓)……三四五
しつえい 執鋭(被堅↓)……三九八
じっかん 十寒(一暴↓)…… 七六
じっき 十起(一夜↓)…… 七八
じっき 十起(一饋↓)…… 八〇
じっき 十起(五倫↓)……二二二
じっき 実帰(虚往↓)……一五七
しつげん 疾言(攘臂↓)……二六〇
しっこ 疾呼(大声↓)……三一九
しっこう 膝行(平伏↓)……四二七
しっこう 膝行(匍匐↓)……四三九
じっこう 実行(不言↓)……四一六

じっこう　実行(有言↓)……四五七
しつじつ　質実(剛健↓)……一九〇
じつじつ　実実(虚虚↓)……一五八
じっしゅん　十春(聚散↓)……二四六
しっしょく　失色(大驚↓)……三一七
しっしん　漆身(呑炭↓)……三七一
しっそく　疾足(高材↓)……一九一
しった　叱咤(咄嗟↓)……三六八
しつだい　失大(因小↓)……九四
しっちょく　質直(堅忍↓)……一八三
じっちょく　実直(謹厳↓)……一六四
しっとう　失当(挙措↓)……一六〇
じっとく　拾得(寒山↓)……一三六
しつば　失馬(塞翁↓)……二一四
しっぴ　櫛比(鱗次↓)……四七四
じつぼう　実亡(名存↓)……四四九
してい　子弟(膏粱↓)……二〇〇
じてい　事定(蓋棺↓)……一一七
じてき　自適(悠悠↓)……四五八
じとく　自得(自業↓)……二三〇
じねん　自然(法爾↓)……四三五
しば　駟馬(高車↓)……一九二
しはい　紙背(眼光↓)……一三五
じばく　自縛(自縄↓)……二三三
しひ　歯肥(持粱↓)……二六五
しふく　思服(寤寐↓)……二一〇

しふつ　止沸(抽薪↓)……三三四
しへい　至平(至公↓)……二三〇
しへき　四壁(家徒↓)……一三〇
しへき　四壁(相如↓)……二五八
しべつ　死別(生離↓)……二八七
じまん　二満(三平↓)……二三六
じみ　滋味(太牢↓)……三三一
しゃが　車駕(乗輿↓)……二六二
しゃかい　煮海(鋳山↓)……三三三
しゃかく　煮鶴(焚琴↓)……四三二
しゃくじ　嚼字(咬文↓)……一九七
じゃくし　弱枝(強幹↓)……一五四
しゃくしゃく　綽綽(余裕↓)……四六二
じゃくじゃく　寂寂(空空↓)……一六六
じゃくじょう　寂静(涅槃↓)……三七六
じゃくすい　弱水(蓬萊↓)……四三六
しゃくせい　杓聖(杯賢↓)……三七七
しゃくせき　鑠石(流金↓)……四六八
じゃくせつ　若拙(大巧↓)……三一八
じゃくそう　鵲巣(鳩居↓)……一五〇
しゃくたく　尺宅(寸田↓)……二八〇
じゃくにく　弱肉(強食↓)……一五六
しゃくふ　尺布(斗粟↓)……三六八
しゃくま　尺魔(寸善↓)……二八〇
じゃくめつ　寂滅(清浄↓)……二五八
じゃくやく　雀躍(欣喜↓)……一六三

じゃくやく　雀躍(鳧趨↓)……四一八
じゃくら　雀羅(門前↓)……四五四
しゃくりょう　酌量(情状↓)……二五八
じゃし　邪侈(放辟↓)……四三六
しゃしん　車薪(杯水↓)……三七八
じゃせつ　邪説(異端↓)……七一
しゃそ　社鼠(城狐↓)……二五六
しゃぞう　舎蔵(用行↓)……四六〇
しゃだつ　洒脱(円滑↓)……一〇六
しゃだつ　洒脱(軽妙↓)……一七六
しゃだつ　洒脱(滑稽↓)……二〇九
じゃち　邪智(奸佞↓)……一四〇
じゃっこう　弱行(薄志↓)……三八三
しゆう　雌雄(烏之↓)……一三一
じゅうう　十雨(五風↓)……二一〇
しゅうえい　秀英(栄華↓)……一〇三
じゅうえん　重円(破鏡↓)……三八〇
じゅうおう　縦横(機略↓)……一六二
じゅうおう　縦横(知略↓)……三四三
しゅうおく　周屋(堂下↓)……三五七
しゅうか　羞花(閉月↓)……四二六
じゅうが　十駕(駑馬↓)……三六九
しゅうかい　拾芥(夏侯↓)……一二五
しゅうぎ　就義(従容↓)……二六二
じゅうぎく　十菊(六菖↓)……四六七
じゅうぎょう　十行(一目↓)……七七

しゅうけい　聚蛍（車胤↓）……二四一
しゅうげつ　秋月（晴雲↓）……二八一
しゅうげつ　秋月（氷壺↓）……四〇七
しゅうこ　襲故（蹈常↓）……三六〇
しゅうこう　秋鴻（社燕↓）……二四一
しゅうこう　繡口（錦心↓）……一六五
しゅうごう　秋毫（明察↓）……四四八
じゅうこつ　獣骨（亀甲↓）……一四七
しゅうさん　集散（分合↓）……四二三
しゅうさん　集散（離合↓）……四六七
しゅうし　秋思（春愁↓）……二五四
しゅうじつ　終日（飽食↓）……四三三
しゅうじゅ　収授（班田↓）……三九五
しゅうしゅう　啾啾（哀鳴↓）……六二
しゅうしゅう　啾啾（鬼哭↓）……一四四
しゅうしょく　修飾（辺幅↓）……四二九
じゅうしん　獣心（人面↓）……二七四
じゅうしん　獣身（人面↓）……二七五
しゅうすい　秋水（三尺↓）……二三二
じゅうすう　充数（濫竽↓）……四六四
しゅうぜん　秋蟬（春蛙↓）……二五三
じゅうちく　獣畜（豕交↓）……二三〇
じゅうてき　戎狄（夷蛮↓）……九一
じゅうてき　戎狄（蛮夷↓）……三九一
しゅうとう　周到（用意↓）……四五九
じゅうとう　充棟（汗牛↓）……一三五
じゅうねん　十年（韻鏡↓）……九四
しゅうは　秋波（暗送↓）……六六
しゅうは　秋波（媚眼↓）……三九八
じゅうび　十美（十全↓）……二四七
しゅうぶん　修文（偃武↓）……一〇九
しゅうらん　収攬（人心↓）……二七三
じゅうりん　蹂躙（人権↓）……二六八
しゅうれい　秀麗（胸襟↓）……一五五
しゅうれい　秀麗（眉目↓）……四〇二
しゅき　守己（安分↓）……六七
しゅぎ　主義（刹那↓）……二九三
しゅぎ　主義（耽美↓）……三二八
しゅぎ　取義（断章↓）……三二六
しゅきゅう　首丘（狐死↓）……二〇七
しゅぎょく　珠玉（琳琅↓）……四七四
しゅくき　叔季（伯仲↓）……三八四
しゅくき　叔季（孟仲↓）……四五二
しゅくきん　淑均（性行↓）……二八二
しゅくしゅく　粛粛（鞭声↓）……四二九
しゅくじょ　淑女（紳士↓）……二六九
しゅくせい　叔斉（伯夷↓）……三八一
しゅくせい　粛正（綱紀↓）……一八八
しゅくりつ　縮栗（銷鑠↓）……二五七
しゅげつ　取月（猿猴↓）……一〇七
じゅこう　儒行（墨名↓）……四三九
しゅじょう　衆生（一切↓）……八三
しゅすう　酒数（金谷↓）……一六四
しゅせい　守成（創業↓）……三〇六
じゅせつ　竪説（横説↓）……一一二
しゅぜん　修善（断悪↓）……三二八
しゅだん　手段（常套↓）……二六〇
しゅちょう　取長（舍短↓）……二四三
じゅっすう　術数（奸智↓）……一三九
じゅっすう　術数（権謀↓）……一八四
しゅっせ　出世（立身↓）……四六七
しゅてい　手低（眼高↓）……一三五
しゅと　殊塗（同帰↓）……三五七
しゅと　酒徒（高陽↓）……一九九
しゅふ　酒賦（琴歌↓）……一六三
しゅほう　守法（奉公↓）……四三二
しゅほく　狩北（奔南↓）……四四〇
しゅみ　趣味（低徊↓）……三四五
しゅりょく　酒緑（灯紅↓）……三五九
しゅる　衆流（截断↓）……二九三
しゅれき　珠礫（金塊↓）……一六三
しゅんい　春意（満腔↓）……四四二
しゅんう　舜雨（尭風↓）……一五七
しゅんき　春暉（寸草↓）……二八〇
じゅんざい　徇財（貪夫↓）……三二八
じゅんし　徇私（枉法↓）……一一三
しゅんじつ　舜日（尭年↓）……一五七
しゅんじゅ　春樹（暮雲↓）……四三七

じゅんしゅ　順守（逆取→）……一四九
しゅんじゅん　逡巡（狐疑→）……二〇二
しゅんじゅん　逡巡（遅疑→）……三一九
しゅんじゅん　逡巡（躊躇→）……三三四
じゅんじょう　準縄（規矩→）……一四三
しゅんしょく　春色（洞庭→）……三六一
しゅんすう　舜趨（禹行→）……九七
しゅんすう　舜趨（禹歩→）……九九
じゅんそう　殉葬（蘭亭→）……四六五
しゅんぴょう　春氷（虎尾→）……二一〇
じゅんぷう　順風（一路→）……七九
しゅんぼく　舜木（尭鼓→）……一五五
しゅんむ　春夢（一場→）……七四
じゅんめい　徇名（烈士→）……四七六
じゅんり　殉利（以身→）……七一
じよう　滋養（徳性→）……三六六
しょうい　小異（大同→）……三三〇
しょうい　宵衣（旰食→）……一三六
じょうい　攘夷（尊皇→）……三一五
しょうう　舂雨（磑風→）……一二〇
じょううん　乗雲（飛竜→）……四〇九
しょうか　渉河（三豕→）……二二三
しょうき　正機（悪人→）……六二
じょうき　浄几（明窓→）……四四九
じょうぎ　定規（杓子→）……二四二
しょうきゃく　償却（減価→）……一八〇

しょうぎょく　生玉（藍田→）……四六六
じょうく　盛苦（五陰→）……二〇二
じょうげ　上下（貴賤→）……一四六
しょうけい　小径（羊腸→）……四六一
しょうけい　尚絅（衣錦→）……六九
しょうけい　捷径（終南→）……二四八
しょうけい　捷径（南山→）……三七二
しょうけつ　小桀（大桀→）……三一七
しょうげつ　小月（大月→）……三一七
しょうけん　少見（寡聞→）……一三一
しょうこ　照顧（脚下→）……一四九
しょうごん　荘厳（百福→）……四〇四
しょうさい　商才（士魂→）……二三一
じょうし　上指（頭髪→）……三六二
しょうしつ　捷疾（資弁→）……二四〇
しょうじゃ　精舎（祇園→）……一四二
じょうじゅ　成就（心願→）……二六七
じょうじゅ　成就（大願→）……三一六
しょうしょう　将相（王侯→）……一一一
しょうじょう　清浄（六根→）……四七八
しょうじょう　蕭条（満目→）……四四二
じょうじょう　嫋嫋（余韻→）……四五九
じょうじょう　壌壌（熙熙→）……一四三
しょうしん　小心（放胆→）……四三四
しょうじん　傷人（暗箭→）……六六
しょうじん　精進（勇猛→）……四五八

しょうすい　渉水（跋山→）……三八八
しょうすい　憔悴（悲傷→）……三九九
じょうすい　剰水（残山→）……二三三
じょうすう　縄枢（甕牖→）……一一三
しょうぜん　悄然（孤影→）……二〇一
しょうぜん　悚然（毛骨→）……四五二
しょうぜん　蕭然（環堵→）……一四〇
しょうぜん　蕭然（茅堵→）……四三五
しょうそう　尚早（時期→）……二三九
しょうそう　章草（魯魚→）……四七八
じょうそう　上奏（帷幄→）……六七
じょうたい　上替（下陵→）……一三一
しょうだく　承諾（事後→）……二三一
じょうたつ　上達（下意→）……一一八
じょうたつ　上達（下学→）……一一三
しょうたん　嘗胆（臥薪→）……一二七
じょうちょ　情緒（異国→）……六九
しょうちん　銷沈（意気→）……六八
しょうてん　昇天（旭日→）……一五八
しょうてん　昇天（白日→）……三八三
しょうてん　衝天（意気→）……六八
しょうてん　衝天（怒髪→）……三六九
じょうでん　穣田（豚蹄→）……三七一
じょうど　浄土（安楽→）……六七
じょうど　浄土（極楽→）……二〇五
じょうど　浄土（欣求→）……二一二

じょうど 浄土（西方↓）……二一七
じょうど 浄土（寂光↓）……二四四
しょうとう 焦頭（爛額↓）……四六五
しょうとく 頌徳（歌功↓）……一三五
しょうねん 正念（臨終↓）……四七四
しょうはく 松柏（歳寒↓）……二二五
しょうはく 松柏（雪中↓）……二九三
しょうばく 小貉（大貉↓）……三三一
しょうぶ 尚武（勤倹↓）……一六四
しょうぶ 将蕪（田園↓）……三四九
しょうふく 賸馥（残膏↓）……三三一
じょうぶつ 成仏（見性↓）……一八二
じょうぶつ 成仏（悉皆↓）……三三七
じょうぶつ 成仏（即身↓）……三一二
しょうぶん 少聞（寡見↓）……一三五
しょうめい 正銘（正真↓）……二五九
しょうめつ 消滅（罪業↓）……二一五
しょうも 松茂（竹苞↓）……三三〇
じょうや 長夜（無明↓）……四四七
しょうゆう 尚友（読書↓）……三六五
しょうよう 小用（大器↓）……三一六
じょうり 定離（会者↓）……一〇五
しょうれん 小廉（大法↓）……三一一
しょか 咀華（含英↓）……一三三
しょが 書画（琴棋↓）……一六三
しょきゅう 雎鳩（関関↓）……一三四

しよく 私欲（私利↓）……二六五
じょぐ 如愚（大智↓）……三三〇
しょくう 蜀雨（巫雲↓）……四一三
じょくれい 縟礼（繁文↓）……三九六
じょくん 叙勲（叙位↓）……二五五
じょこん 抒溷（沐浴↓）……四五三
じょこん 除根（翦草↓）……三〇一
しょしょ 所所（在在↓）……二一五
じょしょく 女織（男耕↓）……三三六
しょせい 書生（白面↓）……三八六
しょせつ 所説（随宜↓）……二七六
じょぜん 如箭（光陰↓）……一八六
しょはん 書判（身言↓）……二六八
しょり 黍離（麦秀↓）……三八三
じりつ 而立（三十↓）……二三三
しれい 砥礪（磨礱↓）……四四一
じれい 辞令（外交↓）……一一七
じれん 辞輦（班女↓）……三九四
しんえん 心猿（意馬↓）……九一
じんか 尋花（問柳↓）……四五四
じんぎ 神器（三種↓）……三三三
しんきげん 紀元（一新↓）……七五
しんきょう 心驚（胆戦↓）……三三七
しんきん 辛勤（愁苦↓）……二四五
しんぎん 呻吟（無病↓）……四四六
しんく 辛苦（艱難↓）……一四〇

しんく 辛苦（辛労↓）……二七六
しんく 辛苦（粒粒↓）……四六八
しんこう 神工（鬼斧↓）……一四八
しんこう 慎行（謹言↓）……一六四
じんこう 人口（膾炙↓）……一一八
しんし 唇歯（輔車↓）……四三九
しんしき 深識（洽覧↓）……二〇〇
しんじょ 神助（天佑↓）……三五六
しんしょう 心小（胆大↓）……三三七
しんしょう 心招（目挑↓）……四五三
しんしん 津津（興味↓）……一五七
しんしん 森森（剣戟↓）……一八〇
しんじん 真人（白水↓）……三八三
じんしん 人心（世道↓）……二九四
じんしん 人心（大快↓）……三一五
じんじん 仁人（志士↓）……二三一
じんすい 尽瘁（鞠躬↓）……一四七
しんせい 晨省（昏定↓）……二一三
しんせい 晨星（落落↓）……四六四
しんせい 深省（発人↓）……三八九
しんせつ 簪折（瓶墜↓）……四二七
じんそく 人足（家給↓）……一一三
じんそく 迅速（無常↓）……四四五
しんたい 進退（挙止↓）……一六〇
しんたい 進退（挙措↓）……一六一
しんたい 進退（坐作↓）……二一八

しんたい　進退(出処↓)……二五三
しんち　深致(雅人↓)……一二七
しんちゅう　身中(獅子↓)……二三一
じんちゅう　塵中(軟紅↓)……三七二
しんちょう　深長(意味↓)……九二
しんと　神荼(鬱塁↓)……九八
しんとう　震蕩(飄忽↓)……四〇七
じんび　尽美(尽善↓)……二七三
しんみょう　身命(可惜↓)……六三
しんみょう　身命(不惜↓)……四一七
しんめい　神明(天地↓)……三五三
しんもん　審問(博学↓)……三八一
しんよう　晋用(楚材↓)……三一三
じんよく　人欲(天理↓)……三五六
じんらい　迅雷(疾風↓)……二三八
しんり　心理(深層↓)……二七三
しんり　心離(貌合↓)……四三三
しんろう　蜃楼(海市↓)……一一八

● す

ずいあ　随鴉(彩鳳↓)……二一七
すいえい　吹影(鏤塵↓)……四七七
すいか　水渦(蜂房↓)……四三六
すいかい　吹膾(懲羹↓)……三三七
すいきん　炊金(饌玉↓)……二九五
ずいけい　随鶏(嫁鶏↓)……一三四
すいげつ　水月(鏡花↓)……一五四
すいこう　推敲(月下↓)……一七八
すいじゃく　垂迹(本地↓)……四四〇
ずいしょう　随踵(比肩↓)……三九八
すいしょく　推食(解衣↓)……一一六
すいたい　水態(山容↓)……二三六
すいちょう　水長(山高↓)……二二一
すいちょう　垂釣(羊裘↓)……四五九
すいちょう　垂髫(黄髪↓)……一九六
ずいば　随馬(管仲↓)……一三九
すいはん　垂範(率先↓)……三一四
ずいひつ　随筆(随感↓)……二七六
すいめい　水明(山紫↓)……二二二
すいよう　翠葉(紫幹↓)……二二八
すうきゅう　数窮(多言↓)……三三三
すうけん　陬見(区聞↓)……一六九
すうはい　崇拝(偶像↓)……一六七
すんすい　寸水(尺山↓)……二八九
すんだん　寸断(九腸↓)……一五一
すんちょう　寸長(尺短↓)……二九〇

● せ

せいあ　井蛙(雲竜↓)……一〇三
せいあい　青鞋(布韈↓)……四二一
せいい　征夷(以夷↓)……六七
せいい　星移(物換↓)……四一九
せいい　誠意(誠心↓)……二八四
せいえん　成淵(積水↓)……二八九
せいか　生華(枯樹↓)……二〇七
せいか　斉家(修身↓)……二四七
せいが　青蛾(紅粉↓)……一九七
せいが　斉駕(並駆↓)……四二六
せいがん　青眼(阮籍↓)……一八三
せいがん　青眼(白眼↓)……三八二
ぜいがん　誓願(四弘↓)……二二九
せいき　成規(墨守↓)……四三八
せいき　西帰(隻履↓)……二九一
せいき　誠喜(誠歓↓)……二八一
せいぎ　生義(望文↓)……四三六
せいきょう　誠恐(誠惶↓)……二八二
せいきん　精金(良玉↓)……四六九
せいく　斉駆(並駕↓)……四二六
せいけい　成蹊(桃李↓)……三六三
せいげつ　霽月(光風↓)……一九七
せいけん　政権(傀儡↓)……一二一
せいこ　成虎(三人↓)……二二五
せいこう　成鋼(百錬↓)……四〇五
せいこう　清香(雪裏↓)……二九四
せいこう　晴好(雨奇↓)……九六
せいごう　制剛(柔能↓)……二四八
せいこく　正鵠(不失↓)……四一七
ぜいこつ　蛻骨(詩人↓)……二三三
せいざん　青山(人間↓)……二六七
せいし　成市(門前↓)……四五四

せいし　斉視（等量↓）……三六三
せいじ　政治（寡頭↓）……一三〇
せいじ　盛事（衣冠↓）……六八
せいじゃく　清寂（和敬↓）……四七九
せいしゅ　成珠（咳唾↓）……一一九
せいしゅう　清秀（刻露↓）……二〇五
せいしゅう　清秀（眉目↓）……四〇二
せいしゅん　勢峻（顚委↓）……三四九
せいしょう　青松（白砂↓）……三八三
せいしん　青衫（白髪↓）……三八四
せいしん　星辰（日月↓）……二三七
せいしん　精神（散文↓）……二三六
せいすい　盛衰（栄枯↓）……一〇三
せいせい　青青（郁郁↓）……六九
せいせい　青青（冬夏↓）……三五六
せいせい　済済（多士↓）……三三三
せいせい　凄凄（風雨↓）……四一〇
ぜいせい　噬臍（後悔↓）……一八六
せいぜん　整然（理路↓）……四七三
せいそう　西走（東行↓）……三五九
せいそう　西走（東奔↓）……三六二
せいそう　凄愴（焄蒿↓）……一七〇
せいそう　清霜（紫電↓）……二三九
せいぞん　生存（適者↓）……三四七
せいだい　正大（公明↓）……一九九
せいち　生知（思索↓）……二三一
せいちく　成竹（胸中↓）……一五六
せいちゅう　掣肘（旁時↓）……四三三
せいてん　青天（白日↓）……三八三
せいどう　生動（気韻↓）……一四二
せいどう　斉同（万物↓）……三九五
せいどく　制毒（以毒↓）……九〇
せいどん　生呑（活剝↓）……一二九
せいび　斉眉（挙案↓）……一五三
せいひょう　成氷（滴水↓）……三四七
せいふう　成風（運斤↓）……一〇〇
せいほう　生鳳（鴉巣↓）……六三
せいほう　斉放（百花↓）……四〇五
せいぼう　西望（東窺↓）……三五七
ぜいみ　脆味（香美↓）……一九七
せいむ　成務（開物↓）……一二一
せいもく　井目（相碁↓）……六一
せいらい　成雷（聚蚊↓）……二四九
せいれい　精励（恪勤↓）……一二八
せいろ　正路（安宅↓）……六六
せかい　世界（三千↓）……二二四
せきう　赤烏（白兎↓）……三八四
せきえい　射影（含沙↓）……一三六
せきか　赤火（白荼↓）……三八四
せきかい　夕改（朝過↓）……三三六
せきがく　碩学（通儒↓）……三四四
せききょ　夕虚（朝盈↓）……三三六
せきぎょく　惜玉（憐香↓）……四七六
せきぎょく　積玉（玄圃↓）……一八四
せきぎょく　積玉（堆金↓）……三一七
せきく　隻句（片言↓）……四二九
せきけい　隻鶏（斗酒↓）……三六七
せきじょう　石上（樹下↓）……二五〇
せきしん　石心（鉄腸↓）……三四八
せきせん　石穿（水滴↓）……二七八
せきち　席地（幕天↓）……三八四
せきち　蹐地（跼天↓）……一五九
せきちょ　尺楮（零絹↓）……四七五
せきちょう　石腸（鉄心↓）……三四八
せきとく　尺牘（鑿歯↓）……二一七
せきも　碩茂（支葉↓）……二五九
せきらん　夕覧（朝観↓）……三三六
せきろ　斥鹵（荒瘠↓）……一九四
せぜ　世世（生生↓）……二五八
せつあん　雪案（蛍窓↓）……一七五
せっか　石火（電光↓）……三五一
ぜつがん　絶岸（孤峰↓）……二一一
せっき　節季（不断↓）……四一九
せっきょう　切響（浮声↓）……四一八
ぜつげん　絶弦（伯牙↓）……三八二
ぜつご　絶後（冠前↓）……一三八
ぜつご　絶後（空前↓）……一六七
ぜっこう　絶潢（断港↓）……三三六

せっさ
切磋(砥礪↓)……二六六
せっし
切至(懇到↓)……二一三
せつじ
接耳(交頭↓)……一九五
せつじく
折軸(群軽↓)……一六九
せつじく
折軸(叢軽↓)……三〇六
ぜっしょ
絶書(孔翊↓)……二〇〇
せっしょう
折衝(樽俎↓)……三一五
ぜっしょう
絶唱(文章↓)……四一三
せっしょく
節食(縮衣↓)……二五〇
ぜつじん
絶塵(超軼↓)……三三六
ぜつじん
絶塵(奔逸↓)……四四〇
せっせい
拙誠(巧偽↓)……一八八
せつせつ
切切(凄凄↓)……二八四
せっそく
拙速(巧遅↓)……一九五
せったい
接待(官官↓)……一三四
せっちゅう
折衷(雅俗↓)……一一七
せっちゅう
折衷(斟酌↓)……二七〇
せっちゅう
折衷(和洋↓)……四八〇
せってつ
截鉄(斬釘↓)……二二四
ぜっとう
絶倒(捧腹↓)……四三五
せっぱく
雪魄(氷姿↓)……四〇七
ぜっぺき
絶壁(断崖↓)……三三五
せっぽう
説法(因機↓)……九三
ぜつめい
絶命(絶体↓)……二九三
せつもつ
接物(応機↓)……一一一
ぜつりん
絶倫(精力↓)……二八七

ぜつれい
絶麗(沈博↓)……三四四
せつわん
雪椀(氷甌↓)……四〇六
ぜんあく
善悪(是非↓)……二九四
せんい
洗胃(飲灰↓)……九三
ぜんか
善果(善因↓)……二九四
せんがく
先覚(先知↓)……三〇二
ぜんき
全帰(全生↓)……三〇〇
せんきゅう
剪韭(冒雨↓)……四三〇
せんぎょ
羨魚(臨淵↓)……四七三
せんきょう
遷喬(出谷↓)……二五二
せんぎょく
饌玉(炊金↓)……二七七
せんきん
千金(一字↓)……七三
せんきん
千金(一諾↓)……七五
せんきん
千金(一攫↓)……七九
せんきん
千金(一壺↓)……八二
せんきん
千金(一刻↓)……八二
せんきん
千金(一笑↓)……八四
せんきん
千金(一擲↓)……八八
せんきん
千金(一飯↓)……八九
せんきん
千金(弊帚↓)……四二七
せんきん
千鈞(一縷↓)……七九
せんきん
千鈞(一髪↓)……八九
せんけい
千頃(一望↓)……七六
せんけい
浅掲(深厲↓)……二七五
せんけつ
先竭(甘井↓)……一三七
せんけつ
穿結(短褐↓)……三三五

ぜんげつ
喘月(呉牛↓)……二〇三
ぜんこ
善賈(多銭↓)……三三四
せんこう
専行(独断↓)……三六六
ぜんこう
善行(嘉言↓)……一二五
せんざい
千歳(鶴寿↓)……一一三
せんざん
千山(万水↓)……三九四
せんし
先師(先聖↓)……三〇一
せんしゅう
千秋(一日↓)……七四
せんしゅう
千秋(万古↓)……三九二
せんじゅつ
戦術(人海↓)……二六七
せんじょ
蟾蜍(月中↓)……一七九
せんしん
専心(一意↓)……七三
せんしん
浅斟(低唱↓)……三四六
せんじん
千仭(壁立↓)……四二八
せんずい
千随(百縦↓)……四〇三
せんせき
穿石(点滴↓)……三五三
せんせん
千千(万万↓)……三九五
せんそう
千瘡(百孔↓)……四〇六
せんそう
蟬噪(蛙鳴↓)……六四
せんたい
浅帯(縫衣↓)……四三〇
せんたく
選択(取捨↓)……二五一
せんたん
浅短(智謀↓)……三三二
ぜんだん
栴檀(瓊枝↓)……一七四
ぜんだん
善断(多謀↓)……三三四
せんち
鮮恥(寡廉↓)……一三二
せんちん
千砧(万杵↓)……三九四

せんでん 閃電（霹靂↓）……四二八
せんどう 煽動（教唆↓）……一五五
せんにち 千日（一酔↓）……八五
ぜんにょ 善女（善男↓）……三〇三
ぜんのう 全能（全知↓）……三〇二
せんば 先馬（射将↓）……二四三
せんぱく 浅薄（皮相↓）……四〇〇
せんばん 千万（遺憾↓）……六八
せんばん 千万（奇怪↓）……一四七
せんばん 千万（笑止↓）……二五七
せんばん 千万（不埒↓）……四二一
せんばん 千万（迷惑↓）……四五〇
ぜんぶ 善舞（長袖↓）……三三八
せんぼう 浅謀（軽慮↓）……一七七
せんぼう 遷貿（陵谷↓）……四七〇
せんめい 鮮明（旗幟↓）……一四五
せんもく 賤目（貴耳↓）……一四五
ぜんもく 善目（慈眉↓）……二三九
せんよう 穿楊（百歩↓）……四〇六
せんよく 潜翼（戢鱗↓）……二四九
せんり 千里（悪事↓）……六三
せんり 千里（一望↓）……七六
せんり 千里（一瀉↓）……八四
せんり 千里（皓月↓）……一八九
せんり 千里（毫釐↓）……二〇〇
せんり 千里（舳艫↓）……二三九
せんり 千里（跛鼈↓）……三九〇
せんり 千里（沃野↓）……四六二
ぜんれい 全霊（全身↓）……三〇〇
せんれん 千練（百鍛↓）……四〇四

● そ ―

そいつ 楚乙（越鳧↓）……一〇六
そうあい 相愛（相思↓）……三〇七
そうあい 相愛（氷炭↓）……四〇七
そうい 相依（輔車↓）……四三九
そうい 創痍（満身↓）……四四二
そうおう 相応（四神↓）……二三三
そうかい 滄海（桑田↓）……三〇九
そうかん 桑間（鄭衛↓）……三四五
そうき 喪気（灰心↓）……一一九
そうき 喪気（垂頭↓）……二七九
そうきゅう 相求（同気↓）……三五七
そうぎゅう 走牛（蚊虻↓）……四二四
そうく 走狗（飛鷹↓）……四〇七
そうく 蒼狗（白衣↓）……三八一
そうく 痩軀（長身↓）……三三八
そうご 壮語（大言↓）……三一七
そうこく 相剋（五行↓）……二〇三
ぞうごん 雑言（悪口↓）……六三
ぞうごん 雑言（罵詈↓）……三九一
そうさい 葬祭（冠婚↓）……一三六
そうし 喪死（養生↓）……四六一
そうし 喪志（玩物↓）……一四〇
ぞうしつ 蔵疾（山藪↓）……二三四
そうじゅ 双樹（沙羅↓）……二一九
そうしょう 相承（師資↓）……二三三
そうしょう 相照（肝胆↓）……一三八
そうじょう 相承（血脈↓）……一七八
そうじょう 槍攘（兵戈↓）……四二六
そうしょく 相食（骨肉↓）……二一〇
そうじん 騒人（遷客↓）……二九五
そうずい 相随（銜尾↓）……一四〇
そうせい 相生（有無↓）……九九
そうせい 相制（犬牙↓）……一八〇
そうせい 蒼生（霖雨↓）……四七三
ぞうせい 憎生（愛多↓）……六一
そうせき 漱石（孫楚↓）……三一五
そうせき 漱石（枕流↓）……三四四
そうせつ 霜雪（雨露↓）……九九
そうぜん 蒼然（古色↓）……二〇八
そうぜん 蒼然（暮色↓）……四三九
そうぜん 騒然（物議↓）……四一九
そうそう 匆匆（烏兎↓）……九八
そうそう 帚掃（斗量↓）……三七〇
そうそう 葱葱（鬱鬱↓）……九八
そうそう 錚錚（鉄中↓）……三四八
そうたい 相待（刮目↓）……一二九
そうだい 壮大（気宇↓）……一四三

そうたん　喪胆（聞風↓）……四二四
そうちょう　双雕（一箭↓）……八七
そうちょう　相弔（形影↓）……一七一
そうでん　相伝（一子↓）……八三
そうでん　相伝（衣鉢↓）……九一
そうでん　相伝（父子↓）……四一七
そうでん　桑田（滄海↓）……三〇五
そうどう　相同（形影↓）……一七三
ぞうとう　蔵刀（笑裏↓）……二六二
そうとく　喪徳（玩人↓）……一三七
そうにく　走肉（行尸↓）……一九二
そうは　霜葩（雪萼↓）……二九一
そうはく　相搏（竜虎↓）……四七〇
そうはく　糟魄（古人↓）……二〇八
そうひ　双飛（双宿↓）……三〇八
そうほ　巣父（許由↓）……一六三
そうほう　相逢（萍水↓）……四二七
そうほう　遭逢（辛苦↓）……二六八
そうぼう　相望（項背↓）……一九六
そうまい　草昧（天造↓）……三五二
そうめい　争鳴（百家↓）……四〇五
そうめん　喪面（囚首↓）……二四六
そうもく　草木（禽獣↓）……一六五
そうよう　掻痒（隔靴↓）……一三八
そうよう　掻痒（麻姑↓）……四四一
そうらい　霜来（露往↓）……四七八
そうり　争利（争名↓）……三一一
そうり　叢裏（荊棘↓）……一七三
そうれい　壮麗（土木↓）……三六九
そうれん　相憐（同病↓）……三六二
そうわ　相和（琴瑟↓）……一六五
そえい　疎影（暗香↓）……六五
そか　楚歌（四面↓）……二四一
そかい　素懐（往生↓）……一一三
そくえん　測淵（寸指↓）……二八〇
そくげん　塞源（抜本↓）……三八九
ぞくご　俗語（平談↓）……四二七
そくさい　息災（一病↓）……七六
そくさい　息災（延命↓）……一一〇
そくさい　息災（無事↓）……四一七
そくさい　息災（無病↓）……四四六
ぞくさん　粟散（辺地↓）……四二九
ぞくし　賊子（乱臣↓）……四六五
そくそう　塞聡（閉明↓）……四二七
そくたい　束帯（衣冠↓）……六八
そくだん　即断（即決↓）……三一四
ぞくちょう　続貂（狗尾↓）……一六八
そくとう　足踏（手舞↓）……二五三
そくねつ　足熱（頭寒↓）……二八〇
そくはつ　即発（一触↓）……八五
そくはつ　捉髪（吐哺↓）……三七〇
ぞくふ　続鳧（断鶴↓）……三二五
そくみょう　即妙（当意↓）……三五六
そげん　溯源（推本↓）……二七九
そご　齟齬（言行↓）……一八一
そさん　素餐（尸位↓）……二二七
そさん　素餐（窃位↓）……二九一
そさん　粗餐（粗酒↓）……三一四
そしょく　粗食（粗衣↓）……三〇五
そそう　沮喪（意気↓）……六八
そち　措置（応急↓）……一一一
そちょう　蘇潮（韓海↓）……一三三
そっけつ　即決（速戦↓）……三一二
そっけつ　即決（即断↓）……三一二
そつど　率土（普天↓）……四一九
そんせつ　孫雪（車蛍↓）……二四二
そんそん　孫孫（子子↓）……二三三
そんぼう　存亡（危急↓）……一四三

●た

たいか　大廈（高楼↓）……二〇一
たいが　帯河（礪山↓）……四七五
たいかく　戴角（含牙↓）……一三三
たいかん　大観（真人↓）……二七二
たいかん　大観（達人↓）……三二四
たいぎ　大義（微言↓）……三九八
たいぎょう　大業（盛徳↓）……二八六
たいきょく　大局（着眼↓）……三三二
たいく　滞句（滞言↓）……三一七

たいげつ　戴月（披星↓）……三九九
だいげん　代言（三百↓）……三二五
だいご　大悟（廓然↓）……一二四
たいご　大悟（豁然↓）……一二九
たいご　大悟（恍然↓）……一九四
たいこう　大公（廓然↓）……一二四
たいさん　退散（怨敵↓）……一一五
だいじ　大事（後生↓）……二〇七
たいしゃ　代謝（新陳↓）……二七三
たいじゅ　大儒（碩学↓）……二八八
たいじゅ　大樹（馮異↓）……四一〇
たいしょ　大書（特筆↓）……三六六
たいしょう　大笑（呵呵↓）……一三三
たいしょう　大笑（捧腹↓）……四三六
たいしょう　対牀（風雨↓）……四一〇
たいしょう　対牀（夜雨↓）……四五五
たいしょく　大食（無芸↓）……四四四
だいじん　大臣（伴食↓）……三九四
だいそん　大損（小利↓）……二六二
たいたん　待旦（枕戈↓）……三四三
たいてき　大敵（油断↓）……四五九
たいてん　戴天（不倶↓）……四一五
だいてん　大篆（史籀↓）……二三六
たいと　待兎（守株↓）……二五一
たいど　大度（豁達↓）……一二九
たいど　大度（寛仁↓）……一三七
たいとう　帯刀（名字↓）……四四三
たいとう　駘蕩（春風↓）……二五四
だいとう　大纛（高牙↓）……一八七
たいはく　対白（抽黄↓）……三三三
たいはく　戴白（垂髫↓）……二七八
たいはん　体胖（心広↓）……二六八
たいひ　大被（長枕↓）……三三九
たいひ　退避（三舎↓）……二二三
だいひ　大悲（大慈↓）……三一九
だいひ　代飛（燕雁↓）……一〇六
たいへい　泰平（天下↓）……三五〇
だいほう　代庖（越俎↓）……一〇五
たいぼく　黛墨（粉白↓）……四二四
たいよう　大葉（麤枝↓）……三一三
たいりゃく　大略（雄材↓）……四五七
たいりょ　大呂（九鼎↓）……一五三
たいれい　帯礪（河山↓）……一二五
だえい　蛇影（杯中↓）……三七九
たかん　多感（多情↓）……三三三
たき　多岐（複雑↓）……四一五
たくいつ　択一（二者↓）……三七四
だくけん　濁賢（清聖↓）……二八四
たくこう　択行（択言↓）……三三三
たくしょう　托生（一蓮↓）……七九
たくせつ　卓説（高論↓）……二〇一
たくせつ　卓説（名論↓）……四五〇
たくそく　濯足（濯纓↓）……三三
だくだく　諾諾（唯唯↓）……六七
たくぼく　択木（良禽↓）……四六九
たくま　琢磨（切磋↓）……二九二
だこう　蛇行（斗折↓）……三六八
たこん　多恨（多情↓）……三三三
だごん　檀金（閻浮↓）……一〇九
たざ　打坐（只管↓）……二三九
たさい　多才（博学↓）……三八一
たざい　多罪（暴言↓）……四三三
たざい　多罪（妄評↓）……四五二
たしゃ　多謝（妄言↓）……四五二
だじゃく　懦弱（怔繊↓）……一二二
たしょう　多生（一殺↓）……八六
たじょく　多辱（寿則↓）……二五一
だしん　蛇神（牛鬼↓）……一五〇
だじん　打尽（一網↓）……七七
だせい　蛇勢（常山↓）……二五六
たたん　多端（多事↓）……三三三
だったい　奪胎（換骨↓）……一三五
だっと　脱兎（処女↓）……二六四
だつもく　奪目（光彩↓）……一九一
だつろう　脱漏（杜撰↓）……二八〇
だとう　妥当（普遍↓）……四二一
たなん　多難（前途↓）……三〇二
たなん　多難（多事↓）……三三三

たばい 多売（薄利↓）……三八六
だび 蛇尾（虎頭↓）……二一〇
だび 蛇尾（竜頭↓）……四七三
たびょう 多病（才子↓）……二一六
たま 多魔（好事↓）……一九二
だらく 堕落（腐敗↓）……四二〇
だりつ 懦立（頑廉↓）……一四一
だんい 煖衣（飽食↓）……四三三
だんう 弾雨（硝煙↓）……二五五
だんう 弾雨（砲煙↓）……四三一
たんかい 坦懐（虚心↓）……一六〇
だんかん 断簡（残編↓）……二二六
だんき 断機（軻親↓）……一二七
だんき 断機（孟母↓）……四五三
だんきん 弾琴（対牛↓）……三一六
だんけつ 団結（大同↓）……三三〇
だんけん 断絹（隻紙↓）……二八九
だんこう 断行（熟慮↓）……二五〇
だんごく 断獄（白璧↓）……三八五
たんしつ 丹漆（黝堊↓）……四五六
だんじゃく 弾雀（随珠↓）……二七七
たんしょう 短小（軽薄↓）……一七五
たんしん 丹心（一寸↓）……八六
たんしん 丹心（碧血↓）……四二八
たんたん 眈眈（虎視↓）……二〇七
だんちょう 断長（続短↓）……三一三
だんちょう 断腸（母猿↓）……四三七
たんでん 丹田（臍下↓）……二八一
たんとう 探湯（盟神↓）……四四九
たんぱく 澹泊（虚融↓）……二一一
だんぴ 断臂（慧可↓）……一〇四
だんぺい 談兵（紙上↓）……二三三
たんぺき 湛碧（渟膏↓）……三四六
だんらん 団欒（一家↓）……八〇
たんれい 端麗（容姿↓）……四六〇
だんわ 談話（炉辺↓）……四七九

●ち

ちい 地異（天変↓）……三五四
ちうん 致雲（竜興↓）……四七〇
ちえ 知恵（文殊↓）……四五四
ちかく 地角（天涯↓）……三五〇
ちかく 地隔（天懸↓）……三五一
ちき 知己（傾蓋↓）……一七三
ちぎ 地祇（天神↓）……三五三
ちきゅう 地久（天長↓）……三五三
ちぎん 地垠（天閫↓）……三五一
ちくい 竹葦（稲麻↓）……三六二
ちくかん 竹簡（束晳↓）……三一二
ちくし 竹笥（練裳↓）……二六四
ちくはく 竹帛（垂名↓）……二七九
ちくほく 逐北（追奔↓）……三四四
ちくまつ 逐末（舎本↓）……二四四
ちくりゅう 逐流（随波↓）……二七九
ちくろく 逐鹿（中原↓）……三三三
ちさい 地載（天覆↓）……三五四
ちしゅう 知秋（一葉↓）……七八
ちしゅう 知秋（桐葉↓）……三六三
ちしょう 恥醮（買妻↓）……三七八
ちしん 知新（温故↓）……一一四
ちじん 治人（修己↓）……二四六
ちせい 致誠（銜哀↓）……一三三
ちだい 池台（光禄↓）……二〇一
ちち 致知（格物↓）……一二四
ちち 遅遅（春日↓）……二五三
ちつじょ 秩序（安寧↓）……六六
ちに 地二（天一↓）……三四九
ちへん 地変（天災↓）……三五一
ちめい 知命（五十↓）……二〇七
ちゃくぼく 着墨（大処↓）……三一九
ちゅうきゅう 誅求（苛斂↓）……一三三
ちゅうぎょう 中行（異類↓）……九二
ちゅうし 注枝（捨根↓）……二四二
ちゅうしん 忠信（孝悌↓）……一九五
ちゅうしん 抽薪（釜底↓）……四一九
ちゅうびゅう 綢繆（合歓↓）……一八八
ちゅうびゅう 綢繆（桑土↓）……三〇九
ちゅうみつ 稠密（人口↓）……二六八
ちゅうりつ 中立（厳正↓）……一八二

ちょうあく 懲悪(勧善↓)……一三八
ちょうか 寵過(高軒↓)……一九〇
ちょうかん 朝冠(朝衣↓)……三三六
ちょうきゅう 長久(武運↓)……四一三
ちょうけい 鳥形(鵠面↓)……二〇五
ちょうけつ 癥結(洞見↓)……三五八
ちょうけん 重跰(百舎↓)……四〇二
ちょうさん 鳥散(獣聚↓)……二四六
ちょうし 朝市(大隠↓)……三一五
ちょうじ 帖耳(俛首↓)……四一七
ちょうじゅ 長寿(不老↓)……四二三
ちょうじゅう 聴従(婉娩↓)……一〇九
ちょうしん 長身(痩軀↓)……三〇六
ちょうせい 長青(万古↓)……三九二
ちょうせき 鳥跡(獣蹄↓)……二四八
ちょうだ 長蛇(蜿蜿↓)……一〇六
ちょうだ 長蛇(封豕↓)……四三三
ちょうだい 長大(重厚↓)……二四五
ちょうだい 彫題(黒歯↓)……二〇四
ちょうたつ 暢達(通暁↓)……三四四
ちょうたつ 嘲哳(嘔啞↓)……一一一
ちょうたん 張胆(瞋目↓)……二七五
ちょうちん 長枕(大衾↓)……三一七
ちょうはん 長阪(駿足↓)……二五四
ちょうほう 朝報(断爛↓)……三三八
ちょうぼつ 鳥没(雲散↓)……一〇一
ちょうもく 長目(飛耳↓)……三九八
ちょうもく 長目(蜂準↓)……四三四
ちょうよく 蜩翼(蛇蚹↓)……三三四
ちょうや 長夜(無明↓)……四四七
ちょうらい 重来(捲土↓)……一八三
ちょうらい 頂礼(帰命↓)……一四八
ちょうりょう 跳梁(跋扈↓)……三八八
ちょうりょう 雕竜(談天↓)……三二七
ちょうろ 朝露(電光↓)……三五一
ちょうろ 朝露(浮雲↓)……四一三
ちょくじん 直尋(枉尺↓)……一一三
ちょくにゅう 直入(単刀↓)……三二七
ちょくひつ 直筆(懸腕↓)……一八五
ちょくりょう 直諒(剛毅↓)……一八九
ちょっか 直下(急転↓)……一五三
ちろ 地廬(天宇↓)……三四九
ちんしゅう 沈舟(積羽↓)……二八八
ちんせん 沈船(破釜↓)……三九〇
ちんたい 沈滞(萎靡↓)……九一
ちんどく 酖毒(宴安↓)……一〇六
ちんぼく 沈木(浮石↓)……四一八
ちんり 沈李(浮瓜↓)……四一四
ちんりゅう 枕流(漱石↓)……三〇九
ちんわん 枕腕(懸腕↓)……一八五

●つ

ついく 墜屨(遺簪↓)……七一
ついしょう 追従(阿諛↓)……六四
つうかい 痛快(沈著↓)……三四四

●て

ていう 殢雨(尤雲↓)……四五六
ていかく 鼎鑊(刀鋸↓)……三五七
ていき 停機(佇思↓)……三四二
ていこ 柢固(根深↓)……二一三
ていしょう 低唱(浅酌↓)……二九八
ていしょう 低唱(浅斟↓)……三〇〇
ていしょく 鼎食(鐘鳴↓)……二六一
ていしん 鼎新(革故↓)……一一三
ていせい 定省(温凊↓)……一一五
ていそう 廷諍(面折↓)……四五一
ていそく 鼎足(三分↓)……二二六
ていだん 鼎談(三者↓)……二二三
ていちく 停蓄(汎濫↓)……三九六
ていてい 鼎鼎(大名↓)……三三一
ていとう 低頭(平身↓)……四二六
ていめい 低迷(暗雲↓)……六四
ていらん 汀蘭(岸芷↓)……一三六
ていりつ 鼎立(三者↓)……二二三
てきく 摘句(尋章↓)……二七一
てきく 適屨(刖趾↓)……一七八
てきく 適屨(截趾↓)……二九二
てきけつ 剔抉(爬羅↓)……三九〇
てきこく 敵国(舟中↓)……二四七

てきしょ　適所（適材↓）……三四七
てきしょく　擿埴（冥行↓）……四四八
てきそ　適楚（北轅↓）……四三七
てきとう　嫡凍（滴水↓）……三四七
てきめん　覿面（因果↓）……九三
てきめん　覿面（効果↓）……一八七
てきめん　覿面（天罰↓）……三五四
てきり　適履（削足↓）……二一八
てくだ　手管（手練↓）……三四九
てつがく　鉄額（銅頭↓）……三六一
てっけい　鉄契（丹書↓）……三三七
てっけん　鉄硯（磨穿↓）……四四一
てつじょう　鉄城（湯池↓）……三六一
てっちょう　鉄腸（石心↓）……二八九
てってい　徹底（周知↓）……二四七
てってい　徹底（大悟↓）……三一八
てつび　徹尾（徹頭↓）……三四八
てっぺき　鉄壁（金城↓）……一六五
てっぺき　鉄壁（銅牆↓）……三六〇
てんあい　塡隘（門巷↓）……四五三
てんい　天衣（無縫↓）……四四七
てんか　天下（三日↓）……四四三
てんか　添花（錦上↓）……一六五
てんか　転嫁（責任↓）……二九〇
てんかい　塡海（精衛↓）……二八一
てんがい　天外（奇想↓）……一四七
てんがい　天涯（海角↓）……一一六
てんがい　天涯（地角↓）……三一九
てんきょう　天驚（石破↓）……二九〇
てんくう　天空（海闊↓）……一一六
でんげき　電撃（雷轟↓）……四六二
てんけつ　転結（起承↓）……一四五
てんこう　天光（上下↓）……二五五
てんこう　天香（国色↓）……二〇四
てんこく　篆刻（彫虫↓）……三三九
てんこん　転坤（旋乾↓）……二九六
てんざん　天塹（長江↓）……三三七
てんし　天子（白板↓）……三八五
てんじつ　天日（重見↓）……三三七
てんじゅ　転寿（延年↓）……一〇八
てんしょう　転生（輪廻↓）……四七四
でんしん　伝心（以心↓）……七一
てんせい　天成（地平↓）……三三二
てんせい　天晴（雨過↓）……九六
てんせい　恬静（安閑↓）……六五
てんせい　点睛（画竜↓）……一三一
てんそく　添足（画蛇↓）……一二七
てんたん　恬淡（虚静↓）……一六〇
てんたん　恬淡（無欲↓）……四四七
てんち　天地（別有↓）……四二八
でんてん　電転（雷轟↓）……四六三
てんとう　転倒（主客↓）……二四九
てんとう　転倒（本末↓）……四四〇
でんにゅう　電入（鬼出↓）……一四五
てんぱい　顚沛（造次↓）……三〇八
てんぷ　天賦（運否↓）……一〇二
てんぺん　転変（有為↓）……九六
てんめい　天命（人事↓）……二六九
てんめん　纏綿（情緒↓）……二五八
てんゆう　天憂（杞人↓）……一四六
てんよう　点蠅（落筆↓）……四六四

●と

といき　吐息（青息↓）……六二
といろ　十色（十人↓）……二四八
とうあん　偸安（苟且↓）……一九三
とうい　東夷（西戎↓）……二八三
どうい　同異（堅白↓）……一八四
とういつ　統一（精神↓）……二八四
とうえき　倒易（冠履↓）……一四一
どうおん　同音（異口↓）……六九
どうおん　同音（笙磬↓）……二五六
とうか　灯火（新涼↓）……二七五
とうか　桃花（人面↓）……二七五
とうかい　倒海（回山↓）……一一八
とうかい　蹈海（仲連↓）……三三五
とうかい　韜晦（自己↓）……二三一
とうかく　闘角（鉤心↓）……一九三
どうき　同軌（同文↓）……三六二

どうき　同帰（異路↓）……九三
どうき　同帰（殊塗↓）……二五三
どうき　同匱（玉石↓）……一五九
どうきょ　同居（累世↓）……四七四
どうけつ　同穴（偕老↓）……一三一
とうけん　陶犬（瓦鶏↓）……一三五
とうげん　桃源（世外↓）……二八八
とうげん　桃源（武陵↓）……四三三
どうげん　同源（医食↓）……七一
どうこ　道故（班荊↓）……三九二
とうこう　偸光（鑿壁↓）……二一八
とうこう　偸香（窃玉↓）……二九一
とうごう　投合（意気↓）……六八
とうごう　投合（情意↓）……二五五
どうこう　同工（異曲↓）……六九
どうこつ　道骨（仙風↓）……三〇四
とうさい　倒載（山簡↓）……二三〇
とうざい　東西（古今↓）……二〇六
どうさい　同砕（玉石↓）……一五九
どうじ　同時（啐啄↓）……三一四
どうじ　童子（三尺↓）……二三四
とうしゃ　当車（螳臂↓）……三六二
とうじゅ　倒豎（柳眉↓）……四六八
どうしゅう　同舟（呉越↓）……二〇一
どうしゅう　同舟（楚越↓）……三一一
とうしょう　盗鐘（掩耳↓）……一〇七

とうじょう　冬上（夏下↓）……一三三
とうしょく　媮食（靡衣↓）……三九七
とうじん　豆人（寸馬↓）……二八一
どうしん　同心（異体↓）……七一
どうしん　同心（一味↓）……七七
どうしん　同心（戮力↓）……四六七
どうじん　同仁（一視↓）……八三
どうじん　同塵（和光↓）……四八〇
とうせん　冬扇（夏鑪↓）……一三三
とうせん　当千（一人↓）……七五
とうせん　当千（一騎↓）……八〇
とうせん　盗泉（悪木↓）……六三
とうせん　登仙（羽化↓）……九六
どうそう　同皁（牛驥↓）……一五〇
とうた　淘汰（自然↓）……二三四
とうた　淘汰（冗員↓）……二五五
とうた　淘汰（人為↓）……二六六
どうだ　銅駝（荊棘↓）……一七二
どうたい　同体（一心↓）……八五
どうたく　同沢（同袍↓）……三六二
どうだん　道断（言語↓）……二一二
とうち　投地（五体↓）……二〇九
とうち　湯池（金城↓）……一六五
どうち　動地（撼天↓）……一三九
どうち　動地（驚天↓）……一五六
どうち　動地（震天↓）……二七三

どうちゃく　撞着（自家↓）……二二八
どうちゃく　撞着（矛盾↓）……四四五
とうちょ　投杼（曽母↓）……三一〇
とうてい　到底（一韻↓）……七二
どうどう　堂堂（威風↓）……九二
どうどう　堂堂（旗鼓↓）……一四四
どうどう　堂堂（正正↓）……二八五
どうはく　動魄（驚心↓）……一五六
とうはち　登八（天門↓）……三五五
とうひつ　投筆（燕頷↓）……一〇七
とうふう　東風（馬耳↓）……三八六
どうふう　同風（千里↓）……三〇四
どうふう　同風（万里↓）……三九六
どうふう　同風（六合↓）……四六六
とうぶん　豆分（瓜剖↓）……一三一
どうぶん　同文（同軌↓）……三五七
とうほう　騰芳（蘭桂↓）……四六五
どうほう　同胞（四海↓）……二二八
どうぼう　道謀（築室↓）……三三〇
どうみん　同眠（猫鼠↓）……四〇七
とうらい　到来（好機↓）……一八九
とうりゃく　党略（党利↓）……三六三
とうりょう　棟梁（儒林↓）……二五三
とうりょう　棟梁（大廈↓）……三一六
とうりん　投林（窮猿↓）……一四九
とうれい　蹈厲（発揚↓）……三八九

とうろ　当路(豺狼↓)……二一七
とおめ　遠目(夜目↓)……四六三
とか　渡河(泥船↓)……三四六
とかく　兎角(亀毛↓)……一四九
とき　吐気(揚眉↓)……四六一
とくし　篤志(博学↓)……三八二
とくしつ　得失(利害↓)……四六六
とくじつ　篤実(温厚↓)……一一四
とくしゃ　得車(舐痔↓)……二三三
とくしゅ　得珠(探驪↓)……三二九
どくせい　独醒(衆酔↓)……二四七
とくそう　得喪(禍福↓)……一三一
どくそん　独尊(唯我↓)……四五六
どくだ　毒蛇(蛟竜↓)……二〇〇
どくちょう　独釣(寒江↓)……一三五
どくりつ　独立(絶世↓)……二九三
とこう　塗羹(塵飯↓)……二七四
とごう　兎毫(子墨↓)……二四〇
とじ　兎耳(鳶目↓)……一一〇
としょく　徒食(無為↓)……四四三
とせつ　塗説(道聴↓)……三六一
とそう　兎走(烏飛↓)……九八
とぞう　徒増(馬歯↓)……三八七
とそく　塗足(霑体↓)……三五二
とだ　吐唾(向天↓)……一九五
とち　塗地(一敗↓)……八九
とち　塗地(肝脳↓)……一四〇
どちょう　弩張(剣抜↓)……一八四
とっこう　篤厚(温良↓)……一一六
どっぽ　独歩(古今↓)……二〇六
どっぽ　独歩(独立↓)……三六六
とてつ　途轍(途方↓)……三六九
ととう　徒党(一味↓)……七七
どとう　怒濤(狂瀾↓)……一五七
どとう　怒濤(疾風↓)……三三八
とほ　吐哺(握髪↓)……六三
どほう　土崩(瓦解↓)……一二三
どほう　土崩(魚爛↓)……一六三
とむ　吐霧(呑雲↓)……三七〇
どもく　怒目(横眉↓)……一一三
どもく　怒目(張眉↓)……三四〇
とりょう　斗量(車載↓)……二四二
どりょく　努力(奮励↓)……四二五
とんこう　敦厚(温柔↓)……一一四
とんざ　頓挫(沈鬱↓)……三四三
とんざ　頓挫(抑揚↓)……四六二
とんじ　豚児(荊妻↓)……一七三
とんしゅ　頓首(閉口↓)……四二六
どんせい　呑声(忍気↓)……三七五
どんそう　呑棗(渾崙↓)……二一四
とんそく　頓足(牽衣↓)……一七九
どんたん　呑炭(漆身↓)……二三八
とんとん　沌沌(渾渾↓)……二二三
とんぼ　蜻蛉(極楽↓)……二〇五

●な

ないごう　内剛(外柔↓)……一一八
ないしつ　内嫉(外巧↓)……一一七
ないじゅん　内潤(黄中↓)……一九五
なげくび　投首(思案↓)……二二七
ならく　奈落(金輪↓)……二一四
なんえん　南轅(北轍↓)……四三八
なんかん　南冠(楚囚↓)……三一三
なんし　南子(子見↓)……二三〇
なんし　南枝(越鳥↓)……一〇五
なんちょう　難張(良弓↓)……四六九
なんなん　喃喃(喋喋↓)……三三九

●に

にくこつ　肉骨(生死↓)……二八三
にくりん　肉林(酒池↓)……二五二
にちょう　二鳥(一石↓)……八六
にっしん　日新(格致↓)……二一四
にっぺん　日辺(長安↓)……三三五
にゅうかい　入懐(窮鳥↓)……一五三
にゅうこん　入魂(一球↓)……八一
にゅうしょう　入相(出将↓)……二五三
にゅうたい　入袋(胡孫↓)……二〇九
にりょう　二竜(轅門↓)……一一〇
にんにく　忍辱(慈悲↓)……二三九

●ね

ねつば　熱罵（冷嘲↓）……四七五
ねはん　涅槃（無余↓）……四四七
ねんき　燃萁（煮豆↓）……二四四
ねんじゅう　年中（年百↓）……三七六

●の

のうしょう　能詳（耳熟↓）……二三三
のうしん　納新（吐故↓）……三六七
のうまつ　濃抹（淡粧↓）……三三七

●は

はいかい　俳諧（蕉風↓）……二六一
ばいぎゅう　買牛（売剣↓）……三七七
はいぎょう　吠尭（跖狗↓）……二八八
ばいきん　貝錦（萋斐↓）……二八六
はいげん　佩弦（佩韋↓）……三七七
はいし　敗子（慈母↓）……二四〇
はいし　廃弛（綱紀↓）……一八九
はいじつ　吠日（蜀犬↓）……二六三
はいしゅつ　悖出（悖入↓）……三七九
はいせい　吠声（吠影↓）……三七七
はいそ　敗素（斉紫↓）……二八三
はいぞく　敗俗（傷風↓）……二六一
ばいそく　枚速（馬遅↓）……三八七
はいにゅう　悖入（悖出↓）……三七八
はいはん　背反（二律↓）……三七五
はいび　擺尾（揺頭↓）……四六一
はえつ　播越（乗輿↓）……二六二
ばかく　馬角（烏白↓）……九八
はくい　白衣（蒼狗↓）……三〇六
はくい　白葦（黄茅↓）……一九八
はくう　白雨（黒風↓）……二〇五
はくうん　白雲（白竜↓）……三八六
はくぎょく　璞玉（渾金↓）……二一二
ばくこつ　暴骨（三軍↓）……二三〇
はくさん　魄散（魂飛↓）……二一四
はくじつ　白日（青天↓）……二八六
はくじゃく　薄弱（意志↓）……七〇
はくしん　柏寝（桂宮↓）……一七三
はくそう　薄葬（墨子↓）……四三八
はくぞく　白俗（元軽↓）……一八〇
はくたい　博帯（褒衣↓）……四三〇
はくちゅう　伯仲（勢力↓）……二八七
はくちゅう　伯仲（保革↓）……四三七
はくと　搏兎（獅子↓）……二三三
はくは　白波（緑林↓）……四七三
はくば　白馬（素車↓）……三一三
はくはく　白白（明明↓）……四五〇
ばくばく　漠漠（空空↓）……一六六
はくび　白眉（馬良↓）……三九一
はくべん　博弁（米塩↓）……四二五
はくめい　薄命（佳人↓）……一二七
はくめい　薄命（美人↓）……三九九
ばくや　莫邪（干将↓）……一三六
ばくろう　麦隴（菜圃↓）……二一七
ばしょく　馬食（牛飲↓）……一四九
ばしょく　馬食（鯨飲↓）……一七一
ばしょく　馬謖（泣斬↓）……一五〇
ばしん　婆心（苦口↓）……一六八
はちがい　八街（四衢↓）……二二九
はちがい　八愷（八元↓）……三八七
はちぜつ　八舌（七嘴↓）……二三五
はちもく　八目（岡目↓）……二一四
ばつい　伐異（党同↓）……三六一
はつがい　発外（英華↓）……一〇三
はっかく　白鶴（雲中↓）……一〇一
はっき　八起（七転↓）……二三五
はっきょく　八極（四荒↓）……二三一
はっく　八九（十中↓）……二三八
はっく　八苦（四苦↓）……二二九
はっく　八苦（七難↓）……二三五
はっけい　八景（瀟湘↓）……二五八
ばっこ　跋扈（横行↓）……一一二
ばっこ　跋扈（跳梁↓）……三四一
ばっこ　跋扈（飛揚↓）……四〇八
ばっこ　跋扈（梁冀↓）……四六九
はっさ　八叉（七歩↓）……二三六
はっし　発止（打打↓）……三三九
はっし　髪指（眥裂↓）……二六六

ばっしゃ　抜舎(反首↓)……三九三
はっせつ　八節(弓道↓)……一五二
はったつ　八達(四通↓)……二三六
はっと　八斗(子建↓)……二三〇
ばっとう　八倒(七顛↓)……二三五
ばつびょう　抜苗(助長↓)……二六四
はっぷ　髪膚(身体↓)……二七三
はっぽう　八法(永字↓)……一〇三
はつらつ　潑剌(生気↓)……二八二
はは　番番(黄髪↓)……一九七
ばひ　馬肥(秋高↓)……二四六
ばふく　馬腹(長鞭↓)……三四〇
はぼう　破帽(弊衣↓)……四二五
ばぼつ　馬勃(牛溲↓)……一五一
ばり　罵詈(讒謗↓)……二二六
ばりょう　馬竜(車水↓)……二四三
はろう　播弄(伝観↓)……三五〇
はんい　斑衣(老萊↓)……四七七
ばんか　万化(千変↓)……三〇四
はんかい　半解(一知↓)……八七
はんかい　半解(半知↓)……三九五
ばんかい　挽回(名誉↓)……四五〇
ばんがく　万壑(千巌↓)……二九五
はんかつ　半渇(半饑↓)……三九一
ばんかん　万喚(千呼↓)……二九七
はんぎ　半疑(半信↓)……三九四

ばんき　万騎(千乗↓)……二九九
ばんきょく　万棘(千荊↓)……二九六
ばんきん　万金(家書↓)……一二六
ばんきん　万鈞(雷霆↓)……四六三
はんく　半句(一言↓)……七三
ばんく　万苦(千辛↓)……三〇〇
ばんけい　万頃(一碧↓)……九〇
ばんげん　万間(広廈↓)……一八七
ばんこ　万古(千秋↓)……二九九
ばんご　万語(千言↓)……二九六
はんごう　胖合(夫妻↓)……四一七
ばんこう　万考(千思↓)……二九八
ばんこう　万紅(千紫↓)……二九八
ばんこつ　万骨(一将↓)……八五
ばんさい　万載(遺臭↓)……七〇
ばんざい　万歳(千秋↓)……二九九
はんし　反始(報本↓)……四三六
ばんし　万紫(千紅↓)……二九七
はんしょう　半生(半死↓)……三九三
ばんしょう　万象(森羅↓)……二七五
ばんじょう　万丈(気炎↓)……一四二
ばんじょう　万丈(光焰↓)……一八六
ばんじょう　万丈(黄塵↓)……一九三
ばんじょう　万丈(波瀾↓)……三九一
ばんじょう　万乗(一天↓)……八八
はんすい　半睡(半醒↓)……三九四

ばんすい　万水(千山↓)……二九八
はんせい　反正(撥乱↓)……三九〇
ばんせい　晩成(大器↓)……三一六
はんせん　半銭(一文↓)……七七
はんせん　半銭(一紙↓)……八四
ばんせん　万箭(千射↓)……二九八
ばんせん　万選(青銭↓)……二八五
ばんそう　万綜(千錯↓)……二九七
はんそく　反側(輾転↓)……三五三
はんそく　蕃息(肥大↓)……四〇〇
ばんだ　万朶(千朶↓)……三〇二
はんたい　飯袋(酒嚢↓)……二五二
ばんたい　万態(千姿↓)……二九八
ばんたい　万態(千状↓)……二九九
はんたく　泛宅(浮家↓)……四一四
ばんたん　万端(千緒↓)……三〇〇
ばんねん　万年(君子↓)……一七〇
はんのう　飯嚢(酒甕↓)……二四九
はんぱ　半端(中途↓)……三三四
ばんば　万馬(千軍↓)……二九六
ばんべつ　万別(千差↓)……二九八
はんぽ　反哺(慈烏↓)……二三七
ばんらい　万来(千客↓)……二九五
ばんらく　万落(千村↓)……三〇一
ばんり　万里(雲烟↓)……一〇〇
ばんり　万里(雲泥↓)……一〇一

ばんり 万里(階前↓)……一一九
ばんり 万里(前程↓)……三〇二
ばんり 万里(波濤↓)……三九〇
ばんり 万里(平沙↓)……四二六
ばんり 万里(鵬程↓)……四三四
はんりゅう 攀柳(折花↓)……二九一

●ひ

ひいき 贔屓(依怙↓)……一〇五
ひいき 贔屓(判官↓)……四三三
ひか 非耶(是耶↓)……二八八
びか 微瑕(白玉↓)……三八二
びか 微瑕(白璧↓)……三八五
ひがさ 日傘(乳母↓)……一一五
ひきゅう 匪躬(蹇蹇↓)……一八一
びきゅう 弥久(曠日↓)……一九二
びぎん 微吟(低唱↓)……三四六
ひご 蜚語(造言↓)……三〇七
ひご 蜚語(流言↓)……四六八
ひさい 非才(浅学↓)……二九五
ひし 悲糸(墨子↓)……四三八
ひじ 飛耳(長目↓)……三四〇
ひしゅう 比周(朋党↓)……四三五
びじょ 美女(傾国↓)……一七三
びしょく 美食(侈衣↓)……二二七
びじん 美人(八方↓)……三八九
ひせい 披星(戴月↓)……三一七
びぞく 美俗(醇風↓)……二五四
びぞく 美俗(良風↓)……四七三
びたい 媚態(妖姿↓)……四六〇
びちゅう 微中(談言↓)……三二六
ひっこう 筆耕(心織↓)……二七一
ひっしょう 必勝(先手↓)……三〇三
ひっすい 必衰(盛者↓)……二五七
ひつずい 筆随(意到↓)……九〇
ひったん 必淡(大味↓)……三一一
ひっぱい 必敗(驕兵↓)……一五七
ひつばつ 必罰(信賞↓)……二七一
ひっぷ 匹婦(匹夫↓)……四〇〇
ひっぽう 筆法(春秋↓)……二五四
ひつぼく 筆墨(屠毒↓)……三六八
ひつめつ 必滅(生者↓)……二五七
びでん 美田(不買↓)……四二〇
ひどう 非道(極悪↓)……二〇三
ひどう 非道(残酷↓)……三一一
ひどう 非道(大欲↓)……三一一
ひどう 非道(暴虐↓)……四三三
ひどう 飛動(雲烟↓)……一〇〇
ひとむかし 一昔(十年↓)……二四八
ひにく 飛肉(羽翮↓)……九六
ひば 非馬(白馬↓)……三八四
ひば 肥馬(軽裘↓)……一七三
ひひ 非非(是是↓)……二九一
ひひょう 批評(印象↓)……九四
ひひょう 批評(裁断↓)……二一六
ひほう 非宝(尺璧↓)……二九〇
ひまく 皮膜(虚実↓)……一六〇
ひまつ 飛沫(口角↓)……一八七
ひまん 肥満(大兵↓)……三二一
ひやく 飛躍(暗中↓)……六六
びゃくじ 躄地(悶絶↓)……四五四
ひゃくしゅつ 百出(議論↓)……一六二
ひゃくしゅつ 百出(破綻↓)……三八七
ひゃくしゅつ 百出(変態↓)……四二九
ひゃくじゅん 百順(百依↓)……四〇二
ひゃくしょう 百捷(百挙↓)……四〇六
ひゃくしょう 百勝(百戦↓)……四〇三
ひゃくぜん 百全(百下↓)……四〇五
ひゃくちゅう 百中(百発↓)……四〇六
びゃくどう 白道(二河↓)……三七三
ひゃくよう 百様(百人↓)……四〇四
ひゃくり 百利(百伶↓)……四〇五
ひゃくりょう 百了(一了↓)……七九
ひゃっか 百家(諸子↓)……二六四
ひゃっかい 百戒(一罰↓)……七六
ひゃっかく 百穫(一樹↓)……七四
ひゃっぺん 百遍(読書↓)……三六五
ひゃっぺん 百篇(斗酒↓)……三六七
ひょういん 瓢飲(簞食↓)……三二六

ひょうか　漂花（飛絮↓）……三九九
ひょうが　馮河（暴虎↓）……四三二
ひょうし　氷姿（雪魄↓）……二九三
びょうし　病死（生老↓）……二六三
びょうしゃ　描写（一元↓）……七三
ひょうしゃく　氷釈（凍解↓）……三五六
ひょうしん　氷心（一片↓）……九〇
ひょうじん　氷人（月下↓）……一七八
ひょうすい　氷水（青藍↓）……二八七
ひょうたん　氷炭（天淵↓）……三五〇
ひょうたん　瓢簞（千成↓）……三〇三
びょうどう　平等（怨親↓）……一一五
ひょうばく　漂麦（高鳳↓）……一九八
ひょうびょう　縹渺（雲烟↓）……一〇〇
ひょうびょう　縹渺（煙波↓）……一〇九
ひょうびょう　縹渺（虚無↓）……一六一
ひょうびょう　縹渺（神韻↓）……二六七
ひょうへん　豹変（君子↓）……一七〇
びょうぼう　渺茫（往事↓）……一一二
ひりん　比隣（天涯↓）……三五〇
ひりん　賓臨（連璧↓）……四七六
ひろう　披露（襲名↓）……二四九
びろく　美禄（天之↓）……三五四
びんが　頻伽（迦陵↓）……一二三
びんこう　敏行（訥言↓）……三六八
ひんぴん　彬彬（文質↓）……四二三
ひんぷん　繽紛（落英↓）……四六三
びんぼう　貧乏（器用↓）……一五七
びんらん　紊乱（朝憲↓）……三三七
びんらん　紊乱（風紀↓）……四一一

●ふ

ふいん　父隠（子為↓）……三二七
ふう　不雨（密雲↓）……四四三
ふういつ　諷一（勧百↓）……一四〇
ふうえい　諷詠（花鳥↓）……一二八
ふうか　風花（雪月↓）……二九一
ふうかん　風鬟（霧鬢↓）……四四六
ふうき　富貴（一朝↓）……八八
ふうき　富貴（長命↓）……三四〇
ふうげつ　風月（一竿↓）……八〇
ふうげつ　風月（花鳥↓）……一二八
ふうじゅう　風従（草偃↓）……三〇五
ふうしょう　風生（虎嘯↓）……二〇七
ふうせつ　風雪（対牀↓）……三一九
ふうそう　風霜（飽経↓）……四三三
ふうち　風馳（輿馬↓）……四六二
ふうはく　封帛（束髪↓）……三一三
ふうはつ　風発（踔厲↓）……三三三
ふうはつ　風発（談論↓）……三三九
ふうび　風靡（一世↓）……八六
ふうれつ　風烈（迅雷↓）……二七五
ふうん　浮雲（富貴↓）……四一一
ふえ　不壊（金剛↓）……二一三
ふえき　不易（千古↓）……二九七
ふえき　不易（万古↓）……三九二
ふえき　不易（万世↓）……三九四
ふえき　不易（万代↓）……三九五
ふえん　不遠（殷鑑↓）……九三
ふか　不暇（応接↓）……一一三
ふか　斧柯（毫毛↓）……一九九
ふかい　不解（衣帯↓）……七一
ふかい　不解（大惑↓）……三三三
ふかい　不懈（常備↓）……二六一
ふかい　附会（牽強↓）……一八〇
ふかく　不覚（前後↓）……二九七
ふかん　不刊（万世↓）……三九四
ふき　不愧（仰天↓）……一五六
ふき　不器（君子↓）……一七〇
ふき　不器（大道↓）……三二〇
ふき　不羈（狷介↓）……一八〇
ふき　不羈（曠世↓）……一九四
ふき　不羈（独立↓）……三六六
ふき　不羈（放蕩↓）……四三五
ふき　不羈（奔放↓）……四四〇
ふき　附驥（攀竜↓）……三九七
ふぎ　負義（忘恩↓）……四三一
ぶき　武嬉（文恬↓）……四二四
ふきゅう　不休（不眠↓）……四二一

ふきゅう　不朽（永垂↓）……一〇四
ふきゅう　不咎（既往↓）……一四二
ふきょ　鳧挙（鳬起↓）……三六四
ふぎょ　釜魚（甑塵↓）……三〇九
ふぎょ　鮒魚（涸轍↓）……二一〇
ふきょう　不恭（顚越↓）……三四九
ぶきん　撫琴（対驢↓）……三二三
ふくう　覆雨（翻雲↓）……四四〇
ふぐう　不遇（轗軻↓）……一三四
ふくしつ　腹疾（河魚↓）……一三三
ふくしゃ　覆車（禽困↓）……一六四
ふくしゅう　覆舟（載舟↓）……二一六
ふくたく　福沢（富貴↓）……四一一
ふくつ　不屈（不撓↓）……四三〇
ふくてつ　覆轍（前車↓）……二九八
ふくねん　復然（死灰↓）……三二八
ふくはい　腹背（面従↓）……四五一
ふくよう　服膺（拳拳↓）……一八一
ふくれい　復礼（克己↓）……二〇九
ふくれき　伏櫪（老驥↓）……四七六
ふくん　布裙（荊釵↓）……一七三
ふくん　府君（泰山↓）……三一八
ふげ　不下（呑吐↓）……三七一
ふけい　負荊（肉袒↓）……三七四
ふげい　不迎（不将↓）……四一八
ふげん　不言（知者↓）……三三一
ふご　不語（不言↓）……四一六
ふこく　不穀（孤寡↓）……二〇三
ふざ　趺坐（結跏↓）……一七八
ふさつ　俯察（仰観↓）……一五四
ふざん　巫山（雲雨↓）……一〇〇
ふし　不死（長生↓）……三三八
ふし　不死（不老↓）……四三三
ふじ　附耳（躡足↓）……二六〇
ぶじ　無事（安穏↓）……六六
ぶじ　無事（平穏↓）……四三五
ふしゃ　不捨（摂取↓）……二九二
ふしゅつ　不出（門外↓）……四五三
ふじょう　不定（老少↓）……四七七
ふしょく　不食（一日↓）……七五
ふしょく　不食（井渫↓）……二八五
ふしょく　不織（不耕↓）……四一六
ふじょく　不辱（知足↓）……三三一
ふしん　不振（一蹶↓）……八二
ふしん　腐心（切歯↓）……二九二
ぶじん　無人（旁若↓）……四三三
ふずい　婦随（夫唱↓）……四一八
ふせい　不省（人事↓）……二六九
ふせつ　不説（一字↓）……七四
ふせん　附羶（群蟻↓）……一六九
ふそん　不遜（傲岸↓）……一八八
ふたい　不待（歳月↓）……二二五
ふたく　不斲（采椽↓）……二一七
ふたば　双葉（栴檀↓）……三〇三
ふだん　不断（常住↓）……二五七
ふだん　不断（優柔↓）……四五七
ふち　不知（言者↓）……一八二
ふち　不智（大智↓）……三三〇
ふちん　浮沈（曲折↓）……一五九
ふつう　不通（一文↓）……七八
ふつう　不通（音信↓）……一一五
ふっこう　復興（文芸↓）……四三三
ぶっしん　仏心（鬼面↓）……一四九
ぶっしん　仏心（多情↓）……三三四
ぶつぶつ　物物（事事↓）……三三三
ふてい　不定（挙棋↓）……一五七
ふてい　負鼎（伊尹↓）……六七
ふてき　不敵（衆寡↓）……二四五
ふてき　不敵（大胆↓）……三三〇
ふとう　不当（万夫↓）……三九六
ふとう　不党（不偏↓）……四三一
ふとう　不掉（尾大↓）……四〇〇
ふとう　不撓（独立↓）……三六六
ふとう　不撓（百折↓）……四〇三
ふとう　不撓（不屈↓）……四一六
ふどう　不動（按兵↓）……六七
ふねつ　附熱（趨炎↓）……二八〇
ふは　不破（顚撲↓）……三五五

ふはい　不背（面向↓）……四五一
ふはく　不迫（従容↓）……二六二
ふはく　浮薄（軽佻↓）……一七五
ふばつ　不抜（一毛↓）……七七
ふばつ　不抜（確乎↓）……一二九
ふばつ　不抜（堅忍↓）……一八三
ぶぶん　舞文（曲筆↓）……一五九
ふべつ　布韈（青鞋↓）……二八一
ふへん　不返（覆水↓）……四一五
ふぼ　父母（哀哀↓）……六一
ふほう　附鳳（攀竜↓）……三九七
ふぼく　浮木（盲亀↓）……四五二
ふぼん　不犯（一生↓）……八五
ふま　不磨（千古↓）……二九七
ふま　不磨（百世↓）……四〇三
ふま　不磨（百古↓）……四〇六
ふめつ　不滅（不朽↓）……四一五
ふめつ　不滅（霊魂↓）……四七五
ふもん　不問（迷者↓）……四四九
ふやく　不約（大信↓）……三一九
ふゆう　不憂（仁者↓）……二七〇
ふよう　芙蓉（太液↓）……三一五
ふよく　傅翼（為虎↓）……七〇
ぶらい　無頼（放蕩↓）……四三五
ふらく　不落（難攻↓）……三七二
ふらく　不落（南山↓）……三七三

ふらん　不乱（一心↓）……八五
ふり　不離（寸歩↓）……二八一
ふり　不離（相即↓）……三〇九
ふり　不離（不即↓）……四一八
ふりつ　不律（三寸↓）……二三三
ふるまい　振舞（椀飯↓）……一一三
ふるまい　振舞（大盤↓）……一一四
ふれい　不霊（冥頑↓）……四四八
ぶれい　無礼（慇懃↓）……九四
ふわく　不惑（四十↓）……二三三
ふわく　不惑（知者↓）……三三一
ふんげき　憤激（慷慨↓）……一八七
ぶんじゃく　文弱（奢侈↓）……二四二
ふんしょう　糞牆（朽木↓）……一五三
ふんじょう　紛擾（繁劇↓）……三九二
ふんじん　粉陣（香囲↓）……一八六
ふんじん　奮迅（獅子↓）……二三二
ぶんしん　文身（断髪↓）……三二八
ぶんしん　文身（被髪↓）……四〇一
ぶんしん　分身（一体↓）……八七
ふんど　糞土（朽木↓）……一五三
ふんとう　奮闘（孤軍↓）……二〇六
ふんとう　奮闘（力戦↓）……四六六
ふんぱん　噴飯（失笑↓）……二三七
ぶんぶ　文武（禹湯↓）……九八
ふんぷん　芬芬（香気↓）……一八九

ふんぷん　芬芬（俗臭↓）……三一二
ふんぷん　紛紛（諸説↓）……二六四
ふんべつ　分別（思慮↓）……二六六
ぶんめい　分明（恩讎↓）……一一四
ぶんめい　分明（白黒↓）……三八八

●へ

へいあん　平安（一路↓）……七九
へいか　閉花（羞月↓）……二四五
へいが　並駕（斉駆↓）……二八二
へいき　萍寄（雲遊↓）……一〇三
へいげつ　閉月（羞花↓）……二四五
へいこ　蔽固（偏僻↓）……四三〇
へいこう　並行（恩威↓）……一一四
へいこう　幷行（倍日↓）……三七八
へいこん　批根（引縄↓）……九四
へいしん　平心（虚気↓）……一五八
へいせん　弊穿（衣履↓）……九二
へいそう　弊帚（千金↓）……二九六
へいそく　屏息（蟄居↓）……三三二
へいどん　併呑（清濁↓）……二八五
へいも　並茂（椿萱↓）……三四三
へきかい　碧海（桑田↓）……三〇九
へきがん　碧眼（紅毛↓）……一九九
へきぎょく　碧玉（小家↓）……二五六
へきごう　璧合（珠聯↓）……二五三
へきさく　壁鑿（匡衡↓）……一五五

へきち　闢地（開天↓）……一三〇
へきれき　霹靂（青天↓）……二八六
べきろ　覓驢（騎驢↓）……一六二
べつでん　別伝（教外↓）……一五五
べつり　別離（四鳥↓）……三三六
へんげ　変化（妖怪↓）……四五九
へんげん　変幻（譎詭↓）……一七八
べんこう　勉行（困知↓）……二一三
へんしょう　反照（回光↓）……一一七
へんしょう　返照（回光↓）……一〇五
へんち　辺地（粟散↓）……三一二
べんねい　便佞（阿諛↓）……六四
べんぱつ　辮髪（剃頭↓）……三四六
べんぶ　抃舞（歓喜↓）……一三四
へんや　遍野（哀鴻↓）……六一
べんれい　勉励（刻苦↓）……二〇九
べんれい　駢儷（四六↓）……二六六

●ほ

ぼう　暮雨（朝雲↓）……三三六
ぼうえい　防衛（過剰↓）……一三六
ぼうえい　防衛（正当↓）……二八六
ほうえん　方円（水随↓）……二七七
ほうおう　報往（抜来↓）……三九〇
ほうおう　鳳凰（景星↓）……一七四
ほうおん　芳恩（一言↓）……七三
ほうがい　法外（逍遥↓）……二六三
ほうかん　奉還（版籍↓）……三九四
ぼうかん　旁観（袖手↓）……二四六
ぼうかん　傍観（拱手↓）……一五六
ほうぎゅう　放牛（帰馬↓）……一四八
ほうきょう　豊頬（曲眉↓）……一五九
ほうぎん　放吟（高歌↓）……一八七
ほうけい　鳳頸（竜瞳↓）……四七二
ぼうけい　忘形（得意↓）……三六四
ほうげん　放言（跌蕩↓）……三四八
ぼうげん　忘言（得意↓）……三六四
ほうご　放語（漫言↓）……四四二
ほうこう　奉公（滅私↓）……四五〇
ほうこく　奉国（赤心↓）……二八九
ほうこく　報国（一死↓）……八四
ほうこく　報国（尽忠↓）……二七三
ほうし　方趾（円顱↓）……一一一
ほうし　蓬矢（桑弧↓）……三〇七
ほうし　鳳姿（竜章↓）……四七一
ほうし　鳳嘴（麟角↓）……四七三
ぼうし　茅茨（土階↓）……三六四
ほうしゅ　法守（道揆↓）……三五七
ほうしゅう　鳳集（鸞翔↓）……四六五
ぼうじゅう　望重（徳高↓）……三六五
ぼうじょ　茅茹（衆賢↓）……二四五
ほうしょう　放踵（摩頂↓）……四四一
ほうじょう　方丈（食前↓）……二六三
ほうじょう　豊穣（五穀↓）……二〇六
ぼうしょう　旁証（博引↓）……三八一
ほうしょく　飽食（煖衣↓）……三三五
ぼうしょく　忘食（廃寝↓）……三七八
ぼうしょく　忘食（発憤↓）……三八九
ぼうしょく　望蜀（得隴↓）……三六六
ぼうしょく　暴食（暴飲↓）……四三〇
ほうしん　包針（綿裏↓）……四五二
ほうしん　捧心（西施↓）……二八三
ぼうず　坊主（三日↓）……四四三
ほうすう　鳳雛（臥竜↓）……一三三
ほうすう　鳳雛（伏竜↓）……四一六
ほうすう　鳳雛（竜駒↓）……四六九
ほうすう　鳳雛（麟子↓）……四七四
ほうせい　方正（賢良↓）……一八五
ほうせい　方正（品行↓）……四〇九
ほうぜい　方枘（円鑿↓）……一〇七
ぼうせん　忘筌（得魚↓）……三六五
ほうそく　方足（円首↓）……一〇七
ほうそく　方足（円頭↓）……一〇八
ぼうだい　棒大（針小↓）……二七一
ぼうだい　謀大（知小↓）……三三一
ほうてい　鵬程（万里↓）……三九六
ぼうてん　望天（戴盆↓）……三三一
ほうとう　宝刀（伝家↓）……三五〇
ほうに　法爾（自然↓）……二三九

ほりん　脯林(肉山↓)……三七三
ほりん　蒲輪(安車↓)……六六
ほろう　補牢(亡羊↓)……四三六
ほんいつ　奔逸(漂蕩↓)……四〇八
ほんうん　翻雲(覆雨↓)……四一五
ぼんかい　凡介(常鱗↓)……二六二
ほんがん　本願(他力↓)……三一四
ほんせん　奔泉(渇驥↓)……一二八
ほんとう　奔騰(万馬↓)……三九五
ぼんのう　煩悩(客塵↓)……一四九
ぼんのう　煩悩(百八↓)……四〇四
ほんぽう　奔放(自由↓)……二四九
ほんぽう　奔放(不羈↓)……四一四
ぼんぼん　凡凡(平平↓)……四二七

● ま

まいしん　邁進(直往↓)……三四二
まいしん　邁進(勇往↓)……四五六
まいせき　晦迹(韜光↓)……三五九
まっさつ　抹殺(一筆↓)……九〇
まっせ　末世(澆季↓)……一五四
まっせ　末世(末法↓)……四四一
まっせつ　末節(枝葉↓)……二六一
まつだい　末代(万劫↓)……四四三
まつろ　末路(窮途↓)……一五三
まめつ　磨滅(凋零↓)……三四一
まれん　磨錬(事上↓)……二二三
まんいん　蔓引(株連↓)……二五三
まんげん　漫言(放語↓)……四三三
まんさく　満作(豊年↓)……四三五
まんさん　蹣跚(酔歩↓)……二七九
まんしゃ　満車(擲果↓)……三四七
まんどう　満堂(金玉↓)……一六四
まんばい　万倍(一粒↓)……七八
まんぱん　満帆(順風↓)……二五五
まんぶ　慢舞(緩歌↓)……一三四
まんぷく　満腹(飲河↓)……九三
まんぷく　満腹(群疑↓)……一六九
まんぽう　万宝(七珍↓)……三一八
まんめつ　漫滅(刺字↓)……三一三
まんめん　満面(喜色↓)……一四六
まんめん　満面(得意↓)……三六四
まんもく　満目(琳琅↓)……四七四
まんもん　満門(桃李↓)……三六三

● み

みう　未雨(綢繆↓)……三三四
みしょう　微笑(拈華↓)……三七六
みそ　味噌(手前↓)……三四九
みつご　蜜語(甘言↓)……一三五
みつご　蜜語(甜言↓)……三五一
みとう　未到(前人↓)……三〇〇
みとう　未踏(人跡↓)……二七二
みもん　未聞(前代↓)……三〇一
みょうけい　妙計(奇策↓)……一四
みょうさん　妙算(神機↓)……二六七
みょうさん　明三(挙一↓)……一八六
みんぴ　民卑(官尊↓)……一三八
みんぷく　民福(国利↓)……二〇五

● む

むあん　無安(三界↓)……二三〇
むえき　無益(問答↓)……四五四
むえん　無烟(千里↓)……三〇四
むえん　無援(孤立↓)……二一一
むが　無我(諸法↓)……二六四
むかん　無官(無位↓)……四四四
むかん　無冠(無位↓)……四四四
むかん　無患(有備↓)……四五八
むき　無愧(無慙↓)……四四五
むきゅう　無窮(永永↓)……一〇三
むきゅう　無窮(天壌↓)……三五三
むきゅう　無窮(百載↓)……四〇三
むぎょ　無魚(水清↓)……二七八
むきょう　無疆(万寿↓)……三九三
むぎん　無垠(一望↓)……七六
むく　無垢(純真↓)……二五四
むく　無垢(清浄↓)……二八四
むげ　無礙(異類↓)……九三
むげ　無礙(弁才↓)……四二九
むげ　無礙(無辺↓)……四四七

むげ　無礙（融通↓）……四五七
むけい　無稽（荒唐↓）……一九六
むけつ　無欠（完全↓）……一三八
むけつ　無欠（金甌↓）……一六二
むげん　夢幻（泡沫↓）……四三六
むこう　無功（疑事↓）……一四五
むこう　無効（薬石↓）……四五五
むこう　無厚（有厚↓）……四五七
むこん　無根（事実↓）……一三三
むさく　無策（無為↓）……四四四
むざつ　無雑（純一↓）……二五三
むさん　無三（無二↓）……四四六
むさん　霧散（雲集↓）……一〇一
むざん　無慙（破戒↓）……三八〇
むし　無私（兼愛↓）……一七九
むし　無私（公平↓）……一九七
むし　夢死（酔生↓）……二七八
むじつ　無実（有名↓）……四五八
むしゅ　無首（群竜↓）……一七一
むしゅう　無臭（無声↓）……四四六
むしゅう　霧集（雲合↓）……一〇一
むじゅう　無終（無始↓）……四四五
むじゅん　矛盾（自己↓）……一三一
むしょう　無小（刑故↓）……一七三
むしょう　無章（乱雑↓）……四六五
むしょう　霧消（雲散↓）……一〇一
むじょう　無常（有為↓）……九六
むじょう　無常（諸行↓）……二六三
むじん　無尽（縦横↓）……二四四
むせい　無声（鴉雀↓）……六三
むそう　無想（無念↓）……四四六
むそう　無踪（無影↓）……四四四
むそう　無双（海内↓）……一一九
むそう　無双（国士↓）……二〇四
むそう　無双（古今↓）……二〇六
むそう　無双（天下↓）……三五〇
むぞう　無象（有象↓）……九七
むたい　無体（無理↓）……四四八
むち　無恥（厚顔↓）……一八八
むちゅう　夢中（無我↓）……四四四
むてい　無蔕（無根↓）……四四五
むてき　無敵（仁者↓）……二七〇
むどう　無道（悪逆↓）……六二
むどう　無道（造反↓）……三一〇
むどう　無道（大逆↓）……三一六
むに　無二（遮二↓）……二四四
むに　無二（唯一↓）……四五五
むねん　無念（残念↓）……二三五
むのう　無能（無為↓）……四四四
むび　夢寐（夙夜↓）……二五〇
むへん　無辺（宏大↓）……一九四
むへん　無辺（無量↓）……四四八
むへん　無偏（無私↓）……四四五
むほう　無縫（天衣↓）……三四九
むむ　無夢（聖人↓）……二八四
むもん　無門（禍福↓）……一三一
むや　無耶（有耶↓）……九九
むよう　無用（天地↓）……三五三
むよう　無用（問答↓）……四五四
むりょう　無量（感慨↓）……一三三
むりょう　無量（千万↓）……三〇四
むろ　無漏（有漏↓）……九九

●め―

めいが　命駕（千里↓）……三〇五
めいかい　明快（単純↓）……三三六
めいかい　明快（論旨↓）……四七九
めいかく　鳴鶴（九皐↓）……一五〇
めいげつ　名月（中秋↓）……三三四
めいげつ　明月（清風↓）……二八七
めいげん　名言（至理↓）……二六五
めいこう　冥行（擿埴↓）……三四七
めいごう　冥合（天人↓）……三五三
めいしゅ　明珠（薏苡↓）……四六三
めいじん　名人（碩師↓）……二八九
めいすい　名遂（功成↓）……一九四
めいどう　鳴動（大山↓）……三一八
めいはく　明白（事理↓）……二六五
めいび　明媚（風光↓）……四一三

めいぶん 名分(大義↓)……三一六
めいめい 明明(赫赫↓)……一三
めいめい 冥冥(薄暮↓)……三八六
めいり 謎離(撲朔↓)……四三七
めいりょう 明瞭(簡単↓)……一三九
めつい 滅已(生滅↓)……二六一
めっきゃく 滅却(心頭↓)……二七四
めっしん 滅親(大義↓)……三一六
めっち 滅智(灰身↓)……一七
めっぽう 滅法(是生↓)……二九一
めつめつ 滅滅(陰陰↓)……九三
めつれつ 滅裂(支離↓)……二六五
めんせつ 面折(廷諍↓)……三四六
めんぺき 面壁(九年↓)……一六八
めんめい 面命(耳提↓)……二三九
めんめい 面命(提耳↓)……三四六
めんめん 綿綿(縷縷↓)……四七四
めんもく 面目(本来↓)……四四〇
めんゆ 面諛(讒諂↓)……三三四

●も

もうこ 猛虎(苛政↓)……一二七
もうじゅう 蒙戎(狐裘↓)……二〇三
もうしん 猛進(猪突↓)……三四二
もうそ 網疏(綱挙↓)……一八九
もうそう 妄想(誇大↓)……二〇九
もうそう 妄想(被害↓)……三九七
もうどう 妄動(軽挙↓)……一七三
もうまい 蒙昧(無知↓)……四四六
もうもう 濛濛(漠漠↓)……三八四
もうりょう 魍魎(魑魅↓)……三三
もうろう 朦朧(意識↓)……七〇
もうろう 朦朧(酔眼↓)……二七六
もくう 沐雨(櫛風↓)……二三九
もくそう 黙想(熟思↓)……二五〇
もくよく 沐浴(斎戒↓)……二一四
もこ 模糊(曖昧↓)……六三
もさく 摸索(暗中↓)……六六
もっこう 黙考(沈思↓)……三四三
もんきん 問禁(入境↓)……三七五
もんじ 文字(不立↓)……四二一
もんじゅ 文殊(三人↓)……二二五
もんせつ 問切(望聞↓)……四三六
もんどう 問答(蒟蒻↓)……二一三
もんもう 文盲(無学↓)……四四四

●や

やう 夜雨(対牀↓)……三一九
やかく 野鶴(閑雲↓)……一三
やかく 野鶴(孤雲↓)……二〇一
やくじょ 躍如(面目↓)……四五一
やくれい 約礼(博文↓)……三八五
やくろう 薬籠(自家↓)……二三八
やくわん 扼腕(切歯↓)……二九二
やくわん 扼腕(偏袒↓)……四二九
やげん 夜絃(朝歌↓)……三三六
やご 野語(斉東↓)……二八六
やこう 夜行(衣繡↓)……七〇
やこう 夜行(百鬼↓)……四〇六
やし 野史(稗官↓)……三七七
やしゃ 夜叉(笑面↓)……二六一
やしょう 夜誦(昼耕↓)……三三
やしん 夜寝(夙興↓)……二五〇
やしん 野心(狼子↓)……四七七
やじん 野人(田夫↓)……三五四
やせん 野戦(攻城↓)……一九二
やそく 野蔌(山肴↓)……二三一
やち 野雉(家鶏↓)……一二五
やません 山千(海千↓)……九九
やむ 夜夢(昼想↓)……三三四
やゆう 夜遊(秉燭↓)……四二六
やろう 野老(田夫↓)……三五四

●ゆ

ゆういん 幽韻(清音↓)……二八一
ゆううん 尤雲(殢雨↓)……三四五
ゆうえき 有益(開巻↓)……一一七
ゆうかい 有悔(亢竜↓)……二〇〇
ゆうかん 有閑(忙中↓)……四三四
ゆうかん 遊観(四門↓)……二四一
ゆうけん 右賢(左戚↓)……二一九

ゆうご　右吾(左支↓)……二一九
ゆうこう　友好(善隣↓)……三〇五
ゆうこく　幽谷(窮山↓)……一五一
ゆうこく　幽谷(深山↓)……二六九
ゆうしょう　有将(将門↓)……二六二
ゆうたい　勇退(急流↓)……一五三
ゆうとう　揖盗(開門↓)……一二一
ゆうひ　雄飛(雌伏↓)……二四〇
ゆうべん　雄弁(高談↓)……一九五
ゆうぼう　有望(前途↓)……三〇三
ゆうめい　有命(死生↓)……二三四
ゆうめい　幽明(考績↓)……一九四
ゆうめい　幽明(黜陟↓)……三三五
ゆうゆう　油油(禾黍↓)……一二六
ゆうり　有理(造反↓)……三一〇
ゆまい　逾邁(日月↓)……三三七

●よ

ようい　揚威(耀武↓)……四六一
よういく　孕鬻(嫗伏↓)……九九
ようかい　妖怪(狐狸↓)……二二三
ようきょう　佯狂(被髪↓)……四〇三
ようきょう　要徼(厳塞↓)……一八二
ようこう　庸行(聖読↓)……二八六
ようこう　庸行(庸言↓)……四六〇
ようごう　永劫(兆載↓)……三三七
ようさい　洋才(和魂↓)……四八〇
ようしゅう　陽秋(皮裏↓)……四〇九
ようしゅん　陽春(有脚↓)……四五六
ようしん　揺唇(鼓舌↓)……二〇八
ようせい　揚清(激濁↓)……一七七
ようぜん　揚善(遏悪↓)……六三
ようび　揚眉(吐気↓)……三六四
ようふ　幼婦(黄絹↓)……一九〇
ようほう　陽報(陰徳↓)……九五
ようやく　踊躍(冶金↓)……四五五
ようよう　洋洋(前途↓)……三〇三
ようよう　揚揚(意気↓)……六八
ようりょう　要領(不得↓)……四二〇
よおう　余殃(積悪↓)……二八八
よくよく　翼翼(小心↓)……二五九
よけい　余慶(積善↓)……二九〇
よだつ　与奪(生殺↓)……二八二
よちょう　飫聴(厭聞↓)……一〇九
よふね　夜船(白河↓)……二六五
よやく　与薬(応病↓)……一一三
よらく　与楽(抜苦↓)……三八八
よろん　余論(歯牙↓)……二二八
よんすん　四寸(口耳↓)……一九三

●ら

らいぎ　来儀(鳳凰↓)……四三一
らいくう　罍空(大沢↓)……三三〇
らいごう　雷轟(電光↓)……三五一
らいこん　来今(往古↓)……一二三
らいどう　雷同(附和↓)……四三三
らいふく　来復(一陽↓)……七八
らいめい　雷鳴(瓦釜↓)……一三三
らいらく　磊落(豪放↓)……一九八
らいりん　来臨(枉駕↓)……一二一
らいれき　来歴(故事↓)……二〇八
らくか　楽禍(幸災↓)……一九一
らくがみ　楽髪(苦爪↓)……一六八
らくがん　落雁(沈魚↓)……三四三
らくがん　落雁(平沙↓)……四二六
らくぎょう　楽業(安居↓)……六五
らくげつ　落月(屋梁↓)……一一四
らくこん　落溷(墜茵↓)……三四四
らくざん　楽山(仁者↓)……二七〇
らくじつ　落日(孤城↓)……二〇七
らくしょ　洛書(河図↓)……一三〇
らくしょく　落色(青松↓)……二八四
らくしょく　落飾(剃髪↓)……三四七
らくすい　楽水(知者↓)……三三一
らくたん　落胆(失望↓)……三三九
らくちゃく　落着(一件↓)……八二
らくづめ　楽爪(苦髪↓)……一六七
らくど　楽土(王道↓)……一一三
らくはく　落魄(失魂↓)……二三七
らくばく　落莫(秋風↓)……二四九

らくよう 落葉(飛花↓)……三九八
らくらく 落落(灑灑↓)……二一五
らくらく 落落(洒洒↓)……二四三
らくらく 落落(晨星↓)……二七二
らくらく 落落(磊磊↓)……四六三
らてい 裸裎(袒裼↓)……三三七
らんがく 爛額(焦頭↓)……二六〇
らんきゅう 蘭宮(桂殿↓)……一七五
らんけい 濫刑(僭賞↓)……二九九
らんこう 鸞交(鳳友↓)……四四六
らんしょう 濫觴(嚆矢↓)……一九三
らんしん 乱神(怪力↓)……一二一
らんすい 濫吹(南郭↓)……三七二
らんぜん 爛然(朱墨↓)……二五三
らんぞう 濫造(粗製↓)……三一四
らんつい 乱墜(天花↓)……三五〇
らんどう 乱道(胡説↓)……二〇八
らんとく 乱徳(巧言↓)……一九〇
らんぱつ 乱髪(蓬頭↓)……四三五
らんぶ 乱舞(狂喜↓)……一五四
らんま 乱麻(快刀↓)……一二〇
らんま 藍摩(僧伽↓)……三〇六
らんまん 爛漫(桜花↓)……一一一
らんまん 爛漫(天真↓)……三五三
らんよう 濫用(職権↓)……二六四
らんる 藍縷(篳路↓)……四〇一

●り

りか 李下(瓜田↓)……一三〇
りきじん 力尽(精疲↓)……二八七
りく 離垢(遠塵↓)……一一五
りくへい 六蔽(六言↓)……四六六
りくり 陸離(光彩↓)……一九一
りくりょく 戮力(協心↓)……一五六
りくりょく 戮力(同心↓)……三六〇
りこう 利口(嗇夫↓)……二六三
りこう 利行(学知↓)……一二四
りこう 驪黄(牝牡↓)……四一〇
りごう 離合(集散↓)……二四六
りこん 利根(山雀↓)……四五五
りし 李四(張三↓)……三三八
りし 李四(桃三↓)……三五九
りせき 離析(分崩↓)……四二四
りたい 李戴(張冠↓)……三三六
りたつ 利達(富貴↓)……四二一
りちょう 李趙(張王↓)……三三六
りっこう 力行(勤倹↓)……一六四
りっこう 力行(苦学↓)……一六七
りつだん 立断(当機↓)……三五七
りっち 立地(頂天↓)……三四〇
りつめい 立命(安心↓)……六六
りつりつ 慄慄(戦戦↓)……三〇一
りてい 利貞(元亨↓)……一八一
りふ 李仆(桃傷↓)……三六〇
りへい 利兵(堅甲↓)……一八一
りゅうこう 柳巷(花街↓)……一三三
りゅうこう 流光(積厚↓)……二八八
りゅうこう 流行(一時↓)……七五
りゅうこう 流行(不易↓)……四一四
りゅうしょう 流觴(曲水↓)……一五八
りゅうすい 流水(行雲↓)……一八六
りゅうすい 流水(高山↓)……一九一
りゅうすい 流水(落花↓)……四六四
りゅうたい 隆替(世運↓)……二八八
りゅうてい 流涕(悽愴↓)……二八五
りゅうひ 留皮(豹死↓)……四〇七
りゅうもん 竜門(一登↓)……八九
りゅうらん 流爛(衍曼↓)……一一〇
りゅうり 流離(貴種↓)……一四五
りゅうりょく 柳緑(花紅↓)……一三五
りゅうりょく 柳緑(桃紅↓)……三五九
りよう 利養(名聞↓)……四四三
りょううん 凌雲(壮士↓)……三〇八
りょうえん 遼遠(前途↓)……三〇三
りょうき 両岐(麦穂↓)……三八四
りょうぎょく 良玉(精金↓)……二八二
りょうぎん 竜吟(枯木↓)……二二一
りょうく 良狗(狡兎↓)……一九六
りょうげん 燎原(星火↓)……二八一

りょうしつ　両失（一挙↓）……八一
りょうしょう　料峭（春寒↓）……二五三
りょうしん　良辰（吉日↓）……一四七
りょうぜつ　両舌（一口↓）……八二
りょうぜん　両全（忠孝↓）……三三三
りょうぜん　瞭然（一目↓）……七七
りょうぞく　良俗（公序↓）……一九三
りょうだ　竜挐（虎擲↓）……二一〇
りょうたん　両端（首鼠↓）……二五一
りょうだん　両断（一刀↓）……八八
りょうどう　両道（文武↓）……四二四
りょうとく　両得（一挙↓）……八一
りょうなん　両難（進退↓）……二七三
りょうのう　良能（良知↓）……四七一
りょうばい　良媒（紅葉↓）……二〇〇
りょうぶん　竜文（飛兎↓）……四〇一
りょうへん　竜変（雲蒸↓）……一〇一
りょうぼく　梁木（泰山↓）……三一八
りょうらん　繚乱（百花↓）……四〇五
りょうりき　量力（度徳↓）……三三三
りょうりょう　稜稜（気骨↓）……一四四
りょうれき　陵轢（胡漢↓）……二〇二
りょくがん　緑眼（紫髯↓）……二三四
りょくしゅ　緑酒（紅灯↓）……一九六
りょっこう　力行（節倹↓）……二九二
りり　離裏（属毛↓）……三一三
りんき　悋気（法界↓）……四三二
りんじょ　倫序（昭穆↓）……二六一
りんしょく　廩食（黄衣↓）……一八六
りんしん　麟振（竜驤↓）……四七一
りんね　輪廻（転生↓）……三五三
りんね　輪廻（六道↓）……四七八
りんよ　輪輿（梓匠↓）……二三三
りんり　淋漓（鮮血↓）……二九六
りんり　淋漓（悲壮↓）……四〇〇
りんり　淋漓（墨痕↓）……四三九
りんり　淋漓（流汗↓）……四六八
りんりん　凜凜（勇気↓）……四五六

●る

るいきゅう　累久（積日↓）……二八九
るいく　類狗（画虎↓）……一二五
るいこう　累洽（重熙↓）……三三六
るいせい　累世（窮年↓）……一五三
るいるい　累累（死屍↓）……二三三
るこつ　鏤骨（彫心↓）……三三八
るこつ　鏤骨（銘肌↓）……四四八
るてん　流転（三界↓）……二二〇
るてん　流転（生死↓）……二五八
るてん　流転（生生↓）……二八五
るり　瑠璃（万頃↓）……三九二
るろう　流浪（顛沛↓）……三五四

●れ

れいく　麗句（美辞↓）……三九九
れいげつ　令月（嘉辰↓）……一二七
れいご　囹圄（草満↓）……三一〇
れいこう　冷光（翠色↓）……二七七
れいしゃ　冷炙（残杯↓）……二三五
れいしょく　令色（巧言↓）……一九〇
れいそく　蠡測（管窺↓）……一三五
れいてい　冷諦（熱願↓）……三七五
れいてい　零丁（孤苦↓）……二〇五
れいひ　礼卑（知崇↓）……三三一
れいふく　麗服（盛粧↓）……二八五
れいぼく　零墨（断簡↓）……三三五
れいぼく　零墨（片簡↓）……四二八
れいろう　玲瓏（八面↓）……三八七
れいろう　玲瓏（百様↓）……四〇五
れいろく　儷六（駢四↓）……四二九
れきじつ　暦日（山中↓）……二二四
れきすう　暦数（天之↓）……三五四
れつじつ　烈日（秋霜↓）……二四七
れっしん　劣紳（土豪↓）……三六六
れっぱい　劣敗（優勝↓）……四五七
れつれつ　洌洌（秋風↓）……二四九
れんい　斂衣（簇酒↓）……三〇八
れんうん　恋雲（籠鳥↓）……四七七
れんこう　連衡（合従↓）……一二九
れんさん　斂散（糶糴↓）……三三九

れんじょ　漣如(泣血↓)……一五〇
れんだい　蓮台(九品↓)……一六九
れんぴ　連飛(両鳳↓)……四七二
れんま　錬磨(百戦↓)……四〇三
れんめん　連綿(皇統↓)……一九六
れんり　連理(比翼↓)……四〇八
れんれん　恋恋(綈袍↓)……三四七

●ろ

ろうかく　楼閣(空中↓)……一六七
ろうかく　楼閣(砂上↓)……二一九
ろうげつ　弄月(吟風↓)……一六六
ろうげつ　弄月(嘯風↓)……二六一
ろうげつ　哢月(嘲風↓)……三四〇
ろうげつ　撈月(海底↓)……一一〇
ろうしん　撈針(大海↓)……三一五
ろうじん　鏤塵(吹影↓)……二七六
ろうずい　浪蕊(浮花↓)……四一四
ろうぜき　狼藉(声名↓)……二八七
ろうぜき　狼藉(杯盤↓)……三七九
ろうぜき　狼藉(落花↓)……四六四
ろうぜき　狼藉(乱暴↓)……四六六
ろうそう　老荘(孔孟↓)……一九九
ろうそん　弄孫(含飴↓)……一一三
ろうちょう　籠鳥(檻猿↓)……一一三
ろうちょう　籠鳥(池魚↓)……三三〇
ろうとう　郎党(一族↓)……七五
ろうどん　狼貪(羊很↓)……四六〇
ろうばい　狼狽(周章↓)……二四七
ろうひょう　鏤氷(画脂↓)……一二六
ろうほ　狼歩(鷹視↓)……四六〇
ろうほ　漏脯(鬱肉↓)……九八
ろうほう　弄法(舞文↓)……四二〇
ろうろう　朗朗(音吐↓)……一一五
ろかい　鱸膾(蓴羹↓)……二五三
ろぎょ　魯魚(烏焉↓)……九六
ろくば　勒馬(懸崖↓)……一八〇
ろくよう　録用(量才↓)……四七〇
ろしゅく　露宿(草行↓)……三〇七
ろしゅく　露宿(風餐↓)……四一二
ろじょう　驢上(灞橋↓)……三八〇
ろっぴ　六臂(三面↓)……二二六
ろっぴ　六臂(八面↓)……三八七
ろっぷ　六腑(五臓↓)……二〇八
ろめい　驢鳴(犬吠↓)……一八三
ろらく　盧駱(王楊↓)……一一三

●わ

わいく　矮軀(痩身↓)……三〇九
わき　和気(一団↓)……七五
わくしゅう　惑衆(妖言↓)……四六〇

四字熟語の由来する主要成句索引

四字熟語をつくる漢字は太字で示した。但し、助字の「不」などはひらがなとした。

●あ行

遠水は近火を救わず……一〇八
偃鼠《えんそ》河に飲むも満腹に過ぎず……九三
炎《えん》に趨《おもむ》き熱に附く……二八〇
怨《うら》みに報《むく》ゆるに徳を以《もっ》てす……四三一
王侯《おうこう》将相《しょうしょう》寧《いずく》んぞ種有らんや……一一一
応接に暇《いとま》あらず……一一二
屋上《おくじょう》屋を架《か》す……一一四
己《おのれ》に克《か》ちて礼に復《かえ》る……二〇九
己《おのれ》を修めて人を治む……二四六
恩を忘れ義に負《そむ》く……四三一

●か行

快刀、乱麻《らんま》を断《た》つ……一二〇
帰りなんいざ、田園将《まさ》に蕪《あ》れなんとす……三四九
蝸牛《かぎゅう》角上の争い……一二三
是《かく》の如《ごと》く我《われ》は聞けり……三七五
革《かく》は故《ふる》きを去るなり、鼎《てい》は新しきを取るなり……一二三
影《かげ》を吹き塵《ちり》に鏤《ちりば》む……二七六
家書《かしょ》万金に抵《あた》る……一二六
苛政《かせい》は虎《とら》よりも猛《たけ》し……一二七
風に櫛《くしけず》り雨に沐《もく》す……二三九
風を繋《つな》ぎ影《かげ》を捕《と》らう……一七六
形は槁木《こうぼく》の如《ごと》く、心は死灰《しかい》の如し……一九八
旁《かたわ》らに人無きが若《ごと》し……四三三
肩《かた》を比《なら》べ踵《かかと》に随《したが》う……三九八
渇《かっ》すれども盗泉《とうせん》の水を飲まず、熱《あっ》けれども悪木《あくぼく》の陰《かげ》に息《いこ》わず……六三
瓜田《かでん》に履《くつ》を納《い》れず、李下《りか》に冠《かんむり》を正さず……四六六
鼎《かなえ》の軽重《けいちょう》を問う……四五四
禍福《かふく》は糾《あざな》える纆《なわ》の如《ごと》し……一三一
株を守りて兎《うさぎ》を待つ……二五一
壁《かべ》を鑿《うが》ちて光を偸《ぬす》む……二一八
壁《かべ》を穿《うが》ちて光を引く……三〇四
釜《かま》を破り船を沈む……三九〇
眼光《がんこう》紙背に徹《てっ》す……一三五
肝胆《かんたん》、相《あい》照らす……一三八
管仲《かんちゅう》馬に随《したが》う……一三九
管中《かんちゅう》より豹《ひょう》を窺《うかが》う……一三九
肝脳《かんのう》、地に塗《まみ》る……一四〇
頑夫《がんぷ》も廉《れん》に、懦夫《だふ》も志を立つる有り……一四一
棺《かん》を蓋《おお》いて事《こと》定まる……一一七
既往《きおう》は咎《とが》めず……一四二
岐《き》多くして羊を亡《うしな》う……三三二
奇貨居《お》く可《べ》し……一四二
騏驥《きき》、隙《げき》を過ぐ……一四三
危急存亡の秋《とき》……一四三
疑心、暗鬼《あんき》を生《しょう》ず……一四六
鞠躬《きっきゅう》尽瘁《じんすい》、死して後已《や》む……一四七
狐《きつね》死して丘に首《かしら》す……二〇七
狐《きつね》、虎《とら》の威を仮《か》る……二〇二
機に臨《のぞ》んで変に応ず……四七三
木に縁《よ》りて魚《うお》を求む……一〇九
機に因《よ》りて法を説く……九四
驥《き》は一日にして千里なるも、駑馬《どば》も十《じゅう》駕《が》すれば之《これ》に及《およ》ぶ……三六九
杞人《きひと》、天を憂《うれ》う……一四六
窮猿《きゅうえん》林に投じて豈《あ》に木を択《えら》ぶに暇《いとま》あらず……一四九
九死に一生を得る……一五一
窮鼠《きゅうそ》猫《ねこ》を噛《か》む……一五一
窮鳥《きゅうちょう》懐《ふところ》に入る……一五二
朽木《きゅうぼく》は雕《え》るべからず、糞土《ふんど》の牆《しょう》は杇《ぬ》るべからず……一五三
驕兵《きょうへい》は必ず敗《やぶ》る……一五七
虚《きょ》にして往《ゆ》き実《じっ》にして帰る……一五七
居に安《やす》んじ、業を楽しむ……六五

錐《きり》の嚢中《のうちゅう》に処《お》るが如《ごと》し……三七六
帰を同じうして塗《みち》を殊《こと》にす……三五七
槿花《きんか》一日自ら栄を為《な》す……一六三
禽困《きんこん》、車を覆《くつがえ》す……一六五
琴瑟《きんしつ》相《あい》和《わ》す……一六五
金を炊き、玉を饌《せん》す……二七七
金をば塊《かい》のごとく珠《たま》をば礫《こいし》のごとくす……一六三
愚公《ぐこう》山を移す……一六七
愚者《ぐしゃ》も千慮《せんりょ》に必ず一得有り……一六八
管《くだ》を用《もっ》て天を窺《うかが》う……四五九
脣《くちびる》亡《ほろ》びて歯寒し……二七四
靴を隔てて痒《かゆ》きを掻《か》く……一二八
頸《くび》を延べ踵《くびす》を挙《あ》ぐ……一〇七
車は流水の如《ごと》く馬は游竜《ゆうりょう》の如し……二四三
昏《くれ》に定めて晨《あした》に省みる……二二三
君子は器《き》ならず……一七一
君子は豹変《ひょうへん》す……一七〇
葷酒《くんしゅ》山門に入るを許さず……一七一
形影、相《あい》同じ……一七二
形影、相《あい》弔《とむら》う……一七二
軽諾《けいだく》は必ず信《しん》寡《すくな》し……一七五
毛を吹いて疵《きず》を求む……二七九
言《げん》に訥《とっ》にして行いに敏《びん》なり……三六八
堅《けん》を被《こうむ》り鋭《えい》を執《と》る……三九八
言を察して色を観《み》る……二一九
言を危《たか》くし、行いを危くす……一四四
光陰《こういん》箭《や》の如《ごと》し……一八六
光焔《こうえん》万丈《ばんじょう》長し……一八六
後悔《こうかい》、臍《ほぞ》を噬《か》む……一八六
口角、沫《あわ》を飛ばす……一八七
巧偽《こうぎ》は拙誠《せっせい》に如《し》かず……一八九
剛毅《ごうき》木訥《ぼくとつ》仁に近し……一八九
巧言《こうげん》は徳を乱る……一九〇
巧言《こうげん》令色鮮《すくな》し仁……一九〇
好事《こうじ》、魔《ま》多し……一九二
後生畏《おそ》る可《べ》し……一九三
巧遅《こうち》は拙速《せっそく》に如《し》かず……一九五
狡兎《こうと》死して良狗《りょうく》煮《に》らる……一九六
功成り名を遂《と》ぐ……一九四
頭《こうべ》を懸《か》け股《もも》を刺す……一八三
首《こうべ》を俛《ふ》し耳を帖《た》る……四一七
甲を棄《す》て兵を曳《ひ》く……一四四
氷を敲《たた》いて火を求む……一九七
呉牛《ごぎゅう》、月に喘《あえ》ぐ……二〇三
国色朝《あした》に酒を酣《たのし》み天香夜に衣《ころも》を染む……二〇四
虎穴《こけつ》に入らずんば虎子《こし》を得ず……二〇六
志《こころざし》大にして才疎《さいそ》……二三四
心に彫《ほ》り骨に鏤《きざ》む……三三八
心を驚《おどろ》かし魄《たましい》を動かす……一五六
心を以《もっ》て心に伝う……七一
五日《ごじつ》にして一たび風ふき、十日《じゅうじつ》にして一たび雨ふる……二一一
五十にして天命を知る……二〇七
梧鼠《ごそ》は五技にして窮す……二〇八
骨肉、相《あい》食《は》む……二一〇
子は父の為《ため》に隠す……二三七
胡馬《こば》北風に依《よ》る……二一〇
之《これ》を毫釐《ごうり》に失すれば謬《あやま》るに千里を以《もっ》てす……二〇〇
之《これ》を道《みちび》くに徳を以《もっ》てす……三五九

● さ行

塞翁《さいおう》馬を失う……二一四
歳月《さいげつ》は人を待たず……二一五
前《さき》には倨《おご》りて後には恭《うやうや》し……二九五
三軍、骨を暴《さら》す……二三一
三十にして立つ……二三三
三千の寵愛《ちょうあい》一身に在《あ》り……三三五

山中暦日《れきじつ》無し……二三四
三人虎《とら》を成す……二三五
三人寄れば文殊《もんじゅ》の知恵……二三五
四海の内は皆《みな》兄弟《けいてい》たり……二三七
死灰《しかい》復《また》然《も》ゆ……二三八
鹿《しか》を指して馬と為《な》す……二六六
四十にして惑《まど》わず……二三三
死生命《めい》有り……二三四
児孫の為《ため》に美田を買わず……四二〇
死中に活《かつ》を求む……二三六
疾風《しっぷう》に勁草《けいそう》を知る……二三八
子《し》は怪力《かいりき》乱神を語らず……一二一
衆寡《しゅうか》敵せず……二四五
十有五《じゅうゆうご》にして学《がく》に志す……二四六
柔《じゅう》能《よ》く剛《ごう》を制す……二四八
繡《しゅう》を衣《き》て夜行く……七〇
臭《しゅう》を万載《ばんさい》に遺《のこ》す……七〇
春宵《しゅんしょう》一刻値《あたい》千金……二五四
駿足《しゅんそく》長阪《ちょうはん》を思う……二五四
小人閑居《かんきょ》しては不善を為《な》す……二五九
小に因《よ》りて大を失う……九四
将門《しょうもん》、将《しょう》有り……二六二
従容《しょうよう》として義に就《つ》く……二六二
将を射《い》んと欲《ほっ》すれば先《ま》ず馬を射よ……二四三
牀《しょう》を畳《かさ》ね屋《おく》を架《か》す……二五八
章を尋《たず》ね句を摘《つ》む……二七一
章を断《た》ちて義を取る……三三六
蜀犬《しょくけん》、日に吠《ほ》ゆ……二六三
書を読みて羊を亡《うしな》う……三六六
死を生かして骨に肉《にく》す……二八三
痔《じ》を舐《ねぶ》りて車を得《う》……二三三
人間《じんかん》到《いた》る処《ところ》青山《せいざん》有り……二六七
人口に膾炙《かいしゃ》す……一一八
仁者は憂《うれ》えず……二七〇
仁者は山を楽しむ……二七〇
人主にもまた逆鱗《げきりん》有り……二七〇
人事を尽くして天命を待つ……二六九
人生七十古来《こらい》稀《まれ》なり……二三五
身体髪膚《はっぷ》之《これ》を父母に受く、敢《あ》えて毀傷《きしょう》せざるは孝の始めなり……二七三
心頭を滅却すれば火もまた涼《すず》し……二七四
随珠《ずいしゅ》をもって雀《すずめ》を弾《う》つ……二七七
図を按《あん》じて驥《き》を索《もと》む……六六
寸鉄、人を殺す……二八〇
井《せい》渫《さら》えども食《くら》われず……二八五
西施《せいし》、心を捧《ささ》ぐ……二八三
西狩《せいしゅ》して麟《りん》を獲《え》たり……二八四
精神一到、何事《なにごと》か成らざらん……二八四
聖人は一視にして同仁、近くに篤《あっ》くして遠くを挙ぐるなり……八三
正正の旗、堂堂の陣《じん》……二八五
清濁《せいだく》併《あわ》せ呑《の》む……二八五
斉東《せいとう》野人《やじん》の語……二八六
生は寄なり、死は帰《き》なり……二八二
姓《せい》を易《か》え命《めい》を革《あらた》む……一〇五
生を養い死を喪《そう》す……四六一
積善の家に必ず余慶《けいよ》あり……二九〇
跖《せき》の狗《いぬ》尭《ぎょう》に吠《ほ》ゆ……二八八
節を蹈《ふ》んで義に死す……三六〇
前車の覆《くつがえ》るは後車の誡《いましめ》……二九八
前人未《いま》だ到《いた》らず……三〇〇
栴檀《せんだん》は双葉《ふたば》より芳《かんば》し……三〇二
賤《せん》に斂《おさ》め貴《き》に発す……三〇五
千人の諾諾《だくだく》は一士の諤諤《がくがく》に如《し》かず……八三
前門に虎《とら》を拒《ふせ》いで後門に狼《おおかみ》を進む……二九七
善を勧めて悪を懲《こ》らす……一三八
滄海《そうかい》変じて桑田《そうでん》となる……三〇五
創業は易《やす》く、守成は難《かた》し

し……三〇六
糟糠《そうこう》の妻は堂より下さず…三〇七
甑中《そうちゅう》塵《ちり》を生《しょう》じ、釜中《ふちゅう》魚《うお》を生ず……三〇九
蒼蠅《そうよう》、驥尾《きび》に附《ふ》して千里を致《いた》す……三一一
滄浪《そうろう》の水清《す》まば以《もっ》て吾が纓《えい》を濯《あら》う可《べ》し、滄浪の水濁《にご》らば以て吾が足を濯う可し……三二一
備え有れば患《うれ》い無し……四五八
其《そ》の疾《はや》きこと風の如《ごと》く、其の徐《しず》かなること林の如く、侵掠《しんりゃく》すること火の如く、動かざること山の如し…四一三

● た行

大隠《たいいん》は朝市《ちょうし》に隠《かく》る…三一五
大海に針を撈《すく》う……三一五
大義親《しん》を滅す……三一六
大巧《たいこう》は拙《せつ》なるが若《ごと》し…三一八
大山鳴《めい》動《どう》して鼠《ねずみ》一匹…三一八
大丈夫《だいじょうふ》は寧《むし》ろ玉砕《ぎょくさい》す可《べ》く、瓦全《がぜん》する能《あた》わず……一五八
大智《だいち》は愚《ぐ》なるが如《ごと》し…三二〇
大智《だいち》は智《ち》ならず……三二〇
大道は器《き》ならず……三二〇
大方《たいほう》は隅無く、大器は晩成なり……三一六
薪《たきぎ》に坐《ざ》して肝《きも》を懸《か》く…二一九
薪《たきぎ》を抱《かか》えて火を救う……四三三
薪《たきぎ》を採り水を汲《く》む……二一六
他山の石、以《もっ》て玉を攻《みが》くべし……三二一
玉を窃《ぬす》み香《こう》を偸《ぬす》む……二九一
弾丸《だんがん》雨のごとく注ぐ……三三五
邇《ちか》きに在《あ》りて遠きに求む…二一五
近きを舎《す》てて遠きを求む……二四一
力《ちから》山を抜き、気世を蓋《おお》う……三八八
知者は惑《まど》わず……三三一
智者《ちしゃ》も千慮に必ず一失有り……三二〇
地平らかに天成る……三三二
知崇《たか》く礼卑《ひく》し……三三一
中原に鹿《しか》を逐《お》う……三三三
忠言は耳に逆らう……三三二
長者《ちょうじゃ》の万灯より貧者《ひんじゃ》の一灯……四〇九
長を助けんとして苗を抜く……二六四
鴆《ちん》を飲みて渇《かっ》を止《とど》む…九五
月をも羞《はず》かしめ花をも閉ざしむ……二四五
夙《つと》に興《お》き夜《よわ》に寝《い》ぬ……二五〇
常を蹈《ふ》んで故《こ》を襲《おそ》う……三六〇
角《つの》を矯《た》めて牛を殺す……一五四
程孔《ていこう》蓋《がい》を傾《かたむ》く……三四五
手を拱《こまぬ》いて傍《かたわ》らで観《み》る…一五六
哲夫《てっぷ》城を成し、哲婦《てっぷ》城を傾く……三四八
手を翻《ひるがえ》せば雲と作《な》り手を覆《くつがえ》せば雨……一〇三
天下に双《なら》ぶ無し……三五〇
天下の憂《うれ》えに先んじて憂え、天下の楽しみに後《おく》れて楽しむ……三〇四
電光《でんこう》影裏《えいり》春風を斬《き》る…三五一
天上天下《てんげ》唯我《ゆいが》独尊……四五六
天に跼《せぐくま》り地に蹐《ぬきあし》す……一五九
天に則《のっと》り私《わたくし》を去る……三一三
天に向かって唾《つば》を吐《は》く……一九五
天は長く地は久し……三五三
天網《てんもう》恢恢《かいかい》疎《そ》にして失わず……三五五
天を仰《あお》ぎて愧《は》じず……一五七
天を驚《おどろ》かし、地を動かす…一五六
天を談じて竜《りゅう》を雕《ほ》る……三二七
天を幕《まく》とし地を席《せき》とす…三八四

灯火親しむ可《べ》し……三五六
銅駝《どうだ》の荊棘《けいきょく》に在《あ》るを嘆《なげ》く……一七三
同病相《あい》憐《あわ》れむ……三六二
東風、馬耳を射る……三八七
桃李《とうり》言わざれども下自《おのず》から蹊《けい》を成す……三六三
遠き慮《おもんぱか》り無ければ、必ず近き憂《うれ》い有り……一一
兎角《とかく》の弓に亀毛《きもう》の矢を矧《は》げ空花《くうげ》の的を射る……三六四
読書百遍《ひゃっぺん》意自《おの》ずから通ず……三六五
徳に悖《もと》り倫《みち》を没す……三七九
徳を一《いっ》にし心を一にす……八九
徳を度《はか》り力を量《はか》る……三二二
毒を以《もっ》て毒を制す……九〇
年を窮《きわ》め世を累《かさ》ぬ……一五三
歳を翫《むさぼ》り日を愒《むさぼ》る……一三六
突《とっ》を曲げて薪《たきぎ》を徙《うつ》す……一五九
怒髪《どはつ》天を衝《つ》く……三六九
倶《とも》には天を戴《いただ》かず……四一五
虎《とら》を画《えが》いて狗《く》に類す……一二五
鳥尽《つ》き弓蔵《おさ》めらる……三三八

●な行

泣いて馬謖《ばしょく》を斬《き》る……一五一
轅《ながえ》に攀《すが》りて轍《わだち》に臥《ふ》す……三九一
轅《ながえ》を北にして楚《そ》に適《ゆ》く……四三七
流れに枕《まくら》し石に漱《くちすす》ぐ……三四四
肉袒《にくたん》して荊《けい》を負う……三七四
錦《にしき》を衣《き》て郷《きょう》に還《かえ》る……六九
錦《にしき》を衣《き》て絅《けい》を尚《くわ》う……六九
鶏《にわとり》を割《さ》くに焉《いずく》んぞ牛刀を用いん……一二九
年年歳歳《さいさい》花相《あい》似《に》たり……三七六
能ある鷹《たか》は爪《つめ》を隠《かく》す……三七七

●は行

敗軍の将は兵を語らず……三七七
白玉楼中《ろうちゅう》の人となる……三八二
白虹《はくこう》、日を貫《つらぬ》く……三八三
白馬は馬に非《あら》ず……三八四
白眉《はくび》最も良し……三八五
始めは処女の如《ごと》く後《のち》は脱兎《だっと》の如し……二六四
始めを慎み終わりを敬《つつ》しむ……二六九
肌《はだ》に銘《めい》じ骨に鏤《きざ》む……四四八
発憤《はっぷん》して食を忘る……三八九
鳩《はと》に三枝《さんし》の礼あり、烏《からす》に反哺《はんぽ》の孝あり……二二三
蚤《はや》く寝《い》ね晏《おそ》く起《お》く……三〇八
腹を鼓《こ》し壌《つち》を撃《う》つ……二一一
万死に一生を顧《かえり》みず……三九三
万寿《ばんじゅ》疆《きわま》り無し……三九三
万緑叢中《そうちゅう》紅一点《こういってん》……三九七
羊を亡《うしな》いて牢《ろう》を補う……四三六
一たび竜門《りゅうもん》に登れば則《すなわ》ち声価十倍す……八九
人を玩《もてあそ》べば、徳を喪《うしな》う……一三七
肥馬に乗り、軽裘《けいきゅう》を衣《き》る……四〇一
百尺《ひゃくせき》竿頭《かんとう》一歩を進む……四〇三
百年河清を俟《ま》つ……四〇四
豹《ひょう》は死して皮を留《とど》む……四〇七
比翼《ひよく》の鳥、連理の枝……四〇九
博《ひろ》く之《これ》を学び、審《つまび》らかに之を問う……三八一
博《ひろ》く文を学び、之《これ》を約するに礼を以《もっ》てす……三八五
博《ひろ》く学び篤《あっ》く志す……三八二
富貴《ふうき》天に在り……四一一
覆水は返らず……四一五
附耳《ふじ》の言も千里に聞こゆ……四一七
普天《ふてん》の下《もと》、率土《そつど》の浜《ひん》……四二〇
舟《ふね》に刻みて剣《けん》を求む……二〇四
故《ふる》きを送り新しきを迎う……三〇七
故《ふる》きを温《たず》ねて新しきを知

る……一一四
故《ふる》きを吐《は》きて新しきを納《い》る……三六七
古きを覧《み》、新しきを考う……四六五
武を偃《ふ》せて文を修む……一〇九
分《ぶん》に安《やす》んじ己《おのれ》を守る……六七
文を同じくし軌《き》を同じくす……三六二
文を右に武を左にす……四五八
兵を按《あん》じて動かず……六七
蛇《へび》を画《えが》きて足を添《そ》う……一二八
卞和《べんか》璧《たま》に泣く……四二八
封豕《ほうし》長蛇《ちょうだ》を為《な》す……四三三
忙中《ぼうちゅう》閑《かん》有り……四三四
母猿《ぼえん》腸を断ず……四三七
墨子《ぼくし》糸に泣く……四三八
戈《ほこ》を枕《まくら》にして旦《あした》を待つ……三四三
輔車《ほしゃ》は相《あい》依《よ》り脣《くちびる》亡《ほろ》ぶれば歯寒し……四三九
星を披《かぶ》り月を戴《いただ》く……三九九
哺《ほ》を含《ふく》み腹を鼓《こ》す……一四一
盆《ぼん》を戴《いただ》きて天を望む……三二一

●ま行

枉《まが》れるを矯《た》めて直《なお》きに過ぐ……一五三
允《まこと》に文、允《まこと》に武……九五
先《ま》ず隗《かい》より始めよ……二九八
窓を鑿《うが》ち牖《まど》を啓《ひら》く……二一八
豆を煮るに萁《まめがら》を燃《や》く……二四四
水清ければ魚《うお》無し……二七八
水は方円の器《うつわ》に随《したが》う……二七七
水を飲みて源を思う……九五
三たび思いて後に行う……三二三
道に聴《き》きて塗《みち》に説く……三六一
路を異にして帰りを同じうす……九三
身に漆《うるし》し炭を呑《の》む……二三八
耳を掩《おお》いて鐘《かね》を盗《ぬす》む……一〇七
身を修め家を斉《ととの》う……二四七
身を灰にして智《ち》を滅す……一七七
寧《むし》ろ鶏口《けいこう》と為《な》るも、牛後と為るなかれ……一七三
明《めい》を閉じ聡《そう》を塞《ふさ》ぐ……四二七
盲亀《もうき》浮木《ふぼく》に値《あ》う……四五二
用いらるれば行い舎《す》てらるれば蔵《かく》る……四六〇
本に報《むく》い始めに反《かえ》る……四三六
悖《もと》りて出《い》づれば悖りて入る……三七八
悖《もと》りて入れば悖りて出《い》づ……三七九
本を舎《す》てて末を逐《お》う……二四四
本を抜き源を塞《ふさ》ぐ……三八九
物換《か》わり星移る……四一九
物を開き務めを成す……一二一
物を玩《もてあそ》べば志を喪《うしな》う……一四一
桃《もも》を投じて李《すもも》に報《むく》ゆ……三六二
門前《もんぜん》市《いち》を成す……四五四
門前《もんぜん》雀羅《じゃくら》を設《もう》くべし……四五四

●や・ら・わ行

夜雨、牀《しょう》に対す……四五五
薬石、効《こう》無し……四五五
病、膏肓《こうこう》に入る……四〇八
指を噬《か》みて薪《たきぎ》を棄《す》つ……二八三
羊頭を懸《か》けて狗肉《くにく》を売る……四六一
漸《ようや》く佳境《かきょう》に入る……三〇三
藍田《らんでん》玉《ぎょく》を生《しょう》ず……四六六
乱を撥《おさ》めて正《せい》に反《かえ》す……三九〇
良弓《りょうきゅう》は張り難《がた》し……四六九
老驥《ろうき》、櫪《れき》に伏《ふ》す……四七六
隴《ろう》を得て蜀《しょく》を望む……三六六
六十にして耳順《したが》う……四七八
驢《ろ》鳴き犬吠《ほ》ゆ……四七九
災いを幸いとし禍《わざわ》いを楽しむ……一九一
我が田に水を引く……一三〇
笑いを河清に比す……二六〇
和を用《もっ》て貴《とうと》しと為《な》す……四六二

【あ】

哀哀父母　あいあいふぼ　3級

意味　**子を生み育ててくれた父母の苦労を悲しみ感謝すること。**苦労を重ねた父母の死をいたんでその恩に報いることができなかったことを嘆いたもの。「哀哀」は悲しむさま。

補説　出典の「哀哀たる父母、我を生みて劬労《くろう》す」による。

注意　「哀哀」を「愛愛」と書き誤らない。

出典　『詩経《しきょう》』〈小雅《しょうが》・蓼莪《りくが》〉

合縁奇縁　あいえんきえん　4級

意味　**ふしぎな巡り合わせの縁。**人と人との結びつきには、互いに気心《きごころ》の合う合わないがあるが、それもみな因縁というふしぎな力の作用によるものだということ。男女・夫婦・友人などの間柄についていう。

補説　「合縁」は「愛縁」「相縁」、「奇縁」は「機縁」とも書く。

哀毀骨立　あいきこつりつ　2級

意味　**悲しみの極み。**親との死別にひどく悲しむこと。「哀毀」は悲しみのためにやせほそる、「骨立」は肉が落ちて骨と皮ばかりになる意。

出典　『世《せ》説《せつ》新《しん》語《ご》』〈徳行《とっこう》〉

愛及屋烏　あいきゅうおくう　準1級

⇩屋烏之愛（おくうのあい）

哀鴻遍野　あいこうへんや　準1級

意味　**いたる所に戦いに敗れた兵士やさまよう難民がいるさま。**「鴻」は大雁のことで、「哀鴻」は悲しげに鳴いて飛ぶ大雁のこと、「遍野」は野原のすみずみまでの意。悲しげに鳴く大雁が、野原のいたる所にいるということから。

補説　「哀鴻野《の》に遍《あまね》し」とも読む。

類義語　哀鴻遍地《あいこうへんち》

相碁井目　あいごせいもく　準2級

意味　**人の実力の差はさまざまで、何をするにも力の差はあるものだということ。**囲碁の腕前にたとえて言ったもの。「相碁」は実力が伯仲している者どうしで打つ碁。「井目」は実力の劣っている方がハンディキャップをつけるために碁盤上の九つの点に碁石を置くこと。

注意　「井目」を「正目」と書き誤らない。

哀糸豪竹　あいしごうちく　3級

意味　**悲しげな音を出す琴と、生き生きとした強い音を出す笛。**管弦の音色が悲壮で人の心をうつさま。「糸」は糸を張った楽器のことで、この場合は琴の意。「竹」は竹で作った吹いて鳴らす楽器で、笛のこと。

字体　「糸」の旧字体は「絲」。

出典　杜甫《とほ》の詩

愛多憎生　あいたぞうせい　3級

意味　**愛や恩を受けすぎると、かならず人のねたみや憎しみを買うことになるということ。**

補説　「愛多ければ憎しみ生ず」とも読む。出典には「恩甚《はなは》だしければ則《すなわ》ち怨《うら》み生じ愛多ければ則ち憎しみ至《いた》る」とある。

出典　『亢倉子《こうそうし》』〈用道《ようどう》〉

愛別離苦　あいべつりく　4級

意味　**別れのつらさをいう。**親子・兄弟・夫婦など愛する人と生別・死別する悲しみ。仏教で説く、生きる者の八つの苦しみ（→「四苦八苦《しくはっく》」）の中の一つ。

補説　語構成は「愛別離」＋「苦」。

出典　『大般涅槃経《だいはつねはんぎょう》』〈一二〉

曖昧模糊　あいまいもこ　準1級

意味　**はっきりとしないさま。あやふや・不明瞭。**「曖昧」も「模糊」も、ぼんやりしているさま。

補説　「模糊」は「糢糊」とも書く。

注意　「曖昧」を「曖味」と書き誤らない。

類義語　朦朧模糊《もうろうもこ》

対義語　明明白白《めいめいはくはく》

哀鳴啾啾　あいめいしゅうしゅう　1級

意味　**鳥や虫が悲しげになくさま。**「哀鳴」は鳥や獣の鳴くさま。「啾啾」は鳥や虫が低い声で鳴くさま。

愛楊葉児　あいようように　準1級

意味　**物事の真理をより深く探求しようとしないこと。**「楊葉」はかわやなぎの葉のこと。楊葉を愛する幼児の意で、幼児が落葉の季節に、黄色くなった楊の葉を見て黄金と思い込んで大切にするということから。もともと仏教語で、浅い教えで満足してしまうのを戒める語。

補説　語構成は「愛」＋「楊葉」＋「児」。

字体　「児」の旧字体は「兒」。

注意　「楊葉」を「揚葉」と書き誤りやすい。

青息吐息　あおいきといき　4級

意味　**非常に困ったり苦しんだりするときに発するため息。**また、**そのようなときの状態。**「青息」は苦痛に耐えられないときの息、「吐息」はため息の意。

悪衣悪食　あくいあくしょく　5級

意味　**質素で粗末な衣服や食物。**「悪食」は「あくじき」とも読むが、その場合は「粗末な食事」の意味のほかに「ふつう人の食べないものを食べる」「いかもの食い」の意味がある。

字体　「悪」の旧字体は「惡」。

出典　『論語』〈里仁《りじん》〉

類義語　粗衣粗食《そいそしょく》、節衣縮食《せついしゅくしょく》、粗衣糲食《そいれいしょく》

悪因悪果　あくいんあっか　5級

意味　**悪い行いには必ず悪い報いがあるということ。**「因果応報《いんがおうほう》」の悪い方。「悪果」は悪い報い、結果。「悪因」は悪い結果をもたらす原因。もと仏教の語。

字体　「悪」の旧字体は「惡」。

対義語　善因善果《ぜんいんぜんか》

悪逆無道　あくぎゃくむどう　5級

意味　**人としての道にはずれた悪い行い。**「無道」は道理にはずれていること。

補説　「無道」は「ぶとう」「ぶどう」とも読む。

字体　「悪」の旧字体は「惡」。

類義語　悪逆非道《あくぎゃくひどう》、極悪非道《ごくあくひどう》、大逆無道《たいぎゃくむどう》

悪事千里　あくじせんり　5級

意味　**悪いことは評判になりやすいというたとえ。**悪い行為はまたたくまに世に知れ渡るということ。

補説　「悪事千里を行く」「悪事千里を走る」の略。

字体　「悪」の旧字体は「惡」。

出典　『北夢瑣言《ほくむさげん》』〈六〉

悪戦苦闘　あくせんくとう　4級

意味　**困難を乗りこえようと非常な努力をすること。**手ごわい敵に対して死にものぐるいで苦しい戦いをする意。

字体　「悪」の旧字体は「惡」、「戦」の旧字体は「戰」、「闘」の旧字体は「鬭」。

類義語　千辛万苦《せんしんばんく》

悪人正機　あくにんしょうき　5級

意味　**阿弥陀仏《あみだぶつ》の本願は、悪人を救うことにあるとする説。**親鸞《しんらん》の思想の根本的概念。「正機」は、教法を受ける条件を

正しく持っていること。悪人こそ往生するにふさわしい機根《きこん》であること。

字体 「悪」の旧字体は「惡」。

出典 『歎異抄《たんにしょう》』〈三〉

握髪吐哺 あくはつ とほ　2級

⇩吐哺握髪(とほ あくはつ)

悪木盗泉 あくぼく とうせん　4級

意味 **悪事に染まるのを戒める語。**また、**悪事に染まること。**「悪木」は質の悪い木。「盗泉」は孔子がそこを通ったさい、名前が悪いと言って飲まなかったと伝えられる泉の名。悪い木の陰で休んだり、悪泉の水を飲んだりしただけでも身が汚れるという意。

補説 「渇《かつ》すれども盗泉の水を飲まず、熱《あつ》けれども悪木の陰に息《いこ》わず」の略。

字体 「悪」の旧字体は「惡」、「盗」の旧字体は「盜」。

出典 陸機の「猛虎行《もうここう》」

類義語 李下瓜田《りかかでん》

浅瀬仇波 あさせ あだなみ　準1級

意味 **思慮の浅い人は、とかくとるにたりない小さなことにも大さわぎすることのたとえ。**深い淵《ふち》より浅い瀬の方がはげしく波立つ意。

字体 「浅」の旧字体は「淺」。

鴉雀無声 あじゃく むせい　1級

意味 **ひっそりとして声のないこと。静寂なさま。**「鴉」はからす。からすやすずめの鳴き声のない意。

補説 「鴉雀声無《あじゃくこえな》し」とも読む。出典には「烏鵲《うじゃく》声無く夜闌《たけなわ》に向かう」とある。

字体 「声」の旧字体は「聲」。

出典 蘇軾《そしょく》の「絶句-詩」

阿世曲学 あせい きょくがく　準1級

⇩曲学阿世(きょくがく あせい)

鴉巣生鳳 あそう せいほう　1級

意味 **愚鈍な親がすぐれた子を生むたとえ。**また、**貧しい家からすぐれた人が出るたとえ。**からすの巣に鳳《おおとり》が生まれる意で、「とんびが鷹を生む」と同じ。「鴉」はからす。「鳳」はおおとりで、聖天子の世に現れるといわれる瑞鳥《ずいちょう》。

補説 「鴉巣《あそう》に鳳《ほう》を生《しょう》ず」とも読む。

出典 『五灯会元《ごとうえげん》』〈一二〉

可惜身命 あたら しんみょう　準1級

意味 **体や命を大切にすること。**「可惜」は、このままにしておくのは惜しい、もったいない、惜しむべきだの意。「身命」は体と命。

対義語 不惜身命《ふしゃくしんみょう》

遏悪揚善 あつあく ようぜん　1級

意味 **悪事を禁じて、善行をすすめること。**「遏」はとどめる・禁ずる意、「揚」はすすめる・さかんにすること。

補説 「悪を遏《や》め善を揚《あ》ぐ」とも読む。

字体 「悪」の旧字体は「惡」。

出典 『易経《えききょう》』〈大有《だいゆう》〉

類義語 勧善懲悪《かんぜんちょうあく》

悪口雑言 あっこう ぞうごん　5級

意味 **口にまかせてさまざまに悪口を言うこと。**また、**その言葉。**さんざんにののしることをいう。

字体 「悪」の旧字体は「惡」、「雑」の旧字体は「雜」。

注意 「雑言」は「ざつげん」とは読まない。

類義語 罵詈《ばり》雑言《ぞうごん》、悪口《あっこう》罵詈《ばり》、罵詈《ばり》讒《ざん》謗《ぼう》、讒謗《ざんぼう》罵詈《ばり》

阿鼻叫喚 あび きょうかん　準1級

意味 **非常に悲惨でむごたらしいさま**

のたとえ。仏教の語で阿鼻地獄(現世で最悪の大罪を犯した者が落ちるという最も苦しみの激しい地獄)に落ちて悲痛な叫び声を上げること。また、「阿鼻」「叫喚」ともに、仏教で説く八大地獄の阿鼻地獄と叫喚地獄のことともいう。

注意 「叫喚」を「狂喚」と書き誤らない。

出典 『法華経《ほけきょう》』〈法師《ほうし》功徳品《くどくほん》〉

阿附迎合 あふげいごう 準1級

意味 **人に気に入られようとしてへつらい、おもねること。**「阿附」は人におもねり従うこと、「迎合」は人の言うことをなんでも聞き入れ合わせること。

補説 「阿附」は「阿付」とも書く。

類義語 阿諛《あゆ》追従《ついしょう》、阿諛《あゆ》追随《ついずい》、迎合《げいごう》追《つい》従《しょう》、世辞《せじ》追従《ついしょう》、阿諛《あゆ》曲従《きょくしょう》、阿諛《あゆ》苟合《こうごう》、阿《あ》諛《ゆ》奉承《ほうしょう》、阿諛《あゆ》逢迎《ほうげい》、阿諛《あゆ》承迎《しょうげい》

蛙鳴蟬噪 あめいせんそう 1級

意味 **役に立たない議論や、内容に乏しく下手な文章。**蛙《かえる》や蟬《せみ》がやかましく鳴き騒ぐように、うるさいばかりでなんの役にも立たないという意味から転じた。

補説 「蟬噪蛙鳴」ともいう。

出典 蘇軾《そしょく》の詩

類義語 蛙鳴《あめい》雀噪《じゃくそう》、驢鳴《ろめい》犬吠《けんばい》

阿爺下頷 あやあがん

意味 **物事の見分けがつかない愚か者のこと。**また、**間違いのこと。**「阿」は語の上につけて親愛の気持ちを表す助字で、「阿爺」はお父さんのこと、「下頷」は下《した》顎《あご》の意。

補説 「下頷」は「かがん」とも読む。

故事 戦死した父親の遺骨をさがしに行った愚かな息子が、戦場に落ちていた馬の鞍《くら》の一部を、父親の下顎の骨と思いこんで大切に持ち帰ったという故事から。

出典 『碧巌録《へきがんろく》』

阿諛傾奪 あゆけいだつ 1級

意味 **身分や権勢のある者におもねり他人の地位を傾け奪うこと。**「阿諛」はおもねりへつらう、おべっかを言う意。

出典 亀谷《かめたに》省軒《せいけん》の文

類義語 阿諛《あゆ》追従《ついしょう》、阿諛《あゆ》奉承《ほうしょう》

阿諛追従 あゆついしょう 1級

意味 **相手に気に入られようと、こびへつらうこと。**「阿諛」はおもねりへつらう意、「追従」は他人にこびへつらうこと。また、その言葉。

注意 「追従」は「ついじゅう」ではない。また、「追笑」と書かないこと。

出典 『漢書《かんじょ》』〈匡衡伝《きょうこうでん》〉に「阿諛《あゆ》曲従《きょくしょう》」とあるのにもとづく。

類義語 阿諛《あゆ》曲従《きょくしょう》、阿諛《あゆ》便佞《べんねい》、阿諛《あゆ》追《つい》随《ずい》、世辞《せじ》追従《ついしょう》

阿諛便佞 あゆべんねい 1級

意味 **口先でへつらって、人の気に入るようにずるがしこく立ち回ること。**「阿諛」はこびへつらう、「便佞」は口先はうまいが、誠意がないこと。また、そのような人の意。

類義語 阿諛《あゆ》追従《ついしょう》、阿諛《あゆ》曲従《きょくしょう》、世辞《せじ》追従《ついしょう》

阿轆轆地 あろくろくじ 1級

意味 **物事が滞ることなくうまく回転すること。**また、**次から次へと言葉が発せられること。**「阿」「地」はともに助字、「轆轆」は車が回転する音の形容で、車がくるくる回るように、停滞しないさまをいう語。

補説 語構成は「阿」+「轆轆」+「地」。「轆轆」は「漉漉」とも書く。

類義語 転轆轆地《てんろくろくじ》

暗雲低迷 あんうんていめい 4級

意味 **前途不安な状態が続くこと。**ま

た、雲が低くたれこめて、なかなか晴れそうにないさま。

晏嬰狐裘　あんえい(の)こきゅう　1級

意味　**上に立つ者が倹約につとめ、職務に励むこと。**「晏嬰」は中国春秋時代の斉《せい》の宰相、「狐裘」は狐《きつね》のわきの下の白い毛の部分で作った衣のこと。

補説　「一狐裘三十年」ともいう。

故事　中国春秋時代、斉の宰相晏嬰は節倹力行を旨とし、たった一枚の狐裘を三十年もの間着続けて、国を治めることに励んだので名宰相といわれたという故事から。

出典　『礼記《らいき》』〈檀弓《だんぐう》・下〉

安閑恬静　あんかんてんせい　1級

意味　**安らかでゆったりとして静かなこと。** 悟りの境地を得たように無欲で心騒ぐことなくゆったりと静かなさま。「安閑」「恬静」ともに、安らかで静かなさま。

字体　「静」の旧字体は「靜」。

注意　「恬静」を「括静」「恬清」などと書き誤らない。

安居危思　あんきょきし　5級

意味　**平穏無事なときにも、万一の場合を考えて常に用心を怠らないことが重要であるということ。**「安居」は心を安らかにして暮らす、また安全な住居。

補説　出典に「書に曰《いわ》く、安《やす》きに居《お》りて危《あやう》きを思う、と。思えば則《すなわ》ち備え有り、備え有れば患《うれ》い無し」とある。

出典　『春秋左氏伝《しゅんじゅうさしでん》』〈襄公《じょうこう》一一年〉

安居楽業　あんきょらくぎょう　5級

意味　**置かれた状況などに心安らかに甘んじ、自分の仕事を楽しんですること。** 分《ぶん》をわきまえて不平不満を言わず、心のどかに自分のなすべきことをすることをいう。また、善政の行われている形容。世が治まり生活が安定し、それぞれ楽しく仕事に励む意。

補説　「居《きょ》に安《やす》んじ、業《ぎょう》を楽《たの》しむ」「安《あん》居《きょ》して業《ぎょう》を楽《たの》しむ」とも読む。

字体　「楽」の旧字体は「樂」。

出典　『漢書《かんじょ》』〈貨殖伝《かしょくでん》〉

類義語　安家楽業《あんからくぎょう》、安土楽業《あんどらくぎょう》

暗香蓊葧　あんこうおうぼつ

意味　**どこからともなく香りが盛んに漂いくるさま。**「暗香」はどこからともなく漂いくるよい香り、「蓊葧」は物の盛んなさま。

補説　「蓊葧」は「蓊勃」とも書く。

類義語　暗香浮動《あんこうふどう》

按甲休兵　あんこうきゅうへい　準1級

意味　**戦いをやめること。**「按甲」はよろいを下におくこと、「休兵」は武器を休ませる意。

補説　「甲を按《くだ》し兵を休む」ともいう。

出典　『漢書《かんじょ》』〈韓信伝《かんしんでん》〉

類義語　按甲寝兵《あんこうしんぺい》

暗香疎影　あんこうそえい　準2級

意味　暗闇《くらやみ》にただよう花の香りと、月光などに照らされて疎《まば》らに映る木々などの影の意で、**梅の花や梅の木**についていうことが多い。

出典　林逋《りんぽ》の「山園小梅《さんえんのしょうばい》-詩」

晏子高節　あんしのこうせつ　1級

意味　**中国春秋時代、斉《せい》の晏嬰《あんえい》が臣下としての節をまっとうしたこと。**「晏子」は春秋時代、斉の名宰相。「子」は尊称。

故事　斉の崔杼《さいちょ》が斉の君主荘公《そうこう》を殺し王室にくみする者を次々に殺して、晏嬰を「ともに斉の国に尽くそう」と脅迫したが、晏子は「無道の者は必ず天罰を蒙《こうむ》るであろう」と断固として受けなかった

という故事から。

出典　『晏子《あんし》春秋《しゅんじゅう》』〈雑・上〉

類義語　晏嬰《あんえい》脱粟《だつぞく》

安車蒲輪　あんしゃ ほりん　準1級

意味　**老人をいたわり手厚く遇するたとえ。**「安車」は、座席をしつらえた老人や婦人用の車。中国古代の車は立って乗るのが普通であった。「蒲輪」は蒲《がま》の穂で車輪を包み震動をやわらげたもの。つまり、乗り心地のよい車に老人を迎えるということ。

出典　『漢書《かんじょ》』〈申公伝《しんこうでん》〉

類義語　安車《あんしゃ》軟輪《なんりん》

安心立命　あんじん りつめい　5級

意味　**心を安らかに保って運命に身をまかせ、いかなる場合でも動揺しないこと。**「安心」は仏教語、「立命」は儒教語。

補説　「あんしんりつめい」「あんじんりつめい」「あんしんりゅうめい」「あんじんりゅうみょう」とも読む。

注意　「安心」を「安神」と書き誤らない。

類義語　安心決定《あんじんけつじょう》

按図索驥　あんず さくき　1級

意味　**理論だけの実際には役立たない考えや意見のこと。**馬に乗ったこともないのに、絵や書物の知識だけで、優秀な馬を見つけようとすること。机上の空論。「驥」は一日に千里を走るという名馬。

補説　「図《ず》を按《あん》じて驥《き》を索《もと》む」とも読む。

字体　「図」の旧字体は「圖」。

出典　『漢書《かんじょ》』〈梅福伝《ばいふくでん》〉

類義語　按図《あんず》索駿《さくしゅん》

按図索駿　あんず さくしゅん　準1級

⇩按図索驥（あんず さくき）

暗箭傷人　あんせん しょうじん　準1級

意味　**闇討《やみう》ちをしたり、ひそかに中傷したりする卑劣な行いのこと。**「暗箭」は暗闇《くらやみ》から弓の矢を射ること、「傷人」は人を傷つける意。ひそかに相手をねらう卑劣なやり方をいう。

補説　「暗箭人《あんせんひと》を傷《きず》つく」とも読む。

暗送秋波　あんそう しゅうは　5級

意味　**かげで機嫌とりをすること。**「秋波」はいろ目・流し目。「暗送」は(秋波を)ひそかに送る意。

安宅正路　あんたく せいろ　5級

意味　**仁と義のたとえ。**「安宅」は、居心地のよい家のこと。安らかな身の置き所の意から、仁にたとえる。「正路」は、正しい道のこと。人のふみ行うべき道の意から、義にたとえる。仁は優しさや慈しみの徳。義は信頼関係を保つための信義の徳。

出典　『孟子《もうし》』〈離婁《りろう》・上〉

暗中飛躍　あんちゅう ひやく　4級

意味　**人知れずひそかに活躍すること。**「暗躍」に同じ。「飛躍」は、高く飛び上がる意から、大いに活躍すること。

暗中摸索　あんちゅう もさく　準1級

意味　**手掛かりがないままに、あれこれとやってみること。**暗闇《くらやみ》の中で手探りで探し求めるという意。

補説　「摸索」は「模索」とも書く。

安寧秩序　あんねい ちつじょ　準2級

意味　**社会が落ち着いていて秩序立っていること。**「安寧」は安らかなこと。

安穏無事　あんのん ぶじ　3級

意味　**変わったこともなくおだやかなこと。**世の中や暮らしが日々平安なさまをいう。

補説　「安穏」は「あんおん」とも読む。
字体　「穏」の旧字体は「穩」。
類義語　平穏無事《へいおんぶじ》

安分守己　あんぶん しゅき

4級

意味　**身のほどをわきまえて生きること。**「安分」はおのれの分際に安んずる、「守己」はおのれの身を持すること。
補説　「分に安《やす》んじ己《おのれ》を守る」とも読む。
注意　「己」を「已《い》」「巳《し》」と誤らない。
類義語　知足安分《ちそくあんぶん》

按兵不動　あんぺい ふどう

準1級

意味　**好機の到来を、様子をうかがいながらじっと待つこと。**「按」は引き止める意で、「按兵」は兵を引き止めること。兵を止めたまま前進することをせず、機が熟するのをじっと待つ意。
補説　「兵を按じて動かず」とも読む。
出典　『呂氏春秋《りょししゅんじゅう》』〈召類《しょうるい》〉
類義語　按軍不動《あんぐんふどう》

安楽浄土　あんらく じょうど

準2級

意味　**仏教で阿弥陀《あみだ》仏のいるところ。**また、すべてに満ち足りていることのたとえ。
字体　「楽」の旧字体は「樂」、「浄」の旧字体は「淨」。
類義語　極楽浄土《ごくらくじょうど》

【い】

帷幄上奏　いあく じょうそう

1級

意味　**旧憲法下で、軍事の機密事項について直接天皇に上奏すること。**「帷幄」は本来たれ幕とひき幕で、軍の陣中の意、転じて作戦計画をする所、本陣。

以夷征夷　いい せいい

準1級

意味　**他人の力を用いて自分の利をはかること。**「夷」は中国東方の異民族。昔、中国周辺の異民族を東夷《とうい》・南蛮《なんばん》・西戎《せいじゅう》・北狄《ほくてき》といった。外敵を利用して外敵を制する外交戦略をいう。
補説　「夷を以《もっ》て夷を征す」とも読む。「征」は「制」とも書く。
類義語　以夷攻夷《いいこうい》

唯唯諾諾　いい だくだく

準2級

意味　**物事のよしあしにかかわらず、なんでもはいはいと承知すること。相手の言葉に逆らわずおもねること。**「唯」「諾」ともに「はい」という応答の辞。
注意　「唯唯」を「易易」と書き誤らない。
出典　『韓非子《かんぴし》』〈八姦《はちかん》〉
類義語　百依百順《ひゃくいひゃくじゅん》

伊尹負鼎　いいん ふてい

1級

意味　**大望のために身を落とすたとえ。**伊尹が鼎《かなえ》を背負ってやってくる意。「伊尹」は中国、殷《いん》代の賢宰相。「鼎」は三本足のものを煮るための道具。
注意　「伊尹」を「いい」と読み誤らないこと。
故事　伊尹は殷の湯王《とうおう》に仕えるため鼎を背負い料理人として近づき、ついに志を果たして宰相になったという故事から（『史記』〈殷本紀《いんほんぎ》〉）。
出典　『蒙求《もうぎゅう》』〈伊尹負鼎《いいんふてい》〉

易往易行　いおう いぎょう

5級

意味　**たやすい修行で極楽往生できるという教え。**「往」は極楽往生のこと、「行」は修行の意。阿弥陀如来《あみだにょらい》にすがって「南《な》無《む》阿弥陀仏《あみだぶつ》」と唱えるだけで極楽に往生できると説く、浄土宗の他力本願の教えの一つ。
補説　「往《ゆ》き易《やす》く行《ぎょう》じ易《やす》し」とも読む。
類義語　易往易修《いおういしゅう》、易行易修《いぎょういしゅう》
対義語　難行苦行《なんぎょうくぎょう》

衣冠盛事 いかん せいじ
3級

意味 **名門の家に生まれて勲功を立て、その家の盛んな名声を引き継ぐ者をいう。**「衣冠」は着物とかんむりの意から、りっぱな家柄をいう。

出典 欧陽脩《おうようしゅう》の文

遺憾千万 いかん せんばん
準2級

意味 **非常に残念なこと。**心残りこのうえないこと。「千万」は数量の多い意から、程度のはなはだ高いこと。

字体 「万」の旧字体は「萬」。

注意 「遺憾」の「憾」は「うらみ・残念」の意であるから「遺感」と書き誤らないこと。

衣冠束帯 いかん そくたい
3級

意味 **昔の貴族・官僚の礼装。**「束帯」は朝廷での公事に着用する正装用の礼服で、「衣冠」はその略装。

字体 「帯」の旧字体は「帶」。

注意 「衣冠」を「位冠」と書き誤らない。

意気軒昂 いき けんこう
準1級

意味 **意気込みが盛んで、奮い立つさま。**「軒昂」はいずれの字も高くあがる意で、奮い立つこと。

字体 「気」の旧字体は「氣」。

類義語 意《い》気《き》衝天《しょうてん》、意《い》気《き》揚揚《ようよう》

対義語 意《い》気《き》沮《そ》喪《そう》、意《い》気《き》銷沈《しょうちん》

意気自如 いき じじょ
3級

意味 **心の持ちかたがふだんと変わらず平静なこと。**「意気」は気持ち・心持ちのこと、「自如」は心が落ちついていて動ずることがない意。

字体 「気」の旧字体は「氣」。

注意 「自如」を「自叙」と書き誤らない。

出典 『後漢書《ごかんじょ》』〈呉《ご》漢伝《かんでん》〉に「意気自若」とあるのにもとづく。

類義語 意《い》気《き》自《じ》若《じゃく》、泰然《たいぜん》自《じ》若《じゃく》

意気銷沈 いき しょうちん
1級

意味 **元気をなくして、しょげかえること。**意気込みが衰え、威勢がくじかれること。「銷沈」は、衰えしずむこと。

補説 「銷沈」は「消沈」とも書く。

字体 「気」の旧字体は「氣」。

類義語 意《い》気《き》沮《そ》喪《そう》、垂頭《すいとう》喪《そう》気《き》

対義語 意《い》気《き》軒昂《けんこう》、意《い》気《き》衝天《しょうてん》、意《い》気《き》揚揚《ようよう》

意気衝天 いき しょうてん
3級

意味 **このうえなく意気込みが盛んなこと。**「衝天」は天を突き上げる意から、勢いの盛んなこと。

補説 「意《い》気《き》、天《てん》を衝《つ》く」とも読む。

字体 「気」の旧字体は「氣」。

注意 「衝天」を「昇天」と書き誤らない。

類義語 意《い》気《き》軒昂《けんこう》、意《い》気《き》揚揚《ようよう》

対義語 意《い》気《き》銷沈《しょうちん》、意《い》気《き》沮《そ》喪《そう》、垂頭《すいとう》喪《そう》気《き》

意気沮喪 いき そそう
1級

意味 **意気込みがくじけ弱り、元気を失うこと。**「沮喪」は気力を失い、勢力がなくなること。

補説 「沮喪」は「阻喪」とも書く。

字体 「気」の旧字体は「氣」。

類義語 意《い》気《き》銷沈《しょうちん》、垂頭《すいとう》喪《そう》気《き》

対義語 意《い》気《き》軒昂《けんこう》、意《い》気《き》衝天《しょうてん》、意《い》気《き》揚揚《ようよう》

意気投合 いき とうごう
5級

意味 **たがいの気持ちや考えなどがぴったりと合うこと。**気が合うこと。「投合」はぴったりと合う、一致する意。

字体 「気」の旧字体は「氣」。

注意 「投合」を「統合」と書き誤らない。

類義語 意《い》気《き》相投《そうとう》、情《じょう》意《い》投合《とうごう》

意気揚揚 いき ようよう
3級

意味 **非常に得意で威勢のよいさま。**

大変誇らしげに振る舞うこと。「揚揚」は得意のさま。

字体 「気」の旧字体は「氣」。

注意 「揚揚」を「楊楊」「陽陽」などと書き誤らない。

出典 『史記』〈晏嬰伝《あんえいでん》〉

類義語 意気軒昂《いきけんこう》、意気衝天《いきしょうてん》、意気昂然《いきこうぜん》

対義語 意気銷沈《いきしょうちん》、意気沮喪《いきそそう》、垂頭喪気《すいとうそうき》

異曲同工《いきょく どうこう》

5級

⇩同工異曲（どうこう いきょく）

衣錦還郷《いきん かんきょう》

2級

意味 **立身出世して故郷に帰ること。**「錦」は五色の糸で模様を織り出した美しい絹織物。

補説 「錦《にしき》を衣《き》て郷《きょう》に還《かえ》る」とも読む。

注意 「錦」を「綿」と書き誤らない。

類義語 衣錦之栄《いきんのえい》

対義語 衣繡夜行《いしゅうやこう》

衣錦尚絅《いきん しょうけい》

1級

意味 **才能や徳を外にあらわに出さないこと。**錦《にしき》を着てその上に薄絹をかける意。「絅」は薄いうちかけ。「尚」は加える、添え着すること。

補説 「錦《にしき》を衣《き》て絅《けい》を尚《くわ》う」とも読む。

注意 「錦」を「綿」と書き誤らない。

出典 『中庸《ちゅうよう》』〈三三〉

衣錦之栄《いきんの えい》

準1級

意味 **成功して故郷に錦《にしき》を飾る名誉をいう。**錦を着て故郷に帰る栄誉の意。

字体 「栄」の旧字体は「榮」。

注意 「錦」を「綿」と書き誤らない。

出典 欧陽脩《おうようしゅう》の「相州昼錦堂記《しょうしゅうちゅうきんどうき》」

類義語 衣錦還郷《いきんかんきょう》

対義語 衣繡夜行《いしゅうやこう》

郁郁青青《いくいく せいせい》

準1級

意味 **香りが盛んでかんばしく青々と生い茂るさま。**「郁郁」は香りのよいさま、「青青」は生い茂るさま。岸辺に盛んに生えたよろい草やふじばかまを評した語。

出典 范仲淹《はんちゅうえん》の「岳陽楼記《がくようろうのき》」

異口同音《いく どうおん》

5級

意味 **みんなが口をそろえて同じことを言うこと。**また、みんなの意見や説が一致すること。

補説 「異口」は「いこう」とも読む。

注意 「異口」を「異句」と書き誤らない。

出典 『宋書《そうしょ》』〈庾炳之伝《ゆへいしでん》〉

類義語 異口同辞《いくどうじ》、異人同辞《いじんどうじ》、異口同声《いくどうせい》

夷険一節《いけん いっせつ》

準1級

意味 **順境にも逆境にも節操を変えないこと。**平和なときも危険なときも守る節操は変わらず、一つであること。「夷険」は土地の平らな所と険しい所の意から、順境と逆境。

補説 「夷険《いけん》、節《せつ》を一《いつ》にす」とも読む。

字体 「険」の旧字体は「險」。

出典 欧陽脩《おうようしゅう》の「相州昼錦堂記《しょうしゅうちゅうきんどうき》」

韋弦之佩《いげんの はい》

1級

意味 **自分の性格を改めて修養しようと戒めのための物を身につけること。**「韋」はなめし革で柔らかく、「弦」はゆみづるで強くきびしい、「佩」は佩び物。

注意 「韋」を「葦」と書き誤らない。

故事 中国、戦国時代の西門豹《せいもんひょう》は短気な性格を柔軟なそれにしようとなめし革を身につけ、春秋時代の董安于《とうあんう》はのんびりした性格を厳格なものにしようとゆみづるを身につけた故事から。

出典 『韓非子《かんぴし》』〈観行《かんこう》〉

類義語 佩韋佩弦《はいいはいげん》

異国情緒《いこく じょうちょ》

準2級

意味 **いかにも外国らしい風物がかも**

しだす雰囲気や気分。エキゾチシズム。

補説　「情緒」は「じょうしょ」とも読む。

字体　「国」の旧字体は「國」。

注意　「情緒」を「情諸」と書き誤らない。

類義語　異《い》国《こく》情《じょう》調《ちょう》

為虎傅翼　いこふよく　1級

意味　**強い者にさらに力をつけること。**「傅翼」はつばさをつける意で、強い虎にさらにつばさをつけること。虎《とら》のために空を自由に飛ぶ能力も与えるということから。

補説　「虎の為《ため》に翼《よく》を傅《つ》く」ともいう。

字体　「為」の旧字体は「爲」。

注意　「傅」を「傳(伝の旧字体)」と書き誤りやすい。

出典　『韓《かん》非《ぴ》子《し》』〈難《なん》勢《ぜい》〉

類義語　為《い》虎《こ》添《てん》翼《よく》、傅《ふ》虎《こ》以《い》翼《よく》

意在言外　いざいげんがい　5級

意味　**自分の思いを直接言葉で述べないで、相手の推察にまかせること。**また、**思うことを直接書かないで、字間や行間に含ませること。**「意」は思い・考えのこと。

補説　「意は言外に在《あ》り」とも読む。

類義語　意《い》味《み》深《しん》長《ちょう》、微《び》言《げん》大《たい》義《ぎ》

意識朦朧　いしきもうろう　1級

意味　**意識がかすんではっきりしないさま。**意識がぼんやりとして気が遠くなるさま。「朦朧」はかすんではっきりしないさま。

意志薄弱　いしはくじゃく　4級

意味　**自分の明確な意志をもたないさま。**意志が弱くて忍耐力に欠けたり、決定や決行ができなかったりすること。

注意　「意志」を「意思」と書き誤らない。

類義語　薄《はく》志《し》弱《じゃっ》行《こう》、優《ゆう》柔《じゅう》不《ふ》断《だん》

遺臭万載　いしゅうばんさい　準2級

意味　**悪名や悪い評判を後世まで残すこと。**「遺」は残す意。「臭」は臭いにおいのことで、悪い評判のたとえ。「万載」はよろずよ・万年の意。

補説　「臭《しゅう》を万《ばん》載《さい》に遺《のこ》す」とも読む。「万載」は「万歳」とも書く。

字体　「万」の旧字体は「萬」。

出典　『晋《しん》書《じょ》』〈桓《かん》温《おん》伝《でん》〉

対義語　流《りゅう》芳《ほう》後《こう》世《せい》、垂《すい》名《めい》竹《ちく》帛《はく》

衣繡夜行　いしゅうやこう　準1級

意味　**功名をあげ、また出世しても故郷に錦《にしき》を飾らなければ誰《だれ》も知るものがないたとえ。**暗い夜に華やかな刺繡をした服を着て歩く意。「繡」は美しく縫い取りをした衣。

補説　「繡《しゅう》を衣《き》て夜《よる》行《ゆ》く」とも読む。

故事　中国、楚《そ》の項《こう》羽《う》が秦《しん》の都を攻略したとき、「富貴な身分になって故郷に帰らないのは、錦を着て夜歩くようなものだ」と言った故事から。

出典　『史記』〈項《こう》羽《う》紀《き》〉

類義語　衣《い》錦《きん》夜《や》行《こう》、夜《や》行《こう》被《ひ》繡《しゅう》

対義語　衣《い》錦《きん》還《かん》郷《きょう》

渭樹江雲　いじゅこううん　1級

意味　**遠くにいる友人を思う情が切なこと。**渭水のほとりの樹木と揚子江の空にたなびく雲。一方は渭水のほとりにいて、一方は遠く離れた揚子江のそばにいて互いに思いやる。「渭」は渭水。甘《かん》粛《しゅく》省に発し陝《せん》西《せい》省を東に流れて潼《とう》関《かん》県で黄《こう》河《が》に注ぐ。「江」は揚子江(長江)。

出典　杜《と》甫《ほ》の詩

意匠惨澹　いしょうさんたん　1級

意味　**工夫を凝《こ》らすのに苦心すること。**

「意匠」は工夫、また工夫を凝らすこと。「惨澹」は心を悩まし苦心するさま。

補説　「惨澹」は「惨憺」とも書く。

字体　「惨」の旧字体は「慘」。

出典　杜甫《とほ》の「丹青引《たんせいのいん》」

類義語　苦心惨憺《くしんさんたん》、焦唇乾舌《しょうしんかんぜつ》、粒粒辛苦《りゅうりゅうしんく》

医食同源　いしょく どうげん　5級

意味　**日常の食事に注意することが、病気予防の最善の策であるということ。**

「医食」は医薬と食事のこと、「同源」はもとが同じの意。東洋医学の原則。

補説　「医食は源《みなもと》を同じうす」とも読む。

字体　「医」の旧字体は「醫」。

以身殉利　いしん じゅんり　準2級

意味　**つまらない人間は自分の利と欲のためにのみ生きるということ。**

補説　出典の「小人《しょうじん》は則《すなわ》ち身を以《もっ》て利に殉じ、士は則ち身を以て名に殉じ、大《たい》夫《ふ》は則ち身を以て家に殉じ、聖人は則ち身を以て天下に殉ず」による。

出典　『荘子《そうじ》』〈駢拇《べんぼ》〉

遺簪墜履　いしん ついく

意味　なくしたかんざしと、**落としたくつ。日ごろ使い慣れたものに愛着をもつたとえ。**「遺」はなくなる意。「簪」はかんざし。「履」はくつ。

故事　孔子が出遊して薪《たきぎ》を刈っているときにかんざしをなくして泣いている婦人に会った故事と、楚《そ》の昭王《しょうおう》が呉《ご》との戦いのとき、くつをなくしてこれを惜しんだ故事から。

出典　遺簪＝『韓詩外伝《かんしがいでん》』〈九〉・墜履＝『新書《しんじょ》』〈諭城《ゆじょう》〉

以心伝心　いしん でんしん　5級

意味　**文字や言葉によらず心と心で通じ合うこと。**もと仏教ことに禅宗の語で、悟りの境地を心から心へ伝えること。

補説　「心《こころ》を以《もっ》て心に伝う」とも読む。

字体　「伝」の旧字体は「傳」。

注意　「以心」を「意心」と書き誤らない。

出典　『禅源諸詮集都序《ぜんげんしょせんしゅうとじょ》』〈上〉

類義語　教外別伝《きょうげべつでん》、不立文字《ふりゅうもんじ》、維摩《ゆいま》一黙《いちもく》

衣帯中賛　いたいちゅうの さん　5級

意味　南宋《なんそう》の忠臣の文天祥《ぶんてんしょう》が**死に臨み衣帯の中に書き置いた賛辞。**文天祥は宋王朝の滅亡に際して元《げん》軍に捕らえられ、元への帰順を執拗《しつよう》に迫られたが、忠節を守ってついに刑死した。この句は仁義の道を守りとおした天祥の意気を死に臨んで記し帯に挟み込んだ賛の意。「賛」は文体の名。ここでは聖賢の書を批評したたえたもの。

字体　「帯」の旧字体は「帶」、「賛」の旧字体は「贊」。

注意　語構成は「衣帯中」＋「賛」。

出典　『宋史《そうし》』〈文天祥伝《ぶんてんしょうでん》〉

異体同心　いたい どうしん　5級

意味　**体は別なものでも心は一つに固く結ばれていること。**また、**それほど関係が深いということ。**身体は異なるが心は同じという意からいう。特に夫婦の間柄に多く用いる。

字体　「体」の旧字体は「體」。

類義語　一心同体《いっしんどうたい》、寸歩不離《すんぽふり》

衣帯不解　いたい ふかい　5級

⇩**不解衣帯**（ふかい いたい）

韋駄天走　いだてん ばしり　1級

意味　**非常に速く走ること。**「韋駄天」は仏法・寺院の守り神。増長天八将軍の一。金剛杵《こんごうしょ》を持ち、非常に足が速いという。韋駄天のように速く走る意。

補説　語構成は「韋駄天」＋「走」。

異端邪説　いたん じゃせつ　3級

意味　**正統からはずれている思想・信**

仰・学説。「異端」は思想・信仰・学説などで、多くの人に一般的に承認されている正統に対して、特殊な少数の者によって信じ主張されているもの。「邪説」は不正な主張や学説。

補説　「邪説《じゃせつ》異端《いたん》」ともいう。

出典　『宋史《そうし》』〈程顥伝《ていこうでん》〉

一意攻苦　いちい こうく　4級

意味　**ひとすじに考え込むこと**。「一意」はいちずに、専心にの意。「攻苦」は苦難と戦う意。

注意　「攻」を「功」と書き誤らない。

一意専心　いちい せんしん　5級

意味　**ひたすら一つのことに心を集中すること**。「一意」は一つのことに心をそそぐ、一心になること。「意」は心の意。

補説　「一意」は「壱意」とも、「専心」は「摶心」とも書く。また、「専心一意」ともいう。

字体　「専」の旧字体は「專」。

類義語　一心一意《いっしんいちい》、全心全意《ぜんしんぜんい》、一心不《いっしんふ》乱《らん》、専心専意《せんしんせんい》

一衣帯水　いち いたいすい　5級

意味　**非常に近しい関係のたとえ**。ひとすじの帯のような細長い川や海峡。転じて、双方の間にそのような狭い隔てがあるくらいで、近接していること。「衣帯」は衣服の帯のこと、「水」は川や海などのこと。

補説　語構成は「一」＋「衣帯」＋「水」。

字体　「帯」の旧字体は「帶」。

出典　『南史《なんし》』〈陳後主紀《ちんこうしゅき》〉

類義語　衣帯《いたい》之《の》水《みず》、衣帯一江《いたいいっこう》

一飲一啄　いちいん いったく　準1級

意味　**人が分《ぶん》に安んじてそれ以上求めないことのたとえ**。ちょっと飲み、ちょっとついばむ。ささやかな飲食の意。「啄」はついばむこと。

字体　「飲」の旧字体は「飮」。

注意　「啄」を「琢」と書き誤らない。

出典　『荘子《そうじ》』〈養生主《ようせいしゅ》〉

一韻到底　いちいん とうてい　準2級

意味　**古詩の韻の踏み方のひとつで、同一の韻を最初から最後まで用いること**。「到底」ははじめから終わりまで一貫しての意。韻を踏むことは漢詩の技巧の一つ。詩の響きを美しくするため一定の句末に同じ響きをもつ字を配するもの。

注意　「到」を「倒」と、また「韻」を「音」と書き誤らない。

一栄一辱　いちえい いちじょく　3級

意味　**栄えたり衰えたりすること**。人の世は栄誉に輝くこともあれば恥辱にまみれることもある意。

字体　「栄」の旧字体は「榮」。

類義語　栄枯盛衰《えいこせいすい》、禍福糾纆《かふくきゅうぼく》

一詠一觴　いちえい いっしょう　1級

⇩一觴一詠（いっしょう いちえい）

一往一来　いちおう いちらい　5級

意味　**行ったり来たりすること**。「一」は「あるときは」の意。

字体　「来」の旧字体は「來」。

注意　「一往」を「一応」と書き誤らない。

出典　『荀子《じゅんし》』〈賦《ふ》〉

一月三舟　いちがつ さんしゅう　4級

意味　**仏道は一つであるのに人のさまざまな受け取り方で種々別々の意味にとられるたとえ**。止まっている舟から見る月は動かず、南へ行く舟から見る月は南に動き、北へ行く舟から見る月は北へ動くように見えるということ。

補説　「一月」は「いちげつ」とも読む。

出典　『華《け》厳《ごん》経《きょう》疏《そ》演《えん》義《ぎ》鈔《しょう》』〈一五〉

一牛鳴地　いちぎゅうめいち　5級

意味　**きわめて距離の近いこと。**牛の鳴き声が聞こえるほどに近い距離の地。また、のどかな田園風景。

補説　語構成は「一」+「牛鳴」+「地」。

類義語　一《いち》牛《ぎゅう》吼《こう》地《ち》

一行三昧　いちぎょうざんまい　2級

意味　**心を一つにして仏道修行に励むこと。**仏教語で、「一行」は一事に熱中すること、「三昧」は仏道の修行に一心になる意。とくに念仏三昧のことをいう。

注意　「三昧」を「三味」と書き誤らない。

一言一行　いちげんいっこう　5級

意味　**一つの言葉と一つの行い。**ちょっとした言葉もちょっとした行為でも。

注意　「一行」を「いちぎょう」と読み誤らない。

出典　『顔《がん》氏《し》家《か》訓《くん》』〈慕《ぼ》賢《けん》〉

類義語　一《いっ》挙《きょ》一《いち》動《どう》

一言居士　いちげんこじ　準2級

意味　**事あるごとに自分の意見をひとこと言わなければ気のすまない人のこと。**「居士」は、もと僧でなく仏教を信仰する男子の称で、わが国では男子が死亡した後につける戒名の称号。ここでは「一言抉《こじ》る（こじつける）」を人名になぞらえたもの。

補説　「一言」は「いちごん」とも読む。

一元描写　いちげんびょうしゃ　4級

意味　**小説の作中人物を主人公の視点からのみ一元的に描写すべきであるとする小説作法。**岩野泡鳴《ほうめい》が首唱。わが国近代文学の主流をなす私《わたくし》小説の方法に近い。

字体　「写」の旧字体は「寫」。

一期一会　いちごいちえ　準2級

意味　**生涯に一度だけ会うこと。**また、**生涯に一度限りであること。**一生に一度のことと考えてそのことに専心する意。もと茶道の心得をあらわした語で、どの茶会でも生涯にただ一度だと考えて常にまことをつくすべきことをいう。「一期」は仏教の語では人が生まれてから死ぬまでの間の意。

字体　「会」の旧字体は「會」。

注意　「一期」を「いっき」と、また「一会」を「いっかい」と読み誤らない。

出典　『茶《さ》湯《とう》一《いち》会《え》集《しゅう》』

一言半句　いちごんはんく　5級

意味　**ほんの少しの短い言葉。**ちょっとした言葉。

補説　「一言」は「いちげん」とも読む。

類義語　片《へん》言《げん》隻《せき》句《く》、一《いち》言《げん》片《へん》句《く》、片《へん》言《げん》隻《せき》辞《じ》、片《へん》言《げん》隻《せき》語《ご》、一《いち》言《ごん》一《いっ》句《く》

一言芳恩　いちごんほうおん　3級

意味　**ひとこと声をかけてもらったことを忘れず、感謝すること。**「芳恩」は他人から受けた恩や親切の敬称で、ご恩・おかげの意。

補説　「一言」は「いちげん」とも読む。

注意　「芳恩」を「報恩」と書き誤りやすい。

一字千金　いちじせんきん　5級

意味　**筆跡や詩文の表現を尊重して言う語。**一字で千金もの価値がある意。

故事　秦《しん》の呂《りょ》不《ふ》韋《い》が『呂《りょ》氏《し》春《しゅん》秋《じゅう》』を著したとき、都の咸《かん》陽《よう》の門にこれとともに千金を掛け、一字でも書き直すことができた者にはこの千金を与えようと言った故事から。

出典　『史記』〈呂《りょ》不《ふ》韋《い》伝《でん》〉

類義語　一《いち》字《じ》百《ひゃっ》金《きん》、一《いち》言《げん》千《せん》金《きん》、一《いち》字《じ》連《れん》城《じょう》

一日三秋 いちじつさんしゅう　5級

意味　**一日会わなかっただけで三年も会わなかったような気がする。相手を思慕する情の深いこと。**「三秋」は三か月、九か月という説もある。一般には三度の秋ということから三年の意。

補説　「一日」は「いちにち」とも読む。

出典　『詩経《しきょう》』〈王風《おうふう》・采葛《さいかつ》〉

類義語　一日千秋《いちじつせんしゅう》、一刻千秋《いっこくせんしゅう》

一日千秋 いちじつせんしゅう　5級

意味　**大変待ち遠しいことのたとえ。**一日が千年のように非常に長く思われること。「千秋」は千回の秋ということから千年の意。もと「一日三秋」から出た語（前項参照）。

補説　「一日」は「いちにち」とも読む。

類義語　一日三秋《いちじつさんしゅう》、一刻千秋《いっこくせんしゅう》

一日之長 いちじつのちょう　準1級

意味　**経験や技能などが他より少しすぐれていること。**一日はやく生まれたこと、年齢が少し上であることの意から転じた。

補説　「一日」は「いちにち」とも読む。

出典　『論語』〈先進《せんしん》〉

一字不説 いちじふせつ　5級

意味　**仏法の真理は他から得るものではなく、自ら体得するものだということ。**「一字すら説かず」と読み、仏法の究極の真理は非常に奥が深く、言葉では言い表すことができないので、釈迦《しゃか》も一字も説いていないという意から。

一字褒貶 いちじほうへん　1級

意味　**一字の使い分けによって、人を誉めたりけなしたりすること。**「褒貶」は誉めることと、おとしめること。儒教の五経の一つである『春秋《しゅんじゅう》』の表現様式を評した語。

字体　「褒」の旧字体は「襃」。

出典　杜預《どよ》の『春秋左氏伝集解《しゅんじゅうさしでんしっかい》』〈序〉

類義語　春秋筆法《しゅんじゅうのひっぽう》、微言大義《びげんたいぎ》

一汁一菜 いちじゅういっさい　準2級

意味　**質素な食事のたとえ。**おかずも汁物も一品の意からいう。「菜」はおかずの意。

対義語　食前方丈《しょくぜんほうじょう》、炊金饌玉《すいきんせんぎょく》

一入再入 いちじゅうさいじゅう　準1級

意味　**布を幾度も染めること。染色の濃いこと。**染色のための液体に一度入れ、さらにもう一度入れる意。

補説　「一入」は「いつじゅう」とも読む。

注意　「入」はここでは「にゅう」とは読まないことに注意。

出典　『平家物語』〈二〉

一樹百穫 いちじゅひゃっかく　3級

意味　**人材の育成は、大きな利益をもたらすこと。**また、百年の計をもたらすには人材を育てなければならないたとえ。「一樹」は一本植えること、「百穫」は百の収穫があることで、一を育てて、百倍の収穫を得るのは人材である意。

注意　「百穫」を「百獲」と書き誤りやすい。

出典　『管子《かんし》』〈権脩《けんしゅう》〉

一上一下 いちじょういちげ　5級

意味　**場面に応じて適切に対応するたとえ。**あるいは上り、あるいは下る。上げたり下げたりする意。

出典　『呂氏春秋《りょししゅんじゅう》』〈圜道《かんどう》〉

一場春夢 いちじょうのしゅんむ　5級

意味　**人生の栄華がきわめてはかないことのたとえ。**その場限りで消えてしま

う短い春の宵に見た夢の意。「一場」はその場限り、ほんの短い間の意。
出典　盧《ろ》延譲《えんじょう》の「哭李郢端公《りえいたんこうをこくす》-詩」
類義語　一炊《いっすい》之《の》夢《ゆめ》、邯鄲《かんたん》之《の》夢《ゆめ》、黄粱一《こうりょういっ》炊《すい》、盧《ろ》生《せい》之《の》夢《ゆめ》

一時流行　いちじ りゅうこう　5級

意味　**俳諧《はいかい》で新しみを求め時とともに変化を重ねてゆくこと。**転じて、その時々の世の中の好みに応じた一時的な新しさの意。
対義語　不易流行《ふえきりゅうこう》、千古不易《せんこふえき》、万古不《ばんこふ》易《えき》、百世不磨《ひゃくせいふま》

一新紀元　いち しんきげん　5級

意味　**一つの新しい時代。**「新紀元」は今までの古い物事がすべて改まった、新時代の最初の年のこと。一エポック。
補説　語構成は「一」＋「新紀元」。
注意　「紀元」を「起源」と書き誤らない。

一族郎党　いちぞく ろうとう　4級

意味　**血縁関係にある者とその従者や家臣。**また有力者とそれをとりまき利益を同じくする者。「郎党」は家臣の意。
補説　「郎党」は「ろうどう」とも読み、また「郎等」とも書く。
字体　「党」の旧字体は「黨」。
類義語　一《いっ》家《か》眷族《けんぞく》

一大決心　いちだい けっしん　5級

意味　**非常に重大な決意。**「一大」は一つの大きなの意で、生涯で何度もない大きなことにいう。

一諾千金　いちだく せんきん　3級

意味　**約束を重んじるたとえ。**一度承諾したらそれは千金にも値するほどの重みがあるの意。「一諾」は「ひとたびの承諾」の意。
故事　前漢の季布《きふ》は一度承諾したことを確実に遂行し、楚《そ》の人々から「黄金千斤を手に入れるより、季布の一度の承諾を得るほうが価値がある」といわれた故事から。
出典　『史記』〈季布伝《きふでん》〉
類義語　季布一諾《きふのいちだく》
対義語　軽諾寡信《けいだくかしん》

一団和気　いちだんの わき　5級

意味　**なごやかな雰囲気。親しみやすい態度をいう。**「一団」はひとかたまり、「和気」はおだやかな気の意。
字体　「団」の旧字体は「團」、「気」の旧字体は「氣」。
注意　「一団」を「一段」と書き誤らない。
出典　『河南程氏外書《かなんていしがいしょ》』〈一二〉
類義語　一堂和気《いちどうのわき》

一読三嘆　いちどく さんたん　4級

意味　**名文を読んで感銘すること。**一度読んで何度も感嘆するような名詩文のたとえ。「一読三嘆の書」などと使う。
字体　「読」の旧字体は「讀」。
類義語　一倡三歎《いっしょうさんたん》

一日不食　いちにち ふしょく　5級

意味　**毎日、仕事に従事してからでないと食事をとらないこと。**仕事の大切さを説いた唐の百丈懐海禅師《ひゃくじょうえかいぜんじ》の故事から。
補説　「一日作《な》さざれば一日食《くら》わず」の略。
出典　『五灯会元《ごとうえげん》』〈三〉

一人当千　いちにん とうせん　5級

意味　**非常に力の強いこと。**また、**知能がすぐれていること。**一人の力が千人の力に相当する意から。
字体　「当」の旧字体は「當」。
注意　「当千」を「当選」と書き誤らない。
類義語　一騎当千《いっきとうせん》

一念発起　いちねん ほっき

4級

意味　**あることを成し遂げようと決意すること。**もと仏教の語で、仏道に入り悟りを開こうと決心すること。

字体　「発」の旧字体は「發」。

出典　『歎異抄《たんにしょう》』〈一四〉

類義語　一念発心《いちねんほっしん》、一心発起《いっしんほっき》、感奮興起《かんぷんこうき》

一暴十寒　いちばく じっかん

4級

意味　**努力が少なく怠ることが多いのを戒めた語。**一日目にこれを曝《さら》して暖め、次の十日間これを陰で冷やす意。「暴」は「曝」に同じで日に曝して暖める、「寒」は冷やす意。

補説　「一日《いちじつ》之《これ》を暴《あたた》め十日《とおか》之《これ》を寒《ひや》す」の略。「十寒一暴」ともいう。

注意　「一暴」を「いちぼう」と読まないこと。

出典　『孟子《もうし》』〈告子《こくし》・上〉

一罰百戒　いちばつ ひゃっかい

4級

意味　**一人の過失や罪を罰することで、他の人々が同様な罪を犯さないよう戒めること。**一つの罰で百の戒めにするという意。

注意　「百戒」を「百戎」と書き誤らない。

一病息災　いちびょう そくさい

5級

意味　**持病を一つぐらい持っているほうが、健康に気をつけてかえって長生きできるということ。**「息災」はもと仏教語で身の災いをとめること。転じて、身体が健康なこと、達者なこと。

類義語　無病息災《むびょうそくさい》

一部始終　いちぶ しじゅう

5級

意味　**はじめから終わりまで。はじめから終わりまでの詳しいいきさつすべて。**もとは一部の書物のはじめから終わりまでの意。

注意　「始終」を「終始」にしないこと。また「ししゅう」と読まないこと。

類義語　一伍一什《いちごいちじゅう》

一別以来　いちべつ いらい

5級

意味　**一度別れてからこのかた。**この前会って以来。「一別来《いちべつらい》」ともいう。

字体　「来」の旧字体は「來」。

一望千頃　いちぼう せんけい

準1級

意味　**ひと目でかなたまで広々と見渡されること。**「頃」は面積の単位で、一頃は百畝《ぼ》で一八二アール。

注意　「千頃」を「千項」と書き誤りやすい。

類義語　一望無垠《いちぼうむぎん》、一望千里《いちぼうせんり》

一望千里　いちぼう せんり

5級

意味　**非常に見晴らしのよいことのたとえ。**ひと目で千里も遠く見晴らせる意。ながめがよく広々していることに言う。「一望」はひと目で見渡すこと、また見渡す限りの意。

類義語　一望無垠《いちぼうむぎん》、一望千頃《いちぼうせんけい》

一望無垠　いちぼう むぎん

1級

意味　**ひと目でかなたまで広々と見渡されること。**「無垠」は果てしないこと、「垠」は地の果ての意。

補説　「一望《いちぼう》垠《はて》無《な》し」とも読む。

類義語　一望千頃《いちぼうせんけい》、天涯一望《てんがいいちぼう》、一望千里《いちぼうせんり》

一木一草　いちぼく いっそう

5級

意味　**そこにあるすべてのもののこと。**また、**ほんのわずかなもののこと。**一本の木、一本の草にいたるまですべての意。

補説　「一草一木」ともいう。

一枚看板　いちまい かんばん

5級

意味　**一座の中の代表的な役者、**また、

大勢の中の中心人物のこと。また、**一着しかない衣服、人に見せられる唯一のもの。**京阪歌舞伎《かぶき》で、出し物の名前(外題)や、主な役者の名を一枚の看板に書いて宣伝したことから出た言葉で、転じて、一枚の看板に名前ののる役者の意から転じて、一座中の大立て者、また、たくさんの中の代表的人物の意。

一味同心　いちみ どうしん　5級

意味　**同じ目的のために集まり心を一つにすること。**また、**その仲間。**「一味」はもと仏教の語で、仏の教えは人や時、場所に応じて多様であるが、その終局の趣旨は同一である意。転じて、容貌《ようぼう》は異なっていても志は同じという意から、仲間や同志をいう。

出典　『平家物語』〈四〉

類義語　一《いち》味《み》徒党《ととう》、一《いっ》丘《きゅう》之《の》貉《かく》

一味徒党　いちみ ととう　5級

意味　**同じ目的のために仲間となること。**また、**その仲間。**「一味」は同じ志をもつ仲間、同志。「徒党」はあることをもくろむために集まった仲間。悪い仲間について用いることが多い。

字体　「党」の旧字体は「黨」。

類義語　一《いち》味《み》同心《どうしん》、一《いち》味《み》郎党《ろうとう》

一網打尽　いちもう だじん　4級

意味　**ひとまとめに悪人を捕らえ尽くすたとえ。**ひと網であたりのすべての魚を捕獲する意。「打尽」の「打」は助字で、動詞に冠して動作をあらわす。「…する」の意。

字体　「尽」の旧字体は「盡」。

注意　「網」を「綱」と書き誤らない。

出典　『宋《そう》史《し》』〈范純仁伝《はんじゅんじんでん》〉

類義語　一《いち》網《もう》無《む》遺《い》

一毛不抜　いちもう ふばつ　4級

意味　**物惜しみのはなはだしいこと。**「一毛」はごくわずかのたとえ。また、自分の利のみを考え他を顧みないこと。一本の毛を抜くだけの少しの労力で天下を利することができるのにそれをしない意。

補説　「一毛《いちもう》も抜《ぬ》かず」とも読む。

字体　「抜」の旧字体は「拔」。

出典　『孟《もう》子《し》』〈尽心《じんしん》・上〉

類義語　葛《かっ》履《く》履《り》霜《そう》

一目十行　いちもく じゅうぎょう　5級

意味　**書物を読むことが速いことのたとえ。**ただ一目見ただけで即座に十行の文字を読み取ることができる意。

出典　『北斉書《ほくせいしょ》』〈河南康舒王孝瑜伝《かなんこうじょおうこうゆでん》〉の「十行倶《とも》に下《くだ》る」にもとづく。

類義語　十行倶下《じゅうぎょうぐか》

一目瞭然　いちもく りょうぜん　2級

意味　**ちょっと見ただけではっきりとわかること。**「瞭然」ははっきりしているさま。

補説　「瞭然」は「了然」とも書く。

出典　『朱子語類《しゅしごるい》』〈一三七〉

類義語　一目即了《いちもくそくりょう》

一問一答　いちもん いっとう　5級

意味　**一つの問いに対して一つの答えをすること。**また、そのような形を繰り返すこと。

注意　「一問」を「一門」と書き誤らない。

出典　『春秋左氏伝《しゅんじゅうさしでん》』〈序・疏《そ》〉

一文半銭　いちもん はんせん　5級

意味　**ごくわずかな金額のたとえ。**「文」「銭」は昔の小銭の単位。

補説　「いちもん-きなか」と読むことがある。

字体　「銭」の旧字体は「錢」。

類義語　一《いっ》銭《せん》一《いち》厘《りん》

一文不通 いちもん ふつう

5級

意味 **ひとつの文字も知らず、読み書きがまったくできないこと。**「一文」はひとつの文字。

類義語 一《いち》文《もん》不《ふ》知《ち》、一《いち》字《じ》不《ふ》識《しき》

一夜検校 いちや けんぎょう

準1級

意味 **ごく短い間に裕福になること。**「検校」は昔、盲人の最上級の官名をいった語。一夜にして検校になる意で、江戸時代、大金を納めて俄《にわか》検校になった者をこのように呼んだことから。

補説 「検校」は「撿挍」とも書く。

字体 「検」の旧字体は「檢」。

注意 「検校」を「けんこう」と読み誤りやすい。「けんこう」は別の意味。

一夜十起 いちや じっき

5級

意味 **人間は、私情や私心に左右されること。**「一夜」は一晩、「十起」は十回起きる意。

故事 中国後漢の第《だい》五《ご》倫《りん》は、清廉公平で有名であった。あるとき「あなたのような方でも私心があるものですか」と人から聞かれて、第五倫は「兄の子の病気のときは、一晩に十回起きて見に行っても、戻れば安眠できたが、我が子の病気のときは一度も見に行かなくても眠ることができない、これこそ私心ある証拠です」といったという故事から。

出典 『後《ご》漢《かん》書《じょ》』〈第《だい》五《ご》倫《りん》伝《でん》〉

一遊一予 いちゆう いちよ

5級

意味 **遊んだり楽しんだりする。天子が諸国を視察してまわること。**昔、王は遊覧して楽しみながら諸国を視察し、民の生活に足りないものを援助したことからいう。「予」は楽しむ、遊び楽しむ意。

字体 「予」の旧字体は「豫」。

出典 『孟《もう》子《し》』〈梁《りょう》恵《けい》王《おう》・下〉

一葉知秋 いちよう ちしゅう

5級

意味 **わずかな兆しから、物事の衰亡や大勢を察知すること。**また、為政者たる者はささいな出来事からも、全体の情勢を予知する能力を持たねばならないということ。「一葉」は一枚の葉のこと、「知秋」は秋の来たのに気づく意。

補説 出典には「一《いち》葉《よう》落《お》つるを見《み》て歳《とし》の将《まさ》に暮《く》れんとするを知《し》る」とある。「一葉落ちて天下の秋を知る」は類句。

出典 『淮《え》南《なん》子《じ》』〈説《せつ》山《ざん》訓《くん》〉

類義語 桐《どう》葉《よう》知《ち》秋《しゅう》、梧《ご》桐《どう》一《いち》葉《よう》

一陽来復 いちよう らいふく

5級

意味 **物事が回復することのたとえ。**また、冬陰がきわまり陽にかえること。また、冬が終わり春(新年)が来ること。転じて、悪運が続いたあと幸運に向かうこと。もと易《えき》の語で、陰暦十月に陰気がきわまって十一月の冬至に陽気が生じることをいう。

字体 「来」の旧字体は「來」。

注意 「来復」を「来福」と書き誤らない。

出典 『易《えき》経《きょう》』〈復《ふく》卦《か》〉

一利一害 いちり いちがい

5級

意味 **よいことがある一方、悪いこともあること。**利益がある反面、損害もあって完全でないこと。

出典 『元《げん》史《し》』〈耶《や》律《りつ》楚《そ》材《ざい》伝《でん》〉

類義語 一《いっ》得《とく》一《いっ》失《しつ》、一《いっ》長《ちょう》一《いっ》短《たん》

一粒万倍 いちりゅう まんばい

4級

意味 **わずかなものから多くの利益を得るたとえ。**一粒の種から万倍もの収穫を得ること。また、わずかなものでも粗末にしてはいけないという戒め。もと仏教の語で、一つの善根からたくさんの報いを得る意。

補説 この語は稲《いね》の異名でもある。

字体　「万」の旧字体は「萬」。

出典　『報恩経《ほうおんきょう》』〈四〉

一竜一猪　いちりょういっちょ　準1級

意味　**学ぶと学ばぬとによって著しく賢愚の差ができることのたとえ。**努力をするしないで一方は竜となり、一方は豚となる意。「竜」は賢者・大成者にたとえ、「猪」は豚のことで愚者にたとえる。

補説　「一竜」は「いちりゅう」とも読む。

字体　「竜」の旧字体は「龍」。

出典　韓愈《かんゆ》の「符読書城南《ふしょをじょうなんによむ》」詩」

一了百了　いちりょうひゃくりょう　3級

意味　**一つのことが解決すれば、すべてが解決すること。**また、**一つのことから万事を推測すること。**人に死が訪れれば万事終わりであるという意味から転じた。「了」は終わる、すむこと(完了・終了)。また、明らかなこと(了然)。

注意　「了」を「両」と書き誤らない。

出典　『伝習録《でんしゅうろく》』〈下〉

一縷千鈞　いちるせんきん　1級

意味　**危険の甚だしいことの形容。**一本の糸で千鈞の重さを支える意。「鈞」は重さの単位で、一鈞は約七・七キログラム。

補説　「一縷《いちる》の任《にん》を以《もっ》て千鈞《せんきん》の重きを係《か》く」の略。

注意　「千鈞」を「千金」と書き誤らない。

出典　枚乗《ばいじょう》の「上書諫呉王《しょをたてまつりてごおうをいさむ》」書」

類義語　一髪千鈞《いっぱつせんきん》、累卵之危《るいらんのき》

一蓮托生　いちれんたくしょう　準1級

意味　**事のよしあしにかかわらず行動や運命をともにする意。**もと仏教の語で、極楽浄土に往生して同じ蓮《はす》の上に生まれ変わり、身を託す意から転じた。「托生」は他のものに頼って生きること。

補説　「托生」は「託生」とも書く。

注意　「蓮」を「連」と書くのは誤り。また「托生」を「たくせい」とは読まない。

一労永逸　いちろうえいいつ　準2級

意味　**一度苦労すれば、長くその利を得られること。**また、**わずかの苦労で多くの安楽が得られること。**

字体　「労」の旧字体は「勞」。

故事　後漢の時代、竇憲《とうけん》が敵をやぶり、燕然山《えんねんざん》に登って、自分の功をたたえる銘を班固《はんこ》に作らせた。その中で班固が「このたびの遠征は、一度苦労して長い安逸を得、しばらく費やして、長く安らかにいられるものである」といった故事から。

出典　班固の「封燕然山銘《えんねんざんにほうずるのめい》」に「一労《いちろう》久逸《きゅういつ》」とあるのにもとづく。

類義語　一労久逸《いちろうきゅういつ》、暫労永逸《ざんろうえいいつ》

一路順風　いちろじゅんぷう　5級

意味　**ものごとが順調に運ぶこと。**また、旅立つ人にかけることばで「道中の無事を祈る」というほどの意。「順風」は追い風。

類義語　一路平安《いちろへいあん》

一路平安　いちろへいあん　5級

意味　**旅立つ人の途中の無事を祈っていう語。**道中ご無事での意。「一路」は旅する人が行く道程。「平安」は平和で穏やかなこと。ここでは旅の平穏無事を意味する。

出典　『紅楼夢《こうろうむ》』〈一四回〉

一攫千金　いっかくせんきん　1級

意味　**あまり苦労をせずに一時に大きい利益を得ること。**「一攫」はひとつかみの意。

補説　「攫」は「獲」を用いることがある。

注意　「一攫」を「一穫」と書き誤らない。

類義語　一攫万金《いっかくばんきん》

一家眷族《いっか けんぞく》 1級

意味 **家族と血縁関係にある者。**「眷族」は血縁者・一族。また家臣や部下を意味することもある。

補説 「眷族」は「眷属」とも書く。

類義語 一族郎党《いちぞくろうとう》、妻子眷族《さいしけんぞく》

一家団欒《いっか だんらん》 1級

意味 **家族が集まってむつまじく楽しむこと。**「団欒」は丸いさまで、転じて丸く輪をつくって仲良くする、集まってむつまじくする意。

字体 「団」の旧字体は「團」。

類義語 家族団欒《かぞくだんらん》、親子団欒《おやこだんらん》

一割之利《いっかつの り》 準1級

⇩**鉛刀一割**(えんとう いっかつ)

一竿風月《いっかん(の) ふうげつ》 準1級

意味 **自然の中で悠々自適に過ごすこと。**一本の釣りざおを友として俗事を離れて自然の風月を楽しむ意。「竿」はさお、釣りざお。「風月」は自然の中で風流を楽しむこと。

注意 「竿」を「干」と書き誤らない。

出典 陸游《りくゆう》の「感旧《かんきゅう》-詩」

類義語 悠悠自適《ゆうゆうじてき》、採薪汲水《さいしんきゅうすい》

一喜一憂《いっき いちゆう》 3級

意味 **状況の変化にしたがってそのつど、喜んだり心配したりすること。**喜びと心配が交互にあらわれること。

類義語 一笑一顰《いっしょういっぴん》

一気呵成《いっき かせい》 1級

意味 **ひといきに文章を書き上げること。**また、**ものごとを中断することなくひといきに仕上げてしまうこと。**「呵」はハッと息を吹きかける擬音語。

字体 「気」の旧字体は「氣」。

注意 「呵成」を「可成」「化成」などと書き誤らない。

出典 『詩藪《しそう》』〈内編《ないへん》・近体中《きんたいちゅう》〉

一饋十起《いっき じっき》 1級

意味 **賢者を求めるのに熱心なたとえ。**一度の食事中に十回も席を立つ意。「饋」は食事の意。

補説 「一饋《いっき》に十《と》たび起《た》つ」とも読む。

故事 中国古代、夏《か》の禹王《うおう》が善政のため賢者を熱心に求め、一回の食事で十回も席を立ち食事を中断して訪ねてきた賢者に会ったという故事から。

出典 『淮南子《えなんじ》』〈氾論訓《はんろんくん》〉

類義語 吐哺握髪《とほあくはつ》、吐哺捉髪《とほそくはつ》

一騎当千《いっき とうせん》 3級

意味 **一人の騎馬兵で千人もの敵を相手にできる。**転じて、**一人で千人を敵にできるほど実力のあること。**人並みはずれた勇者を形容する語で、人並みはずれた能力の形容にも用いる。「当千」は「千に当《あた》る(千人にひきあたる)」の意。

補説 「当千」は「とうぜん」とも読む。

字体 「当」の旧字体は「當」。

注意 「一騎」を「一期」、「当千」を「当選」などと書き誤らないこと。

類義語 一人当千《いちにんとうせん》

一簣之功《いっきの こう》 1級

意味 **仕事を完遂する間際の最後の努力。最後のひとふんばり。**また、仕事を完成するために重ねるひとつひとつの努力にもいう。「簣」は土を乗せて運ぶ道具の意。もっこ。もっこ一ぱいの土。

補説 「一簣」は「一蕢」とも書く。

故事 出典に「山《やま》を為《つく》ること九仞《きゅうじん》、功《こう》一簣《いっき》に虧《か》く」とあり、山の完成を目前にしてあと一もっこの土盛りの作業をやめたため、山はできなかったことから最後

のわずかな努力をしないためにこれまでの努力がだいなしになってしまったという故事から。

[出典] 『書経《しょきょう》』〈旅獒《りょごう》〉

[対義語] 功《こう》虧《き》一《いっ》簣《き》、九《きゅう》仞《じん》一《いっ》簣《き》、為《い》山《ざん》止《し》簣《き》

一丘一壑　いっきゅう いちがく　（1級）

[意味] **俗世間を離れ、自然の中に身を置いて、風流を楽しむこと。**「丘」はおか、「壑」は谷。一つの丘、一つの谷でも、その境地に身を置いてそこに長く住めば、心おのずから楽しく、何ものもその気持ちを妨げることがない意。

[補説] 「一丘」は「一邱」とも書く。

[出典] 『漢書《かんじょ》』〈叙伝《じょでん》・上〉

一裘一葛　いっきゅう いっかつ　（1級）

[意味] **一枚のかわごろもと、一枚のくずかたびら。他に着替えがないことから、貧乏のたとえ。**「裘」はかわごろも。冬に着る。「葛」は葛《くず》の布の衣。夏に着る。

[出典] 韓《かん》愈《ゆ》の「送石処士序《せきしょしをおくるのじょ》」

一球入魂　いっきゅう にゅうこん　（3級）

[意味] **悔いなき一球を投ずること。**「入魂」はものごとに魂を込めること。全力を傾けるプレーをいう。野球が生んだ造語。

[類義語] 全《ぜん》力《りょく》投《とう》球《きゅう》

一丘之貉　いっきゅうの かく　（1級）

[意味] **同じ丘にすむむじな。似たようなもののたとえ。**同類のものをけなしていう語。多く悪者に対していう。「貉」はむじな。

[補説] 「貉」は「狢」とも書く。

[出典] 『漢書《かんじょ》』〈楊《よう》惲《うん》伝《でん》〉

一虚一盈　いっきょ いちえい　（準1級）

[意味] **あるいはむなしく、あるいは満ちる。常に変化して一定の形を保つことなく測りがたいことのたとえ。**むなしいときもあれば満ちるときもある。「盈」は満ちる意。「一…一…」は「あるいは…あるいは…」の意。

[出典] 『晋書《しんじょ》』〈皇《こう》甫《ほ》謐《ひつ》伝《でん》〉

[類義語] 一《いっ》虚《きょ》一《いち》満《まん》、一《いっ》虚《きょ》一《いち》実《じつ》

一虚一実　いっきょ いちじつ　（3級）

[意味] **いろいろ変化して、物事の予測ができないこと。**「一」は…したり、…したりの意、「虚」はむなしいこと、「実」は満ちること。虚になったかと思うとすぐに実になるという意から。

[字体] 「実」の旧字体は「實」。

一挙一動　いっきょ いちどう　（5級）

[意味] **ひとつひとつの動作、ふるまい。ちょっとしたしぐさ。**手を上げたり体を動かしたりする意。「挙動（立ち居振る舞い）」を分けて「一」をそれぞれ加えた形。動作の一つ一つを意味する。

[字体] 「挙」の旧字体は「擧」。

一挙両失　いっきょ りょうしつ　（5級）

[意味] **一つのことをするだけで同時に他の一つのことも失うこと。**「一挙」は一つの動作・行動。

[字体] 「挙」の旧字体は「擧」、「両」の旧字体は「兩」。

[出典] 『戦《せん》国《ごく》策《さく》』〈燕《えん》策《さく》〉

[対義語] 一《いっ》挙《きょ》両《りょう》得《とく》、一《いっ》挙《きょ》両《りょう》全《ぜん》、一《いっ》石《せき》二《に》鳥《ちょう》

一挙両得　いっきょ りょうとく　（5級）

[意味] **一つのことをするだけで、同時に二つの利益が得られること。**少ない労力で多くの利益を得ること。「一挙」は一つの動作・行動。

[字体] 「挙」の旧字体は「擧」、「両」の旧字体は「兩」。

[出典] 『東《とう》観《かん》漢《かん》記《き》』〈耿《こう》弇《えん》伝《でん》〉

類義語　一石《いっせき》二《に》鳥《ちょう》、一挙両全《いっきょりょうぜん》、一箭双雕《いっせんそうちょう》

対義語　一挙両失《いっきょりょうしつ》

一琴一鶴　いっきん いっかく　準1級

意味　**役人が清廉なことのたとえ。** 一張りの琴と一羽の鶴《つる》の意。また、旅の支度が簡易なことのたとえ。

故事　宋《そう》の趙抃《ちょうべん》が蜀《しょく》に赴任したとき、わずかに琴一張りと鶴一羽を携えて行った故事から。

出典　『宋史《そうし》』〈趙抃伝《ちょうべんでん》〉

一薫一蕕　いっくん いちゆう　1級

意味　**善は消えやすく悪は除きがたいことのたとえ。** 一つのよい香りの草と一つの悪いにおいの草。この二つをともに置けばよい香りが消え悪いにおいが勝つことからいう。「薫」は香りのよい草、「蕕」は悪いにおいの草。

出典　『春秋左氏伝《しゅんじゅうさしでん》』〈僖公《きこう》四年〉

一蹶不振　いっけつ ふしん　1級

意味　**一度失敗して二度と立ち上がれないたとえ。**「蹶」はつまずく意。

補説　「一蹶《いっけつ》して振《ふる》わず」とも読む。

出典　『説苑《ぜいえん》』〈談叢《だんそう》〉

対義語　捲土重来《けんどちょうらい》

一件落着　いっけん らくちゃく　5級

意味　**ものごとが解決すること。** 決着すること。「一件」は一つのことがら、また、事件。「落着」はものごとのきまりがつくこと。

一闔一闢　いっこう いちびゃく　1級

意味　**あるいは閉じ、あるいは開く。陰と陽が消長するさま。**「闔」は閉じる、しめる意。「闢」は開く意。「一…一…」はここでは「あるいは…あるいは…」の意。

出典　『易経《えききょう》』〈繫辞《けいじ》・上〉

一口両舌　いっこう りょうぜつ　4級

意味　**前に言った内容とくい違うことを平気で言うこと。** 一つの口に二枚の舌があるということ。「二枚舌《にまいじた》を使う」と同じ。

字体　「両」の旧字体は「兩」。

一刻千金　いっこく せんきん　5級

意味　**時間の貴重なことのたとえ。** わずかな時間が千金にも値する意。大切な時間や楽しい時間が過ぎやすいのを惜しんでいう。またそれを無駄に過ごすのを戒める語。

補説　「千金一刻」ともいう。

出典　蘇軾《そしょく》の「春夜《しゅんや》-詩」

一顧傾城　いっこ けいせい　準1級

意味　**絶世の美人のたとえ。** 美女がひとたび振り返れば君主が惑わされて国を傾ける意。「城」はいわゆる城とも町や国の意とも解釈できる。わが国では「傾城」の意が転じて、遊女の意にも用いる。

補説　「一顧《いっこ》、城《しろ》を傾《かたむ》く」とも読む。

注意　「傾城」を「けいせい」と読むことに注意。

出典　『漢書《かんじょ》』〈外戚伝《がいせきでん》・上〉

類義語　一顧《いっこ》傾国《けいこく》、傾城《けいせい》傾国《けいこく》、一笑千金《いっしょうせんきん》

一壺千金　いっこ せんきん　準1級

意味　**ふだんは価値がないものでも、時と場合によっては、それがはかり知れないほど役に立つこと。**「壺」はひょうたん、ふくべの意。ひょうたん一つが、水に溺《おぼ》れそうになったとき浮き袋代わりになり、千金の価値を発揮するということ。

補説　「一壺」は「一壷」とも書く。

出典　『鶡冠子《かつかんし》』〈学問《がくもん》〉

一狐之腋　いっこの えき　1級

意味　**貴重なもののたとえ。** 一匹のき

つねの脇の下からわずかしか取れない白くて美しい毛皮の意。また、希少なという意から直言の士のたとえ。「腋」はわき、ここでは脇の下の白くて美しい毛皮。

注意　「腋」を「液」と書き誤らない。

出典　『意《い》林《りん》』〈二引『慎《しん》子《し》』〉

一切有情　いっさい うじょう　4級

意味　**この世の生あるものすべて。生きとし生けるもの。**特に人をいう。仏教の語。「一切」はすべての意。

注意　「有情」を「ゆうじょう」と読み誤らない。

類義語　一切《いっさい》衆生《しゅじょう》

一切合切　いっさい がっさい　4級

意味　**何もかもすべて。**もとは不《ふ》揃《ぞろ》いのものを切り揃えて一様にする意。同じく「すべて、残らず」の意の「一切」「合切」を重ねて意味を強めた語。

補説　「合切」は「合財」とも書く。

注意　「切」はここでは「さい」と読み慣らわされていることに注意。

一切衆生　いっさい しゅじょう　準2級

意味　**この世に生を受けたあらゆるもの。生きとし生けるもの。**仏教の語。「一切」はすべての意。

注意　「衆生」を「しゅうじょう」と読み誤らない。

出典　『大《だい》智《ち》度《ど》論《ろん》』〈二七〉

類義語　一切《いっさい》有《う》情《じょう》

一糸一毫　いっし いちごう　1級

意味　**ごくわずかなこと。**「毫」は細い毛のこと。「一糸」も「一毫」もごくわずかなもののたとえ。

補説　「一糸一毫も譲歩しない」のように否定表現を伴うことが多い。

字体　「糸」の旧字体は「絲」。

注意　「毫」を「豪」と書き誤らない。

類義語　一《いち》分《ぶ》一厘《いちりん》

一弛一張　いっし いっちょう　準1級

⇩**一張一弛**（いっちょう いっし）

一士諤諤　いっし がくがく　1級

意味　**多くの者がおもねり追従している中で、一人だけ恐れはばからずに直言すること。**「諤諤」ははばかることなくありのまま是非善悪を言うこと。

補説　一般には「千人の諾《だく》諾《だく》は一士の諤《がく》諤《がく》に如《し》かず」の句で使われる。

出典　『史記』〈商《しょう》君《くん》伝《でん》〉

一死七生　いっし しちしょう　5級

意味　**この世に生まれ変わる限りどこまでもということ。**一度死んで、七たび（いくども）この世に生まれ変わってくるという意から。

類義語　七《しち》死《し》七《しち》生《しょう》

一子相伝　いっし そうでん　5級

意味　**学問・技芸などの奥義を直系の子供一人にのみ伝えて他人にはもらさないこと。**一人の子供にのみ伝授する意。

字体　「伝」の旧字体は「傳」。

注意　「相伝」を「しょうでん」と読み誤らない。

類義語　父《ふ》子《し》相伝《そうでん》

一視同仁　いっし どうじん　5級

意味　**差別することなくすべての人を見て愛すること。**人や禽獣《きんじゅう》に区別なく接すること。「仁」は愛情の意。

補説　出典に「聖人は一視にして同仁、近くに篤《あつ》くして遠くを挙ぐるなり」とある。「同仁一視」ともいう。

注意　「同仁」を「同人」と書き誤らない。

出典　韓愈《かんゆ》の「原人《げんじん》」

類義語　一視《いっし》之《の》仁《じん》、兼愛《けんあい》無《む》私《し》、怨親平等《おんしんびょうどう》

一紙半銭　いっし はんせん　5級

意味　**一枚の紙と銭《ぜに》半銭《せん》。わずかなことのたとえ。**また、**軽少なもののたとえ。**仏家で寄進《きしん》の高が少ないことにいう場合が多い。

字体　「銭」の旧字体は「錢」。

類義語　一銭一厘《いっせんいちりん》、一文半銭《いちもんはんせん》

一死報国　いっし ほうこく　5級

意味　**いのちをかけて国に奉公すること。**「一死」は一度死ぬこと。死ぬことを強めていう語で、死ぬことを覚悟での意。「報国」は国のために力を尽くすこと。

字体　「国」の旧字体は「國」。

注意　「報国」を「報告」と書き誤らない。

類義語　七生報国《しちしょうほうこく》

一瀉千里　いっしゃ せんり　1級

意味　**流れの非常に速いこと。**転じて、**文章や弁舌がよどみなく、すらすらできることのたとえ。**また、**ものごとが速やかに進みかたづくこと。**「瀉」は傾斜地を水が勢いよく流れ出すこと。水が傾斜地を流れ出すと一気に千里もの距離を流れ下る意。

注意　「一瀉」を「一写」「一射」などと書かないこと。

類義語　一瀉百里《いっしゃひゃくり》

一種一瓶　いっしゅ いっぺい　準1級

意味　**それぞれが一品の酒の肴《さかな》と一瓶《ぴん》の酒を持ち寄って宴会をすること。**気心の知れた者同士が、互いに持ち寄って催す肩のこらない宴会をいう。

一宿一飯　いっしゅく いっぱん　5級

意味　**通りすがりにちょっと世話になること。**一泊させてもらい、一食ごちそうになる。むかし博徒の間では生涯の恩義とされた。ちょっとした恩義でもそれをわすれてはいけないという戒めにも用いる。

類義語　一飯之恩《いっぱんのおん》、一飯之報《いっぱんのむくい》

一觴一詠　いっしょう いちえい　1級

意味　**ひと杯《さかずき》の酒を飲んで、一つの詩を作る。酒を飲み楽しみながら詩を作ること。**「觴」はさかずき。

補説　「一詠一觴」ともいう。

故事　東晋《とうしん》の王羲之《おうぎし》が紹興《しょうこう》近郊の蘭亭《らんてい》で上巳《じょうし》の日に同好の士と曲水《きょくすい》の宴を催し、酒を飲み詩を作って楽しんだ故事から（「曲水流觴《きょくすいりゅうしょう》」）。

出典　王羲之《おうぎし》の「蘭亭集序《らんていしゅうじょ》」

一笑一嚬　いっしょう いっぴん　1級

⇩一嚬一笑（いっぴん いっしょう）

一生懸命　いっしょう けんめい　準2級

意味　**命がけでものごとにあたること。いちずに苦心すること。**

補説　「一所懸命《いっしょけんめい》」から起こった語（「一所懸命」）。

類義語　一所懸命《いっしょけんめい》

一倡三歎　いっしょう さんたん　1級

意味　**すぐれた詩文を賞賛する語。一度詠み上げれば何度も感嘆する意。**「三」はたびたび、何度もの意。もとは宗廟《そうびょう》（祖先のみたまや）の祭りで楽を奏するに当たって一人がうたうと、三人がこれに和してうたったことをいう。

補説　「一倡」は「一唱」「壱倡」とも、「三歎」は「三嘆」とも書く。

出典　『礼記《らいき》』〈楽記《がくき》〉

類義語　一読三嘆《いちどくさんたん》

一笑千金　いっしょう せんきん　4級

意味　**ひとたびほほえめば千金に値するほどの美人をいう。**美人の笑顔の得難

いことのたとえ。

補説 「千金一笑」ともいう。

出典 崔駰《さいいん》の「七依《しちい》」

類義語 一顧傾城《いっこけいせい》

一将万骨 いっしょう ばんこつ
4級

意味 **上に立つ者だけに功名が与えられ、部下は犠牲にされることのたとえ。**一人の将軍が功名を立てるのには、多くの兵卒がその骨を戦場にさらしているという意。

補説 「一将功《こう》成りて万骨枯る」の略。

字体 「将」の旧字体は「將」、「万」の旧字体は「萬」。

出典 曹松《そうしょう》の「己亥歳《きがいのとし》-詩」

一生不犯 いっしょう ふぼん
準1級

意味 **仏教の戒律で、一生男女の交わりをしないこと。**

一触即発 いっしょく そくはつ
4級

意味 **非常に緊迫した状況にさらされていること。**ちょっと触れただけですぐに爆発しそうな状態の意。「即」はすぐにの意。

字体 「触」の旧字体は「觸」、「発」の旧字体は「發」。

注意 「即発」を「速発」と書き誤らない。

類義語 一髪千鈞《いっぱつせんきん》、危機一髪《ききいっぱつ》、累卵之危《るいらんのき》、刀光剣影《とうこうけんえい》

一所懸命 いっしょ けんめい
準2級

意味 **真剣にものごとに打ち込むこと。**わが国の中世に一か所の領地を命にかけて守り生活の頼みにしたことからいう。

類義語 一生懸命《いっしょうけんめい》

一進一退 いっしん いったい
5級

意味 **進んだり退いたりすること。**また、**情勢がよくなったり悪くなったりすること。**「一…一…」はここでは「…したり、…したり」の意。

出典 『管子《かんし》』〈覇言《はげん》〉

一心一徳 いっしん いっとく
5級

⇩一徳一心（いっとくいっしん）

一心同体 いっしん どうたい
5級

意味 **複数の人間が心を一つにして一人の人間のように固く結びつくこと。**また、異なったものが一つになること。

字体 「体」の旧字体は「體」。

注意 「一心」を「一身」と書き誤らない。

類義語 異体同心《いたいどうしん》、寸歩不離《すんぽふり》

一心不乱 いっしん ふらん
5級

意味 **一つのことに心を集中して他のことに心を奪われないこと。**わきめもふらずに一つのことに心を集中すること。

字体 「乱」の旧字体は「亂」。

類義語 一意専心《いちいせんしん》、一心一意《いっしんいちい》

一心発起 いっしん ほっき
4級

意味 **あることを成し遂げようと決意すること。**「発起」は仏教語で菩提心《ぼだいしん》を起こすこと。転じて、思い立って決意すること。

字体 「発」の旧字体は「發」。

注意 「発起」を「はっき」と読み誤らない。

類義語 一念発起《いちねんほっき》

一水盈盈 いっすい えいえい
準1級

⇩盈盈一水（えいえいいっすい）

一酔千日 いっすい せんにち
3級

意味 **きわめてうまい酒のたとえ。**ちょっと飲んでひと酔いしただけで心地よくなり千日眠る意。

故事 むかし劉玄石《りゅうげんせき》が酒屋で千日酒《せんにちざけ》という強い酒を買った。酒屋はその飲酒の

限度を言うのを忘れたと千日たった頃を見計らって玄石を訪ねたが、家人は酔ったのを死んだと思いすでに葬ったという。そこで棺を開けたところ大きなあくびとともにちょうど目ざめたという故事から。

字体　「酔」の旧字体は「醉」。

出典　『博物志《はくぶつし》』〈一〇〉

一炊之夢　いっすいのゆめ　準1級

⇩邯鄲之夢(かんたんのゆめ)

一寸光陰　いっすんのこういん　4級

意味　**ほんのわずかな時間のこと。**「一寸」は短いことのたとえ。「光陰」は日時計の影、一説に「光」は昼、「陰」は夜。

補説　「一寸の光陰軽んず可《べ》からず」の略で、少しの時間も無駄にしてはいけないということ。

出典　朱熹《しゅき》の「遇成《ぐうせい》詩」

一寸丹心　いっすんのたんしん　4級

意味　**うそいつわりのないまごころ。自分のまごころを謙遜《けんそん》していう語。**「一寸」はわずかの意で、自分のことをいう謙譲語。「丹心」は「赤心」と同じく、まごころ・誠意をいう。

出典　杜甫《とほ》の詩

類義語　一寸赤心《いっすんのせきしん》

一世一代　いっせいちだい　5級

意味　**一生のうちでただ一度。**一生のうちで二度とないような重大なこと。もと役者などが引退を前にして最後に得意の芸を演ずることをいう。「一世」も「一代」も一生の意。

補説　「一世」は「いっせい」とも読む。

類義語　一世《いっせ》一度《いちど》

一世之雄　いっせいのゆう　準1級

意味　**その時代で最もすぐれた英雄。**「一世」はその時代の意。**当代の最もすぐれた人物。**

注意　「一世」を「一生」と書き誤らない。

出典　『宋書《そうしょ》』〈武帝紀《ぶていき》・上〉

類義語　一時《いちじ》之《の》傑《けつ》、一代《いちだいの》英雄《えいゆう》、一世《いっせい》之《の》冠《かん》

一世風靡　いっせいふうび　1級

意味　**ある時代に非常に流行すること。**風が吹き草木がそれになびくようにその時代のたくさんの人が従うこと。「靡」はなびく意。

一世木鐸　いっせい(の)ぼくたく　準1級

意味　**世の中の人々を教え導く人のこと。**「一世」は世の中すべての意。「木鐸」は木の舌(振り子)がついている金属製の鈴で、古代中国で法律や命令を布告するときに鳴らしたもの。転じて、世の指導者のこと。

出典　『論語』〈八佾《はちいつ》〉

一石二鳥　いっせきにちょう　5級

意味　**一つのことをして二つの利益を得るたとえ。**一つの石を投げて二羽の鳥を獲る意。

補説　英語のことわざの訳語。

類義語　一挙両得《いっきょりょうとく》、一箭双雕《いっせんそうちょう》、一発双貫《いっぱつそうかん》、一挙双擒《いっきょそうきん》

一殺多生　いっせつたしょう　準2級

意味　**ひとりの人間を犠牲にして多くの人を救い生かすこと。**多くの人を救うには一人を殺すこともやむをえないという大乗的な考え方。仏教の語。

補説　「一殺」は「いっさつ」とも読む。また、仏教読みであるので「たしょう」と読み、「たせい」とは読まない。

一銭一厘　いっせんいちりん　3級

意味　**わずかな金銭のこと。**「銭」「厘」とも昔の小銭《こぜに》の単位。一銭は一円の百分

の一、一厘は一銭の十分の一。

字体 「銭」の旧字体は「錢」。

類義語 一文半銭《いちもんはんせん》

一箭双雕 いっせんそうちょう 1級

意味 **弓を射るのがうまいこと。**また、**ただ一つの行為で二つの利益を得るたとえ。**一本の矢で二羽の鷲《わし》を射る意。「一箭」は一本の矢、「双雕」は二羽の鷲、くまたか。

字体 「双」の旧字体は「雙」。

出典 『北史《ほくし》』〈長孫晟伝《ちょうそんせいでん》〉

類義語 一発双貫《いっぱつそうかん》、一挙両得《いっきょりょうとく》、一石《いっせき》二《に》鳥《ちょう》、一挙双擒《いっきょそうきん》

一措一画 いっそいっかく 3級

⇩**一点一画**（いってん いっかく）

一体分身 いったいぶんしん 5級

意味 **一つのものがいくつかに分かれること。**仏教で、仏が衆生《しゅじょう》を救うために仮にさまざまな姿となってこの世に現れたことから。

補説 「分身」は「ふんじん」とも読む。

字体 「体」の旧字体は「體」。

一短一長 いったんいっちょう 5級

⇩**一長一短**（いっちょう いったん）

一旦緩急 いったんかんきゅう 2級

意味 **ひとたび緊急の事態になったとき。いざという場合。**「一旦緩急あれば」と用いる。「一旦」はある朝、ある日の意で、転じてひとたびの意。「緩急」は「緩」の意はなく、緊急の事態の意。

補説 本項「緩急」のように二字熟語であって一方の漢字の意味に偏しているものを偏義複辞《へんぎふくじ》という。

出典 『史記』〈袁盎伝《えんおうでん》〉

類義語 一時緩急《いちじかんきゅう》

一治一乱 いっちいちらん 5級

意味 **この世の治乱の変転を述べた語。**あるいは治まり、あるいは乱れる。治まっているときもあり、乱れているときもある。「一」は「あるときは」の意。

字体 「乱」の旧字体は「亂」。

出典 『孟子《もうし》』〈滕文公《とうぶんこう》・下〉

類義語 治乱興亡《ちらんこうぼう》

一知半解 いっちはんかい 5級

意味 **自分のものになっていない、なまはんかな知識や理解のこと。**一つの事を知っていても半分しか理解していない意。半可通《はんかつう》。

出典 『滄浪詩話《そうろうしわ》』〈詩弁《しべん》〉

類義語 半知半解《はんちはんかい》、言者不知《げんしゃふち》

一張一弛 いっちょういっし 準1級

意味 **厳格にしたり寛大にしたりして人をほどよく扱うこと。**弓の弦を張ったりゆるめたりする意。為政者の心得として、また教育者の心得として用いる。

補説 「一弛一張」ともいう。

故事 周の文王や武王が中道の政治を行い、人民に対して時には厳しく緊張状態に置き苦労させ、時に楽しみを与え心を緩やかな状態に置いたという故事から。

出典 『礼記《らいき》』〈雑記《ざっき》・下〉

類義語 緩急自在《かんきゅうじざい》

一朝一夕 いっちょういっせき 4級

意味 **ほんのわずかな期間。非常に短い時間のたとえ。**ひと朝とひと晩の意。

注意 「一夕」を「いちゆう」と読み誤らない。

出典 『易経《えききょう》』〈坤《こん》・文言伝《ぶんげんでん》〉

類義語 一旦一夕《いったんいっせき》

一長一短 いっちょういったん 5級

意味 **長所もあり短所もあり、完全でないこと。**人や物事についていう。

補説　「一短一長」ともいう。
類義語　一得一失《いっとくいっしつ》、一利一害《いちりいちがい》

一超直入　いっちょうじきにゅう　3級

意味　**ひとたび迷いを超越すると、にわかに悟りの境地に入ることができるということ。**「一超」はひとたび超える意、「直入」はただちに(悟りに)入ること。

一朝之忿　いっちょうのいかり　1級

意味　**一時的な怒りをいう。**「一朝」はわずかな間、一時的の意。「忿」は怒り、憤怒のこと。
注意　「忿」を「怒」と書き誤らない。
出典　『論語』〈顔淵《がんえん》〉

一朝之患　いっちょうのうれい　準1級

意味　**一時の心配をいう。**また、**思いがけず突然起こる心配事。**前者の意味のとき「一朝」はひと朝の意から、わずかな時間、一時的の意。後者の意味の場合はある朝の意から思いがけないときの意。
補説　「患」は「わずらい」とも読む。
出典　『孟子《もうし》』〈離婁《りろう》・下〉

一朝富貴　いっちょうのふうき　準2級

意味　**にわかに富貴な身になること。**「一朝」はある朝突然に、思いがけず急にの意。
出典　韓愈《かんゆ》の詩

一擲千金　いってきせんきん　1級

意味　**豪快な振る舞い、思い切りのよいことのたとえ。**惜しげもなくひとときに大金を使う意。「擲」は投げる、投げ出す意。
補説　「千金一擲」ともいう。
出典　呉象之《ごしょうし》の「少年行《しょうねんこう》」
類義語　一擲百万《いってきひゃくまん》

一点一画　いってんいっかく　5級

意味　**漢字の一つの点、一つの画《かく》。**「画」は筆画のこと。
字体　「点」の旧字体は「點」、「画」の旧字体は「畫」。
出典　『顔氏家訓《がんしかくん》』〈書証《しょしょう》〉
類義語　一措一画《いっそいっかく》

一天四海　いってんしかい　5級

意味　**天の下と四方の海。天下のすべて、世界中の意。**「一天」は天下中のこと。「四海」は四方の海の意から、転じて天下・世界中の意。
出典　『平家物語』〈一〉

一天万乗　いってんばんじょう　4級

意味　**天下を治める天子の意。**「一天万乗の君《きみ》」の略。「一天」はこの世、天下中。「万乗」の「乗」は兵車、または兵車を数える語。天子の直轄領は兵車一万台を出すことができるとされることからいう。
字体　「万」の旧字体は「萬」、「乗」の旧字体は「乘」。
注意　「万乗」を「まんじょう」と読み誤らない。

一刀三礼　いっとうさんらい　準2級

意味　**慎重かつ敬虔《けいけん》な態度で仕事をすること。**仏像を彫刻するときに、一彫りするごとに三度礼拝するということから。仏教の語。
字体　「礼」の旧字体は「禮」。
注意　「礼」が「らい」という読みになることに注意。
類義語　一刀三拝《いっとうさんぱい》、一刻三礼《いっこくさんらい》

一刀両断　いっとうりょうだん　5級

意味　**物事を思い切って処理すること、ためらわずに決断することのたとえ。**ただひと切りで物を二つに断ち切る意。
補説　「両断」は「両段」とも書く。

字体 「両」の旧字体は「兩」、「断」の旧字体は「斷」。

出典 『朱《しゅ》子《し》語《ご》類《るい》』〈四四〉

類義語 一剣両段《いっけんりょうだん》

一得一失　いっとくいっしつ　5級

意味 **一方で利益があると他方で損失を伴っていること。**利益と損失がともにあること。

補説 「一失一得」ともいう。

類義語 一利《いちり》一害《いちがい》、一長《いっちょう》一短《いったん》

一徳一心　いっとくいっしん　5級

意味 **多くの人が、共通の利益のために心を一つにして団結すること。**「一徳」の「徳」は、ここでは「利益」の意。「一心」は、心をあわせること。

補説 「徳を一《いっ》にし心を一《いっ》にす」とも読む。また「一心一徳」ともいう。

出典 『書経《しょきょう》』〈泰誓《たいせい》〉

類義語 同心同徳《どうしんどうとく》、一致《いっち》団結《だんけつ》

一登竜門　いっとりゅうもん　準2級

意味 **その時代の有力者に認められれば、その人の価値は世間から十倍にも評価されるということ。**

補説 出典の「一《ひと》たび竜門に登れば則《すなわ》ち声価十倍す」による。

字体 「竜」の旧字体は「龍」。

出典 李《り》白《はく》の「与韓荊州書《かんけいしゅうにあたうるのしょ》」

一敗塗地　いっぱいとち　3級

意味 **戦いに大敗すること。**「塗地」は戦いに敗れて死者の内臓などが土にまみれること。

補説 「一敗《いっぱい》、地《ち》に塗《まみ》る」とも読む。

出典 『史記』〈高祖紀《こうそき》〉

類義語 肝脳《かんのう》塗地《とち》

一髪千鈞　いっぱつせんきん　1級

意味 **非常に危険なこと、きわめて無理なことのたとえ。**一本の髪の毛で千鈞もの重さの物を引く意。「鈞」は昔の重量の単位で三十斤を一鈞とし、周代では約七・七キログラム。

補説 「一髪、千鈞を引く」の略。また「千鈞一髪」ともいう。

字体 「髪」の旧字体は「髮」。

注意 「千鈞」を「千金」と書き誤らない。

出典 韓愈《かんゆ》の文

類義語 一縷《いちる》千鈞《せんきん》、危機《きき》一髪《いっぱつ》、一触即発《いっしょくそくはつ》

一飯千金　いっぱんせんきん　5級

意味 **わずかな恵みに対しても十分な恩返しをすること。**一度受けた食事の恵みには、千金の恩があるという意。

故事 貧しかった韓信《かんしん》が、ある洗濯屋の老婆から数十日の食事を与えられた。のちに、出世した韓信は、かつて食事をさせてくれた老婆を呼んで千金を与えたという故事から。

出典 『史記』〈淮陰侯伝《わいいんこうでん》〉

類義語 一飯《いっぱん》之《の》徳《とく》、一飯《いっぱん》之《の》報《むくい》、一飯《いっぱん》之《の》恩《おん》、恩讎分明《おんしゅうぶんめい》

一飯之恩　いっぱんのおん　準1級

意味 **一回の食事をごちそうになった恩義。ほんの少しの恵み。**また、ささやかな恩義であるがそれを忘れてはいけないという戒めの語。

注意 「恩」を「思」と書き誤らない。

類義語 一宿《いっしゅく》一飯《いっぱん》、一飯《いっぱん》之《の》報《むくい》

一筆勾消　いっぴつこうしょう　2級

意味 **これまでのすべてを取り消すこと。**「勾」は引く、引っぱる意。書いた文字を一筆《ひとふで》さっと引いて一気に消してしまうことから。

補説 「勾消」は「勾銷」とも書く。

注意 「勾消」を「匂消」と書き誤りやすい。

類義語　一筆《いっぴつ》勾《こう》断《だん》、一筆《いっぴつ》抹殺《まっさつ》

一筆抹殺　いっぴつまっさつ　準2級

意味　**よく考えることなく、事実や存在を全面的に否定すること。**「抹殺」はぬり消す意で、物事を否定すること。「殺」は助字。書いた文字を、一筆《ひとふで》で一気にぬり消す意から。

類義語　一筆《いっぴつ》勾《こう》消《しょう》、一筆《いっぴつ》抹《まっ》倒《とう》

一瓢一箪　いっぴょういったん　準1級

意味　**粗末な飲食物。**　また、**つましい暮らし。**一つのひさご(瓢)に入れた飲み物と、一つのわりご(箪)に盛った食物の意から。

出典　『論語』〈雍也《ようや》〉

類義語　一瓢《いっぴょう》之《の》飲《いん》、一箪《いったん》之《の》食《し》

一嚬一笑　いっぴんいっしょう　1級

意味　**顔にあらわれるわずかな表情。ちょっと顔をしかめたり、ちょっと笑ったりすること。**「嚬」は不愉快そうに顔をしかめて眉間《みけん》にしわをよせること。「一」はちょっとの意。

補説　「一嚬」は「一顰」とも書く。また「一笑一嚬」ともいう。

出典　『韓非《かんぴ》子《し》』〈内儲説《ないちょせつ》・上〉

一碧万頃　いっぺきばんけい　準1級

意味　**青い海や湖などが限りなく広々と広がっているさま。**「碧」は青・紺碧《こんぺき》で、ここでは海や湖などをさす。「頃」は面積の単位。一頃は百畝《ひゃっぽ》で、周代では一八二アール。「万頃」は非常に広いことをいう。

字体　「万」の旧字体は「萬」。

注意　「碧」を「壁」と書き誤らない。また「万頃」を「まんけい」と読まない。

出典　范仲淹《はんちゅうえん》の「岳陽楼記《がくようろうのき》」

一片氷心　いっぺんのひょうしん　4級

意味　**清く澄みきった心境のこと。**品行が高雅なことの形容。ひとかけらの氷のように、きわめて清い意。

補説　「氷心」は「冰心」とも書く。

出典　王昌齢《おうしょうれい》の「芙蓉楼送辛漸《ふようろうにしんぜんをおくる》‐詩」

鷸蚌之争　いつぼうのあらそい　1級

意味　**両者が譲らずに争っていると第三者が骨を折らずに利益を横取りしてしまうことのたとえ。**「鷸」は水鳥のしぎ、「蚌」はどぶがいのこと。

字体　「争」の旧字体は「爭」。

故事　「漁夫《ぎょふ》之《の》利《り》」の項参照。

出典　『戦国策《せんごくさく》』〈燕策《えんさく》〉

類義語　漁夫《ぎょふ》之《の》利《り》

乙夜之覧　いつやのらん　準1級

意味　**天子が書物を御覧になること。**昔、中国で天子が午後十時ごろ仕事を終え、就寝前に読書したことからいう。「乙夜」は午後十時ごろのこと。一夜を五つに分けた二番目。「覧」は書見のこと。

補説　「乙夜」は「おつや」とも読む。

字体　「覧」の旧字体は「覽」。

出典　『杜陽雑編《とようざっぺん》』〈中〉

意到筆随　いとうひつずい　3級

意味　**詩文などを作るのに、心のままずらすらと作れること。**

補説　「意《い》到《いた》りて筆《ふで》随《したが》う」とも読む。

字体　「随」の旧字体は「隨」。

出典　『春渚紀聞《しゅんしょきぶん》』〈東坡事実《とうばじじつ》〉

類義語　意到心随《いとうしんずい》

以毒制毒　いどくせいどく　5級

意味　**悪を制するのに悪を用いることのたとえ。**有毒な薬を用いて毒を持つ病気を治療する意。悪逆なものを悪逆な手段で制圧することをいう。目には目を。

補説　「毒《どく》を以《もっ》て毒《どく》を制《せい》す」とも読む。

出典　『紅楼夢《こうろうむ》』〈四二回〉

以《い》毒《どく》攻《こう》毒《どく》、以《い》夷《い》制《せい》夷《い》、就《しゅう》毒《どく》攻《こう》毒《どく》

猗頓之富 いとんのとみ

1級

意味 **巨万の富、膨大な財産をいう。**「猗頓」は中国、春秋時代の代表的な金持ちの名。

故事 大きな財をなした范蠡《はんれい》の教えを受けた猗頓は牛や羊を十年飼ううちに財産は王公になぞらえるほどになり、天下の人は金持ちといえば猗頓の名をあげるようになったという故事から。

出典 『史記』〈貨《か》殖《しょく》伝《でん》〉

類義語 陶《とう》朱《しゅ》猗《い》頓《とん》

倚馬七紙 いばしちし

1級

意味 **すらすらと名文を書き上げる才能。**馬前に立ったまま一息に七枚の紙に文を書き上げる意。「倚」は本来「依《よ》る」の意。「倚馬」はここでは馬前に立ったままあわただしくというほどの意味。「七紙」は七枚の長文。

故事 晋《しん》の袁《えん》虎《こ》が桓《かん》温《おん》に布告の文を書くように命ぜられ、馬前に立ったまま一息に七枚の名文を書き上げ、その才を王《おう》珣《じゅん》に賞賛された故事から。

出典 『世《せ》説《せつ》新《しん》語《ご》』〈文学《ぶんがく》〉

類義語 倚《い》馬《ば》之《の》才《さい》、万《まん》言《げん》倚《い》馬《ば》

意馬心猿 いばしんえん

準2級

⇨心猿意馬（しんえん いば）

衣鉢相伝 いはつそうでん

準2級

意味 **弟子が師の教えを継ぐこと。**また、**法灯を継ぐこと。**「衣」は袈《け》裟《さ》、「鉢」は托《たく》鉢《はつ》で施し物を受ける鉢のこと、転じて、師から伝えられた教えの意。「相伝」は代々受け伝えること。

補説 「衣鉢」は「いはち」「えはつ」とも読む。

字体 「伝」の旧字体は「傳」。

夷蛮戎狄 いばんじゅうてき

1級

意味 **中国周辺部にいた異民族の総称。四方の野蛮民族。えびす。**中国人が異民族を卑しんでいったもの。東《とう》夷《い》・西《せい》戎《じゅう》・南《なん》蛮《ばん》・北《ほく》狄《てき》の略で、それぞれの方角の異民族の称。

字体 「蛮」の旧字体は「蠻」。

出典 『礼《らい》記《き》』〈王《おう》制《せい》〉

萎靡沈滞 いびちんたい

1級

意味 **物事の動きに活気や勢いがないこと。**草木がしおれ、水流がよどむ意。「萎靡」はしおれて萎《な》えること。

補説 「萎靡」は「委靡」とも書く。

字体 「滞」の旧字体は「滯」。

渭浜漁父 いひんのぎょほ

1級

意味 **渭《い》水《すい》のほとりで釣り糸をたれていた呂《りょ》尚《しょう》（太《たい》公《こう》望《ぼう》）のこと。**太公望といわれた呂尚は渭水のほとりで釣りをしていたとき周の文王に見出され、のち文王の子武王を補佐して周《しゅう》王朝を開くのに功績があった。「渭」は渭水（↓「渭《い》樹《じゅ》江《こう》雲《うん》」）。

補説 「漁父」は「ぎょふ」とも読む。「漁父」は漁師、また年老いた漁師。

字体 「浜」の旧字体は「濱」。

類義語 渭《い》川《せん》漁《の》父《ぎょほ》

移風易俗 いふうえきぞく

4級

意味 **風俗をよい方へ移し変えること。**「風俗を移《い》易《えき》す」を一字ずつ分けて表現したもの。「易」は移し変える意。

補説 「風《ふう》を移《うつ》し俗《ぞく》を易《か》う」とも読む。

注意 「易俗」を「いぞく」と読み誤らない。「易」を「い」と読むときは「易《やさ》しい」の意。

出典 『詩《し》経《きょう》』〈大《たい》序《じょ》〉

遺風残香 いふうざんこう

4級

意味 **むかしのすぐれた人や風俗のな**

ごり。「遺風」は昔の人のおもかげ、また昔からの風習。

字体　「残」の旧字体は「殘」。

類義語　遺風余香《いふうよこう》、残膏賸馥《ざんこうしょうふく》

威風堂堂　いふう どうどう　4級

意味　**威厳に満ち溢《あふ》れてりっぱなこと。気勢が大いに盛んなこと。**「威風」は威厳があり、おかしがたいさま。「堂堂」は雄大でりっぱなさま。

類義語　威風凜凜《いふうりんりん》、揚武揚威《ようぶようい》、威武堂堂《いぶどうどう》

緯武経文　いぶ けいぶん　4級

意味　**文武両道《ぶんぶりょうどう》を重んじて国を治めること。**「緯」は横糸、「経」は縦糸。武を横糸、文を縦糸として美しい布を織る意。

補説　「経文緯武」ともいう。

字体　「経」の旧字体は「經」。

注意　「経文」を「きょうぶん」「きょうもん」と読み誤らない。

出典　『晋書《しんじょ》』〈文六王《ぶんろくおう》・伝賛《でんさん》〉

類義語　文武両道《ぶんぶりょうどう》

異聞奇譚　いぶん きたん　1級

意味　**きわめて珍しい話のこと。**「異聞」は珍聞・奇聞に同じ、「奇譚」は奇談に同じで、ともに珍しい話の意。

類義語　珍聞奇聞《ちんぶんきぶん》

韋編三絶　いへん さんぜつ　1級

意味　**書物を繰り返し読むこと。読書や学問に熱心なたとえ。**「韋編」は木簡(木の札)や竹簡(竹の札)をなめし革のひもで綴《つづ》った昔の書物。「三絶」は何度も断ち切れる意。「三」は回数の多いことをあらわす。

補説　「韋編《いへん》三《み》たび絶《た》つ」とも読む。

故事　孔子が『易経《えききょう》』を何度も読んだため、その書を綴ったなめし革のひもが幾度となく断ち切れたという故事から。

出典　『史記』〈孔子世家《こうしせいか》〉

移木之信　いぼくの しん　準1級

⇩徙木之信(しぼくのしん)

意味深長　いみ しんちょう　5級

意味　**人の行動や言葉、詩文などの意味や趣が非常に深く含みがあること。**表面にあらわれたもののほかに意味が潜んでいること。

注意　「深長」を「慎重」「伸長」「深重」「深調」などと書き誤らない。

出典　朱熹《しゅき》の「論語序説《ろんごじょせつ》」

類義語　意在言外《いざいげんがい》

倚門之望　いもんの ぼう　1級

意味　**子を思う母の愛情のこと。**「倚門」は、門に倚《よ》りかかる意。母親が家の門に寄りかかり、子の帰りを待ち望んだことから。

注意　「倚門」を「きもん」と読み誤らない。

故事　中国、春秋時代、衛《えい》の王孫賈《おうそんか》の母が、朝早く外出して夜遅く帰る賈《か》を家の門に寄りかかって待ち望み、夕暮れに外出したときには、村里の門に寄りかかって賈の帰りを待ちわびた故事から。

出典　『戦国策《せんごくさく》』〈斉策《せいさく》〉

類義語　倚閭之望《いりょのぼう》、倚門倚閭《いもんいりょ》

衣履弊穿　いり へいせん　準1級

意味　**貧賤《ひんせん》の人の服装をいう。**衣服やくつが疲れやぶれる意。「履」はくつ、はき物の意。「弊」は疲れやぶれる。「穿」は穴があくこと。

注意　「弊穿」を「幣穿」と書き誤らない。

出典　『荘子《そうじ》』〈山木《さんぼく》〉

異類中行　いるい ちゅうぎょう　5級

意味　**仏が人々を救うために、俗世に身を置くこと。**また、**禅僧が修行者を教**

え導くために、いろいろな方法を講じること。**「異類」は種類が違うこと。異類の中を行くという意で、高尚な境地にある仏が、俗世に降《くだ》って交わることをいう。

異類無礙 いるい むげ

1級

［意味］ **異質なものどうしが、なんの障害もなく互いに通じあうこと。**「異類」は種類が違うこと。「無礙」はさまたげるものがない意。仏教語で、火と水のような異質なものが、さしさわりなく通じることをいう。

［補説］ 「無礙」は「無碍」とも書く。

異路同帰 いろ どうき

5級

［意味］ **方法は違っても結果は同じであるたとえ。**道筋はそれぞれに異なっていても行きつく先は同じである意。

［補説］ 「路《みち》を異《こと》にして帰《かえ》りを同《おな》じうす」とも読む。

［字体］ 「帰」の旧字体は「歸」。

［出典］ 『淮南子《えなんじ》』〈本経訓《ほんけいくん》〉

［類義語］ 殊塗同帰《しゅとどうき》

陰陰滅滅 いんいん めつめつ

3級

［意味］ **暗く陰気で気の滅《め》入《い》るさま。**気分や雰囲気にいう。「陰陰」は薄暗く陰気なさま、「滅滅」は生気がなくなるさま。

［注意］ 「陰陰」を「隠隠」と書き誤らない。

飲灰洗胃 いんかい せんい

4級

［意味］ **前非を悔い改め再出発すること。**灰を飲んで、胃袋の中の汚れを洗い清めること。

［補説］ 「灰《はい》を飲んで胃を洗う」とも読む。

［字体］ 「飲」の旧字体は「飮」。

［出典］ 『南史《なんし》』〈荀伯玉伝《じゅんはくぎょくでん》〉

因果応報 いんが おうほう

5級

［意味］ **人の行いの善悪に応じてその報いがあらわれること。**もと仏教の語。過去や前世の因縁に従って果報がある意。「因」は「因縁」で原因の意。「果」は「果報」で結果、報いの意。

［字体］ 「応」の旧字体は「應」。

［出典］ 『大慈恩寺三蔵法師伝《だいじおんじさんぞうほうしでん》』〈七〉

［類義語］ 悪因悪果《あくいんあっか》、善因善果《ぜんいんぜんか》、悪因苦《あくいんく》果《か》、前因後果《ぜんいんこうか》

因果覿面 いんが てきめん

1級

［意味］ **悪事の報いがすぐに目の前にあらわれること。**「覿面」は目《ま》の当たりの意。転じて、結果がすぐにあらわれること。「覿」は見る、見せる意。

［類義語］ 因果歴然《いんがれきぜん》、積悪之報《せきあくのむくい》

飲河満腹 いんか まんぷく

5級

［意味］ **人にはそれぞれ分《ぶん》があり、分相《ぶんそう》応《おう》に満足すべきことをいう。**もぐらが広大な黄河の水を飲んでも小さな腹を満たすにすぎず、それ以上は飲まないという意。

［補説］ 「偃鼠《えんそ》河《かわ》に飲むも満腹《まんぷく》に過ぎず」の略。「偃鼠」はもぐら。

［字体］ 「飲」の旧字体は「飮」、「満」の旧字体は「滿」。

［出典］ 『荘子《そうじ》』〈逍遥遊《しょうようゆう》〉

［類義語］ 偃鼠飲河《えんそいんが》、飲河之願《いんがのねがい》

殷鑑不遠 いんかん ふえん

1級

［意味］ **失敗を戒める例は近くにあるたとえ。**「殷」は古代中国の国名、「鑑」は鏡。殷の国政を前代の夏《か》王朝の暴政による滅亡を参考にしてすすめたことによる。

［補説］ 「殷鑑遠《いんかんとお》からず」とも読む。

［出典］ 『詩経《しきょう》』〈大雅《たいが》・蕩《とう》〉

［類義語］ 商鑑不遠《しょうかんふえん》

因機説法 いんき せっぽう

5級

［意味］ **その場に応じた説法を行い真理を悟らせること。**仏教の語。

補説 「機《き》に因《よ》りて法《ほう》を説《と》く」とも読む。

類義語 応機接物《おうきせつもつ》、善巧方便《ぜんぎょうほうべん》、対症下薬《たいしょうかやく》、因病下薬《いんぺいかやく》、応病与薬《おうびょうよやく》

婬虐暴戻 いんぎゃくぼうれい　1級

意味 **淫《みだ》らな生活をし、乱暴で非道なこと。**「婬虐」は淫らでむごいこと、「暴戻」は乱暴で道理にもとる意。

補説 「婬虐」は「淫虐」とも書く。

類義語 放蕩無頼《ほうとうぶらい》

韻鏡十年 いんきょうじゅうねん　準2級

意味 **理解することが非常に難しいこと。**『韻鏡《いんきょう》』は、中国唐代末の漢字の音韻を研究した書物。『韻鏡』の内容が難しく理解するのに十年はかかるという意。

慇懃無礼 いんぎんぶれい　1級

意味 **表面はきわめて礼儀正しく丁寧であるが、実はひどく尊大であること。**また、**言葉づかいや態度などが丁寧すぎるのは、かえって無礼であること。**「慇懃《いんぎん》」はきわめて丁寧なこと、非常に礼儀正しいこと。「慇」は、憂え悼んで心を傾けること。ひいて丁寧・ねんごろの意。「懃《きん》」は「勤」と同じで、苦しむ、疲れるほどに気をつかう意。

字体 「礼」の旧字体は「禮」。

類義語 慇懃尾籠《いんぎんびろう》

飲至策勲 いんしさっくん　準2級

意味 **勝ち戦のあと、先祖への報告の酒を飲み、その功績を竹の札に書き記すこと。**「飲至」は宗廟《そうびょう》（王室の祖先のみたまや）で酒を飲むこと、「策勲」は策（竹の札）に戦功を書き記す意。

補説 「飲至《いた》し策を勲ず」とも読む。

字体 「飲」の旧字体は「飮」、「勲」の旧字体は「勳」。

出典 『春秋左氏伝《しゅんじゅうさしでん》』〈桓公《かんこう》二年〉

類義語 飲至之礼《いんしのれい》

因循苟且 いんじゅんこうしょ　1級

意味 **古い習慣や方法にこだわって、その場しのぎの手段をとること。**また、**決断力に欠け、ぐずぐずしてためらうさま。**「因循」は「因《よ》り循《したが》う」で、古いしきたりに従っているだけで、改めようとしないこと。ぐずぐずして煮えきらないさま。「苟且」はかりそめ、まにあわせ、一時のがれの意。

注意 「苟且」の「苟」を「荀」、「且」を「旦」と書き誤りやすい。

類義語 因循姑息《いんじゅんこそく》

因小失大 いんしょうしつだい　5級

意味 **小さな利益を得ようとして、かえって大きな損失をすること。**「因小」は小さいことをたのみにすること、「失大」は大きなものを失う意。

補説 「小《しょう》に因《よ》りて大《だい》を失《うしな》う」とも読む。

類義語 貪小失大《たんしょうしつだい》

対義語 枉尺直尋《おうせきちょくじん》

印象批評 いんしょうひひょう　5級

意味 芸術作品の理解・評価において客観的基準によらず、あくまでも作品の自分に与える印象や個人的感動に基準をおく批評。

注意 「印象」を「印像」と書き誤らない。

引縄批根 いんじょうへいこん

意味 **力を合わせて他を排斥すること。**わなを仕掛けて他をおとしいれること。また、**先に慕い後に背を向けた者たちに報復して、恨みをはらすこと。**「引縄」は縄をつけて引くこと、「批根」は根こそぎ取り払う意。

補説 「縄《なわ》を引《ひ》き根《ね》を批《ひら》く」とも読む。

字体 「縄」の旧字体は「繩」。

注意 「批根」を「ひこん」と読み誤り

やすい。
故事　前漢の高官灌《かん》夫《ぷ》と親友魏《ぎ》其《き》侯《こう》は、権勢を保持していたときは自分たちに慕い寄っていた者たちが、権勢を失ってからは背を向けてしまったので、根こそぎやっつけてやりたいと思ったという故事から。
出典　『史記』〈灌《かん》夫《ぷ》伝《でん》〉
類義語　引《いん》縄《じょう》排《はい》根《こん》

飲水思源　いんすいしげん　5級

意味　**物事の基本を忘れないたとえ。**　また、**世話になった人の恩を忘れないこと。**「思源」は源のことを思う意。水を飲むときに、その水源のことを思うということから。
補説　「水《みず》を飲《の》みて源《みなもと》を思《おも》う」とも読む。
字体　「飮」の旧字体は「飮」。
類義語　飲《いん》水《すい》知《ち》源《げん》、飲《いん》流《りゅう》懐《かい》源《げん》
対義語　得《とく》魚《ぎょ》忘《ぼう》筌《せん》

飲鴆止渇　いんちんしかつ　1級

意味　**目先のことだけを考えて後の結果を顧みないこと。**　鴆毒の入った酒を飲んで渇きをいやす意。「鴆」は鳥の名で羽に猛毒をもつ。「飲鴆」はこれをひたした酒を飲む意。
補説　「鴆《ちん》を飲《の》みて渇《かつ》を止《とど》む」とも読む。また「止渇飲鴆」ともいう。
字体　「飲」の旧字体は「飮」。
出典　『後《ご》漢《かん》書《じょ》』〈霍《かく》諝《しょ》伝《でん》〉

陰徳陽報　いんとくようほう　4級

意味　**人知れずよい事をする者には、必ずはっきりしたよい報いがあるということ。**「陰徳」は人に知られない隠れた善行のこと、「陽報」は表面にあらわれるよい報いの意。
補説　「陰《いん》徳《とく》有《あ》る者は必ず陽《よう》報《ほう》有り」の略。
注意　「陰徳」を「隠徳」と書き誤らない。
出典　『淮《え》南《なん》子《じ》』〈人《じん》間《かん》訓《くん》〉
類義語　善《ぜん》因《いん》善《ぜん》果《か》

隠忍自重　いんにんじちょう　準2級

意味　**苦しみなどをじっとこらえて軽々しい行動をとらないこと。**「隠忍」は苦しみなどを外にあらわさないでじっと堪え忍ぶ意。「自重」は自分を大切にする意から、行いを慎み軽率にしないこと。
字体　「隠」の旧字体は「隱」。
注意　「隠忍」を「陰忍」と書き誤らない。また「自重」を「じじゅう」と読み誤らない。
対義語　軽《けい》挙《きょ》妄《もう》動《どう》

允文允武　いんぶんいんぶ　準1級

意味　**文武とも秀《ひい》でてすぐれていること。**　もと天子の徳をたたえた語。「允」はまことにの意。
補説　「允《まこと》に文《ぶん》、允《まこと》に武《ぶ》」とも読む。
注意　「允」を「充」と書き誤らない。
出典　『詩《し》経《きょう》』〈魯《ろ》頌《しょう》・泮《はん》水《すい》〉

陰謀詭計　いんぼうきけい　1級

意味　**人を欺《あざむ》くためのひそかなわるだくみ。**「陰謀」はこっそりと陰で悪い計画をたてること、「詭計」は人を欺く謀略のこと。
注意　「詭計」を「奇計」と書き誤らない。

陰陽五行　いんようごぎょう　4級

意味　**天地間の万物を造り出す陰・陽の二気と、天地の間に循環して万物を生じるもととなる水・火・木・金・土の五元素。**　中国では古くからこれらの要素の関《かか》わり合いで、吉凶や禍福などを説明した「陰陽五行説」が行われ、様々な迷信もうまれた。
補説　「陰陽」は「おんよう」とも読む。
注意　「五行」を「ごこう」と読み誤らない。

【う】

有為転変《ういてんぺん》 4級

意味 **この世のすべての存在や現象は常にうつろいやまないこと。**また、**この世が無常ではかないことのたとえ。**もと仏教の語。「有為」は様々な因縁から生じる現象。

補説 「ういてんべん」とも読み、また音が転じて「ういてんでん」と読まれることもある。

字体 「為」の旧字体は「爲」、「転」の旧字体は「轉」、「変」の旧字体は「變」。

注意 「有為」を「ゆうい」と読まない。また「転変」を「天変」と書き誤らない。

類義語 有為《うい》無常《むじょう》、諸行《しょぎょう》無常《むじょう》

有為無常《ういむじょう》 4級

意味 **この世のさまざまな現象は常に移り変わりはかないこと。**「有為」は因縁の絡み合いによって常に移ろいゆく現象や存在。仏教の語。

字体 「為」の旧字体は「爲」。

注意 「有為」を「ゆうい」と読まない。

類義語 有為《うい》転変《てんぺん》

烏焉魯魚《うえんろぎょ》 1級

意味 **文字の書き誤り。**「烏」と「焉」、「魯」と「魚」がそれぞれ字形が似ていて誤りやすいことからいう。

出典 『事物異名録《じぶついめいろく》』〈二〇〉

類義語 魯魚之謬《ろぎょのあやまり》、魯魚亥豕《ろぎょがいし》、魯魚陶陰《ろぎょとういん》、魯魚帝虎《ろぎょていこ》、烏焉成馬《うえんせいば》、魯魚章草《ろぎょしょうそう》、亥豕之譌《がいしのか》、焉馬之誤《えんばのあやまり》、三豕渡河《さんしとか》

右往左往《うおうさおう》 5級

意味 **多くの人がうろたえて右に行ったり左に行ったり混乱すること。**また、秩序をなくして混乱すること。

補説 「左往」は「ざおう」とも読む。また「左往右往」ともいう。

注意 「往」を「住」と書き誤らない。

類義語 周章狼狽《しゅうしょうろうばい》

対義語 泰然自若《たいぜんじじゃく》

羽翮飛肉《うかくひにく》

意味 **小さなものでも数多く集まれば大きな力になるということ。**「翮」は羽軸・羽のくきのこと、転じて羽の意、「飛肉」は(鳥の)肉体が飛行すること。軽い羽根が集まって、鳥の体を飛行させるという意から。「塵《ちり》も積もれば山となる」と同じ。

出典 『漢書《かんじょ》』〈景十三王伝《けいじゅうさんおうでん》〉

類義語 群軽折軸《ぐんけいせつじく》、叢軽折軸《そうけいせつじく》、積羽沈舟《せきうちんしゅう》、積水成淵《せきすいせいえん》、積土成山《せきどせいざん》

雨過天晴《うかてんせい》 5級

意味 **物事の状況がよい方向へむかうこと。**雨がやんで空が晴れわたるという意から。

補説 「雨過《あめす》ぎて天晴《てんは》る」とも読む。また、「天晴」は「天青」とも書く。

羽化登仙《うかとうせん》 準2級

意味 **酒を飲むなどしてよい心持ちになることのたとえ。**羽が生じ仙人になって空を飛ぶ意。また、そのような心持ち。「羽化」は羽が生えて空を翔《か》ける仙人になること。「登仙」は天に昇って仙人になること。

補説 「登仙」を「とせん」と読み誤らない。

出典 蘇軾《そしょく》の「前赤壁賦《ぜんせきへきのふ》」

雨奇晴好《うきせいこう》 4級

⇩晴好雨奇(せいこううき)

于公高門《うこうこうもん》 1級

意味 **陰徳を積む家の子孫は繁栄する**

ことのたとえ。「于公」は中国、漢代の丞《じょう》相《しょう》、于定国の父のこと。

補説 「于公《うこう》、門《もん》を高《たか》くす」とも読む。

故事 漢の于定国の父は裁判官として公平に獄を治め陰徳を積んでいたが、その村の門の修理のとき、陰徳を積む家の子孫は繁栄するであろうとその門を高大に造ったという故事から。

出典 『漢書《かんじょ》』〈于定国伝《うていこくでん》〉

類義語 陰徳陽報《いんとくようほう》

禹行舜趨　うこう しゅんすう

1級

意味 **禹や舜の表面上の動作をまねるだけで実質的な聖人の徳を備えていないこと。** 禹が歩き舜が走るのをまねるだけで実質が伴わない意。「禹」は舜から位を禅譲《ぜんじょう》されて夏《か》王朝を開いたとされ、「舜」は尭《ぎょう》から位の禅譲をうけたとされる人で、いずれも中国古代の伝説上の聖天子。

出典 『荀子《じゅんし》』〈非十二子《ひじゅうにし》〉

類義語 禹歩舜趨《うほしゅんすう》

烏合之衆　うごうの しゅう

準1級

意味 **からすの群れのように規律も統制もなく、ただより集まっているだけの集団や軍隊。** からすは集まっているときも無秩序でばらばらであるからいう。

注意 「烏」を「鳥」と書き誤りやすい。

出典 『後漢書《ごかんじょ》』〈耿弇伝《こうえんでん》〉

類義語 烏集之衆《うしゅうのしゅう》

右顧左眄　うこ さべん

1級

意味 **右を見たり左を見たりためらい迷うこと。情勢を気にして決断できないこと。** もと、ゆったりと余裕のあることをたとえた語。「顧」は見回す、気にかける意。「眄」は横目でちらちら見ること。

補説 「左眄右顧」「左顧右眄」ともいう。

注意 「右」を「ゆう」と読まないこと。

類義語 左顧右盼《さこうはん》、右顧左顧《うこさこ》、左右傾側《さゆうけいそく》、首鼠両端《しゅそりょうたん》

有財餓鬼　うざい がき

3級

意味 **欲が深く、金銭だけに夢中になる者のこと。** もと仏教語で、餓鬼道の一つ。食べ物をむさぼる餓鬼の意から。

類義語 多財餓鬼《たざいがき》

対義語 無財餓鬼《むざいがき》

有象無象　うぞう むぞう

4級

意味 **形があるものないもののすべて。森羅万象《しんらばんしょう》。** 転じて、**数は多いが種々雑多なつまらない人や物。** ろくでもない連中。多くの人を卑しめていう語。もと仏教の語。「象」は物のかたちの意。

注意 「ゆうしょうむしょう」と読み誤らない。また「有像無像」と書き誤らない。

類義語 有相無相《うそうむそう》、森羅万象《しんらばんしょう》

迂疎空闊　うそ くうかつ

1級

意味 **まわりくどく実際に適応できないこと。事情にうとく実際に役に立たないこと。**「迂疎」はまわりくどくて実際に適しない、世事にうといこと。「空闊」はからっと開ける、広くおおざっぱの意から、事情にうとくなおざりなこと。

補説 「空闊」は「空濶」とも書く。

有智高才　うち こうさい

準1級

意味 **賢くてすぐれた才能に恵まれていること。** もと仏教語で、「有智」は生まれつき聡明《そうめい》なこと、「高才」は学習によって得たすぐれた才能の意。

補説 「高才」は「こうざい」とも読む。

内股膏薬　うちまた こうやく

準1級

意味 **定見がなく、その時の都合であっちについたり、こっちについたりすること。** また、そのような人。「膏薬」は練り薬のこと。内股にはった膏薬のように、動くたびに右側についたり左側についた

りする意。

補説 「膏薬」は「ごうやく」とも読む。

字体 「薬」の旧字体は「藥」。

類義語 二股《ふたまた》膏薬《こうやく》、股座《またぐら》膏薬《こうやく》

有頂天外　うちょうてんがい

4級

意味 **このうえもなく大喜びすること。**「有頂天」は、形ある世界の最も上に位置する高い所。その「有頂天」よりさらに高く出るの意。

補説 語構成は「有頂天」＋「外」。

烏鳥私情　うちょうのしじょう

準1級

意味 **親に孝養をつくしたいという気持ちのこと。**「烏鳥」はからすのこと、「私情」は自分の気持ちの意。からすは成長したのち、親鳥に口移しでえさを食べさせる孝心のあつい鳥といわれることから。親孝行したいという自分の気持ちを謙遜《けんそん》していう語。

注意 「烏」を「鳥」と書き誤らない。

出典 李密《りみつ》の「陳情表《ちんじょうひょう》」

類義語 烏《う》鳥《ちょう》之《の》情《じょう》、慈《じ》烏《う》反《はん》哺《ぽ》、三《さん》枝《し》之《の》礼《れい》、反《はん》哺《ぽ》之《の》孝《こう》

鬱鬱葱葱　うつうつそうそう

準1級

意味 **こんもり茂るさま。**また、**気の盛んなさま。**「鬱鬱」は樹木がこんもりと茂るさま。また、気の盛んなさま。「葱葱」は草木が青々と茂るさま。また、めでたい気が盛んに満ちるさま。

類義語 鬱鬱《うつうつ》勃勃《ぼつぼつ》

鬱鬱勃勃　うつうつぼつぼつ

2級

意味 **気が盛んに満ちるさま。**「鬱鬱」は気の盛んなさま、「勃勃」は気の盛んに起こるさま。

類義語 鬱鬱《うつうつ》葱葱《そうそう》

鬱肉漏脯　うつにくろうほ

1級

意味 **腐った肉や腐ったほじし。**「鬱」はくさい、腐ってにおうこと。「漏」もくさい意。「脯」はほじし、薄くきって干した肉。

出典 『抱朴子《ほうぼくし》』〈外篇《がいへん》・良規《りょうき》〉

鬱塁神荼　うつりつしんと

⇩**神荼鬱塁**（しんとうつりつ）

禹湯文武　うとうぶんぶ

1級

意味 **夏《か》・殷《いん》・周《しゅう》三代の始祖の名。**夏王朝の始祖の禹王《うおう》、殷王朝の始祖の湯王《とうおう》、周王朝の始祖の文王《ぶんのう》と武王《ぶおう》のこと。いずれも中国古代の聖天子。

烏兎匆匆　うとそうそう

1級

意味 **歳月がはやく過ぎ去るたとえ。**太陽には三本足のからすがすんでおり、月にはうさぎがすんでいるという古代中国の伝説により、「烏兎」は歳月、月日を意味する。「匆匆」はあわただしいさま。

補説 「匆匆」は「怱怱」とも書く。

注意 「烏」を「鳥」と書き誤りやすい。

類義語 兎《と》走《そう》烏《う》飛《ひ》、露《ろ》往《おう》霜《そう》来《らい》

烏白馬角　うはくばかく

準1級

意味 **世の中に絶対にありえないこと。**「烏白」はからすの頭が白くなること、「馬角」は馬に角《つの》が生える意。

補説 「馬角烏白」ともいう。

故事 中国戦国時代、秦《しん》王が燕《えん》の太子丹《たん》を捕らえたとき、「烏《からす》の頭が白くなり、馬に角が生えたら釈放してやろう」と言った。丹は嘆きながらも天にむかって懸命に祈ったところ、奇跡がおこったという故事から。

出典 『論衡《ろんこう》』〈感虚《かんきょ》〉

類義語 亀《き》毛《もう》兎《と》角《かく》

烏飛兎走　うひとそう

準1級

⇩**兎走烏飛**（とそううひ）

傴伏孕鬻　うふうよういく　1級

意味 **鳥や獣が子を産み育てること。**「傴伏」は鳥が翼で卵を覆《おお》い温めること、「孕鬻」は獣が子を孕《はら》み産み育てること。「鬻」は「育」に同じ。

補説 「傴伏」は「おうふう」とも読む。

出典 『礼記《らいき》』〈楽記《がくき》〉

禹歩舜趨　うほしゅんすう　1級

⇨**禹行舜趨**（うこうしゅんすう）

海千山千　うみせんやません　5級

意味 **いろいろな経験を積んで、物事の裏も表も知りつくしていて悪賢いこと。**また、そういう人。海に千年、山に千年すんだ蛇は竜になるという言い伝えから。

類義語 海千河千《うみせんかわせん》、千軍万馬《せんぐんばんば》、百戦錬磨《ひゃくせんれんま》

有無相生　うむそうせい　4級

意味 **有と無が相対的な関係で存在すること。**「相生」は互いに生じ合うこと。有があってこそ無があり、無があってこそ有があるという相対的な関係のことをいう。

補説 「有無、相生《あいしょう》ず」とも読む。

類義語 音声相和《おんせいそうわ》、高下相傾《こうげそうけい》、前後相随《ぜんごそうずい》

有耶無耶　うやむや　準1級

意味 **あるのかないのかわからないこと。**また、**いいかげんなこと。**「耶」は疑問の意の助字。有りや無しやの意。

類義語 曖昧模糊《あいまいもこ》

紆余委蛇　うよいだ　1級

意味 **山や林などがうねうねと屈曲しながら長く続くさま。**「紆余」は折れ曲がって長く続くさま、「委蛇」はうねうね曲がるさま。

字体 「余」の旧字体は「餘」。

出典 司馬相如《しばしょうじょ》の「上林賦《じょうりんのふ》」

類義語 蜿蜿長蛇《えんえんちょうだ》

紆余曲折　うよきょくせつ　1級

意味 **曲がりくねること。**また、**事情が込み入り複雑なこと。**「紆余」は道がくねくね曲がること。「曲折」は折れ曲がること。

字体 「余」の旧字体は「餘」。

注意 「曲折」を「曲節」と書かないこと。

類義語 曲折浮沈《きょくせつふちん》

盂蘭盆会　うらぼんえ　1級

意味 **仏教で七月十五日に祖先の霊をまつり冥福《めいふく》を祈る行事。**八月十五日に行う地方も多い。うら盆。盆。精霊会《しょうりょうえ》。

補説 梵語《ぼんご》の音訳。本来は死者が受けている逆さづりの苦しみを救おうとする仏事。語構成は「盂蘭盆」＋「会」。

字体 「会」の旧字体は「會」。

雨霖鈴曲　うりんれいきょく　1級

意味 **唐の玄宗《げんそう》の作った楽曲の名。**唐の玄宗は安史《あんし》の乱のとき都から蜀《しょく》の地に難を避けたが、その途中兵士の暴動で寵《ちょう》愛《あい》していた楊貴妃《ようきひ》を殺すはめになった。のち桟道で長雨の音と馬につけた鈴の音が相和すのを聞き、感興をおこして楊貴妃を悼み悲しんでこの曲を作ったといわれる。雨霖鈴の曲。「霖」は長雨。

補説 語構成は「雨霖鈴」＋「曲」。

出典 『明皇雑録補遺《めいこうざつろくほい》』

雨露霜雪　うろそうせつ　準2級

意味 **気象がいろいろ変化すること。**また、**日常生活におけるさまざまな困難のこと。**雨や雪が降《ふ》り、露や霜が降《お》りるということから。

有漏無漏　うろむろ

意味 **煩悩のある者と煩悩のない者の**

こと。「漏」は六根(人の迷いが生じる六つの根元。目・耳・鼻・舌・身・意の六つをいう)から漏《も》れ出るものの意から、煩悩をいう。「有漏」は煩悩から脱することができないこと。「無漏」は煩悩を離れて悟りを開き、清らかな境地にいる意。

雲雨巫山 うんう ふざん (1級)

意味 **男女の情交をいう。**「巫山」は一説に中国、湖《こ》北《ほく》省の山の名。ここに神女が住んでいたとされる。

補説 「巫山雲雨」ともいう。

故事 戦国時代、楚《そ》の懐王《かいおう》が高唐《こうとう》に遊び昼寝をしていたとき、その夢の中で巫山の神女と情を交わし、別れるとき神女が「朝には雲となり夕には雨となってここに参りましょう」といった故事から。

出典 宋玉《そうぎょく》の「高唐賦《こうとうのふ》」

類義語 巫《ふ》山《ざん》之《の》夢《ゆめ》、巫《ふ》山《ざん》之《の》雨《あめ》、雲《うん》雨《う》之《の》夢《ゆめ》、朝雲《ちょううん》暮《ぼ》雨《う》、尤雲殢《ゆううんてい》雨《う》

雲烟過眼 うんえん かがん (1級)

意味 **物事に深く執着しないたとえ。**雲や霞《かすみ》が目前を次々に通り過ぎてゆく意。「雲烟」は雲と霞、また雲やけむり。「過眼」は目の前を通り過ぎること。

補説 「雲烟」は「雲煙」とも書く。また「烟雲過眼」ともいう。

出典 蘇軾《そしょく》の「王君宝絵堂記《おうくんほうかいどうき》」

雲烟万里 うんえん ばんり (1級)

意味 **非常に遠く離れていることのたとえ。**「雲烟」は雲と霞《かすみ》、「万里」は一万里で、はるか彼方の意。雲や霞が万里も続く意から。

補説 「雲烟」は「雲煙」とも書く。

字体 「万」の旧字体は「萬」。

雲烟飛動 うんえん ひどう (1級)

意味 **筆勢が躍動して力強いことのたとえ。**雲や霞《かすみ》が飛び動いて一時もとどまらない意。

補説 「雲烟」は「雲煙」とも書く。

雲烟縹渺 うんえん ひょうびょう (1級)

意味 **雲や霞《かすみ》が遠くたなびくさま。**「雲烟」は雲と霞、「縹渺」は遠くかすかなさま、ほのかに見えるさま、はるかに遠いさま。

補説 「雲烟」は「雲煙」、「縹渺」は「縹緲」「縹眇」とも書く。

雲霞之交 うんかの まじわり (準1級)

意味 **俗世を超えた交友をいう。**「雲霞」は雲や霞《かすみ》が棚引く場所、仙人などが住むと考えられていた俗世を超えた所をいい、また、そこに住む人のこと。

補説 「交」は「こう」とも読む。

出典 『南史《なんし》』〈謝譫伝《しゃたんでん》〉

類義語 世《せ》外《がい》之《の》交《まじわり》

運斤成風 うんきん せいふう (3級)

意味 **人間離れしたすばらしい技術のこと。**神業《かみわざ》。「斤」は手斧《ておの》のことで、「運斤」は斧をふるう意、「成風」は風をおこすこと。斧をふるって、風をまきおこすということから。

補説 「斤《きん》を運《めぐ》らし風《かぜ》を成《な》す」とも読む。

注意 「運斤」を「運斥」と書き誤らない。

故事 昔、大工の棟梁《とうりょう》の石《せき》という者がいた。ある人が自分の鼻の頭に白い土を塗って、それを斧で削らせようとしたところ、石は斧を自在に操って風をおこし、鼻を傷つけることなく白土をきれいに削り落としたという故事から。

出典 『荘子《そうじ》』〈徐無鬼《じょむき》〉

類義語 匠石運斤《しょうせきうんきん》、神工鬼斧《しんこうきふ》

雲行雨施 うんこう うし (3級)

意味 **雲がめぐり動いて雨が降り万物**

をうるおすように、天子の恩沢が広く行きわたること。

補説　「雲《くも》行《ゆ》き雨《あめ》施《ほどこ》す」とも読む。

出典　『易経《えききょう》』〈乾《けん》〉

雲合霧集　うんごうむしゅう　4級

意味　**雲や霧が集まりわくように、多くのものが一時に集まり来ること。**

出典　『史記』〈淮陰侯伝《わいいんこうでん》〉

対義語　雲散霧消《うんさんむしょう》、雲消雨散《うんしょううさん》

雲散鳥没　うんさんちょうぼつ　3級

意味　**あとかたもなく消えてなくなること。**雲のように散り鳥のように没する、の意から転じた。

字体　「没」の旧字体は「沒」。

出典　蘇軾《そしょく》の「答劉沔都曹書《りゅうべんとそうにこたうるしょ》」

類義語　雲散霧消《うんさんむしょう》、雲消霧散《うんしょうむさん》

雲散霧消　うんさんむしょう　4級

意味　**雲が散り消え霧が消えなくなるように、跡形もなく消えてなくなること。**

補説　「雲消霧散」ともいう。

類義語　雲散鳥没《うんさんちょうぼつ》、雲消雨散《うんしょううさん》

雲集霧散　うんしゅうむさん　4級

意味　**たくさんのものが雲のようにむらがり集まったり、霧のようにたちまち散ったりすること。**

出典　班固《はんこ》の「西都賦《せいとのふ》」

類義語　離合集散《りごうしゅうさん》

雲蒸竜変　うんじょうりょうへん　準1級

意味　**英雄や豪傑が時運に乗じて起こることをいう。**上昇する竜は雲を呼びその勢いを増すことから、雲が湧《わ》き起こり竜が変幻自在に活動して勢いを増す意。

補説　「雲蒸」は雲が湧き起こること。「竜変」は「りゅうへん」とも読む。

字体　「竜」の旧字体は「龍」、「変」の旧字体は「變」。

出典　『史記《しき》』〈彭越伝《ほうえつでん》・賛《さん》〉

類義語　雲蒸竜騰《うんじょうりょうとう》

雲心月性　うんしんげっせい　5級

意味　**名声や利益を求めることなく、超然としていること。**雲や月のように清らかな心性を備えている人のたとえとして用いる。

類義語　無欲恬淡《むよくてんたん》

雲水行脚　うんすいあんぎゃ　準2級

意味　**修行僧が諸国をめぐって、仏法を修行すること。**「雲水」は修行僧・行脚僧のこと。身を行雲流水《こううんりゅうすい》にまかせて諸国を遍歴して修行することからいう。「行脚」は僧が諸国をめぐり歩く意。

雲中白鶴　うんちゅうのはっかく　準1級

意味　**世俗から離れて高尚な境地にある人のたとえ。**雲の中の白い鶴《つる》。「雲」はここでは白雲。俗世を離れた高潔な境地のイメージ。

出典　『三国志《さんごくし》』〈魏書《ぎしょ》・邴原伝《へいげんでん》・注〉

類義語　雲間之鶴《うんかんのつる》

雲泥万里　うんでいばんり　準2級

意味　**比較にならないほど大きな差異のこと。**天にある雲と、地にある泥では、万里ほどにかけはなれていることから、相違の大きいこと、隔たりのはなはだしいことをいう。

字体　「万」の旧字体は「萬」。

類義語　雲泥之差《うんでいのさ》、雲泥万天《うんでいばんてん》

雲濤煙浪　うんとうえんろう　準1級

意味　**はるかかなたで雲に連なっている波のこと。**「濤」「浪」ともに大波のこと、「煙」はかすみの意。水平線のかなたで雲と波が連なったように見える、海の雄大なさまをいう。

補説　「煙浪」は「烟浪」とも書く。

出典　白居易《はくきょい》の新楽府《しんがふ》「海漫漫」

運否天賦　うんぷ てんぷ　準1級

意味　**人の運不運は天命による。また、運を天に任せること。**「運否」は運のあるなしの意。「天賦」は天から与えられる意。

補説　「運否」は「うんぴ」とも読む。

注意　「運否」を「運賦」と書き誤りやすい。

雲翻雨覆　うんぽん うふく　3級

意味　**世の人の態度や人情がうつろいやすいことのたとえ。**手のひらを上に向けると雲になり、下に向けると雨になる意で、人の心が簡単に変わることをいう。

補説　「手を翻《ひるがえ》せば雲と作《な》り手を覆《くつがえ》せば雨」の略。「翻」は「飜」とも書く。また「翻雲覆雨」「覆雨翻雲」ともいう。

出典　杜甫《とほ》の「貧交行《ひんこうこう》」

雲遊萍寄　うんゆう へいき　1級

意味　**物事に執着せず、自然のままに行動すること。**また、**諸国を修行してまわる僧のこと。**「雲遊」は雲のように自由に漂うこと、「萍」は浮き草のことで、「萍寄」は浮き草のように流れにまかせて流れたり止まったりする意。

類義語　一所不住《いっしょふじゅう》、行雲流水《こううんりゅうすい》

雲容烟態　うんよう えんたい　1級

意味　**空のようすがさまざまに変化するさま。**「烟」は煙・霞《かすみ》・もやのこと。「雲烟の容態」の意で、雲や霞の姿・形が変化するさまをいう。

補説　「烟態」は「煙態」とも書く。

雲竜井蛙　うんりょう せいあ　準1級

意味　**地位の上下や賢愚の差のはなはだしいことのたとえ。**「雲竜」は貴い、または高いことのたとえ。「井蛙」は井戸の中のかえるの意から賤《いや》しいまたは低いことのたとえ。

補説　「雲竜」は「うんりゅう」とも読む。

字体　「竜」の旧字体は「龍」。

【え】

盈盈一水　えいえい いっすい　準1級

意味　**水満ちわたる一筋の川。互いに心ひかれながら、相見たり言葉を交わしたりできないたとえ。**一説に端麗《たんれい》な女性をたとえた語ともいう。「盈盈」は水が満ち溢《あふ》れるさま。

補説　「盈盈一水の間《かん》」の略。また「一水盈盈」ともいう。

出典　『文選《もんぜん》』〈古詩十九首〉

永永無窮　えいえい むきゅう　準2級

意味　**永久に続くことのたとえ。**長く続いてきわまりないこと。また、時のきわめて長いたとえ。

補説　「永永《えいえい》として窮《きわ》まり無《な》し」とも読む。

出典　『史記』〈文帝紀《ぶんていき》〉

類義語　永世無窮《えいせいむきゅう》、未来永劫《みらいえいごう》、万劫末代《まんごうまつだい》、永劫末世《えいごうまっせ》、来来世世《らいらいせせ》

影駭響震　えいがい きょうしん　1級

意味　**ひどく驚き恐れること。ちょっとしたものに驚くこと。**「駭」はびっくりして驚く意を表す語。「影駭」は影を見ただけで驚く意。「響」は音。「響震」は音を聞いただけで震える意。影や音におびえるさまをいう。

出典　班固《はんこ》の文

類義語　風声鶴唳《ふうせいかくれい》

栄諧伉儷　えいかい こうれい　1級

意味　**栄えて仲のよい夫婦のこと。**結

婚の賀詞。人が妻をめとるのを祝って言う言葉。「栄諧」は仲よくして栄える、「伉儷」は夫婦、つれあいの意。

字体　「栄」の旧字体は「榮」。

栄華秀英　えいかしゅうえい　3級

意味　**草木の花のこと。**「栄」は草の花。「華」は木の花。「秀」は花が咲かずに実をつけるもの。「英」は花が咲いても実を結ばないもの。

補説　「栄華」は「えいが」とも読む。

字体　「栄」の旧字体は「榮」。

注意　「栄華」を「英華」と書き誤らない。

出典　『爾雅《じが》』〈釈草《しゃくそう》〉

英華発外　えいかはつがい　3級

意味　**内面にかくれている美しさやすぐれた面が表に現れること。**「英華」は美しい花・華やかな光の意、「発外」は外に出ること。

補説　「英華《えいか》外《そと》に発《はっ》す」とも読む。

字体　「発」の旧字体は「發」。

注意　「英華」を「栄華」と書き誤らない。

出典　『礼記《らいき》』〈楽記《がくき》〉

永劫回帰　えいごうかいき　準1級

意味　**同じものが永遠に繰り返してくる。生の絶対的肯定をいうニーチェ哲学の根本思想。**宇宙は永遠に循環運動を繰り返すもので、来世など考えず人間は今の瞬間瞬間を大切に生きるべきであるとする。ドイツ語の訳語。

字体　「帰」の旧字体は「歸」。

類義語　永遠回帰《えいえんかいき》

栄枯盛衰　えいこせいすい　3級

意味　**人や家などの栄えることと衰えること。**また、人の世のはかなさを意味することもある。「栄枯」は草木の茂ることと枯れることとの意から、人や家などの繁栄や衰退をいう。

字体　「栄」の旧字体は「榮」。

注意　「栄枯」を「栄古」と書き誤らない。

類義語　栄枯浮沈《えいこふちん》、盛者必衰《じょうしゃひっすい》

英姿颯爽　えいしさっそう　1級

意味　**男らしくりりしい容姿で、非常にさわやかなこと。**「英姿」はりっぱで男らしい姿のこと、「颯爽」は姿・動作などがきびきびとして気持ちがよい意。

出典　杜甫《とほ》の詩

永字八法　えいじはっぽう　5級

意味　**「永」の一字に筆法のすべてが含まれているという書の教え。**書法における運筆の八法（側《そく》・勒《ろく》・努《ど》・趯《てき》・策《さく》・掠《りゃく》・啄《たく》・磔《たく》）が「永」という文字に含まれている意。

注意　「八法」を「八方」と書き誤らない。

英俊豪傑　えいしゅんごうけつ　準2級

意味　**多くの中で特にすぐれた人物。**「英俊」は、人並みよりひいですぐれていること。また、その人。

郢書燕説　えいしょえんせつ　1級

意味　**こじつけること。**意味のないことをあれこれとこじつけて、もっともらしく説明すること。「郢」は楚《そ》の国の都、「燕」は国の名。

故事　昔、郢の人が燕の大臣に手紙を書いたとき、灯火が暗いので「燭《しょく》を挙げよ」といったのをそのまま筆記してしまった。燕の大臣はこれを読み、これは「賢人を登用せよ」の意であるとこじつけ、その通り実行したところ国がよく治まったという故事から。

出典　『韓非子《かんぴし》』〈外儲説《がいちょせつ》・左上〉

潁水隠士　えいすいのいんし

意味　**尭帝《ぎょうてい》のとき、潁水のほとりにい**

た隠者の許由《きょゆう》のこと。堯帝がすぐれた人物として天子の位を譲ろうとしたが、これを聞いた許由は汚れた話を聞いたといって、潁水の水で耳を洗ったという故事がある。「潁水」は中国河南省北部に発し安徽《あんき》省で淮河《わいが》にそそぐ川の名。

字体　「隠」の旧字体は「隱」。

注意　「潁」を「穎」と、「隠」を「陰」と書き誤らない。

出典　『高士伝《こうしでん》』〈許由《きょゆう》〉

永垂不朽　えいすい ふきゅう

4級

意味　**栄誉や業績などが長く後世に伝えられ、決して滅びないこと。**「垂」は後世に伝える意で、「永垂」は永遠に後世に伝わること。「不朽」は永く滅びない、後世まで残る意。

類義語　永存《えいぞん》不朽《ふきゅう》、永伝《えいでん》不朽《ふきゅう》

影隻形単　えいせき けいたん

3級

⇨**形単影隻**（けいたん えいせき）

詠雪之才　えいせつの さい

準1級

意味　**文才のある女性をいう。**

故事　晋《しん》の王凝之《おうぎょうし》の妻の謝道蘊《しゃどううん》が降り出した雪を春の柳絮《りゅうじょ》（柳の綿毛。晩春に綿のように飛び散る）が空を舞うのにたとえた故事から。

出典　『晋書《しんじょ》』〈王凝之妻謝氏伝《おうぎょうしのつましゃしでん》〉

類義語　詠絮之才《えいじょのさい》、柳絮之才《りゅうじょのさい》、柳絮才高《りゅうじょさいこう》

盈満之咎　えいまんの とがめ

1級

意味　**物事が極点に達すればかえって災いを招くということ。満ちれば欠けるという道理をいう。**。富貴や権勢が頂点を極めると必ず衰えの兆しが現れること。「盈満」はみちみちる意。

字体　「満」の旧字体は「滿」。

出典　『後漢書《ごかんじょ》』〈折像伝《せつぞうでん》〉

類義語　盈則必虧《えいそくひっき》、盛者必衰《じょうしゃひっすい》

英明闊達　えいめい かったつ

1級

意味　**才知があり道理に明るく、しかも小事にこだわらないおおらかな性質のこと。**「英明」は才知にすぐれ事理に明るいこと、「闊達」は心が広く小事にこだわらない意。

補説　「闊達」は「豁達」、また「英明」は「叡明」とも書く。

注意　「英明」を「英名」と書き誤らない。

英雄欺人　えいゆう ぎじん

3級

意味　**傑出した能力をもつ人間は、すぐれたはかりごとで常人の考えつかない手段・行動をとるものであるということ。**

補説　「英雄人《えいゆうひと》を欺《あざむ》く」とも読む。

出典　李攀竜《りはんりょう》『唐詩選《とうしせん》』〈序〉

栄耀栄華　えいよう えいが

準1級

意味　**富や権勢を背景にしてぜいたくを極めること。人や家などが大いに栄えること。**また、**おごりたかぶること。**「栄耀」は栄え輝く意。「栄華」は華やかに栄える意。ほぼ同意の語を重ねて意味を強めた四字句。

補説　「栄耀」は「えよう」とも読む。

字体　「栄」の旧字体は「榮」。

慧可断臂　えか だんぴ

1級

意味　**なみなみならぬ決意を示すこと。**「慧可」は後魏《こうぎ》の高僧の名、「断臂」は腕を切り落とす意。

補説　「慧可《えか》、臂《うで》を断《た》つ」とも読む。

字体　「断」の旧字体は「斷」。

故事　中国後魏の高僧慧可は、河南省嵩山《すうざん》の少林寺にいたインドの高僧達磨《だるま》に教えを請いたいと思い、自分の左腕を切り落としてまで、その決意の固いことを示した。それを知った達磨は慧可の弟子入りを許したという故事から。

出典　『続高僧伝《ぞくこうそうでん》』〈一六〉

益者三楽　えきしゃさんごう

準1級

意味　**有益な三つの楽しみ。**礼楽を折り目正しく行い、人の美点を言い、すぐれた友を多くもつ。

補説　「三楽」は「さんらく」と読むこともある。「さんがく」と読まないこと。

字体　「楽」の旧字体は「樂」。

出典　『論語』〈季《き》氏《し》〉

対義語　損者三楽《そんしゃさんごう》

益者三友　えきしゃさんゆう

5級

意味　**交わってためになる三種類の友人。**「益者」は有益な友人のこと、「三友」は正直な人・誠実な人・知識のある人の三種類の友人をいう。

出典　『論語』〈季《き》氏《し》〉

対義語　損者三友《そんしゃさんゆう》

易姓革命　えきせいかくめい

4級

意味　**王朝が交代すること。**中国では天子は天命によって天子となれると信じられており、天子に徳がなくなれば天命は他の人に下ると考えられていた。「姓《せい》を易《か》え命《めい》を革《あらた》める」という意味。「姓」というのは王朝は同じ血統(姓)の人が継いでいくことからいう。

補説　「姓《せい》を易《か》え命《めい》を革《あらた》む」とも読む。

注意　「易」は音が「えき」で、「い」ではないことに注意。

出典　『史記』〈暦書《れきしょ》〉

回光返照　えこうへんしょう

準2級

意味　**仏教で、自分のあるべき姿をふり返り、反省して修行に励むこと。**夕日の照り返し・反射の意から、自分自身をふり返り反省することをいう。

注意　「回光」を「回向」と書き誤りやすい。

依怙贔屓　えこひいき

1級

意味　**片方に心をかたむけ肩入れすること。好きな方だけ助けること。**「依怙」はもと頼りにする意であるが、わが国では不公平の意にも使われる。「贔屓」はもと「ひき」と読み、力を出し努力するさま。転じて、人に目をかけて引き立てること。

補説　「贔屓」は「贔屭」とも書く。

会者定離　えしゃじょうり

準2級

意味　**この世は無常であることのたとえ。**この世は無常なもので、会えば必ず離れる運命にあるということ。仏教の語。「定」は必ずの意。

字体　「会」の旧字体は「會」。

出典　『遺教経《ゆいきょうぎょう》』

越俎代庖　えっそだいほう

1級

⇩越俎之罪(えっそのつみ)

越俎之罪　えっそのつみ

1級

意味　**自分の分をこえて他人の権限を侵す罪。**「俎」はまないたのこと。

注意　「越俎」を「越楚」と書き誤らない。

故事　尭帝《ぎょうてい》が許由《きょゆう》に天下を譲ろうとしたとき、許由が「人は分を守ることが重要で、たとえ料理人がそのことを怠って神にそなえる料理を作らなくても神主が代わって台所に立つことはできますまい」と断った故事から(→潁水隠士《えいすいのいんし》)。

出典　『荘子《そうじ》』〈逍遥遊《しょうようゆう》〉

類義語　越俎代庖《えっそだいほう》

対義語　越畔之思《えっぱんのおもい》

越鳥南枝　えっちょうなんし

準2級

意味　**故郷が懐かしく忘れがたいこと。**「越鳥」は南方の越の地で生まれた鳥のこと、「南枝」は南の枝(に巣を作る)の意。

補説　「越鳥《えっちょう》は南枝《なんし》に巣《す》くう」の略。

出典　『文選《もんぜん》』〈古詩十九首〉

類義語　胡馬北風《こばほくふう》、狐死首丘《こししゅきゅう》、池魚故淵《ちぎょこえん》

越鳧楚乙　えつふ そいつ
1級

意味　**場所や人によって同じ物でも呼び名が異なるたとえ。**「越」「楚」はいずれも国名。「鳧」はかも、「乙」は燕《つばめ》の意。

故事　鴻（おおとり）が空高く飛ぶのを見て、越の国の人は鳧（かも）と言い、楚の国の人は乙（燕）であると言った故事。

出典　『南史《なんし》』〈顧歓伝《こかんでん》〉

得手勝手　えて かって
5級

意味　**わがまま放題のこと。**他人のことを考えず自分の都合のよいようにすること。「得手」はもっとも得意なものの意。

類義語　勝手気儘《かってきまま》、旁若無人《ぼうじゃくぶじん》

宴安酖毒　えんあん ちんどく
1級

意味　**享楽におぼれてはいけないという教え。**いたずらに享楽にふけるのは酖毒をあおって自殺するに等しい。「宴安」は遊び楽しむこと、「酖毒」は鴆《ちん》という鳥の毒で猛毒。

補説　「酖毒」は「鴆毒」とも書く。

出典　『春秋左氏伝《しゅんじゅうさしでん》』〈閔公《びんこう》元年〉

烟雲過眼　えんうん かがん
1級

⇩**雲烟過眼**（うんえん かがん）

蜿蜿長蛇　えんえん ちょうだ
1級

意味　**へびのようにうねうねと長く続くこと。**「蜿蜿」はへびなどがうねうね行くさま。「長蛇」は長いへびの意で、転じて長い列の形容。

補説　「蜿蜿」は「蜿蜒」「蜒蜒」とも書く。

類義語　紆余委蛇《うよいだ》

鴛鴦之契　えんおうの ちぎり
準1級

意味　**夫婦の心のきずながきわめてかたいこと。**「鴛鴦」はおしどり。夫婦仲のよい鳥とされる。

類義語　鴛鴦之偶《えんおうのぐう》、鴛鴦交頸《えんおうこうけい》、比翼連理《ひよくれんり》

円滑洒脱　えんかつ しゃだつ
1級

意味　**物事をそつなくとりしきるさま。**「円滑」はかどだたないこと、「洒脱」はすっきりしていること。

字体　「円」の旧字体は「圓」。

注意　「洒脱」を「酒脱」と書き誤らない。

類義語　円転滑脱《えんてんかつだつ》

烟霞痼疾　えんかの こしつ
1級

意味　**山水を愛《め》でる心がきわめて強いこと。**また、**隠居すること。**「烟霞」はもやと霞《かすみ》の意で、転じて、山水の景色。「痼疾」は長く治らない病気、持病。

補説　「烟霞」は「煙霞」とも書く。

出典　『唐書《とうじょ》』〈田游巌伝《でんゆうがんでん》〉

類義語　泉石膏肓《せんせきこうこう》

燕頷虎頸　えんがん こけい
1級

意味　**燕《つばめ》のようなあごと、虎《とら》のような頸《くび》。遠国の諸侯となる人相をいう。**「頷」は、あご。「燕頷」は武力に秀でた人物の骨相《こっそう》。

故事　後漢の班超《はんちょう》は生まれながらに燕のようなあごと虎のような頸をしており、はじめ官に雇われ筆書の仕事をしていた。あるとき筆を投じて異域で戦功を立てた張騫《ちょうけん》のようにありたいと志し、占い師に見せたところ、遠方で侯に封《ほう》ぜられる人相という。果たしてのち万里の外に遠征し戦勝して定遠侯《ていえんこう》に封《ほう》ぜられた故事から。

出典　『後漢書《ごかんじょ》』〈班超伝《はんちょうでん》〉

類義語　燕頷虎頭《えんがんことう》、燕頷投筆《えんがんとうひつ》

燕頷虎頭　えんがん ことう
1級

⇩**燕頷虎頸**（えんがん こけい）

燕雁代飛　えんがん だいひ
準1級

意味　**人が互いにへだてられているこ**

とのたとえ。燕《つばめ》の来る時節には雁は去り、雁の来る時節には燕が去ることから、人が互いに異なる方向に去り会うことのないことをいう。「代」はかわるがわるの意。

補説　「燕雁《えんがん》、代《か》わるがわる飛ぶ」とも読む。

出典　『淮南子《えなんじ》』〈墬形訓《ちけいくん》〉

類義語　参商之隔《しんしょうのかく》

燕頷投筆　えんがん とうひつ　(1級)

意味　**一大決心をして志を立てること。**また、**文筆をやめて武の道に進むこと。**「燕頷」は燕《つばめ》のようなあごの意で、遠国で功を立て諸侯となる人相をいう。「投筆」は筆を投げすてる、筆をおく意。

補説　「燕頷筆《えんがんふで》を投《とう》ず」とも読む。

故事　「燕頷虎頸《えんがんこけい》」の項参照。

出典　『後漢書《ごかんじょ》』〈班超伝《はんちょうでん》〉

婉曲迂遠　えんきょく うえん　(1級)

意味　**非常にまわりくどいこと。**「婉曲」は遠まわしでおだやかなこと、「迂遠」はまわりくどく実用に適さないこと。

対義語　直截簡明《ちょくせつかんめい》

延頸挙踵　えんけい きょしょう　(1級)

意味　**人の来訪を待ち望むさま。**首を伸ばし、つま先立って待ち望む意。「頸」は首。「踵」はくびす、かかとの意。

補説　「頸《くび》を延《の》べ踵《くびす》を挙《あ》ぐ」とも読む。

字体　「挙」の旧字体は「擧」。

出典　『呂氏春秋《りょししゅんじゅう》』〈精通《せいつう》〉

類義語　延頸企踵《えんけいきしょう》、翹首企足《ぎょうしゅきそく》、翹足引《ぎょうそくいん》領《りょう》、延頸鶴望《えんけいかくぼう》、鶴立企佇《かくりつきちょ》

遠交近攻　えんこう きんこう　(4級)

意味　**遠い国と仲良くし、近い国を挟み撃ちして攻める策。**戦国時代の范雎《はんしょ》が秦《しん》の昭王《しょうおう》に進言した戦略。

出典　『史記』〈范雎伝《はんしょでん》〉

猿猴取月　えんこう しゅげつ　(1級)

意味　**身のほど知らずが身を滅ぼすたとえ。**さるが水に映った月を取ろうとして木の枝にぶら下がったが枝が折れ、落ちて溺死《できし》したという寓話《ぐうわ》から。「猿猴」はさる。

補説　「猿猴月《えんこうつき》を取《と》る」とも読む。「取月」は「捉月(月を捉《とら》う)」とも。

出典　『僧祇律《そうぎりつ》』〈七〉

類義語　海底撈月《かいていろうげつ》、蟷螂之斧《とうろうのおの》

円孔方木　えんこう ほうぼく　(3級)

⇩円鑿方枘(えんさく ほうぜい)

円鑿方枘　えんさく ほうぜい

意味　**物事がうまくかみ合わないことのたとえ。**丸い穴に四角いほぞを入れる意。「円」は丸いこと。「鑿」は穴。「方」は四角い意。「枘」はほぞ(木材と木材をつなぐのに一方に穴をあけ一方に突起を作るが、その突起部分)のこと。

補説　「方枘円鑿」ともいう。

字体　「円」の旧字体は「圓」。

出典　『史記』〈孟軻伝《もうかでん》〉

類義語　円孔方木《えんこうほうぼく》

掩耳盗鐘　えんじ とうしょう　(準1級)

意味　**浅はかな考えや知恵で自分を欺《あざむ》くたとえ。**また、自分の良心を欺き悪事をはたらくたとえ。「掩耳」は耳をふさぐこと。鐘を盗むのに音がして人に知られることを恐れて自分の耳をふさいでもなにもならないことをいう。

補説　「耳を掩《おお》いて鐘《かね》を盗む」とも読む。

字体　「盗」の旧字体は「盜」。

出典　『呂氏春秋《りょししゅんじゅう》』〈自知《じち》〉

類義語　掩耳盗鈴《えんじとうりん》、掩耳偸鈴《えんじとうりん》、掩目捕雀《えんもくほじゃく》

円首方足　えんしゅ ほうそく　(5級)

⇩円顱方趾(えんろ ほうし)

怨女曠夫 えんじょこうふ

1級

意味 **適齢の年になっても相手のいない男と女。**また、配偶者と死別したり、離別した男女にもいう。「曠」はむなしい、相手がいない意。

注意 「怨女」を「艶女」「怒女」などと書き誤らない。

出典 『孟子《もうし》』〈梁恵王《りょうけいおう》・下〉

遠水近火 えんすいきんか

5級

意味 **遠くにあるものは急場の役には立たないということ。**「遠水」は遠い所にある水のこと、「近火」は近くの火事の意。遠い所にある水では、火事を消すのに間にあわないということ。「遠くの親戚《しんせき》より近くの他人」と同じ。

補説 「遠水は近火を救わず」の略。

出典 『韓非子《かんぴし》』〈説林《ぜいりん》・上〉

類義語 遠水近渇《えんすいきんかつ》

円頂黒衣 えんちょうこくい

5級

意味 **僧の姿のこと。**髪をそりおとした丸い頭(円頂)と、墨染めの衣(黒衣)という意から。

字体 「円」の旧字体は「圓」。

類義語 円頂緇衣《えんちょうしい》

円転滑脱 えんてんかつだつ

3級

⇩円滑洒脱(えんかつしゃだつ)

宛転蛾眉 えんてんがび

準1級

意味 **顔かたちが美しいさま。美人の形容。**「宛転」は眉《まゆ》が美しい曲線をなすこと、「蛾眉」は蛾の触覚のように細長く曲がっている美しいまゆ。美人のまゆのたとえ。

字体 「転」の旧字体は「轉」。

出典 白居易《はくきょい》の「長恨歌《ちょうごんか》」、劉希夷《りゅうきい》の「代《はくとう》悲白頭翁《をかなしむおきなにかわる》-詩」

鉛刀一割 えんとういっかつ

4級

意味 **鉛で作った切れ味の悪い刀でも一度は物を断ち切ることができる。**凡庸な人でも時には力を出せるときがある。多く自分の微力を謙遜《けんそん》していう語。

出典 『後漢書《ごかんじょ》』〈班超伝《はんちょうでん》〉

類義語 鉛刀一断《えんとういちだん》、一割之利《いっかつのり》

円頭方足 えんとうほうそく

5級

意味 **人間のこと。**「円頭」は丸い頭のこと、「方足」は四角な足の意。古代中国では人間の丸い頭は天に形を似せ、四角な足は地に似せたものと考えられた。

字体 「円」の旧字体は「圓」。

出典 『淮南子《えなんじ》』〈精神訓《せいしんくん》〉

類義語 円首方足《えんしゅほうそく》、円顱方趾《えんろほうし》

円頓止観 えんどんしかん

2級

意味 **人格を完成した究極の境地をいう。**仏教で、すべての物事を欠けることなくそなえ雑念がなく、ただちに悟りに至る境地のこと。すべての存在が、そのまま真実の理法にかなうことを修得する観法。

字体 「円」の旧字体は「圓」、「観」の旧字体は「觀」。

類義語 摩訶止観《まかしかん》

円融三諦 えんにゅうさんだい

準1級

意味 仏教で、空・仮《け》・中の三つの真理がその立場を保ちながら、各々が他の二つを含む形で互いに融けあって、同時に成立していること。「諦」は真理のこと。

補説 「円融」は「えんゆう」とも読む。また、「三諦円融」ともいう。

字体 「円」の旧字体は「圓」。

延年転寿 えんねんてんじゅ

3級

意味 **齢《よわい》を重ねてますます長生きすること。**「延年」「寿」はともに、長生きを

するること、「転」はますますの意。

字体　「転」の旧字体は「轉」、「寿」の旧字体は「壽」。

類義語　延《えん》年《ねん》益《えき》寿《じゅ》

烟波縹渺　えんぱ ひょうびょう　1級

意味　**遠く広々とした水面がもやなどでけむって空と水面の境がはっきりとしないさま。**「縹渺」は遠くかすかなさま。

補説　「烟波」は「煙波」、「縹渺」は「縹緲」「縹眇」とも書く。

鳶飛魚躍　えんぴ ぎょやく　準1級

意味　**自然の本性に従いおのずから楽しみを得ることのたとえ。**また、そのような道の作用のたとえ。また、人君の徳化が広く及ぶことのたとえ。とびが空に飛び魚が淵《ふち》におどる意。

補説　「鳶《とび》は飛んで天《てん》に戻《いた》り、魚《うお》は淵《ふち》に躍《おど》る」の略。また「鳶《とび》飛《と》び魚《うお》躍《おど》る」とも読む。

出典　『詩《し》経《きょう》』〈大《たい》雅《が》・旱《かん》麓《ろく》〉

猿臂之勢　えんぴの いきおい　1級

意味　**攻守や進退が自在にできる軍隊の体制をいう。**また、**遠方に陣地を設けること。**「猿臂」は猿の長いひじ。長いひじは弓を引くのに便利なことから、弓射にすぐれることをいう。また長いひじを自由に扱うことから進退が自在、遠くに陣を張る意となる。

補説　「猿」は「猨」とも書く。

出典　『旧《く》唐《とう》書《じょ》』〈李《り》光《こう》弼《ひつ》伝《でん》〉

偃武修文　えんぶ しゅうぶん　1級

意味　**世の中が穏やかで平和なこと。**「偃武」は武器をかたづけて使わない意から、戦争をやめること、「修文」は学問を修める意。戦いをやめて、学問・教養を高めるということから。

補説　「武《ぶ》を偃《ふ》せて文《ぶん》を修《おさ》む」とも読む。

出典　『書《しょ》経《きょう》』〈武《ぶ》成《せい》〉

類義語　偃《えん》武《ぶ》恢《かい》文《ぶん》、天《てん》下《か》泰《たい》平《へい》

閻浮檀金　えんぶ だごん　1級

意味　**良質の金のたとえ。**閻《えん》浮《ぶ》提《だい》(仏教で須《しゅ》弥《み》山《せん》の南にあるという大《たい》洲《しゅう》の名)にある大樹の閻《えん》浮《ぶ》樹《じゅ》(空想上の大木とも、インドに多く産する蒲《ほ》桃《とう》〈ふともも〉のことともいう)の下にあるという金塊。また、閻浮樹の林を流れる川底にある砂金のこと。その黄金は赤黄色で紫色を帯び、金の高貴なものとされる。「檀」は「那檀」の略で川を意味する。仏教の語。

補説　「檀金」は「だんごん」とも読む。

注意　「檀」を「壇」と書き誤らない。

出典　『大《だい》智《ち》度《ど》論《ろん》』〈三五〉

厭聞飫聴　えんぶん よちょう　1級

意味　**聞きあきること。**「厭」「飫」はともに、あきる意。「聞」「聴」はともに、聞く意。あきるほど聞くということ。

補説　「飫聴」は「よてい」とも読む。

字体　「聴」の旧字体は「聽」。

出典　曾《そう》鞏《きょう》の文

婉娩聴従　えんべん ちょうじゅう　1級

意味　**心がやさしく素直で、人の言うことに逆らわずに従うさま。**もと女《じょ》訓《くん》(女性への教え)の一つ。「婉娩」はおとなしく素直なさま、しとやかなさま。「聴従」は命令に従うこと。

字体　「聴」の旧字体は「聽」。

出典　『礼《らい》記《き》』〈内《だい》則《そく》〉

縁木求魚　えんぼく きゅうぎょ　4級

意味　**不可能なことのたとえ。**木によじ登って魚を求めようとする意から、目的にふさわしい方法をとらないために苦労しても成果は得られないことのたとえ。

補説　「木《き》に縁《よ》りて魚《うお》を求《もと》む」とも読む。

また「求魚縁木」ともいう。

出典 『孟子《もうし》』〈梁恵王《りょうけいおう》・上〉

類義語 縁木希魚《えんぼくきぎょ》、敲氷求火《こうひょうきゅうか》、縁山求魚《えんざんきゅうぎょ》

円木警枕　えんぼく けいちん　準1級

意味 **苦労して一生懸命勉学に励むこと。**「警枕」は眠り込まないための枕《まくら》。

字体 「円」の旧字体は「圓」。

故事 宋《そう》の司馬光《しばこう》は若いころ読書に熱中し、ねむりすぎると枕がころがってすぐ目がさめるようにと、丸木を枕にして寝て勉学に励んだという故事から。もとは後梁《こうりょう》の呉越王鏐《りゅう》の故事。

出典 范祖禹《はんそう》の「司馬温公《しばおんこう》布衾銘記《ふきんめいき》」

類義語 懸頭刺股《けんとうしこ》、蛍雪之功《けいせつのこう》

円満具足　えんまん ぐそく　5級

意味 **十分に満ち足りて不足がないこと。**「円満」は十分に満ち足りること、欠点・不足のないこと。「具足」はものが十分に備わっていること。

字体 「円」の旧字体は「圓」、「満」の旧字体は「滿」。

衍曼流爛　えんまん りゅうらん　1級

意味 **悪が広くはびこり、世の中全体に広がっていくこと。**「衍曼」は広がりはびこること、「流爛」は布《し》き散る、散り散りになる意。

補説 「衍曼」は「衍漫」とも書く。

出典 『史記』〈司馬相如伝《しばしょうじょでん》〉

延命息災　えんめい そくさい　5級

意味 **命をのばして災いを取り去ること。**「息災」は災いをとめること。転じて無事なこと。「息」はやむ、終わらせる意。

補説 「延命」は「えんみょう」とも読む。

注意 「延命」を「廷命」と書き誤らない。

類義語 無病息災《むびょうそくさい》、無事息災《ぶじそくさい》

鳶目兎耳　えんもく とじ　準1級

意味 **とびのように目ざとく見つけることのできる目とうさぎのようによく聞こえる耳。**新聞記者などにいう。

類義語 長目飛耳《ちょうもくひじ》

轅門二竜　えんもん にりょう　1級

意味 **唐の烏承玼《うしょうひん》と族兄の烏承恩《うしょうおん》のこと。**この二人は沈着で勇気に富み、かつ決断力があったので、戦場で功績を上げてこのように評された。「轅門」は陣屋の門。戦場では車を並べて囲い、轅《ながえ》(車のかじ棒で左右二本出ている)を向かい合わせて門のようにした。転じて、戦場のこと。

補説 「二竜」は「にりゅう」とも読む。

字体 「竜」の旧字体は「龍」。

出典 『唐書《とうじょ》』〈烏承玼伝《うしょうひんでん》〉

厭離穢土　えんり えど　1級

⇨**厭離穢土**(おんり えど)

延陵季子　えんりょうの きし　3級

意味 **春秋時代、呉《ご》の季札《きさつ》のこと。**延陵(今の江蘇《こうそ》省)に封《ほう》ぜられたのでいう。季札は呉国の賢者の名で、呉王寿夢《じゅぼう》の第四子(→「季札挂剣《きさつけいけん》」)。

注意 「季子」を「李子」と書き誤らないこと。

出典 『史記』〈呉太伯世家《ごたいはくせいか》〉

遠慮会釈　えんりょ えしゃく　準2級

意味 **他人のことを考えて応対をつつましく控え目にすること。**ふつう「遠慮会釈もない」と否定の語を添えて、強引に物事をすすめるさまにいう。

字体 「会」の旧字体は「會」、「釈」の旧字体は「釋」。

対義語 旁若無人《ぼうじゃくぶじん》

遠慮近憂　えんりょ きんゆう　3級

意味 **先々のことを見通して行動しな**

いと、身近なところに心配ごとが生じるということ。「遠慮」は遠い先々まで見通した深い考えのこと、「近憂」は身近なところでの心配ごとの意。

補説　「遠き慮《おもんぱか》り無ければ、必ず近き憂《うれ》い有り」の略。

出典　『論語』〈衛霊公《えいれいこう》〉

円顱方趾　えんろほうし　(1級)

意味　**丸い頭と四角い足。人類のこと。**頭は天に足は大地に似るという人類と天地の類似を説いたもの。「顱」はあたま、「趾」は足。

補説　「方趾」は「方址」とも書く。

字体　「円」の旧字体は「圓」。

類義語　円頭方足《えんとうほうそく》、円首方足《えんしゅほうそく》

【お】

嘔啞嘲哳　おうあちょうたつ　(1級)

意味　**洗練されておらず、調子の狂った聞きぐるしい乱雑な音のこと。**また、**子供がやかましく騒ぎたてている声のこと。**「嘔啞」は子供の話す声、やかましく鳴る音の形容。「嘲哳」は騒々しいみだらな音がするさま。また、調子はずれで下品な音のさま。

注意　「嘲哳」を「ちょうせつ」と読み誤らない。

出典　白居易《はくきょい》の「琵琶行《びわこう》」

枉駕来臨　おうがらいりん　(1級)

意味　**わざわざお越しいただきまして、ということ。**「枉駕」は乗り物の道筋を枉《ま》げてわざわざ立ち寄ること、「来臨」は人が来ることの敬語表現。人の来訪に対して敬意を表す語。

補説　「駕《が》を枉《ま》げて来臨す」とも読む。

字体　「来」の旧字体は「來」。

注意　「枉」を「柱」と書き誤らない。

桜花爛漫　おうからんまん　(1級)

意味　**桜の花が見事に開き、満開になって咲き乱れているさま。**「爛漫」はここでは「爛発」の意で、花が見事に開く、咲き乱れること。

字体　「桜」の旧字体は「櫻」。

応機接物　おうきせつもつ　(5級)

意味　**相手に応じて適切に指導すること。**仏教の語で「機」は仏教修行者の機根、「物」は衆生をいう。

補説　「機《き》に応《おう》じ物《もの》に接《せっ》す」とも読む。

字体　「応」の旧字体は「應」。

類義語　因機説法《いんきせっぽう》、善巧方便《ぜんぎょうほうべん》、対症下薬《たいしょうかやく》、因病下薬《いんぺいかやく》、応病与薬《おうびょうよやく》

応急措置　おうきゅうそち　(3級)

意味　**急場の間に合わせにする仮の処置。**「応急」は急に応ずる意から急場の間に合わせ。「措置」はある事態が起こったとき、うまく始末をつけるための取り計らい。処置と同じ。

字体　「応」の旧字体は「應」。

類義語　応急処置《おうきゅうしょち》、緊急措置《きんきゅうそち》

横行闊歩　おうこうかっぽ　(1級)

意味　**威張って気ままに歩き回ること。**多く悪人に対していう。「横行」はわがもの顔にふるまうこと。「横」はほしいまま、また道理に反する意。「闊歩」は堂々と歩くこと、威張って行動すること。

類義語　横行奡桀《おうこうごうけつ》、横行覇道《おうこうはどう》、横行跋扈《おうこうばっこ》、跳梁跋扈《ちょうりょうばっこ》、飛揚跋扈《ひようばっこ》

王侯将相　おうこうしょうしょう　(準2級)

意味　**王者と諸侯と将軍と大臣。高貴な身分のこと。**この語を含む成句に「王《おう》侯将相寧《こうしょうしょういず》くんぞ種《しゅ》有《あ》らんや(王、諸侯、将軍、大臣になるのに、どうして決まった

種族などがあろうか」があり、高貴な身分になるのは家柄や血統ではなく才能と努力によるものであることをいう。

字体 「将」の旧字体は「將」。

注意 「侯」を「候」と書き誤りやすい。

出典 『史記』〈陳渉世家《ちんしょうせいか》〉

類義語 王公大人《おうこうたいじん》

横行跋扈　おうこう ばっこ　1級

意味 **のさばって勝手気ままにふるまうこと。**「横行」は勝手気ままに行動すること、「跋扈」はのさばってわがままにふるまう意。「扈」は魚をとる水中の竹がきのことで、大魚はそれを飛びこえて逃げてしまうことからいう。

類義語 横行闊歩《おうこうかっぽ》、跳梁跋扈《ちょうりょうばっこ》、飛揚跋扈《ひようばっこ》

往古来今　おうこ らいこん　5級

意味 **昔から今にいたるまで。**

補説 「古往今来」ともいう。

字体 「来」の旧字体は「來」。

出典 『鶡冠子《かつかんし》』〈世兵《せいへい》〉

類義語 古今東西《ここんとうざい》

往事渺茫　おうじ びょうぼう　1級

意味 **過ぎ去った昔のことは遠くかすかで明らかでない。**昔を回顧していう語。「往事」は昔のできごと。「渺茫」は遠くはるかなさま、かすかなさま。白居易《はくきょい》の詩には「往事渺茫都《すべ》て夢に似たり」とある。

出典 白居易《はくきょい》の詩

類義語 往事茫茫《おうじぼうぼう》

往事茫茫　おうじ ぼうぼう　1級

⇨往事渺茫（おうじびょうぼう）

往生素懐　おうじょう そかい　準2級

意味 **仏教に帰依《きえ》して死んだ後に極楽浄土に行こうと願う平素からの希望。**「往生」は死んで極楽浄土に生まれ変わる意。「素懐」は平素からの思い、宿願。

字体 「懐」の旧字体は「懷」。

類義語 往生本懐《おうじょうのほんかい》

枉尺直尋　おうせき ちょくじん　1級

意味 **大きな利益を得るために、小さな犠牲をはらうこと。**「尺」「尋」はともに長さの単位で、一尋は八尺。「枉」はまげる意。一尺を枉《ま》げて八尺をまっすぐにするという意から。

補説 「尺《せき》を枉《ま》げて尋《じん》を直《なお》くす」とも読む。

注意 「枉」を「柱」と書き誤りやすい。

出典 『孟子《もうし》』〈滕文公《とうぶんこう》・下〉

対義語 因小失大《いんしょうしつだい》、貪小失大《たんしょうしつだい》

横説竪説　おうせつ じゅせつ　準1級

意味 **自由自在に弁舌をふるうこと。**「竪」は縦《たて》の意、「説」は考えを述べること。縦横自在に考えを述べる意。

補説 「竪説」は「豎説」とも書く。

類義語 横説縦説《おうせつじゅうせつ》

応接不暇　おうせつ ふか　4級

意味 **忙しくていちいち応じきれないこと。**物事が次から次と起こって対処できない意。

補説 「応接に暇《いとま》あらず」とも読む。出典には「文王旰食《かんしょく》して日に給するに暇《いとま》あらず」とある。

字体 「応」の旧字体は「應」。

出典 『世説新語《せせつしんご》』〈言語《げんご》〉

尫繊懦弱　おうせん だじゃく

意味 **身体が弱く細くて気が弱いこと。**「尫」は虚弱なこと。「繊」はかぼそいこと。「懦弱」は気が弱いこと。

字体 「繊」の旧字体は「纖」。

注意 「懦弱」を「儒弱」と書き誤らない。また「じゅじゃく」と読み誤らない。

出典 『魏書《ぎしょ》』〈崔浩伝《さいこうでん》〉

類義語 蒲《ほ》柳《りゅう》之《の》質《しつ》

横草之功 おうそうのこう 準1級

意味 **きわめて簡単なことのたとえ。**また、**わずかな功績のたとえ。**草を踏み倒す功労の意。「横草」は草の上を踏んで踏み倒すこと。

出典 『漢書《かんじょ》』〈終軍伝《しゅうぐんでん》〉

類義語 横《おう》草《そう》之《の》労《ろう》

王道楽土 おうどうらくど 5級

意味 **公明正大で思いやりのある政治が行われている平和で楽しい国土。**「王道」は王者として行うべき道で、徳をもって公明正大で無私の政治を行うこと。また、仁義の道徳によって天下を治めること。「楽土」は安楽な場所。

字体 「楽」の旧字体は「樂」。

椀飯振舞 おうばんぶるまい 準1級

意味 **盛大なごちそう。**また、**気前よく物を与えたりごちそうしたりすること。**江戸時代、正月に親戚《しんせき》などを招き宴会をしたことをいう。「椀飯」は椀《わん》に盛った飯をすすめる意。

補説 「椀飯」は「埦飯」とも書く。

注意 「椀飯」を「大飯」と書き誤らない。

類義語 大《おお》盤《ばん》振《ぶる》舞《まい》

横眉怒目 おうびどもく 2級

意味 **怒った顔つきのこと。**「横眉」は凶悪な眉《まゆ》の意で、眉をつりあげること、「怒目」は怒った目つきの意。

類義語 横《おう》眉《び》立《りつ》目《もく》、張《ちょう》眉《び》怒《ど》目《もく》、柳《りゅう》眉《び》倒《とう》豎《じゅ》

応病与薬 おうびょうよやく 4級

意味 **人の性格や理解力、状況に応じて適切な指導をすること。**仏教の語で、病気の程度に応じて、それに適した薬を与える意。

補説 「病《やまい》に応じて薬を与う」とも読む。

字体 「応」の旧字体は「應」、「与」の旧字体は「與」、「薬」の旧字体は「藥」。

類義語 応《おう》機《き》接《せっ》物《もつ》、因《いん》機《き》説《せっ》法《ぽう》、善《ぜん》巧《ぎょう》方《ほう》便《べん》、対《たい》症《しょう》下《か》薬《やく》

枉法徇私 おうほうじゅんし 1級

意味 **規則をまげて私利私欲にはしること。**「徇」はしたがう意。

補説 「法を枉《ま》げて私に徇《したが》う」とも読む。

注意 「枉」を「柱」と書き誤らない。

甕牖縄枢 おうゆうじょうすう 1級

意味 **貧しく粗末な家の形容。**かめの口のように小さな丸窓と縄を枢《とぼそ》(戸の開閉をする軸の所)の代わりにした家の意。「甕」はかめ、「牖」は窓。「甕牖」は一説に割れたかめの口を壁につけた窓の意。

字体 「縄」の旧字体は「繩」、「枢」の旧字体は「樞」。

注意 「縄枢」を「縄柩」と書き誤らない。

出典 賈《か》誼《ぎ》の「過《か》秦《しん》論《ろん》」

類義語 蓬《ほう》戸《こ》甕《おう》牖《ゆう》、甕《おう》牖《ゆう》桑《そう》枢《すう》

王楊盧駱 おうようろらく 1級

意味 **初唐の四人の詩の大家。**王勃《おうぼつ》、楊炯《ようけい》、盧《ろ》照鄰《しょうりん》、駱賓王《らくひんおう》。いずれも唐代初期の人で近体詩の確立に功があった。

注意 「楊」を「揚」と書き誤らない。

出典 『旧唐書《くとうじょ》』〈楊炯伝《ようけいでん》〉

類義語 初《しょ》唐《とう》四《の し》傑《けつ》

甕裡醯鶏 おうりけいけい 1級

意味 **見識が狭く世間知らずな人のたとえ。**かめの中にわく小さな羽虫の意。「裡」はなかの意。「醯鶏」は酒や酢を入れた甕《かめ》にわく小虫。かつおむし。

補説 「甕裡」は「甕裏」、「醯鶏」は「醯雞」とも書く。また「醯鶏甕裡」ともいう。

字体 「鶏」の旧字体は「鷄」。

出典 『荘子《そうじ》』〈田子方《でんしほう》〉

類義語　井底之蛙《せいていのあ》、埳井之鼃《かんせいのあ》

大盤振舞　おおばんぶるまい　4級

⇩**椀飯振舞**（おうばんぶるまい）

岡目八目　おかめはちもく　2級

意味　**はたで見ているほうが、当事者よりも情勢を正確に判断できること。**「岡目」は他の人がしていることをわきから見ること、「八目」の「目」は碁盤の目の意。碁をそばで見ていると、実際に打っている人よりも八目も先まで手が読めるという意。

補説　「岡目」は「傍目」とも書く。

屋烏之愛　おくうのあい　準1級

意味　**偏愛のたとえ。**ある人を愛すると、その人の家の屋根にいる烏《からす》までも愛する。人を愛するとその人に関わるものすべてがいとおしくなることのたとえ。

注意　「烏」を「鳥」と書き誤らない。

出典　『説苑《ぜいえん》』〈貴徳《きとく》〉

類義語　愛及屋烏《あいきゅうおくう》、愛屋及烏《あいおくきゅうう》

屋上架屋　おくじょうかおく　3級

意味　**無駄なことを繰り返すたとえ。**屋根の上にまた屋根をかける意。また、**真似ばかりして独創性のないたとえ。**「屋」は屋根のこと。「架」はかけわたす、組み立てる意。

補説　「屋上屋《おくじょうおく》を架《か》す」とも読む。

類義語　屋下架屋《おくかかおく》、牀上施牀《しょうじょうししょう》、畳牀架屋《じょうしょうかおく》、画蛇添足《がだてんそく》、頭上安頭《とうじょうあんとう》

屋梁落月　おくりょうらくげつ　準1級

⇩**落月屋梁**（らくげつおくりょう）

恩威並行　おんいへいこう　4級

意味　**人を使う場合には、適当な賞罰が必要だということ。**「恩威」は恩恵と刑罰、賞罰のこと、「並行」は並び行う意。賞と罰とが共に並行して行われること。

字体　「並」の旧字体は「竝」。

温厚篤実　おんこうとくじつ　3級

意味　**穏やかであたたかく誠実なこと。**人の性質にいう語。「温厚」はやさしく手厚いこと。「篤実」は情に厚く実直なこと。

字体　「実」の旧字体は「實」。

温故知新　おんこちしん　5級

意味　**前に習ったことや昔の事柄を復習し考えて新たな道理や知識を会得すること。**古いものをたずね求めて新たな事柄の意味を知る意。「温」はたずね求める、一説に冷たいものをあたため直して味わう意。この場合「温」はあたためる意。

補説　「故《ふる》きを温《たず》ねて新しきを知る」「故《ふる》きを温《あたた》めて新しきを知る」とも読む。

出典　『論語』〈為政《いせい》〉

温柔敦厚　おんじゅうとんこう　準1級

意味　**あたたかさがあり、やさしく手厚いこと。孔子が『詩経《しきょう》』**（儒教の基本的古典である五経の一）**の教化の力を評した語。**『詩経』の詩は上代の純朴な民情が溢《あふ》れており、これが人を感動させ人を教化する力を持つと説いたもの。「温柔」はやさしく穏やかなこと、「敦厚」は人情深く手厚いこと。

補説　出典に「温柔敦厚なるは詩の教えなり」とある。

出典　『礼記《らいき》』〈経解《けいかい》〉

類義語　温良篤厚《おんりょうとっこう》

恩讐分明　おんしゅうぶんめい　1級

意味　**恩を受けたものには恩で報い、あだをうけたものにはあだで報いること。**また、**それをはっきりさせること。**「讐」はあだ、うらみの意。「分明」ははっきりしていること。またはっきりさせること。

補説 「讎」は「讐」とも書く。

怨親平等 おんしんびょうどう 2級

意味 **怨《うら》み敵対する者も憎《にく》まず、親しい者でもえこひいきしない。** すべてを平等に見ようとする仏教の語。

類義語 一《いっ》視《し》同《どう》仁《じん》、兼《けん》愛《あい》無《む》私《し》

音信不通 おんしんふつう 5級

意味 **便りや連絡がまったく絶えること。** 「音信」は便りや訪れのこと、「不通」はとだえる意。

補説 「音信」は「いんしん」とも読む。

遠塵離垢 おんじんりく 準1級

意味 **仏教で、現世での迷いを断ち切ること。** 「遠塵」はけがれから遠ざかること、「離垢」は煩悩を離れる意。

類義語 遠《おん》塵《じん》離《り》苦《く》

温清定省 おんせいていせい 1級

意味 **親に孝養を尽くすこと。** 冬には暖かく夏には涼しく過ごせるよう配慮し、夜には寝床を整え定め朝にはご機嫌を伺う。もと人の子たる者の礼を説いた語。「凊」は「涼」に同じで、すずしい意。「定」は寝具を整え定めて安眠できるよう気を配ること。「省」はかえりみる意からご機嫌伺いすること。

補説 「定省温凊」ともいう。

注意 「凊」を「清」と書き誤りやすい。

出典 『礼《らい》記《き》』〈曲《きょく》礼《らい》・上〉

類義語 扇《せん》枕《ちん》温《おん》衾《きん》

怨憎会苦 おんぞうえく 2級

意味 **怨《うら》み憎《にく》しみを抱く者と会わなければならない苦しみのこと。** 仏教で説く、生きる者の八つの苦しみ（→「四《し》苦《く》八《はっ》苦《く》」）の中の一つ。

補説 語構成は「怨憎会」＋「苦」。

字体 「会」の旧字体は「會」。

怨敵退散 おんてきたいさん 2級

意味 **怨《うら》みに思っている敵よ、退散せよということ。** 仏法の力で悪魔を押さえるために行う降《ごう》伏《ぶく》の祈願などのときに唱える語。

補説 「怨敵」は「おんでき」とも読む。

注意 「怨敵」を「御敵」と書き誤らない。

音吐朗朗 おんとろうろう 4級

意味 **音声が豊かではっきりしているさま。** 「音吐」は発声、声の出し方、こわね。「朗朗」は声が高く澄んでとおるさま。声が大きく明らかなさま。

注意 「朗朗」を「郎郎」と書き誤らない。

乳母日傘 おんばひがさ 準1級

意味 **子供が必要以上に大切に育てられること。** 乳母《うば》に抱かれ日傘をさしかけられるなどして、子供が大事に育てられることから。

補説 「乳母《おんば》」はおうばの転。うば、めのと。「おんばひからかさ」ともいう。

温文爾雅 おんぶんじが 準1級

意味 **態度や表情が穏やかで、言動が正しく美しいこと。** 「温文」は態度や表情が温和なこと、「爾雅」は礼にかなって正しく美しい意。

補説 「爾雅温文」ともいう。

類義語 温《おん》文《ぶん》儒《じゅ》雅《が》

厭離穢土 おんりえど 1級

意味 **この世をけがれたものとして厭《いと》い離れること。** 「厭離」は嫌い離れる意。「穢土」はけがれている国土。現世をいう。仏教の語。

補説 「厭離」は「えんり」とも読む。

出典 『往《おう》生《じょう》要《よう》集《しゅう》』〈序〉

対義語 欣《ごん》求《ぐ》浄《じょう》土《ど》

温良恭倹　おんりょう きょうけん　準2級

意味　**性質がおだやかで、つつましやかなこと。**「温良」はおだやかですなおなこと。「恭倹」は人にうやうやしく、自分はつつしみ深いこと。

字体　「倹」の旧字体は「儉」。

出典　『論語』〈学而《がくじ》〉

温良篤厚　おんりょう とっこう　3級

⇩**温柔敦厚**（おんじゅう とんこう）

【か】

瑰意琦行　かいい きこう

意味　**考え方や行いが、並みの人と違ってすぐれていること。**「瑰意」は珍しくすぐれた心のこと、「琦行」はふつうとは違った行いの意。

注意　「瑰意」を「魁偉」と書き誤らない。

出典　宋玉《そうぎょく》の詩

解衣推食　かいい すいしょく　5級

意味　**人に慈悲を施すこと。**また、**人を重用すること。**自分の着衣を脱いで相手に着せ、自分の食べ物を相手にすすめて食べさせることから。

補説　「衣《い》を解《と》き、食《しょく》を推《お》す」とも読む。

故事　韓信《かんしん》が楚《そ》の項王を討とうとした。項王は使者を送って味方になるように説得した。しかし、韓信は「項王は以前、自分の進言も策略も取り上げてくれず、今仕えている漢王は、進言も策略も聞き入れてくれたばかりでなく、自分を将軍としてむかえ、数万の軍隊をつけてくれたうえに、衣を解き、食を推めてくれた。裏切るわけにはいかない」といって断ったという故事から。

出典　『史記』〈淮陰侯伝《わいいんこうでん》〉

誨淫誨盗　かいいん かいとう　1級

意味　**悪事を人に教えること。**「誨」は教える意。淫《みだ》らなことや盗みを教えるということから。もともと、財産があれば盗みを教えるようなものであり、女性の美貌《びぼう》は淫らなことを教えるようなものであるという意。

補説　「誨盗誨淫」ともいう。

字体　「盗」の旧字体は「盜」。

出典　『易経《えききょう》』〈繋辞《けいじ》・上〉

蓋瓦級甎　がいが きゅうせん　1級

意味　**屋根の瓦《かわら》と階段の敷き瓦のこと。**「蓋」はおおうこと、「級」は階段・きざはし、「甎」は敷き瓦の意。

出典　韓愈《かんゆ》の文

海角天涯　かいかく てんがい　準2級

⇩**天涯地角**（てんがい ちかく）

改過自新　かいか じしん　5級

意味　**自分の過ちを改めて、気分を新たにすること。**「改過」は過ちを改めること、「自新」は改心して気分を一新する意。

補説　「過《あやま》ちを改《あら》ため自《みずか》ら新《あらた》にす」とも読む。

注意　「改過」を「改化」、「自新」を「自身」などと書き誤りやすい。

出典　『史記』〈呉王濞伝《ごおうびでん》〉

類義語　改過作新《かいかさくしん》

海闊天空　かいかつ てんくう　1級

意味　**気性がさっぱりとしていて、心が広いこと。**「海闊」は海のように広いさま、「天空」は空がからりと晴れあがって広い意。

補説　「海闊」は「海濶」とも書く。また「天空海闊」ともいう。

出典　『詩《し》話《わ》総《そう》亀《き》』〈前集三〇引『古今《ここん》詩《し》話《わ》』〉

蓋棺事定　がいかん じてい

2級

意味　**死んでからはじめて、その人物の評価が定まるということ。**また、生前の評価はあてにならないこと。

補説　「棺《かん》を蓋《おお》いて事定《ことさだ》まる」とも読む。

出典　杜《と》甫《ほ》の詩

開巻有益　かいかん ゆうえき

5級

意味　**読書は大変ためになるものだということ。**「開巻」は書物を開く意から読書のこと、「有益」は役に立つ意。

補説　「巻《かん》を開《ひら》けば益《えき》有《あ》り」とも読む。

字体　「巻」の旧字体は「卷」。

出典　『澠水燕談録《べんすいえんだんろく》』〈文儒《ぶんじゅ》〉

類義語　開巻有得《かいかんゆうとく》

荷衣蕙帯　かい けいたい

意味　**世俗を超越している人**（仙人・隠者）**の衣服のこと。**「荷衣」は蓮《はす》の葉で編んだ衣、「蕙帯」はかおり草の帯。ともに仙人・隠者の衣服。

字体　「帯」の旧字体は「帶」。

出典　『楚《そ》辞《じ》』〈九《きゅう》歌《か》・少《しょう》司《し》命《めい》〉

会稽之恥　かいけいの はじ

準1級

意味　**他人から受けた忘れることができない屈辱。**「会稽」は中国浙江《せっこう》省にある山の名で、春秋時代の呉《ご》越《えつ》の古戦場。

字体　「会」の旧字体は「會」。

故事　中国春秋時代、越王勾践《こうせん》は会稽山で呉王夫差《ふさ》と戦って敗れ、そのときさまざまな恥辱を受けたが、臥《が》薪《しん》嘗《しょう》胆《たん》してその恥をすすいだという故事から。

出典　『史記』〈越《えっ》世《せい》家《か》〉

改弦易轍　かいげん えきてつ

準1級

意味　**法律や制度を改変すること。**「改弦」は弦楽器の弦を張りかえ調子を改めること、「易轍」は車輪の軸幅をかえる意。

補説　「弦《げん》を改め轍《てつ》を易《か》う」とも読む。

注意　「改弦」を「改元」と書き誤らない。

出典　可《か》承《しょう》天《てん》の文

類義語　改弦更張《かいげんこうちょう》、改轍《かいてつ》易《えき》途《と》

開眼供養　かいげん くよう

準2級

意味　**新たに造った仏像に目を入れて、仏の魂を迎える儀式。**

注意　「開眼」を「かいがん」と読み誤らない。

外交辞令　がいこう じれい

5級

意味　**口先だけのお世辞や形だけのお愛想のこと。**「外交」は外部との交渉のこと、「辞令」は応待のことば・あいさつの意。外交上、相手に好ましい印象を与えるための愛想のよい応対のことばの意。

字体　「辞」の旧字体は「辭」。

注意　「辞令」を「辞礼」と書き誤らない。

類義語　社交辞令《しゃこうじれい》

外巧内嫉　がいこう ないしつ

2級

意味　**うわべはとりつくろっているが、内心ではねたんでいること。**「外巧」は外面の修飾が巧みなこと、「嫉」はねたむ意で、「内嫉」は心の中でねたむさまをいう。

出典　『漢書《かんじょ》』〈翟方進伝《てきほうしんでん》〉

回光反照　かいこう へんしょう

準1級

意味　**人が死ぬまぎわに、一時もちなおすこと。**また、**物事が滅びる直前に、一瞬勢いを回復すること。**「回光」は照り返しのこと、「反照」は夕焼けの光の意。夕日の照り返しで、日没の直前に一瞬空が明るくなることから。

開権顕実　かいごん けんじつ

準2級

意味　**仮の姿であることをうち明けて、真の姿を明らかにすること。**「開」はうち明けること、「権」は仮の意、「顕実」は真実を明らかにすること。仏教で、三乗

（悟りに至る三つの実践の方法）が仮の教えであり、一乗（仏法には一つの真実の教えしかないとする主張）が真実の教えであるとうち明けること。

字体 「権」の旧字体は「權」、「顕」の旧字体は「顯」、「実」の旧字体は「實」。

類義語 開三顕一《かいさんけんいち》、開迹顕本《かいしゃくけんぽん》

睚眥之怨 がいさいのうらみ 1級

意味 **ほんのわずかなうらみ。**「睚」「眥」はともににらむ意。ほんのちょっとにらまれる程度のうらみの意。

補説 「睚眥」は「睚眦」とも書く。また、「怨」は「えん」とも読む。

出典 『史記』〈范雎伝《はんしょでん》〉

回山倒海 かいざんとうかい 4級

意味 **非常に勢いが盛んなこと。**山をころがし、海をひっくり返すほどの勢いをいう。

補説 「山《やま》を回《めぐ》らし海《うみ》を倒《たお》す」とも読む。

出典 『魏書《ぎしょ》』〈高閭伝《こうりょでん》〉

類義語 抜山蓋世《ばつざんがいせい》

海市蜃楼 かいししんろう 1級

意味 **現実性に乏しい考えや理論。**また、**根拠がなくありもしないこと。**「海市」「蜃楼」ともに蜃気楼《しんきろう》のことで、大気の密度や日光の反射の関係で、遠方の物体が空中に浮かんで見える現象。

補説 「蜃楼海市」ともいう。

字体 「楼」の旧字体は「樓」。

出典 『駢字類編《べんじるいへん》』〈四六引『隋唐遺事《ずいとういじ》』〉

類義語 空中楼台《くうちゅうろうだい》、砂上楼閣《さじょうのろうかく》

亥豕之譌 がいしのか 1級

意味 **文字の書き誤りのこと。**「譌」は誤りの意。「亥」と「豕」とが、字形が似ているので書き誤りやすいことからいう。

出典 『呂氏春秋《りょししゅんじゅう》』〈察伝《さつでん》〉

類義語 魯魚亥豕《ろぎょがいし》、魯魚之誤《ろぎょのあやまり》、魯魚章《ろぎょしょう》草《そう》、魯魚陶陰《ろぎょとういん》、烏焉魯魚《うえんろぎょ》、焉馬之誤《えんばのあやまり》、虎《こ》虚之誤《きょのあやまり》、魯魚帝虎《ろぎょていこ》、三豕渡河《さんしとか》

膾炙人口 かいしゃじんこう 1級

意味 **広く世間の評判となり、もてはやされていること。**「膾」はなますで、生《なま》の肉を細かく刻んだもの、「炙」はあぶり肉のこと。どちらも誰《だれ》の口にも合って、好まれることからいう。

補説 「人口膾炙」ともいう。一般には「人口に膾炙する」と用いる。また「膾炙」は「かいせき」とも読む。

出典 林嵩《りんすう》の「周朴詩集序《しゅうぼくししゅうじょ》」

鎧袖一触 がいしゅういっしょく 準1級

意味 **相手を容易に打ち負かしてしまうたとえ。**鎧《よろい》の袖《そで》でわずかに触れただけで、簡単に相手を打ち負かしてしまう意。「鎧袖」は鎧の袖、「一触」はほんのちょっと触れること。

字体 「触」の旧字体は「觸」。

出典 頼山陽《らいさんよう》『日本外史』〈一二〉

外柔内剛 がいじゅうないごう 準2級

意味 **外見は穏やかそうに見えるが、実際は意志が強いこと。**また、みかけは弱々しいが、案外気が強いこと。「柔」はおとなしい、心が穏やかの意。「剛」は気が強い、ひるまない意。

補説 「内剛外柔」ともいう。

出典 柳宗元《りゅうそうげん》の文

類義語 外柔中剛《がいじゅうちゅうごう》、外円内方《がいえんないほう》

対義語 外剛内柔《がいごうないじゅう》、内柔外剛《ないじゅうがいごう》

下意上達 かいじょうたつ 5級

意味 **下の者の考えや気持ちが、上位の人によく通じること。**「下意」は一般人民の考え、「上達」は上の者に届く意。

注意 「下意」を「下位」と書き誤らない。

対義語 上意下達《じょういかたつ》

開心見誠　かいしん けんせい
5級

意味　**まごころをもって人に接し、隠しだてをしないこと。**「開心」はまごころを示す、胸の中を開くこと。「見誠」は誠意をあらわす意。

補説　「心《こころ》を開いて誠《まこと》を見《あらわ》す」とも読む。

出典　董仲舒《とうちゅうじょ》の文

類義語　開誠布公《かいせいふこう》

灰心喪気　かいしん そうき
準2級

意味　**失意のあまり元気をなくすこと。**「灰心」は火の消えた灰のように元気がない失意の心、「喪気」は元気をなくす意。

字体　「気」の旧字体は「氣」。

類義語　灰心喪意《かいしんそうい》、意気銷沈《いきしょうちん》、意気沮喪《いきそそう》

対義語　意気軒昂《いきけんこう》、意気衝天《いきしょうてん》、意気揚揚《いきようよう》

回生起死　かいせい きし
5級

⇩**起死回生**（きしかいせい）

海誓山盟　かいせい さんめい
準2級

意味　**きわめて堅い誓い。**海や山のように永久に変わらない意。ふつう男女の愛情についていう。「盟」は「誓」に同じ。

出典　庾信《ゆしん》の文

類義語　海約山盟《かいやくさんめい》、山海之盟《さんかいのめい》

蓋世之才　がいせいの さい
準1級

意味　**意気盛んで才知に富み、世の中を圧倒するほどの人材。**「蓋世」は一世を蓋《おお》い尽くすほど圧倒する意、「才」は才能にすぐれること。

出典　蘇軾《そしょく》の「留侯論《りゅうこうろん》」

類義語　蓋世之材《がいせいのざい》

階前万里　かいぜん ばんり
4級

意味　**天子が地方の政治の状況をよく知っていて、臣は天子を欺くことができないこと。**万里の遠方の地方行政も、手近な階前にあることのようにわかる意。「階前」は階段の前、庭前。宮殿の階段の前の意。

字体　「万」の旧字体は「萬」。

出典　『十八史略《じゅうはっしりゃく》』〈唐《とう》・宣宗《せんそう》〉

海内奇士　かいだいの きし
4級

意味　**この世に類のないほどすぐれた人物。**「海内」は四海の内。天下。世界。「奇士」は言行が普通の人と違うすぐれた人物。また、風変わりな人物。奇傑の士。

注意　「海内」を「かいない」と読み誤らない。

出典　『後漢書《ごかんじょ》』〈臧洪伝《ぞうこうでん》〉

海内無双　かいだい むそう
3級

意味　**世の中に並ぶものがないほどすぐれていること。**「海内」は天下・国内のこと、「無双」は二つとない、並ぶものがない意。

字体　「双」の旧字体は「雙」。

出典　東方朔《とうぼうさく》の「答客難《きゃくのなんにこたう》」

類義語　天下無双《てんかむそう》、天下第一《てんかだいいち》、挙世無双《きょせいむそう》

咳唾成珠　がいだ せいしゅ
準1級

意味　**権勢の盛んなさま。**また、**詩文の才が豊かなさま。**「咳唾」はせきとつばきで、他人の言葉の敬称。せきやつばきもみな珠玉になる、一言一句がみな尊敬されること。

補説　「咳唾《がいだ》、珠《たま》を成す」とも読む。

出典　『荘子《そうじ》』〈秋水《しゅうすい》〉

街談巷語　がいだん こうご
準1級

意味　**世間のつまらないうわさ。**「街談」「巷語」ともに、町のうわさの意で、あてにならない、いい加減なうわさ話のことをいう。

出典　『漢書《かんじょ》』〈芸文志《げいもんし》〉

類義語　街談巷説《がいだんこうせつ》、街談巷議《がいだんこうぎ》、流言蜚《りゅうげんひ》語《ご》、道聴塗説《どうちょうとせつ》

喙長三尺 かいちょうさんじゃく

1級

意味 **しゃべることがきわめて達者なこと。**「喙」はくちばしのこと。くちばしの長さが三尺もあるという意。「口八丁《くちはっちょう》」と類義。

出典 『荘子《そうじ》』〈徐無鬼《じょむき》〉

海底撈月 かいていろうげつ

1級

意味 **実現不可能なことをやろうとして、余分な労力を費やすこと。**「撈月」は月をすくいあげる意。海面に映った月を見て、本物の月だと思いこみ、海底から月をすくいあげようとする意から。

補説 「海底《かいてい》に月《つき》を撈《すく》う」とも読む。

類義語 猿猴取月《えんこうしゅげつ》、海中撈月《かいちゅうろうげつ》、海底撈《かいていろう》針《しん》、水中撈月《すいちゅうろうげつ》

蓋天蓋地 がいてんがいち

2級

意味 **仏の教えがすべての世界に、広くすみずみまでゆきわたること。**「蓋」はおおう意で、仏法が天を蓋《おお》い、地を蓋うということ。

補説 「天《てん》を蓋《おお》い地《ち》を蓋《おお》う」とも読む。

回天事業 かいてんのじぎょう

5級

意味 **世の中の形勢を一変させるほどの大きな事業。**「回天」は天を回転させる意から、天下の形勢を一変すること。

補説 「回天」は「廻天」とも書く。

注意 「回天」を「回転」と書き誤らない。

類義語 図南之翼《となんのよく》、図南鵬翼《となんのほうよく》

廻天之力 かいてんのちから

準1級

意味 **不利な形勢を一変させるほどの力のこと。**「廻天」は天を回転させること。転じて、天下の形勢を一変する意。

補説 「廻天」は「回天」とも書く。

注意 「廻天」を「廻転」と書き誤りやすい。

出典 『北斉書《ほくせいしょ》』〈帝紀総論《ていきそうろん》〉

開天闢地 かいてんへきち

1級

意味 **天地のはじまり。これまでの歴史にないような大きな出来事のこと。**「闢」ははじめる意。中国古代の伝説上の天子盤古《ばんこ》が天地を創造し、ここから人類の歴史が始まったということから。

補説 「天《てん》を開《ひら》き地《ち》を闢《ひら》く」とも読む。「闢」は「辟」とも書く。

類義語 天地開闢《てんちかいびゃく》、天開地辟《てんかいちへき》

誨盗誨淫 かいとうかいいん

1級

⇩**誨淫誨盗**(かいいん かいとう)

改頭換面 かいとうかんめん

3級

意味 **表面は変わったように見えて内実は変わらないことのたとえ。**古い顔が新しい顔に変わる意。

補説 「頭《こうべ》を改《あらた》め面《めん》を換《か》う」とも読む。

出典 寒山《かんざん》の詩

類義語 改頭換尾《かいとうかんび》

快刀乱麻 かいとうらんま

準2級

意味 **こじれた物事を、手ぎわよく処理・解決すること。**「快刀」は切れ味のよい刀、「乱麻」はもつれた麻の意。もつれた麻糸を、よく切れる刀でスパッと断ち切るように、物事を処理すること。

補説 「快刀、乱麻を断つ」の略。

字体 「乱」の旧字体は「亂」。

注意 「快刀」を「怪盗」「快投」「怪刀」、「乱麻」を「乱魔」「乱摩」などと書き誤りやすい。

出典 『北斉書《ほくせいしょ》』〈文宣帝紀《ぶんせんていき》〉

類義語 一刀両断《いっとうりょうだん》

磑風舂雨 がいふうしょうう

1級

意味 **物事の前兆のたとえ。**羽蟻《はあり》などの群れが、ひきうすのようにぐるぐる飛び回れば風の吹くきざしで、きねでうす

をつくように上に下にと飛ぶ場合は雨になるきざしである。「磑」は石うす、ひきうす。「春」はきねを持って穀物をつくこと、うすで穀物をつくこと。

注意　「春雨」を「春雨」と書き誤らない。また「しゅんう」と読み誤らない。

出典　『事物原始《じぶつげんし》』〈磨磑《まがい》〉

開物成務　かいぶつせいむ　5級

意味　**物を開発し、事業を成就させること。また、人知を開いて成功に導くこと。**「物」は物《もの》または人のこと、「務」は事業の意。

補説　「開成」の語源で、「物《もの》を開《ひら》き務《つと》めを成す」とも読む。

出典　『易経《えききょう》』〈繋辞《けいじ》・上〉

槐門棘路　かいもんきょくろ　1級

意味　**政界の最高幹部のこと。**もとは、中国周《しゅう》代の三公と公卿《こうけい》のことをいう。

注意　「槐」を「傀」と書き誤らない。

故事　中国周代、朝廷の庭の三公(最も高い三つの官位)が位置すべき所に三本の槐《えんじゅ》(マメ科の落葉高木)を植え、九卿の位置を示すために九本の棘《いばら》を植えたという故事から。

類義語　三槐九棘《さんかいきゅうきょく》、公卿大夫《こうけいたいふ》

開門揖盗　かいもんゆうとう　準1級

意味　**みずから原因を作ってわざわいを招くこと。**「開門」は門を開けること、「揖」は会釈のことで、両手を前で組み合わせて上下し、前に押し出して行う中国式の礼をいい、「揖盗」は泥棒に会釈する意。わざわざ門を開けて、泥棒に会釈するということから。

補説　「門《もん》を開《ひら》いて盗《とう》に揖《ゆう》す」とも読む。

字体　「盗」の旧字体は「盜」。

出典　『三国志《さんごくし》』〈呉書《ごしょ》・呉主伝《ごしゅでん》〉

類義語　自業自得《じごうじとく》

傀儡政権　かいらいせいけん　1級

意味　**実権やみずからの意志をもたず、他国の意向のままになる政権のこと。**「傀儡」はあやつり人形のことで、人の手先になって使われるものの意。

字体　「権」の旧字体は「權」。

怪力乱神　かいりきらんしん　3級

意味　**人知の及ばないふしぎな現象、超自然的な物事の存在のたとえ。**「怪」はふしぎなこと、「力」は超人的な武勇、「乱」は倫理を乱す行為、「神」は鬼神のこと。

補説　「怪力」は「かいりょく」とも読む。原文に「子(孔子)は怪力乱神を語らず」とあり、孔子の姿勢を示す言葉として有名。

字体　「乱」の旧字体は「亂」。

出典　『論語』〈述而《じゅつじ》〉

魁塁之士　かいるいのし　準1級

意味　**さかんでたくましい人のこと。**「魁」は大きい・すぐれている意で、「魁塁」はすぐれてたくましいさま。

字体　「塁」の旧字体は「壘」。

出典　『漢書《かんじょ》』〈飽宣伝《ほうせんでん》〉

偕老同穴　かいろうどうけつ　1級

意味　**夫婦の契りがかたく、仲むつまじいこと。**「偕」はともに、いっしょにの意。「穴」は墓、墓穴の意。夫婦がともに仲よく年をとり、死後は同じ墓に葬られること。

注意　「偕老」を「階老」「回廊」などと書き誤らない。

出典　偕老＝『詩経《しきょう》』〈邶風《はいふう》・撃鼓《げきこ》〉・同穴＝『詩経』〈王風《おうふう》・大車《たいしゃ》〉

薤露蒿里　かいろこうり　1級

意味　**人生のはかないことのたとえ。**「薤露」「蒿里」ともに挽歌《ばんか》(葬送のときの

歌)の名。「薤露」はにらの上におりた朝露の意で、すぐに消えてしまうこと。「蒿里」はもと山の名で、人が死ぬとその霊魂がここに集まり来るといわれた。転じて、墓地の意。漢の田横《でんおう》が自殺したとき門人がこれを悼んで作ったとされる。武帝のとき李《り》延年《えんねん》がこの二曲を分けて「薤露」は王侯貴族の葬送に、「蒿里」は士《し》大《たい》夫《ふ》や庶民の葬送に用いたといわれる。

出典 『古今注《ここんちゅう》』〈音楽《おんがく》〉

夏雲奇峰 かうん きほう

4級

意味 **夏の入道雲が大空につくるめずらしい峰の形のこと。**

補説 出典には「春水《しゅんすい》四《し》沢《たく》に満つ夏雲奇峰多し」とある。

出典 顧愷之《こがいし》の「神情詩《しんじょうし》」

瓦解土崩 がかい どほう

2級

⇩**土崩瓦解**(どほう がかい)

柯会之盟 かかいの めい

1級

意味 **約束を果たして、信頼を得ること。**「柯」は地名。柯に会して結んだ盟約の意。

字体 「会」の旧字体は「會」。

故事 中国春秋時代、斉《せい》の桓公《かんこう》と魯《ろ》の荘公《そうこう》が、斉の柯というところで会った。桓公は荘公に侵略した魯の領土を還すことを約束し、これを果たして大変に信を得たという故事から。

出典 『春秋《しゅんじゅう》』〈荘公《そうこう》一三年〉

花街柳巷 かがい りゅうこう

準1級

⇩**柳巷花街**(りゅうこう かがい)

下学上達 かがく じょうたつ

5級

意味 **手近で初歩的なことから学んで、次第に高度で深い道に通じること。**「下学」は初歩的で日常卑近なことを学ぶこと、「上達」は高度で深い真理に達する意。

補説 「下学して上達す」とも読む。

字体 「学」の旧字体は「學」。

出典 『論語』〈憲問《けんもん》〉

蝸角之争 かかくの あらそい

1級

意味 **きわめてささいなつまらない争いのこと。**「蝸角」は蝸牛《かたつむり》の角《つの》のことで、非常に狭いこと、小さいことのたとえ。

補説 「蝸牛角上《かぎゅうかくじょう》の争い」の略。

字体 「争」の旧字体は「爭」。

故事 かたつむりの左の角の上に領土を持つ触《しょく》氏と右の角の上に領土を持つ蛮《ばん》氏が、互いに領地を取りあって争ったという故事から。

出典 『荘子《そうじ》』〈則陽《そくよう》〉

類義語 蝸牛角上《かぎゅうかくじょう》、蛮触之争《ばんしょくのあらそい》

下学之功 かがくの こう

準1級

意味 **手近で初歩的なことから学んで、徐々に進歩向上してゆくこと。**「下学」は手近で初歩的なことを学ぶ意。

字体 「学」の旧字体は「學」。

類義語 下学上達《かがくじょうたつ》

呵呵大笑 かか たいしょう

1級

意味 **大声をあげて笑うこと。**「呵呵」はからからと大声で笑うさまをいう。

補説 「大笑」は「だいしょう」とも読む。

注意 「呵呵」を「可可」と書き誤らない。

出典 『景徳伝灯録《けいとくでんとうろく》』〈八〉

夏下冬上 かか とうじょう

5級

意味 **炭火のおこし方。**火種を夏は下に、冬は上にしかけるとよくおこるということ。

河漢之言 かかんの げん

準1級

意味 **言葉が天の川のように果てしなくとりとめのないこと。**また、**虚言**(ほら)

をいう。「河漢」は天にかかる天の川のこと。

出典 『荘子《そうじ》』〈逍遥遊《しょうようゆう》〉

類義語 河漢斯言《かかんしげん》

夏癸殷辛 かき いんしん

1級

意味 **夏《か》王朝の桀王《けつおう》と殷《いん》王朝の紂王《ちゅうおう》。** ともに古代の暴君。「夏」「殷」はともに王朝の名。「癸」は桀王の名。「辛」は紂王の名。

注意 「夏癸」を「夏発」と書き誤らない。

出典 張衡《ちょうこう》の「東京賦《とうけいのふ》」

蝸牛角上 かぎゅう かくじょう

1級

⇩**蝸角之争**（かかくの あらそい）

家給人足 かきゅう じんそく

5級

意味 **豊かで生活が安定していること。** 「給」「足」ともに十分にある、満ちそなわる意。どの家もどの人も豊かで、生活に困らないということ。

注意 「人足」を「にんそく」と読まないこと。「にんそく」は別の意。

出典 『淮南子《えなんじ》』〈人間訓《じんかんくん》〉

科挙圧巻 かきょ あっかん

5級

意味 **他よりずばぬけてすぐれたもの。** また、一つの作品中で最もすぐれている部分。「科挙」は昔、中国で行われた官吏登用試験のこと。「圧巻」の「巻」は答案用紙で、科挙の試験で一番よくできたものが多くの答案用紙のいちばん上におかれ他を圧したことから。

字体 「挙」の旧字体は「擧」、「圧」の旧字体は「壓」、「巻」の旧字体は「卷」。

出典 『文章弁体《ぶんしょうべんたい》』

河魚腹疾 かぎょの ふくしつ

3級

意味 **国家が腐敗して、内部から崩壊すること。** 「河魚」は川にすむ魚のこと、「腹疾」は腹の病気の意。魚の腐敗は腹内から始まることから。

出典 『春秋左氏伝《しゅんじゅうさしでん》』〈宣公《せんこう》一二年〉

類義語 河魚之患《かぎょのかん》、河魚之疾《かぎょのしつ》

諤諤之臣 がくがくの しん

1級

意味 **遠慮することなく、ありのままに正論を述べる人のこと。** 「諤諤」は恐れはばかることなく直言すること。

出典 『史記』〈商君伝《しょうくんでん》〉

類義語 侃侃諤諤《かんかんがくがく》

赫赫明明 かくかく めいめい

準1級

⇩**明明赫赫**（めいめい かくかく）

隔岸観火 かくがん かんか

3級

意味 **他人の災難をただ見物するだけで、救いの手をさしのべようとしないこと。** 「隔岸」は岸を隔てること、向こう岸。「観火」は火事を見物する意。

補説 「岸《きし》を隔《へだ》てて火《ひ》を観《み》る」とも読む。

字体 「観」の旧字体は「觀」。

類義語 拱手傍観《きょうしゅぼうかん》、坐視不救《ざしふきゅう》、冷眼傍観《れいがんぼうかん》

革故鼎新 かくこ ていしん

準1級

意味 **古い制度や習慣を改めて新しいものにすること。** 「革故」「鼎新」ともに、古い物事を改めること。革新の意。

補説 「革は故《ふる》きを去るなり、鼎は新しきを取るなり」の略。また「鼎新革故」ともいう。

出典 『易経《えききょう》』〈雑卦《ざっか》〉

類義語 革旧鼎新《かくきゅうていしん》

鶴寿千歳 かくじゅ せんざい

準1級

意味 **長寿のこと。** 「鶴寿」は鶴《つる》の寿命のこと、「千歳」は千年の意。鶴は千年も生きるということから。

字体 「寿」の旧字体は「壽」。

出典 『淮南子《えなんじ》』〈説林訓《ぜいりんくん》〉

類義語 亀鶴之寿《きかくのじゅ》、千秋万歳《せんしゅうばんざい》

廓然大公 かくぜん たいこう 準1級

意味 **私意や偏りがなくからりとして大いに公平であること。** 聖人の心を学ぶ者の心構えを述べた語。「廓然」はわだかまりなく心がからりと広いさま。「大公」は大いに公平なこと。

補説 「大公」は「太公」とも書く。

出典 『河《か》南《なん》程《てい》氏《し》文《ぶん》集《しゅう》』〈二・答横渠張子厚先生書《おうきょちょうしこうせんせいにこたうるしょ》(定性書《ていせいしょ》)〉

格致日新 かくち にっしん 4級

意味 **物事の本質を追求して知識を高め、日々向上していくこと。**「格致」は「格物致知」の略で、物事の道理をきわめ、学問・知識を高めること、「日新」は日ごとに新たに徳を増す意。

補説 「格《かく》致《ち》日《ひび》に新たなり」とも読む。

学知利行 がくち りこう 5級

意味 **人がふみ行うべき道を、後天的に学んで理解し、そのよさを認め、意識的に仁道を実践すること。**「学知」は道を学び習って知ること、「利行」は役に立つと認めて実行する意(→困《こん》知《ち》勉《べん》行《こう》)。

字体 「学」の旧字体は「學」。

出典 『中庸《ちゅうよう》』〈二〇章〉

廓然大悟 かくねん たいご 準1級

意味 **心にわだかまりがなく、至高の境地で真理を悟ること。**「廓然」は心にわだかまりがなく広々と開けていること、「大悟」は真理を悟る意。仏教の語。

出典 『観《かん》無《む》量《りょう》寿《じゅ》経《きょう》』

類義語 恍《こう》然《ぜん》大《たい》悟《ご》、大《たい》悟《ご》徹《てっ》底《てい》、翻《ほん》然《ぜん》大《たい》悟《ご》

格物致知 かくぶつ ちち 4級

意味 **物事の本質をつきつめて理解し、知識を深めること。**「格」は至るの意。「格物」は物事を究極までつきつめること、「致知」は知識を最高にまで深めること。

補説 「致知格物」ともいう。

出典 『礼《らい》記《き》』〈大《だい》学《がく》〉

鶴鳴之士 かくめいの し 準1級

意味 **用いられることなく、不遇な状態にある賢人のこと。**「鶴鳴」は鶴《つる》の鳴き声のこと。隠れ住む賢人を、気品のある鳴き声はしても、姿は深い沢の中で見えない鶴にたとえていったもの。また、気品高く遠くまで響きわたる鶴の鳴き声から、多くの人々から信頼され尊敬される人の意に用いることもある。

出典 『詩《し》経《きょう》』〈小《しょう》雅《が》・鶴《かく》鳴《めい》〉

鶴翼之囲 かくよくの かこみ 準1級

意味 **左右に長く広がった陣形をめぐらすこと。**「鶴翼」は鶴《つる》が翼《つばさ》を広げたときのように左右に長く張りだした陣形。

字体 「囲」の旧字体は「圍」。

類義語 鶴《かく》翼《よく》之《の》陣《じん》、魚《ぎょ》鱗《りん》鶴《かく》翼《よく》

鶴立企佇 かくりつ きちょ 1級

意味 **心から待ち望むこと。**「企」はつまさき立つこと、「佇」は待ち望む意。鶴《つる》が立っている姿のように、つまさき立って、人や物事を待ち望む意。

補説 略して「鶴《かく》企《き》」ともいう。

出典 『三《さん》国《ごく》志《し》』〈魏《ぎ》書《しょ》・陳《ちん》思《し》王《おう》植《しょく》伝《でん》〉

類義語 延《えん》頸《けい》鶴《かく》望《ぼう》、延《えん》頸《けい》挙《きょ》踵《しょう》

嫁鶏随鶏 かけい ずいけい 準2級

意味 **妻が夫に従うことのたとえ。**「嫁鶏」は嫁いだにわとり。めんどりはおんどりに従うの意から転じた。

補説 「嫁《か》鶏《けい》、鶏《けい》に随《したが》う」とも読む。また「鶏」は「雞」とも書く。

字体 「鶏」の旧字体は「鷄」、「随」の旧字体は「隨」。

出典 許《きょ》有《ゆう》士《し》の詩

類義語 夫《ふ》唱《しょう》婦《ふ》随《ずい》

瓦鶏陶犬 がけいとうけん 2級

⇩陶犬瓦鶏（とうけんがけい）

家鶏野雉 かけいやち 1級

意味 **ありふれた古いものを遠ざけて、珍しくて新しいものを大切にすること。**「雉」はきじ。家で飼っている鶏を嫌って野性のきじの方を好むこと。

補説 「家鶏を厭《いと》い、野雉を愛す」の略。また「鶏」は「雞」とも書く。

字体 「鶏」の旧字体は「鷄」。

故事 晋《しん》の庾翼《ゆよく》が自分の書を家鶏に、王羲之《おうぎし》の書を野雉にたとえ、当時の人が家鶏をいやしみ野雉を愛しているのを嘆いた故事から。

出典 『太平御覧《たいへいぎょらん》』〈九一八引『晋書《しんじょ》』〉

類義語 家鶏野鶩《かけいやぼく》

寡見少聞 かけんしょうぶん 準2級

⇩寡聞少見（かぶんしょうけん）

嘉言善行 かげんぜんこう 準1級

意味 **人の戒めとなるよい言葉とよい行い。**「嘉言」はよい言葉、りっぱな言葉。「善行」はよい行い。

注意 「嘉言」を「寡言」「過言」などと書き誤らない。

夏侯拾芥 かこうしゅうかい 準1級

意味 **学問を修めるのが大切なこと。**漢の夏侯勝《かこうしょう》が、学問を修めれば、官職を得ることなど地面のごみを拾うように容易だ、と教えたことから。「拾芥」はごみを拾う意で、物事のたやすいこと、得るのに容易なことのたとえ。夏侯勝は、太《たい》傅《ふ》（天子の補佐役）となった経学者《けいがくしゃ》。

補説 「夏侯《かこう》、芥《あくた》を拾《ひろ》う」とも読む。

注意 「夏侯」の「侯」を「候」、「拾芥」の「拾」を「捨」と書き誤りやすい。

出典 『漢書《かんじょ》』〈夏侯勝伝《かこうしょうでん》〉

歌功頌徳 かこうしょうとく 1級

意味 **人のてがらや徳をほめたたえて歌うこと。**「歌功」は功績をたたえて歌うこと、「頌徳」は人徳の高さをほめたたえる意。

補説 「功《こう》を歌い徳を頌《たた》う」とも読む。

出典 揚雄《ようゆう》の「趙充国頌《ちょうじゅうこくしょう》」

花紅柳緑 かこうりゅうりょく 準2級

意味 **人の手を加えていない自然のままの美しさのこと。**紅《あか》い花と緑の柳で代表させて、自然の美しさを表した言葉。禅宗の語。

補説 「柳緑花紅」ともいう。

画虎類狗 がこるいく 準1級

意味 **才能のない者が本物をまねても、似ているだけで実際は違うものになってしまうということ。**「類」は似ること。絵の才能がない者が虎《とら》の絵を描こうとして描いても、犬に似た絵になってしまうということから。

補説 「虎を画《えが》いて狗《く》に類す」とも読む。また「虎《とら》を画《えが》いて成《な》らず、反《かえ》って狗《く》に類《るい》す」の略。

字体 「画」の旧字体は「畫」。

出典 『後漢書《ごかんじょ》』〈馬援伝《ばえんでん》〉

類義語 画虎成狗《がこせいく》、刻鵠類鶩《こくこくるいぼく》

河山帯礪 かざんたいれい 準1級

意味 **永く変わらない堅い誓約のこと。また、国が永遠に栄えること。**「河」は黄河、「山」は泰山をいい、「礪」は砥石《といし》のこと。たとえあの広い黄河が帯のように細くなり、高い泰山がすりへって砥石のように平らになるようなことがあっても、永く変わらないという意。

補説 「礪山帯河」「山礪河帯」ともいう。また、「帯礪」は「帯厲」とも書く。

字体 「帯」の旧字体は「帶」。

出典 『史記』〈高《こう》祖《そ》功臣《こうしん》侯者《こうしゃ》年表《ねんぴょう》〉

類義語 帯厲《たいれい》之《の》誓《ちかい》

加持祈禱　かじきとう　準1級

意味 **病気や災難などを除くために神仏に祈ること。**「加持」は仏の加護を祈り災難を除くことを祈る法のこと、「祈禱」は神仏に祈る意。

和氏之璧　かしのへき　準1級

意味 **この世にめったにない宝物。**「和氏」は人名、「璧」は玉のこと。

補説 「璧」は「たま」とも読む。

注意 「璧」を「壁」と書き誤りやすい。

故事 中国春秋《しゅんじゅう》時代、楚《そ》の卞和《べんか》が山中で宝玉を手に入れて、厲王《れいおう》に献じたところ、つまらない石と見られて罰に左足を切られ、のちに武王に献上したが、これもただの石とされて右足を切られた。そののち、文王のときになってようやく宝玉であると認められたという故事から。

出典 『韓非子《かんぴし》』〈和氏《かし》〉

類義語 連城《れんじょう》之《の》璧《へき》、卞和《べんか》之《の》璧《へき》、隋珠《ずいしゅ》和璧《かへき》

家常茶飯　かじょうさはん　4級

⇩**日常茶飯**（にちじょう さはん）

過剰防衛　かじょうぼうえい　準2級

意味 **自分を守るために一定の限度を超えて応戦すること。**

字体 「剰」の旧字体は「剩」、「衛」の旧字体は「衞」。

注意 「過剰」を「過乗」と書き誤らない。

対義語 正当防衛《せいとうぼうえい》

華燭之典　かしょくのてん　準1級

意味 **結婚式をいう。**「華燭」ははなやかで美しいともしび、婚礼の席のともしび。転じて、結婚式。「典」は儀式の意。

華胥之夢　かしょのゆめ　1級

意味 **よい夢。**また、**昼寝のこと。**「華胥」は理想郷といわれる架空の国のこと。

故事 中国伝説上の聖天子黄帝《こうてい》は、国がうまく治まらないことを心配していた。あるとき、昼寝をして、その夢の中で華胥という国へ行ったところ、そこは命令する者も欲に目がくらむ者もいない、ごく自然な治世が行われている理想郷であった。目覚めた黄帝は、無為自然が政治の基本であると悟ったという故事から。

出典 『列子《れっし》』〈黄帝《こうてい》〉

類義語 華胥《かしょ》之《の》国《くに》

家書万金　かしょばんきん　4級

意味 **家族からの手紙は、何よりもうれしいということ。**旅先で受ける家族からの手紙は万金にも値する意。「家書」は家からの便りのこと、「万金」は多額の金銭・大金の意。

補説 「家書万金に抵《あた》る」の略。「抵」は相当する意。

字体 「万」の旧字体は「萬」。

出典 杜甫《とほ》の「春望《しゅんぼう》」詩

禾黍油油　かしょゆうゆう　準1級

意味 **物が勢いよくみごとに生長するさま。**「禾」は稲、「黍」はきびのこと、「油油」は草などがつやつやとして勢いがよいさまをいう。

出典 『史記』〈宋世家《そうせいか》〉

画脂鏤氷　がしろうひょう　1級

意味 **苦労して効果のないたとえ。**また、**力を無用なところに用いるたとえ。**「画脂」は油に絵をかくこと、「鏤」は彫《ほ》りつける意で、「鏤氷」は氷に彫刻をすること。

補説 「脂《あぶら》に画《えが》き氷に鏤《ちりば》む」とも読む。また「画脂」は「かくし」とも読み、「鏤

氷」は「鏤氷」とも書く。

字体 「画」の旧字体は「畫」。

出典 『塩鉄論《えんてつろん》』〈殊路《しゅろ》〉

類義語 凋氷画脂《ちょうひょうがし》、鏤氷雕朽《ろうひょうちょうきゅう》

佳人才子 かじん さいし
3級

⇨才子佳人（さいしかじん）

臥薪嘗胆 がしん しょうたん
準1級

意味 **目的を達成するために機会を待ち、苦労を耐え忍ぶこと。**「臥薪」は堅い薪《たきぎ》の上で寝ること、「嘗胆」は苦い胆《きも》を嘗《な》めること。仇《あだ》を討つために労苦を自身に課して、機が至るまで苦労を重ねる意。

字体 「胆」の旧字体は「膽」。

注意 「嘗」を「掌」と書き誤りやすい。

故事 春秋時代、呉王夫差《ふさ》が、父の敵《かたき》である越王勾践《こうせん》を討つために、薪の上に寝て復讐《ふくしゅう》心をかきたて、のち、これを破った。会稽《かいけい》山で夫差に敗れた勾践は、苦い胆を嘗めてはその恥を忘れまいとし、のち、夫差を滅ぼしたという故事から。

出典 『十八史略《じゅうはっしりゃく》』〈春秋戦国《しゅんじゅうせんごく》〉

類義語 坐薪懸胆《ざしんけんたん》

雅人深致 がじん（の）しんち
4級

意味 **世俗を離れた風流な人の趣深いさま。**「雅人」は俗を離れた風流な人・奥ゆかしい人、「致」は趣・ようすの意。

出典 『世説新語《せせつしんご》』〈文学《ぶんがく》〉

軻親断機 かしん だんき
1級

意味 **中途で志を捨ててはいけないという教え。**「軻」は孟軻《もうか》（孟子）のこと、「軻親」は孟軻の母親の意。「断機」は織り布を断ち切ること。

字体 「断」の旧字体は「斷」。

故事 「断機之戒《だんきのいましめ》」の項参照。

出典 『列女伝《れつじょでん》』〈鄒孟軻母《すうもうかぼ》〉

類義語 孟母断機《もうぼだんき》、断機之戒《だんきのいましめ》

佳人薄命 かじん はくめい
3級

意味 **美人はとかく命が短い。美人はとかく薄幸である。**「薄命」は運命に恵まれないこと。

注意 「佳人」を「歌人」「家人」などと書き誤らない。

出典 蘇軾《そしょく》の「薄命佳人《はくめいかじん》-詩」

類義語 美人薄命《びじんはくめい》、才子多病《さいしたびょう》、紅顔薄命《こうがんはくめい》

嘉辰令月 かしん れいげつ
準1級

意味 **めでたい月日のこと。**「嘉」「令」はともに、よい意、「辰」は日のこと。よい日とよい月のこと。

注意 「嘉辰」を「喜辰」と書き誤らない。

苛政猛虎 かせい もうこ
2級

意味 **民衆にとって苛酷な政治は人食い虎《とら》よりももっと恐ろしいということ。**

補説 「苛政」は民衆をいじめるむごい政治。「苛政は虎よりも猛《たけ》し」とも読む。

故事 あるとき、孔子が道ばたで泣いている婦人にそのわけをたずねたところ、夫の父親、夫、息子が虎に食い殺されたと答えた。そこで、そんな恐ろしい土地をどうして離れないのかをたずねると、ここには苛酷な政治がないからと言ったという故事から。

出典 『礼記《らいき》』〈檀弓《だんぐう》・下〉

雅俗折衷 がぞく せっちゅう
準2級

意味 **風雅なものと卑俗なものとを適当に取捨して用いること。**また、地の文は雅語（文語体）、会話は俗語（口語体）を用いた雅俗折衷体の文体のこと。この文体を使用した作品としては、井原西鶴《いはらさいかく》の浮世草子、坪内逍遥《つぼうちしょうよう》の『当世書生気質《とうせいしょせいかたぎ》』、幸田露伴の『五重塔』などがあげられる。

画蛇添足 がだ てんそく
準2級

意味 **無用なものをつけ足すこと。**蛇《だ》

足《そく》。よけいなもの。

補説 「蛇《へび》を画《えが》きて足を添う」とも読む。「画蛇」は「がじゃ」とも読む。

字体 「画」の旧字体は「畫」。

故事 数人集まり、蛇の絵をいちばん先に描いた者が一杯の酒を飲むことになったが、最初に描きあげた者が調子にのって足まで描いて、他の男に蛇には足がないと言われ酒を奪われてしまったという故事から。

出典 『戦国策《せんごくさく》』〈斉策《せいさく》〉

類義語 為《い》蛇《だ》画《が》足《そく》、為《い》蛇《だ》添《てん》足《そく》、妄《もう》画《が》蛇《だ》足《そく》

夏虫疑氷 かちゅう ぎひょう 5級

意味 **見聞のせまい者が、自分の知識以外のものを信じようとしないこと。** 夏だけ生きる虫は、他の季節を知らないので、冬に氷というものがあるということを信じないという意から。

補説 「夏虫《かちゅう》、氷《こおり》を疑《うたが》う」とも読む。また「疑氷」は「疑冰」とも書く。

出典 『荘子《そうじ》』〈秋水《しゅうすい》〉

類義語 井《せい》蛙《あ》之《の》見《けん》、尺沢《せきたく》之《の》鯢《げい》、埳井《かんせい》之《の》鼃《あ》、井底《せいてい》之《の》蛙《あ》

花朝月夕 かちょう げっせき 4級

意味 **春秋の季節の楽しみをいう。** 春は朝咲く花、秋は夕の月を愛《め》でる楽しみというほどの意。また、陰暦二月十五日を花朝、八月十五日を月夕という。

出典 『旧唐書《くとうじょ》』〈羅威伝《らいでん》〉

類義語 花晨《かしん》月夕《げっせき》、花朝《かちょう》月夜《げつや》

花鳥諷詠 かちょう ふうえい 1級

意味 **自然とそれにまつわる人事を、そのまま客観的に詠ずること。**「花鳥」は自然のたとえ、「諷詠」は詩歌を作ること。

補説 俳人、高浜虚子《きょし》が提唱し、ホトトギス派の基本理念となった語。

花鳥風月 かちょう ふうげつ 5級

意味 **自然の風景・風物。自然の美しさのたとえ。** また、自然を題材とした詩歌などをたしなむ風流にもたとえる。

類義語 春《しゅん》花《か》秋《しゅう》月《げつ》、雪《せつ》月《げつ》風《ふう》花《か》

隔靴搔痒 かっか そうよう 1級

意味 **思いどおりにいかず、はがゆく、もどかしいこと。** 靴を隔《へだ》てて痒《かゆ》いところをかくという意味で、痒いところに手が届かないはがゆさ・もどかしさをいう。

補説 「靴《くつ》を隔《へだ》てて痒《かゆ》きを搔《か》く」とも読む。また「搔痒」は「搔癢」とも書く。

出典 『景徳伝灯録《けいとくでんとうろく》』〈二二〉

類義語 掉《とう》棒《ぼう》打《だ》星《せい》、隔《かっ》靴《か》爬《は》痒《よう》

対義語 麻《ま》姑《こ》搔《そう》痒《よう》

渇驥奔泉 かっき ほんせん 1級

意味 **勢いが激しいこと。** また、**書の筆勢が力強いこと。**「驥」は一日に千里を走るという駿馬《しゅんめ》のこと、「奔」は勢いよく走る意。のどが渇いた駿馬が、泉にむかって勢いよく走り寄るということから。

補説 「渇驥《かっき》、泉《いずみ》に奔《はし》る」とも読む。

出典 『唐書《とうじょ》』〈徐浩伝《じょこうでん》〉

恪勤精励 かっきん せいれい 1級

⇩**精励恪勤**（せいれいかっきん）

活計歓楽 かっけい かんらく 4級

意味 **ぜいたくをして気ままに楽しむこと。**「活計」はここではぜいたくの意。

字体 「歓」の旧字体は「歡」、「楽」の旧字体は「樂」。

類義語 贅沢《ぜいたく》三昧《ざんまい》

割鶏牛刀 かっけい ぎゅうとう 3級

意味 **とるにたりないことを、大げさな方法で処理することの戒め。** にわとりをさばくのに牛を切り裂くための大きな包丁を使う意。

補説 「鶏《にわとり》を割《さ》くに焉《いずく》んぞ牛刀《ぎゅうとう》を用《もち》いん」の略。「割鶏」は「割雞」とも書く。また「牛刀割鶏」ともいう。

字体 「鶏」の旧字体は「鷄」。

出典 『論語』〈陽貨《ようか》〉

確乎不抜 かっこふばつ

準1級

意味 **意志がしっかりとしていて、動じないこと。**「確乎」はしっかりと定まっていること、「不抜」は抜けない、動かせないの意。

補説 「確乎」は「確固」とも書く。

字体 「抜」の旧字体は「拔」。

出典 『易経《えききょう》』〈乾《けん》〉

類義語 確乎不動《かっこふどう》

活殺自在 かっさつじざい

5級

意味 **他を自分の思うとおりに扱うこと。**「活殺」は生かすことと殺すこと、「自在」は自分の思いのままの意。生かすも殺すも思いのままということ。

類義語 生殺与奪《せいさつよだつ》

合従連衡 がっしょうれんこう

準2級

意味 **その時の利害に応じて、団結したり離れたりすること。**「従」は縦《たて》の意、「衡」は横の意で、縦の同盟と横の同盟ということ。「合従」は、中国戦国時代、西方の強大国秦《しん》に対して、南北に連なった六か国(趙《ちょう》・魏《ぎ》・韓《かん》・燕《えん》・斉《せい》・楚《そ》)が、縦の連盟をして対抗した蘇秦《そしん》の政策のこと。「連衡」は、この六か国が秦と個別に同盟を結ぶという、横(東西)の関係を重んじた張儀《ちょうぎ》の政策のこと。

補説 「合従」は「合縦」とも書く。

出典 『史記』〈孟軻伝《もうかでん》〉

類義語 合従連横《がっしょうれんおう》

豁然大悟 かつぜんたいご

1級

意味 **迷いや疑いがにわかに解けて、真理を悟ること。**「豁然」の「豁」は、からっと開ける意。「大悟」は大いに悟る、悟りを開く、迷いを脱して真理を悟ること。

注意 「豁然」を「割然」と書き誤らない。

出典 『祖庭事苑《そていじえん》』

闊達自在 かったつじざい

1級

意味 **心が広く物事にこだわらないさま。**「闊達」は度量の大きいこと、「自在」はなにものにもとらわれず心のままであること。

補説 「闊達」は「豁達」とも書く。

類義語 自由闊達《じゆうかったつ》

豁達大度 かったつたいど

1級

意味 **気持ちがからりとしていて、度量が広いこと。**「豁達」「大度」はともに物にこだわらない、度量が広い意。

類義語 寛仁大度《かんじんたいど》

活剝生呑 かっぱくせいどん

準1級

意味 **他人の詩や文章などをそのまま盗用すること。**剽窃《ひょうせつ》。また、融通がきかないこと。「活剝」は生きたまま皮を剝《は》ぎとる、「生呑」は生きたまま丸のみする意。

補説 「生呑活剝」ともいう。

出典 『大唐新語《だいとうしんご》』〈諧謔《かいぎゃく》〉

活潑潑地 かつはつはっち

準1級

意味 **生き生きと活動すること。意気盛んで、なんの心配事もないこと。**「潑潑」は魚が勢いよく水の上にはねること。

補説 「かっぱつぱっち」「かっぱつはっち」とも読む。「地」は助字。語構成は「活」+「潑潑」+「地」。

出典 『中庸章句《ちゅうようしょうく》』〈一二章〉

刮目相待 かつもくそうたい

1級

意味 **人が著しく進歩・成長するのを待ち望むこと。**また、**今までとは違った**

見方で相手を見直すこと。「刮目」は目をこすってかっと見開くこと。

補説　「刮目《かつもく》して相待《あいま》つ」とも読む。

故事　中国三国時代、呉の呂蒙《りょもう》が孫権の忠告に従い学問に励んでその進歩のはやさで魯粛《ろしゅく》を驚かせたとき、呂蒙が「立派な男は三日別れているだけで、もう目を見開いて見なくてはならないものだ」と言った故事から。

出典　『三国志《さんごくし》』〈呉書《ごしょ》・呂蒙伝《りょもうでん》・注〉

類義語　刮目相看《かつもくそうかん》

華亭鶴唳　かてい かくれい　1級

意味　**過去の栄華を懐かしく思い、現状を嘆くさま。**「華亭」は地名、「鶴唳」は鶴《つる》の鳴き声のこと。

注意　「鶴唳」を「鶴涙」と書き誤らない。

故事　晋《しん》の陸機《りくき》がまさに殺されようとしたとき、かつて華亭で鶴の声を聞いて楽しんだことを思い出して嘆いた語。

出典　『晋書《しんじょ》』〈陸機伝《りくきでん》〉

過庭之訓　かていの おしえ　準1級

意味　**父の教えのこと。**また、**家庭での教育のこと。**「訓」はおしえ、教訓。

補説　略して「庭訓」ともいう。

注意　「過庭」を「家庭」と書き誤らない。

故事　孔子がその子である鯉《り》が庭を通ったとき呼び止めて詩や礼を学ぶように教えた故事から。

出典　『論語』〈季氏《きし》〉

我田引水　がでん いんすい　4級

意味　**自分の都合のよいように、考えたり事を進めたりすること。**自分の田にだけ水を引き入れる意から、まわりのことは考えないで、自分の利益になるように言ったり行動したりすること。

補説　「我《わ》が田に水を引く」とも読む。

類義語　手前勝手《てまえがって》、牽強附会《けんきょうふかい》

瓜田李下　かでん りか　準1級

⇩**李下瓜田**（りかかでん）

寡頭政治　かとう せいじ　準2級

意味　**少数者が統治権をにぎって行う政治。**「寡頭」は少数の支配者の意。

家徒四壁　かと しへき　4級

意味　**非常に貧しいさま。**「徒」は「ただ」と読み、…だけの意。家の中に何もなく、ただ四方の壁だけが立っているという意。

補説　「家《いえ》徒《ただ》四壁のみ立つ」の略。

出典　『史記』〈司馬相如伝《しばしょうじょでん》〉

類義語　家徒壁立《かとへきりつ》

河図洛書　かと らくしょ　準1級

意味　**めったに手に入れることができない図書のこと。**「河図」は中国古代の伝説で、伏羲《ふっき》の世に、黄河から現れた竜馬《りょうば》の背の旋毛（うず巻いた毛）の形を写したという図のことで、易の八卦《はっか》のもととなったという。「洛書」は夏《か》の禹王《うおう》のとき、洛水から現れた神亀《しんき》の背の文字を写したという図のことで、『書経』〈洪範〉のもとになったという。得がたい図書の意。

字体　「図」の旧字体は「圖」。

注意　「洛書」を「落書」と書き誤らない。

出典　『易経《えききょう》』〈繋辞《けいじ》・上〉

家貧孝子　かひん こうし　4級

意味　**家が貧しいと孝行な子供ができるということ。**また、**人は逆境のときこそ真価があらわれるということ。**「孝子」は親孝行な子供の意。

補説　「家貧しくして孝子出《い》づ」の略。

出典　『宝鑑《ほうかん》』

禍福倚伏　かふく いふく　1級

意味　**わざわいと幸せは互い違いにや**

ってくるものだということ。 わざわいがあると思うとそのかげに幸いが寄り添い、幸いがあると思うとわざわいがひそんでいる意。「禍福」はわざわいと幸いのこと、「倚伏」は禍の中に福、福の中に禍がひそむ意。

出典　『老子《ろうし》』〈五八章〉

類義語　禍福糾纆《かふくきゅうぼく》、禍福之転《かふくのてん》、禍福相《かふくそう》倚《い》、禍福相貫《かふくそうかん》、塞翁之馬《さいおうのうま》

禍福糾纆　かふく きゅうぼく　準2級

意味　**福あれば禍ありということ。** わざわいと幸せは交互にやってくるという意。「糾纆」は、よりあわせた縄のこと。

補説　「禍福は糾《あざな》える纆《なわ》の如《ごと》し」の略。

出典　『漢書《かんじょ》』〈賈誼伝《かぎでん》〉

類義語　禍福倚伏《かふくいふく》、禍福相貫《かふくそうかん》、塞翁之馬《さいおうのうま》

禍福得喪　かふく とくそう　準2級

意味　**わざわいにあったり、幸いにあったり、成功して出世したり、位を失ったりすること。**

出典　蘇軾《そしょく》の「与李公択書《りこうたくにあたうるのしょ》」

類義語　禍福糾纆《かふくきゅうぼく》

禍福無門　かふく むもん　準2級

意味　**わざわいや福はその人自身が招くものだということ。** わざわいや幸福がやってくるのに一定の入り口があるわけではなく、その人が悪行をはたらけば禍が入り、善行をすれば福が入るものだという意。

補説　「禍福門《かふくもん》無《な》し」とも読む。

出典　『春秋左氏伝《しゅんじゅうさしでん》』〈襄公《じょうこう》二三年〉

類義語　禍福同門《かふくどうもん》、自業自得《じごうじとく》、福善禍淫《ふくぜんかいん》

瓦釜雷鳴　がふ らいめい　準1級

意味　**小人《しょうじん》や讒言《ざんげん》が用いられるたとえ。** また、**能もないのにいばりわめくこと。** 素焼きの粗末な釜《かま》が煮え立つと大きな音をたてるように、実力のない者が地位をかさに着ていばりちらすこと。

出典　『楚辞《そじ》』〈卜居《ぼくきょ》〉

寡聞少見　かぶん しょうけん　準2級

意味　**見聞がせまく、わずかな知識しかないこと。**「寡」は「少」と同じで、少ないこと。見聞が少ない意。

補説　「寡見少聞」ともいう。

出典　『漢書《かんじょ》』〈匡衡伝《きょうこうでん》〉

類義語　寡見鮮聞《かけんせんぶん》

瓜剖豆分　かぼう とうぶん　準1級

意味　**瓜《うり》や豆を割るように分裂・分割すること。**「剖」は裂く、分ける意。

補説　「瓜《うり》のごとく剖《さ》き豆《まめ》のごとく分《わ》く」とも読む。また、「豆剖瓜分」「豆分瓜剖」ともいう。

注意　「瓜剖」を「爪剖」と書き誤らない。

出典　鮑照《ほうしょう》の「蕪城賦《ぶじょうのふ》」

我武者羅　がむしゃら　準2級

意味　**向こう見ずにひたすら突き進むこと。** 他のことを考えずひたすらあることに専念すること。また血気にはやること。「我武者《がむしゃ》」でも同意で、「我貪(がむさぼり)」から転化したもの。

補説　語構成は「我武者」+「羅」。「武者」はあて字ともいわれる。

類義語　我武者者《がむしゃもの》

烏之雌雄　からすの しゆう　準1級

意味　**物事の是非善悪がまぎらわしくて判断しにくいことのたとえ。** からすのめすとおすは判別しにくいことからいう。

注意　「烏」を「鳥」と書き誤らない。

出典　『詩経《しきょう》』〈小雅《しょうが》・正月《しょうがつ》〉

下陵上替　かりょう じょうたい　3級

意味　**世の中が乱れたさま。**「陵」はしのぐ、のりこえる意。「替」はすたれる、

衰えること。下が上をしのいで、上の者が衰える意。

補説 「下克上《げこくじょう》」と同じ。「下《しも》陵《しの》ぎ上《かみ》替《すた》る」とも読む。

出典 『春秋《しゅんじゅう》左《さ》氏《し》伝《でん》』〈昭公《しょうこう》一八年〉

画竜点睛 がりょうてんせい　1級

意味 **物事の最も大切なところ。物事を完成するための最後の大切な仕上げ。**「睛」は目玉のことで、「画竜点睛を欠く」と用いて、物事の肝心なところの意。「画竜点睛を欠く」と用いて、物事の肝心なところの意。

補説 「画竜」は「がりゅう」とも読む。

字体 「画」の旧字体は「畫」、「竜」の旧字体は「龍」、「点」の旧字体は「點」。

注意 「睛」を「晴」と書き誤りやすい。

故事 南朝梁《りょう》の絵の名人張僧繇《ちょうそうよう》が寺に竜の絵を描いたが、睛《ひとみ》を入れると竜が飛び去ってしまうといって、睛を描き入れなかった。それを信用しなかった人々が無理やり睛を描き入れさせたところ、たちまち竜が天に昇ったという故事から。

出典 『歴代名画記《れきだいめいがき》』

類義語 点睛開眼《てんせいかいがん》

河梁之吟 かりょうのぎん　準1級

意味 **親しい人を送るときの別れがたい気持ちのこと。**「河梁」は橋のこと。

故事 匈奴《きょうど》にとらわれた漢の李陵《りりょう》が、中国本土に還る蘇武《そぶ》に「手を携えて河梁に上る…」という惜別の詩を送ったという故事から。

出典 李《り》陵《りょう》の詩

類義語 河《か》梁《りょう》之《の》誼《よしみ》

迦陵頻伽 かりょうびんが　準1級

意味 **声が美しいもののたとえ。**また、美妙な声のたとえ。極楽浄土にすむといわれる鳥の名。その声はきわめて美しいといわれる。梵語《ぼんご》(古代インド語)からきた仏教語で、「好声鳥」「逸音鳥」「妙声鳥」などと意訳する。

出典 『大荘厳論経《だいしょうごんろんきょう》』〈八〉

臥竜鳳雛 がりょうほうすう　準1級

意味 **才能を持ちながら機会がなくて実力を発揮できない者のこと。**「臥竜」は寝ている竜のこと、「鳳雛」は鳳凰《ほうおう》の雛《ひな》の意。将来が有望な若者のたとえとしても用いられる。

補説 「臥竜」は「がりゅう」とも読む。

字体 「竜」の旧字体は「龍」。

注意 「臥竜」を「画竜」と書き誤らない。

出典 『資治通鑑《しじつがん》』〈漢紀《かんき》・献帝建安《けんていけんあん》一二年〉

類義語 伏竜鳳雛《ふくりょうほうすう》、孔明《こうめい》臥竜《がりょう》、猛虎伏《もうこふく》草《そう》、鳳凰在笯《ほうおうざいど》

寡廉鮮恥 かれんせんち　準2級

意味 **心が清く正しくなく恥知らずなこと。**「寡」「鮮」はともに少ない意。「廉」は心が清く正しいこと。

出典 『史記《しき》』〈司馬相如伝《しばしょうじょでん》〉

類義語 厚顔無恥《こうがんむち》

苛歛誅求 かれんちゅうきゅう　1級

意味 **税金などを情け容赦なく取りたてること。**「歛」は集める、「誅」は責める意で、「苛歛」「誅求」ともに、厳しく責めつけて取りたてること。

出典 苛歛＝『旧唐書《くとうじょ》』〈穆宗紀《ぼくそうき》〉・誅求＝『春秋《しゅんじゅう》左《さ》氏《し》伝《でん》』〈襄公《じょうこう》三一年〉

餓狼之口 がろうのくち　準1級

意味 **非常に欲が深く、残忍な人のこと。**「餓狼」は餓《う》えたおおかみのことで、残忍で強欲な人のたとえ。

出典 『晋書《しんじょ》』〈阮种伝《げんちゅうでん》〉

夏鑪冬扇 かろとうせん　1級

意味 **無用なもの、役にたたないもののたとえ。**夏の火鉢と冬の扇のことで、時期はずれの無用なもの、役にたたない

人物やもののたとえ。君主の信用や寵愛《ちょうあい》を失った者、また、恋人にすてられた女性の意でも用いる。

補説 「冬扇夏鑪」ともいう。また、「夏鑪」は「夏炉」とも書く。

出典 『論衡《ろんこう》』〈逢遇《ほうぐう》〉

類義語 冬箑夏裘《とうそうかきゅう》、六菖十菊《りくしょうじゅうぎく》

銜哀致誠　がんあいちせい

1級

意味 **哀切な気持ちと誠の心をささげて死者を弔うこと。**「銜」は心にいだく意で、「銜哀」は哀しみをいだくこと、「致誠」は真心をささげる意。人の死を悼むときに用いる語。

補説 「哀《あい》を銜《ふく》み誠《まこと》を致《いた》す」とも読む。

出典 韓愈《かんゆ》の「祭十二郎文《じゅうにろうをまつるぶん》」

含飴弄孫　がんいろうそん

準1級

意味 **老人が気楽に隠居生活をすること。**「含飴」は飴《あめ》をなめること、「弄孫」は孫とたわむれる意。飴をなめながら、孫と遊ぶということから。

補説 「飴《あめ》を含《ふく》んで孫《まご》を弄《もてあそ》ぶ」とも読む。

出典 『後漢書《ごかんじょ》』〈明徳馬皇后紀《めいとくばこうごうき》〉

閑雲野鶴　かんうんやかく

準1級

意味 **隠士の心境のたとえ。**なんの束縛もなく、のんびり暮らすこと。「閑雲」は静かに空に浮かぶ雲のこと、「野鶴」は原野に悠然と遊ぶ鶴《つる》のことで、悠々自適の生活のたとえ。

補説 「閑雲」は「間雲」とも書く。

出典 『全唐詩話《ぜんとうしわ》』〈僧貫休《そうかんきゅう》〉

類義語 間雲孤鶴《かんうんこかく》、孤雲野鶴《こうんやかく》

含英咀華　がんえいしょか

1級

意味 **文章のすぐれた部分をよく味わい、心の中に蓄積すること。**また、詩文に妙味があることのたとえ。「含英」は美しいものをふくみ味わうこと、「咀華」は華《はな》の美しさを嚙《か》みしめ味わうこと。

補説 「英《えい》を含《ふく》み華《か》を咀《くら》う」とも読む。

出典 韓愈《かんゆ》の「進学解《しんがくかい》」

類義語 咀嚼英華《そしゃくえいか》

檻猿籠鳥　かんえんろうちょう

1級

⇩**籠鳥檻猿**（ろうちょうかんえん）

韓海蘇潮　かんかいそちょう

準1級

意味 **韓愈《かんゆ》と蘇軾《そしょく》の文体を評した語。**唐の韓愈《かんゆ》の文は海のように広々としており、北宋《ほくそう》の蘇軾の文は潮《うしお》のように力強い起伏があるということ。

出典 『経史管窺《けいしかんき》』引の李耆卿《りきけい》『文章精義《ぶんしょうせいぎ》』

感慨無量　かんがいむりょう

3級

意味 **はかりしれないほど身にしみて感じること。**「感慨」は深く心に感じ思いにひたること、「無量」ははかりしれないほど量が多い意。

注意 「感慨」を「感概」と書き誤らない。

干戈倥偬　かんかこうそう

1級

意味 **戦いで忙しいこと。**「干戈」はたてとほこ、転じて戦い・戦争のこと。「倥偬」は忙しい、あわただしい意。

対義語 倒載干戈《とうさいかんか》

鰥寡孤独　かんかこどく

1級

意味 **身寄りもなく寂しいこと。**「鰥」は老いて妻のない夫、「寡」は老いて夫のない妻、「孤」はみなしご、「独」は老いて子のない者のことで、身寄りのないひとり者の意。

補説 「鰥寡」は「矜寡」とも書く。

字体 「独」の旧字体は「獨」。

出典 『孟子《もうし》』〈梁恵王《りょうけいおう》・下〉

含牙戴角　がんがたいかく

2級

意味 **牙《きば》や角《つの》をもつもの。**獣の類。

補説　「牙《きば》を含《ふく》み角《つの》を戴《いただ》く」とも読む。

出典　『淮南子《えなんじ》』〈脩務訓《しゅうむくん》〉

類義語　前爪後距《ぜんそうこうきょ》

頷下之珠　がんかのしゅ　1級

意味　**めったに手に入れることができない貴重なもののこと。**「頷下」はあごの下のこと、「珠」は宝玉の意。黒い竜のあごの下にあるという玉のことで、命がけで求めなければ得られない貴重なもののたとえ。

補説　「珠」は「たま」とも読む。

出典　『荘子《そうじ》』〈列禦寇《れつぎょこう》〉

轗軻不遇　かんかふぐう　1級

意味　**思いどおりに事が運ばず、地位や境遇に恵まれないこと。**「轗軻」は事がうまく進まないようすのことで、転じて、志を得ないことのたとえ。「不遇」は不運で、相応の地位・境遇を得ていないことで、「轗軻」と同じような意。

補説　「轗軻」は「輡軻」「坎坷」「坎軻」とも書く。

緩歌慢舞　かんかまんぶ　3級

意味　**ゆるやかに歌い、ゆるやかに舞うこと。**

補説　「慢舞」は「縵舞」とも書く。

出典　白居易《はくきょい》の「長恨歌《ちょうごんか》」

侃侃諤諤　かんかんがくがく　1級

意味　**遠慮することなくさかんに議論をするさま。**また、**遠慮せず直言すること。**「侃侃」は剛直なさま、「諤諤」ははばかることなく直言する意。

補説　略して「侃諤」ともいう。

注意　「喧喧囂囂《けんけんごうごう》（やかましく騒ぎたてる）」とは別の意。また「喧喧諤諤」は「喧囂囂」と「侃侃諤諤」を混用した誤り。

類義語　百家争鳴《ひゃっかそうめい》、議論百出《ぎろんひゃくしゅつ》

観感興起　かんかんこうき　5級

意味　**目で見、心に感じ、感動して奮起すること。**

字体　「観」の旧字体は「觀」。

寒巌枯木　かんがんこぼく　準1級

⇩**枯木寒巌**（こぼくかんがん）

関関雎鳩　かんかんしょきゅう　1級

意味　**非常に夫婦仲がよいこと。**「関関」は鳥の和らぎ鳴く声の形容。「雎鳩」は水鳥の名で、みさごの意。仲のよい雄《おす》と雌《めす》のみさごが、川の州でのどかに鳴きかわしているさまをいう。

補説　略して「関雎」ともいう。

字体　「関」の旧字体は「關」。

注意　「雎」を「睢」と書き誤らない。

出典　『詩経《しきょう》』〈周南《しゅうなん》・関雎《かんしょ》〉

類義語　比翼連理《ひよくれんり》、鴛鴦之契《えんおうのちぎり》、琴瑟相和《きんしつそうわ》

官官接待　かんかんせったい　5級

意味　**地方自治体の職員が中央官僚を公金（税金）を使ってもてなすこと。**「官官」は役人どうし、公務員どうしの意。

歓喜抃舞　かんきべんぶ　1級

意味　**大喜びするたとえ。**喜びきわまって手を打って舞う意。「抃舞」は手を打って喜び舞うこと。

字体　「歓」の旧字体は「歡」。

注意　「抃舞」を「打舞」と書き誤らない。

類義語　喜躍抃舞《きやくべんぶ》、歓欣鼓舞《かんきんこぶ》、欣喜雀躍《きんきじゃくやく》、手舞足踏《しゅぶそくとう》

緩急自在　かんきゅうじざい　3級

意味　**速度などを遅くしたり早くしたりして、思うままに操ること。**「緩急」は遅いことと早いこと、ゆるいことと厳しいこと。「自在」は思いのままであること。

類義語　一張一弛《いっちょういっし》

汗牛充棟　かんぎゅうじゅうとう　準2級

意味　**蔵書が非常に多いことのたとえ。**牛車に積んで運ぶと牛が汗だくになり、家の中に積むと棟木《むなぎ》までとどいてしまうほど、本が多いこと。

出典　柳宗元《りゅうそうげん》の「陸文通《りくぶんつう》先生《せんせい》墓表《ぼひょう》」

類義語　載籍浩瀚《さいせきこうかん》、擁書万巻《ようしょばんかん》

管窺蠡測　かんきれいそく　1級

意味　**非常に見識が狭いこと。**「管窺」はくだを通して天を見ること、「蠡測」はほら貝（一説にひさご）で海の水を測ることで、きわめて狭い見識で大事を測ることのたとえ。

補説　略して「管蠡」ともいう。

出典　東方朔《とうぼうさく》の「答客難《きゃくのなんずるにこたう》」

類義語　埳井之鼃《かんせいのあ》、井底之蛙《せいていのあ》、管窺之見《かんきのけん》

歓欣鼓舞　かんきんこぶ　準1級

⇩歓喜抃舞（かんきべんぶ）

甘言蜜語　かんげんみつご　2級

意味　**相手に取り入るための甘い言葉。**「甘言」は相手の気持ちをさそう甘い言葉、「蜜語」は男女の甘い語らい、むつごと。

注意　「蜜語」を「密語」と書き誤らない。

頑固一徹　がんこいってつ　準2級

意味　**一度決めたらあくまでも意地をはって押し通すこと。**また、そういう人の性格。「一徹」はひとすじに思いこんで強情に押し通すこと。「頑固」と同じ。

眼光炯炯　がんこうけいけい　1級

意味　**目が鋭く光るさま。**「眼光」は目の光のことだが、物事の真相を見抜く力の意もある。「炯炯」は光り輝く意。

類義語　双眸炯炯《そうぼうけいけい》

顔厚忸怩　がんこうじくじ　1級

意味　**あつかましい顔にもなお恥じる色があらわれる。**面《つら》の皮の厚いずうずうしい者でもさすがに恥ずかしい思いをすること。「忸怩」は心中で恥ずかしく思うこと。

補説　「顔厚《がんこう》にして忸怩《じくじ》たる有《あ》り」の略。

字体　「顔」の旧字体は「顏」。

出典　『書経《しょきょう》』〈五子之歌《ごしのか》〉

眼光紙背　がんこうしはい　5級

意味　**読解力が高いこと。**目の光が紙の裏まで貫くかのように書物の真意を鋭く汲《く》みとるたとえ。

補説　「眼光紙背に徹す」の略。

眼高手低　がんこうしゅてい　5級

意味　**理想は高いが実力が伴わないこと。**また、**批評はうまいが創作力がないこと。**「眼高」は見る力があること、「手低」は実行力がないこと。

類義語　志大才疎《しだいさいそ》

寒江独釣　かんこうどくちょう　準2級

意味　**冬の川で雪の中一人で釣りをする人の姿。**もと柳宗元の詩「江雪」の中でうたわれたもので、のち多くの画題となった。

字体　「独」の旧字体は「獨」。

注意　「独釣」を「独鈎」と書き誤らない。

出典　柳宗元《りゅうそうげん》の「江雪《こうせつ》-詩」

換骨奪胎　かんこつだったい　3級

意味　**外形はもとのままで中身を取りかえること。**また、**外見は同じでも内容が違うこと。**骨を取り換え、胎盤を奪うの意で、本来詩文の創作法の一つとして、古人の作品に創意を加えて独自の作品とすることをいったが、転じて、先人の作品の一部を変えて、新しい発想によるもののように見せかける意に用いられるこ

とが多い。

補説 「奪胎換骨」ともいう。

出典 『冷斎夜話《れいさいやわ》』〈一〉

類義語 点鉄成金《てんてつせいきん》

冠婚葬祭 かんこん そうさい 3級

意味 **慶弔の儀式のこと。**「冠」は元服、「婚」は婚礼、「葬」は葬儀、「祭」は祖先の祭りで、本来は人生におけるこの四つの重要な儀式のことをいう。

補説 「冠婚」は「冠昏」、「葬祭」は「喪祭」とも書く。

出典 『礼記《らいき》』〈礼運《れいうん》〉

翫歳愒日 がんさい かいじつ 1級

意味 **何もしないで怠惰な月日を過ごすこと。**「翫」「愒」はともに、むさぼる意。

補説 「歳《とし》を翫《むさぼ》り日《ひ》を愒《むさぼ》る」とも読む。

注意 「愒日」を「掲日」と書き誤らない。

出典 『春秋左氏伝《しゅんじゅうさしでん》』〈昭公元年《しょうこうがんねん》〉

類義語 無為徒食《むいとしょく》

寒山拾得 かんざん じっとく 準1級

意味 **唐の高僧、寒山と拾得のこと。**文殊《もんじゅ》・普賢《ふげん》の二菩薩《ぼさつ》の生まれかわりといわれる。ともに奇行が多く、詩人としても有名でよく画題にされる。

注意 「拾得」を「捨得」と書き誤らない。

岸芷汀蘭 がんし ていらん 準1級

意味 **花が香り高く咲き、葉が青々と茂っているさま。**水ぎわに生えた、よろいぐさやふじばかまの意。「岸」は水ぎわのがけ、「汀」は水ぎわの平地。「芷」はよろいぐさ、「蘭」はふじばかまのことで、ともに香草。

出典 范仲淹《はんちゅうえん》の「岳陽楼記《がくようろうのき》」

含沙射影 がんしゃ せきえい 準1級

意味 **陰険な方法で人に害を与えること。**「含沙」は中国南方にいるといわれるいさごむしという怪虫で、この虫が砂を含んで人の影にふきつけるとその人は病死するという。「射影」は影を射る意。

補説 「含沙《がんしゃ》影《かげ》を射《い》る」とも読む。

出典 『博物志』〈異虫〉

類義語 含沙射人《がんしゃしゃじん》

顔常山舌 がんじょうざんの した 5級

意味 **苛酷《かこく》な刑を受けてもなお、主君や国家に忠節を尽くすこと。**「顔常山」は人の名で、唐の顔杲卿《がんこうけい》のこと。

補説 語構成は「顔常山」＋「舌」。

字体 「顔」の旧字体は「顏」。

故事 中国唐の常山の太守《たいしゅ》顔杲卿は、玄宗の忠臣であったが、反乱を起こした安禄山《あんろくざん》に捕らえられた。ところが、捕らわれの身になっても安禄山を罵倒《ばとう》したため、舌を切られた。しかし、舌を切られてもなお罵倒することをやめず、唐への忠節を尽くしたという故事から。

出典 文天祥《ぶんてんしょう》の「正気歌《せいきのうた》」

干将莫邪 かんしょう ばくや 準1級

意味 **名剣の名。**「干将」は戦国時代の呉《ご》の刀工の名、「莫邪」は妻の名。二人で協力してつくった名剣のうち、雄剣に「干将」、雌剣に「莫邪」と名づけ呉王に献じたという。

補説 「莫邪」は「莫耶」「鏌鋣」とも書く。

字体 「将」の旧字体は「將」。

出典 『呉越春秋《ごえつしゅんじゅう》』〈闔閭内伝《こうりょないでん》〉

類義語 竜淵太阿《りょうえんたいあ》

旰食宵衣 かんしょく しょうい 1級

⇩宵衣旰食(しょうい かんしょく)

関雎之化 かんしょの か 1級

意味 **夫婦の仲がむつまじく、家庭がよく治まること。**「関雎」は『詩経《しきょう》』周南

の篇名《へんめい》で、文王と后妃との夫婦和合の徳を詠じた詩といわれている。その関雎の詩による教化ということから、夫婦和合の意を表す。

字体　「関」の旧字体は「關」。

注意　「関雎」を「関睢」と書き誤らない。

出典　『詩経《しきょう》』〈周南《しゅうなん》・兎罝《としゃ》・序〉

類義語　比翼連理《ひよくれんり》、関関雎鳩《かんかんしょきゅう》、鴛鴦《えんおう》之《の》契《ちぎり》、琴瑟《きんしつ》相和《そうわ》

玩人喪徳　がんじんそうとく　2級

意味　**人を軽くみてあなどると、自分の徳を失うことになるということ。**「玩人」は人をもてあそびあなどること、「喪徳」は徳をなくす意。

補説　「人《ひと》を玩《もてあそ》べば、徳《とく》を喪《うしな》う」とも読む。

出典　『書経《しょきょう》』〈旅獒《りょごう》〉

寛仁大度　かんじんたいど　準2級

意味　**心が広くて慈悲深く、度量が大きいこと。**また、その人。「寛仁」は寛大であわれみ深いこと、「大度」は人間の度量が大きいさま。

注意　「大度」を「態度」と書き誤らない。

出典　『漢書《かんじょ》』〈高帝紀《こうていき》〉

類義語　寛洪大量《かんこうたいりょう》

韓信匍匐　かんしんほふく　1級

意味　**大きな目的のために一時の屈辱にも怒りを押さえ恥を忍ぶこと。**韓信が腹ばいになって股下《またした》をくぐる意。韓信は漢の高祖《こうそ》劉邦《りゅうほう》の臣で名将。漢の建国に功があった。「匍匐」は腹ばいに進む意。

補説　「匍匐」は「蒲伏」とも書く。

故事　韓信が若いころ淮陰《わいいん》の少年にさげすまれ、「お前は立派な長剣をぶらさげているが臆病《おくびょう》風に吹かれているだけ。やれるものならそれで一突きしてみな。できないなら俺《おれ》の股下をくぐれ」といわれた。韓信はじっと相手を見据えると、腹ばいになって股下をくぐったという故事から。「韓信の股くぐり」という句で有名。

出典　『史記』〈淮陰侯伝《わいいんこうでん》〉

甘井先竭　かんせいせんけつ　1級

意味　**才能のある者ほど先に憂《う》き目《め》にあうということ。**うまい水の出る井戸には人が群れてたちまち汲《く》みつくしてしまうことから、なまじ才能があるばかりに他の者より早く憂き目にあうということ。

補説　「甘井《かんせい》、先《ま》ず竭《つ》く」とも読む。

出典　『荘子《そうじ》』〈山木《さんぼく》〉

類義語　山木自寇《さんぼくじこう》

坎井之鼃　かんせいのあ　1級

意味　**広い世間を知らないで、自分だけの狭い見識にとらわれること。**「坎井」は古くなって壊れた井戸のこと。「鼃」はかえる。古井戸にすむ蛙《かえる》の意。「井の中の蛙《かわず》、大海を知らず」と同じ。

補説　「坎井」は「埳井」とも書く。

故事　古井戸に住んでいる蛙が海に住む大亀に「私はこの広々とした水を一人占めにし、自由自在に泳ぎまわることができてとても楽しい。あなたも井戸の中へお入りなさい」といったので、大亀が井戸に入ろうとするとたちまち井桁《いげた》につかえてしまった。そこで海の広さ・深さについて説明したところ、蛙はびっくりして気を失ってしまったという故事から。

出典　『荘子《そうじ》』〈秋水《しゅうすい》〉

類義語　井底《せいてい》之《の》蛙《あ》、尺沢《せきたく》之《の》鯢《げい》、管窺蠡測《かんきれいそく》

干戚羽旄　かんせきうぼう　1級

意味　**武の舞と文の舞のこと。**夏《か》の禹《う》王が始めた舞楽。「干戚」はたてとまさかりを持って舞う、武の舞のこと、「羽旄」は雉《きじ》の羽と旄牛《からうし》の尾で作った飾りを持って舞う、文の舞の意。

出典　『礼記《らいき》』〈楽記《がくき》〉

冠前絶後　かんぜんぜつご

3級

意味　**きわめて珍しいこと。**今までにおいて最高であり、これからもないであろうようなこと。「冠」は他に類がないほどすぐれている意。

注意　「冠前」を「完全」「敢然」などと書き誤らない。

故事　宋《そう》の徽《き》宗《そう》帝《てい》が「画《え》を描く能力において、顧《こ》愷《がい》之《し》は、彼以前にはくらべられる者がなく、張《ちょう》僧《そう》繇《よう》は、彼以後にはくらべられる者がないと言われるが、呉《ご》道《どう》子《し》は、その二人を兼ね備えたほどの才能がある」といった故事から。

出典　『宣《せん》和《な》画《が》譜《ふ》』〈二〉

類義語　空《くう》前《ぜん》絶《ぜっ》後《ご》、曠《こう》前《ぜん》絶《ぜっ》後《ご》

勧善懲悪　かんぜんちょうあく

準2級

意味　**善行を奨励して、悪行を懲《こ》らしめ、悪い行いをしないようにしむけること。**

補説　「善《ぜん》を勧《すす》めて悪《あく》を懲《こ》らす」とも読む。また、「懲悪勧善」ともいう。

字体　「勧」の旧字体は「勸」、「悪」の旧字体は「惡」。

出典　『春《しゅん》秋《じゅう》左《さ》氏《し》伝《でん》』〈成《せい》公《こう》一四年〉

類義語　遏《あつ》悪《あく》揚《よう》善《ぜん》

完全無欠　かんぜんむけつ

5級

意味　**どこから見ても、欠点や不足がまったくないこと。**「完全」「無欠」ともに、欠けたところがないこと。完《かん》璧《ぺき》なさまをいう。

字体　「欠」の旧字体は「缺」。

類義語　金《きん》甌《おう》無《む》欠《けつ》、完《かん》美《び》無《む》欠《けつ》、十《じゅう》全《ぜん》十《じゅう》美《び》

官尊民卑　かんそんみんぴ

3級

意味　**政府や官吏・官営事業を尊び、民間人や民間事業を卑しむこと。**「官」は政府や役人、「民」は民衆あるいは民間人のこと。

寒煖饑飽　かんだんきほう

1級

意味　**衣食が乏しくこごえ飢えることと、あたたかい着物をきてあきるまで食べること。**寒さと暖かさ。「饑飽」は飢えることと食べあきること。「寒饑」「暖飽」というつながりに注意。

補説　「寒煖」は「寒暖」とも書く。

肝胆相照　かんたんそうしょう

3級

意味　**互いに心の底から理解しあって深くつきあうこと。**「肝」は肝臓、「胆」は胆《たん》嚢《のう》、転じて心のうち・心の底のこと。また、肝臓と胆嚢は近くにあることから、密接な関係にもたとえる。

補説　「肝胆、相照らす」とも読む。

字体　「胆」の旧字体は「膽」。

出典　『史記』〈淮《わい》陰《いん》侯《こう》伝《でん》〉

類義語　肝《かん》胆《たん》朋《ほう》友《ゆう》、肺《はい》肝《かん》相《そう》照《しょう》

邯鄲之歩　かんたんのほ

1級

意味　**自分本来のものを忘れて、やたらに他人のまねをしたため、両方ともうまくいかなくなってしまうたとえ。**「邯鄲」は中国の地名。

補説　「歩」は「あゆみ」とも読む。

故事　昔、中国燕《えん》の一青年が趙《ちょう》の都の邯鄲に行き、その土地の人々の歩き方をまねたが、その歩き方を修得しないうちに、故郷の歩き方も忘れてしまい、腹ばいになって帰ってきたという故事から。

出典　『荘《そう》子《じ》』〈秋《しゅう》水《すい》〉

類義語　邯《かん》鄲《たん》学《がく》歩《ほ》

邯鄲之夢　かんたんのゆめ

1級

意味　**人の世の栄華のはかないことのたとえ。**「邯鄲」は中国の地名。

故事　唐の盧《ろ》生《せい》という立身出世を望んでいた若者が邯鄲の町で道士の呂《りょ》翁《おう》から枕《まくら》を借りて寝たところ、栄華に満ちた一

生の夢を見、目覚めてみると宿屋の主人が黄粱《こうりょう》をひと炊きするごく短い時間であったという故事から。

出典 沈既済《しんきせい》『枕中記《ちんちゅうき》』

類義語 邯鄲之枕《かんたんのまくら》、一炊之夢《いっすいのゆめ》、黄粱之夢《こうりょうのゆめ》、南柯之夢《なんかのゆめ》、盧生之夢《ろせいのゆめ》、栄華之夢《えいがのゆめ》

簡単明瞭　かんたんめいりょう

2級

意味 **簡単ではっきりとしていること。**こみいってなくてわかりやすいこと。

字体 「単」の旧字体は「單」。

類義語 一目瞭然《いちもくりょうぜん》

奸智術数　かんちじゅっすう

1級

意味 **よこしまな知恵と計略。悪だくみ。**「奸」はよこしまの意、「術数」は計略。

補説 「奸智」は「姦智」とも書く。

字体 「数」の旧字体は「數」。

類義語 奸智術策《かんちじゅっさく》、権謀術数《けんぼうじゅっすう》、権謀術策《けんぼうじゅっさく》

管中窺豹　かんちゅうきひょう

準1級

意味 **見識の非常に狭いたとえ。**管《くだ》の穴から豹を見る意で、一つの斑紋《はんもん》しか見えないことからいう。

補説 「管中《かんちゅう》より豹《ひょう》を窺《うかが》う」とも読む。

出典 『晋書《しんじょ》』〈王献之伝《おうけんしでん》〉

類義語 全豹一斑《ぜんぴょういっぱん》、管窺蠡測《かんきれいそく》、管窺之見《かんきのけん》

管仲随馬　かんちゅうずいば

3級

意味 **聖人の知恵を借りること。**管仲のような知者ですら、馬の智《ち》にたよったのに、人が聖人の智にたよらないことを戒めた言葉。

補説 「管仲馬《かんちゅううま》に随《したが》う」とも読む。

字体 「随」の旧字体は「隨」。

故事 中国春秋時代、名宰相といわれた管仲は、戦いの帰途、道に迷ってしまった。そこで馬の知恵を借りようと、年老いた馬を放ち、そのあとについて行ったところ、道を見出したという故事から。

出典 『韓非子《かんぴし》』〈説林《ぜいりん》・上〉

眼中之釘　がんちゅうのくぎ

準1級

意味 **自分に害を与えるもののたとえ。**眼の中の釘のことで、邪魔者・障害物のこと。

補説 「釘」は「てい」とも読む。また「眼中之丁」とも書く。

出典 『新五代史《しんごだいし》』〈雑伝《ざつでん》・趙在礼伝《ちょうざいれいでん》〉

類義語 眼中之刺《がんちゅうのし》、城狐社鼠《じょうこしゃそ》

歓天喜地　かんてんきち

4級

意味 **非常に喜ぶこと。**「歓天」は天にむかって歓《よろこ》ぶこと、「喜地」は地にむかって喜ぶこと。また、そのさま。

補説 「天に歓び地に喜ぶ」とも読む。

字体 「歓」の旧字体は「歡」。

注意 「歓天」を「観天」と書き誤らない。

出典 『水滸伝《すいこでん》』〈二回〉

類義語 欣喜雀躍《きんきじゃくやく》、狂喜乱舞《きょうきらんぶ》、手舞足踏《しゅぶそくとう》

旱天慈雨　かんてんじう

1級

意味 **大いに困っているときに救われること。**また、**待望していたことが実現すること。**「旱天」は日照りが続いて雨が降らないこと、「慈雨」は恵みの雨の意。

補説 「旱天」は「干天」とも書く。

類義語 大旱慈雨《だいかんじう》

撼天動地　かんてんどうち

1級

意味 **活動のめざましいことの形容。**また、**音声の大きいことのたとえ。**天地を揺り動かす意。「撼」は揺り動かす意。

補説 「撼天」を「感天」と書き誤らない。

類義語 震天動地《しんてんどうち》、驚天動地《きょうてんどうち》、震天駭地《しんてんがいち》

甘棠之愛　かんとうのあい

1級

意味 **人民の善政を行う人に対する思慕の情が深いこと。**「甘棠」はからなし、こりんごの木。

故事 人民が周の召公《しょうこう》の善政に感じて、

召公がその下で休んだ甘棠の木を大切にし、召公の善政を忘れなかった故事から。

出典　『詩経《しきょう》』〈召南《しょうなん》・甘棠《かんとう》〉

類義語　甘棠《かんとう》之《の》恵《めぐみ》、甘棠《かんとう》遺《い》愛《あい》

環堵蕭然　かんとしょうぜん　1級

意味　**家が非常に狭くて、さびしくみすぼらしいさま。**「環堵」は家の周囲のせまい垣根。「堵」は五丈(約二・二メートル)四方の土塀。諸説あるが長さの単位。転じて、狭い家・貧しい家のこと。「蕭然」はものさびしいさま。

補説　出典に「環堵蕭然、風日《ふうじつ》を蔽《おお》わず」とあり、東晋《とうしん》の陶潜《とうせん》(淵明《えんめい》)が自分の家のことを言った話から。

出典　陶潜《とうせん》の「五柳先生伝《ごりゅうせんせいでん》」

類義語　環堵《かんと》之《の》室《しつ》、家徒四壁《かとしへき》

艱難辛苦　かんなんしんく　1級

意味　**大変な苦労。**「艱難」は難儀・苦しみ・悩みの意、「辛苦」はつらく苦しいこと。困難やつらいこと・苦しいことに遭遇して悩むこと。

類義語　艱難《かんなん》苦労《くろう》、千辛万苦《せんしんばんく》、粒粒辛苦《りゅうりゅうしんく》

奸佞邪智　かんねいじゃち　1級

意味　**性格がひねくれていてずるがしこいこと。**「奸佞」は心がねじけていてへつらうこと、「邪智」はよこしまな考え・悪知恵の意。

補説　「邪智奸佞」ともいう。「奸佞」は「姦佞」とも書く。

注意　「佞」を「侫」と書くのは誤り。

類義語　奸佞邪心《かんねいじゃしん》

肝脳塗地　かんのうとち　3級

意味　**戦場でむごたらしい死に方をすること。**死者の肝臓や脳が泥まみれになっていることから。また、忠義を尽くしてどんな犠牲もいとわない意気を示すときにも用いる。

補説　「肝脳、地に塗《まみ》る」とも読む。

字体　「脳」の旧字体は「腦」。

出典　『戦国策《せんごくさく》』〈燕策《えんさく》〉

汗馬之労　かんばのろう　準1級

意味　**物事を成功させるためにいろいろ奔走する労苦。**また、**物を遠くに運ぶ苦労にもいう。**「汗馬」は馬に汗をかかせる、戦場を駆けめぐる意。戦場で戦功を得るために、馬を走らせて戦う骨折りをいう。

字体　「労」の旧字体は「勞」。

出典　『韓非子《かんぴし》』〈五蠹《ごと》〉

類義語　汗馬《かんば》之《の》功《こう》

銜尾相随　かんびそうずい　1級

意味　**車や動物などが切れ目なく連なって進むこと。**「銜」は口にくわえる意で、「銜尾」は前を行く馬の尾をあとの馬がくわえること。「相随」はつきしたがって進む意。

補説　「銜尾《かんび》相随《あいしたが》う」とも読む。

字体　「随」の旧字体は「隨」。

出典　『漢書《かんじょ》』〈匈奴伝《きょうどでん》・下〉

類義語　銜尾相属《かんびそうぞく》

勧百諷一　かんぴゃくふういつ　1級

意味　**益よりも害の多いこと。**百の華美を勧めて一の節約を遠まわしにいさめる意で、無用のことばかり多くて、役に立つことが少ない意。

補説　「百《ひゃく》を勧《すす》めて一《いつ》を諷《ふう》す」とも読む。

字体　「勧」の旧字体は「勸」。

出典　『漢書《かんじょ》』〈司馬相如伝《しばしょうじょでん》・賛《さん》〉

玩物喪志　がんぶつそうし　2級

意味　**無用なものに熱中して、本業がおろそかになること。**「玩」はもてあそぶ、むさぼる意、「喪志」は志を失うこと。遊びや趣味などに心を奪われ、これをもて

あそんでばかりいると、本来の志を失ってしまうということ。

補説　「物《もの》を玩《もてあそ》べば志《こころざし》を喪《うしな》う」とも読む。

出典　『書経《しょきょう》』〈旅獒《りょごう》〉

感奮興起　かんぷんこうき　5級

意味　**物事に深く心を揺り動かされて奮《ふる》い立つこと。**「感奮」は心に感じて奮い立つ意。「興起」は意気が奮い立つこと。

注意　「興起」を「きょうき」と読み誤らない。

類義語　感奮激励《かんぷんげきれい》、一念発起《いちねんほっき》

管鮑之交　かんぽうのまじわり　1級

意味　**利害得失を超えた親密な友情のこと。**「管」は管仲《かんちゅう》、「鮑」は鮑叔牙《ほうしゅくが》で、ともに人名。

補説　「交」は「こう」とも読む。

故事　中国春秋時代、桓公《かんこう》に仕えた斉《せい》の宰相管仲と大夫《たいふ》鮑叔牙とは幼い頃からの無二の親友で、ことに鮑叔牙は管仲の才能を認め、桓公に管仲を推薦したのも彼であった。管仲も鮑叔牙の厚意にいたく感動し、二人は生涯変わらない友情をもち続けたという故事から。

出典　『史記』〈管晏伝《かんあんでん》〉

類義語　金蘭《きんらん》之《の》契《けい》、膠漆《こうしつ》之《の》交《まじわり》、水魚《すいぎょ》之《の》交《まじわり》、耐久《たいきゅう》之《の》朋《とも》、断金《だんきん》之《の》交《まじわり》、莫逆《ばくぎゃく》之《の》友《とも》、刎《ふん》頸《けい》之《の》交《まじわり》、雷陳膠漆《らいちんこうしつ》

含哺鼓腹　がんぽこふく　2級

意味　**人々が豊かで平和な世を楽しむこと。**「含哺」は食べ物を口に含むこと、「鼓腹」は腹つづみをうつ意。天下太平の世を楽しむさまをいう。

補説　「哺《ほ》を含《ふく》み腹《はら》を鼓《こ》す」とも読む。

注意　「含哺」を「含甫」と書き誤らない。

出典　『十八史略《じゅうはっしりゃく》』〈帝尭《ていぎょう》〉

類義語　鼓腹撃壌《こふくげきじょう》

頑迷固陋　がんめいころう　1級

意味　**視野が狭く頑固で柔軟性に欠け、正しい判断ができないこと。**「頑迷」はかたくなで道理をわきまえないこと、「固陋」は視野が狭く頑固、また、古いものに執着する意。

注意　「固陋」を「固老」「故老」などと書き誤らない。

類義語　冥頑不霊《めいがんふれい》、墨守成規《ぼくしゅせいき》、狷介固陋《けんかいころう》

冠履倒易　かんりとうえき　準2級

意味　**上下の順序が乱れること。**上下の地位や立場が逆であるさま。「冠履」はかんむりとくつのこと、「倒」はさかさまになる、「易」はいれかわる意で、冠《かんむり》とくつを逆に身につける意。

出典　『後漢書《ごかんじょ》』〈楊賜伝《ようしでん》〉

類義語　冠履顛倒《かんりてんとう》、冠履倒置《かんりとうち》

頑廉懦立　がんれんだりつ　1級

意味　**高潔な人格に感化されて、良い方向にむかうこと。**「頑」は欲が深いこと。「廉」は心にけがれがないこと。「懦」は意気地がない、気が弱い意。欲が深い者も改心して清廉な人となり、意気地がない者も奮起して志を立てる意。

補説　「伯夷《はくい》の風《ふう》を聞く者は、頑夫《がんぷ》も廉《れん》に、懦夫《だふ》も志を立つる有《あ》り」の略。伯夷は周《しゅう》代初期の人で、清廉潔白な人と伝えられる。

注意　「懦立」を「儒立」と書き誤らない。

出典　『孟子《もうし》』〈万章《ばんしょう》・下〉

閑話休題　かんわきゅうだい　準2級

意味　**それはさておき。**「閑話」はむだばなしのこと、「休題」は話すことをやめる意。それまでの雑談や前置きを打ち切って、話の本題にはいるときや、脇道《わきみち》にそれた話を、もとに戻すときに用いる語。

補説　「閑話」は「間話」とも書く。

出典　『水滸伝《すいこでん》』〈一〇〇回〉

【き】

気韻生動　きいん　せいどう　準2級

意味　**絵画や文章などに、生き生きとした気品や情趣があふれていること。**「気韻」は気品・風格のある高尚な趣のこと、「生動」は生き生きしているさま。

補説　六朝《りくちょう》時代、斉《せい》の人物画の第一人者謝赫《しゃかく》が、その画論書の古画品録の中で画の六法の第一に挙げたと伝えられる語。

字体　「気」の旧字体は「氣」。

出典　陶宗儀《とうそうぎ》『輟耕録《てっこうろく》』

気宇壮大　きう　そうだい　準2級

意味　**心構えや発想が大きくて立派なこと。**「気宇」は心構え・心の広さのこと、「壮大」は大きくて立派な意。

字体　「気」の旧字体は「氣」、「壮」の旧字体は「壯」。

類義語　気宇軒昂《きうけんこう》、気宇雄豪《きうゆうごう》

疑雲猜霧　ぎうん　さいむ　1級

意味　**疑いのかかっていることを雲やかすみにたとえた語。**「疑」は疑う心、「猜」はねたむ心のこと。ねたんだり疑ったりする周りの者の気持ちが、雲や霧がかかったようにはれないさまをいう。

気炎万丈　きえん　ばんじょう　3級

意味　**他を圧倒するほど意気盛んであること。**「気炎」は燃えあがる炎のように盛んな意気のこと、「万丈」は非常に高い意。意気込みの強さを、高く燃えあがる炎にたとえたもの。

補説　「気炎」は「気焔」とも書く。

字体　「気」の旧字体は「氣」、「万」の旧字体は「萬」。

既往不咎　きおう　ふきゅう　1級

意味　**過ぎたことはとがめないということ。**「既往」はすんでしまったこと。過去の意。

補説　「既往《きおう》は咎《とが》めず」とも読む。

出典　『論語』〈八佾《はちいつ》〉

祇園精舎　ぎおん　しょうじゃ　準1級

意味　**釈迦《しゃか》の説法が行われたことで有名な寺院の名。**須達長者《しゅだつちょうじゃ》が中インドのコーサラ国舎衛城の南の祇園に釈迦とその弟子のために建てた修行道場。「祇園」は「祇樹給孤独園《ぎじゅぎっこどくおん》」の略で樹園の名。「精舎」は梵語《ぼんご》(古代インド語)で寺院の意。

字体　「舎」の旧字体は「舍」。

注意　「祇園」を「祗園」と書き誤りやすい。

機械之心　きかいの　こころ　準1級

意味　**いつわりたくらむ心。**策略をめぐらす心。「機械」は巧妙なしかけの器具をいうが、転じてたくらみ・いつわりの意。略して「機心」ともいう。

注意　「機械」を「器械」と書き誤りやすい。

出典　『淮南子《えなんじ》』〈原道訓《げんどうくん》〉

奇貨可居　きか　かきょ　4級

意味　**絶好の機会はうまく利用しなければならないというたとえ。**珍しい品物は貯蔵しておき、後日価《ね》が高くなってから売るべきである。「奇貨」は珍しい品物、絶好の機会。「居」はたくわえる。

補説　「奇貨居《きかお》く可《べ》し」とも読む。

故事　昔、中国趙《ちょう》の人質となった不遇の秦《しん》の王子子楚《しそ》を、豪商の呂不韋《りょふい》が「これは掘り出し物だ」と援助し、のち子楚が秦の荘襄王《そうじょうおう》(始皇帝の父)になると、呂不韋はその大臣となり文信侯になった故事から。

出典　『史記』〈呂不韋伝《りょふいでん》〉

鬼瞰之禍　きかんのわざわい　1級

意味　**よいことにはとかく邪魔が入りやすいということ。**「瞰」はうかがう、すきをねらう意。高貴・富裕な家を邪鬼がのぞきこんで、すきをうかがうこと。

注意　「鬼瞰」を「鬼敢」と書き誤らない。

出典　揚雄《ようゆう》の「解嘲文《かいちょうぶん》」

危機一髪　ききいっぱつ　4級

意味　**非常に危ない瀬戸際。**「一髪」は一本の髪の毛(ほどのすきま)の意。髪の毛一本ほどの、ほんのわずかな違いで、きわめて危険な状態に陥りそうなことをいう。

字体　「髪」の旧字体は「髮」。

注意　「一髪」を「一発」と書き誤らない。

類義語　一髪《いっぱつ》千鈞《せんきん》

奇技淫巧　きぎいんこう　2級

意味　**快楽のみを求めた好ましくないもののたとえ。**珍しいわざや度を過ぎた技巧を用いること。「奇技」は奇妙なわざ、珍しい技芸のこと。「淫」はあふれる意で、「淫巧」は非常にぜいたくな技巧のこと。

注意　「淫巧」を「淫行」と書き誤らない。

出典　『書経《しょきょう》』〈泰誓《たいせい》〉

奇奇怪怪　ききかいかい　3級

意味　**常識では考えられないようなふしぎなこと。**また、**許せないようなけしからぬこと。**「奇」「怪」ともに、ふしぎなことの意。「奇怪」を重複させて強調した四字句。

補説　「怪怪奇奇」ともいう。

出典　韓愈《かんゆ》の「送窮文《きゅうをおくるぶん》」

類義語　奇怪《きかい》至極《しごく》、奇奇《きき》妙妙《みょうみょう》、奇怪《きっかい》千万《せんばん》、奇絶《きぜつ》怪絶《かいぜつ》、怪絶《かいぜつ》奇絶《きぜつ》

騏驥過隙　ききかげき　1級

意味　**ほんの一瞬の出来事のこと。**また、**時の過ぎることがきわめてはやい形容。**「騏驥」は一日に千里を走るという駿《しゅん》馬《め》のこと、「過隙」は戸の隙間《すきま》の向こう側を駆け抜ける意。もともと人の命の短さ・はかなさを嘆いていった言葉。

補説　「騏驥《きき》、隙《げき》を過《す》ぐ」とも読む。

注意　「過隙」を「過激」と書き誤らない。

出典　『荘子《そうじ》』〈盗跖《とうせき》〉

類義語　白駒《はっく》過隙《かげき》

熙熙壌壌　ききじょうじょう　1級

意味　**多くの人ががやがやと忙しく往来するさま。**「熙熙」は喜び楽しむさま。「壌壌」は入り乱れるさま、また多いさま。

補説　「壌壌」は「攘攘」とも書く。

字体　「壌」の旧字体は「壤」。

出典　『史記』〈貨殖伝《かしょくでん》〉

危急存亡　ききゅうそんぼう　5級

意味　**危険が迫っていて、生きるか死ぬかの瀬戸際のこと。**「危急」は危険が迫ること、「存亡」は生きるか死ぬかの意。

補説　「危急存亡の秋《とき》」という形で用いる。「秋」は大事な時期の意。

出典　諸葛亮《しょかつりょう》の「前出師表《ぜんすいしのひょう》」

類義語　生死《せいし》存亡《そんぼう》

崎嶇坎坷　きくかんか

意味　**不遇で世渡りに大変苦労すること。**「崎嶇」は山道が非常にけわしいこと。「坎坷」は不遇で志を得ない意。

補説　「坎坷」は「坎軻」とも書く。

出典　文天祥《ぶんてんしょう》の詩

規矩準縄　きくじゅんじょう　準1級

意味　**物事や行為の標準・基準となるもの。**「規」は円を描くコンパス、「矩」は方形を描く曲尺《まがりじゃく》、「準」は水平を測《はか》る水《みず》盛《もり》(水準器)、「縄」は直線を引く墨縄《すみなわ》のこと。「規矩」「準縄」ともに物事の基準・

法則のことをいう。
字体 「縄」の旧字体は「繩」。
出典 『孟子《もうし》』〈離婁《りろう》・上〉
類義語 規矩縄墨《きくじょうぼく》

危言覈論 きげん かくろん
1級

意味 **激しく議論をたたかわせること。**「危言」は身の危険をかえりみず直言すること、「覈論」はきびしく論ずる意。
出典 『後漢書《ごかんじょ》』〈郭太伝《かくたいでん》〉

危言危行 きげん きこう
5級

意味 **言葉を正しくし、品性のある行いをすること。**また、**厳しい言行のこと。**「危」は厳正にする、気高くする意。
補説 「言《げん》を危《たか》くし、行《おこな》いを危《たか》くす」とも読む。「奇言奇行」は、人と違った言行をする意で別の語。
出典 『論語』〈憲問《けんもん》〉

棄甲曳兵 きこう えいへい
準1級

意味 **戦いに敗れ、戦意を失って逃げること。**「棄甲」はよろいを棄《す》てる、「曳兵」は武器を引きずる意。敗走すること。
補説 「甲《こう》を棄《す》て兵《へい》を曳《ひ》く」とも読む。
出典 『孟子《もうし》』〈梁恵王《りょうけいおう》・上〉
類義語 解甲帰田《かいこうきでん》

跂行喙息 きこう かいそく
1級

意味 **生きもののこと。**特に虫や鳥の類をいう。「跂行」は虫などがはい歩くこと。また、足で歩くこと。「喙息」は口で息をするものの意。
出典 『漢書《かんじょ》』〈公孫弘伝《こうそんこうでん》〉

規行矩歩 きこう くほ
準1級

意味 **品行方正なこと。心や行動がきちんとして正しいこと。**また、古い法則や規定を固守して融通のきかないこと。「規行」はきまりにかなった歩き方のこと、「矩歩」は規則正しい歩き方の意。
出典 『晋書《しんじょ》』〈潘尼伝《はんにでん》〉
類義語 品行方正《ひんこうほうせい》

鬼哭啾啾 きこく しゅうしゅう
1級

意味 **戦場などの鬼気迫ったものすごいさま。**「鬼」は亡霊、「哭」は声をあげて泣き悲しむこと、「啾啾」はしくしくと泣く泣き声の形容。死者の霊魂の泣き声が、恨めしげに響くさまをいう。
出典 杜甫《とほ》の「兵車行《へいしゃこう》」

気骨稜稜 きこつ りょうりょう
準1級

意味 **自分の信念をゆるぎなく貫こうとする態度のこと。**「気骨」は自分の信念をまげない性格のこと、「稜稜」は威勢があって厳しい意。
字体 「気」の旧字体は「氣」。
注意 「稜稜」を「陵陵」と書き誤らない。

旗鼓堂堂 きこ どうどう
4級

意味 **整然として威厳があること。**「旗鼓」は軍旗と太鼓で、転じて軍隊のこと。「堂堂」は威厳を示す意。また、文筆の勢いが盛んなことの形容にも用いる。
注意 「旗鼓」を「騎虎」と書き誤らない。
類義語 旌旗堂堂《せいきどうどう》

騎虎之勢 きこの いきおい
準1級

意味 **物事にはずみがついて、途中でやめられなくなること。**いったん虎《とら》に乗ってしまった者は、途中で降りれば虎に食われてしまうので、もう降りることができないという意から。
注意 「騎虎」を「旗鼓」と書き誤らない。
出典 『太平御覧《たいへいぎょらん》』〈四六二引『晋中興《しんちゅうこう》書《しょ》』〉
類義語 騎獣之勢《きじゅうのいきおい》

奇策妙計 きさく みょうけい
4級

⇩妙計奇策（みょうけい きさく）

箕山之志 きざんのこころざし
準1級

意味 **世俗的な名利を捨てて隠棲《いんせい》し、自分の節操を守ること。**「箕山」は山の名。

故事 中国尭帝《ぎょうてい》の時代、許由《きょゆう》と巣父《そうほ》という二人の伝説上の人物が、世俗的な名誉をきらって節操を守るために箕山に隠れ住んだという故事から。

出典 曹丕《そうひ》の「与呉質書《ごしにあたうるのしょ》」

類義語 箕山《きざん》之《の》節《せつ》、箕山《きざん》之《の》操《みさお》

起死回生 きしかいせい
5級

意味 **絶望的な状況を立て直し、もとに戻すこと。** 危機的な情況から一変して勢いを盛り返すこと。もと死んだ人をよみがえらせることで、医術の高さをいう語。「起死」「回生」ともに、死にかかっていた者を生き返らせること。

補説 「回生起死」ともいう。また「回生」は「廻生」とも書く。

出典 『太平広記《たいへいこうき》』〈五九引『女仙伝《じょせんでん》』〉

類義語 起死再生《きしさいせい》

旗幟鮮明 きしせんめい
1級

意味 **主義・主張・態度などがはっきりしていること。**旗色があざやかなこと。「旗幟」は旗とのぼり、転じて主義・主張・態度・方針の意にたとえられる。「鮮明」ははっきりしていること。

注意 「旗幟」を「きしょく」と読み誤りやすい。

貴耳賤目 きじせんもく
準1級

意味 **人から伝え聞くことを重んじて、自分が実際に目にすることを軽んずること。** また、**伝え聞いている過去を重んじ、現在を軽視すること。** 耳を貴《たっと》んで、目を賤《いや》しむという意から。

補説 「耳《みみ》を貴《たっと》び目《め》を賤《いや》しむ」とも読む。

出典 張衡《ちょうこう》の「東京賦《とうけいのふ》」

疑事無功 ぎじむこう
5級

意味 **疑いながら事を行うようでは、成功は期待できないということ。**

補説 「疑事、功無し」とも読む。

注意 「無功」を「無効」と書き誤らない。

出典 『戦国策《せんごくさく》』〈趙策《ちょうさく》〉

類義語 疑行無名《ぎこうむめい》

綺襦紈袴 きじゅがんこ

意味 **富貴の家の子弟をいう。**「綺襦」はあやぎぬの襦。「襦」は腰までの短い服。また、はだぎ。「紈袴」は白のももひき。いずれも高価なもので、富貴の人の衣服。

補説 「袴」は「絝」とも書く。

出典 『漢書《かんじょ》』〈叙伝《じょでん》・上〉

類義語 膏粱子弟《こうりょうしてい》

鬼出電入 きしゅつでんにゅう
4級

意味 **出入りが速くて、出没が予測できないこと。** 鬼神のように自由自在で、いなずま(電)のようにすばやく出没する意。

出典 『淮南子《えなんじ》』〈原道訓《げんどうくん》〉

類義語 神出鬼没《しんしゅつきぼつ》、神出鬼行《しんしゅつきこう》、神変出没《しんぺんしゅつぼつ》

貴種流離 きしゅりゅうり
4級

意味 **貴人が流離しつづける運命の中で苦難や恋を体験し帰国すること。**「流離」は故郷をはなれて、他郷にさすらうこと。この形式の物語を「貴種流離譚《たん》」といい、『竹取物語』『今昔物語』などにその発想がみられる。

起承転結 きしょうてんけつ
5級

意味 **文章の構成法や物事の順序のこと。** 本来、漢詩における句の構成法の一つ。第一の起句で詩意を起こし、第二の承句でこれを受け、第三の転句で視点を転じて趣を変え、第四の結句で詩意全体をしめくくる。また、連歌・俳諧《はいかい》・散文

の構成にも応用される。さらに広く一般の物事の展開のしかたにも比《ひ》喩《ゆ》的に用いられる。

字体 「転」の旧字体は「轉」。

類義語 起《き》承《しょう》転《てん》合《ごう》

机上之論　きじょうのろん　準1級

意味 **机の上の考えだけで実際には役に立たない意見や考え。** 理屈は通っているが実行性に乏しい議論をいう。

類義語 机上空論《きじょうのくうろん》、空理空論《くうりくうろん》、紙上談兵《しじょうだんぺい》、按図索驥《あんずさくき》、按図索駿《あんずさくしゅん》

喜色満面　きしょくまんめん　5級

意味 **顔いっぱいに喜びの表情があふれているようす。**「色」は表情・ようすの意、「満面」は顔全体のこと。

字体 「満」の旧字体は「滿」。

注意 「喜色」を「気色」と書き誤らない。

類義語 得意満面《とくいまんめん》、春風満面《しゅんぷうまんめん》

疑心暗鬼　ぎしんあんき　4級

意味 **疑いの心があると、なんでもないことにまで不安や恐怖を覚えるようになってしまうこと。**「疑心」は疑う心、「暗鬼」は暗闇《くらやみ》の中の亡霊の意で、一度疑い始めると、ありもしない亡霊の姿まで見えるように思ってしまうということ。

補説 「疑心、暗鬼を生《しょう》ず」の略。

注意 「暗鬼」を「暗気」と書き誤らない。

出典 呂本中《りょほんちゅう》『師友雑志《しゆうざっし》』

類義語 窃鈇之疑《せっぷのうたがい》、杯中蛇影《はいちゅうだえい》、風声鶴唳《ふうせいかくれい》

杞人天憂　きじんてんゆう　1級

意味 **無用の心配。取り越し苦労のこと。**「杞」は中国、周時代の国名。

補説 出典の「杞人《きひと》、天を憂《うれ》う」から出た語。略して「杞憂」とも。

注意 「杞人」を「紀人」と書き誤らない。

故事 杞の国の人は亡国の民の子孫であり、常に心配の種がつきず、天が崩れ落ちたらどうしようと心配したという故事から。

出典 『列子《れっし》』〈天瑞《てんずい》〉

類義語 杞人之憂《きひとのうれい》、呉牛喘月《ごぎゅうぜんげつ》、蜀犬吠日《しょくけんはいじつ》、懲羹吹膾《ちょうこうすいかい》

規制緩和　きせいかんわ　3級

意味 **政府による産業や経済に関するさまざまな規制を廃止したり緩《ゆる》めたりすること。**

注意 「規制」を「規正」「規整」などと書き誤らないこと。

対義語 規制強化《きせいきょうか》

希世之雄　きせいのゆう　準1級

意味 **世に珍しい英雄のこと。**「希世」は世にまれで珍しいこと。「雄」は英雄の意。

補説 「希世」は「稀世」とも書く。

出典 『日本政記《にほんせいき》』

羈紲之僕　きせつのぼく　1級

意味 **主人の旅の供をする者のこと。** 従者、またその謙称。「羈」はおもがい(馬のくつわにつなぎ頭部にかける革ひも)、「紲」はたづな、「僕」はしもべ・従者のことで、馬のたづなをとる者の意。

補説 「羈紲」は「羈絏」とも書く。

注意 「羈紲」を「羈泄」と書き誤らない。

出典 『春秋左氏伝《しゅんじゅうさしでん》』〈僖公《きこう》二四年〉

巍然屹立　ぎぜんきつりつ　1級

意味 **人物が他よりひときわすぐれているさま。**「巍然」は山が高く大きいこと、「屹立」は高くそびえたつ意。高く大きい山がそびえたつ意から。

注意 「屹立」を「吃立」と書き誤らない。

貴賤上下　きせんじょうげ　準1級

意味 **身分の高い人と低い人。** また、

身分の高い人も低い人もすべて。「貴賤」は身分の尊い人といやしい人。

補説　意味の似た二字の熟語を重ねて強めた四字句。

奇想天外　きそうてんがい

4級

意味　**思いもよらないような奇抜なこと。**「奇想」は奇抜な考えのこと、「天外」は天の外で、思いがけない場所の意。

補説　「奇想、天外より落《お》つ」の略。

類義語　斬新《ざんしん》奇抜《きばつ》

気息奄奄　きそくえんえん

準1級

意味　**いまにも滅びそうな苦しいさま。**「気息」は呼吸・いきづかいのこと、「奄」はおおう・ふさぐ意で、「奄奄」は息が絶え絶えなようす。息も絶え絶えで、今にも死にそうなさまをいう。

字体　「気」の旧字体は「氣」。

出典　李《り》密《みつ》の「陳情表《ちんじょうひょう》」

類義語　残《ざん》息《そく》奄奄《えんえん》

吉日良辰　きちじつりょうしん

準1級

意味　**縁起のよい日のこと。**「吉日」はよい日・めでたい日のこと。「辰」は日・日《ひ》柄《がら》の意で、「良辰」もよい日・めでたい日の意。

補説　「吉日」は「きちにち」「きつじつ」「きつにち」などとも読む。

類義語　大安《たいあん》吉日《きちじつ》、黄道《こうどう》吉日《きちじつ》

吉祥悔過　きちじょうけか

準1級

意味　**毎年正月に、吉祥天を本尊として、罪を懺悔《ざんげ》し国家安穏・五穀豊穣を祈願する法会《ほうえ》のこと。**「吉祥」は吉祥天のこと、「悔過」はあやまちを悔いる意。仏教の語。

補説　「きっしょうかいか」とも読む。「吉祥天悔過」の略。

奇怪千万　きっかいせんばん

3級

意味　**ふだんと違っていてたいそう不気味なこと。**また、**非常にけしからぬこと。**「奇怪」はあやしい・ふしぎ・けしからぬ意、「千万」は程度がはなはだしいさまをいう。

補説　「奇怪」は「きかい」とも読む。

字体　「万」の旧字体は「萬」。

類義語　奇《き》奇《き》怪《かい》怪《かい》、奇《き》奇《き》妙《みょう》妙《みょう》、奇《き》絶《ぜつ》怪《かい》絶《ぜつ》

鞠躬尽瘁　きっきゅうじんすい

1級

意味　**ひたすら心を尽くして骨折り国事につとめること。**「鞠躬」は身をかがめて敬いつつしむ意。転じて、心を尽くして骨折ること。「尽瘁」は力を尽くして骨折る。「瘁」は病みつかれる意。

補説　「鞠躬尽瘁《きっきゅうじんすい》、死《し》して後《のち》已《や》む」の句で有名。

字体　「尽」の旧字体は「盡」。

出典　諸葛亮《しょかつりょう》の「後出師表《こうすいしのひょう》」

吉凶禍福　きっきょうかふく

準2級

意味　**幸いとわざわい。**「吉」「福」は幸い、「凶」「禍」はわざわいの意。吉事と凶事のこと。

佶屈聱牙　きっくつごうが

意味　**文章が難解で堅苦しく、理解しにくいこと。**「佶屈」は堅苦しくごつごつしていること、「聱牙」は言葉が耳にはいらないこと。

補説　「佶屈」は「詰屈」「詰詘」「詰倔」とも書く。

出典　韓《かん》愈《ゆ》の「進学解《しんがくかい》」

類義語　佶屈晦渋《きっくつかいじゅう》、鉤章棘句《こうしょうきょくく》

亀甲獣骨　きっこうじゅうこつ

2級

意味　**亀の甲羅《こうら》と、けものの骨。**ともに中国古代に文字を刻みつけて占いに用いた。「甲」は甲羅《こうら》。

補説　「亀甲」は「きこう」とも読む。

字体 「亀」の旧字体は「龜」、「獣」の旧字体は「獸」。

橘中之楽 きっちゅうの たのしみ 準1級

意味 **碁や将棋をする楽しみのこと。**
補説 「橘」はたちばな・みかんのこと。「楽」は「らく」とも読む。
字体 「楽」の旧字体は「樂」。
故事 昔、中国巴《は》邛《きょう》の人が、庭の大きな橘の実を採って割ったところ、その中で二人の老人が、橘の中での生活のすばらしさをほめたたえながら碁をうっていたという故事から。
出典 『幽怪録《ゆうかいろく》』

喜怒哀楽 きど あいらく 3級

意味 **人間の持っているさまざまな感情。**喜び・怒り・哀しみ・楽しみの四つの情のこと。
字体 「楽」の旧字体は「樂」。

肌肉玉雪 きにく ぎょくせつ 準1級

意味 **雪のように白く美しい女性の肌の形容。**「肉」も肌《はだ》・皮膚の意、「玉」は雪に冠した美称。雪のように白く美しい肌の意。
類義語 玉肌香膩《ぎょくきこうじ》

帰馬放牛 きば ほうぎゅう 5級

意味 **戦いが終わり平和になるたとえ。**軍事用の馬や牛を野に帰し放ち、再び戦いに用いないことをしめす意。
補説 「馬を帰し牛を放つ」とも読む。
字体 「帰」の旧字体は「歸」。
出典 『書経《しょきょう》』〈武成《ぶせい》〉
類義語 華山《かざん》帰《き》馬《ば》、放馬《ほうば》南山《なんざん》

驥服塩車 きふく えんしゃ 1級

意味 **すぐれた人物が、低い地位にいたり、つまらない仕事をさせられること。**「驥」は一日に千里を走るという駿馬《しゅんめ》のこと、「服」は馬車を引かせる意、「塩車」は塩を運ぶ車。名馬が塩を積んだ車を引く意から。
補説 「驥《き》、塩車《えんしゃ》に服《ふく》す」とも読む。
字体 「塩」の旧字体は「鹽」。
出典 『戦国策《せんごくさく》』〈楚策《そさく》〉
類義語 大器小用《たいきしょうよう》、大材小用《たいざいしょうよう》

鬼斧神工 きふ しんこう 準1級

⇨**神工鬼斧**(しんこう きふ)

季布一諾 きふの いちだく 3級

意味 **絶対に信頼できる堅い約束のこと。**「季布」は人の名、「一諾」は「ひとたびの承諾」の意。
補説 略して「季諾《きだく》」ともいう。
故事 「一諾千金」の項参照。
出典 『蒙求《もうぎゅう》』〈季布一諾《きふのいちだく》〉
類義語 一諾千金《いちだくせんきん》、千金之諾《せんきんのだく》
対義語 軽諾寡信《けいだくかしん》

帰命頂礼 きみょう ちょうらい 準2級

意味 **仏に心から帰依《きえ》すること。**「帰命」は仏の教えを心から信じ、命をささげて仏に従う厚い信心のこと。「頂礼」は頭を地につけてする礼で、昔のインドの最敬礼。仏への信心が厚いことを示すため、頭を地につけて仏を拝すること。また、そのときに唱える言葉。
字体 「帰」の旧字体は「歸」、「礼」の旧字体は「禮」。
類義語 帰命稽首《きみょうけいしゅ》、南無三宝《なむさんぼう》

鬼面嚇人 きめん かくじん 準2級

意味 **見せかけの威力で人をおどしつけること。**「鬼面」は鬼の面をかぶること、また、鬼のような恐ろしい顔つきをすること、「嚇人」は人をおどろかす意。
補説 「鬼面人《きめんひと》を嚇《おど》す」とも読む。
類義語 鬼臉嚇人《きけんかくじん》

鬼面仏心　きめんぶっしん

4級

意味　**見た目は恐ろしそうだが、本当は心がとてもやさしいこと。**また、そのような人。鬼のような恐ろしそうな顔に、仏のようなやさしい心の意。

字体　「仏」の旧字体は「佛」。

対義語　人面獣心《じんめんじゅうしん》

亀毛兎角　きもうとかく

準1級

意味　**実在するはずがないこと。**亀の毛と兎《うさぎ》の角《つの》で、実際にはありえないことのたとえ。また、戦争の起こるきざしの意（『捜神記《そうしんき》』〈六〉）。

補説　「兎角亀毛」ともいう。

字体　「亀」の旧字体は「龜」。

出典　『楞厳経《りょうごんきょう》』〈一〉

類義語　烏白馬角《うはくばかく》

逆取順守　ぎゃくしゅじゅんしゅ

5級

意味　**道理にはずれた方法で取り、道理に従って守ること。**中国古代、殷《いん》の湯《とう》王《おう》、周の武王の事跡がこれに当たる。両者とも武力で天下を奪いとったが天子になってからは道にしたがってよい政治を行ったという。

出典　『史記』〈陸賈伝《りくかでん》〉

客塵煩悩　きゃくじんぼんのう

準1級

意味　**外的な要因で偶発的にもたらされるさまざまな心の迷いのこと。**仏教語で、「客塵」は外から来た客や旅人のように、たまたま身にとりついた塵《ちり》のような細かく数多いけがれのこと、「煩悩」は心の迷いの意。

字体　「悩」の旧字体は「惱」。

注意　「客塵」を「客人」と書き誤らない。

脚下照顧　きゃっかしょうこ

3級

意味　**身近なことに気をつけるべきこと、自分のことをよく反省すべきことをいう。**自分の足元をよくよく見る意。「脚下」は足元の意。「照顧」はかえりみる、よく見ること。禅家の語。

補説　「脚下を照顧せよ」の略。

注意　「脚下」を「却下」と書き誤らない。

牛飲馬食　ぎゅういんばしょく

5級

意味　**むやみにたくさん飲み食いをすること。**牛が水を飲むように酒を飲み、馬がまぐさを食べるようにたくさん食べる意。

字体　「飲」の旧字体は「飮」。

類義語　鯨飲馬食《げいいんばしょく》、暴飲暴食《ぼういんぼうしょく》、痛飲大食《つういんたいしょく》

旧雨今雨　きゅううこんう

5級

意味　**古い友人と新しい友人のこと。**「雨」は「友」と音が通じるところから、友人のことをしゃれていった語。

字体　「旧」の旧字体は「舊」。

出典　杜甫《とほ》の「秋述《しゅうじゅつ》」

窮猿投林　きゅうえんとうりん

準2級

意味　**困っているときには、あれこれ選《え》り好みなどしていられないということ。**「窮猿」は追いつめられて困っている猿のこと、「投林」は林にとびこむ意。追いつめられて林にとびこんだ猿は、どの枝によじ登ろうかなどとかまっている余裕などないという意から。

補説　出典に「窮猨《きゅうえん》林《はやし》に投じて豈《あ》に木を択《えら》ぶに暇《いとま》あらんや」とある。「猨」は「猿」に同じ。

出典　『晋書《しんじょ》』〈李充伝《りじゅうでん》〉

九夏三伏　きゅうかさんぷく

3級

意味　**夏の最も暑い土用のころをいう語。**「九夏」は夏の九十日間、「三伏」は初伏（夏至《げし》後三番目の庚《かのえ》の日）、中伏（四番目の庚の日）、末伏（立秋後の最初の庚の日）をいう。

牛鬼蛇神《ぎゅうきだしん》 準2級

意味　**作品などのきわめて奇怪なことのたとえ。**また、**人柄が卑しくて心がねじけている人のたとえ。**また、容姿の醜いことのたとえ。「牛鬼」は頭が牛の形をした鬼神のこと、「蛇神」は身体が蛇《へび》の姿をした神の意。

出典　杜牧《とぼく》の「李賀集序《りがしゅうじょ》」

牛驥同皁《ぎゅうきどうそう》 1級

意味　**賢者が愚者と同じ待遇を受けること。**「驥」は日に千里を走る名馬のこと、「皁」はかいばおけの意。足のおそい牛と千里を走る駿馬が同じかいばおけの餌《えさ》を食べる(いっしょに飼われる)意。

補説　「牛驥《ぎゅうき》皁《そう》を同《おな》じうす」とも読む。

注意　「同皁」を「同草」と書き誤りやすい。

出典　鄒陽《すうよう》の文

類義語　牛驥一皁《ぎゅうきいっそう》、牛驥共牢《ぎゅうききょうろう》、利鈍斉列《りどんせいれつ》

九牛一毛《きゅうぎゅうのいちもう》 5級

意味　**多くの中のきわめてわずかな部分。**また、**取るに足りない些細《ささい》なこと。**「九」は数が多いことをいい、「九牛」はたくさんの牛のこと、「一毛」は一本の毛の意。たくさんの牛の中のある一頭の牛の一本の毛の意。

補説　略して「九牛毛」ともいう。

出典　司馬遷《しばせん》の「報任少卿書《じんしょうけいにほうずるのしょ》」

類義語　大海一滴《たいかいいってき》、滄海一粟《そうかいいちぞく》、滄海一《そうかいいっ》滴《てき》、牛之一毛《うしのいちもう》

汲汲忙忙《きゅうきゅうぼうぼう》 準1級

意味　**非常に忙しいさま。**「汲汲」は休まずつとめること、「忙忙」はきわめて忙しい意。

出典　『論衡《ろんこう》』〈書解《しょかい》〉

類義語　忙忙碌碌《ぼうぼうろくろく》

求魚縁木《きゅうぎょえんぼく》 4級

⇩**縁木求魚**(えんぼく きゅうぎょ)

九棘三槐《きゅうきょくさんかい》 1級

⇩**三槐九棘**(さんかい きゅうきょく)

鳩居鵲巣《きゅうきょじゃくそう》 1級

⇩**鵲巣鳩居**(じゃくそう きゅうきょ)

泣血漣如《きゅうけつれんじょ》 準1級

意味　**非常に悲しみ涙が止めどもなく流れるさま。**さまざめと泣くこと。「泣血」は涙を流し尽くして血の涙を出すほど泣く意。非常な悲しみをいう。「漣如」は涙の流れるさま。

出典　『易経《えききょう》』〈屯《ちゅん》〉

類義語　泣涕《きゅうてい》如雨《じょう》

躬行実践《きゅうこうじっせん》 1級

⇩**実践躬行**(じっせん きゅうこう)

九皐鳴鶴《きゅうこうのめいかく》 準1級

意味　**身を隠していても、名声が世にあらわれること。**「九皐」は奥深い沢のことで、深遠なところのたとえ。奥深い沢で鳴いている鶴《つる》の意。

出典　『詩経《しきょう》』〈小雅《しょうが》・鶴鳴《かくめい》〉

丘山之功《きゅうざんのこう》 準1級

意味　**偉大な功績のたとえ。**丘や山のように、高く大きい功績の意。

出典　陳琳《ちんりん》の文

泣斬馬謖《きゅうざんばしょく》 1級

意味　**天下の法は私情で曲げられないたとえ。**また、**大きな目的のためには私情をすてるたとえ。**全体の規律を守るため私情をはさまず規則に従い、愛する者、大切な者をすてさること。「馬謖」は諸葛《しょかつ》亮《りょう》(孔明《こうめい》)の部下の名。

補説　「泣いて馬謖を斬《き》る」とも読む。
故事　諸葛亮が軍規に違反して敗北した信任厚い馬謖を、私情にとらわれず処刑したという故事から（『三国志《さんごくし》』〈蜀書《しょくしょ》・馬《ば》謖伝《しょくでん》〉）。

窮山幽谷　きゅうざん　ゆうこく　準2級

意味　**奥深くて静かな山と谷のこと。**「窮」「幽」ともに、奥深いこと。
類義語　窮山通谷《きゅうざんつうこく》、深山幽谷《しんざんゆうこく》

九死一生　きゅうし　いっしょう　5級

意味　**ほとんど助かる見込みのない命がかろうじて助かること。**「九死」は九分《ぶ》の死の可能性の意で、死が避けがたいこと、「一生」は一分の生きる可能性の意。
補説　「九死に一生を得る」という形で用いる。
出典　『楚辞《そじ》』〈離騒《りそう》・劉良《りゅうりょう》の注〉
類義語　十死一生《じっしいっしょう》、万死九生《ばんしきゅうしょう》

宮車晏駕　きゅうしゃ　あんが　1級

意味　**天子が亡くなること。**「宮車」は天子の車のこと、「晏」は晩の意で、「晏駕」は晩に霊柩《れいきゅう》車でお出ましになること。
注意　「晏駕」を「安駕」と書き誤らない。
出典　『史記』〈范雎伝《はんしょでん》〉
類義語　宮車晩駕《きゅうしゃばんが》

牛溲馬勃　ぎゅうしゅう　ばぼつ　1級

意味　**無用なものや役に立たないもののたとえ。**また、**つまらないもののたとえ。**「牛溲」はおおばこ、「馬勃」はほこりたけ（きのこの一種）の意。ともに一般的でありふれた薬草。一説に、「牛溲」は牛の小便、「馬勃」は馬の糞《ふん》。
補説　「牛溲」は「ぎゅうそう」とも読む。
出典　韓愈《かんゆ》の「進学解《しんがくかい》」
類義語　牛糞馬涎《ぎゅうふんばせん》

鳩首凝議　きゅうしゅ　ぎょうぎ　準1級

意味　**額をつきあわせて熱心に相談すること。**「鳩」は集める意。「鳩首」は頭を集める、額を集めつき合わせる意。「凝議」は熱心に相談すること。
類義語　鳩首協議《きゅうしゅきょうぎ》、鳩首密議《きゅうしゅみつぎ》

救世済民　きゅうせい　さいみん　5級

意味　**世の中をよくし、人々を苦しみから救うこと。**「救世」は悪い世の中を救ってよくすること、「済民」は人民の苦しみを救う意。
字体　「済」の旧字体は「濟」。
注意　「済民」を「斉民」と書き誤らない。
類義語　経世済民《けいせいさいみん》

窮鼠噛猫　きゅうそ　ごうびょう　準1級

意味　**弱者も追いつめられて必死になれば、強者に思いもよらない力で抵抗し勝つこともあるというたとえ。**追いつめられて逃げ場のなくなったねずみがねこにかみつくこと。
補説　「窮鼠、猫を噛《か》む」とも読む。
類義語　窮鼠噛狸《きゅうそごうり》、禽困覆車《きんこんふくしゃ》、困獣猶闘《こんじゅうゆうとう》

旧態依然　きゅうたい　いぜん　4級

意味　**昔のままで少しも進歩しないこと。**「旧態」は昔から変わりのないこと、「依然」はもともとのとおりである意。
字体　「旧」の旧字体は「舊」。
注意　「旧態」を「旧体」、「依然」を「以前」などと書き誤りやすい。
類義語　十年一日《じゅうねんいちじつ》

九腸寸断　きゅうちょう　すんだん　5級

意味　**非常につらくて悲しいこと。**「九」は数が多いことを表す語で、「九腸」は腸のすべて・腸全体のこと、「寸断」は細かくずたずたに切る意。腸がずたずたに切られるような悲しい思いをいう。「腸《はらわた》がち

ぎれる思い」と同じ。

字体　「断」の旧字体は「斷」。

類義語　断腸《だんちょう》之《の》思《おもい》、母猿《ぼえん》断腸《だんちょう》

窮鳥入懐　きゅうちょうにゅうかい　準2級

意味　**追いつめられた人が助けを求めすがること。**また、これを見すてることはできないのが人としての道であることをいう。追われて逃げ場所を失った鳥が、人のふところに飛び込むことから。

補説　「窮鳥懐《ふところ》に入る」とも読む。

字体　「懐」の旧字体は「懷」。

出典　『顔氏家訓《がんしかくん》』〈省事《しょうじ》〉

九鼎大呂　きゅうていたいりょ　準1級

意味　**貴重なもの、重要な地位や名望のたとえ。**「九鼎」は夏《か》の禹王《うおう》が九州(中国全土)から銅を献上させて作った鼎《かなえ》、「大呂」は周《しゅう》王朝の太廟《たいびょう》に供えた大きな鐘のこと。ともに貴重なもののたとえ。

出典　『史記』〈平原君伝《へいげんくんでん》〉

類義語　一言九鼎《いちげんきゅうてい》

急転直下　きゅうてんちょっか　5級

意味　**事態・情勢が急に変化して、物事が解決し決着がつくこと。**「急転」は急激に変化すること、「直下」はまっすぐに落ちる(ただちに結論が出る)こと。また、解決・決着の方向へ向かう場合にも用いられる。

字体　「転」の旧字体は「轉」。

注意　「急転」を「急天」「九天」などと書き誤りやすい。

類義語　一落千丈《いちらくせんじょう》

牛刀割鶏　ぎゅうとうかっけい　3級

⇩**割鶏牛刀**(かっけいぎゅうとう)

弓道八節　きゅうどうはっせつ　4級

意味　**弓道での弓を射る八段階の方則のこと。**第一段階の足踏みから第八段階の残心までをいう。

類義語　射法八節《しゃほうはっせつ》

旧套墨守　きゅうとうぼくしゅ　準1級

意味　**古いしきたりを守り続けること。**また、**古いしきたりを固く守って融通のきかないこと。**「旧套」は古い習慣やしきたり。「墨守」は中国戦国時代の思想家墨子がよく城を守ったことから、固く守ってゆずらないこと。

字体　「旧」の旧字体は「舊」。

類義語　旧慣墨守《きゅうかんぼくしゅ》、旧習墨守《きゅうしゅうぼくしゅ》、墨守《ぼくしゅ》成《せい》規《き》、守株待兎《しゅしゅたいと》

窮途之哭　きゅうとのこく　1級

意味　**貧しくて生活に困窮した悲しみ。**「窮途」は行き止まりの道のこと、転じて困窮・苦境の意。「哭」は声をあげて泣き悲しむこと。

故事　晋《しん》の阮籍《げんせき》が外出し、道が行き止まったところで嘆き悲しんでひき返した故事から(『晋書《しんじょ》』〈阮籍伝《げんせきでん》〉)。

出典　王勃《おうぼつ》の「滕王閣序《とうおうかくのじょ》」

窮途末路　きゅうとまつろ　準2級

意味　**追いつめられて苦境から逃れようもない状態。**また、**苦境におちいって困りはてること。**「窮途」は行きどまりの道、「末路」は行路の終わり。いずれも苦難にひしがれた人生の惨めさにたとえる。

補説　「末路窮途」ともいう。

注意　「末」を「未」と書き誤らない。

類義語　絶体絶命《ぜったいぜつめい》、山窮水尽《さんきゅうすいじん》

九年面壁　きゅうねんめんぺき　4級

⇩**面壁九年**(めんぺきくねん)

窮年累世　きゅうねんるいせい　準2級

意味　**自分の生きている限り、孫子の代までも。いつまでも。**「窮年」は人の一

生をいい、「累世」は世をかさねるで代々の意。

補説　「年《とし》を窮《きわ》め世《よ》を累《かさ》ぬ」とも読む。

出典　『荀子《じゅんし》』〈栄辱《えいじょく》〉

類義語　窮年累月《きゅうねんるいげつ》、積年累月《せきねんるいげつ》

吸風飲露　きゅうふう いんろ　4級

意味　**仙人などの清浄な生活のこと。**

仙人が食物を絶って生活すること。「吸風」は風を吸う、「飲露」は露を飲む意。

補説　「風《かぜ》を吸《す》い露《つゆ》を飲《の》む」とも読む。

字体　「飲」の旧字体は「飮」。

出典　『荘子《そうじ》』〈逍遥遊《しょうようゆう》〉

朽木糞墻　きゅうぼく ふんしょう　1級

⇩朽木糞土（きゅうぼく ふんど）

朽木糞土　きゅうぼく ふんど　準1級

意味　**だめな人間やなまけ者は教育しがたいことのたとえ。**また、**手のほどこしようのないもの、役にたたない者のたとえ。**「朽木」は彫刻することができない腐った木のこと、「糞土」は上塗りができず、壁土の用をなさない腐ってぼろぼろになった土の意。

補説　「朽木は雕《え》るべからず、糞土の牆《しょう》は杇《ぬ》るべからず」の略。

出典　『論語』〈公冶長《こうやちょう》〉

類義語　朽木糞牆《きゅうぼくふんしょう》、朽木之材《きゅうぼくのざい》

窮余一策　きゅうよの いっさく　準2級

意味　**追いつめられて苦しまぎれに思いつく手段・方策。**「窮余」は困りはてたすえ。

字体　「余」の旧字体は「餘」。

類義語　苦肉《くにく》之策《のさく》

急流勇退　きゅうりゅう ゆうたい　5級

意味　**いさぎよく官職をやめること。**

船が急流の中で勇敢にさっと引き返す意。一説に、急流を勇敢に徒歩で渡る意。仕事などが順調なときに機を見て官位などをきっぱりと辞し去ることにいう。

出典　『邵氏聞見録《しょうしぶんけんろく》』〈七〉

挙案斉眉　きょあん せいび　2級

意味　**夫婦の間に礼儀がいきとどいていること。**「案」はお膳《ぜん》・お碗《わん》のことで、「挙案」はお膳をささげる意。「斉」は等しい意で、「斉眉」は眉《まゆ》に等しい高さをいう。お膳を恭《うやうや》しく眉の高さまでささげるさまをいう。

字体　「挙」の旧字体は「擧」、「斉」の旧字体は「齊」。

補説　「案《あん》を挙《あ》ぐること眉《まゆ》に斉《ひと》しくす」とも読む。

出典　『後漢書《ごかんじょ》』〈梁鴻伝《りょうこうでん》〉

類義語　孟光挙案《もうこうきょあん》

強悪強善　きょうあく きょうぜん　5級

意味　**悪人が悔いあらためると逆に考えられないほどの善人になるたとえ。**

補説　「悪に強ければ、善にも強し」とも読む。

字体　「悪」の旧字体は「惡」。

矯枉過直　きょうおう かちょく　1級

意味　**物事を正そうとしても度を超してしまえばかえって新たな偏向や損害を招くたとえ。**曲がったものを直そうとして力を入れすぎて逆の方向に曲がる意。「矯」は曲がったものをまっすぐ直す意、「枉」は曲がる意。

補説　「枉《まが》れるを矯《た》めて直《なお》きに過《す》ぐ」とも読む。

注意　「矯枉」を「矯柱」と書き誤らない。

出典　『越絶書《えつぜつしょ》』〈越絶篇叙外伝記《えつぜつへんじょがいでんき》〉

類義語　矯角殺牛《きょうかくさつぎゅう》、矯枉過正《きょうおうかせい》

跫音空谷　きょうおん くうこく　1級

⇩空谷跫音（くうこくの きょうおん）

尭階三尺　ぎょうかい さんじゃく　準1級

意味　**質素な生活をすること。** 中国の伝説上の聖王とされる尭の御殿は、土の階段で高さが三尺にすぎなかったことから。君子の理想的な生活ぶりとされた。

字体　「尭」の旧字体は「堯」。

類義語　土《ど》階《かい》三《さん》尺《じゃく》、土《ど》階《かい》三《さん》等《とう》

矯角殺牛　きょうかく さつぎゅう　準2級

意味　**少しの欠点を直そうとして、かえって全体をだめにしてしまうこと。**「矯角」の「矯」は曲がったものをまっすぐにすること。曲がっている角《つの》を直そうとして、牛を殺してしまうことから。

補説　「角《つの》を矯《た》めて牛を殺す」とも読む。

出典　『玄《げん》中《ちゅう》記《き》』

類義語　矯《きょう》枉《おう》過《か》直《ちょく》、庇《ひ》葉《よう》傷《しょう》枝《し》

鏡花水月　きょうか すいげつ　5級

意味　**むなしくはかないまぼろしのこと。** また、**詩歌などの深遠な味わい。** 鏡に映った花と水に映った月の意。眼には見えても実体がないもの、見るだけで実際に手に取ることができないことをいう。

補説　「水月鏡花」ともいう。

類義語　水《すい》月《げつ》鏡《きょう》像《ぞう》

強幹弱枝　きょうかん じゃくし　準2級

意味　**地方の権限を抑えて、中央の権力を強くすること。** 幹は帝室、枝は諸侯のたとえ。幹たるべき中央政府を強くし、枝たるべき地方政権を弱くする意。

補説　「幹《みき》を強くし枝《えだ》を弱くす」とも読む。

出典　班《はん》固《こ》の「西都賦《せいとのふ》」

類義語　中央集権《ちゅうおうしゅうけん》

仰観俯察　ぎょうかん ふさつ　1級

意味　**仰いで天文を見、うつむいて地理を知ること。** 仰いだり、うつむいたりして観察する意。

補説　「俯察仰観」ともいう。

字体　「観」の旧字体は「觀」。

出典　『易経《えききょう》』〈繫辞《けいじ》・上〉

澆季溷濁　ぎょうき こんだく　1級

意味　**人情や風俗が軽薄で、世の中が乱れていること。**「澆季」は人情や風俗が軽薄になった時代・滅亡に近い世のこと、「溷濁」はけがれる、濁る意。

補説　「溷濁」は「混濁」とも書く。

注意　「澆季」を「尭季」と書き誤らない。

類義語　澆《ぎょう》季《き》末《まっ》世《せ》、澆《ぎょう》季《き》之《の》世《よ》

澆季末世　ぎょうき まっせ　1級

意味　**時勢の衰えた末の世。**「澆」は（人情が）うすい、「季」はすえの意。「澆季」も「末世」も人心・徳目の乱れた滅亡にひんした世をいう。

注意　「季」を「李」、「末」を「未」と書き誤らない。

類義語　澆《ぎょう》世《せい》季《き》世《せい》、澆《ぎょう》漓《り》末《まつ》代《だい》

兢兢業業　きょうきょう ぎょうぎょう　1級

意味　**つつしみおそれるさま。** すべてに用心深くあるべきことをいう。「兢兢」は恐れ慎むさま、「業業」はあやぶみ恐れるさま。

注意　「兢兢」を「競競」と書き誤らない。

出典　『書経《しょきょう》』〈皋陶《こうよう》謨《ぼ》〉

恐恐謹言　きょうきょう きんげん　準2級

⇩恐惶謹言《きょうこうきんげん》（きょうこう きんげん）

狂喜乱舞　きょうき らんぶ　4級

意味　**非常に喜ぶさま。**「狂喜」は狂おしいほどよろこぶこと、「乱舞」は入り乱れて踊ること。

字体　「乱」の旧字体は「亂」。

注意　「狂喜」を「狂気」と書き誤らない。

類義語　歓《かん》天《てん》喜《き》地《ち》、欣《きん》喜《き》雀《じゃく》躍《やく》

胸襟秀麗　きょうきん しゅうれい　準2級

意味　**物事に対する考え方が正しくりっぱなこと。**「胸襟」は心の中・胸のうちのこと、「秀麗」はすぐれて美しい意。

恐懼感激　きょうく かんげき　1級

意味　**おそれかしこまって感激すること。**相手に畏《い》敬《けい》の念をもつ場合の情感。

僑軍孤進　きょうぐん こしん　準1級

意味　**救援もなく孤立して戦い進むこと。**「僑軍」は他の地から来た軍、遠征軍。

類義語　孤《こ》立《りつ》無《む》援《えん》、孤《こ》軍《ぐん》奮《ふん》闘《とう》

薑桂之性　きょうけいのせい　1級

意味　**年老いてますます剛直なこと。**また、**性質は簡単には変わらないたとえ。**「薑」はしょうが、「桂」は肉桂《にっけい》（にっき）のこと。ともに古くなればなるほど辛《から》くなることからいう。

出典　『宋《そう》史《し》』〈晏《あん》敦《とん》復《ふく》伝《でん》〉

教外別伝　きょうげべつでん　4級

意味　**悟りは言葉や経典で伝えられるものではなく、心から心へと伝えるものだということ。**禅宗の教え。

字体　「伝」の旧字体は「傳」。

類義語　以《い》心《しん》伝《でん》心《しん》、拈《ねん》華《げ》微《み》笑《しょう》、不《ふ》立《りゅう》文《もん》字《じ》、維《ゆい》摩《ま》一《いち》黙《もく》

狂言綺語　きょうげん きご　1級

意味　**小説や物語などをいやしめていう語。**「狂言」は道理にはずれた言葉、「綺語」は表面だけを飾った言葉。

補説　「綺語」は「きぎょ」とも読む。

出典　白《はく》居《きょ》易《い》の「香《こう》山《ざん》寺《じ》白《はく》氏《し》洛《らく》中《ちゅう》集《しゅう》記《のき》」

恐惶謹言　きょうこう きんげん　1級

意味　**恐れながらつつしんで申し上げるということ。**「恐惶」は恐れかしこまること。手紙の終わりに書いて、相手に敬意を表す言葉。

注意　「恐惶」を「恐慌」と書き誤らない。

類義語　恐《きょう》恐《きょう》謹《きん》言《げん》、恐《きょう》惶《こう》敬《けい》白《はく》

匡衡壁鑿　きょうこう へきさく　1級

⇨**鑿壁偸光**（さくへき とうこう）

尭鼓舜木　ぎょうこ しゅんぼく　準1級

意味　**人の善言をよく聞き入れること。**「尭」は尭帝、「舜」は舜帝のこと。

字体　「尭」の旧字体は「堯」。

故事　中国の伝説上の聖王といわれる尭帝は、朝廷に太鼓を置き、自分を諫《いさ》めようとする者にはこれを打たせ、同じく舜帝は木を立てて、これに自分に対する諫めの言葉を書かせたという故事から。

出典　『旧《く》唐《とう》書《じょ》』〈褚《ちょ》亮《りょう》伝《でん》〉

教唆煽動　きょうさ せんどう　準1級

意味　**教えそそのかして人の心をあおりたてること。**「教唆」は教えそそのかす、おだてて物事をさせること。「煽動」はあおりたてる。人をそそのかして判断を失わせ、ある行動をおこさせるように仕向けること。

補説　「煽動」は「扇動」とも書く。

注意　「煽動」を「先導」と書き誤らない。

驕奢淫逸　きょうしゃ いんいつ　1級

意味　**ぜいたくにふけり、淫《みだ》らに走ること。**「驕奢」はおごってぜいたくを欲しいままにする、「淫逸」は淫らなことをすること。

補説　「淫逸」は「淫佚」とも書く。

類義語　奢《しゃ》侈《し》淫《いん》逸《いつ》

行住坐臥　ぎょうじゅう ざが　準1級

意味　**日常の振る舞いのこと。ふだん。**

つねづね。「行」は行くこと、「住」はとどまること、「坐」は座ること、「臥」は臥《ふ》すことで、ふだんの立ち居振る舞いの意。

補説　仏教では、行・住・坐・臥を四《し》威《い》儀《ぎ》という。

出典　『本朝文粋《ほんちょうもんずい》』〈一三〉

類義語　常住《じょうじゅう》坐《ざ》臥《が》、挙《きょ》止《し》進《しん》退《たい》、坐《ざ》作《さ》進《しん》退《たい》

拱手傍観　きょうしゅぼうかん　1級

意味　**何もせず手をこまねいて、そばで見ていること。**「拱手」はもと中国の敬礼の一つで、両手を胸の前で重ねる動作。転じて、手を組んで何もしないこと。「傍観」はただかたわらで見ていること。

補説　「手を拱《こまぬ》いて傍《かたわ》らで観《み》る」とも読む。また「拱手」は「こうしゅ」とも読む。

字体　「観」の旧字体は「觀」。

注意　「拱手」を「供手」と書き誤りやすい。

類義語　袖手《しゅうしゅ》傍観《ぼうかん》、冷眼《れいがん》傍観《ぼうかん》、隔岸《かくがん》観火《かんか》

彊食自愛　きょうしょくじあい　準1級

意味　**つとめて食事を取って体を大切にすること。**「彊食」は強いて食事をする意。「彊」は「強」に同じ。

補説　「彊食」は「強食」とも書く。

出典　『越絶書《えつぜつしょ》』〈越絶外伝記呉王占夢《えつぜつがいでんきごおうせんむ》〉

強食弱肉　きょうしょくじゃくにく　5級

⇩**弱肉強食**（じゃくにくきょうしょく）

驚心動魄　きょうしんどうはく　1級

意味　**心の底から深い感動をよび起こすこと。**深く感動することをいう。「魄」はたましいのことで、人の死後、天に昇る「魂《こん》」に対して、地に残るたましいをいう。心を驚かし、たましいを動かすような感動の意。

補説　「心を驚かし魄《たましい》を動かす」とも読む。

出典　鍾嶸《しょうこう》『詩品《しひん》』〈上〉

類義語　驚魂動魄《きょうこんどうはく》

協心戮力　きょうしんりくりょく　1級

意味　**物事を一致協力して行うこと。**「協心」は心を一つにすること。「戮」は殺す意のほかに合わせる意があり、「戮力」は力を合わせること。

補説　「戮力協心」ともいう。

類義語　戮力同心《りくりょくどうしん》、戮力一心《りくりょくいっしん》、戮力斉《りくりょくせい》心《しん》、同心協力《どうしんきょうりょく》、一致団結《いっちだんけつ》、上下一心《しょうかいっしん》

共存共栄　きょうぞんきょうえい　5級

意味　**互いに助けあって生存し、ともに栄えること。**「共存」は二つ以上のものが互いに敵対することなく存在すること、「共栄」はともに栄える意。

補説　「共存」は「きょうそん」とも読む。

字体　「栄」の旧字体は「榮」。

対義語　弱肉強食《じゃくにくきょうしょく》

胸中成竹　きょうちゅうのせいちく　5級

意味　**事前に成功の見込みをつけ、準備を整えておくこと。**「胸中」は胸のうちの意、「成竹」は完成している竹の絵のこと。画家が竹の絵を描く場合、あらかじめ胸中でその構図を考え、それから一気に制作にとりかかることから。

出典　蘇軾《そしょく》の文

驚天動地　きょうてんどうち　4級

意味　**世間をおおいに驚かせること。**天を驚かせ地を揺り動かすほどのこと。

補説　「天を驚《おどろ》かし、地を動かす」とも読む。

出典　白居易《はくきょい》の「李《り》白墓《はくのはか》詩」

類義語　撼天動地《かんてんどうち》、驚天駭地《きょうてんがいち》、驚地動《きょうちどう》天《てん》、震天動地《しんてんどうち》、震地動天《しんちどうてん》、殷天動地《いんてんどうち》

仰天不愧　ぎょうてんふき　1級

意味　**心にやましいことがなければ、**

天に対して恥じることはないということ。

補説　「天《てん》を仰《あお》ぎて愧《は》じず」とも読む。

出典　『孟子《もうし》』〈尽心《じんしん》・上〉

尭年舜日《ぎょうねんしゅんじつ》

準1級

意味　**尭や舜という聖天子をいただくような天下太平の世をいう。**「尭」「舜」はいずれも中国、古代伝説上の聖天子。尭や舜が治めている年月の意。

字体　「尭」の旧字体は「堯」。

出典　沈約《しんやく》の詩

類義語　尭天舜日《ぎょうてんしゅんじつ》、尭風舜雨《ぎょうふうしゅんう》

器用貧乏《きようびんぼう》

3級

意味　**器用なためにあちこち手を出し、かえって中途半端となり大成しないこと。**また、そのような人。

類義語　梧鼠之技《ごそのぎ》

尭風舜雨《ぎょうふうしゅんう》

準1級

意味　**尭帝や舜帝の恵みや恩沢を雨や風にたとえていう語。**転じて、**太平の世をいう。**「尭」「舜」は古代伝説上の聖天子。

字体　「尭」の旧字体は「堯」。

類義語　尭雨舜風《ぎょううしゅんぷう》、尭年舜日《ぎょうねんしゅんじつ》、尭天舜《ぎょうてんしゅん》日《じつ》、舜日尭年《しゅんじつぎょうねん》

驕兵必敗《きょうへいひっぱい》

1級

意味　**思い上がった軍隊は必ず敗れるということ。**威を借り数をたのむような名ばかりの軍隊はいつの日か必ず戦いに敗れる意。

補説　「驕」はおごりたかぶること。「驕兵《きょうへい》は必ず敗《やぶ》る」とも読む。出典には「兵の驕《おご》る者は必ず滅す」とある。

出典　『漢書《かんじょ》』〈魏相伝《ぎしょうでん》〉

類義語　盛者必衰《じょうしゃひっすい》

嚮壁虚造《きょうへききょぞう》

1級

意味　**拠り所もないのにむやみにないものを作り出すこと。**「嚮」は「向」に同じ。「虚造」はないものをむやみに作り出す意。

故事　漢代に孔子の旧宅から出た古文《こぶん》（古い書体）の経書《けいしょ》について当時の人が孔子の旧宅の壁に向かってむやみに偽造したものであると非難した語にもとづく。

出典　『説文解字《せつもんかいじ》』〈叙《じょ》〉

興味索然《きょうみさくぜん》

準2級

意味　**関心が薄れていくこと。**また、**おもしろみがなく物足りないこと。**「索然」は尽きてなくなる意。

対義語　興味津津《きょうみしんしん》

興味津津《きょうみしんしん》

準2級

意味　**非常に関心があること。**「津」はわき出る意で、「津津」は多くあふれ出ること。あとからあとから興味がわくさま。

注意　「津津」を「深深」と書き誤らない。

対義語　興味索然《きょうみさくぜん》

狂瀾怒濤《きょうらんどとう》

1級

意味　**物事がひどく乱れていること。**「狂瀾」「怒濤」ともに荒れ狂う大波のこと。多く世の中の状況についていう。

注意　「狂瀾」を「狂乱」と書き誤らない。

類義語　疾風怒濤《しっぷうどとう》、暴風怒濤《ぼうふうどとう》

虚往実帰《きょおうじっき》

3級

意味　**大いなる教化のたとえ。**行くときはなんの準備もなく行くが帰りには得るところがあり充実して帰ってくる意。

補説　「虚《きょ》にして往《ゆ》き実《じつ》にして帰《かえ》る」とも読む。

字体　「実」の旧字体は「實」、「帰」の旧字体は「歸」。

出典　『荘子《そうじ》』〈徳充符《とくじゅうふ》〉

挙棋不定《きょきふてい》

3級

意味　**方針をたてないまま行動するこ**

と。また、**物事を行うのになかなか決心がつかないこと。**「挙棋」は碁石《ごいし》をつまみあげる、「不定」は方針が定まらない意。
補説 「棋《き》を挙《あ》げて定まらず」とも読む。
字体 「挙」の旧字体は「擧」。
出典 『春秋左氏伝《しゅんじゅうさしでん》』〈襄公《じょうこう》二五年〉

虚気平心　きょき へいしん　3級

意味 **心をむなしくして落ちつけること。**「虚気」は喜怒哀楽の情をなくすこと、「平心」は心を落ちつける意。
補説 「気を虚《むな》しくして心を平らかにす」とも読む。
字体 「気」の旧字体は「氣」。
出典 『管子《かんし》』〈版法解《はんぽうかい》〉
類義語 無念無想《むねんむそう》

虚虚実実　きょきょ じつじつ　3級

意味 **互いに策略を尽くして必死に戦うこと。**また、**うそとまことをおりまぜて互いに腹を読みあうこと。**「虚」は備えがないこと、「実」は堅い備えの意。
補説 「虚実」を強めていった語。
字体 「実」の旧字体は「實」。

曲学阿世　きょくがく あせい　準1級

意味 **学問の真理をまげて、世間や時勢に迎合すること。**また、そうした人。「曲学」は真理をまげた学問、「阿世」は世におもねる意。
補説 通常「曲学阿世の徒」と用いる。また「阿世曲学」ともいう。
字体 「学」の旧字体は「學」。
注意 「阿世」を「亜世」と書き誤らない。
出典 『史記』〈儒林伝《じゅりんでん》〉

曲肱之楽　きょくこうの たのしみ　準1級

意味 **清貧のなかでも、常に正しい道を行う楽しみ。**「曲肱」は肱《ひじ》を曲げて腕枕《うでまくら》をすること。枕もないので、寝るのに肱を枕のかわりにするような貧しい生活のたとえ。
補説 「楽」は「らく」とも読む。
字体 「楽」の旧字体は「樂」。
出典 『論語』〈述而《じゅつじ》〉

玉砕瓦全　ぎょくさい がぜん　2級

意味 **名誉を重んじて死ぬことと何をなすこともなく生きながらえること。**また、立派な人は無為に生きながらえるよりは名誉を重んじて潔くすること。「玉砕」は玉と砕《くだ》ける、名誉を重んじて潔く死ぬこと。「瓦全」はかわらのようなつまらないものとなって命を全うすること。
補説 「大丈夫《だいじょうふ》は寧《むし》ろ玉砕す可《べ》く、瓦全する能《あた》わず」の略。
字体 「砕」の旧字体は「碎」。
出典 『北斉書《ほくせいしょ》』〈元景安伝《げんけいあんでん》〉

旭日昇天　きょくじつ しょうてん　準1級

意味 **非常に勢いが盛んなこと。**「旭日」は朝日のこと、「昇天」は天に昇る意。朝日が勢いよく天空に昇るさまをいう。
補説 多く「旭日昇天の勢い」の形で用いる。
類義語 旭日東天《きょくじつとうてん》

曲水流觴　きょくすい りゅうしょう　1級

意味 曲折した水の流れに杯《さかずき》を浮かべ、それが自分の前を流れ過ぎないうちに詩を作り、杯の酒を飲むという**風雅な遊び。**「曲水」はいく曲がりも曲げて作った人工の小川のこと、「觴」は杯の意。中国晋《しん》の王羲之《おうぎし》が、会稽《かいけい》の蘭亭《らんてい》に文人を集めて行ったのに始まるという。
補説 「流觴曲水」ともいう。
出典 王羲之《おうぎし》の「蘭亭集序《らんていしゅうじょ》」
類義語 曲水之宴《きょくすいのえん》

玉石混淆　ぎょくせき こんこう　1級

意味 **すぐれたものと劣ったものが入**

り混じっていること。「玉石」は宝石と石ころで、良いものとつまらないもののたとえ、「混」「淆」はともに入りまじる意。玉と石が入りまじっていること。

補説 「混淆」は「混交」とも書く。

出典 『抱朴子《ほうぼくし》』〈外篇《がいへん》・尚博《しょうはく》〉

類義語 玉石雑糅《ぎょくせきざつじゅう》、玉石同匱《ぎょくせきどうき》、玉石同《ぎょくせきどう》架《か》、牛驥《ぎゅうき》同皁《どうそう》

玉石同匱 ぎょくせき どうき

1級

意味 **よいものと悪いもの、賢者と愚者が同じように扱われて区別がつかないたとえ。**玉と石が同じ箱の中で交じり合う意。「匱」はひつ、木箱の意。

出典 東方朔《とうぼうさく》の「七諫《しちかん》・謬諫《びゅうかん》」

類義語 玉石混淆《ぎょくせきこんこう》、玉石雑糅《ぎょくせきざつじゅう》、玉石在間《ぎょくせきざいかん》

玉石同砕 ぎょくせき どうさい

準2級

意味 **よいものも悪いものも、賢者も愚者もともに滅びてなくなるたとえ。**貴重な玉と価値のない石がともに砕《くだ》けてなくなる意。

字体 「砕」の旧字体は「碎」。

出典 袁宏《えんこう》の「三国名臣頌序賛《さんごくめいしんしょうじょさん》」

曲折浮沈 きょくせつ ふちん

4級

⇩**紆余曲折**（うよ きょくせつ）

玉蟾金兎 ぎょくせん きんと

1級

⇩**玉兎銀蟾**（ぎょくと ぎんせん）

跼天蹐地 きょくてん せきち

1級

意味 **非常に恐れて身のおきどころのない形容。**また、**肩身を狭くして世をはばかって暮らすこと。**「跼」はかがむ、うずくまる意。「蹐」は音をたてないようにぬきあしさしあしで歩くこと。天は高いのに背をかがめ、大地は広く厚いのに忍び足でそっと歩くこと。

補説 「天に跼《せくくま》り地に蹐《ぬきあし》す」とも読む。略して「跼蹐」ともいう。「跼天」は「局天」とも書く。

出典 『詩経《しきょう》』〈小雅《しょうが》・正月《しょうがつ》〉

玉兎銀蟾 ぎょくと ぎんせん

1級

意味 **月のこと。**「玉兎」は月にすむというウサギ。「銀蟾」は月にすむというひきがえる。それぞれ転じて、月の意。

出典 白居易《はくきょい》の詩

類義語 玉蟾金兎《ぎょくせんきんと》

曲突徙薪 きょくとつ ししん

1級

意味 **未然に災難を防ぐこと。**「突」は煙突のこと、「徙」は物を移動させる意。煙突を曲げ、薪《たきぎ》を他の場所に移して、火事になるのを防ぐこと。

補説 「突《とつ》を曲《ま》げて薪《たきぎ》を徙《うつ》す」とも読む。また「徙薪曲突」ともいう。

注意 「徙」を「徒」と書き誤らない。

故事 旅人がある家の前を通ったとき、その家のかまどの煙突がまっすぐになっていて、そばに薪が積んであったので、曲がった煙突にして薪を遠くに移した方がよいと忠告した。ところが、主人はそのままほうっておいたので、まもなく火事になってしまったという寓話から。

出典 『漢書《かんじょ》』〈霍光伝《かくこうでん》〉

曲筆舞文 きょくひつ ぶぶん

4級

意味 **事実を曲げて書き、いたずらに言辞をもてあそぶこと。**

補説 「筆を曲げ文を舞わしむ」とも読む。また「舞文曲筆」ともいう。

出典 曲筆＝『後漢書《ごかんじょ》』〈臧洪伝《ぞうこうでん》〉・舞文＝『史記』〈貨殖伝《かしょくでん》〉

曲眉豊頬 きょくび ほうきょう

準1級

意味 **美しい女性のたとえ。**「曲眉」は三日月形の美しいまゆのこと、「豊頬」はふっくらとした頬《ほお》の意。

字体 「豊」の旧字体は「豐」。

出典　韓愈《かんゆ》の詩

類義語　氷肌玉骨《ひょうきぎょっこつ》、容姿端麗《ようしたんれい》

玉葉金枝　ぎょくよう きんし　準2級

⇨金枝玉葉（きんしぎょくよう）

居敬窮理　きょけい きゅうり　準2級

意味　**日常の振る舞いをつつしみ、物事の道理をきわめて正確な知識を得ること。**朱子学における修養の目標で、「居敬」はつつしみ深い態度で身を保つこと、「窮理」は物事の道理をきわめて正しい知識を身につける意。

出典　『朱子語類《しゅしごるい》』〈九〉

挙国一致　きょこく いっち　4級

意味　**国民が心を一つにして団結すること。**「挙国」は国中をあげて、国民全体の意。ふつう、戦時の総力体制をいう。

字体　「挙」の旧字体は「擧」、「国」の旧字体は「國」。

挙止進退　きょし しんたい　5級

⇨**挙措進退**（きょそしんたい）

虚実皮膜　きょじつ ひまく　3級

意味　**芸術は事実と虚構との微妙な境界に成立するということ。**「虚実」はうそとまこと。「皮膜」は皮と薄皮《うすかわ》で、転じて区別できないほどの微妙な違いの意。江戸時代の浄瑠璃《じょうるり》作者、近松門左衛門《ちかまつもんざえもん》の唱えた芸術論。

補説　「皮膜」は「ひにく」とも読む。

字体　「実」の旧字体は「實」。

出典　穂積以貫《ほづみいかん》『難波土産《なにわみやげ》』

虚心坦懐　きょしん たんかい　準1級

意味　**心にわだかまりがなく、気持ちが素直でさっぱりしていること。**「虚心」はわだかまりのない素直な心のこと、「坦懐」は心が穏やかでこだわらないこと。平静な心境をいう。

字体　「懐」の旧字体は「懷」。

注意　「坦懐」を「担懐」と書き誤らない。

類義語　虚心平意《きょしんへいい》、虚心平気《きょしんへいき》、明鏡止水《めいきょうしすい》、光風霽月《こうふうせいげつ》

対義語　意馬心猿《いばしんえん》、玩物喪志《がんぶつそうし》、疑心暗鬼《ぎしんあんき》、焦心苦慮《しょうしんくりょ》

虚静恬淡　きょせい てんたん　1級

意味　**私心や私欲がなく、心が平静なこと。**「虚静」は心にわだかまりがなく、静かでやすらかなこと、「恬淡」はあっさりとしてこだわらない意。

補説　「恬淡」は「恬惔」「恬澹」「恬憺」とも書く。

字体　「静」の旧字体は「靜」。

注意　「虚静」を「虚勢」と書き誤らない。

類義語　虚無恬淡《きょむてんたん》

挙足軽重　きょそく けいちょう　5級

意味　**その言動によって、全体に影響を及ぼすような重要な人物のこと。**足を挙げて一歩踏み出せば対立する二者の勢力の軽いか重いか、その優劣が決まる意。「挙足」は足をあげて一歩踏み出すこと、「軽重」は軽んずるべきことと重んずるべきことの意。第一歩を踏み出すことで、物事の軽重が決まってしまうような重要人物をいう。

字体　「挙」の旧字体は「擧」、「軽」の旧字体は「輕」。

出典　『後漢書《ごかんじょ》』〈竇融伝《とうゆうでん》〉

挙措失当　きょそ しっとう　3級

意味　**事にあたって対応の仕方が適当でないこと。**「挙措」は振る舞い、「失当」は適切を欠くこと。

補説　「挙措、当《とう》を失す」とも読む。

字体　「挙」の旧字体は「擧」、「当」の旧字体は「當」。

挙措進退　きょそしんたい
3級

[意味] **日常の立ち居振る舞いのこと。**「挙」は上にあげる、「措」は下におく意で、手を上げ下げすることから、体のこなし・振る舞いのこと。「進退」も立ち居振る舞いの意。

[字体] 「挙」の旧字体は「擧」。

[類義語] 起《き》居《きょ》動《どう》作《さ》、挙《きょ》止《し》進《しん》退《たい》、挙《きょ》止《し》動《どう》作《さ》、挙《きょ》措《そ》動《どう》作《さ》

玉昆金友　ぎょっこんきんゆう
準2級

[意味] **才能や学問にすぐれた兄弟のこと。**「昆」は兄、「友」はここでは弟を指す。「玉」「金」は珠玉と黄金で、才能や学問のすぐれているたとえ。人の兄弟を誉めるときに用いることば。

[補説] 「金友玉昆」ともいう。

[注意] 「玉昆」を「玉混」と書き誤らない。

[出典] 『南《なん》史《し》』〈王《おう》銓《せん》伝《でん》〉

虚堂懸鏡　きょどうけんきょう
準2級

[意味] **心をむなしくして公平・無心にものを見ることのたとえ。**なにもない部屋に鏡をかける意。

[補説] 「虚《きょ》堂《どう》に鏡《かがみ》を懸《か》く」とも読む。

[出典] 『宋《そう》史《し》』〈陳《ちん》良《りょう》翰《かん》伝《でん》〉

[類義語] 虚《きょ》心《しん》平《へい》意《い》、虚《きょ》心《しん》坦《たん》懐《かい》、公《こう》平《へい》無《む》私《し》

漁夫之利　ぎょふのり
準1級

[意味] **両者が争っているすきに、第三者が労せず利益を横取りすること。**「漁夫」は漁師のこと。

[補説] 「漁夫」は「漁父」とも書く。

[故事] 中国戦国時代、趙《ちょう》が燕《えん》を討とうとしたとき、燕の昭《しょう》王《おう》は蘇《そ》代《だい》という人物に、攻撃を思いとどまるよう趙の恵《けい》文《ぶん》王《おう》を説得させようとした。蘇代は恵文王に「鷸《いつ》(しぎ)と蚌《ぼう》(どぶがい)が争っているところへ漁夫がやってきて、いとも簡単に両方とも捕らえてしまった」という話をして、今、趙と燕が争えば強国秦《しん》に両国とも滅ぼされてしまうと説いたという故事から。

[出典] 『戦《せん》国《ごく》策《さく》』〈燕《えん》策《さく》〉

[類義語] 鷸《いつ》蚌《ぼう》之《の》争《あらそい》、犬《けん》兎《と》之《の》争《あらそい》、一《いっ》挙《きょ》両《りょう》得《とく》、一《いっ》石《せき》二《に》鳥《ちょう》、田《でん》父《ぷ》之《の》功《こう》

毀誉褒貶　きよほうへん
1級

[意味] **ほめたりけなしたりすること。**「毀」「貶」はともに、そしる、またはけなすこと。「誉」「褒」はともに、ほめること。ほめることとそしること。称賛と非難。

[字体] 「誉」の旧字体は「譽」、「褒」の旧字体は「襃」。

虚無縹渺　きょむひょうびょう
1級

[意味] **あるがままに果てもなく広がる風景の形容。**「縹渺」は広々としたさま。また、辺際のはっきりしないさま。

[補説] 「縹渺」は「縹緲」「縹眇」とも書く。

[出典] 白《はく》居《きょ》易《い》の「長《ちょう》恨《ごん》歌《か》」

[類義語] 神《しん》韻《いん》縹《ひょう》渺《びょう》

魚網鴻離　ぎょもうこうり
準1級

[意味] **求めるものとは違うものが得られるたとえ。**魚を捕らえようと網を構えていたところに、大きな鳥がかかる意。「鴻」はおおとり、雁《がん》の大きいもの。「離」は網にかかること。

[注意] 「網」を「綱」と書き誤らない。

[出典] 『詩《し》経《きょう》』〈邶《はい》風《ふう》・新《しん》台《だい》〉

魚目燕石　ぎょもくえんせき
準1級

[意味] **本物とまぎらわしい偽物《にせもの》のこと。**また、**偽物が本物の価値をそこなうこと。**「魚目」は魚の目玉、「燕石」は燕山(中国河北省の山の名)の石のことで、どちらも宝石に似てはいるが宝石ではないことか

らいう。「似て非なるもの」と同じ。
出典 韓愈《かんゆ》の文
類義語 魚目混珠《ぎょもくこんしゅ》

許由巣父 きょゆう そうほ
準1級

意味 **世俗や名利を超越して悠々と楽しむたとえ。**行いが清廉潔白であるたとえ。また、出世や高い地位に進むことを嫌うたとえ。「許由」と「巣父」はともに中国伝説上の高潔の士。
故事 許由と巣父は二人とも帝尭《ぎょう》から位を譲ろうと言われても受けなかった。許由はそれを聞くと耳が汚れたとして潁《えい》川《せん》で耳を洗い、巣父はその汚れた水を引いてきた牛に飲ませることはできないと言って引き返した故事から。
出典 『高士伝《こうしでん》』〈上〉

魚爛土崩 ぎょらん どほう
1級

意味 **国家や物事が崩壊すること。**「魚爛」は魚がくさること、「土崩」は積んだ土が崩れ落ちること。
補説 「土崩魚爛」ともいう。
出典 陳琳《ちんりん》の文

機略縦横 きりゃく じゅうおう
5級

意味 **臨機応変の策略を自在にめぐらし用いること。**「機略」はその時々に応じた策略のこと、「縦横」はたてとよこで、自由自在の意。
字体 「縦」の旧字体は「縱」。
注意 「機略」を「奇略」、「縦横」を「従横」と書かないこと。
類義語 機知縦横《きちじゅうおう》、知略縦横《ちりゃくじゅうおう》

騎驢覓驢 きろ べきろ
1級

意味 **身近にあるものを、わざわざ他に求めるおろかさのこと。**「覓」は探し求めること。驢馬《ろば》に乗って、驢馬を探し求める意からいう。現在のものより、さらによいものを求める意で用いられる場合もある。
補説 「驢《ろ》に騎《き》して驢《ろ》を覓《もと》む」とも読む。
出典 蘇軾《そしょく》の詩

岐路亡羊 きろ ぼうよう
3級

⇨多岐亡羊(たきぼうよう)

議論百出 ぎろん ひゃくしゅつ
5級

意味 **さまざまな意見が戦わされること。**「百」は数が多いことで、「百出」はさまざまなものが数多く出る意。
類義語 議論沸騰《ぎろんふっとう》、議論風生《ぎろんふうせい》、議論紛紛《ぎろんふんぷん》、侃侃諤諤《かんかんがくがく》、甲論乙駁《こうろんおつばく》、諸説紛紛《しょせつふんぷん》

錦衣玉食 きんい ぎょくしょく
2級

意味 **ぜいたくな生活をすること。**また、富貴な身分のたとえ。美しい着物と上等な食物の意から。
注意 「錦衣」を「綿衣」と書き誤らない。
類義語 煖衣飽食《だんいほうしょく》
対義語 粗衣粗食《そいそしょく》

金烏玉兎 きんう ぎょくと
準1級

意味 **日と月のこと。特に月日の速く過ぎる意に用いる。**「金烏」は太陽にすむという三本足のからすで、太陽のたとえ。「玉兎」は月にすみ不老不死の薬をつくるといううさぎで、月のたとえ。中国の伝説による。
注意 「金烏」を「金鳥」と書き誤らない。

金甌無欠 きんおう むけつ
1級

意味 **完全で欠点がないたとえ。特に、他国から侵略されたことがない堅固な国家のたとえ。**「金甌」は黄金のかめ(瓶)のこと。少しのきずもない黄金の甌《かめ》のように、完全で欠点がない意。
字体 「欠」の旧字体は「缺」。
出典 『南史《なんし》』〈朱异伝《しゅいでん》〉
類義語 完全無欠《かんぜんむけつ》

金塊珠礫 きんかいしゅれき
(1級)

意味 **並はずれて贅沢《ぜいたく》の限りをつくすたとえ。** 金を土くれと同じくみなし真珠などの宝玉を小石のように無価値にみなす意。「塊」は土くれ、「礫」は小石。

補説 「金《きん》をば塊《かい》のごとく珠《たま》をば礫《こいし》のごとくす」とも読む。

出典 杜《と》牧《ぼく》の「阿《あ》房《ぼう》宮《きゅうの》賦《ふ》」

類義語 鼎鐺玉石《ていそうぎょくせき》

槿花一朝 きんかいっちょう
(1級)

意味 **人の世の栄華のはかないたとえ。** むくげの花(槿花)が朝に咲いて、夕には散ることから。「槿花一朝の夢」などという。

補説 出典には「槿《きん》花《か》一日《いちじつ》自《みずか》ら栄《えい》を為《な》す」とある。

出典 白《はく》居《きょ》易《い》の「放言《ほうげん》-詩」

類義語 槿《きん》花《か》一日《いちじつ》

金科玉条 きんかぎょくじょう
(5級)

意味 **自分の主張や立場などの絶対的なよりどころとなる教訓や信条。**「金」「玉」は大切なものの意、「科」「条」は法律や規定の条文のことで、いちばん大切なきまりや法律の意。

字体 「条」の旧字体は「條」。

出典 揚《よう》雄《ゆう》の「劇《げき》秦《しん》美《び》新《しん》」

類義語 金《きん》科《か》玉《ぎょく》律《りつ》

巾幗之贈 きんかくのぞう
(1級)

意味 **めめしい考えや行為をはずかしめること。**「巾幗」は婦人の髪飾りのこと。

故事 中国三国《さんごく》時代、蜀《しょく》の大将諸葛亮《しょかつりょう》(孔明《こうめい》)は再三にわたって魏《ぎ》を攻め、渭水《いすい》の南に陣をしいた。ところが魏の大将軍司《し》馬《ば》懿《い》は城中にたてこもって戦おうとしなかった。そこで諸葛亮は司馬懿のことを男らしくないといって、女性が身につける髪飾りを贈ってその臆病《おくびょう》を辱《はずか》しめたという故事から。

出典 『晋書《しんじょ》』〈宣帝記《せんていき》〉

類義語 亮遺《りょうい》巾幗《きんかく》

琴歌酒賦 きんかしゅふ
(準2級)

意味 **名利や世俗から離れた隠者の生活。**「琴歌」は琴を弾いて歌を歌う、「酒賦」は酒を飲んで詩をとなえる意。

出典 孔《こう》稚《ち》珪《けい》の「北山《ほくざん》移《い》文《ぶん》」

類義語 孤《こ》雲《うん》野《や》鶴《かく》、間《かん》雲《うん》孤《こ》鶴《かく》、閑《かん》雲《うん》野《や》鶴《かく》

金亀換酒 きんきかんしゅ
(2級)

意味 **このうえなく酒を愛することの形容。** 金の亀を売って酒にかえる意。「金亀」は高価なもののたとえ。

字体 「亀」の旧字体は「龜」。

故事 唐の賀《が》知《ち》章《しょう》が金の亀を酒に換えて李《り》白《はく》と楽しんだ故事から。

出典 李《り》白《はく》の詩

欣喜雀躍 きんきじゃくやく
(準1級)

意味 **大喜びをすること。**「欣」「喜」はともに喜ぶこと。「雀躍」は雀《すずめ》がぴょんぴょん飛びはねるさま。雀が飛びはねるように、小躍りして喜ぶさまをいう。有頂天になること。

出典 欣喜＝『春《しゅん》秋《じゅう》左《さ》氏《し》伝《でん》』〈哀《あい》公《こう》二〇年〉・雀躍＝『荘《そう》子《じ》』〈在《ざい》宥《ゆう》〉

類義語 歓《かん》喜《き》雀躍《じゃくやく》、歓《かん》欣《きん》鼓《こ》舞《ぶ》、欣《きん》喜《き》踊《よう》躍《やく》、驚《きょう》喜《き》雀躍《じゃくやく》、歓《かん》天《てん》喜《き》地《ち》、狂《きょう》喜《き》乱《らん》舞《ぶ》、手《しゅ》舞《ぶ》足《そく》踏《とう》、有《う》頂《ちょう》天《てん》外《がい》

琴棋書画 きんきしょが
(準2級)

意味 **教養のある人のたしなみのこと。** 琴を弾き、碁《ご》を打ち、書を書き、絵を描くことで、風雅な人のたしなみとされた。また、画題として好まれる。

補説 「琴棋」は「きんぎ」とも読む。

字体 「画」の旧字体は「畫」。

類義語 琴《きん》棋《き》詩《し》酒《しゅ》

金玉満堂　きんぎょく まんどう　5級

意味　**才能や学問が非常にすぐれていることのたとえ。**「金玉」は黄金と珠玉のことで、才能や学問のすぐれていることのたとえ、「満堂」は家の中に満ち満ちている意。

補説　「金玉《きんぎょく》、堂《どう》に満《み》つ」とも読む。

字体　「満」の旧字体は「滿」。

出典　『老子《ろうし》』〈九章〉

謹厳実直　きんげん じっちょく　準2級

意味　**きわめてつつしみ深く誠実で正直なこと。**「謹厳」はつつしみ深くおごそかなこと、「実直」は誠実で正直の意。まじめな人間をいう。

字体　「厳」の旧字体は「嚴」、「実」の旧字体は「實」。

類義語　謹厳温厚《きんげんおんこう》、謹厳重厚《きんげんじゅうこう》、謹言慎行《きんげんしんこう》

勤倹尚武　きんけん しょうぶ　準2級

意味　**生活を質素にして、武芸に励むこと。**「勤倹」は「勤勉倹約」で、よく働き倹約につとめること、「尚武」は武道を尊ぶ意。武士の生活態度として重んじられた考え方。

字体　「倹」の旧字体は「儉」。

謹言慎行　きんげん しんこう　準2級

意味　**言葉や行いを慎重にすること。**「謹」「慎」ともにつつしむ意。口から出まかせを言ったり、軽率な行動をしたりしないこと。

字体　「慎」の旧字体は「愼」。

出典　『礼記《らいき》』〈緇衣《しい》〉

勤倹力行　きんけん りっこう　3級

意味　**仕事に励み、倹約し、努力して精一杯行うこと。**「勤倹」はよく働いて倹約すること、「力行」は物事を精一杯努力して行う意。

補説　「力行」は「りきこう」「りょっこう」「りょくこう」とも読む。

字体　「倹」の旧字体は「儉」。

注意　「勤倹」を「勤険」と書き誤らない。

金口木舌　きんこう ぼくぜつ　4級

意味　**すぐれた言論で社会を指導する人のたとえ。**口が金属製で、舌(振り子)が木製の鈴のこと。古代中国で、法律や政令を人民に発するときに鳴らしたことから、言論や出版を通じて社会を教え導く人のたとえに用いる。

補説　「木舌」は「もくぜつ」とも読む。

出典　『論語』〈八佾《はちいつ》・集注《しっちゅう》〉

金谷酒数　きんこくの しゅすう　4級

意味　**詩が作れない者に対して、罰として飲ませる酒のこと。**「金谷」は中国西《せい》晋《しん》の人石崇《せきすう》の別荘の名、「酒数」は酒を飲む杯の数、酒の量のこと。

字体　「数」の旧字体は「數」。

故事　中国西晋の石崇が、洛陽《らくよう》の西北にある別荘金谷園で酒宴を催し、詩を作れなかった客に罰として酒三斗を飲ませたという故事から。

出典　李白《りはく》の詩

緊褌一番　きんこん いちばん　1級

意味　**気持ちを引き締めて物事に取り組むこと。**「緊褌」は褌《ふんどし》を引き締めること、「一番」はここ一番という大事なときの意。大勝負の前の心構えをいったもの。

禽困覆車　きんこん ふくしゃ　準1級

意味　**弱者もせっぱつまると、とてつもない大きな力を出すということ。**「禽困」は捕らえられて苦しんでいる鳥のこと、「覆車」は車がひっくり返る意。鳥のような小さなものも追いつめられると、車をひっくり返すほどの力を出すという意。

補説　「禽困、車を覆《くつがえ》す」「禽も困《くる》しめば車を覆す」とも読む。
出典　『戦国策《せんごくさく》』〈韓策《かんさく》〉
類義語　窮鼠嚙猫《きゅうそごうびょう》

金枝玉葉　きんしぎょくよう　準2級

意味　**天子の一族・子孫のこと。**また、広く高貴な人の子弟を指す。「金玉の枝葉」ということで、「枝」「葉」はともに子孫の意。もとは花樹の枝ぶりの美しさをたとえた語。
補説　「玉葉金枝」ともいう。
注意　「金枝」を「金糸」と書き誤りやすい。
類義語　瓊《けい》枝《し》玉葉《ぎょくよう》、金《きん》枝《し》花《か》萼《がく》

琴瑟相和　きんしつそうわ　1級

意味　**人と人、特に夫婦仲のむつまじいことのたとえ。**「瑟」は大形の琴のことで、琴と瑟は合奏すると音色がよく調和することからいう。兄弟や友人の仲がよいことにもいう場合がある。
補説　「琴瑟《きんしつ》相《あい》和《わ》す」とも読む。
出典　『詩《し》経《きょう》』〈小雅《しょうが》・常棣《じょうてい》〉
類義語　琴瑟調和《きんしつちょうわ》、比翼連理《ひよくれんり》、関関雎《かんかんしょ》鳩《きゅう》、琴瑟《きんしつ》之《の》和《わ》
対義語　琴瑟《きんしつ》不《ふ》調《ちょう》

禽獣夷狄　きんじゅういてき　1級

意味　**中国周辺の異民族をさげすんで称したもの。**「禽獣」は鳥類とけだもの、「夷狄」はえびす、未開人の意。
字体　「獣」の旧字体は「獸」。
類義語　夷蛮戎狄《いばんじゅうてき》、南蛮北狄《なんばんほくてき》

禽獣草木　きんじゅうそうもく　準1級

⇩**草木禽獣**(そうもくきんじゅう)

擒縦自在　きんしょうじざい　1級

意味　**自分の思いのままに人を処遇すること。**「擒縦」はとりこにすることと、許して放つこと。「自在」は思いのままであること。
字体　「縦」の旧字体は「縱」。
注意　「擒縦」を「きんじゅう」と読み誤りやすい。

金城鉄壁　きんじょうてっぺき　4級

意味　**非常に堅固で、つけこむすきがないこと。**金や鉄のように固くて堅牢《けんろう》な城壁の意。
字体　「鉄」の旧字体は「鐵」。
注意　「鉄壁」を「鉄璧」と書き誤らない。
出典　徐積《じょせき》の詩

類義語　金城湯池《きんじょうとうち》、難攻不落《なんこうふらく》

錦上添花　きんじょうてんか　2級

意味　**よいもの美しいものの上にさらによいもの美しいものを加えること。**「錦」「花」ともに美しいもののたとえ。錦《にしき》の上にさらに花を添えるという意で、めでたいことが重なることにも用いる。
補説　「錦上に花を添う」とも読む。
注意　「添花」を「添加」と書き誤らない。
出典　黄庭堅《こうていけん》の「了了庵頌《りょうりょうあんのしょう》」

金城湯池　きんじょうとうち　5級

意味　**他から攻めこまれない堅固な備え。**「金城」は金(かね)で作った守りの堅固な城、「湯池」は熱湯をたたえた濠《ほり》の意。非常に守りの堅い城と濠のこと。
注意　「湯池」を「湯地」と書き誤らない。
出典　『漢書《かんじょ》』〈蒯通伝《かいとうでん》〉
類義語　金城鉄壁《きんじょうてっぺき》、難攻《なんこう》不落《ふらく》、湯池鉄城《とうちてつじょう》

近所合壁　きんじょがっぺき　4級

意味　**近所の家のこと。**「合壁」は壁一枚を間にはさんだ隣の家のこと。

錦心繡口　きんしんしゅうこう　準1級

意味　**詩や文章の才能にすぐれている**

こと。「錦心」は錦《にしき》のように美しい心のこと、「繡口」は刺繡《ししゅう》のように美しい言葉の意。文才のすぐれた人をたたえるときに用いられる。

注意　「錦」を「綿」と書き誤らない。

出典　柳宗元《りゅうそうげん》の「乞巧文《きっこうぶん》」

類義語　錦心繡腸《きんしんしゅうちょう》、錦繡之腸《きんしゅうのはらわた》、錦繡心肝《きんしゅうしんかん》

金声玉振　きんせい ぎょくしん

4級

意味　**才知と人徳を調和よく備えていること。**また、**偉大な人物として大成すること。**「金」は鐘のこと、「声」は鳴らす意、「玉」は磬《けい》という石製の打楽器、「振」は収める意。中国では、鐘を鳴らして音楽を始め、次に糸・竹の楽器をかなで、最後に磬を打ってしめくくった。始まりと終わりの整っているさまをいい、孟子《もうし》が孔子の人格を賛美した言葉。

字体　「声」の旧字体は「聲」。

出典　『孟子《もうし》』〈万章《ばんしょう》・下〉

巾箱之寵　きんそうのちょう

準1級

意味　**箱に入れて常にかたわらに置き、離すことができないもの。**「巾箱」は身近に置いて書物を入れる布張りの小箱、手文庫のこと。「寵」はかわいがる、気に入る意。

金殿玉楼　きんでん ぎょくろう

3級

意味　**豪華できらびやかな建物のたとえ。**「金殿」は黄金で造った御殿、「玉楼」は玉《ぎょく》で飾った高殿。

字体　「楼」の旧字体は「樓」。

出典　李商隠《りしょういん》の詩

銀盃羽化　ぎんぱい うか

準1級

意味　**盗難にあうたとえ。**銀盃に羽が生えて飛び去る意。

故事　唐の柳公権《りゅうこうけん》は書をよくし書のお礼に莫大《ばくだい》な金品を得ていた。使用人の蔵番の中にこれを盗む者があった。銀の盃の入った箱があり表の縄は結ばれたままで中身はなくなっていたが、このとき公権は「銀盃に羽が生えて飛んでいった」といい、これを責めなかった故事から。

出典　『唐書《とうじょ》』〈柳公権伝《りゅうこうけんでん》〉

吟風弄月　ぎんぷう ろうげつ

2級

意味　**詩人が自然の景色を題材に即興詩を作ること。**「吟風」は風に吹かれながら詩歌を吟詠すること、「弄月」は月を眺め賞する意。

補説　「風《かぜ》に吟《ぎん》じ月《つき》を弄《もてあそ》ぶ」とも読む。

出典　朱熹《しゅき》『伊《い》洛淵源録《らくえんげんろく》』

金友玉昆　きんゆう ぎょっこん

準2級

⇩**玉昆金友**（ぎょっこん きんゆう）

【く】

空空寂寂　くうくう じゃくじゃく

4級

意味　**無心なこと。**また、**無関心なこと。**「空」はこの世のものはすべて、形のあるないにかかわらず実体がないということ。「寂寂」はひっそりと静かな意。仏教語の「空寂」を強調した語。

類義語　空空漠漠《くうくうばくばく》

空空漠漠　くうくう ばくばく

準2級

意味　**果てしもなく広いさま。**また、**非常にぼんやりしたさま。**「空漠」を強調した語。

空谷跫音　くうこくの きょうおん

1級

意味　**予期せぬ喜びのこと。**また、**非常に珍しいこと。**「空谷」は人けのない寂しい谷間のこと、「跫音」は足音の意。人けのない谷に響く足音の意で、予期せぬ来訪者やうれしい便りがあること。孤立しているときに同情者を得た場合に用い

ることもある。

補説　「跫音空谷」ともいう。

注意　「跫音」を「恐音」と書き誤らない。

出典　『荘子《そうじ》』〈徐無鬼《じょむき》〉

類義語　空谷足音《くうこくのそくおん》、空谷跫然《くうこくきょうぜん》

空前絶後　くうぜん ぜつご　5級

意味　**きわめて珍しいこと。**「空前」はそれ以前に例がないこと、「絶後」は以後二度と同じ例は見られないことで、比べるべき前例もなく、将来も起こりそうもない非常にまれなこと。

故事　「冠前絶後」の項参照。

出典　『宣和画譜《せんながふ》』〈二〉

類義語　冠前絶後《かんぜんぜつご》、曠前絶後《こうぜんぜつご》、曠前空後《こうぜんくうご》

偶像崇拝　ぐうぞう すうはい　準2級

意味　**偶像を宗教的な対象としてあがめ尊ぶこと。**あるものを絶対的な権威として盲信的に尊ぶこと。「偶像」は神仏などにかたどって作り、信仰の対象とする像、崇拝や盲信の対象物のこと。

字体　「拝」の旧字体は「拜」。

注意　「偶像」を「隅像」と書き誤らない。

空即是色　くう そくぜ しき　4級

意味　**万物の本性は空だが、それがそのままこの世に実在する物の姿でもあるということ。**「空」は仮の姿で実体がない意、「色」はこの世のすべての物質的存在のこと。仏教で、「空」と「色」は本来同一であるということをいった語。

補説　語構成は「空」+「即是」+「色」。

出典　『般若心経《はんにゃしんぎょう》』

対義語　色即是空

空中楼閣　くうちゅうの ろうかく　3級

意味　**根拠のないこと、現実性に欠けることのたとえ。**空中に築いた立派な建物の意で、本来は蜃気楼《しんきろう》を指し、基礎となるべき土台がないさまをいう。

字体　「楼」の旧字体は「樓」。

注意　「楼閣」を「桜閣」と書き誤らない。

出典　『間情偶奇《かんじょうぐうき》』〈結構《けっこう》〉

類義語　空中楼台《くうちゅうろうだい》、砂上楼閣《さじょうのろうかく》、海市蜃楼《かいししんろう》、空理空論《くうりくうろん》

空理空論　くうり くうろん　5級

意味　**実情からかけ離れていて、実際には役に立たない考え。**「空理」「空論」ともに、現実離れした役に立たない理論や議論のこと。

類義語　机上之論《きじょうのろん》、空中楼閣《くうちゅうろうかく》、砂上楼閣《さじょうのろうかく》、按図索驥《あんずさくき》、按図索駿《あんずさくしゅん》、紙上談兵《しじょうだんぺい》

苦学力行　くがく りっこう　5級

意味　**苦労して学問をすること。**「苦学」は働いて学資を得ながら勉強すること。「力行」は努力して行うこと、懸命に努力すること。

補説　「力行」は「りきこう」「りょっこう」とも読む。

字体　「学」の旧字体は「學」。

苦髪楽爪　くがみ らくづめ　2級

⇩苦爪楽髪（くづめ らくがみ）

区区之心　くくの こころ　準1級

意味　**取るに足りないつまらない心。自分の心や考えをいう謙譲語。**「区区」は「区」が小さな区画の意から、小さくこまごまして取るに足りないさま。

字体　「区」の旧字体は「區」。

出典　『孔叢子《くぞうし》』〈答問〉

愚公移山　ぐこう いざん　3級

意味　**根気よくひたすら努力をすれば最後には必ず成功するというたとえ。**

補説　「愚公山を移す」とも読む。

故事　老人愚公は二つの山の北側に住んでいたが、不便なので山を移そうと考

えた。それを嘲笑《ちょうしょう》する者もいたが、愚公は子や孫、その子の代までかかればできると山を崩しにかかった。天帝はついに愚公の熱意に感じ、二つの山を他に移してやったという故事から。
出典 『列子《れっし》』〈湯問《とうもん》〉

苦口婆心 くこう ばしん　3級
意味 **口をにがくして教えさとすこと。**(若者の)ためによかれと、なにくれとなく言い聞かせる意。老婆心。

愚者一得 ぐしゃの いっとく　3級
意味 **どんなに愚かな者でも、たまにはすぐれた考えをすることがあるということ。**「得」は得失の得で、得ること。自分の意見を述べる場合に謙遜《けんそん》していう言葉としても用いる。
補説 「愚者も千慮に必ず一得有《あ》り」の略。
注意 「一得」を「一徳」と書き誤らない。
出典 『史記』〈淮陰侯伝《わいいんこうでん》〉
類義語 千慮一得《せんりょいっとく》
対義語 知者一失《ちしゃのいっしつ》、千慮一失《せんりょいっしつ》

苦心惨憺 くしん さんたん　1級
意味 **あれこれと心をくだいて苦労を重ねること。**「苦心」は心をくだいて考えること、「惨憺」は心を痛めるさま。
補説 「惨憺」は「惨澹」とも書く。
字体 「惨」の旧字体は「慘」。
注意 「惨憺」を「三嘆」「賛嘆」などと書き誤らない。
類義語 意匠惨澹《いしょうさんたん》、焦唇乾舌《しょうしんかんぜつ》、彫心鏤骨《ちょうしんるこつ》、粒粒辛苦《りゅうりゅうしんく》

苦爪楽髪 くづめ らくがみ　2級
意味 **人の世の苦楽のようす。**苦労をしているときは爪がよくのび、楽をするときは髪がよくのびるということ。
補説 「苦髪楽爪《くがみらくづめ》(苦労をしているときは髪が、楽をするときは爪がよくのびる)」ともいう。
字体 「楽」の旧字体は「樂」、「髪」の旧字体は「髮」。

苦肉之計 くにくの はかりごと　準1級
意味 **苦しまぎれの手段や方法のこと。**「苦肉」は自分の身を苦しめること。敵をあざむくために、味方からわざと自分の肉体に苦痛を受けたのち敵陣に逃げて、敵の情勢をさぐろうとする計画の意。
補説 「計」は「けい」とも読む。
出典 『三国志演義《さんごくしえんぎ》』〈四六回〉
類義語 苦肉之策《くにくのさく》、窮余一策《きゅうよのいっさく》

九年面壁 くねん めんぺき　4級
⇩面壁九年(めんぺきくねん)

狗吠緇衣 くはい しい　1級
意味 **いつも着ている服装を変えれば疑われるのは当然であるということ。**「狗吠」は犬がほえること。また、その声。「緇衣」は黒色の衣服。
補説 「狗《いぬ》、緇衣に吠《ほ》ゆ」とも読む。
故事 楊朱《ようしゅ》の弟の楊布が白衣で外出し雨にぬれ、黒衣に着がえて帰ると飼い犬が吠《ほ》えたので、なぐろうとしたのを兄が制し、白犬が泥だらけで黒くなってもどればお前も怪しむだろうと言ったという故事から。
出典 『韓非子《かんぴし》』〈説林《ぜいりん》〉

狗馬之心 くばの こころ　準1級
意味 **上位の者への忠誠心のこと。**「狗」は犬のこと、「狗馬」は犬や馬のように卑しい者の意で、自分を卑下していう語。
出典 『史記』〈三王世家《さんおうせいか》〉
類義語 犬馬之心《けんばのこころ》

狗尾続貂 くび ぞくちょう　1級
意味 **官爵を乱発するのをののしる語。**

また、**劣った者がすぐれた者のあとを続けることのたとえ。**「狗尾」は犬の尾、「貂」はてん。昔、高官はてんの尾で飾った冠をつけた。

補説　「狗尾」は「こうび」とも読む。

字体　「続」の旧字体は「續」。

故事　晋《しん》の趙《ちょう》王《おう》倫《りん》の一族が力を得てみな高位高官に登り、貂《てん》の尾で飾った冠をつけたため、当時の人がこのようすでは貂が不足し犬の尾の飾りの冠をつけるほかないとののしったという故事から。

出典　『晋《しん》書《じょ》』〈趙《ちょう》王《おう》倫《りん》伝《でん》〉

類義語　続《ぞく》貂《ちょう》之《の》譏《そしり》

求不得苦　ぐふとくく　準1級

意味　**求めているものが得られない苦しみ。**不老や不死を求めても得られない、また物質的な欲望が満たされない苦しみ。仏教で説く、生きる者の八つの苦しみ(↓「四《し》苦《く》八《はっ》苦《く》」)の中の一つ。

補説　語構成は「求不得」＋「苦」。

区聞陬見　くぶんすうけん　1級

意味　**学問や見聞がせまく、かたよっていること。**「区」は小さい、こまごましていること。「陬」はかたよる意。

字体　「区」の旧字体は「區」。

注意　「区聞」を「区分」と書き誤りやすい。

九品蓮台　くほんれんだい　準1級

意味　**往生した者が座るという極楽浄土にある蓮の葉の台《うてな》。**仏教の語。生前の行いによって九つの等級がある。

字体　「台」の旧字体は「臺」。

注意　「九品」を「きゅうひん」と読まないこと。

類義語　九品《くほん》之《の》台《うてな》

愚問愚答　ぐもんぐとう　3級

意味　**実りのないつまらない問答のこと。**的《まと》はずれのつまらない質問とばかげた回答のこと。

対義語　愚《ぐ》問《もん》賢《けん》答《とう》

君恩海壑　くんおんかいがく　1級

意味　**君主の恩は海や谷のように深いこと。**「壑」は谷の意。また「海壑」で海の意。

注意　「君恩」を「君思」と書き誤らない。

群蟻附羶　ぐんぎふせん　1級

意味　**人々が利益のあるところにむらがることを卑しんでいうたとえ。**蟻《あり》がなまぐさい獣肉にむらがり集まること。「羶」はなまぐさいこと、またその肉。

補説　「群《ぐん》蟻《ぎ》羶《せん》に附《つ》く」とも読む。「羶」は「膻」とも書く。また「附」は「付」とも書く。

出典　『荘《そう》子《じ》』〈徐《じょ》無《む》鬼《き》〉

類義語　衆《しゅう》蟻《ぎ》慕《ぼ》羶《せん》

群疑満腹　ぐんぎまんぷく　5級

意味　**多くの疑問で心がいっぱいになること。**また、多くの人が疑いの心を抱くこと。「群」は「衆」と同じで多いこと、または多くの人の意。「満腹」は腹いっぱいの意だが、ここでは「腹」は心の意。

補説　「群疑、腹《はら》に満《み》つ」とも読む。

字体　「満」の旧字体は「滿」。

出典　諸《しょ》葛《かつ》亮《りょう》の「後出師表《こうすいしのひょう》」

群軽折軸　ぐんけいせつじく　3級

意味　**小さい力も数を集めれば大きな力となるたとえ。**軽いものでも数多く積めば重くなって車軸が折れてしまう意。「群」は「衆」と同じで多いこと。

補説　「群軽、軸を折《お》る」とも読む。

字体　「軽」の旧字体は「輕」。

出典　『戦《せん》国《ごく》策《さく》』〈魏《ぎ》策《さく》〉

類義語　叢《そう》軽《けい》折《せつ》軸《じく》、積《せき》羽《う》沈《ちん》舟《しゅう》、積《せき》土《ど》成《せい》山《ざん》

群鶏一鶴　ぐんけいの いっかく　準1級

⇨**鶏群一鶴**(けいぐんのいっかく)

君蒿凄愴　くんこう せいそう

意味　**強い香りを放っていたましくすさまじいこと。香気を発してぞくぞくっと人の心を悲壮にさせること。鬼神**(死後の霊魂)**の形容。**「君蒿」は強い香気を発すること。「君」「蒿」はそれぞれもと「いぶす」「よもぎ」の意。「凄愴」はいたましくすさまじいこと。

出典　『礼記《らいき》』〈祭義《さいぎ》〉

君子九思　くんしの きゅうし　5級

意味　**君子が熟考しなければならない九つのこと。**物をしっかりと見る、正確に聞く、表情は穏やかに、姿勢は丁重に、言葉は誠実に、仕事は慎重に、疑問は質問する、怒る場合はその後の対策を考えて、利得に対しては道義を考えてということ。

補説　「君子に九思あり」とも読む。

出典　『論語』〈季氏《きし》〉

君子三畏　くんしの さんい　2級

意味　**君子のおそれ慎むべき三つのこと。**天命、有徳の大人、聖人の言をいう。

補説　出典の「君子に三畏有り。天命を畏《おそ》れ、大人《たいじん》を畏れ、聖人の言《ことば》を畏る。小人《しょうじん》は天命を知らずして畏れず。大人に狎《な》れ、聖人の言を侮《あなど》る」による。

出典　『論語』〈季氏《きし》〉

君子三戒　くんしの さんかい　4級

意味　**君子が自戒すべき三つの戒め。**少年期の女色、壮年期の争い・喧嘩《けんか》、老年期の物欲のこと。「君子」は徳の高い立派な人格者。

出典　『論語』〈季氏《きし》〉

君子三楽　くんしの さんらく　5級

意味　**君子の三つの楽しみ。**父母が健在で兄弟に事故がないこと、心や行いが正しく人や天に恥じることがないこと、天下の英才(すぐれた才能の人)を得てこれを教育すること。

字体　「楽」の旧字体は「樂」。

注意　「三楽」を「さんがく」と読み誤らない。

出典　『孟子《もうし》』〈尽心《じんしん》・上〉

君子万年　くんし ばんねん　4級

意味　**徳の高い人は長寿であるということ。**「万年」は一万年で、長い年月のことをいう。徳の高い人の長寿を祈る語としても用いる。

補説　「万年」は「まんねん」とも読む。

字体　「万」の旧字体は「萬」。

出典　『詩経《しきょう》』〈小雅《しょうが》・瞻彼洛矣《せんぴらくい》〉

君子豹変　くんし ひょうへん　準1級

意味　**君子は時の推移に応じて自己変革を遂げ、豹の毛が抜け変わるように鮮やかに面目を一新すること。転じて、節操なく考えや態度をすぐ変えること。**「君子」は徳の高い立派な人、「豹変」は豹のまだら模様が鮮やかに変化するさま。もともとよい意味で用いられたが、現在では無節操のたとえとして悪い意味で用いられることが多い。

補説　「君子《くんし》は豹変《ひょうへん》す」とも読む。

字体　「変」の旧字体は「變」。

出典　『易経《えききょう》』〈革《かく》〉

類義語　大人虎変《たいじんこへん》

君子不器　くんし ふき　5級

意味　**すぐれた人**(君子)**はどんなことにも機に応じ対処できるものだの意。**君子は一つの用しかない器《うつわ》と違って万用であるということ。

補説 「君子は器《き》ならず」とも読む。
出典 『論語』〈為政《いせい》〉

葷酒山門　くんしゅ さんもん　1級

意味 **寺門の禁忌。臭いものや酒を飲んで山門に入ることを禁じた語。**「葷」はにらやねぎなどのにおいの強い野菜。これに酒や肉類も禁じて山内が聖域であることを示した。
補説 「葷酒山門に入《い》るを許さず」の略。

君側之悪　くんそくの あく　準1級

意味 **君主の側近くにいる悪人。**君主におもねり悪だくみを抱いている悪臣。
字体 「悪」の旧字体は「惡」。
出典 『後漢書《ごかんじょ》』〈楊秉伝《ようへいでん》〉
類義語 城狐社鼠《じょうこしゃそ》、君側之奸《くんそくのかん》

群雄割拠　ぐんゆう かっきょ　4級

意味 **多くの実力者が、互いに対立しあうこと。**「群雄」は数多くの英雄のこと、「割拠」はそれぞれの根拠地を占拠してたてこもる意。戦国時代、多くの英雄たちがそれぞれに根拠地を構え、互いに勢力を張って対立したことからいう。
字体 「拠」の旧字体は「據」。
注意 「割拠」を「割居」と書き誤らない。

類義語 治乱興亡《ちらんこうぼう》

群竜無首　ぐんりょう むしゅ　準1級

意味 **統《す》べる者がいなく事がうまく運ばないこと。**人材はそろっているがこれを統率する者がいないので十分な働きができない意。「群竜」は多くの人材のたとえ。「首」はかしら、統率者の意。
補説 「群竜、首《しゅ》無《な》し」とも読む。また、「群竜」は「ぐんりゅう」とも読む。
字体 「竜」の旧字体は「龍」。
出典 『易経《えききょう》』〈乾《けん》〉

【け】

鯨飲馬食　げいいん ばしょく　3級

意味 **一度にたくさん飲み食いすること。**まるで鯨《くじら》のようにたくさんの酒や水を一度に飲み、馬のようにたくさん食べる意。
字体 「飲」の旧字体は「飮」。
出典 『史記』〈范雎伝《はんしょでん》〉
類義語 牛飲馬食《ぎゅういんばしょく》、暴飲暴食《ぼういんぼうしょく》、痛飲大食《つういんたいしょく》

閨英閨秀　けいえい けいしゅう

意味 **婦人のこと。**また、**すぐれた女性のたとえ。**「閨」は寝室、「闈」は奥座敷でともに婦人のいる所から婦人をあらわす語。「英」「秀」はともに学問や才能にすぐれた人の意。
注意 「閨」を「閏」と書き誤らない。
出典 『紅楼夢《こうろうむ》』〈二九回〉
類義語 閨英閣香《けいえいかっこう》、閨英閣秀《けいえいかくしゅう》

形影一如　けいえい いちにょ　準2級

意味 **仲のよい夫婦のたとえ。**体とそのかげが常に離れず寄り添っていることからいう。また、心の善悪がその行為にあらわれることのたとえ。「形影」は体とそのかげの意で互いに同じ動きをすることから、二つのものが相離れないことのたとえ。「一如」は同じであること。
類義語 形影相伴《けいえいそうはん》、形影相随《けいえいそうずい》、形影相同《けいえいそうどう》

経営惨憺　けいえい さんたん　1級

⇩**惨澹経営**（さんたんけいえい）

形影相弔　けいえい そうちょう　準2級

意味 **孤独で訪れる人もないさま。**「形影」は自分のからだと自分のかげ、「弔」はあわれみなぐさめる。わが身と影法師が互いにあわれみ合うだけで、訪ねて慰めてくれる人とていないということ。

補説 「形影《けいえい》、相弔《あいとむら》う」とも読む。
出典 李密《りみつ》の「陳情表《ちんじょうひょう》」
類義語 形影《けいえい》相親《そうしん》

形影相同 けいえい そうどう 4級

意味 **心の善悪がその行為にあらわれるたとえ。**からだが曲がれば影も曲がり、からだがまっすぐになれば影もまっすぐになるように、「形」と「影」はいつも同じであることからいう。「形影」は自分のからだと自分のかげ。
補説 「形影、相同じ」とも読む。
出典 『列子《れっし》』〈説符《せっぷ》〉
類義語 形影《けいえい》一如《いちにょ》

繋影捕風 けいえい ほふう 準1級

⇩繋風捕影（けいふうほえい）

傾蓋知己 けいがいの ちき 2級

意味 **ちょっと語り合っただけなのに古くからの友人のようにうちとけて親しくなるたとえ。**また、そのような仲。「傾蓋」の「蓋」は車につけられたかさ。それを傾けるとは車をとめることをいう。
注意 「知己」を「知巳」と書き誤らない。
故事 孔子が偶然出会った程子《ていし》と道端でかさを傾け合って車をとめ、親しく語り合った故事から。
出典 『史記』〈鄒陽伝《すうようでん》〉
類義語 程孔傾蓋《ていこうけいがい》

桂冠詩人 けいかん しじん 準1級

意味 **イギリス王室において詩人として最高の地位のものに与えた称号。**起源は古代ギリシャで、名誉ある詩人に月桂樹の冠を与えた風習による。
注意 「桂冠」を「挂冠」と書き誤らない。

傾危之士 けいきの し 準1級

意味 **詭弁《きべん》を弄《ろう》して国を危うくするような策謀の人。**また、**安心できない危険な人物をいう。**「傾危」はかたむいて危ういこと。またかたむけ危うくすること。
出典 『史記』〈張儀伝《ちょうぎでん》・賛《さん》〉

桂宮柏寝 けいきゅう はくしん 準1級

意味 **桂の宮殿と柏の居室。美しい宮室のたとえ。**「桂」「柏」はいずれも香木の名。「寝」は居室、また表座敷。
字体 「寝」の旧字体は「寢」。
出典 鮑照《ほうしょう》の詞

軽裘肥馬 けいきゅう ひば 1級

⇩肥馬軽裘（ひばけいきゅう）

荊棘叢裏 けいきょく そうり 1級

意味 **乱臣、逆臣の家の形容。**「荊棘」はいばらがうっそうと茂った中の意。いばら。刺《とげ》が多くあることから、障害になるもののたとえ。
補説 「荊」は「荆」とも書く。
出典 『桃花扇《とうかせん》』〈聴稗《ちょうはい》〉

荊棘銅駝 けいきょく どうだ 1級

意味 **国の滅亡を嘆くことのたとえ。**宮殿が破壊され尽くし、銅製のらくだがいばらの中にうち捨てられているのを嘆く意。「駝」はらくだ。「荊棘」はいばらの意で、乱れた状態のたとえ。
補説 「銅駝《どうだ》の荊棘《けいきょく》に在《あ》るを嘆《なげ》く」の略。また「荊」は「荆」とも書く。
故事 晋《しん》の索靖《さくせい》は先見の明があり、国が乱れるのを予知し、宮門にある銅製のらくだを見て「このらくだもいばらの中にうち捨てられることであろう」と嘆いた故事から。
出典 『晋書《しんじょ》』〈索靖伝《さくせいでん》〉

桂玉之艱 けいぎょくの かん 1級

意味 **よそから物価高の土地に来て、生活に苦労すること。**「桂」は香木《こうぼく》、「玉」

は宝玉のこと、「艱」は悩む、苦しむ意。

故事　中国戦国時代の遊説家蘇秦《そしん》が、楚《そ》の威王《いおう》に会うために楚を訪れたが、王に面会するのに三か月も待たされ、その間、宝玉よりも高い食べ物、香木よりも高い薪《たきぎ》の値段に悩まされたという故事。

出典　『戦国策《せんごくさく》』〈楚策《そさく》〉

類義語　桂玉之地《けいぎょくのち》、都門桂玉《ともんけいぎょく》、食玉炊桂《しょくぎょくすいけい》

軽挙妄動　けいきょもうどう

準2級

意味　**事の是非をわきまえず、軽はずみに行動すること。**「軽挙」は軽率な行動のこと、「妄動」は考えもなしにみだりに行動すること。

字体　「軽」の旧字体は「輕」、「挙」の旧字体は「擧」。

注意　「妄動」を「盲動」と書き誤らない。

鶏群一鶴　けいぐんのいっかく

準1級

意味　**多くの凡人の中で、一人だけきわだってすぐれていること。**たくさんの鶏の群れの中にいる一羽の鶴《つる》の意。

補説　「群鶏一鶴」ともいう。「鶏」は「雞」とも書く。

字体　「鶏」の旧字体は「鷄」。

出典　『晋書《しんじょ》』〈嵆紹伝《けいしょうでん》〉

類義語　鶏群孤鶴《けいぐんこかく》

鶏口牛後　けいこうぎゅうご

3級

意味　**大きな組織に隷属するよりは小さくても人の上に立つ方がよいということ。**「鶏口」は鶏《にわとり》の口で、小さな物の大切な部分(小さな組織の長)のたとえ、「牛後」は牛の尻で、大きな物の卑しむべき部分(大きな組織の末端)のたとえ。

補説　「寧《むし》ろ鶏口と為《な》るも、牛後と為るなかれ」の略。「鶏」は「雞」とも書く。

字体　「鶏」の旧字体は「鷄」。

故事　中国戦国時代、蘇秦《そしん》が韓《かん》の王に「小王とはいえ一国の王であれ。大国の秦に降参してはならない」と説いて、韓・魏《ぎ》・趙《ちょう》・燕《えん》・斉《せい》・楚《そ》の六国合従《がっしょう》を勧めたという故事から。

出典　『史記』〈蘇秦伝《そしんでん》〉

類義語　鶏尸牛従《けいしぎゅうしょう》

傾国美女　けいこくのびじょ

4級

意味　**絶世の美人のこと。**「傾国」は国を傾け滅ぼすこと。君主の心を引きつけ、その色香に溺《おぼ》れて国政を忘れさせてしまうほどの美女のこと。

字体　「国」の旧字体は「國」。

出典　『漢書《かんじょ》』〈外戚伝《がいせきでん》〉

類義語　傾国美人《けいこくびじん》、一顧傾城《いっこけいせい》、傾城傾国《けいせいけいこく》

刑故無小　けいこむしょう

3級

意味　**故意に犯した罪はたとえ小さな罪でも刑罰を科すということ。**誤って犯した罪とは別に考えるべきとする意。

補説　「故《こ》を刑《けい》するに小《しょう》無し」とも読む。

出典　『書経《しょきょう》』〈大禹謨《たいうぼ》〉

荊妻豚児　けいさいとんじ

準1級

意味　**自分の妻と息子のことを謙遜《けんそん》していう語。**「荊妻」はいばらのかんざしをさした妻のこと、「豚児」は豚の子の意。

補説　「荊妻」は中国後漢の梁鴻《りょうこう》の妻がいばらのかんざしをつけていたことから、自分の妻の謙称として用いられる。また「荊」は「荆」とも書く。

字体　「児」の旧字体は「兒」。

類義語　愚妻愚息《ぐさいぐそく》

荊釵布裙　けいさいふくん

1級

意味　**粗末な服装のたとえ。**女性のつつましさにいう。「荊釵」はいばらのかんざし、「布裙」は布のもすその意。

補説　略して「荊布」ともいう。また「荊」は「荆」とも書く。

故事　中国後漢の梁鴻《りょうこう》の妻孟光《もうこう》が、いつも質素でいばらのかんざしと麻布のも

すそを身につけていたという故事から。

出典　『太平御覧《たいへいぎょらん》』〈七一八引皇甫謐《こうほひつ》『列《れつ》女伝《じょでん》』〉

荊山之玉　けいざんのぎょく　準1級

意味　**優秀で賢い人のこと。**「荊山」は中国の山の名。荊山から出る宝玉の意。

補説　「荊」は「荆」とも書く。

注意　「荊山」を「刑山」と書き誤らない。

鶏尸牛従　けいしぎゅうしょう　1級

⇩**鶏口牛後**（けいこうぎゅうご）

瓊枝玉葉　けいしぎょくよう　1級

意味　**天子の一門のこと。**また、広く高貴の家の子弟にもいう。「瓊」は玉のこと、「枝」「葉」はともに子孫の意。「瓊玉の枝葉」ということ。

類義語　金枝《きんし》玉葉《ぎょくよう》、金枝《きんし》花萼《かがく》

瓊枝栴檀　けいしせんだん　1級

意味　**有徳の人の形容。またすばらしい詩文のたとえ。**「瓊枝」は玉を生じるという木。「栴檀」は香木の名。白檀《びゃくだん》。

霓裳羽衣　げいしょううい　1級

意味　**うすい絹などで作った、女性の美しくて軽やかな衣装のこと。**また、**舞曲の名。**天人を歌った西域伝来のものをいう。唐の玄宗《げんそう》が愛し、楊貴妃《ようきひ》はこの舞いを得意としたといわれる。「霓」は虹《にじ》、「霓裳」は虹のように美しく曳《ひ》く裳《もすそ》の意。「羽衣」は天《あま》のはごろもで、天人が着て空を飛ぶという、鳥のはねで作ったうすく軽い衣のこと。

出典　白居易《はくきょい》の「長恨歌《ちょうごんか》」

卿相雲客　けいしょううんかく　準1級

意味　**公卿《くぎょう》と殿上人。身分の高い人。**「卿相」は三位以上の公卿のこと、「雲客」は雲上人、殿上人の意。

類義語　月卿雲客《げっけいうんかく》

傾城傾国　けいせいけいこく　準1級

意味　**その美貌《びぼう》のため人心をまどわし国や城を傾けるほどの絶世の美人。**君主が女色におぼれ国や城を滅ぼすからいう。（↓「一顧傾城《いっこけいせい》」）

補説　「傾国傾城」ともいう。

字体　「国」の旧字体は「國」。

注意　「傾城」を「けいじょう」と読まないこと。

出典　『漢書《かんじょ》』〈李夫人伝《りふじんでん》〉

類義語　一顧傾城《いっこけいせい》、一顧傾国《いっこけいこく》

経世済民　けいせいさいみん　5級

意味　**世の中を治め、人民を救うこと。**「経」は治める、「済」は救済する意。

補説　「経世済民」を略して「経済」という語になった。

字体　「経」の旧字体は「經」、「済」の旧字体は「濟」。

類義語　経国済民《けいこくさいみん》、救世済民《きゅうせいさいみん》、修身斉家《しゅうしんせいか》

景星鳳凰　けいせいほうおう　準1級

意味　**聖人や賢人の世にあらわれる瑞《ずい》兆《ちょう》。**「景星」はめでたいしるしの星、「鳳凰」は想像上のめでたい鳥。雄を鳳、雌を凰といい、聖賢や聖天子が出るとあらわれるという。

出典　韓愈《かんゆ》の文

蛍雪之功　けいせつのこう　準1級

意味　**苦労して勉学に励むこと。**「蛍雪」は蛍の光と雪明かりのこと、「功」はなしとげた結果の意。

字体　「蛍」の旧字体は「螢」。

故事　中国、晋《しん》の車胤《しゃいん》は家が貧しくて油が買えず、夏は蛍を集めて薄い布の袋に入れてその光で勉強し（『晋書《しんじょ》』〈車胤《しゃいん》伝《でん》〉）、同じように貧しかった孫康《そんこう》は、冬

は窓の雪明かりで勉強した（『初学記《しょがくき》』二引『宋斉語《そうせいご》』）という故事から。『蒙求《もうぎゅう》』〈孫《そん》康映雪《こうえいせつ》・車胤聚蛍《しゃいんしゅうけい》〉で有名になった。

類義語 孫康映雪《そんこうえいせつ》、車胤聚蛍《しゃいんしゅうけい》、蛍窓雪《けいそうせつ》案《あん》、苦学力行《くがくりっこう》

蛍窓雪案 けいそう せつあん
準2級

⇨蛍雪之功（けいせつのこう）

勁草之節 けいそうの せつ
1級

意味 **節操や意志が固いこと。**「勁草」は強風にも屈しない強い草のこと。

類義語 志操堅固《しそうけんご》、雪中松柏《せっちゅうのしょうはく》

傾側偃仰 けいそく えんぎょう
1級

意味 **よきにつけ悪しきにつけ浮き世まかせの暮らしにいう。**「傾側」はかたむき世を随順すること。動いて定まりがないこと。「偃仰」は伏したり仰いだり寝たり起きたりすること。転じて、浮き沈みすること。

補説 「偃仰」は「えんこう」とも読む。

出典 『荀子《じゅんし》』〈非相《ひそう》〉

軽諾寡信 けいだく かしん
準2級

意味 **簡単にうけあう者は信用できないということ。**「軽諾」は軽々しく承諾すること、「寡信」は信用が薄い意。

補説 「軽諾は必ず信寡《しんすくな》し」の略。

字体 「軽」の旧字体は「輕」。

注意 「寡信」を「過信」と書き誤らない。

出典 『老子《ろうし》』〈六三章〉

対義語 一諾千金《いちだくせんきん》

形単影隻 けいたん えいせき
3級

意味 **独り身で孤独なこと。**「形」はからだのこと、「隻」は一つの意。からだが一つで、影も一つということ。

補説 「影隻形単」ともいう。

字体 「単」の旧字体は「單」。

注意 「隻」を「雙（双の旧字体）」と書き誤らない。

出典 韓愈《かんゆ》の「祭十二郎文《じゅうにろうをまつるぶん》」

軽佻浮薄 けいちょう ふはく
1級

意味 **考えが軽薄でうわついていること。**「軽佻」は考えが浅く調子にのった言動をすること、「浮薄」はうわついていて軽々しい意。

補説 「軽佻」は「軽窕」とも書く。

字体 「軽」の旧字体は「輕」。

注意 「軽佻」を「軽重」と書き誤らない。

類義語 軽佻浮華《けいちょうふか》、軽佻佞巧《けいちょうねいこう》、軽率短《けいそつたん》慮《りょ》、鼻先思案《はなさきしあん》

敬天愛人 けいてん あいじん
5級

意味 **天をおそれ敬い、人を愛すること。**「敬天」は天をおそれ敬う意。西郷隆《さいごうたか》盛《もり》が、学問の道の達するところとして述べた語。

出典 西郷隆盛《さいごうたかもり》『南洲遺訓《なんしゅういくん》』

類義語 敬天愛民《けいてんあいみん》

桂殿蘭宮 けいでん らんきゅう
準1級

意味 **非常に美しい宮殿。**「桂」「蘭」はともに香木の名。

補説 「殿」「宮」という建物をあらわす語にそれぞれ美しい香木の意の「桂」「蘭」を配し、重ねてできた四字句。

類義語 金殿玉楼《きんでんぎょくろう》

軽薄短小 けいはく たんしょう
4級

意味 **うすっぺらで中身のないさま。**軽薄と短小は相対の語。人の性格、構造物などについていう。

字体 「軽」の旧字体は「輕」。

対義語 重厚長大《じゅうこうちょうだい》

鶏皮鶴髪 けいひ かくはつ
準1級

意味 **年老いて衰えたさま。**「鶏皮」は皮膚が鶏《にわとり》の肌のように張りを失って衰え

たさま、「鶴髪」は鶴《つる》のように白くなった頭髪をいう。

補説　「鶏」は「雞」とも書く。

字体　「鶏」の旧字体は「鷄」、「髪」の旧字体は「髮」。

出典　玄宗の「傀儡吟《かいらいぎん》」

繋風捕影　けいふうほえい　準1級

意味　**雲をつかむようなとりとめなくあてにならないたとえ。**風をつなぎとめ、影をつかまえる意で、とてもできないことをいう。

補説　「風を繋《つな》ぎ影を捕《と》らう」とも読む。「繋影捕風」ともいう。出典には「係風捕景」とある。

出典　『漢書《かんじょ》』〈郊祀志《こうしし》・下〉

類義語　捕風捉影《ほふうそくえい》

経文緯武　けいぶんいぶ　4級

意味　**文武の両道を兼ね備えていること。**「経」は縦糸、「緯」は横糸のこと。文を縦糸とし、武を横糸とする意。

補説　「緯武経文」ともいう。

字体　「経」の旧字体は「經」。

注意　「緯武」を「偉武」と書き誤らない。

類義語　允文允武《いんぶんいんぶ》、左文右武《さぶんゆうぶ》、文事武備《ぶんじぶび》、文武両道《ぶんぶりょうどう》

刑鞭蒲朽　けいべんほきゅう　準1級

意味　**世の中が平和なたとえ。**「刑鞭」は刑具として用いるむちのこと。「蒲」はがまの穂、「朽」はくちる、腐る意。

故事　中国後漢の劉寛《りゅうかん》は、打っても痛みの少ないがまの穂で鞭《むち》を作って罪人を鞭うつようにした。「蒲鞭之罰《ほべんのばつ》」「蒲鞭之《ほべんの》治《ち》」の語はここから出て寛厚の政治をいう。ここではこれを踏まえて、そのがまの鞭さえ使わなかったので、いたずらに朽ちてしまったことをいう（『後漢書《ごかんじょ》』〈劉《りゅう》寛伝《かんでん》〉）。

出典　『和漢朗詠集《わかんろうえいしゅう》』〈帝王《ていおう》〉

類義語　天下泰平《てんかたいへい》、尭風舜雨《ぎょうふうしゅんう》

軽妙洒脱　けいみょうしゃだつ　1級

意味　**洗練され気がきいており、俗っぽくなく爽《さわ》やかなこと。**「軽妙」は軽く快いこと。「洒脱」の「洒」は洗いきよめさっぱりしていること。

字体　「軽」の旧字体は「輕」。

注意　「洒脱」を「酒脱」と書かないこと。

類義語　滑稽洒脱《こっけいしゃだつ》

鶏鳴狗盗　けいめいくとう　準1級

意味　**つまらないことしかできない人のたとえ。**また、**つまらないことでも何かの役に立つことがあるというたとえ。**「鶏鳴」は鶏《にわとり》の鳴きまね、「狗盗」は犬のようにこっそり盗みをはたらくこと。人をあざむいたり、卑しいことしかできない者のたとえ。転じて、そんな人間でも何かの役に立つことがあるということ。

補説　「狗盗」は「こうとう」とも読む。また「鶏」は「雞」とも書く。

字体　「鶏」の旧字体は「鷄」、「盗」の旧字体は「盜」。

故事　中国の戦国時代、秦《しん》の昭王《しょうおう》に捕らえられた斉《せい》の孟嘗君《もうしょうくん》が、犬のように盗みをはたらく食客と鶏の鳴きまねのうまい食客の働きで脱出し、無事逃げ帰ったという故事から。

出典　『史記』〈孟嘗君伝《もうしょうくんでん》〉

形名参同　けいめいさんどう　5級

意味　**口で言うことと実際の行動を一致させること。**「形」は行為、「名」は言葉のこと、「参同」は一致する意。中国戦国時代の韓非子《かんぴし》ら法家の基本思想。

補説　「形名」は「刑名」とも書く。

字体　「参」の旧字体は「參」。

注意　「参同」を「賛同」と書き誤らない。

出典　『韓非子《かんぴし》』〈揚権《ようけん》〉

類義語　形名審合《けいめいしんごう》、言行一致《げんこういっち》

鶏鳴之助　けいめいのたすけ　準1級

意味　**内助の功のたとえ。**もと国君に内助の功のある賢夫人があることをいう。

補説　「鶏」は「雞」とも書く。

字体　「鶏」の旧字体は「鷄」。

故事　賢夫人が鶏が鳴くのを聞き、すでに朝で夫が出勤に遅れるとして夫を起こそうとしたが聞き違いで、実はまだ夜中であった。このようによく自粛して夫につとめる賢夫人を詠じた歌による。

出典　『詩経《しきょう》』〈斉風《せいふう》・雞鳴《けいめい》〉

形容枯槁　けいようここう　1級

意味　**容貌《ようぼう》がやせ衰えて生気がないさま。**「形容」は顔かたち・容貌のこと。「槁」は枯れる意で、「枯槁」は草木が枯れる、転じてやつれる、生気がない意。

補説　「枯槁」は「枯槀」とも書く。

出典　『戦国策《せんごくさく》』〈秦策《しんさく》〉

軽慮浅謀　けいりょせんぼう　3級

意味　**あさはかな考えや計画。**「軽慮」は軽はずみな考え、「浅謀」はあさはかなはかりごと。

字体　「軽」の旧字体は「輕」、「浅」の旧字体は「淺」。

出典　『史記』〈趙世家《ちょうせいか》〉

類義語　軽挙妄動《けいきょもうどう》

桂林一枝　けいりんのいっし　準1級

意味　**容易に得がたい人物または出来事。**また、**高潔で世俗を超越した人柄。**
「桂林」は庭園の名。

故事　中国晋《しん》の郤詵《げきしん》が、進士の試験に合格したのを謙遜《けんそん》して「わずかに桂林の一枝を折ったにすぎない」と言ったという故事から。もとは謙遜の語。

出典　『晋書《しんじょ》』〈郤詵伝《げきしんでん》〉

類義語　崑山片玉《こんざんへんぎょく》

撃壌之歌　げきじょうのうた　準1級

意味　**中国古代、帝尭《ていぎょう》の時代に、天下の泰平無事を謳歌《おうか》した人民の歌のこと。**
「撃壌」は地面を足で踏みならして拍子をとること。

字体　「壌」の旧字体は「壤」。

注意　「撃壌」を「撃穣」と書き誤らない。

出典　『十八史略《じゅうはっしりゃく》』〈帝尭《ていぎょう》〉

類義語　鼓腹撃壌《こふくげきじょう》

激濁揚清　げきだくようせい　3級

意味　**清潔なもの善なるものを押し上げ、汚濁のもの悪しきものを除去するたとえ。**清らかな水をあげ濁る水を砕き散らす意。「激」は激しく当たってくだけちらすこと。

補説　「濁を激して清《せい》を揚ぐ」とも読む。また「揚清激濁」ともいう。

出典　『抱朴子《ほうぼくし》』〈外篇《がいへん》・刺驕《しきょう》〉

類義語　遏悪揚善《あつあくようぜん》

灰身滅智　けしんめっち

意味　**身も心（智）も無にして悟りに達する境地をいう。**小乗仏教の理想の境界。仏教の語。

補説　「身を灰《はい》にして智を滅す」とも読む。

注意　「灰」は「け」と呉音で読む。

外題学問　げだいがくもん　4級

意味　**うわべだけの学問。**書名には通じているがその内容はよく知らないえせ学問、また知識。「本屋学問」などという。
「外題」は書物の表紙に記す題名。

字体　「学」の旧字体は「學」。

結縁灌頂　けちえんかんじょう　準1級

意味　**仏道に縁を結ばせるために行う灌頂の儀式。**「灌頂」は仏縁を結ばせるた

めに、また僧が一定の地位にのぼるとき頭に香水《こうずい》を注ぐ儀式。仏教の語。

注意 「結縁」を「血縁」と書き誤らない。また仏教の特殊な読みになっていることに注意。

類義語 結縁《けちえん》八講《はっこう》

血脈相承　けちみゃくそうじょう　準1級

意味 **仏の教えが師から弟子へと連綿と受け継ぎ伝えられるということ。**仏教の語。

補説 「血脈」は「けつみゃく」とも読む。

類義語 法統《ほうとう》連綿《れんめん》

厥角稽首　けっかくけいしゅ　1級

意味 **相手に対して最敬礼すること。**

「厥」はぬかずくこと、「角」は額の骨、「稽首」は頭を地につけて礼をする意。

注意 「稽首」を「傾首」と書き誤らない。

出典 『孟子《もうし》』〈尽心《じんしん》・下〉

月下推敲　げっかすいこう　1級

意味 **詩文の字句・表現をあれこれ工夫をこらし、完成をめざすこと。**

故事 唐の詩人賈島《かとう》が科挙（官吏登用試験）の受験のため都へのぼり、驢馬《ろば》に乗って詩を作り、「僧は推《お》す月下の門」とするか「僧は敲《たた》く」とするか迷っているうちに、都知事の韓愈《かんゆ》の行列にぶつかってしまった。部下は怒ったが、事情を話すと、韓愈は「それは敲くがよかろう」と意見を述べ、以来二人は親しくなったという故事から。

出典 『唐詩紀事《とうしきじ》』〈四〇〉

月下氷人　げっかひょうじん　5級

意味 **仲人。媒酌人。**男女の縁をとりもつ人。

補説 「月下老人」と「氷人」という中国の二つの故事を合わせてできた語。

故事 「月下」は唐《とう》の韋固《いこ》という人物が、旅先で月夜に出会ったふしぎな老人の予言どおり郡の長官の娘と結婚したという故事から、「月下老人」は縁結びの神の意。「氷人」は、晋《しん》の令孤策《れいこさく》という人物が、氷の上に立って氷の下の人と語り合った夢を見たので、索紞《さくたん》に夢占いをしてもらったところ、それは結婚のなかだちをする前ぶれであるといわれ、そのとおり仲人を頼まれたという故事から、「氷人」も男女の仲をとりもつ人の意。

出典 月下＝『続幽怪録《ぞくゆうかいろく》』〈四〉・氷人＝『晋書《しんじょ》』〈索紞伝《さくたんでん》〉

類義語 月下老人《げっかろうじん》、赤縄繫足《せきじょうけいそく》

結跏趺坐　けっかふざ　1級

意味 **仏教の座法の一つ。**また、座禅のときの座法の一つ。「跏」は足の裏、「趺」は足の甲のこと。右の足の甲を左の股《また》のつけ根に引きつけ、左の足の甲を右の股のつけ根に置いて、両方の足の裏が上を向くように組む。

譎詭変幻　けっきへんげん　1級

意味 **さまざまに奇異なようすにかわること。**「譎詭」はいつわり欺《あざむ》く意に用いることが多いが、ここではふしぎで珍しいこと、またいろいろと変化すること。

字体 「変」の旧字体は「變」。

出典 斎藤拙堂《さいとうせつどう》の文

月卿雲客　げっけいうんかく　準1級

⇩卿相雲客（けいしょううんかく）

刖趾適屨　げっしてきく

意味 **本末を転倒して無理にものごとを行うこと。目先のことに目を奪われて根本を考えないこと。**足が大きく靴に入らないため、足先を切り落として靴に合わせる意。「刖《げっ》」は切る、「趾」はあし、

「履《く》」は靴の意。

補説　「趾《あし》を刖《き》り履《くつ》に適《てき》せしむ」とも読む。

類義語　削足適履《さくそくてきり》、刖足適履《げっそくてきり》

結縄之政　けつじょうのまつりごと　準1級

意味　**古代の政治のこと。**「結縄」は縄《なわ》を結ぶこと。上古、まだ文字がなかった時代には、大事には大縄を結び、小事には小縄を結んで、いろいろな意志を伝達し、記憶に役立てたことから。

字体　「縄」の旧字体は「繩」。

出典　『易経《えききょう》』〈繋辞《けいじ》・下〉

月中蟾蜍　げっちゅうのせんじょ　1級

意味　**月にすむというひきがえる。**「蟾蜍」はひきがえるの意。

故事　太古、英雄の羿《げい》が西王母《せいおうぼ》から得た不死の薬を妻の姮娥《こうが》が盗み飲み、月に逃げて蟾蜍になったという伝説から。

出典　『淮南子《えなんじ》』〈精神訓《せいしんくん》〉

血脈貫通　けつみゃくかんつう　3級

意味　**一編の文章が終始一貫していることのたとえ。**身体中に血管が通じている意から転じた。

出典　『大学蒙引《だいがくもういん》』

兼愛交利　けんあいこうり　4級

意味　**区別なく広く愛し互いに利しあう。**戦国時代の思想家、墨子《ぼくし》の説。「兼愛」は博愛の意で儒家の差別愛に対抗して唱えられた。「交利」は「交《こもご》も利《り》す」と読み、互いに利益し合う意。

出典　『墨子《ぼくし》』〈兼愛《けんあい》・中〉

兼愛無私　けんあいむし　4級

意味　**区別なく広く人を愛すること。**戦国時代の思想家、墨子《ぼくし》の説。「兼愛」の「兼」は自他の区別なく包容する意。孔子の「仁」は差別愛であると説く。

補説　「兼愛、私《わたくし》無し」とも読む。

出典　『荘子《そうじ》』〈天道《てんどう》〉

言易行難　げんいこうなん　5級

意味　**口で言うのはたやすいが、言ったことを実行するのはなかなかむずかしいということ。**

補説　「言うは易《やす》くして行うは難《かた》し」とも読む。

出典　『塩鉄論《えんてつろん》』〈利議《りぎ》〉

牽衣頓足　けんいとんそく　準1級

意味　**つらい別れを惜しむようす。**「牽衣」は着物を引っぱること、「頓」は踏みならすことで、「頓足」は足踏みをする意。出征する兵士を見送る家族が、衣を引き、足をばたばたさせて別れを悲しむ意。

注意　「牽」を「索」と書き誤らない。

出典　杜甫《とほ》の「兵車行《へいしゃこう》」

狷介孤高　けんかいここう　1級

意味　**固く自分の意志を守って、他人と和合しないこと。**「狷介」は自己を固く守って協調性に乏しいこと、「孤高」は孤独で世俗に超然としている意。

類義語　狷介固陋《けんかいころう》、狷介孤独《けんかいこどく》、孤独狷介《こどくけんかい》、狷介不《けんかいふ》屈《くつ》、頑迷固陋《がんめいころう》、風岸孤峭《ふうがんこしょう》

狷介固陋　けんかいころう　1級

意味　**固く志を守って世俗を受け容れないこと。**また、自我を通してがんこなこと。「狷介」はかたく自分を守って人と相容《あいい》れないこと、「固陋」は視野が狭くてかたくななこと。

類義語　狷介孤高《けんかいここう》、狷介孤独《けんかいこどく》、小心狷《しょうしんけん》介《かい》、頑迷固陋《がんめいころう》

懸崖撒手　けんがいさっしゅ　準1級

意味　**勇気を奮い起こし思い切って事を行うたとえ。**切り立った断崖で手を放

す意。「懸崖」は断崖絶壁、「撒」は放す意。

注意 「撒手」を「散手」と書き誤らない。

出典 『無門関《むもんかん》』〈三二〉

類義語 勇猛果敢《ゆうもうかかん》、勇往邁進《ゆうおうまいしん》

狷介不羈 けんかい ふき

1級

意味 **自分の意志を守り通し、何者にも束縛されないこと。**「狷介」はかたく自己を守って、協調性に乏しいこと、「不羈」は束縛できないこと。

懸崖勒馬 けんがい ろくば

1級

意味 切り立った崖《がけ》で馬を押さえ間一髪で落ちるのを防ぐように、情欲におぼれて危険になったときに忽然《こつぜん》と後悔し悟ること。「懸崖」は切り立つがけ。「勒」は押さえる、手綱を引き絞る。

補説 「懸崖《けんがい》に馬《うま》を勒《おさ》う」とも読む。

出典 『閲微草堂筆記《えつびそうどうひっき》』〈一六〉

減価償却 げんか しょうきゃく

準2級

意味 年数の経過で価値の減少する固定資産の減損額を、各会計年度に割りあてて回収する会計上の手続き。

字体 「価」の旧字体は「價」。

注意 「減価」を「原価」と書き誤らない。

犬牙相制 けんが そうせい

2級

意味 **国境が入りくんでいて、たがいに牽制《けんせい》しあうこと。**「犬牙」は犬のきばのようにたがいに入りくむこと。

補説 「犬牙相制《けんがあいせい》す」とも読む。

出典 『史記』〈孝文本紀《こうぶんほんき》〉

類義語 犬牙相錯《けんがそうさく》

懸河之弁 けんがの べん

準1級

意味 **まったくよどみのない弁舌のこと。**「懸河」は激しく流れる川、急流のこと。「弁」は弁舌の意。勢いよく流れる川の水のように、よどみのない話しぶりをいう。立て板に水。

字体 「弁」の旧字体は「辯」。

出典 『隋書《ずいしょ》』〈儒林伝《じゅりんでん》・序《じょ》〉

阮簡曠達 げんかん こうたつ

1級

意味 **人柄が大らかなたとえ。**阮簡は心のままに振る舞って細事にこだわらなかった意。「阮簡」は晋《しん》の人で、竹林《ちくりん》の七《しち》賢《けん》の一人「阮咸《げんかん》」の甥《おい》。「曠達」は心が広く細事にこだわらないこと。

故事 阮簡は細事にこだわらず、父の喪の最中に外出して、県令(県の長官)が別の人のために用意していたご馳走を食べ、得意に清談を行ったという故事から(『世説新語《せせつしんご》』〈任誕《じんたん》〉注引『竹林七賢論《ちくりんしちけんろん》』)。

出典 『蒙求《もうぎゅう》』〈阮簡曠達《げんかんこうたつ》〉

牽強附会 けんきょう ふかい

準1級

意味 **道理に合わなくても、自分の都合のよいようにこじつけること。**「牽強」は無理にこじつけること、「附会」はばらばらなものを一つに合わせることから、これもこじつける意。

補説 「附会」は「付会」「傅会」とも書く。

字体 「会」の旧字体は「會」。

出典 『朱子全書』〈学《がく》〉

類義語 牽強附合《けんきょうふごう》、漱石枕流《そうせきちんりゅう》

元軽白俗 げんけい はくぞく

4級

意味 **唐の詩風は軽薄卑俗だということ。**「元」は唐の詩人元稹《げんしん》、「白」は白居《はくきょ》易《い》のこと。北宋《ほくそう》の詩人蘇軾《そしょく》が、元稹の詩は軽薄で重味がなく、白居易の詩は浅俗で卑しいとそしった語。

字体 「軽」の旧字体は「輕」。

出典 蘇軾《そしょく》の文

剣戟森森 けんげき しんしん

準1級

意味 **気性が激しくきびしいことのた**

とえ。また、武器がひややかにいかめしく並ぶさま。「剣戟」はつるぎとほこ、また武器の意。「森森」は盛んなさま。

［字体］「剣」の旧字体は「劍」。

［出典］『北史《ほくし》』〈李義深伝《りぎしんでん》〉

喧喧囂囂　けんけんごうごう　1級

［意味］多くの人がやかましく騒ぐさま。「喧喧」「囂囂」ともに、やかましい・騒がしい意。

［注意］「侃侃諤諤《かんかんがくがく》」（盛んに議論する）とは別の意。また「喧喧諤諤《がくがく》」は「喧喧囂囂」と「侃侃諤諤」を混用した誤り。

見賢思斉　けんけんしせい　準2級

［意味］**賢人に接したときは見習って自分もそのような人になりたいと思うこと。**うらやみやねたみの心を起こしてはならない意。「斉」は等しいこと。

［補説］「賢を見ては斉《ひと》しからんことを思う」とも読む。

［字体］「斉」の旧字体は「齊」。

［出典］『論語』〈里仁《りじん》〉

蹇蹇匪躬　けんけんひきゅう　1級

［意味］**自分のことは二の次にして、主人や人に尽くすこと。**「蹇蹇」は身を苦しめても忠義を尽くすこと、「匪躬」は「躬《み》の故《ゆえ》に匪《あら》ず」の略で、自分の功名や富を捨て去る意。

［注意］「蹇蹇」を「眷眷」、「匪躬」を「非窮」などと書き誤らない。

［出典］『易経《えききょう》』〈蹇《けん》〉

拳拳服膺　けんけんふくよう　1級

［意味］**常に心に銘記して、決して忘れないこと。**「拳拳」は両手で大切にささげ持つこと、「服膺」は膺《むね》（胸）に刻んで忘れないことで、人の教えや言葉を常に心にとどめて大切に守る意。

［注意］「拳拳」を「挙挙」と書き誤らない。

［出典］『中庸《ちゅうよう》』

言行一致　げんこういっち　4級

［意味］**口で言うことと実際に行うことが一致していること。**「言行」は口で言うことと行うことの意。

［類義語］形名参同《けいめいさんどう》

［対義語］言行相反《げんこうそうはん》、言行齟齬《げんこうそご》、口是心非《こうぜしんひ》

言行齟齬　げんこうそご　1級

［意味］**口で言うことと実際に行うことが矛盾《むじゅん》していること。**「言行」は口で言うことと行うこと。「齟齬」はかみあわない、くいちがう意。

［類義語］言行相反《げんこうそうはん》、口是心非《こうぜしんひ》

［対義語］言行一致《げんこういっち》

元亨利貞　げんこうりてい　準1級

［意味］**易で、天のもつ四つの徳。**積極的な徳をふみ行い、正しい操を守っていれば万事はよく運ぶという。四徳とは「元」は万物の始めで仁、「亨」は万物の長で礼、「利」は万物のよろしきを得させて義、「貞」は万物の成就で知とする。

［補説］「元《おお》いに亨《とお》る、貞《ただ》しきに利《よ》ろし」とも読む。

［出典］『易経《えききょう》』〈乾《けん》〉

堅甲利兵　けんこうりへい　3級

［意味］**堅固な鎧《よろい》と鋭利な兵器。**強力な軍事力をいう。「甲」はよろい。「兵」はここでは兵器の意。「利」は鋭い意。

［出典］『孟子《もうし》』〈梁恵王《りょうけいおう》・上〉

［類義語］堅甲利刃《けんこうりじん》

乾坤一擲　けんこんいってき　1級

［意味］**運命をかけて、一《いち》か八《ばち》かの大勝負をすること。**「乾」は天、「坤」は地のこと、「一擲」はさいころを投げる意で、天下をかけた、のるかそるかの大ばくち

のことをいう。

補説　「一擲乾坤」ともいう。

注意　「一擲」を「一滴」と書き誤らない。

出典　韓愈《かんゆ》の詩

堅塞固塁　けんさい こるい　2級

意味　**非常に堅固なとりで。**「塞」「塁」はともにとりでの意。

字体　「塁」の旧字体は「壘」。

注意　「堅塞」を「けんそく」と読み誤らない。

類義語　厳塞要徼《げんさいようきょう》

厳塞要徼　げんさい ようきょう　1級

意味　**非常に堅固なとりで。**「塞」「徼」はともにとりでの意。「厳」は防備が厳重の意。「要」はかなめ、地勢が険しく守りのかたい地。

補説　「徼」を「激」と書き誤らない。

字体　「厳」の旧字体は「嚴」。

類義語　堅塞固塁《けんさいこるい》

妍姿艶質　けんし えんしつ　1級

意味　**美しくあでやかな姿や肉体のこと。**「妍」「艶」はともに、なまめかしい、あでやかの意。「艶質」はあでやかな生まれつきのこと。

字体　「艶」の旧字体は「艷」。

出典　白居易《はくきょい》の詩

言者不知　げんしゃ ふち　5級

⇨**知者不言**（ちしゃ ふげん）

減収減益　げんしゅう げんえき　5級

意味　**収入が減って利益が減ること。**企業の年度末決算において、前年度に比べて売上げが減少し利益が減ることをいう。減収になっても、原価を削減したり経費を節約したりして利益を増やすことを減収増益という。

字体　「収」の旧字体は「收」。

対義語　増収増益《ぞうしゅうぞうえき》

現状維持　げんじょう いじ　4級

意味　**現在の状態がそのままで変化しないこと。**また、現在の状態をそのまま保つこと。「現状」は現在の状態・状況・情勢など。「維持」は結び持つ意。

類義語　現状凍結《げんじょうとうけつ》、現状保持《げんじょうほじ》

玄裳縞衣　げんしょう こうい　準1級

意味　**鶴《つる》の別称。**「玄」は黒い意で、「玄裳」は黒いもすそ（着物のすそ）、「縞」は白い意で、「縞衣」は白いうわぎのことで、鶴の姿の形容。

出典　蘇軾《そしょく》の「赤壁賦《せきへきのふ》」

言笑自若　げんしょう じじゃく　4級

意味　**どのようなことがあっても平然としていることのたとえ。**「言笑」は言葉と笑い声、談笑の意。「自若」はあわてず落ち着いているさま。

故事　蜀《しょく》の猛将の関羽《かんう》はかつての戦いで流れ矢がひじに当たり、毒が骨に入って時折痛んでいた。諸将と宴会の最中に医者に切開させ、流れ出る血が盤器にあふれていたが、関羽は肉を引き裂き酒を引き寄せ笑いながら談笑し平気であったという故事から。

出典　『三国志《さんごくし》』〈蜀書《しょくしょ》・関羽伝《かんうでん》〉

見性成仏　けんしょう じょうぶつ　準2級

意味　**おのれに本来備わる仏心を見極め、悟りの境地に達すること。**仏教、特に禅宗でいう語。見性の「性」は自己に本来備わる心性。仏心。

字体　「仏」の旧字体は「佛」。

類義語　見性悟道《けんしょうごどう》

厳正中立　げんせい ちゅうりつ　5級

意味　**紛争の際、どちらにも味方しな**

いで、固くかたよらない立場を守ること。「厳正」は厳しく正しい・厳格の意、「中立」は両方の間に立ち、どちらにもかたよらないこと。

字体　「厳」の旧字体は「嚴」。

類義語　局外中立《きょくがいちゅうりつ》

阮籍青眼　げんせき せいがん　（1級）

意味　**阮籍の青い眼。心から人を歓迎すること。**「阮籍」は三国時代魏《ぎ》の人で、竹林《ちくりん》の七賢《しちけん》の一人。老荘《ろうそう》の学を好み、世俗を白眼視した。

補説　「白眼視」「白い目で見る」という語もこの故事から出た。

注意　「阮籍」を「元籍」と書き誤らない。

故事　阮籍は青い目と白い目の使い分けがうまく、気に入った人は青眼で迎え、世俗の気に入らない人は白眼で応対したという故事から（『晋書《しんじょ》』〈阮籍伝《げんせきでん》〉）。

出典　『蒙求《もうぎゅう》』〈阮籍青眼《げんせきせいがん》〉

類義語　白眼青眼《はくがんせいがん》

乾端坤倪　けんたん こんげい　（1級）

意味　**天地の果てのこと。**「乾」は天、「坤」は大地のこと、「倪」は限りの意。天のはし、地の限りの意。

出典　韓愈《かんゆ》の「南海神廟碑《なんかいしんびょうひ》」

懸頭刺股　けんとう しこ　（2級）

意味　**苦学のたとえ。**眠気をこらえて勉強に励むこと。

補説　「頭《こうべ》を懸け股《もも》を刺す」とも読む。

故事　漢の孫敬は夜勉強中、眠くなると頭を天井から下げた紐《ひも》にかけ、机にうつぶせになるのを防ぎ、蘇秦《そしん》は眠くなると自分の内股をきりで刺し読書を続けたという故事から。

出典　懸頭＝『楚国先賢伝《そこくせんけんでん》』・刺股＝『戦国策《せんごくさく》』〈秦策《しんさく》〉

類義語　懸頭錐股《けんとうすいこ》、懸梁刺股《けんりょうしこ》、懸梁錐股《けんりょうすいこ》、刺股読書《しこどくしょ》、蛍窓雪案《けいそうせつあん》、蛍雪之功《けいせつのこう》

捲土重来　けんど ちょうらい　（準1級）

意味　**一度失敗した者が、再び勢いを盛り返して巻き返しをすること。**「捲土」は砂塵《さじん》を巻きあげること、「重来」は再び来る意。戦いに敗れた者が、疾風が砂塵を巻きあげるような勢いで、再び攻めてくること。

補説　「捲土」は「巻土」とも書く。また、「重来」は「じゅうらい」とも読む。

字体　「来」の旧字体は「來」。

出典　杜牧《とぼく》の「題烏江亭《うこうていにだいす》‐詩」

対義語　一蹶不振《いっけつふしん》

堅忍果決　けんにん かけつ　（準2級）

意味　**我慢強く堪え忍び、いったん決めると果敢に断行すること。**「堅忍」は意志が固く堪え忍ぶこと、「果決」は思いきって行うこと。

出典　吉田松陰《よしだしょういん》の「士規七則《しきしちそく》」

堅忍質直　けんにん しっちょく　（準2級）

意味　**我慢強くてまっすぐな気性をしていること。**「堅忍」は意志が強くて堪え忍ぶ意、「質直」は飾りけがなく正直なこと。「質」は質朴の意。

注意　「質直」を「実直」と書き誤らない。

出典　『史記』〈張丞相伝《ちょうじょうしょうでん》〉

堅忍不抜　けんにん ふばつ　（準2級）

意味　**意志を固く持ち、どんな困難にも耐え心を動かさないこと。**「堅忍」はがまん強い、「不抜」は固くて抜けない意から、意志が強くものに動じないこと。

字体　「抜」の旧字体は「拔」。

出典　蘇軾《そしょく》の「鼂錯論《ちょうそろん》」

類義語　志操堅固《しそうけんご》、堅忍持久《けんにんじきゅう》、堅苦卓絶《けんくたくぜつ》

犬吠驢鳴　けんばい ろめい　（1級）

⇩**驢鳴犬吠**（ろめい けんばい）

堅白同異 けんぱくどうい

4級

意味　**こじつけ、詭《き》弁《べん》のたとえ。**

補説　「堅白同異の弁」の略。また「堅白同」ともいう。

故事　中国戦国時代、趙《ちょう》の公孫竜《こうそんりゅう》が「堅くて白い石を、目で見ると白いことは分かるが、堅さは分からない。手でさわると堅さは分かるが、色は分からない。だから、堅い石と白い石とは同一のものではない」という論法で、同を異と説いたことから。「白馬は馬に非ず」とともに、公孫竜の詭弁として有名。

出典　『公孫竜子《こうそんりゅうし》』〈堅白論《けんぱくろん》〉

類義語　堅石白馬《けんせきはくば》、白馬非馬《はくばひば》

剣抜弩張 けんばつどちょう

1級

意味　**情勢が緊迫して今にも戦いがはじまりそうなたとえ。**また、**書道で筆力がはげしくて気迫がこもっているたとえ。**

剣をぬき、石弓《いしゆみ》をひきしぼる意。「弩」はいしゆみ。ばねじかけで石や矢を遠くに飛ばす道具。

補説　「弩張剣抜」ともいう。もと『漢《かん》書《じょ》』〈王莽伝《おうもうでん》・下〉の「刃《やいば》を抜き弩を張る」による。

字体　「剣」の旧字体は「劍」、「抜」の旧字体は「拔」。

出典　『法書要録《ほうしょようろく》』引の『袁昂古今書評《えんこうここんしょひょう》』

類義語　刀光剣影《とうこうけんえい》、一触即発《いっしょくそくはつ》

犬馬之歯 けんばのよわい

準1級

意味　**自分の年齢の謙称。**「歯」は年齢のこと。犬や馬のように卑しい者の年齢の意で、自分の年齢をいうときに謙遜《けんそん》していう語。

補説　「歯」は「齢」とも書く。略して「馬齢」「馬歯」ともいう。

字体　「歯」の旧字体は「齒」。

出典　『漢書《かんじょ》』〈趙充国伝《ちょうじゅうこくでん》〉

類義語　犬馬之年《けんばのとし》

犬馬之労 けんばのろう

準1級

意味　**主人や他人のために力を尽くすこと。**犬や馬程度の働きということで、心をくだき、力を尽くす気持ちを謙遜《けんそん》していう語。

字体　「労」の旧字体は「勞」。

類義語　汗馬之労《かんばのろう》

言文一致 げんぶんいっち

4級

意味　**話し言葉と書き言葉を一致させて文章を書くこと。**明治時代の口語文体確立運動のことをさし、その文体を言文一致体という。言論界では福沢諭吉、西《にし》周《あまね》らが主導し、文学界では二葉亭四迷《ふたばていしめい》、山田美妙《びみょう》らがすすめた。

権謀術数 けんぼうじゅっすう

3級

意味　**人をあざむくための策略。**「権謀」はその場に応じた策略のこと、「術数」ははかりごとの意。

字体　「権」の旧字体は「權」、「数」の旧字体は「數」。

出典　朱熹《しゅき》『大学章句《だいがくしょうく》』〈序《じょ》〉

類義語　権謀術策《けんぼうじゅっさく》、奸智術策《かんちじゅっさく》

玄圃積玉 げんぽせきぎょく

準1級

意味　**玄圃にあるという多くの珠玉。美しい文章のたとえ。**「玄圃」は崑崙《こんろん》山にあるという仙人のすみか。「積玉」は積み重なった玉。

出典　『晋書《しんじょ》』〈陸機伝《りくきでん》〉

肩摩轂撃 けんまこくげき

1級

意味　**人や車の往来が多く、混雑しているさま。都会の雑踏。**「肩摩」は肩と肩がすれあうこと、「轂」は車の軸受けのことで、「轂撃」は轂と轂がぶつかりあう意。人と人の肩がこすれあい、車と車の軸受けがぶつかりあうほどの混雑のこと。

補説 「轂撃肩摩」ともいう。
注意 「轂撃」を「穀撃」と書き誤らない。
出典 『戦国策《せんごくさく》』〈斉策《せいさく》〉
類義語 比肩随踵《ひけんずいしょう》

賢明愚昧 けんめいぐまい
2級

意味 **かしこいことと、愚かで道理にくらいこと。**また、その人。「昧」は暗い意で、道理に暗いこと。
注意 「愚昧」を「愚味」と書き誤らない。

絢爛豪華 けんらんごうか
1級

⇨**豪華絢爛**（ごうかけんらん）

賢良方正 けんりょうほうせい
3級

意味 **かしこくて行いが正しいこと。**また、漢唐以降の科挙(官吏登用試験)の科目の名。「賢良」はかしこくて善良なこと、「方正」は行いが正しい意。
出典 『漢書《かんじょ》』〈董仲舒伝《とうちゅうじょでん》〉

彦倫鶴怨 げんりんかくえん
準1級

意味 **彦倫がいなくなって鍾山《しょうざん》の鶴《つる》も悲しみ怨《うら》む意。**「彦倫」は南斉《なんせい》の周顒《しゅうぎょう》の字《あざな》。
故事 南斉の周顒は始め世俗を避けて鍾山《しょうざん》に隠遁《いんとん》したが、後に任官して県令になったので、孔稚珪《こうちけい》がそのえせ隠者ぶりを批判して「北山移文《ほくざんいぶん》」を作り「彦倫にだまされた鶴も悲しみ怨んでいよう」と言った故事から(孔稚珪の「北山移文」)。
出典 『蒙求《もうぎゅう》』〈彦倫鶴怨《げんりんかくえん》〉

牽攣乖隔 けんれんかいかく
1級

意味 **心は互いに引かれ合いながら遠く隔たっていること。**「牽攣」は互いに心引かれる意。「攣」はこい慕う意。
注意 「牽攣」を「牽連」と書き誤りやすい。
出典 白居易《はくきょい》の「与微之書《びしにあたうるのしょ》」

堅牢堅固 けんろうけんご
準1級

意味 **かたくてじょうぶなこと。じょうぶで動じたり破られたりしないこと。**
補説 ほぼ同意の二字熟語を重ねて意味を強めた四字句。「牢」もかたい意。
類義語 堅固不抜《けんごふばつ》

黔驢之技 けんろのぎ
1級

意味 **自分の腕が悪いのを自覚せず恥をかくこと。**また、**とるにたりない腕前にもいう。**「黔」は中国の地名、「驢」はろばのこと。
補説 「技」は「わざ」とも読む。
故事 ある人が驢馬《ろば》のいない黔州《けんしゅう》に驢馬をつれていって放したところ、虎《とら》は自分よりからだの大きい驢馬を見て初め恐れたが、驢馬は虎をけるだけで他に何もできないことを見破って、ついに食い殺してしまったという故事から。
出典 柳宗元《りゅうそうげん》の「三戒《さんかい》」

懸腕直筆 けんわんちょくひつ
準2級

意味 **書法の一つ。**筆を垂直に持ち、腕をあげ、ひじを脇《わき》から離して字を書くこと。「懸」はかかげる意、「直筆」は筆を垂直に立てて字を書くこと。
注意 「直筆」を「じきひつ」と読み誤りやすい。「じきひつ」は自筆のことで、意味が異なる。

懸腕枕腕 けんわんちんわん
準1級

意味 **腕を宙に浮かせて肘《ひじ》を下につけないで書く書法と、左手の掌を伏せて紙の上に置きそれを右手の枕のようにして構える書法。**書作のときの腕の扱い方を述べたもの。「懸」は宙にかける、空間に下げる意。
注意 「枕」を「沈」と書くのは本来は誤り。
類義語 懸腕直筆《けんわんちょくひつ》

【こ】

挙一明三　こいちみょうさん　（1級）

意味　一つのことを挙げ示せば三つのことを知り悟る意。理解のはやいことをいう。仏教の語。

補説　「一を挙《あ》ぐれば三を明らかにす」とも読む。

字体　「挙」の旧字体は「擧」。

注意　読みが特殊であることに注意。

出典　『碧巌録《へきがんろく》』

類義語　挙一反三《こいちはんさん》

縞衣綦巾　こういききん　（1級）

意味　白い衣服とよもぎ色のスカーフ。中国、周代の身分の低い女性の質素な服装。転じて、自分の妻の謙称。「縞衣」は染めていない白い色の薄絹の衣。「縞」は白色。「綦巾」はよもぎ色（青色に白味を帯びたもの）の佩巾《はいきん》。「巾」は女性が身につける布で手をぬぐったり頭を包んだりするもの。「縞衣」は男性の服、「綦巾」は女性の服ともいい、「縞衣綦巾」で未婚の女性の質素な服ともいい異説が多い。

出典　『詩経《しきょう》』〈鄭風《ていふう》・出其東門《しゅっきとうもん》〉

香囲粉陣　こういふんじん　（4級）

意味　多くの美人にとりかこまれるたとえ。香のかこいと白粉《おしろい》の列の意から転じた。

字体　「囲」の旧字体は「圍」。

注意　「粉陣」を「紛陣」と書き誤らない。

黄衣廩食　こういりんしょく　（1級）

意味　黄衣を身につけ俸禄《ほうろく》を受ける者。宦官《かんがん》をいう。「廩食」は官から支給される扶持《ふち》米・俸禄の意。宦官は去勢されて宮中に仕える男。

出典　『資治通鑑《しじつがん》』〈唐紀《とうき》・玄宗開元元年《げんそうかいげんがんねん》〉

光陰如箭　こういんじょぜん　（準1級）

意味　月日がたつのが速いことのたとえ。月日は矢のように速く過ぎ去ってしまうということ。「光」は太陽で昼、「陰」は月で夜、「光陰」で年月、時間の意。

補説　「光陰箭《や》の如《ごと》し」とも読む。

出典　『禅門諸祖偈頌《ぜんもんしょそげしょう》』

類義語　光陰流水《こういんりゅうすい》、烏兎匆匆《うとそうそう》、烏《う》飛《ひ》兎《と》走《そう》、露往霜来《ろおうそうらい》

行雲流水　こううんりゅうすい　（5級）

意味　物事に執着せず、自然のなりゆきに任せて行動すること。「行雲」は空を行く雲、「流水」は川を流れる水の意。諸国を行脚《あんぎゃ》する禅僧のたとえにも用いる。

補説　「流水行雲」ともいう。

出典　蘇軾《そしょく》の「与謝民師推官書《しゃみんしすいかんにあたうるのしょ》」

類義語　一所不住《いっしょふじゅう》、雲遊萍寄《うんゆうひょうき》

光焔万丈　こうえんばんじょう　（準1級）

意味　詩文や議論などが、雄大で勢いがありすぐれているたとえ。「光焔」は燃え上がるほのおのこと、「万丈」は高く上がる意。ほのおが勢いよく燃え上がるさまをいう。

補説　「光焔万丈長し」の略。「光焔」は「光炎」「光燄」とも書く。

字体　「万」の旧字体は「萬」。

出典　韓愈《かんゆ》の詩

類義語　光芒万丈《こうぼうばんじょう》

後悔噬臍　こうかいぜいせい　（1級）

意味　あとになって悔やんでもどうしようもない。後悔先に立たずということ。「噬臍」はへそをかむこと。「臍」はへそ。口はへそまで届かないことからどうにもならない、不可能の意。

補説　「後悔、臍《ほぞ》を噬《か》む」とも読む。

出典　『春秋左氏伝《しゅんじゅうさしでん》』〈荘公《そうこう》六年〉

慷慨憤激　こうがい ふんげき
1級

意味 **激しく憤りなげくこと。**「慷慨」「憤激」ともに憤りなげく意。

注意 「憤激」を「噴激」と書き誤らない。

類義語 慷慨《こうがい》悲憤《ひふん》、悲歌《ひか》慷慨《こうがい》、慷慨《こうがい》搤腕《やくわん》

口角飛沫　こうかく ひまつ
準1級

意味 **激しく議論するさま。**勢い余って口の端(口角)からつば(沫)を飛ばすことから。

補説 「口角、沫《あわ》を飛ばす」とも読む。

豪華絢爛　ごうか けんらん
1級

意味 **まばゆいほど美しく、華やかでぜいたくなさま。**「豪華」はぜいたくで華やかなこと、「絢爛」は目がくらむほど美しい意。

補説 「絢爛豪華」ともいう。

類義語 絢爛《けんらん》華麗《かれい》、錦繡《きんしゅう》綾羅《りょうら》

篝火狐鳴　こうか こめい
1級

意味 **かがり火と狐《きつね》の鳴き声。衆を惑わすことをいう。**「篝火」はかがり火。

故事 秦《しん》末、陳勝《ちんしょう》が呉広《ごこう》とともに反乱の口火を切ったとき、民衆を味方につけるために呉広にかがり火をたき狐の鳴きまねをさせて「大楚《たいそ》(陳勝らが名乗った国名)が興って陳勝が王となろう」と叫ばせた故事。

出典 『史記』〈陳渉世家《ちんしょうせいか》〉

膏火自煎　こうか じせん
準1級

意味 **才があることでかえってわざわいに遭うことのたとえ。**あぶらはなまじ灯火の用になるためにわが身を焼くことになるからいう。「膏」はあぶら。「煎」は炒《い》る、焼く意。

補説 「膏火自《みずか》ら煎《い》る(煎《や》く)」とも読む。

出典 『荘子《そうじ》』〈人間世《じんかんせい》〉

類義語 山木《さんぼく》自寇《じこう》

高牙大纛　こうが だいとう
1級

意味 **将軍の陣営のしるし。**また、**高官のしるし。**「高牙」は象牙《ぞうげ》の飾りのついた高い旗のこと、「大纛」は牛の尾の飾りをさおにつるした大きな旗の意。軍隊の本営に立てるもの。

効果覿面　こうか てきめん
1級

意味 **ききめや報いがただちに現れること。**「覿」は見る、会う意で、「覿面」は目《ま》のあたりにはっきりと見ることをいう。すぐに効果や結果が出ること。

字体 「効」の旧字体は「效」。

注意 「覿面」を「適面」と書き誤らない。

類義語 天罰《てんばつ》覿面《てきめん》

広廈万間　こうか ばんげん
1級

意味 **広く大きな家。**転じて、**貧しい人を庇護《ひご》すること。**「廈」は家。「間」は柱と柱の間。「万間」は柱と柱の間が万もある大きな家。

補説 「広廈千万間」の略。

字体 「広」の旧字体は「廣」、「万」の旧字体は「萬」。

故事 杜甫《とほ》が成都にいたころ、かやぶきの屋根が吹き飛ばされ「大きな家を手に入れて天下の貧しい人をみんなその中に住まわせともに喜び合いたいものだ」とうたった故事による。

出典 杜甫《とほ》の詩

高歌放吟　こうか ほうぎん
準2級

意味 **あたりかまわず大声で歌い吟ずること。**「放吟」は声をはりあげて詩歌を吟ずること。

補説 「放歌高吟」ともいう。

鴻雁哀鳴　こうがん あいめい
準1級

意味 **かりが悲しげに鳴く。離散して**

さすらう民が窮状を訴えるたとえ。「鴻雁《こうがん》」はかりで、「鴻」は大きなもの、「雁」は小さなものをいう。離散の流民のたとえ。

補説　「雁」は「鴈」とも書く。

出典　『詩経《しきょう》』〈小雅《しょうが》・鴻雁《こうがん》〉

紅顔可憐　こうがんかれん　準1級

意味　**時の推移の無常なこと。**「紅顔」は血色のよい、元気で若々しい青年、「可憐」は「あわれむべし」で、その元気な青年が白髪の老人(白翁)になってしまったことに対して、気の毒に思う、同情せずにはおられない意。

字体　「顔」の旧字体は「顏」。

注意　「紅顔」を「厚顔」、「可憐」を「可隣」と書き誤りやすい。

出典　劉希夷《りゅうきい》の「代悲白頭翁《はくとうをかなしむおきなにかわる》-詩」

合歓綢繆　ごうかんちゅうびゅう　1級

意味　**男女が深く愛しあうこと。**男女のむつみあうようす。「合歓」は歓《よろこ》びをともにすること、男女がむつみあうこと。「綢繆」はまといつく、絡みつく意。

字体　「歓」の旧字体は「歡」。

傲岸不遜　ごうがんふそん　2級

意味　**思いあがって、人に従おうとしないさま。**「傲」はおごる、「岸」は切りたった崖《がけ》のことで、「傲岸」はいばって人を見下す意。「遜」は従う、へりくだる意で、「不遜」は傲慢でへりくだらないこと。

出典　傲岸＝『晋書《しんじょ》』〈郭璞伝《かくはくでん》〉・不遜＝『論語』〈述而《じゅつじ》〉

類義語　傲岸不屈《ごうがんふくつ》、傲岸無礼《ごうがんぶれい》、傲慢不遜《ごうまんふそん》

厚顔無恥　こうがんむち　4級

意味　**あつかましくて、恥知らずなさま。**「厚顔」はあつかましいこと。「無恥」は恥を知らないことで、他人の迷惑など考えずに、自分の思わくだけで考えたり行動したりする態度をいう。

補説　「無恥厚顔」ともいう。

字体　「顔」の旧字体は「顏」。

注意　「厚顔」を「紅顔」、「無恥」を「無知」と書き誤りやすい。

出典　孔稚珪《こうちけい》の「北山移文《ほくざんいぶん》」

類義語　寡廉鮮恥《かれんせんち》、厚顔無慚《こうがんむざん》

剛毅果断　ごうきかだん　準1級

意味　**意志が強くて決断力があること。**「剛毅」は意志が固く物事にくじけないこと、「果断」は思い切りがよい意。

字体　「断」の旧字体は「斷」。

類義語　剛毅果敢《ごうきかかん》、剛毅勇敢《ごうきゆうかん》、勇猛果敢《ゆうもうかかん》

対義語　優柔不断《ゆうじゅうふだん》

光輝燦然　こうきさんぜん　準1級

意味　**ひときわ鮮やかに光り輝くこと。**「光輝」は光・かがやきのこと、「燦然」は明るく光り輝く意。

補説　「光輝」は「光暉」「光熙」とも書く。

綱紀粛正　こうきしゅくせい　準2級

意味　**乱れた規律を正すこと。**「綱紀」は大づなと小づなで国を治める大法と細則をいう。「粛正」は厳しく取り締まって不正をなくす意。政治の方針や政治家・役人の乱れを正して、規律を守らせるというのがもとの意。

字体　「粛」の旧字体は「肅」。

注意　「綱紀」を「綱規」、「粛正」を「粛清」と書かないこと。

対義語　綱紀廃弛《こうきはいし》

巧偽拙誠　こうぎせっせい　準2級

意味　**巧みに偽ることと、拙《つたな》くともまごころがあること。**また巧みに偽ることは、拙くともまごころがあることには及ばないこと。「偽」はいつわりだますこと。「誠」はまごころがあること。

補説　「巧偽《こうぎ》は拙誠《せっせい》に如《し》かず」の略。
字体　「偽」の旧字体は「僞」。
注意　「巧」を「功」と書き誤りやすい。
出典　『説苑《ぜいえん》』〈談叢《だんそう》〉
類義語　巧詐《こうさ》拙誠《せっせい》

剛毅直諒　ごうき ちょくりょう　準1級

意味　**意志が強く正直で誠実なこと。**「剛毅」は気性が強いこと、「直諒」は正しくてまごころがあること。
類義語　剛毅木訥《ごうきぼくとつ》

好機到来　こうき とうらい　4級

意味　**ちょうどよい機会がくること。**絶好の機会に恵まれること。
字体　「来」の旧字体は「來」。
類義語　時機到来《じきとうらい》、時節到来《じせつとうらい》

綱紀廃弛　こうき はいし　準1級

意味　**国家や社会の規律・秩序が乱れゆるむこと。**「綱紀」は大づなと小づなで国の大法・細則をいう。「廃弛」はすたれゆるむこと。
字体　「廃」の旧字体は「廢」。
注意　「綱紀」を「綱規」、「廃弛」を「廃止」と書き誤らない。
対義語　綱紀厳正《こうきげんせい》、綱紀粛正《こうきしゅくせい》

香気芬芬　こうき ふんぷん　1級

意味　**よい香りがあたり一面にただようこと。**「芬芬」は香りが高いこと。
字体　「気」の旧字体は「氣」。
注意　「芬芬」を「紛紛」と書き誤らない。
類義語　香気馥郁《こうきふくいく》

剛毅木訥　ごうき ぼくとつ　1級

意味　**意志が強くて、飾りけがないこと。**「剛毅」は意志が強くくじけない、「木訥」は飾りけがなく無口で無骨なこと。
補説　出典に「剛毅木訥仁《じん》に近し」とあるのによる。「木訥」は「朴訥」「朴吶」とも書く。
注意　「剛毅」を「豪毅」と書き誤らない。
出典　『論語』〈子《し》路《ろ》〉
対義語　巧言令色《こうげんれいしょく》

綱挙網疏　こうきょ もうそ　準1級

意味　**大綱を挙げて細目をあらくする。おおもとをつかむことに意を用いて末節にはこだわらないこと。**巨悪の根源を挙げることに専念して末節の小さな悪は許すこと。「綱」は大づな、網をしめくくるもとづな。「疏」は目が粗いこと。
字体　「挙」の旧字体は「擧」。
注意　「網疏」を「綱疏」と書き誤らない。また「こうそ」と読み誤らないこと。
出典　『晋書《しんじょ》』〈劉頌伝《りゅうしょうでん》〉

敲金撃石　こうきん げきせき　1級

意味　**詩文の美しい響きやリズムのたとえ。**「金」は鐘の類。「石」は磬《けい》の類。ともに打楽器で、美しい声調をかなでるのでいう。もと韓愈《かんゆ》が張籍《ちょうせき》の詩を金石の美しい音色のようにすぐれていると評した語。「敲」はたたく意。「撃」はうつ意。
補説　「金《かね》を敲《たた》き石を撃《う》つ」とも読む。
出典　韓愈《かんゆ》の文
類義語　吹竹弾糸《すいちくだんし》、敲金戛玉《こうきんかつぎょく》

高下在心　こうげ ざいしん　5級

意味　**事が成るか否かは心がけ次第で決まること。**また、人事・賞罰の権限を一手に握り胸一存であることにもいう。「高下」はものごとの両極端について、「在心」は事に当たって自分の考え方、対処の仕方についていう。
補説　「高下《こうげ》、心《こころ》に在《あ》り」とも読む。
出典　『春秋左氏伝《しゅんじゅうさしでん》』〈宣公《せんこう》一五年〉

皓月千里　こうげつ せんり　1級

意味　**明るく輝く月が、遠くまで照り**

わたるさま。「皓月」は明るく輝く月、明月のこと。

補説 「皓月」は「皎月」とも書く。

出典 范仲淹《はんちゅうえん》の「岳陽楼記《がくようろうのき》」

剛健質実　ごうけんしつじつ　準2級

⇨質実剛健（しつじつごうけん）

高軒寵過　こうけんちょうか　準1級

意味 **貴人の来訪をいう。**「高軒」はりっぱな車で他人の車の敬称。「寵過」は栄えの来訪というほどの意。

故事 中唐の詩人李賀《りが》が七歳のとき、りっぱな車に乗った韓愈《かんゆ》と門人皇甫湜《こうほしょく》の訪問を受けて、すぐに「高軒過《こうけんか》」と題した歓迎の詩を作ったという故事から。

出典 『唐書《とうじょ》』〈李賀伝《りがでん》〉

黄絹幼婦　こうけんようふ　準2級

意味 **二人の判断がまったく一致していること。**また、**解釈や判読がすばらしく正確なこと。**

故事 後漢の楊修《ようしゅう》は魏王《ぎおう》の曹操《そうそう》に仕えたが、江南の曹娥《そうが》の碑に「黄絹幼婦、外《がい》孫韲臼《そんせいきゅう》（＝絶妙好辞）」の八文字があった。操はその意味を楊にたずね、答えようとするのを待たせ、自分も三十里歩きながら考えた意味が、楊の意見とまったく一致していたという故事から。「黄絹」は色糸なので「絶」、「幼婦」は少女で「妙」、「絶妙」を意味していた。

出典 『世説新語《せせつしんご》』〈捷悟《しょうご》〉

類義語 外孫韲臼《がいそんせいきゅう》、黄絹色糸《こうけんしきし》

巧言乱徳　こうげんらんとく　3級

意味 **うまくとりつくろった言葉は人を惑わしついには徳をも乱すということ。**実のない巧みなばかりの言葉は人の道を誤らせるの意。

補説 「巧言は徳を乱る」とも読む。

字体 「乱」の旧字体は「亂」。

出典 『論語』〈衛霊公《えいれいこう》〉

巧言令色　こうげんれいしょく　3級

意味 **愛想のよいことをいったり、顔色をつくろって、人に媚《こ》びへつらうこと。**「巧言」は相手が気に入るように言葉を飾ること、「令色」はよい顔色をとりつくろうこと。

補説 出典に「巧言令色鮮《すくな》し仁」とあるのによる。

注意 「巧言」を「好言」「広言」などと書き誤りやすい。

出典 『論語』〈学而《がくじ》〉

対義語 剛毅木訥《ごうきぼくとつ》

槁項黄馘　こうこうこうかく　1級

意味 **貧乏などでやつれきった顔のたとえ。**やせ細った首と疲れ果てて黄色くなった顔の意。「槁項」はやせ細った首すじの意。「馘」は顔の意。

補説 「槁項」は「槀項」とも書く。

出典 『荘子《そうじ》』〈列禦寇《れつぎょこう》〉

恍恍惚惚　こうこうこつこつ　1級

意味 **何かに心を奪われて、うっとりすること。**われを忘れてうっとりする意の「恍惚」を重ねて、意味を強めた言い方。

補説 「惚」は「忽」とも書く。

膏肓之疾　こうこうのしつ　1級

意味 **不治の難病のこと。**「膏」は心臓の下部、「肓」は横隔膜の上部のこと。身体の最も奥にある部分で、この間に病がはいると薬も針もとどかず、治療しにくいところから。

注意 「膏肓」を「こうもう」と読み誤りやすい。また「膏盲」と書き誤りやすい。

故事 「病入膏肓《びょうにゅうこうこう》」の項参照。

類義語 膏肓《こうこう》之《の》病《やまい》、病入膏肓《びょうにゅうこうこう》

鴻鵠之志 こうこくのこころざし

準1級

意味 **遠大なこころざしのこと。**「鴻」はおおとり、「鵠」はくぐいのことで、いずれも大きな鳥。大きな鳥のこころざしという意から、英雄や豪傑など大人物のこころざしのたとえ。

補説 「燕雀安《えんじゃくいず》くんぞ鴻鵠の志を知らんや」の略。

出典 『史記』〈陳渉世家《ちんしょうせいか》〉

類義語 青雲之志《せいうんのこころざし》、図南鵬翼《となんのほうよく》

後顧之憂 こうこのうれい

準1級

意味 **あとに残る気がかり。**後日の心配。「後顧」はうしろをふりかえること、「憂」は心配の意。

補説 「憂」は「患」とも書く。

出典 『魏書《ぎしょ》』〈李沖伝《りちゅうでん》〉

類義語 還顧之憂《かんこのうれい》、反顧之憂《はんこのうれい》、回顧之憂《かいこのうれい》

高材疾足 こうざいしっそく

3級

意味 **すぐれた才能と手腕があること。**また、そのような人。「高材」はすぐれた才能のこと、「疾足」は足が速い意。

補説 「高材」は「こうさい」とも読む。また、「高才」とも書く。

出典 『史記』〈淮陰侯伝《わいいんこうでん》〉

類義語 高材逸足《こうざいいっそく》、知勇兼備《ちゆうけんび》

光彩奪目 こうさいだつもく

3級

意味 **目をみはるばかりに色どりが鮮やかで美しいこと。**「光彩」は美しい輝き、色どり。

補説 「光彩目を奪《うば》う」とも読む。

類義語 光彩陸離《こうさいりくり》

幸災楽禍 こうさいらくか

準2級

意味 **他人の不幸を見てよろこぶこと。**人が災難にあうことをよろこび、わざわいにあうのを見てたのしむ意。

補説 「災《わざわ》いを幸《さいわ》いとし禍《わざわ》いを楽しむ」とも読む。「楽禍幸災」ともいう。

字体 「楽」の旧字体は「樂」。

光彩陸離 こうさいりくり

4級

意味 **美しい光が、まばゆいばかりに輝くさま。**「光彩」は美しい光・美しい色どりのこと、「陸離」はきらきらと光り輝くさまをいう。

補説 「光彩」は「光采」とも書く。

高山景行 こうざんけいこう

5級

意味 **徳が高く行いがりっぱなことのたとえ。**また、だれにでも敬意を表されるものごとのたとえ。「景行」は大きな道の意。

出典 『詩経《しきょう》』〈小雅《しょうが》・車舝《しゃかつ》〉

高山流水 こうざんりゅうすい

5級

意味 **すぐれて巧みな音楽のこと。**また、**妙なる演奏のこと。**また、高い山と流れる水から、清らかな天地自然の意にも用いる。

補説 「流水高山」ともいう。

故事 中国の春秋時代、琴の名手伯牙《はくが》が、山東省の名山泰山《たいざん》を心に描きながら演奏したところ、友人の鐘子期《しょうしき》が評して、「まるで、あの高い泰山のようにすばらしい」といい、また、流れる川を思いうかべながら演奏したところ、「まるで、流れる清い水のようにすばらしい」といったという故事から。

出典 『列子《れっし》』〈湯問《とうもん》〉

口耳講説 こうじこうせつ

4級

意味 **聞いたことをよく消化しないで、すぐにそのまま人に話すこと。**「口耳」は口と耳のこと、「講説」は説きあかす意。耳から入れて、物知り顔に口から出す話のこと。受け売り。

出典　『伝《でん》習《しゅう》録《ろく》』〈上〉

類義語　口《こう》耳《じ》之《の》学《がく》、道《どう》聴《ちょう》塗《と》説《せつ》

行尸走肉　こうしそうにく　1級

意味　**才能も学問もなく、なんの存在価値もない人のこと。**「行」は歩く、「尸」はしかばねのこと、「走肉」は走る肉の意で、ともに形だけがあって魂が抜けていることのたとえ。

出典　『拾《しゅう》遺《い》記《き》』〈六〉

類義語　酒《しゅ》嚢《のう》飯《はん》袋《たい》、飲《いん》食《しょく》之《の》人《ひと》

好事多魔　こうじたま　3級

意味　**よいことには往々にして邪魔が入りやすいたとえ。**「魔」は多く「磨」とも書かれ邪魔・災難の意。

補説　「好事、魔多し」とも読む。「多魔」は「多磨」とも書く。

出典　『西《せい》廂《しょう》記《き》』〈一〉

類義語　美《び》事《じ》多《た》磨《ま》、好《こう》事《じ》多《た》阻《そ》、寸《すん》善《ぜん》尺《せき》魔《ま》、鬼《き》瞰《かん》之《の》禍《わざわい》

曠日弥久　こうじつびきゅう　1級

意味　**むだに長期間の日を過ごすこと。**むだに日時を費やして、事を長引かせたり、ひまどらせたりすること。「曠日」は何もしないで日をむなしく送ること。

補説　「日《ひ》を曠《むな》しくして久しきに弥《わた》る」とも読む。

字体　「弥」の旧字体は「彌」。

出典　『戦《せん》国《ごく》策《さく》』〈燕《えん》策《さく》〉

類義語　曠《こう》日《じつ》持《じ》久《きゅう》

口耳之学　こうじのがく　準1級

⇩**口耳四寸**（こうじよんすん）

高車駟馬　こうしゃしば　1級

意味　**高位高官にある人の乗り物。**転じて、**高貴な人。**「高車」は高い蓋《がい》（車のかさ）の車。「駟馬」は四頭立ての馬車。

出典　欧《おう》陽《よう》脩《しゅう》の「相《しょう》州《しゅう》昼《ちゅう》錦《きん》堂《どう》記《き》」

鉤縄規矩　こうじょうきく　準1級

意味　**曲線・直線・円形・直角を書いたり、はかり定めたりする道具。**転じて、**物事の法則や基準。**「鉤」はもと先の曲がったかぎの意で、ここでは曲線を引く道具。半規または曲尺という説もある。「縄」は墨《すみ》縄《なわ》のことで、直線を引く道具。「規」はコンパス、円を描く道具。「矩」はさしがね（曲尺）、直角をはかるのに用いる。

字体　「縄」の旧字体は「繩」。

出典　『荘《そう》子《じ》』〈駢《べん》拇《ぼ》〉

類義語　規《き》矩《く》準《じゅん》縄《じょう》

鉤章棘句　こうしょうきょくく　1級

意味　**非常に読みにくく難しい文章のこと。奇怪で難解な文章。**「鉤章」は釣り針のようにひっかかりのある文章。「棘句」はとげのある句。「棘」はいばら、とげ。

補説　「鉤章」は「鈎章」とも書く。

出典　韓《かん》愈《ゆ》の「貞《てい》曜《よう》先《せん》生《せい》墓《ぼ》誌《し》銘《めい》」

類義語　佶《きつ》屈《くつ》聱《ごう》牙《が》

黄裳元吉　こうしょうげんきつ　準1級

意味　**中正柔順な臣は主家の大黒柱であるということ。**また、そうした忠臣が主家に仕えれば吉兆である意。「黄裳」は黄色のもすそ。黄は五行で中央の色として尊ばれる。「裳」は下着で臣下にたとえる。「元吉」は大吉。

補説　「黄裳は元吉なり」とも読む。

出典　『易《えき》経《きょう》』〈坤《こん》〉

向上機縁　こうじょうのきえん　4級

意味　**昇天の機会のこと。**「向上」はのぼる、昇天すること、「機縁」は機会の意。

出典　『桃《とう》花《か》扇《せん》』〈入《にゅう》道《どう》〉

攻城野戦　こうじょうやせん　4級

意味　**城を攻め野原で戦うこと。**「攻城」

は城を攻めること、「野戦」は野原で戦うこと。

補説　「野戦攻城」ともいう。

字体　「戦」の旧字体は「戰」。

出典　『戦国策《せんごくさく》』〈趙策《ちょうさく》〉

苟且偸安　こうしょとうあん　1級

意味　**物事をなおざりにして一時の安楽をむさぼること。**「苟」「且」ともに、かりそめ・なおざりの意。「偸安」は目前の安楽をむさぼること、一時のがれをすること。

補説　略して「苟偸《こうとう》」ともいう。

注意　「苟且」を「荀且」と書き誤らない。

出典　苟且＝『漢書《かんじょ》』〈宣帝紀《せんていき》〉・偸安＝『史記』〈始皇紀《しこうき》〉

公序良俗　こうじょりょうぞく　4級

意味　**公共の秩序と善良な風俗・習慣のこと。**すべての法律の基本理念で、法の解釈や適用の際の基準の一つ。

口耳四寸　こうじよんすん　4級

意味　**聞きかじりの学問。**口と耳の間はわずか四寸しかない意。転じて、耳で聞きすぐ口に出して人に伝える浅い学問。あさはかで自分の益にならない学問。

補説　「四寸」は「しすん」とも読む。

出典　『荀子《じゅんし》』〈勧学《かんがく》〉

類義語　口耳《こうじ》之《の》学《がく》、口耳《こうじ》講説《こうせつ》、道聴塗《どうちょうと》説《せつ》、口耳《こうじ》末学《まつがく》

嚆矢濫觴　こうしらんしょう　1級

意味　**物事のはじまり、おこり。**「嚆矢」はかぶら矢の意で、昔戦いの開始のしるしにかぶら矢を敵陣に射かけたことから、物事のはじまりをいう。「濫觴」は大河もそのはじまりは觴《さかずき》にあふれるほどの小さな流れであることから、同じく物事のはじめの意。「濫」はあふれる、「觴」はさかずきの意。

補説　同じ意味の二字熟語を重ねて意味を強めた四字句。

注意　「嚆矢」を「こうや」と読み誤らない。

鉤心闘角　こうしんとうかく　準1級

意味　**建物が高く並びたち、びっしりと密集している形容。**鉤形《かぎがた》にそりかえった屋根が中心に集まり、角《つの》のような軒先が隣と争っているようなさま。また、注意して心を配ることのたとえとしても用いる。「鉤心」はそった屋根の中心が多く鉤が集まったように見えること。「闘角」はとがった屋根の軒先が入り交じり角を合わせて戦っているように見えるさま。

補説　「闘角」を「頭角」と書き誤らない。

字体　「闘」の旧字体は「鬪」。

出典　杜牧《とぼく》の「阿房宮賦《あぼうきゅうのふ》」

黄塵万丈　こうじんばんじょう　準1級

意味　**黄色い土けむりが空高くもうもうと舞い上がること。**「黄塵」は黄色い土けむりのこと、「丈」は長さの単位で、「万丈」は非常に高いことを示す。戦場で砂ぼこりが高く舞い上がる意にも用いる。

字体　「万」の旧字体は「萬」。

後生可畏　こうせいかい　2級

意味　**年少者は、大きな可能性を秘め、将来どんな力量をあらわすかわからないのでおそれ敬うべきである。**「後生」は自分より後から生まれた者、後進、若者。

補説　「後生畏《おそ》る可《べ》し」とも読む。

注意　「後生」を「後世」と書き誤らない。

出典　『論語』〈子罕《しかん》〉

曠世之感　こうせいのかん　1級

意味　**世に類例がないような感じのこと。**「曠世」は世にまたとない、世に比べるものがない意。

出典 重野成斉《しげのせいさい》の「航海朱印船《こうかいしゅいんせん》」

曠世之才 こうせいのさい 1級

意味 **この世に比類のないすぐれた才能。**「曠世」は当世に比べるものがない意。

類義語 曠世之度《こうせいのど》

曠世不羈 こうせいふき 1級

意味 **長く手なずけることができないこと。**「曠世」は久しくの意。「不羈」はなにものにも拘束されない意。「羈」はつなぐ。

出典 孫楚《そんそ》の文

功成名遂 こうせいめいすい 3級

意味 **りっぱな業績をあげて、世間から高い評価を受けること。**

補説 「功成り名を遂ぐ」とも読む。出典の「功成り名を遂げて身退くは、天の道なり」による。

出典 『老子《ろうし》』〈九章〉

荒瘠斥鹵 こうせきせきろ 1級

意味 **土地が荒れやせていること。**「荒瘠」は土地が荒れやせること。「斥鹵」は塩分を含んで荒れた土地。「斥」は塩分を含む土地、「鹵」は天然の塩。

注意 「斥鹵」を「斤鹵」と書き誤らない。

出典 蘇軾《そしょく》の文

類義語 黄茅白葦《こうぼうはくい》

孔席墨突 こうせきぼくとつ 3級

意味 **物事に忙しく奔走して休む暇のないたとえ。**孔子や墨子《ぼくし》が遊説のため奔走し、座席が暖かくなる暇がなく、かまどの煙突も使わないので煤《すす》がつくことがないという意。孔子、墨子とも春秋時代の思想家で、諸国にみずからの信じる道を説いてまわる遊説家。「席」は座席、「突」は煙突の意。

補説 もと『文子《ぶんし》』〈自然〉に見える話であるがこの中では孔子と墨子が逆であり、もとは「孔突墨席」であったようである。

出典 班固《はんこ》の文

類義語 孔突墨席《こうとつぼくせき》

考績幽明 こうせきゆうめい 3級

意味 **成績を調べて賢明な者を進め、暗愚な者を退けること。**「考績」は官吏の成績を調べること、考課の意。「幽明」は暗愚と賢明の意。

注意 「考績」を「考積」と書き誤らない。

出典 『書経《しょきょう》』〈舜典《しゅんてん》〉

恍然大悟 こうぜんたいご 1級

意味 **思い定まらないでいるときに、一瞬のひらめきから悟りを得ること。**「恍然」はわれを忘れてうっとりするさま、「大悟」は仏教で煩悩を去り真理を悟ること。

補説 「大悟」は「だいご」とも読む。

浩然之気 こうぜんのき 準1級

意味 **何ものにもとらわれないのびのびとした心持ち。**天地に満ちている大きく強い気の意で、行いが道義にかなっていれば自然と人の心に生じる至大至剛の強い精神をいう。

字体 「気」の旧字体は「氣」。

注意 「浩然」を「昂然」と書き誤らない。

出典 『孟子《もうし》』〈公孫丑《こうそんちゅう》・上〉

類義語 正大之気《せいだいのき》

宏大無辺 こうだいむへん 準1級

意味 **限りなく広くて大きいこと。**「宏大」は「広」と同じで広くて大きいこと、「無辺」は果てしがないこと。

補説 「宏大」は「広大」「洪大」とも書く。

字体 「辺」の旧字体は「邊」。

高談闊歩　こうだん かっぽ　1級

意味　**自由に議論して大股《おおまた》に歩くこと。気ままなさま。**「高談」は盛んに談論すること。「闊歩」は大股に歩く、自由に歩く意から、自由で得意なさま。

注意　「闊歩」を「活歩」と書き誤らない。

高談雄弁　こうだん ゆうべん　4級

意味　**声高に談論すること。とうとうと議論すること。**「高談」は盛んに談論すること、「雄弁」は力強く説得力のある弁舌のこと。

字体　「弁」の旧字体は「辯」。

出典　杜《と》甫《ほ》の「飲中八仙歌《いんちゅうはっせんか》」

類義語　高談放論《こうだんほうろん》

巧遅拙速　こうち せっそく　準2級

意味　**じょうずで遅いより、へたでも速いほうがよいの意。**古くは兵法の語。

補説　「巧遅は拙速に如《し》かず」の略。

字体　「遅」の旧字体は「遲」。

出典　『孫子《そんし》』〈作戦《さくせん》〉

黄中内潤　こうちゅう ないじゅん　3級

意味　**才能や徳を表に出さず、内に秘めていること。**「黄」は五色（青・赤・黄・白・黒）の真ん中にあることから、中央を表す語とされ、「黄中」は人徳が内部にあることをいう。「内潤」は内に含まれたつや・光沢の意。内に秘めた才知や徳をいう。

注意　「黄中」を「口中」と書き誤らない。

出典　『魏書《ぎしょ》』〈高允伝《こういんでん》〉

口中雌黄　こうちゅうの しおう　4級

意味　**一度口にしたことをすぐ取り消し訂正するたとえ。**転じて、**でまかせをいうこと。**「雌黄」は黄色の顔料。昔の紙は黄色だったので、誤記があればこれを口に湿して塗り消した。つねに口中に雌黄を含むことから言説に節操のないことにいう。

出典　『晋書《しんじょ》』〈王衍伝《おうえんでん》〉

類義語　信口雌黄《しんこうしおう》、信口開河《しんこうかいが》

孝悌忠信　こうてい ちゅうしん　準1級

意味　**真心をつくして、目上の人によく仕えること。**「孝悌」は父母や目上の人によく仕えること、「忠信」は真心をつくし、人を欺かない意。

補説　「孝悌」は「孝弟」とも書く。

注意　「孝悌」を「高悌」と書き誤りやすい。

向天吐唾　こうてん とだ　2級

意味　**人に害を加えようとして、逆に自分がその害を受けることになること。**天に向かってつばを吐けば、そのつばは自分の顔の上に落ちてくること。

補説　「天に向かって唾《つば》を吐く」とも読む。

出典　『四十二章経《しじゅうにしょうきょう》』

類義語　自業自得《じごうじとく》、自縄自縛《じじょうじばく》

黄道吉日　こうどう きちにち　3級

意味　**日がらのよい日。吉日。**「黄道」は地球からみて、太陽が地球を中心に運行するように見える軌道をあらわす大きな円のこと。陰陽道で、何をしてもすべてうまくいくとされる日のこと。

補説　略して「黄道日《こうどうじつ》」ともいう。「吉日」は「きちじつ」「きつじつ」「きつにち」などとも読む。

類義語　大安吉日《たいあんきちじつ》、吉日良辰《きちじつりょうしん》

交頭接耳　こうとう せつじ　4級

意味　**ひそひそ話のこと。**「交頭」は頭を寄せ合う意、「接耳」は耳を近づけて話す意。

類義語　呫囁耳語《しょうしょうじご》

荒唐無稽　こうとうむけい

2級

意味　言説に根拠がなく、現実性に欠けること。でたらめ。「荒唐」はよりどころがなくでたらめなこと、「無稽」は考えるべき根拠がないこと。

補説　「無稽荒唐」ともいう。

注意　「無稽」を「無計」「無形」などと書き誤らない。

出典　荒唐＝『荘子《そうじ》』〈天下《てんか》〉・無稽＝『書《しょ》経《きょう》』〈大《たい》禹《う》謨《ぼ》〉

類義語　荒唐《こうとう》不稽《ふけい》、妄誕《もうたん》無稽《むけい》、荒誕《こうたん》無稽《むけい》

紅灯緑酒　こうとうりょくしゅ

5級

意味　歓楽と飽食のたとえ。また、繁華街・歓楽街のようす。「紅灯」は飲食店街などのはなやかな灯《あかり》のこと、「緑酒」は緑色に澄んだ酒(美酒)のこと。

補説　「緑酒紅灯」「灯紅酒緑」ともいう。

字体　「灯」の旧字体は「燈」。

皇統連綿　こうとうれんめん

5級

意味　天皇の血筋が絶えることなく続いていること。「皇統」は天皇の血統のこと、「連綿」は長く続いて絶えない意。

補説　「連綿」は「連緜」とも書く。

功徳兼隆　こうとくけんりゅう

3級

意味　成しとげた事績と備わっている人徳とがきわめて盛んなこと。

注意　「功徳」を「くどく」と読み誤らない。

出典　『新唐書《しんとうじょ》』〈太宗紀《たいそうき》〉

狡兎三窟　こうとさんくつ

1級

意味　身を守るのに用心深いこと。また、困難をさけるのにたくみであること。「狡」はずるい、わるがしこい意、「窟」は穴のこと。狡《ずる》いうさぎは三つの穴を持っていて危険から身を守るということ。

注意　「三窟」を「三掘」と書き誤りやすい。

出典　『戦国策《せんごくさく》』〈斉策《せいさく》〉

類義語　狡兎三穴《こうとさんけつ》

狡兎良狗　こうとりょうく

1級

意味　かつて重用された者も状況が変わり用がなくなれば見捨てられることのたとえ。「狡兎」はすばしっこいうさぎ、「良狗」はかしこい犬で、すばしっこいうさぎが死ねばそれを追うかしこい犬も用なしとして煮て食われてしまうということから。

補説　「狡兎死して良狗煮らる」の略。

出典　『史記』〈淮陰侯伝《わいいんこうでん》〉

項背相望　こうはいそうぼう

4級

意味　人の往来がはげしいことの形容。往来がはげしく人々がたがいに前後をながめあうさま。「項背」は背中と首すじ。

補説　「項背相望《こうはいあいのぞ》む」とも読む。

注意　「項」を「頃」と書き誤りやすい。

出典　『後漢書《ごかんじょ》』〈左雄伝《さゆうでん》〉

侯覇臥轍　こうはがてつ

準1級

意味　立派な人の留任を希望して引き留めること。「侯覇」は後漢の人で善政を行った。「臥轍」は車の進路に伏して車をさえぎること。

補説　「侯覇」を「候覇」と書き誤らない。

字体　「覇」の旧字体は「霸」。

故事　侯覇は善政を行い、天子の命で都に帰ることになると土地の人は別れを惜しんで使者の車の進路に伏して車をさえぎり留任を請うた故事から(『後漢書《ごかんじょ》』〈侯覇伝《こうはでん》〉)。

出典　『蒙求《もうぎゅう》』〈侯覇臥轍《こうはがてつ》〉

黄髪垂髫　こうはつすいちょう

1級

意味　老人と子供のこと。「黄髪」は老

人の黄色をおびた白髪のこと、「垂髫」は子供のおさげ髪の意。

字体 「髪」の旧字体は「髮」。

出典 陶潜《とうせん》の「桃花源記《とうかげんのき》」

黄髪番番　こうはつはは　準1級

意味 **白髪が黄色味をおびるようになった老人。**知識・経験の深い老人にいう。「番番」は白髪のさま。

字体 「髪」の旧字体は「髮」。

注意 「番」を「ばん」「はん」と読み誤らない。

出典 『史記』〈秦紀《しんき》〉

洪範九疇　こうはんきゅうちゅう　1級

意味 **模範となる大切な政治道徳のこと。**「洪範」は『書経《しょきょう》』の篇名《へんめい》、「九疇」は殷《いん》の箕子《きし》が、周の武王に答えた、天下を治める九種の大法のこと。『書経』の「洪範」に記された政治道徳の九原則の意。

出典 『書経《しょきょう》』〈洪範《こうはん》〉

香美脆味　こうびぜいみ　準1級

意味 **豪華でぜいたくなすばらしい食事のこと。**「香美」は香辛料のきいた豪華なご馳走《ちそう》のこと、「脆味」はとろけるように柔らかな菓子の意。

出典 『韓非子《かんぴし》』〈揚権《ようけん》〉

敲氷求火　こうひょうきゅうか　1級

意味 **方法を誤ったり見当違いのことをしても目的は達せられないたとえ。**見当違いの無理な望みをもつこと。氷をたたいて火をおこそうとする意。

補説 「氷《こおり》を敲《たた》いて火《ひ》を求《もと》む」とも読む。

出典 『大光明蔵経《だいこうみょうぞうきょう》』

類義語 縁木求魚《えんぼくきゅうぎょ》、煎水作氷《せんすいさくひょう》

好評嘖嘖　こうひょうさくさく　1級

意味 **評判がよく、人々からほめそやされるさま。**「嘖嘖」は口々に言いはやすさまをいう。

補説 「悪評嘖嘖」と用いるのは誤り。

注意 「嘖嘖」を「せきせき」と読まないこと。

類義語 名声嘖嘖《めいせいさくさく》

対義語 非難囂囂《ひなんごうごう》

光風霽月　こうふうせいげつ　1級

意味 **心が清らかでわだかまりがなく、爽快《そうかい》であること。**「霽」は晴れる意。太陽の光の中をさわやかに吹く風と雨あがりの澄みきった空に出る月のこと。

出典 黄庭堅《こうていけん》の「濂渓詩序《れんけいしじょ》」

類義語 明鏡止水《めいきょうしすい》、虚心坦懐《きょしんたんかい》

咬文嚼字　こうぶんしゃくじ　1級

意味 **文字使いなど表面的な技巧にばかりこだわり文章の内容や意味をおろそかにすること。**また、**ぐずぐず言う。いろいろ言う。**知識をひけらかすような話し方や文章を弄《ろう》するばかりで実際の役に立たない知識人を揶揄《やゆ》する語としても用いる。「咬」「嚼」はともに嚙《か》む意。

補説 「文《ぶん》を咬《か》み字《じ》を嚼《か》む」とも読む。

類義語 彫虫篆刻《ちょうちゅうてんこく》

紅粉青蛾　こうふんせいが　準1級

意味 **美人のこと。**「紅粉」は紅《べに》と白粉《おしろい》のこと。「蛾」は蛾の触覚のように細長い弓形の美しい眉《まゆ》の意で、「青蛾」は青く美しい眉をいう。

類義語 紅口白牙《こうこうはくが》、朱唇皓歯《しゅしんこうし》、明眸皓歯《めいぼうこうし》

公平無私　こうへいむし　5級

意味 **一方にかたよることなく平等で、個人的な感情や利害に左右されないこと。**

補説 「無私」は私心がないこと。

注意 「公平にして私《わたくし》無し」とも読む。

出典 「無私」を「無視」と書き誤らない。

『韓詩外伝《かんしがいでん》』〈七〉

類義語　公《こう》正《せい》平《びょう》等《どう》、公《こう》明《めい》正《せい》大《だい》、無《む》私《し》無《む》偏《へん》

光芒一閃
こうぼう いっせん　1級

意味　**事態が急激に瞬間的に変化すること。**光線のように、一瞬ぴかりと光ることから。「光芒」はすじのように見える光のほさき、光線。「一閃」はぴかりと光る意。

類義語　紫《し》電《でん》一《いっ》閃《せん》

黄茅白葦
こうぼう はくい　準1級

意味　**黄色のちがやと白のあし。やせた土地の形容。**「茅」はちがや、イネ科の多年草で屋根を葺《ふ》くのに用いる。「葦」もイネ科の多年草。

出典　蘇《そ》軾《しょく》の文

類義語　荒《こう》瘠《せき》斥《せき》鹵《ろ》

高鳳漂麦
こうほう ひょうばく　準1級

意味　**学問に熱心なたとえ。**「高鳳」は後漢の人、家は農作を業とし、学問に励んでのち立派な学者になった。「漂」はただよい流れる。

字体　「麦」の旧字体は「麥」。

注意　「漂麦」を「標麦」と書き誤らない。

故事　後漢の高鳳は学問に精励し、妻が田に行くとき庭に干した麦を見てくれるように頼んだが、読書に精を出していたために、にわか雨に麦が流されたのに気づかなかった故事から（『後《ご》漢《かん》書《じょ》』〈高《こう》鳳《ほう》伝《でん》〉）。

出典　『蒙《もう》求《ぎゅう》』〈高《こう》鳳《ほう》漂《ひょう》麦《ばく》〉

豪放磊落
ごうほう らいらく　1級

意味　**気持ちが大らかで、小さなことにこだわらないこと。**「豪放」「磊落」ともに、度量が大きくて小さなことにはこだわらない意。

類義語　大《だい》胆《たん》不《ふ》敵《てき》、天《てん》空《くう》海《かい》闊《かつ》、磊《らい》磊《らい》落《らく》落《らく》

対義語　小《しょう》心《しん》翼《よく》翼《よく》

槁木死灰
こうぼく しかい　1級

意味　**衰えて生気がないさま。**また、**無為自然の境地にあること。**「槁木」は枯れ木、「死灰」は火の気がなくなり、冷たくなった灰。体は枯れ木のように、心は火の気のない灰のように、身も心も活気がなく、なんのはたらきも起こさないさま。

補説　「形は槁木の如《ごと》く、心は死灰の如し」の略。

注意　「槁木」を「高木」「稿木」などと書き誤らない。

出典　『荘《そう》子《じ》』〈斉《せい》物《ぶつ》論《ろん》〉

類義語　枯《こ》木《ぼく》冷《れい》灰《かい》、枯《こ》木《ぼく》寒《かん》巌《がん》、枯《こ》木《ぼく》死《し》灰《かい》

毫末之利
ごうまつの り　1級

意味　**ほんのわずかな利益のこと。**「毫末」は髪の毛の先のこと、転じて、少し・わずかの意。「利」は利益。

注意　「毫末」を「豪末」と書き誤らない。

出典　欧《おう》陽《よう》脩《しゅう》の「原《げん》幣《ぺい》」

黄霧四塞
こうむ しそく　2級

意味　**黄色のきりが四方に満ち満ちる。天下の乱れる兆《きざ》し。**「四塞」は四方に取り囲まれる意から、四方に満ち溢《あふ》れること。

出典　『漢《かん》書《じょ》』〈成《せい》帝《てい》紀《き》〉

孔明臥竜
こうめい がりょう　準1級

意味　**まだ世に知られていないすぐれた人物のこと。**「孔明」は中国三《さん》国《ごく》時代の蜀《しょく》の人、諸《しょ》葛《かつ》亮《りょう》のこと。「臥竜」は淵《ふち》にひそんでいる竜の意。諸葛亮は志を得ていないが、淵にひそむ竜のように非常にすぐれた人物であるという意。『蒙《もう》求《ぎゅう》』の標題としても有名。

補説　「臥竜」は「がりゅう」とも読む。

字体　「竜」の旧字体は「龍」。

出典　『三《さん》国《ごく》志《し》』〈蜀《しょく》書《しょ》・諸《しょ》葛《かつ》亮《りょう》伝《でん》〉

類義語　臥《が》竜《りょう》鳳《ほう》雛《すう》、伏《ふく》竜《りょう》鳳《ほう》雛《すう》、猛《もう》虎《こ》伏《ふく》草《そう》

公明正大　こうめい せいだい
5級

意味　**公正で私心がなく、やましいところがないこと。**「公明」は明らかで隠しだてがないこと、「正大」は正しく堂々としている意。

類義語　公平《こうへい》無《む》私《し》、心地《しんち》光明《こうめい》、公正《こうせい》平《びょう》等《どう》、大公《たいこう》無《む》私《し》

毫毛斧柯　ごうもう ふか
1級

意味　**わざわいは小さいうちに取り除くべきだということ。**「毫毛」は細い毛のことから、芽生えどきの小さな木にたとえる。「斧柯」は斧《おの》の柄《え》のこと。芽生えの小さいときに抜き取らないと、やがて倒すのに斧が必要なほどの大木になってしまうという意から。

注意　「毫毛」を「豪毛」と書き誤らない。

出典　『戦国策《せんごくさく》』〈魏策《ぎさく》〉

紅毛碧眼　こうもう へきがん
準1級

意味　**西洋人のこと。**赤い髪の毛で、青い眼の人の意。「碧」はあおみどり色のこと。江戸時代、ポルトガル人・スペイン人を南蛮人と呼んだのに対し、オランダ人を紅毛人と呼んだが、のち、広く西洋人をさすようになった。

補説　「碧眼紅毛」ともいう。

類義語　紫髯緑眼《しぜんりょくがん》

孔孟老荘　こうもう ろうそう
準1級

意味　**古代中国の思想家、孔子《こうし》・孟子《もうし》・老子《ろうし》・荘子《そうし》のこと。**また、その教え。

字体　「荘」の旧字体は「莊」。

鴻門之会　こうもんの かい
準1級

意味　**漢の高祖劉邦《りゅうほう》と楚《そ》王項羽《こうう》とが、鴻門（中国、陝西《せんせい》省にある地名）で会したこと。**項羽は范増《はんぞう》の勧めによって劉邦を殺そうとしたが、劉邦は張良《ちょうりょう》の計に従って無事逃れた。この会で劉邦を逃したことが、項羽敗亡の大きな転機となった。

字体　「会」の旧字体は「會」。

出典　『史記』〈項羽紀《こううき》〉

鴻門玉斗　こうもんの ぎょくと
準1級

意味　**漢の高祖劉邦《りゅうほう》が鴻門で項羽《こうう》の臣范増《はんぞう》に贈った玉製のひしゃくのこと。**「玉斗」は玉製の酒をくむひしゃく。

故事　劉邦と楚《そ》王項羽が、鴻門（→「鴻門之会」）で会見した際、劉邦が項羽の臣范増に玉斗を一双贈ったが、范増は剣を抜いてこれを打ち砕き劉邦をとり逃がしたことを残念がったという故事のこと。

出典　曾鞏《そうきょう》の詩

衡陽雁断　こうよう がんだん
準1級

意味　**音信が絶えることのたとえ。**衡《こう》山《ざん》の南にある回雁峰《かいがんほう》は雁が飛んで来てもここを超えられないといわれることから。「衡陽」は衡山（中国、湖南省にある山）の南。「…陽」は「…」が山のときは南の意。

補説　「衡陽雁断《こうようかりた》ゆ」とも読む。

字体　「断」の旧字体は「斷」。

出典　『琵琶記《びわき》』

類義語　衡陽帰雁《こうようきがん》

高陽酒徒　こうようの しゅと
5級

意味　**酒飲みをいう。**また世俗を捨てた酒飲みだとみずからあざけり言う語。「高陽」は今の中国の河南省にあった地名。秦《しん》の末、ここに酈食其《れきいき》という人がいた。

故事　秦の末、沛公《はいこう》（劉邦《りゅうほう》、のちの漢の高祖）が高陽の近くに進軍したとき、酈食其はその軍門を訪ね沛公に面会を求めたが、酈食其が儒者の衣服を身につけていたので儒者嫌いの沛公に断られた。そのとき目をいからせて「私は高陽の酒徒である。儒者などではない」と言った故事から。

出典『史記』〈朱建伝《しゅけんでん》〉

紅葉良媒　こうよう りょうばい　準2級

意味　**紅葉が縁の仲人。**「良媒」は良い仲人。

故事　唐の僖宗《きそう》のとき、于祐《うゆう》が宮廷を流れる小川で詩の書かれた一葉の紅葉を見て拾った。彼もまた紅葉に詩を書いて流したところ宮女の韓《かん》夫人がそれを拾いあげたのが縁で二人は結婚したという故事から。

出典『琅琊代酔記《ろうやだいすいき》』〈二一〉

類義語　御溝紅葉《ぎょこうのこうよう》

孔翊絶書　こうよく ぜっしょ　1級

意味　**政治に私情をさしはさまないたとえ。**「絶書」は手紙を絶つ。ここでは手紙を開けて見ずに捨てること。

故事　晋《しん》の人孔翊は洛陽《らくよう》の長官のとき地位を頼んでの人の依頼の手紙はみな水中に捨てて一通も開いてみることはなかったという故事から(『箋注蒙求《せんちゅうもうぎゅう》』引『晋《しん》先賢伝《せんけんでん》』)。

出典『蒙求《もうぎゅう》』〈孔翊絶書《こうよくぜっしょ》〉

洽覧深識　こうらん しんしき　1級

意味　**見聞が広く知識が深く豊富であること。**「洽覧」はあまねく見る、「深識」は知識が広く深い意。

字体「覧」の旧字体は「覽」。

出典　束皙《そくせき》の文

類義語　博聞多識《はくぶんたしき》、博学洽聞《はくがくこうぶん》、博覧強識《はくらんきょうしき》

毫釐千里　ごうり せんり　1級

意味　**初めを慎むべきことをいう。**初めはほんのわずかの違いであるが結果は非常に大きな過ちとなる。また、初めはごくわずかの違いでもしまいには大きな違いになる。「毫釐」はともにごく小さな数量の単位。転じてごくわずかの意。

補説「之《これ》を毫釐《ごうり》に失《しっ》すれば謬《あやま》るに千里《せんり》を以《もっ》てす」の略。

注意「毫釐」を「豪釐」と書き誤らない。

出典『礼記《らいき》』〈経解《けいかい》〉

類義語　差以千里《さいせんり》

黄粱一炊　こうりょう いっすい　1級

意味　**一生が夢幻のようにはかないことのたとえ。**粟飯《あわめし》を炊《かし》ぐほどの短い時間の意。「黄粱」は粟の一種。おおあわ。

注意「黄粱」を「黄梁」と書き誤らない。

故事「邯鄲之夢《かんたんのゆめ》」の項参照。

類義語　一枕黄粱《いっちんのこうりょう》、黄粱之夢《こうりょうのゆめ》、一炊之夢《いっすいのゆめ》、邯鄲之枕《かんたんのまくら》、邯鄲之夢《かんたんのゆめ》、一場春夢《いちじょうのしゅんむ》

膏粱子弟　こうりょう してい　1級

意味　**富裕な家に生まれた者のたとえ。**「膏」は脂《あぶら》ののった味のよい肉、「粱」は味のよい穀物のことで、「膏粱」は美食の意。転じて、富貴の家のこと。

注意「膏粱」を「高粱」と書き誤らない。

出典　膏粱=『孟子《もうし》』〈告子《こくし》・上〉

類義語　綺襦紈袴《きじゅがんこ》、公子王孫《こうしおうそん》、千金之子《せんきんのこ》、煖衣飽食《だんいほうしょく》

蛟竜毒蛇　こうりょう どくだ　1級

意味　**不気味で恐ろしいもののたとえ。**「蛟竜」はみずちと竜のこと。「蛟《みずち》」は竜の一種で、大水を起こすという想像上の動物。「毒蛇」は人に危害を与える毒をもった蛇のこと。

補説「蛟竜」は「こうりゅう」とも読む。

字体「竜」の旧字体は「龍」。

類義語　魑魅魍魎《ちみもうりょう》

亢竜有悔　こうりょう ゆうかい　1級

意味　**きわめて高い地位にある者、栄達をきわめた者は、失敗をするおそれがあることを戒める言葉。**天上にのぼりつめた竜は、くだるほかはないことを後悔する意。「亢竜」はのぼりつめて得意な竜

のこと。「亢」はきわめる意。

補説 「亢竜悔《く》い有《あ》り」とも読む。

字体 「竜」の旧字体は「龍」。

出典 『易経《えききょう》』〈乾《かん》〉

羹藜含糗 こうれい がんきゅう

意味 **粗末な食べ物のたとえ。** 藜《あかざ》の吸い物を食べ乾《ほ》し飯《いい》(保存用に乾燥した飯)を口に含む意。「藜」は一年草で若葉を食用にする。「羹」は吸い物。「糗」は保存のため乾した飯。

補説 「藜《れい》を羹《あつもの》にし糗《きゅう》を含む」とも読む。

出典 『文中子《ぶんちゅうし》』〈王道《おうどう》〉

類義語 簞食瓢飲《たんしひょういん》、朝齏暮塩《ちょうせいぼえん》

高楼大廈 こうろう たいか （1級）

⇨**大廈高楼**(たいか こうろう)

光禄池台 こうろくの ちだい （準1級）

意味 **りっぱな邸宅のこと。**「光禄」は中国漢代の官名、「池台」は庭の池の中にたてられた建物のこと。前漢の光禄大夫《たいふ》(宮中の顧問役)王根の邸宅がひときわりっぱであったことからいう。

字体 「台」の旧字体は「臺」。

注意 「光禄」を「光緑」と書き誤らない。

出典 劉希夷《りゅうきい》の「代悲白頭翁《はくとうをかなしむおきなにかわる》-詩」

甲論乙駁 こうろん おつばく （準1級）

意味 **互いに主張しあい、議論がまとまらないこと。** 甲が何かを論ずると、乙がそれに反対してなかなか結論がまとまらないことをいう。

類義語 議論百出《ぎろんひゃくしゅつ》、議論沸騰《ぎろんふっとう》、議論紛紛《ぎろんふんぷん》

対義語 満場一致《まんじょういっち》

高論卓説 こうろん たくせつ （3級）

意味 **すぐれた意見や議論。**「高」は程度が高い、「卓」は他より抜きんでている意。他人の意見や議論を敬っていう語。

類義語 高論名説《こうろんめいせつ》、名論卓説《めいろんたくせつ》

五蘊皆空 ごうん かいくう （1級）

意味 **仏教で、人間界の現象・存在は一切空であるということ。**「五蘊」は人間を形成する五つの要素。色《しき》(肉体)・受《じゅ》(感覚)・想(想像)・行《ぎょう》(意志)・識《しき》(判断)。

出典 『般若心経《はんにゃしんぎょう》』

類義語 一切皆空《いっさいかいくう》

孤雲野鶴 こうん やかく （準1級）

意味 **世俗から遠ざかった隠者のたとえ。** 名利を捨て、世俗から遠ざかった生き方。ぽつんと浮かぶ一片の離れ雲と群れを離れた鶴《つる》の意から。

出典 劉長卿《りゅうちょうけい》の詩

類義語 閑雲野鶴《かんうんやかく》、間雲孤鶴《かんうんこかく》、孤高之《ここうの》士《し》、琴歌酒賦《きんかしゅふ》

孤影悄然 こえい しょうぜん （1級）

意味 **ひとりぼっちでしょんぼりしているさま。**「孤影」は一人だけの寂しそうな姿、「悄然」はしおれて元気がない意。

補説 「悄然」は「蕭然」とも書く。

注意 「悄然」を「消然」と書き誤らない。

類義語 孤影孑然《こえいげつぜん》、孤影寥寥《こえいりょうりょう》

呉越同舟 ごえつ どうしゅう （準2級）

意味 **仲の悪い者どうしが、同じ場所や境遇にいること。** もとは、反目しあいながらも利害が一致するときには協力しあう意。「呉」「越」は中国春秋時代の国名、「同舟」は同じ舟に乗ること。

注意 「同舟」を「同衆」と書き誤らない。

故事 春秋時代、呉・越の両国は敵対関係にあり、しばしば戦ったので国民どうしは非常に仲が悪かったが、その憎みあっている両国の人が同じ舟に乗って川を渡り、大風に遭ったときに互いに助けあったという故事から。

出典 『孫子《そんし》』〈九地《きゅうち》〉

類義語　楚越同舟《そえつどうしゅう》、同舟共済《どうしゅうきょうさい》

古往今来　こおうこんらい　5級

意味　**昔から今に至るまで。昔から。**

補説　「古往」は昔、「今来」は今までの意。「今来古往」「往古来今」、また、略して「古今」ともいう。

字体　「来」の旧字体は「來」。

出典　藩岳《はんがく》の「西征賦《せいせいのふ》」

五陰盛苦　ごおんじょうく　準1級

意味　**人間の身心を形成する五つの要素から生ずる苦痛のこと。**「五陰」は色《しき》(肉体)・受《じゅ》(感覚)・想《そう》(想像)・行《ぎょう》(意志)・識《しき》(判断)の五つをいう。迷いの世界として存在する一切は苦であるということ。仏教で説く、生きる者の八つの苦しみ(→「四苦八苦」)中の一つ。

補説　「五盛陰苦」ともいう。

狐仮虎威　こかこい　準1級

意味　**権力のあるものをかさにきて、自分勝手に振る舞うことのたとえ。**

補説　「狐《きつね》、虎《とら》の威を仮《か》る」とも読む。

字体　「仮」の旧字体は「假」。

故事　あるとき、狐が虎につかまり食べられそうになった。狐は「待ってください。私は天帝から百獣の長となることを約束されている者です。それを疑うなら私と一緒に歩いてみなさい」と言われ、狐の後を歩いて行くと、獣たちは狐のうしろの虎に驚き逃げてしまい、虎は狐の話を信じてしまったという故事から。

出典　『戦国策《せんごくさく》』〈楚策《そさく》〉

呉下阿蒙　ごかのあもう　準1級

意味　**いっこうに進歩のない昔のままの人のこと。**また、**無学な者のたとえ。**「呉下」は呉の国にいるということ、「阿」は親しんで呼ぶときに名前の上につける接頭語で、「阿蒙」は蒙さんの意。「呉の国の蒙さん」ということ。

故事　中国三国《さんごく》時代、呉の魯粛《ろしゅく》が呂蒙《りょもう》と久しぶりに会った折、昔の印象とはまったく違ったその学識の深さに「もはや呉にいたころの蒙さんではない」といって感服したという故事から。

出典　『三国志《さんごくし》』〈呉書《ごしょ》・呂蒙伝《りょもうでん》・注〉

孤寡不穀　こかふこく　準2級

意味　**王侯の自称。**「孤」「寡」「不穀」の三語からなる。ただし「寡」は「寡人《かじん》」ということが多い。いずれも王や諸侯のへりくだった自称。

出典　『老子《ろうし》』〈三九章〉

胡漢陵轢　こかんりょうれき　1級

意味　**北方(西方)の異民族と漢民族がたがいにおかし争うこと。**「胡」は北方または西方の異民族、「漢」は中国の漢民族。「陵轢」はふみにじる、反目しあう意。

出典　『支那通史《しなつうし》』〈総論《そうろん》〉

狐疑逡巡　こぎしゅんじゅん　1級

意味　**事にのぞんで決心がつかず、ぐずぐずしていること。**「狐疑」は疑い深い狐《きつね》のように決心がつかないようすのこと、「逡巡」はためらって進まない意。

類義語　右顧左眄《うこさべん》、遅疑逡巡《ちぎしゅんじゅん》、首鼠両端《しゅそりょうたん》、瞻前顧後《せんぜんこご》

狐裘羔袖　こきゅうこうしゅう　1級

意味　**全体としてはりっぱだがよく見れば多少の難があるというたとえ。**「狐裘」はきつねの毛で作った高価なかわごろも、「羔袖」は小羊の皮で作った安価な袖《そで》。高価なかわごろもを着てりっぱに見えるが、袖が安価な小羊の皮ではつりあいがとれないの意。

出典　『春秋左氏伝《しゅんじゅうさしでん》』〈襄公《じょうこう》一四年〉

類義語　白璧微瑕《はくへきのびか》、山藪蔵疾《さんそうぞうしつ》

呼牛呼馬　こぎゅう　こば　5級

意味　**相手の言うのにまかせて逆らわないこと。他人から誉められようとけなされようと取り合わず勝手にさせておくこと。**相手が自分を牛と言えば牛と思い、馬だと呼ばれれば自分を馬と思う意。

補説　「牛《うし》と呼《よ》び馬《うま》と呼《よ》ぶ」とも読む。

出典　『荘子《そうじ》』〈天道《てんどう》〉

類義語　馬耳東風《ばじとうふう》

呉牛喘月　ごぎゅう　ぜんげつ　1級

意味　**誤解して必要以上におびえるたとえ。**また、**思い過ごしから要らぬ苦労をするたとえ。**「呉」は中国南方の暑い土地。呉の牛は暑さのあまり、月を見ても太陽だと思って喘《あえ》いだということから。

補説　「呉牛、月に喘《あえ》ぐ」とも読む。

出典　『世説新語《せせつしんご》』〈言語《げんご》〉

類義語　蜀犬吠日《しょくけんはいじつ》、懲羹吹膾《ちょうこうすいかい》

狐裘蒙戎　こきゅう　もうじゅう　1級

意味　**富貴の人の行いが治まらず国家が乱れることのたとえ。**高貴の人が着る狐《きつね》のかわごろもの毛が乱れる意。「狐裘」は狐の腋《わき》の下にある白い毛で作ったかわごろも。中国では古来高価なものとされ、貴人が身につけた。「蒙戎」はものが乱れるさま。

注意　「蒙戎」を「蒙戒」と書き誤らない。

出典　『詩経《しきょう》』〈邶風《はいふう》・旄丘《ぼうきゅう》〉

五行相剋　ごぎょう　そうこく　1級

意味　**木《もく》・火《か》・土《ど》・金《ごん》・水《すい》の五つが互いに力を減じ合うこと。**五行を歴代の王朝にあてはめ変遷の順を理論づけた学説の一つ。水は火に、火は金に、金は木に、木は土に、土は水に剋《か》つ（勝つ）のを「相剋」という。「五行」は中国古来の哲理で、天地の間に循環して万物を生じるもととなる五つの気（元素）のこと。

補説　「相剋」は「相克」とも書く。

類義語　五行相勝《ごぎょうそうしょう》

対義語　五行相生《ごぎょうそうしょう》

枯魚銜索　こぎょ　かんさく　1級

意味　**親には孝養を尽くすべきであるという教え。**縄に通した干物の魚の意。長持ちしそうですぐに虫に食われてしまうことから、健康そうにみえる親も寿命ははかないものであるから親孝行をすべきだということ。「銜索」は縄に通すこと、「枯魚」は干した魚、「索」は縄の意。

補説　「枯魚、索《つな》を銜《ふく》む」とも読む。

出典　『韓詩外伝《かんしがいでん》』〈一〉

極悪非道　ごくあく　ひどう　4級

意味　**このうえなく悪くて、道義にはずれていること。**「極悪」は悪に徹していること、「非道」は道理や人の道にはずれている意。

字体　「悪」の旧字体は「惡」。

類義語　悪逆非道《あくぎゃくひどう》、悪逆無道《あくぎゃくむどう》、大逆無道《たいぎゃくむどう》

哭岐泣練　こくき　きゅうれん　1級

意味　**人は習慣や心がけ次第で、善人にも悪人にもなるということ。**「哭」は大声で泣くこと、「岐」は分かれ路、「練」は白い糸の意。

補説　「岐に哭《な》き練に泣く」とも読む。また「哭岐」は「哭逵」とも書く。

故事　「哭岐」は、中国戦国時代の楊朱《ようしゅ》が、分かれ路を見て、行く人の意志でどちらにでも行けるように、人は心がけ次第で善人になれるのに、悪人になる者もいると嘆いたという故事から。「泣練」は、墨子《ぼくし》が白い糸がどんな色にでも染まるように、人は習慣によって善人にも悪人にもなると嘆いたという故事から。

出典　『淮南子《えなんじ》』〈説林訓《ぜいりんくん》〉

類義語　楊朱泣岐《ようしゅきゅうき》、墨子泣糸《ぼくしきゅうし》、墨子悲染《ぼくしひせん》

轂撃肩摩　こくげき けんま

1級

⇩肩摩轂撃（けんま こくげき）

告朔餼羊　こくさくの きよう

意味　**実を失って、形式だけが残っているたとえ。** 毎月一日にいけにえとして供えられた羊の意。実害がなければ、習慣や行事の形式だけは残しておいたほうがよいということ。「告朔」は毎月一日に行われた羊を廟《びょう》に供えて祖先をまつる周代の儀式、「餼羊」はいけにえの羊のこと。

故事　孔子の門人の子貢が、古くから伝わる告朔の儀式が形式化し、いけにえの羊を供えているだけであるのを見て、そのいけにえの羊も廃止するよう進言した。すると孔子は、形式だけでも続けていれば、やがて実質も復活するだろうから、羊を供える儀式は残したほうがよいと言ったという故事から。

出典　『論語』〈八佾《はちいつ》〉

黒歯彫題　こくし ちょうだい

3級

意味　**おはぐろをした歯と入れ墨をした額のこと。** 「黒歯」は黒くそめた歯のこと、「題」は額の意で、「彫題」は入れ墨をした額をいう。

補説　「彫題黒歯」ともいう。また、「彫題」は「雕題」とも書く。

字体　「歯」の旧字体は「齒」。

出典　『楚《そ》辞《じ》』〈招魂《しょうこん》〉

国士無双　こくし むそう

3級

意味　**国内に並ぶ者がいないほどすぐれた人物のこと。** 「国士」は国を背負って立つような傑出した人物のこと。「無双」は二つとない、並ぶものがない意。

字体　「国」の旧字体は「國」、「双」の旧字体は「雙」。

故事　項羽《こうう》と劉邦《りゅうほう》が、秦《しん》滅亡後の天下争奪戦を行っていた折、蕭何《しょうか》という人物が劉邦に「漢軍の韓信《かんしん》は国士無双の人物だからぜひ登用すべきだ」と進言したところ、劉邦は韓信を重用し、のちに項羽を破ったという故事から。

出典　『史記』〈淮陰侯伝《わいいんこうでん》〉

類義語　天下《てんか》無双《むそう》、古今《ここん》無双《むそう》、天下《てんか》第一《だいいち》

刻舟求剣　こくしゅう きゅうけん

4級

意味　**時勢の推移を知らず、古い考えや習慣を固守する愚かさのたとえ。**

補説　「舟《ふね》に刻《きざ》みて剣《けん》を求《もと》む」とも読む。

字体　「剣」の旧字体は「劍」。

故事　春秋時代、楚《そ》の人が舟で川を渡ったとき水中に剣を落とし、あとで探すときの目印に剣の落ちた船べりに刻みのしるしをつけ、のちに水中に入って探したという故事から。

出典　『呂氏春秋《りょししゅんじゅう》』〈察今《さっこん》〉

類義語　守株待兎《しゅしゅたいと》、旧套墨守《きゅうとうぼくしゅ》

国色天香　こくしょく てんこう

4級

意味　**すばらしい香りと国一番の美しさ。牡丹《ぼたん》の別名。** のちに美人の形容。「天香」は天から下る香り、非常によい香り。

補説　出典に引かれた李正封《りせいほう》の詩句「国色朝《あした》に酒を酣《たのし》み、天香夜《よる》に衣《ころも》を染む」にもとづく。「天香国色」ともいう。

字体　「国」の旧字体は「國」。

出典　『松窓雑録《しょうそうざつろく》』

類義語　魏紫姚黄《ぎしようこう》

黒貂之裘　こくちょうの きゅう

1級

意味　**非常に高価なもののたとえ。** 「黒貂」は黒い貂《てん》（イタチ科の動物）のこと、「裘」は皮ごろもの意。貂の毛皮は皮ごろもに、尾は冠の飾りに用い、珍重された。

克伐怨欲　こくばつ えんよく

2級

意味　**勝ち気・自ら誇る・うらむ・むさぼるの四つの悪心のこと。** 「克」はむや

みに勝ちたがること、「伐」はみずから功を誇ること、「怨」はうらみ、「欲」はむさぼること。

出典 『論語』〈憲問《けんもん》〉

黒白混淆 こくびゃく こんこう （1級）

意味 **よい事と悪い事の区別をわきまえないこと。**「黒白」は物事の是非・善悪・正邪のたとえ、「混淆」はいりまじること。

補説 「混淆」は「混交」とも書く。

対義語 黒白分明《こくびゃくぶんめい》

黒風白雨 こくふう はくう （5級）

意味 **暴風雨。**「黒風」はちりやほこりを舞い上がらせる荒い風、「白雨」はにわか雨の意。

出典 蘇軾《そしょく》の詩

国歩艱難 こくほ かんなん （1級）

意味 **国勢が振るわず、国家の運命が危ういこと。**「国歩」は国の歩みで、国家の命運のこと。「艱難」は難儀すること、苦しむことの意。内憂外患がしきりにおこって、国が危うくなる意。

字体 「国」の旧字体は「國」。

注意 「艱」を「歎」と書き誤らない。

出典 『大学衍義補《だいがくえんぎほ》』

鵠面鳥形 こくめん ちょうけい （準1級）

意味 **飢え疲れてやせ衰えているさま。**「鵠面」はやせて面貌《めんぼう》が鵠に似ていること。「鵠」はくぐい。

出典 王惲《おううん》の詩

類義語 鵠面鳩形《こくめんきゅうけい》

極楽往生 ごくらく おうじょう （4級）

意味 **この世を去ってのち、極楽浄土に生まれかわること。**また、**安らかに死ぬこと。**「極楽」は「極楽浄土」の略で、阿《あ》弥《み》陀《だ》仏《ぶつ》がいるという安楽の世界のこと。「往生」は死ぬ意。

補説 「往生極楽」ともいう。

字体 「楽」の旧字体は「樂」。

類義語 浄土往生《じょうどおうじょう》

極楽浄土 ごくらく じょうど （準2級）

意味 **仏教で、阿《あ》弥《み》陀《だ》仏《ぶつ》がいるという安楽の世界のこと。**西方に向かって十万億の仏土を過ぎた彼方《かなた》にあり、もろもろの苦しみがなく安楽だけがある理想の世界とされる。

字体 「楽」の旧字体は「樂」、「浄」の旧字体は「淨」。

類義語 安楽浄土《あんらくじょうど》、安楽世界《あんらくせかい》、安養宝《あんようほう》国《こく》、九品浄土《くほんじょうど》、極楽世界《ごくらくせかい》、西方浄土《さいほうじょうど》、西《さい》方世界《ほうせかい》、寂光浄土《じゃっこうじょうど》、十万億土《じゅうまんおくど》

極楽蜻蛉 ごくらく とんぼ （1級）

意味 **事の重大さをまったく考えない気楽なのんき者のこと。**なんの心配もない極楽をすいすいと飛んでいるとんぼという意から、そのような人を軽くあざけっていう語。

字体 「楽」の旧字体は「樂」。

国利民福 こくり みんぷく （5級）

意味 **国家の利益と民衆の幸福。**

字体 「国」の旧字体は「國」。

孤苦零丁 こく れいてい （3級）

意味 **身寄りがなく生活に苦しむこと。**「孤苦」は孤独で貧しくて生活に困窮すること。「零丁」は孤独のさま。

補説 「零丁孤苦」ともいう。また「零丁」は「伶仃」とも書く。

出典 白居易《はくきょい》の文

刻露清秀 こくろ せいしゅう （4級）

意味 **すがすがしい秋の景色のたとえ。**「刻露」は秋になって木の葉が落ち、山の姿がきびしくあらわれること、「清秀」は

清くて秀麗なさま。

出典 欧陽脩《おうようしゅう》の「豊楽亭記《ほうらくていき》」

類義語 風霜高潔《ふうそうこうけつ》

孤軍奮闘 こぐんふんとう 3級

意味 **支援する者がない中で、一人で懸命に努力すること。**「孤軍」は味方から孤立した軍勢のこと。援軍がなく孤立した少数の軍勢が、敵軍と懸命に戦う意。

字体 「闘」の旧字体は「鬪」。

出典 『後漢書《ごかんじょ》』〈呂布伝《りょふでん》〉

類義語 孤立無援《こりつむえん》、四面楚歌《しめんそか》、僑軍孤進《きょうぐんこしん》

虎渓三笑 こけいさんしょう 2級

意味 **あることに熱中するあまり、他のことをすべて忘れてしまうこと。**「虎渓」は中国江西省廬山《ろざん》にあった谷の名、「三笑」は三人の笑いの意。

字体 「渓」の旧字体は「溪」。

故事 中国東晋《とうしん》の高僧慧遠《えおん》は、寺の下にある虎渓をまだ渡ったことがなかった。あるとき、廬山で詩人の陶潜《とうせん》(淵明《えんめい》)と道士の陸修静《りくしゅうせい》と談論したあと二人を見送っていったが、道中いちだんと話がはずみ、知らぬまに虎渓を渡ってしまい、虎がほえるのを聞いてはじめてそれに気づき、三人で大笑いしたという故事から。

出典 『廬山記《ろざんき》』

虎穴虎子 こけつこし 2級

意味 **危険を冒さなければ功名は立てられないということ。**危険な虎《とら》の穴に入る勇気がなければ虎の子を捕ることはできないという意。

補説 「虎穴《こけつ》に入《い》らずんば虎子《こし》を得《え》ず」の略。

出典 『後漢書《ごかんじょ》』〈班超伝《はんちょうでん》〉

類義語 虎口抜牙《ここうばつが》、驪竜之珠《りりょうのたま》

股肱之臣 ここうのしん 準1級

意味 **君主の手足となり輔佐《ほさ》する大臣。**また、**そのような部下。**「股」は足のもも、「肱」はひじのことで、ともに人が動くときかなめとなる部分。転じて、なくてはならない大切なものの意。

注意 「股肱」を「孤高」と書き誤らない。

出典 『史記』〈太史公自序《たいしこうじじょ》〉

類義語 股肱之良《ここうのりょう》、股肱之力《ここうのちから》、股掌之臣《こしょうのしん》、腹心之臣《ふくしんのしん》

五穀豊穣 ごこくほうじょう 準1級

意味 **穀物がよく実ること。**「五穀」は米・麦・粟《あわ》・豆・黍《きび》または稗《ひえ》。

字体 「豊」の旧字体は「豐」。

注意 「豊穣」を「豊饒」と書き誤らない。

類義語 豊年満作《ほうねんまんさく》、五穀豊登《ごこくほうとう》

古今東西 ここんとうざい 5級

意味 **いつでもどこでも。**「古今」は昔から今に至るまでいつでも、「東西」は東方西方あらゆる場所での意。

補説 「東西古今」ともいう。

類義語 往古来今《おうこらいこん》

古今独歩 ここんどっぽ 5級

意味 **昔から今に至るまで、並ぶものがないほどすぐれていること。**「古今」は昔から今に至るまで、「独歩」は他に比べるものがないほどすぐれている意。

字体 「独」の旧字体は「獨」。

出典 独歩=『後漢書《ごかんじょ》』〈戴良伝《たいりょうでん》〉

類義語 古今無双《ここんむそう》、古今無類《ここんむるい》、海内無双《かいだいむそう》

古今無双 ここんむそう 3級

意味 **昔から今に至るまで、匹敵するものがないこと。**また、それほどすぐれているたとえ。「無双」は比べるもの、並ぶものがない意。

字体 「双」の旧字体は「雙」。

類義語 古今無比《ここんむひ》、古今無類《ここんむるい》、古今独歩《ここんどっぽ》、海内無双《かいだいむそう》

狐死首丘　こし　しゅきゅう　準1級

意味　**故郷を忘れないたとえ。**また、**物事の根本を忘れないたとえ。**狐《きつね》は自分がすんでいた丘の方に頭を向けて死ぬということから。

補説　「狐《きつね》死して丘に首《かしら》す」とも読む。略して「首丘」ともいう。

注意　「首丘」を「首級」と書き誤らない。

出典　『礼記《らいき》』〈檀弓《だんぐう》・上〉

類義語　越鳥南枝《えっちょうなんし》、胡馬北風《こばほくふう》、池魚故淵《ちぎょこえん》

虎視眈眈　こし　たんたん　1級

意味　**すきがあればつけこもうと、じっと機会をねらうこと。**「虎視」は虎《とら》が獲物をねらうこと。「眈眈」はにらむ、見下ろす意。虎が獲物をねらって鋭い目つきでにらんでいるようすのこと。

注意　「眈眈」を「耽耽」「淡淡」と書き誤りやすい。

出典　『易経《えききょう》』〈頤《い》〉

五十知命　ごじゅう　ちめい　5級

意味　**五十歳で天命を知ること。**「命」は天命のこと。天から与えられた使命。また人の力を超えた運命。孔子が自分の生涯を振り返った言葉。

補説　「五十にして天命《てんめい》を知る」の略。

出典　『論語』〈為政《いせい》〉

類義語　四十不惑《しじゅうふわく》、十五志学《じゅうごしがく》、三十而《さんじゅうじ》立《りつ》、六十耳順《ろくじゅうじじゅん》

枯樹生華　こじゅ　せいか　3級

意味　**非常な困難の中で活路が開かれるたとえ。**また、**老い衰えた人が生気を取り戻すことのたとえ。**枯れ木に花が咲く意で、もとはこのうえない真心が万物を感動させる意。

補説　「枯樹《こじゅ》、華《はな》を生《しょう》ず」とも読む。また「華」は「花」とも書く。

出典　『続博物志《ぞくはくぶつし》』〈七〉

類義語　枯木生花《こぼくせいか》、枯木生葉《こぼくせいよう》

五盛陰苦　ごじょう　おんく　準1級

⇩**五陰盛苦**（ごおんじょうく）

後生大事　ごしょう　だいじ　5級

意味　**常に心をこめて物事に励むこと。**また、**物を大切に保持すること。**もとは仏教語で、後生（来世）の安楽を第一として、一心に仏道に励むことをいう。今では相手をいやしんで使われることが多い。

注意　「後生」を「こうせい」と読み誤らない。

虎嘯風生　こしょう　ふうしょう　1級

意味　**すぐれた人が時を得て奮起するたとえ。**虎《とら》がうそぶいて風が激しく起こる意。「嘯」は声を長く引いて吠える。

補説　「虎嘯《うそぶ》いて風生《かぜしょう》ず」とも読む。

出典　『北史《ほくし》』〈張定和伝論《ちょうていわでんろん》〉

類義語　虎嘯風烈《こしょうふうれつ》、竜興致雲《りょうこうちうん》

後生菩提　ごしょう　ぼだい　準1級

意味　**来世に極楽往生して悟りをひらくこと。**仏教の語。

注意　「後生」を「こうせい」と読み誤らない。

類義語　後世菩提《ごせぼだい》

孤城落日　こじょう　らくじつ　3級

意味　**零落《れいらく》して昔の勢いを失い、助けもなく心細いさま。**「孤城」は孤立無援の城のこと、「落日」は西に傾く夕日の意。孤立して援軍のあてもない城とまさに沈もうとしている夕日で、没落に向かう状態のたとえ。

注意　「孤城」を「古城」「湖上」などと書き誤りやすい。

出典　王維《おうい》の「送韋評事《いひょうじをおくる》‐詩」

類義語　孤城落月《こじょうらくげつ》、孤軍奮闘《こぐんふんとう》、孤立無援《こりつむえん》

五濁悪世　ごじょくあくせ　準1級

意味　**末世のこと。**「五濁」は仏教でいう、この世に起こる五つのけがれのことで、劫濁《こうじょく》(悪疫など)・煩悩濁《ぼんのうじょく》(欲や怒り)・衆生濁《しゅじょうじょく》(悪人)・見濁《けんじょく》(悪い考え)・命濁《みょうじょく》(寿命が縮まる)をいう。この五濁のある悪い世の意。

字体　「悪」の旧字体は「惡」。

注意　「濁」を「じょく」と呉音で読むことに注意。

古色蒼然　こしょくそうぜん　準1級

意味　**見るからに古めかしく、趣のあるさま。**「古色」は古びた色あいのこと、「蒼然」は古めかしいさまの意。

注意　「蒼然」を「騒然」と書き誤らない。

類義語　古《こ》色《しょく》古《こ》香《こう》

故事来歴　こじらいれき　5級

意味　**物事の由来や歴史。**また、**物事がそういう結果になった理由やいきさつ。**「故事」は昔あったこと、昔から伝わる興味ぶかいことがらのこと。「来歴」は由緒・経緯などの意。

補説　「故事」は「古事」とも書く。

字体　「来」の旧字体は「來」。

古人糟魄　こじんのそうはく　1級

意味　**言葉や文章では聖人・賢人の本質を伝えるのは不可能だということ。**「古人」は昔のすぐれた人のこと、「糟魄」は酒のしぼりかすの意。今日に伝わっている昔の聖人・賢人の言葉や書物は、それらの人々の本質を伝えるものではなく、残りかすにすぎないということ。

補説　「糟魄」は「糟粕」とも書く。

出典　『荘子《そうじ》』〈天道《てんどう》〉

類義語　聖人糟粕《せいじんのそうはく》

鼓舌揺脣　こぜつようしん　1級

意味　**盛んにしゃべりたてること。**「鼓舌」は舌を鳴らしてしゃべる、饒舌《じょうぜつ》なこと。「揺脣」はくちびるを動かす、しゃべること。

補説　「揺脣」は「揺唇」とも書く。

字体　「揺」の旧字体は「搖」。

出典　『荘子《そうじ》』〈盗跖《とうせき》〉

胡説乱道　こせつらんどう　準1級

意味　**筋の通らないでたらめなことば。**「胡説」はでたらめな説のこと、「乱道」はよくない説を唱えて、道理を乱す意。

字体　「乱」の旧字体は「亂」。

類義語　胡説八道《こせつはちどう》

五臓六腑　ごぞうろっぷ　1級

意味　**からだの中すべて。**また、**心の中。**五つの内臓と六つのはらわたのこと。「五臓」は心・肺・脾《ひ》・肝・腎《じん》、「六腑」は大腸・小腸・胃・胆・膀胱《ぼうこう》・三焦。

字体　「臓」の旧字体は「臟」。

出典　『漢書《かんじょ》』〈芸文志《げいもんし》〉

梧鼠之技　ごそのぎ　準1級

意味　**専門のないことのたとえ。**多くの技があっても十分に熟達したものでなければ結局役に立つことがない。また、わざは多く持っているが、一つとして役立つ技能がないこと。むささびのこと。むささびは、空中を飛べるが屋根には届かず、木登りができても頂上まで行けず、泳げるが谷川を渡れず、穴を掘れても身を隠すほど深く掘れず、走ることはできても人を追い越せない。こうした五技があっても一つのことに徹底できないために結局は行き詰まってしまうことをいう。

補説　「梧鼠は五技にして窮す」の略。「梧鼠」は「鼯鼠」とも書く。「技」は「わざ」とも読む。

出典　『荀子《じゅんし》』〈勧学《かんがく》〉

類義語　梧鼠五技《ごそごぎ》、梧鼠五能《ごそごのう》、螻蛄之《ろうこの》才《さい》、器用貧乏《きようびんぼう》

胡孫入袋　こそんにゅうたい　準1級

意味　**官職につくなどして自由を奪われるたとえ。**また、**自由にものごとができないたとえ。**猿が袋の中に入る意。「胡孫」は猿のこと。

補説　「胡孫《こそん》、袋《ふくろ》に入《い》る」とも読む。また「胡孫」は「猢猻」とも書く。

出典　『帰田録《きでんろく》』

五体投地　ごたいとうち　5級

意味　**頭と両手**（両肘《りょうひじ》）、**両足**（両膝《りょうひざ》）**を地面につけて行う拝礼。**仏教での最高の拝礼をいう。「五体」はここでは頭と両手両足の意。

字体　「体」の旧字体は「體」。

注意　「投地」を「倒地」と書き誤らない。

出典　『無量寿経《むりょうじゅきょう》』〈上〉

類義語　稽首作礼《けいしゅされい》

誇大妄想　こだいもうそう　準2級

意味　**自分の現状を実際以上に想像して事実のように思いこむこと。**「誇大」は実際より大げさに言うこと。「妄想」は仏教語で「もうぞう」とも読み、正しくない想念、みだりな思いのこと。一般的には根拠のない主観的な想像をいう。

類義語　針小棒大《しんしょうぼうだい》

胡蝶之夢　こちょうのゆめ　準1級

意味　**万物一体観に立つ人の心境・境地。**また、**人生のはかないことのたとえ。**荘子（荘周）が夢の中で胡蝶となり彼と我との区別を忘れ楽しんだ故事。「胡蝶」は蝶のこと。

補説　「胡蝶」は「蝴蝶」とも書く。

故事　中国戦国《せんごく》時代、荘周が蝶になった夢を見たが、夢から覚めてみると、自分が夢で蝶になったのか、蝶が夢見て今の自分になったのか区別がつかなくなったという故事から。

出典　『荘子《そうじ》』〈斉物論《せいぶつろん》〉

類義語　荘周之夢《そうしゅうのゆめ》

克己復礼　こっきふくれい　3級

意味　**私欲を抑制し、社会の規範や礼儀にかなった行動をすること。**「克己」は自己の欲望にかつこと、「復礼」は礼により従う意。孔子が最も重んじた「仁」について、弟子の顔回《がんかい》に答えた言葉。

補説　「己《おのれ》に克《か》ちて（己を克《せ》めて）礼に復《かえ》る」とも読む。

字体　「礼」の旧字体は「禮」。

出典　『論語』〈顔淵《がんえん》〉

刻苦勉励　こっくべんれい　3級

意味　**非常に苦労して、ひたすら仕事や勉学に励むこと。**「刻苦」は身を刻《きざ》むような苦しみに耐えて励むこと、「勉励」はつとめはげむ意。

字体　「励」の旧字体は「勵」。

類義語　刻苦精励《こっくせいれい》

国君含垢　こっくんがんこう　準1級

意味　**君主が恥を忍ぶこと。**また、君主たるものは臣下のあやまちなどは大目にみてやる度量が必要であるとのたとえ。「含」は恥を忍ぶ意。

補説　「国君、垢《はじ》を含む」とも読む。

字体　「国」の旧字体は「國」。

出典　『春秋左氏伝《しゅんじゅうさしでん》』〈宣公《せんこう》一五年〉

滑稽洒脱　こっけいしゃだつ　1級

意味　**知力にとみ弁舌さわやかな口調で会話をあやつり、俗気がなくさっぱりとしていること。**「滑稽」は巧みな言葉がすらすらとなめらかに口をついて出ること。「洒脱」はあかぬけしている意。

注意　「洒脱」を「酒脱」と書き誤らない。

類義語 軽妙洒脱《けいみょうしゃだつ》

骨肉相食 こつにく そうしょく
5級

意味 **肉親どうしが争うこと。**「骨肉」は親子兄弟などの血族。

補説 「骨肉、相食《あいは》む」とも読む。

類義語 骨肉相軌《こつにくそうき》

虎擲竜拏 こてき りょうだ
1級

意味 **英雄が戦うたとえ。**虎《とら》と竜が激しく撃ちあう意。「擲」はなげうつ、撃つ意。「拏」はつかむ、乱れ混じること。

補説 「竜拏虎擲」ともいう。また「竜拏」は「りゅうだ」とも読む。

字体 「竜」の旧字体は「龍」。

出典 李献能《りけんのう》の詩

類義語 竜攘虎搏《りょうじょうこはく》、竜虎相搏《りょうこそうはく》

涸轍鮒魚 こてつの ふぎょ
1級

意味 **危機や困難が目の前にさしせまっていること。**また、**窮地に立たされた人のたとえ。**「涸」は水がかれること、「轍」は車のわだちで車輪のあと、「鮒魚」はふな。水が涸《か》れた轍《わだち》にいる鮒《ふな》の意。

注意 「涸轍」を「固徹」と書き誤らない。

出典 『荘子《そうじ》』〈外物《がいぶつ》〉

類義語 轍鮒之急《てっぷのきゅう》、小水之魚《しょうすいのうお》、風前之灯《ふうぜんのともしび》

梧桐一葉 ごどう いちよう
準1級

意味 **物事が衰える兆しのこと。**ほかの木より早く落葉するといわれる梧桐《あおぎり》の葉が一枚落ちたのを見て、秋の到来を知ったという意から。

出典 『群芳譜《ぐんぽうふ》』

類義語 一葉知秋《いちようちしゅう》

虎頭蛇尾 ことう だび
2級

意味 **初めは盛んで、終わりがふるわないたとえ。**虎《とら》の頭は大きくたけだけしく、蛇のしっぽは細いことから。

出典 『古今小説《ここんしょうせつ》』〈三九〉

類義語 竜頭蛇尾《りょうとうだび》

孤独矜寡 こどく かんか
1級

意味 **四種の苦しみで訴えるところのない人。**「孤」は幼くして父を亡くした者、「独」は老いて子のない者、「矜」は老いて妻のない者、「寡」は老いて夫のない者。

補説 「矜寡」は「鰥寡」とも書く。

字体 「独」の旧字体は「獨」。

出典 『礼記《らいき》』〈王制《おうせい》〉

胡馬北風 こば ほくふう
準1級

意味 **故郷を懐かしむたとえ。**「胡」は中国北方の地。胡の馬は他の地にあって北風が吹くと風に身をまかせて故郷を懐かしむということから。

補説 「胡馬北風に依《よ》る」の略。

出典 『文選《もんぜん》』〈古詩十九首〉

類義語 越鳥南枝《えっちょうなんし》、狐死首丘《こししゅきゅう》、池魚故淵《ちぎょこえん》

寤寐思服 ごび しふく
1級

意味 **寝ても覚めても忘れないこと。**また、人を思う情が切なこと。「寤寐」は目覚めることと寝ること、「思服」は常に心に思って忘れない意。

補説 「寤寐《ごび》に思服《しふく》す」とも読む。

注意 「思服」を「至福」と書き誤らない。

出典 『詩経《しきょう》』〈周南《しゅうなん》・関雎《かんしょ》〉

虎尾春氷 こび しゅんぴょう
2級

意味 **きわめて危険なことのたとえ。**虎《とら》の尾や春の氷を踏むことで、危険をおかすこと。

補説 「春氷」は「春冰」とも書く。

出典 『書経《しょきょう》』〈君牙《くんが》〉

五風十雨 ごふう じゅうう
5級

意味 **世の中が平穏であるたとえ。**五日ごとに風が吹き、十日ごとに雨が降る。農作にちょうどよい天候のことで気候が

順調なこと。また、平穏無事な世の中。

補説 「五日《ごじつ》にして一《ひと》たび風ふき、十日《じゅうじつ》にして一たび雨ふる」の略。

出典 『論衡《ろんこう》』〈是応《ぜおう》〉

類義語 十風五雨《じゅうふうごう》

鼓腹撃壌　こふく げきじょう　準2級

意味 **理想的な政治がゆきとどいて、人々が平和な生活をすること。**「鼓腹」は腹鼓《はらつづみ》をうつこと、「壌」は地面のことで「撃壌」は地面をたたいて拍子をとる意。一説に履物を遠くから投げて当てる遊びの名とも。

補説 「腹を鼓《こ》し壌《つち》を撃つ」とも読む。「撃壌鼓腹」ともいう。

字体 「壌」の旧字体は「壤」。

故事 古代中国堯《ぎょう》帝のとき、市井《しせい》の老人が腹鼓をうち、大地をたたいてリズムをとりながら、太平の世をたたえる歌をうたったという故事から。堯は古代伝説上の聖天子。

出典 『十八史略《じゅうはっしりゃく》』〈五帝《ごてい》〉

類義語 撃壌之歌《げきじょうのうた》、含哺鼓腹《がんぽこふく》

鼓舞激励　こぶ げきれい　3級

意味 **盛んにふるいたたせ励ますこと。**「鼓舞」は鼓《つづみ》を打って舞うことから転じて、元気づけること、「激励」も励まし元気づける意。

字体 「励」の旧字体は「勵」。

類義語 叱咤激励《しったげきれい》

孤峰絶岸　こほう ぜつがん　3級

意味 **文章や詩などが他より格段にすぐれているたとえ。**孤立してそびえ立つ峰と切り立った岸の意。

出典 劉粛《りゅうしゅく》『大唐新語《だいとうしんご》』〈文章《ぶんしょう》〉

枯木寒巌　こぼく かんがん　準1級

意味 **世俗を超越して無心の境地にあること。**枯れた木と冷たい岩のことで、禅宗では「枯木」「寒巌」を、情念を滅却するもののたとえとしていう。

補説 「寒巌枯木」ともいう。

字体 「巌」の旧字体は「巖」。

注意 「枯木」を「古木」、「寒巌」を「寒厳」などと書き誤りやすい。

類義語 寒灰枯木《かんかいこぼく》、枯木死灰《こぼくしかい》、槁木死灰《こうぼくしかい》

枯木竜吟　こぼく りょうぎん　準1級

意味 **苦境を脱して生を得るたとえ。**また、**生命力を回復するたとえ。**春になると枯れたと思っていた木も生き返り、その勢いは竜が声を発するようである。

補説 「竜」は「りゅう」とも読む。

字体 「竜」の旧字体は「龍」。

出典 『碧巌録《へきがんろく》』

類義語 枯木逢春《こぼくほうしゅん》、枯樹生華《こじゅせいか》

虚融澹泊　こゆう たんぱく　1級

意味 **悟りの境地に至ること。**仏教語で、「虚融」は邪心がなく、心になんのとどこおることもない意、「澹泊」は無欲であっさりとしていること。

孤立無援　こりつ むえん　3級

意味 **ひとりぼっちで頼るものがないこと。**「孤立」はひとりだけぽつんとしていること、「無援」は助けがない意。

注意 「孤立」を「弧立」、「無援」を「無縁」と書かないこと。

出典 『後漢書《ごかんじょ》』〈班超伝《はんちょうでん》〉

類義語 孤軍奮闘《こぐんふんとう》、孤立無親《こりつむしん》、僑軍孤進《きょうぐんこしん》、四面楚歌《しめんそか》

五里霧中　ごりむ ちゅう　4級

意味 **物事の手がかりがつかめずとまどうこと。**「五里霧の中《うち》」で、霧が深くて方角がわからなくなってしまうこと。何かをするときに、手さぐりで進む意にも用いる。

補説　語構成は「五里霧」＋「中」。
注意　「霧中」を「夢中」と書き誤らない。
故事　中国後漢の張楷《ちょうかい》という人物が、「五里霧」という仙術で五里四方に霧を起こし、方向を見失わせたという故事から。
出典　『後漢書《ごかんじょ》』〈張楷伝《ちょうかいでん》〉
類義語　曖昧模糊《あいまいもこ》、暗中摸索《あんちゅうもさく》

狐狸妖怪　こりようかい　準1級

意味　**人間をだましたり怖がらせたりする悪い生き物や化け物のこと。**　また、**ひそかに悪事を働く者のたとえ。**「狐狸」は狐《きつね》と狸《たぬき》で、昔から人をだますといわれ、用心深くて悪がしこい者のたとえ、「妖怪」は化け物のこと。

五倫五常　ごりんごじょう　準2級

意味　**人としてふみ守らなければならない道徳のこと。**　儒教の教え。「五倫」は父子の親・君臣の義・夫婦の別・長幼の序・朋友《ほうゆう》の信の五つ、「五常」は仁・義・礼・智《ち》・信の五つをいう。
注意　「五倫」を「五輪」と書き誤らない。

五倫十起　ごりんじっき　準2級

意味　**清廉公正な者にも私心はあるということ。**「五倫」は人名で第五倫《だいごりん》のこと、「十起」は十回起きる意。
注意　「五倫」を「五輪」と書き誤らない。
故事　「一夜十起《いちやじっき》」の項参照。
出典　『蒙求《もうぎゅう》』〈五倫十起《ごりんじっき》〉

孤陋寡聞　ころうかぶん　1級

意味　**学問が偏っていて狭く、見聞が少ないこと。**「孤陋」は見識が狭くひとりよがりでかたくななこと。「寡聞」は見聞が少ないこと。
補説　出典に「独学にして友無ければ則《すなわ》ち孤陋にして寡聞なり」とある。
出典　『礼記《らいき》』〈学記《がくき》〉
類義語　独学孤陋《どくがくころう》

渾金璞玉　こんきんはくぎょく　1級

⇩**璞玉渾金**（はくぎょくこんきん）

困苦欠乏　こんくけつぼう　3級

意味　**生活するのに必要な物の不足で苦しむこと。**「困苦」は困り苦しむこと、「欠乏」は必要な物が乏しい意。
字体　「欠」の旧字体は「缺」。

欣求浄土　ごんぐじょうど　準1級

意味　**死後、極楽浄土に行けるように心から願うこと。**「欣求」は心から願い求めること、「浄土」は極楽浄土の略。理想的な安楽世界を求める浄土教の基本思想を表す語。
字体　「浄」の旧字体は「淨」。
注意　「欣求」を「きんきゅう」と読み誤りやすい。
出典　『往生要集《おうじょうようしゅう》』〈上〉
類義語　安楽浄土《あんらくじょうど》、厭穢欣浄《おんえごんじょう》
対義語　厭離穢土《おんりえど》

金剛不壊　こんごうふえ　準1級

意味　**きわめて堅固でこわれないこと。**　また、**志をかたく守って変えないたとえ。**
「金剛」は梵語《ぼんご》（古代インド語）の漢訳で堅固の意、「不壊」はこわれないこと。
補説　「不壊金剛」ともいう。
字体　「壊」の旧字体は「壞」。
注意　「不壊」を「ふかい」と読み誤らない。
類義語　金剛堅固《こんごうけんご》

言語道断　ごんごどうだん　5級

意味　**言葉で言い表せないほどひどいこと。**「言語」は仏教語で、言葉に出して表現すること、「道断」は言うすべがない意。本来、仏教の究極の真理は言葉では説明できないという意であるが、現在で

は悪い意味に使われることが多い。

字体 「断」の旧字体は「斷」。

注意 「言語」を「げんご」と読まないこと。

出典 『維摩経《ゆいまきょう》』〈阿閦仏品《あしゅくぶつぼん》〉

渾渾沌沌 こんこんとんとん (1級)

意味 **入り乱れて明らかでないさま。** もと天地がまだ別れていない原初の状態をいう。「渾沌」を強めた四字句。

補説 「渾渾」は「混混」とも書く。

出典 『孫子《そんし》』〈兵勢《へいせい》〉

類義語 曖昧模糊《あいまいもこ》

対義語 明明白白《めいめいはくはく》

今昔之感 こんじゃくのかん (準1級)

意味 **今と昔を思い比べて、時世や境遇の大きな変化をしみじみ感じる気持ち。** 「今昔」は今と昔の意。

補説 「今昔」は「こんせき」とも読む。

類義語 隔世之感《かくせいのかん》

根深柢固 こんしんていこ (1級)

⇩深根固柢(しんこんこてい)

今是昨非 こんぜさくひ (4級)

意味 **今になって過去のあやまちに気づくこと。** 「是」は正しいこと、「非」は誤り。今日は正しく、昨日までは間違っていたという意。過去のあやまちを後悔していう語。

補説 「今の是にして昨の非なりしを覚《さと》る」の略。「昨非今是」ともいう。

出典 陶潜《とうせん》の「帰去来辞《ききょらいのじ》」

渾然一体 こんぜんいったい (1級)

意味 **別々のものが溶けあって区別がつかないさま。** 「渾然」は溶けあって区別がつかない、「一体」は一つのものの意。

補説 「渾然」は「混然」とも書く。

字体 「体」の旧字体は「體」。

出典 『淮南子《えなんじ》』〈精神訓《せいしんくん》〉

困知勉行 こんちべんこう (5級)

意味 **苦しんで学び努力して物事を実行すること。** 「困知」は「苦しみて知る」意で、才能が聡明《そうめい》でないために心を苦しめて惨憺《さんたん》したあげくにやっと知ることができること。「勉行」はひたすら努力を重ねて実践すること。人は生まれついた能力によって修養に「生知安行（生まれつき知り安らかに行う）」「学知利行（学ぶことによって知り、ためになるとして行う）」「困知勉行」の三段階があるが道が違うのみで結果は同じであるから才能の劣った者でも大いに努力すべきことを勧めた語。

出典 『中庸《ちゅうよう》』〈二〇章〉

類義語 蛍雪之功《けいせつのこう》、蛍窓雪案《けいそうせつあん》、苦学力行《くがくりっこう》

昏定晨省 こんていしんせい (1級)

意味 **親に孝行をつくすこと。** 「昏定」は晩になると父母の寝所を整えること、「晨省」は朝になると父母のご機嫌をうかがう意。

補説 「昏《くれ》に定めて晨《あした》に省《かえり》みる」とも読む。

出典 『礼記《らいき》』〈曲礼《きょくらい》〉

類義語 温凊定省《おんせいていせい》

懇到切至 こんとうせっし (準2級)

意味 **ねんごろに真心から親切を尽くすこと。** 「懇到」「切至」ともにねんごろで十分に行き届くこと。

補説 「懇到」は「貇到」とも書く。

類義語 懇切周到《こんせつしゅうとう》、懇切丁寧《こんせつていねい》

蒟蒻問答 こんにゃくもんどう (1級)

意味 **まとはずれでとんちんかんな問答や返事。** にわか坊主のこんにゃく屋の六兵衛が、旅僧から禅問答をしかけられ、

そのとんちんかんな返事が旅僧を感服させたという古典落語「蒟蒻問答」から出た言葉。

魂飛魄散 こんひ はくさん
1級

意味 **おおいに驚き恐れること。**「魂」は人間の死後、天にのぼるたましい、「魄」は地上にとどまるたましいのこと。たましいが飛び散るほどたまげる意。

補説 「魂飛び、魄散す」とも読む。

類義語 魂飛胆裂《こんぴたんれつ》、魂銷魄散《こんしょうはくさん》

金輪奈落 こんりん ならく
2級

意味 **物事の極限のこと。**また、**どこまでも・絶対に**の意。「金輪」は仏教で大地の最下底のことをいい、風輪・水輪の上にあるとされる、「奈落」は地獄のこと。

渾崙呑棗 こんろん どんそう
1級

意味 **人の教えをただ鵜呑《うの》みにするだけでは、その真理を会得することはできないということ。**「渾崙」は黒色・頭・円形などにたとえ、ひとまとめにひっくるめての意、「呑棗」は棗《なつめ》の実を呑《の》むこと。棗の実をかまずに丸呑みしても、その味はわからないということから。本来、仏の教えについていった語。

補説 「渾崙、棗《なつめ》を呑《の》む」とも読む。

出典 『碧巌録《へきがんろく》』

【さ】

塞翁失馬 さいおう しつば
2級

意味 **人生の幸不幸は予測できないので、いたずらに一喜一憂すべきではないということ。**「塞翁」は中国の北方の塞《とりで》の近くに住んでいた老人。

補説 「塞翁馬《さいおううま》を失う」とも読む。

故事 あるとき、塞翁の飼っていた馬がとりでの外に逃げ、それを隣人がなぐさめると、塞翁は「そのうちいいことあるさ」と答えた。やがて逃げた馬が良馬をつれて帰ってきた。隣人が祝うと「いずれ禍《わざわい》が来よう」といった。はたして老人の息子が落馬し足が不自由になった。隣人が同情すると、「これもいずれ福となる」と答え、そのとおり息子は徴兵をまぬがれたという故事から。

出典 『淮南子《えなんじ》』〈人間訓《じんかんくん》〉

類義語 塞翁之馬《さいおうのうま》、禍福糾纆《かふくきゅうぼく》

斎戒沐浴 さいかい もくよく
1級

意味 **神仏にお祈りする前に、飲食や行動を慎み身を洗い清めること。**「斎」は心の不浄を清めること、「戒」は身の過ちをいましめること。「沐浴」は髪と体を洗って身を清めること。

補説 「沐浴斎戒」ともいう。

字体 「斎」の旧字体は「齋」。

注意 「斎」を「斉」、「戒」を「戎」と書かないこと。

出典 『孟子《もうし》』〈離婁《りろう》・下〉

類義語 精進潔斎《しょうじんけっさい》

採菓汲水 さいか きっすい
準1級

意味 **厳しい仏道修行をすること。**「菓」は木の実のこと。仏に供えるために深山に入って、木の実を取り、花を摘み、水を汲《く》むことから。

補説 「菓を採り水を汲む」とも読む。また「採菓」は「採果」「採花」とも書き、「汲水」は「ぎっすい」とも読む。

出典 『法華経《ほけきょう》』〈提婆達多品《だいばだったほん》〉

歳寒三友 さいかん(の)さんゆう
4級

意味 **冬に友とすべき三つの植物、松と竹と梅。**「歳寒」は寒い季節、冬のこと。また逆境・乱世のたとえ。松と竹は冬にも緑を失わず、梅は香り高い花を咲かせ慰めてくれる。また、乱世に友とすべき

山水・松竹・琴酒を指すこともある。

［類義語］雪中《せっちゅうの》四《し》友《ゆう》

歳寒松柏　さいかん(の)しょうはく　準1級

［意味］**逆境にあっても志や節操を変えないたとえ。**「歳寒」は冬の季節。松や柏(このてかしわ)は寒い冬の季節になっても落葉することなく緑の葉をつけていることから。「歳寒」は寒い季節のほかに逆境・苦難の意がある。

［出典］『論語』〈子《し》罕《かん》〉

［類義語］雪中松柏《せっちゅうのしょうはく》、松柏《しょうはく》之《の》操《みさお》

才気煥発　さいきかんぱつ　1級

［意味］**機転がきき、才能があふれていること。**「才気」はすぐれた才能や判断力のこと、「煥発」は光り輝き表面にあらわれるさま。

［字体］「気」の旧字体は「氣」、「発」の旧字体は「發」。

［注意］「才気」を「才器」(才能のある人)、「煥発」の「煥」を「渙」「換」などと書き誤らないこと。

［類義語］才気《さいき》横溢《おういつ》

歳月不待　さいげつふたい　4級

［意味］**年月はすみやかに過ぎさり、人の都合などを待ってはくれないということ。**時間は大切にすべきことをいう語。

［補説］「歳月待たず」とも読む。出典には「時に及んで当《まさ》に勉励すべし。歳月は人を待たず」とある。

［出典］陶潜《とうせん》の「雑《ざっ》詩《し》」

罪業消滅　ざいごうしょうめつ　準2級

［意味］**現世での悪い行いも、仏道修行によって消し去ることができるということ。**仏教語で、「罪業」は罪となる悪い行いのこと。

在在所所　ざいざいしょしょ　5級

［意味］**あちらこちら。**また、**いたるところ。**「在在」はいたるところ、「所所」はあちらこちらの意。

［補説］「所所在在」ともいう。

［類義語］処処方方《しょしょほうぼう》

灑灑落落　さいさいらくらく　1級

⇩**洒洒落落**(しゃしゃらくらく)

再三再四　さいさんさいし　5級

［意味］**たびたび。何度も何度も。**繰り返し繰り返し。「再三」は二度も三度もということで「たびたび」の意だが、それを強調した言い方。同じことを何度も繰り返すことをいう。

［出典］『水滸伝《すいこでん》』〈六二回〉

才子佳人　さいしかじん　3級

［意味］**非常にすぐれた男と女。**理想的な男女のこと。「才子」は頭の働きがよく、すぐれた知恵を持っている男性。「佳人」は美しい女性。好一対の男女のたとえ。

［補説］「佳人才子」ともいう。

在邇求遠　ざいじきゅうえん　1級

［意味］**人としての正しい道は自分自身の中に求めるべきなのに、とかく人は遠い所にそれを求めようとするということ。**「邇」は「近」と同じで、近いこと。近くにあるのに、遠い所に求めるという意。

［補説］「邇《ちか》きに在《あ》りて遠きに求む」とも読む。

［出典］『孟子《もうし》』〈離婁《りろう》・上〉

［類義語］舎近求遠《しゃきんきゅうえん》、舎近謀遠《しゃきんぼうえん》

妻子眷族　さいしけんぞく　1級

［意味］**妻と子、家族と血縁関係にある親族のこと。**「眷」はみうち、また、かえりみる、目をかける意。

［補説］「眷族」は「眷属」とも書く。

〔類義語〕 一家眷族《いっかけんぞく》、一族郎党《いちぞくろうとう》

才子多病 さいしたびょう （5級）

〔意味〕 **才能のある人はとかく病気がちだということ。**「才子」は頭のはたらきがよく、すぐれた知恵を持っている人。

〔注意〕 「才子」を「妻子」と書き誤らない。

〔類義語〕 佳人薄命《かじんはくめい》、美人薄命《びじんはくめい》

犀舟勁檝 さいしゅうけいしゅう

〔意味〕 **堅牢《けんろう》な舟と強いかい。**「犀舟」は堅固な舟。「勁」は強い。「檝」は舟をこぐ櫂《かい》。

〔出典〕 『後漢書《ごかんじょ》』〈張衡伝《ちょうこうでん》〉

載舟覆舟 さいしゅうふくしゅう （3級）

〔意味〕 **君主は人民によって支えられ、また、人民によって滅ぼされるということ。**転じて、**人は味方になることもあれば、敵にまわることもあるということ。**

〔補説〕 「舟を載《の》せ舟を覆《くつがえ》す」とも読む。水は舟を浮かべるものでもあり、舟を覆《くつがえ》すものでもあるという意から。

〔出典〕 『荀子《じゅんし》』〈王制《おうせい》〉

才色兼備 さいしょくけんび （4級）

〔意味〕 **女性がすぐれた才能と美しい容姿の両方に恵まれていること。**「才色」は才知と容色、「兼備」は兼ね備える意。

〔補説〕 「才色」は「さいしき」「さいそく」とも読む。

〔注意〕 「兼備」を「兼美」「健美」などと書き誤りやすい。

〔類義語〕 才貌両全《さいぼうりょうぜん》、秀外恵中《しゅうがいけいちゅう》

採薪汲水 さいしんきゅうすい （準1級）

〔意味〕 **自然の中で簡素な生活を営むこと。**たきぎを採り、谷川の水を汲《く》むという意から。

〔補説〕 「薪《たきぎ》を採り水を汲む」とも読む。また、「採薪」は「采薪」とも書く。

〔類義語〕 負薪汲水《ふしんきゅうすい》、一竿風月《いっかんのふうげつ》

採薪之憂 さいしんのうれい （準1級）

〔意味〕 **自分が病気を患っていることを謙遜《けんそん》していう語。**病気になって、たきぎを採りにすら行けないという意。

〔補説〕 「採薪」は「采薪」とも書く。

〔出典〕 『孟子《もうし》』〈公孫丑《こうそんちゅう》・下〉

〔類義語〕 負薪之憂《ふしんのうれい》

祭政一致 さいせいいっち （4級）

〔意味〕 **神を祭ることと政治は一体であるという考え。**または、そのような政治形態。

〔類義語〕 政教一致《せいきょういっち》

〔対義語〕 祭政分離《さいせいぶんり》、政教分離《せいきょうぶんり》

載籍浩瀚 さいせきこうかん （1級）

〔意味〕 **書物が多いことのたとえ。**「載籍」は事柄を記載した書籍の意から書物のこと、「浩瀚」は書物の巻数が多い意。

〔類義語〕 汗牛充棟《かんぎゅうじゅうとう》

灑掃応対 さいそうおうたい （1級）

〔意味〕 **日常生活に必要な仕事や作法のこと。**ふきそうじをすることと、応対すること。「灑」は水をまく、洗う、掃除する意。

〔字体〕 「応」の旧字体は「應」、「対」の旧字体は「對」。

〔出典〕 朱熹《しゅき》『大学章句《だいがくしょうく》』〈序〉

裁断批評 さいだんひひょう （5級）

〔意味〕 **裁判官が判決を下すように、文芸作品を一段高いある基準で判定する批評の方法。**ヨーロッパでは十八世紀初頭までこの方法が主流をしめていた。「裁断」は善悪・是非をはっきりと区別し、判断を下すこと。

〔字体〕 「断」の旧字体は「斷」。

採長補短　さいちょう ほたん

5級

意味　**人の長所をとり入れ、自分の短所を補うこと。**「長」は長所、「短」は短所のこと。

補説　「長《ちょう》を採《と》り短《たん》を補《おぎな》う」とも読む。

類義語　取《しゅ》長《ちょう》補《ほ》短《たん》、助《じょ》長《ちょう》補《ほ》短《たん》、舎《しゃ》短《たん》取《しゅ》長《ちょう》、続《ぞく》短《たん》断《だん》長《ちょう》

采椽不斲　さいてん ふたく

意味　**質素な建物のこと。**「采椽」は山から切り出したままの椽《たるき》（家の棟から軒に渡して屋根を支える材木）のこと、「斲」は木を削る意。削らないままの椽を使った建物の意から。中国古代の伝説上の聖天子尭《ぎょう》帝の宮殿が非常に質素であったことをいった語。

補説　「采椽斲《けず》らず」とも読む。

出典　『韓《かん》非《ぴ》子《し》』〈五《ご》蠹《と》〉

類義語　茅《ぼう》茨《し》不《ふ》翦《せん》、茅《ぼう》屋《おく》采《さい》椽《てん》

西方浄土　さいほう じょうど

準2級

意味　**阿《あ》弥《み》陀《だ》仏《ぶつ》の在《おわ》す極楽浄土。**人間界から十万億土の西方にあるという。

字体　「浄」の旧字体は「淨」。

注意　「西方」を「せいほう」と読み誤らない。

類義語　極楽浄土《ごくらくじょうど》

彩鳳随鴉　さいほう ずいあ

1級

意味　**自分より劣る人に嫁がされること。**また、**それに不満をもつこと。**転じて、婦人が夫をぞんざいに遇すること。「鳳」は瑞鳥《ずいちょう》でおおとり、「鴉」はからす。美しい色のおおとりが鴉《からす》に嫁ぐ意。

補説　「彩《さい》鳳《ほう》鴉《あ》に随《したが》う」とも読む。また「随鴉彩鳳」ともいう。

字体　「随」の旧字体は「隨」。

出典　劉将孫《りゅうしょうそん》の「沁園春《しんえんしゅん》」

菜圃麦隴　さいほ ばくろう

1級

意味　**水をたたえずに、野菜や穀類を栽培する農耕地、すなわち畑のこと。**「菜圃」は野菜を植えた畑、菜園。「麦隴」は麦畑の意。「圃」ははたけ、「隴」はうね、はたけ。

字体　「麦」の旧字体は「麥」。

注意　「麦隴」を「ばくりゅう」と読み誤らない。

豺狼当路　さいろう とうろ

1級

意味　**暴虐で非道な人が枢要な地位にあることのたとえ。**また、**権力を握っている者の暴虐のたとえ。**「豺狼」は山犬とおおかみ。豺狼が道の真ん中に居すわって行く手をさえぎっている意から。

補説　「豺《さい》狼《ろう》路《みち》に当たる」とも読む。

字体　「当」の旧字体は「當」。

出典　『後《ご》漢《かん》書《じょ》』〈張《ちょう》綱《こう》伝《でん》〉

左往右往　さおう うおう

5級

⇩右往左往（うおう さおう）

坐臥行歩　ざが こうほ

準1級

意味　**立ち居振る舞いをいう。**座ったり、寝たり、歩いたりする。

補説　「坐」は「座」とも書く。

鑿歯尺牘　さくし せきとく

1級

意味　**晋《しん》の習《しゅう》鑿《さく》歯《し》は手紙で議論するのにすぐれていた。**「鑿歯」は晋の習鑿歯のこと。名文家として称された。「尺牘」は手紙のこと。

字体　「歯」の旧字体は「齒」。

注意　「尺牘」を「しゃくとく」と読み誤らない。

故事　晋の習《しゅう》鑿《さく》歯《し》は若いときから文章にすぐれていたが、特に手紙の中での議論に長じていたので桓温《かんおん》は彼を器量あるものとして待遇した故事から（『晋書《しんじょ》』〈習《しゅう》鑿《さく》歯《し》伝《でん》〉）。

出典 『蒙求《もうぎゅう》』〈鑿歯尺牘《さくしせきとく》〉

作史三長 さくしのさんちょう 5級

意味 史書を著作する史家に必要な三つの長所。才知・学問・識見のこと。

出典 『唐書《とうじょ》』〈劉知幾伝《りゅうちきでん》〉

鑿窓啓牖 さくそうけいゆう 1級

意味 さまざまな考え方に学んで、見識を広めること。「鑿」はうがつ、穴をあける、「啓」はひらく意、「牖」は窓のこと。窓をあけて外光をたくさん採り入れる意から。

補説 「窓を鑿《うが》ち牖《まど》を啓《ひら》く」とも読む。

出典 『論衡《ろんこう》』〈別通《べっつう》〉

削足適履 さくそくてきり 準2級

意味 目先のことに気をとられて、大事なことを忘れてしまうこと。本末を転倒して無理にものごとを処理するたとえ。「削足」は足を削《けず》ること、「履」は靴のことで、「適履」は靴にふさわしい意。靴の大きさに合わせるために、自分の足を削る意から。

補説 「足を削りて履《くつ》に適《てき》せしむ」とも読む。

出典 『淮南子《えなんじ》』〈説林訓《ぜいりんくん》〉

類義語 刖趾適屨《げっしてきく》、刖足適履《げっそくてきり》

昨非今是 さくひこんぜ 4級

⇩今是昨非（こんぜ さくひ）

作文三上 さくぶんさんじょう 5級

意味 文章の構想を練るのに適した三つの場所。馬上・枕上《ちんじょう》・厠上《しじょう》の三つをいう。「馬上」は馬に乗っているとき、「枕上」は寝ているとき、「厠上」はトイレに入っているとき。

出典 『帰田録《きでんろく》』〈二〉

類義語 三多三上《さんたさんじょう》

鑿壁偸光 さくへきとうこう 1級

意味 苦学することのたとえ。壁に穴を開けて隣家の光をぬすんで学ぶ意。「鑿」はうがつ、穴を開けること。「偸」はぬすむこと。

補説 「壁を鑿《うが》ちて光を偸《ぬす》む」とも読む。

注意 「壁」を「璧」と書き誤らない。

故事 前漢の匡衡《きょうこう》が若いとき貧乏で灯火の油が買えず、壁に穴を開けて隣家の灯火の光で書物を読んで学問をし、のち大学者となった故事による。

出典 『西京雑記《せいけいざっき》』〈二〉

類義語 匡衡壁鑿《きょうこうへきさく》

左建外易 さけんがいえき 5級

意味 道理にもとるやり方で勢力や権力を増すこと。また、地方で反乱を起こすこと。「左」はよこしま・もとる意で、「左建」はよこしまな方法で勢力を伸ばすこと、「外」は地方、「易」はかえる意。「外易」は地方にあって君命を勝手にかえること。

出典 『史記』〈商君伝《しょうくんでん》〉

類義語 造反無道《ぞうはんむどう》

左顧右眄 さこうべん 1級

⇩右顧左眄（うこ さべん）

瑣砕細膩 さささいじ 1級

意味 情のこまやかなこと。「瑣砕」はこまやかなこと、心を細やかにくだくこと。「細膩」はきめこまかなこと。

字体 「砕」の旧字体は「碎」。

出典 『紅楼夢《こうろうむ》』〈一回〉

坐作進退 ざさしんたい 準1級

意味 立ち居振る舞い。また、行儀の意。「坐」は座る、「作」は立つ、「進」は進む、「退」は退くこと。

補説 「坐」は「座」とも書く。

注意 「坐作」を「ざさく」と読まないこと。

類義語 挙措《きょそ》進退《しんたい》、挙措《きょそ》動作《どうさ》

左支右吾 さしゆうご 準1級

意味 **いろいろ手を尽くして難を避けること。**左を支え、右を防ぎとどめる意から。「吾」はとどめる意。また、左にさしつかえ、右にくいちがうことから、どちらもさしつかえること。あちこちくいちがうこと。

補説 「左《さ》枝《し》右《ゆう》捂《ご》」とも書く。

砂上楼閣 さじょうのろうかく 3級

意味 **長続きしない物事のたとえ。**また、**空想するだけで実現不可能な計画。**「楼閣」は高い建物。砂の上では基盤が弱いので建物はすぐ崩れてしまう意から。

字体 「楼」の旧字体は「樓」。

類義語 空中楼閣《くうちゅうろうかく》、空中楼台《くうちゅうろうだい》、海市《かいし》蜃楼《しんろう》

坐薪懸胆 ざしんけんたん 準1級

意味 **将来の成功のためにひどく苦労するたとえ。**かたきを討つために長い間苦労すること。薪《たきぎ》の上に座り、にがい胆《きも》をかけてなめること。

補説 「薪《たきぎ》に坐《ざ》して胆《きも》を懸《か》く」とも読む。

字体 「胆」の旧字体は「膽」。

類義語 臥《が》薪嘗胆《しんしょうたん》

左戚右賢 させきゆうけん 2級

意味 **親戚の者を低い地位(左)におき、賢者を高い地位(右)におくこと。**漢代は右を尊ぶのに対し、左をいやしいものとした。

補説 「戚」は親戚・一族・みうち。「右賢左戚」ともいう。

出典 『漢書《かんじょ》』〈文帝紀《ぶんていき》〉

蹉跎歳月 さたさいげつ 1級

意味 **ただ時間をむだにして、むなしく過ごすこと。**「蹉跎」はよい時機を失うこと、「歳月」は年月の意。

補説 「蹉跎」は「蹉跑」とも書く。

類義語 翫歳愒日《がんさいけいじつ》、無為徒食《むいとしょく》、蹉跎白髪《さたはくはつ》

沙中偶語 さちゅうのぐうご 2級

意味 **臣下が謀反《むほん》の相談をすること。**「沙中」は砂の中、人気《ひとけ》のない砂の上、「偶語」は向かい合って相談すること。

故事 漢の高祖劉邦《りゅうほう》が建国したとき、論功行賞からはずれた家来が、砂地に座ってひそかに謀反の相談をしていたという故事から。

出典 『史記』〈留侯世家《りゅうこうせいか》〉

察言観色 さつげんかんしき 5級

意味 **言葉や顔つきから、相手の性格や考え方を見抜くこと。**「言」は言葉、「色」は顔色・顔つきのこと。言葉や顔つきを観察するという意から。

補説 「言《げん》を察《さっ》して色《いろ》を観《み》る」とも読む。

字体 「観」の旧字体は「觀」。

出典 『論語』〈顔淵《がんえん》〉

左眄右顧 さべんうこ 1級

⇩右顧左眄(うこさべん)

沙羅双樹 さらそうじゅ 2級

意味 **釈迦《しゃか》が涅槃《ねはん》に入ったとき、その四方に二本ずつあったという沙羅の木。**「沙羅」はフタバガキ科の常緑高木。インド原産でうす黄色の花をつけ、高さは三十メートルにも達する。

補説 「沙羅」は「しゃら」とも読み、また「娑羅」とも書く。

字体 「双」の旧字体は「雙」。

桟雲峡雨 さんうんきょうう 準2級

意味 **かけ橋の付近に起こる雲と谷あいに降る雨。**「桟」はかけ橋。険しい所に架けた木組みの橋。「峡」は山と山の間の

谷。

字体　「栈」の旧字体は「棧」、「峡」の旧字体は「峽」。

三槐九棘　さんかいきゅうきょく　1級

意味　**三公と九卿《きゅうけい》**。周代の官名。「三公」は太師《たいし》・太傅《たいふ》・太保《たいほ》。また、司馬・司徒・司空。「九卿」は少師・少傅・少保・冢宰《ちょうさい》・司徒・司空・司馬・司寇《しこう》・宗伯《そうはく》。朝廷の庭に三本の槐《えんじゅ》を植えて三公が位置し、その左右に九本の棘《いばら》を植えて九卿が位置したことからいう。今では政界の最高幹部の意にも用いる。

補説　「九棘三槐」ともいう。

出典　『後漢書《ごかんじょ》』〈寇栄伝《こうえいでん》〉

類義語　槐門棘路《かいもんきょくろ》、公卿大夫《こうけいたいふ》

三界無安　さんがいむあん　5級

意味　**この世に生きることは、いろいろ苦労が多く少しも心が安まることがないこと。**「三界」はこの世。過去・現在・未来。いっさいの衆生《しゅじょう》が生死輪廻《りんね》する三種の世界。欲界・色界・無色界。

出典　『法華経《ほけきょう》』〈譬喩品《ひゆぼん》〉

三界流転　さんがいるてん　準2級

意味　**いのちのあるものはすべて、前世・現世・来世の三世にわたって、生死を繰り返し迷いつづけるということ。**

字体　「転」の旧字体は「轉」。

注意　「三界」を「さんかい」、「流転」を「りゅうてん」と読み誤らない。

山河襟帯　さんがきんたい　準2級

意味　**自然の要害のこと。**山が襟《えり》のようにとり囲み、河が帯のようにめぐって流れている地形である意。

字体　「帯」の旧字体は「帶」。

出典　白居易《はくきょい》の詩

三寒四温　さんかんしおん　5級

意味　**寒かったり暖かかったりすること。**冬季に寒い日が三日続くと、そのあと四日暖かい日が続くというような気候現象をいう。気候が徐々に暖かくなることにも用いる。

山簡倒載　さんかんとうさい　4級

意味　**大酒飲みのたとえ。**「山簡」は晋《しん》の人で温雅な性質であり、征南《せいなん》将軍になった。山濤《さんとう》の子。「倒載」は車に載せて行った酒食を傾け尽くす意。一説に馬に後ろ向きに乗って景色をなごり惜しみながら帰る意。

故事　晋の山簡は酒をこよなく愛し、高陽池のほとりに行っては持参した酒を飲み尽くしてご機嫌に帰っていった故事。この語は当時の子供にまで「日夕倒載《にっせきとうさい》して帰《かえ》る、酩酊《めいてい》して知《し》る所無《ところな》し」と歌われたことによる(『世説新語《せせつしんご》』〈任誕《じんたん》〉)。

出典　『蒙求《もうぎゅう》』〈山簡倒載《さんかんとうさい》〉

三跪九叩　さんききゅうこう　1級

意味　**清朝《しんちょう》の敬礼法。**三度ひざまずき、九度頭を地につけて拝礼すること。

類義語　三跪九拝《さんききゅうはい》、三拝九叩《さんぱいきゅうこう》

三釁三浴　さんきんさんよく　1級

意味　**相手を大切に思う心をあらわす語。**幾度も体を洗い清め、幾度も香《こう》を塗《ぬ》り染《し》めよい香りをつけて人を待つ意。「釁」は香料を体に塗りつけること。「浴」は湯浴みすること。「三」は幾度もの意。

出典　『国語《こくご》』〈斉語《せいご》〉

類義語　三薫三沐《さんくんさんもく》、三浴三薫《さんよくさんくん》

三薫三沐　さんくんさんもく　1級

⇩三釁三浴(さんきん さんよく)

三軍暴骨　さんぐんばくこつ　4級

意味　**戦いに大敗すること。**「三軍」は

周代に、一軍を一万二千五百人と定め、諸侯の大国は三万七千五百人（三軍）保有するとされた制度で、転じて、大軍のこと。「暴骨」は兵士が死んで骨をさらす意。

補説　「三軍、骨《ほね》を暴《さら》す」とも読む。

出典　『春秋《しゅんじゅう》左《さ》氏《し》伝《でん》』〈襄公《じょうこう》二六年〉

三綱五常　さんこう ごじょう

3級

意味　**三つの根本的な道徳と常に行うべき五つの道。**「三綱」は君臣・父子・夫婦のそれぞれの関係の道徳。「五常」は人が常に行うべき仁・義・礼・智《ち》・信の五つの道義をいう。

出典　『白《びゃっ》虎《こ》通《つう》義《ぎ》』

残膏賸馥　ざんこう しょうふく

意味　**すぐれた人物や詩文の形容。**人がいたあとに残る香気の意。「膏」はあぶら。「賸」は余に同じ。「馥」は香り。

補説　「賸馥」は「ようふく」とも読む。

字体　「残」の旧字体は「殘」。

出典　『新唐書《しんとうじょ》』〈杜《と》甫《ほ》伝《でん》・賛《さん》〉

類義語　遺《い》風《ふう》余《よ》香《こう》、遺《い》風《ふう》残《ざん》香《こう》

山高水長　さんこう すいちょう

5級

意味　**人の品性が高大で高潔なたとえ。**また、そうした功績や名誉が長く伝えられること。「山高」は山がいつまでも高くそびえること、「水長」は川の水が絶えることなく永久に流れ続ける意。

出典　范《はん》仲《ちゅう》淹《えん》の「桐《とう》廬《ろ》郡《ぐん》厳《げん》先《せん》生《せいの》祠《し》堂《どうの》記《き》」

山肴野蔌　さんこう やそく

意味　**山野の肉や野菜。**山の幸《さち》、野の幸《さち》。「肴」はおかず。獣肉、魚肉。「蔌」は野菜の総称。

出典　欧《おう》陽《よう》脩《しゅう》の「酔《すい》翁《おう》亭《ていの》記《き》」

残酷非道　ざんこく ひどう

準2級

意味　**むごたらしくて人道にそむいた行い。**「残酷」はむごたらしい、「非道」は道理や人情を逸脱すること。また、道理や人情を無視した行為をいう。

字体　「残」の旧字体は「殘」。

類義語　残《ざん》虐《ぎゃく》非《ひ》道《どう》、残《ざん》忍《にん》非《ひ》道《どう》、悪《あく》逆《ぎゃく》無《む》道《どう》

三顧之礼　さんこの れい

準1級

意味　**礼を尽くして有能な人材を招くこと。**また、目上の人がある人物を特別に信任・優遇すること。「顧」は訪れる意。

字体　「礼」の旧字体は「禮」。

故事　中国三国《さんごく》時代、蜀《しょく》の劉《りゅう》備《び》が、わびずまいをしている諸《しょ》葛《かつ》亮《りょう》（孔《こう》明《めい》）を自ら三度訪ねたが、二度までは不在で会えず、三度目にやっと面会を果たした。二人は互いに胸中を語りあって感激し、劉備は諸葛亮を軍師として迎えることができたという故事から。

出典　諸《しょ》葛《かつ》亮《りょう》の「前《ぜん》出《すい》師《し》表《のひょう》」

類義語　草《そう》廬《ろ》三《さん》顧《こ》、三《さん》徴《ちょう》七《しち》辟《へき》

斬衰斉衰　ざんさい しさい

意味　**喪服の種類。**「斬衰」は喪服で最も重い三年の喪に着るもので、裁ち切ったままで縁縫いをしていないもの。「斉衰」は斬衰について重い喪服で一年の喪に用い、裁ちはなちではなく裳《もすそ》を縫い合わせたもの。

字体　「斉」の旧字体は「齊」。

注意　「斉衰」を「せいすい」と読み誤らない。読みが特殊であるので注意。また「斉衰」を「斎衰」と書き誤らない。

出典　『儀《ぎ》礼《らい》』〈喪《そう》服《ふく》〉

三三五五　さんさん ごご

5級

意味　**ばらばらと。ちらほらと。数人ずつかたまって道を行くさま。**また、人や家屋などがあちこちに散らばっているさま。あちらに三、こちらに五という意。

出典　李《り》白《はく》の「採《さい》蓮《れん》曲《きょく》」

類義語　三《さん》三《さん》両《りょう》両《りょう》

残山剰水　ざんざん じょうすい　準2級

⇩剰水残山（じょうすい ざんざん）

三思後行　さんし こうこう　5級

意味　**物事を行う場合に、よくよく考えたのちにはじめて実行に移すこと。**三たび考えたあとで実行するという意から。三本来は次の故事のように、「それほど慎重にならなくてもよい」という意だが、一般的には軽はずみな行動をいましめる語として用いられる。

補説　「三《み》たび思いて後《のち》に行う」とも読む。

故事　中国魯《ろ》の季文子《きぶんし》は非常に慎重で、三度考えたうえではじめて行動するというような人であった。これを聞いた孔子が、「二度熟慮すればそれで十分ではないか」と言ったという故事から。

出典　『論語』〈公冶長《こうやちょう》〉

三豕渉河　さんし しょうか　1級

意味　**文字の誤り。**文字を誤って読んだり書いたりすること。

故事　昔、ある史官が「己亥渉河（己亥《きがい》〈つちのとい〉の年、河を渉《わた》る）」と書いてあるのを「己」を「三」、「亥」を「豕《ぶた》」と読み、その誤りを子夏《しか》が「三匹の豚などという年号はない」と指摘した故事から。

出典　『呂氏春秋《りょししゅんじゅう》』〈察伝《さつでん》〉

類義語　三豕渡河《さんしとか》、三豕己亥《さんしきがい》、魯魚亥《ろぎょがい》豕《し》、三豕金根《さんしきんこん》

山紫水明　さんし すいめい　4級

意味　**自然の景観が清らかで美しいこと。**日の光に照らされて、山が紫にかすみ、川の流れが澄みきって美しく見える意。

補説　「水紫山明」ともいう。

注意　「山紫」を「山姿」と書き誤りやすい。

出典　頼山陽《らいさんよう》の「題自画山水《じがのさんすいにだいす》-詩」

類義語　山清水秀《さんせいすいしゅう》、山明水秀《さんめいすいしゅう》

三枝之礼　さんしの れい　準1級

意味　**親に対して礼儀と孝行を重んじること。**鳩《はと》は木の枝にとまるとき、親鳩より三本下の枝にとまって親に対する礼儀を守るということから。

補説　「鳩《はと》に三枝の礼あり、烏《からす》に反哺《はんぽ》の孝あり」の略。「反哺の孝」は成長した烏が、親に口移しでえさを食べさせる意で、親孝行のたとえとして用いられる語。

字体　「礼」の旧字体は「禮」。

類義語　烏鳥私情《うちょうしじょう》、反哺之孝《はんぽのこう》、慈烏反《じうはん》哺《ぽ》、烏鳥之情《うちょうのじょう》

三尺秋水　さんじゃく(の) しゅうすい　5級

意味　**よくみがかれた剣。**「三尺」は剣の標準的な長さ、「秋水」は秋の冷たく澄みきった水。白く冴《さ》えわたった光を放つ剣を、冷たく澄みきった水にたとえた。

類義語　秋霜三尺《しゅうそうさんじゃく》

三者三様　さんしゃ さんよう　5級

意味　**考え方ややり方などが、人によってそれぞれ違うこと。**三人の者がいれば、三つのさま・かたちがあるということから。

字体　「様」の旧字体は「樣」。

類義語　各人各様《かくじんかくよう》、十人十色《じゅうにんといろ》、百人百様《ひゃくにんひゃくよう》

三舎退避　さんしゃ たいひ　4級

意味　**相手にとてもかなわないと思って遠慮する、恐れ避けること。**「舎」は軍隊の一日の行程で、一舎は三十里（当時の一里は四〇五メートル）。三十里は約一二キロメートル）。敵から三日分の行程を立ち退いて相手を避ける意。「三舎を避く」ともいう。

字体　「舎」の旧字体は「舍」。

故事　中国春秋時代、晋《しん》の重耳《ちょうじ》は楚《そ》に

亡命し、楚王に厚遇された。恩義を感じた重耳は楚王に、「万一、晋と楚が戦うようなことになったら、晋の軍隊は三舎を避けます」と言ったという故事から。

[出典] 『春秋左氏伝《しゅんじゅうさしでん》』〈僖公《きこう》二三年〉

三者鼎談　さんしゃていだん　準1級

[意味] **三人が向かい合って話し合うこと。**「鼎」はかなえ、三本の脚で二つの取っ手のついた底の深い道具。物を煮たり、宗廟《そうびょう》に置いて祭器として用いる。

三者鼎立　さんしゃていりつ　準1級

[意味] **三者が分かれて並び立つこと。**また、三者が互いに勢力を張り合い、三すくみの状態をいう。鼎(前項参照)が三本の脚のバランスで立っているさまにたとえた言葉。

[出典] 『呉《ご》史《し》』〈陸凱伝《りくがいでん》〉

[類義語] 三分鼎立《さんぶんていりつ》、三足鼎立《さんそくていりつ》

三十而立　さんじゅうじりつ　準1級

[意味] **三十歳で学識や道徳上の自信を得て思想が確立すること。**孔子がみずからの一生を回顧して述べた語。

[補説] 出典には「子曰《いわ》く、吾《われ》十有五にして学に志す。三十にして立つ、四十にして惑《まどわ》ず。五十にして天命を知る。六十にして耳順《みみしたが》う。七十にして心の欲するところに従えども矩《のり》を踰《こ》えず」とある。この語から「三十歳」を「而立」という。

[出典] 『論語』〈為政《いせい》〉

三十六計　さんじゅうろっけい　5級

[意味] **逃げるべきときには逃げるのがどんな策より一番安全の策である。**「三十六策走《にぐ》るはこれ上計なり」「三十六計逃ぐるに如《し》かず」を略したもので、古代中国の兵法で三十六の策略のうち、逃げるべきときは逃げて身の安全を計るのが最良の策だという意味。転じて、困難なことや面倒なことを避ける場合に用いる。

[補説] 語構成は「三十六」＋「計」。

[出典] 『南斉書《なんせいしょ》』〈王敬則伝《おうけいそくでん》〉

三種神器　さんしゅのじんぎ　5級

[意味] **皇位の標識とした三つの宝物。**天孫降臨のとき天照大神《あまてらすおおみかみ》から授けられたと伝えられる八《や》咫鏡《たのかがみ》・八《や》尺瓊曲玉《さかにのまがたま》・天叢《あめのむら》雲剣《くものつるぎ》の三つをいう。

[出典] 『神皇正統記《じんのうしょうとうき》』〈神代《じんだい》〉

斬新奇抜　ざんしんきばつ　2級

[意味] **物事の着想が独特で、これまでにない新しさを兼ね備えていること。**「斬」はきわだっている、「奇抜」はすぐれ抜きんでている、思いもよらぬ意。

[字体] 「抜」の旧字体は「拔」。

[注意] 「斬」を「漸」、「奇」を「寄」と書き誤りやすい。

[類義語] 奇想天外《きそうてんがい》

三寸不律　さんずんふりつ　5級

[意味] **短い筆。**「不律」は筆のこと。長さわずか三寸の筆の意。

[補説] 「不律」は筆の音《おん》が転じたものという。蜀《しょく》・呉《ご》地方の俗語。

三世一爨　さんせいいっさん　1級

[意味] **三代の家族が一つの家に同居すること。**三代の一族が一つの竈《かまど》で煮炊きして住む意。「爨」はかまど。

[出典] 『唐書《とうじょ》』〈崔邠伝《さいふんでん》〉

[類義語] 三世同居《さんせいどうきょ》、三世同爨《さんせいどうさん》、三世同堂《さんせいどうどう》

三聖吸酸　さんせいきゅうさん　5級

[意味] 儒教の蘇軾《そしょく》、道教の黄庭堅《こうていけん》、仏教の僧仏印の三人が、桃花酸《とうかさん》という酢《す》をなめて三人ともそのすっぱさに顔をしかめたということ。三教の一致を風刺するものとしてよく画題とされる(三酸図《さんさんず》)。

老子（道教）、孔子（儒教）、釈迦《しゃか》（仏教）の三人が描かれることもある。

三牲之養　さんせいのよう　準1級

意味　**親にご馳走《ちそう》をして親孝行をする。**
「三牲」は牛・羊・豚の三種のいけにえ、転じてご馳走。「養」は孝養の意。

出典　『孝経《こうきょう》』〈紀孝行章《きこうこうしょう》〉

三尺童子　さんせきのどうじ　準1級

意味　**七、八歳の子供。**二歳半で一尺と数えた。

補説　「三尺」は「さんじゃく」とも読む。

出典　胡銓《こせん》の文

三千世界　さんぜんせかい　5級

意味　**この世のすべてをいう。**仏教で須弥山《しゅみせん》を中心に日・月など諸天を含むものを一世界とし、これを千合わせたものを小千世界、それを千合わせて中千世界、さらにそれを千合わせて大千世界。千が三つ重なるので三千大世界。略して三千世界という。俗に世間のこと。

山藪蔵疾　さんそうぞうしつ　準1級

意味　**大事をなす大人物は多少欠点はあってもあらゆる人を包み込む度量があるたとえ。**また、立派ですぐれたものにも、多少の欠点はあるものだということ。
「山藪」は山や藪《やぶ》のことで、立派でどっしりしたもののたとえ。「蔵」はかくす、しまいこむこと。「疾」は害になるものの意で、ここでは害虫・毒蛇の類をいう。

補説　「山藪、疾を蔵す」とも読む。

字体　「蔵」の旧字体は「藏」。

出典　『春秋左氏伝《しゅんじゅうさしでん》』〈宣公《せんこう》一五年〉

類義語　川沢納汙《せんたくのうお》

残息奄奄　ざんそくえんえん　準1級

⇨**気息奄奄**（きそくえんえん）

三諦円融　さんだいえんにゅう　準1級

⇨**円融三諦**（えんにゅうさんだい）

惨憺経営　さんたんけいえい　1級

意味　**心をくだき悩ましてあれこれ考え計画すること。**もと唐の画家の曹覇《そうは》が絵の構図をあれこれ苦心して考えたことをいう。「惨憺」は心を悩ますこと、「経営」はあれこれ考えて営む意。

補説　「惨憺」は「惨澹」とも書く。

字体　「惨」の旧字体は「慘」、「経」の旧字体は「經」、「営」の旧字体は「營」。

出典　杜甫《とほ》の「丹青引《たんせいいん》」

山中暦日　さんちゅうれきじつ　4級

意味　**俗世を離れて悠々と暮らすこと。**人里離れた山中に暮らせば月日のたつのも忘れる意。「暦日」はこよみ。

補説　「山中暦日無《な》し」の略。

出典　太上隠者《たいじょういんじゃ》の「答人《ひとにこたうる》-詩」

斬釘截鉄　ざんていせってつ　1級

意味　**くぎや鉄を断ち切る。毅然《きぜん》として決断力があるたとえ。**「斬」「截」はいずれも断ち切る意。

補説　「釘《くぎ》を斬り鉄《てつ》を截《た》つ」とも読む。また「斬鉄截釘」ともいう。

字体　「鉄」の旧字体は「鐵」。

出典　『碧巌録《へきがんろく》』

参天弐地　さんてんじち　準1級

意味　**天地と徳を等しくする。**「参天」は天とならぶ。「弐地」は地とならぶ。天地と同じくらい大きな徳を積むこと。

字体　「参」の旧字体は「參」、「弐」の旧字体は「貳」。

出典　揚雄《ようゆう》の「劇秦美新《げきしんびしん》」

讒諂面諛　ざんてんめんゆ　1級

意味　**人の悪口を言ってこびへつらう**

こと。「讒諂」はほかの人の悪口を言って人にへつらうこと。「面諛」は人の面前で、こびへつらうこと。

出典 『孟子《もうし》』〈告子《こくし》・下〉

山濤識量 さんとうしきりょう

準1級

意味 **すぐれた識見や器量をもつ人のたとえ**。「山濤」は竹林《ちくりん》の七賢《しちけん》の一人。「識」は知識や識見。「量」は器量や度量。

故事 中国、晋《しん》の山濤は若いときからすぐれ、多くの人が称したが、梁《りょう》の任昉《じんぼう》は山濤の識見器量を推奨した故事から(任昉の文)。

出典 『蒙求《もうぎゅう》』〈山濤識量《さんとうしきりょう》〉

残忍酷薄 ざんにんこくはく

準2級

意味 **思いやりがなくむごいこと**。「残忍」「酷薄」ともに、ひどく不人情で思いやりの気持ちがない意。

字体 「残」の旧字体は「殘」。

類義語 残酷非道《ざんこくひどう》、残忍非道《ざんにんひどう》、残虐非道《ざんぎゃくひどう》

三人成虎 さんにんせいこ

2級

意味 **真実でないことも、多くの人が言うといつのまにか真実であるかのようになってしまうたとえ**。

補説 「三人虎《さんにんとら》を成《な》す」とも読む。

故事 中国戦国時代、魏《ぎ》の龐葱《ほうそう》が恵王《けいおう》に「いま、一人の者が街の中に虎が出たと言ったら信じますか」と尋ねたところ、王は「信じない」と言った。「二人の者が言ったら信じますか」と尋ねたところ、「もしかしたらと疑うかもしれない」と言った。「では、三人が言ったら信じますか」と尋ねたところ、「信ずるようになるだろう」と言ったという故事から。

出典 『戦国策《せんごくさく》』〈魏策《ぎさく》・秦策《しんさく》〉

類義語 市虎三伝《しこさんでん》、聚蚊成雷《しゅうぶんせいらい》、曽参殺人《そうしんさつじん》、曽母投杼《そうぼとうちょ》、浮石沈木《ふせきちんぼく》、衆口鑠金《しゅうこうしゃくきん》

三人文殊 さんにんもんじゅ

3級

意味 **一人ではよい知恵が浮かばなくても、三人が協力すればよい考えが出るものだ**。「文殊」は釈迦《しゃか》の左にいて知恵をつかさどる文殊菩薩《ぼさつ》のこと。

補説 「三人寄れば文殊の知恵」の略。「文殊」は「文珠」とも書く。

残念無念 ざんねんむねん

5級

意味 **非常にくやしいこと**。思いが後に残ったり満足がいかなかったりして、くやしく思うこと。「残念」も「無念」も同じ意でくやしい気持ちを強調した言い方。

字体 「残」の旧字体は「殘」。

類義語 残念至極《ざんねんしごく》

三拝九拝 さんぱいきゅうはい

5級

意味 **何度も頭を下げて人に物を頼むこと**。三拝の礼と九拝の礼のことで、繰り返し礼拝して相手に敬意を表すこと。また、手紙の末尾に記して、相手への敬意を示す挨拶《あいさつ》の言葉として用いることもある。

字体 「拝」の旧字体は「拜」。

類義語 三跪九叩《さんききゅうこう》、三跪九拝《さんききゅうはい》、平身低頭《へいしんていとう》

残杯冷炙 ざんぱいれいしゃ

1級

意味 **恥辱を受けるたとえ**。「残杯」は他人が飲み残した酒、「冷炙」は冷えた焼き肉。「炙」はあぶり肉のこと。通例「残杯冷炙の辱《はずかし》め」と用いられる。

字体 「残」の旧字体は「殘」。

出典 『顔氏家訓《がんしかくん》』〈雑芸《ざつげい》〉

類義語 残杯冷肴《ざんぱいれいこう》、残羹冷炙《ざんこうれいしゃ》

三百代言 さんびゃくだいげん

5級

意味 **詭弁《きべん》を弄《ろう》すること**。また、その人。無責任な弁護士をののしっていう言葉。「三百」は銭《ぜに》三百文《もん》のことで価値が低い意、「代言」は弁護士のこと。

補説 明治初期のころに弁護士の資格

もないのに、他人の訴訟や裁判などを取り扱った者を代言・代言人といった。

注意 「代言」を「大言」と書き誤らない。

散文精神 さんぶんせいしん 5級

意味 浪漫的・詩的感覚を排し、人生の実態をリアリズムの立場で冷静、客観的に見つめようとする**小説執筆上の精神のありかた**。日本の文壇でのみ用いられる文学用語。

三分鼎足 さんぶんていそく 準1級

意味 **鼎《かなえ》の足のように天下を三分して三つの国が並び立つこと。**「鼎」は三本の足のある器で、三本の脚のバランスで立っている。

出典 『史記』〈淮陰侯伝《わいいんこうでん》〉

類義語 三分鼎立《さんぶんていりつ》、三者鼎立《さんしゃていりつ》

三平二満 さんぺいじまん 準1級

意味 **じゅうぶんではないが、心がやすらかで満足していること。**「三」「二」はともに、数が少ないことを示し、少しのものでも心が穏やかで満足しているさまをいう。また、額・鼻・下顎《したあご》の三つが平らで、両方の頬《ほお》がふくらんでいる顔の意で、おかめ・おたふくのことをいう。

補説 「二満」は「にまん」とも読む。

字体 「満」の旧字体は「滿」。

出典 黄庭堅《こうていけん》の「四休居士詩《しきゅうこじのし》」〈序〉

残編断簡 ざんぺんだんかん 5級

意味 **書物の切れ端。**「残編」は散逸した残りの本。「断簡」は切れぎれになった書き物。断片の文書。

字体 「残」の旧字体は「殘」、「断」の旧字体は「斷」。

注意 「断簡」を「断間」と書き誤らない。

類義語 断簡零墨《だんかんれいぼく》

讒謗罵詈 ざんぼうばり 1級

⇩**罵詈讒謗**（ばりざんぼう）

三位一体 さんみいったい 5級

意味 **別々の三つのものが一つのように緊密に結びつくこと。**また、**三者が心をあわせること。**父なる創造主・子なるキリスト・聖霊は、ただ一つの神が三つの姿になって現れたものだとするキリスト教の考えから。

字体 「体」の旧字体は「體」。

注意 「三位」を「さんい」と読み誤らないこと。また、「三位」を「三身」「三味」などと書き誤りやすい。

三面六臂 さんめんろっぴ 1級

意味 **一人で数人分の働きをしたり、多方面で活躍したりすること。**「面」は顔、「臂」は腕・ひじのこと。三つの顔と六本の腕をもつ仏像があることからいう語。

類義語 八面六臂《はちめんろっぴ》、縦横無尽《じゅうおうむじん》

山容水態 さんようすいたい 5級

意味 **山の形と水のようす。**山水の美しさを表す。

類義語 山容水色《さんようすいしょく》、山光水色《さんこうすいしょく》

三浴三薫 さんよくさんくん 準2級

⇩**三釁三浴**（さんきん さんよく）

山礪河帯 さんれいかたい 準1級

⇩**河山帯礪**（かざん たいれい）

三令五申 さんれいごしん 4級

意味 **くどくどと言い聞かすこと。**三度命令し、五度重ねて言うことから。

出典 『史記』〈孫武伝《そんぶでん》〉

類義語 耳提面命《じていめんめい》

三老五更 さんろうごこう 4級

意味 **徳の高い長老。**「三老」も「五更」

も長老の称。周代に老年で退職した人で有徳の士は天子から父兄の礼をもって待遇された。その人数は各一人とも、三老は三人、五更は五人ともいう。

出典 『礼記《らいき》』〈文王世子《ぶんのうせいし》〉

【し】

思案投首 しあん なげくび
5級

意味 **あれこれ考えあぐんで困っているさま。**「思案」はあれこれと考えること、「投首」は首をたれる意。

詩歌管弦 しいか かんげん
準2級

意味 **文学と音楽のこと。**「詩歌」は漢詩と和歌で文学を、「管弦」は管楽器と弦楽器で音楽をいう。

補説 「管弦」は「管絃」とも書く。

尸位素餐 しい そさん
1級

意味 **ある地位にいて職責を果たさずにむだに禄《ろく》をもらっていること。**「尸位」は形代《かたしろ》がその位置から動かないように高い地位にいながら責務を果たさないこと。「素餐」は何もせずにただ食うこと。

出典 『論衡《ろんこう》』〈量知《りょうち》〉

類義語 尸禄素餐《しろくそさん》、窃位素餐《せついそさん》

侈衣美食 しい びしょく
1級

意味 **ぜいたくなたとえ。**ぜいたくな衣服とおいしい食べ物の意。「侈」はおごる、ぜいたくなの意。

出典 『呂氏春秋《りょししゅんじゅう》』〈精通《せいつう》〉

類義語 玉杯象箸《ぎょくはいぞうちょ》

子為父隠 しい ふいん
4級

意味 **お互いに悪いところがあってもそれを隠し、かばいあうことが父と子の正しい道であるということ。**

補説 「子《こ》は父《ちち》の為《ため》に隠《かく》す」とも読む。

字体 「為」の旧字体は「爲」、「隠」の旧字体は「隱」。

出典 『論語』〈子路《しろ》〉

類義語 父為子隠《ふいしいん》

時雨之化 じうの か
準1級

意味 **いつくしみ深い君主の教化が及ぶことのたとえ。**ほどよい時に降る雨が草木を生育させる、の意から転じた。

出典 『孟子《もうし》』〈尽心《じんしん》・上〉

慈烏反哺 じう はんぽ
準1級

意味 **親に恩を返すこと。**「慈烏」はからすの別名で、からすは成長すると親に餌《えさ》を与えて幼時の恩を返すという。「哺」は口中の食物のことで「反哺」は口移しに食べさせる意。子が成長ののち、親を養ってその恩に報いることをいう。

注意 「烏」を「鳥」、「反哺」を「反甫」と書き誤りやすい。

出典 『禽経《きんけい》』

類義語 反哺之孝《はんぽのこう》、烏鳥私情《うちょうのしじょう》

持盈保泰 じえい ほたい
準1級

意味 **満ち足りて安らかな状態を長く保つこと。**富や地位を守るには慎重に行動してわざわいを招かないようにすることをいう。「盈」はみちる、満ち足りる意。

補説 「保泰持盈」ともいう。

注意 「泰」を「秦」と書き誤らない。

出典 『詩経《しきょう》』〈大雅《たいが》・鳧鷖序《ふえいじょ》〉

四海兄弟 しかい けいてい
4級

意味 **世界中の人々はみな兄弟のように仲良くすべきだということ。**また、礼儀とまごころをもって人に接すれば世の人々は兄弟のように親しくなれるということ。

補説 「四海の内《うち》は皆兄弟《けいてい》たり」の略。「兄弟」は「きょうだい」とも読む。

出典 『論語』〈顔淵《がんえん》〉
類義語 四海同胞《しかいどうほう》

四海同胞　しかいどうほう　3級

⇩四海兄弟（しかいけいてい）

死灰復然　しかいふくねん　4級

意味 **一度衰えた勢力が再び盛り返すこと。**また、一度収束したことが再発すること。消えて灰となった火が再び燃え出す意から。「然」はもえる。
補説 「死灰復《また》然《も》ゆ」とも読む。「復然」は「復燃」とも書く。
出典 『史記』〈韓長孺伝《かんちょうじゅでん》〉
類義語 寒灰復燃《かんかいふくねん》

駟介旁旁　しかいほうほう　1級

意味 **鎧《よろい》を装備した四頭立ての馬の引く戦車が戦場を駆け巡る。**「駟」は四頭の馬。「介」は甲に同じで、鎧の意。「駟介」で四頭の鎧をつけた馬（馬車）の意。「旁旁」は駆け巡ってやまないさま。
補説 「旁旁」は「ぼうぼう」とも読む。
出典 『詩経《しきょう》』〈鄭風《ていふう》・清人《せいじん》〉

爾雅温文　じがおんぶん　準1級

⇩**温文爾雅**（おんぶんじが）

自画自賛　じがじさん　5級

意味 **自分のことを自分でほめること。**「賛」は絵画に書きそえる詩文のことで、通常は他人に書いてもらうもの。自分の描いた絵に自分で賛を書く意。
補説 「自賛」は「自讃」とも書く。
字体 「画」の旧字体は「畫」、「賛」の旧字体は「贊」。
注意 「自画」を「自我」と書き誤らない。
類義語 手前味噌《てまえみそ》、我田引水《がでんいんすい》、一分自慢《いちぶじまん》

止渇飲鴆　しかついんちん　1級

⇩**飲鴆止渇**（いんちんしかつ）

自家撞着　じかどうちゃく　準1級

意味 **同じ人の言動や文章が前と後で矛盾していること。**「自家」は自分自身の意、「撞着」は突き当たること、つじつまが合わないこと。
補説 「撞着」は「どうじゃく」とも読む。本来は「撞著」と書いた。
出典 『禅林類聚《ぜんりんるいじゅう》』〈看経門《かんきんもん》〉
類義語 自己撞着《じこどうちゃく》、自己矛盾《じこむじゅん》、矛盾撞着《むじゅんどうちゃく》

歯牙余論　しがのよろん　2級

意味 **わずかな言葉。**口はしからもれるわずかな言葉。「歯牙」は歯と牙《きば》。転じて口はしの意。「余論」はついもらした言葉。また、「歯牙の余論を惜しむこと無かれ」の略で、わずかな激励・賞賛の言葉を吐く労を惜しむなという意。
字体 「歯」の旧字体は「齒」、「余」の旧字体は「餘」。
出典 『南史《なんし》』〈謝朓伝《しゃちょうでん》〉

自家薬籠　じかやくろう　2級

意味 **いつでも役に立てられるもの。わが手中のもの。**また、必要な人物。自分の思いのままになる人物。「薬籠」は薬ばこのこと。自分の家にある薬ばこの中の薬は、いつでも役に立つものであり、使いたいときには自由に使えるものであるという意。一般には「自家薬籠中のもの」と用いる。
字体 「薬」の旧字体は「藥」。
出典 『旧唐書《くとうじょ》』〈元行沖伝《げんこうちゅうでん》〉

紫幹翠葉　しかんすいよう　準1級

意味 **山の木々がみずみずしく美しいさま。**「紫幹」はむらさき色の木の幹のこと、「翠葉」はみどり色の木の葉の意。山の色の美しさの形容。
補説 略して「紫翠」ともいう。

注意　「紫」を「柴」と書き誤らない。

只管打坐　しかんたざ
準1級

意味　**雑念をすててひたすら座禅すること。**「只管」はひたすらの意。「打」は動詞につく接頭語で「打坐」は座禅を組むこと。曹洞宗の座禅の特色。

補説　「只管」は「祇管」とも書く。

出典　『正法眼蔵随聞記《しょうぼうげんぞうずいもんき》』

時期尚早　じきしょうそう
準2級

意味　**ある事を行うには、まだ時期が早すぎる。**時期がなお早いの意。

補説　「時機尚早」と書く場合もあるが「チャンスとしては早すぎる」の意。

注意　「時期」を「時季」と書き誤らない。

色即是空　しきそくぜくう
4級

意味　**万物の本質は空である。**仏教で、現世に存在する形あるもの物質的なものはすべて実体ではなく空であり無であるという教え。「色」は人間が知覚できるすべての事物や現象、「空」は実体がなく空しい意。

補説　語構成は「色」＋「即是」＋「空」。

出典　『般若心経《はんにゃしんぎょう》』

類義語　一切皆空《いっさいかいくう》

自給自足　じきゅうじそく
5級

意味　**必要な物を自分でまかない十分に足りるようにすること。**自分で自分に供給し自分を満たすという意。

至恭至順　しきょうしじゅん
準2級

意味　**人の言動にいたってすなおに従うこと。**「至」はいたって、このうえなくの意。「恭順」はおとなしく従うこと。

史魚屍諫　しぎょしかん
準1級

意味　**史魚は自分のしかばねで主君の霊公《れいこう》をいさめた故事。**「史魚」は春秋時代、衛《えい》の大夫《たいふ》の史鰌《しゅう》のこと。字《あざな》を子魚というので史魚という。正直さで称された。「屍」は死体。「諫」はいさめる意。

補説　「屍諫」は「尸諫」とも書く。

故事　史魚は主君の霊公をいさめたが聞き入れられないので、臨終に際し自分の屍《しかばね》を埋葬しないように子に命じ、自分の屍で霊公をいさめた故事から。

出典　『韓詩外伝《かんしがいでん》』〈七〉

類義語　史魚之直《しぎょのちょく》、史魚黜殯《しぎょちゅつひん》

四弘誓願　しぐぜいがん
準1級

意味　**すべての仏や菩薩《ぼさつ》のもつ四つの願い。**衆生無辺誓願度、煩悩無量誓願断、法門無尽誓願学、仏道無上誓願成。

補説　「しぐうぜいがん」とも読む。

出典　『止観大意《しかんたいい》』

四衢八街　しくはちがい
1級

意味　**大通りが四方八方に通じている大きな街のこと。**「衢」「街」ともに、四方に通じる道・大通りのこと。

四苦八苦　しくはっく
5級

意味　**さんざん苦労すること。**非常な苦しみ。もともと仏教語で、「四苦」は生・老・病・死の四つ、「八苦」は四苦に愛別《あいべつ》離《り》苦《く》(愛する人と別れる苦しみ)・怨憎会《おんぞうえ》苦《く》(うらみ憎むものと会う苦しみ)・求不《ぐふ》得苦《とくく》(欲しいものが得られない苦しみ)・五陰盛苦《ごおんじょうく》(心身の苦しみ)の四つを加えたものをいう。あらゆる苦しみの総称。

舳艫千里　じくろせんり
1級

意味　**多数の舟がはるか彼方まで連なること。**「舳」は船のとも、「艫」は船のへさき。「千里」ははるかに続く長い距離。ある船の船尾に次の船の船首がくっつくようにして連なるさまをいう。

出典　『漢書《かんじょ》』〈武帝紀《ぶていき》〉

子見南子　しけんなんし
5級

意味　**礼の道を守るため、自分の考えを通すこと。回りの意見にまどわされず、自分の考えを通すこと。**

故事　衛《えい》の国王霊公《れいこう》の招きに応じたとき、孔子は国王夫人の南子に謁見《えっけん》するとが礼の道であると考え実行しようとする。弟子の子路が南子の素行の悪さを理由に反対したが、自分の考えを変えなかったという故事から。

出典　『論語』〈雍也《ようや》〉

子建八斗　しけんはっと
3級

意味　**すぐれた才能を賞賛した語。**「子建」は魏《ぎ》の曹植《そうしょく》の字《あざな》。「斗」は容量の単位。十斗で一石。

故事　中国六朝《りくちょう》時代、宋《そう》の謝霊運が曹植の詩才(→「七《しち》歩《ほ》之《の》才《さい》」)を、天下を一石の才とすると曹植は一人で八斗を有すると激賞した故事から(『箋注《せんちゅう》蒙求《もうぎゅう》』引旧注)。

出典　『蒙求《もうぎゅう》』〈子《し》建《けん》八《はっ》斗《と》〉

自己暗示　じこあんじ
5級

意味　**自分で自分に暗示をかけること。**自分自身にある特定の意識や想念を繰り返し抱くように仕向け、精神を安定させたり、実力以上の力を発揮させたりすることをいう。

舐糠及米　しこうきゅうまい
1級

意味　**被害がだんだん拡大すること。**「舐糠」は糠《ぬか》をなめること。穀《こく》象《ぞう》虫《むし》(米につく虫)が外側の糠をなめてしまうと次には中身の米を食うようになり、害を及ぼすことから。

補説　「糠《ぬか》を舐《ねぶ》りて米に及ぶ」とも読む。

出典　『史記』〈呉《ご》王《おう》濞《び》伝《でん》〉

試行錯誤　しこうさくご
3級

意味　**試みと失敗をくりかえしながら適切な方法を見つけること。**試しに行って、まちがい誤るという意から。「錯誤」はあやまり・まちがい。

注意　「試行」を「施行」「思考」などと書き誤らない。

自業自得　じごうじとく
準2級

意味　**自分から出たものは自分にかえるという意。**もと仏教の語で、自分の行った善悪の業によって、みずから苦楽の結果を受けること。身から出たさび。

注意　「自業」を「じぎょう」と読み誤らない。

類義語　自《じ》業《ごう》自《じ》縛《ばく》、自《じ》縄《じょう》自《じ》縛《ばく》

至公至平　しこうしへい
5級

意味　**きわめて公平である。**「至公」だけでも「きわめて公平である」という意だが、公・平それぞれに「至」(いたって、このうえなく)を添えて「公平」を強調した語。「公平」は偏りがなく平等であること。

豕交獣畜　しこうじゅうちく
1級

意味　**人をけだもの同様に扱うこと。**「豕交」は豚とみなして交わる、「獣畜」は獣とみなして養う。人を人としての礼をもって遇しないことをいう。

字体　「獣」の旧字体は「獸」。

出典　『孟子《もうし》』〈尽心《じんしん》・上〉

師曠之聡　しこうのそう
1級

意味　**耳が鋭敏なことのたとえ。**師曠のように耳がさといという意。師曠は春秋時代の晋《しん》の楽師で、音楽をよく聞き分け、精通しているばかりでなく、音によって事の吉凶を知ることができたといわれる。

字体　「聡」の旧字体は「聰」。

出典　『孟子《もうし》』〈離《り》婁《ろう》・上〉

類義語　師《し》曠《こう》清《せい》耳《じ》

四荒八極　しこう　はっきょく

4級

意味　**世界中のあらゆる地域のこと。世界のすみずみ。**「四荒」は北方の觚竹《こちく》、南方の北戸、西方の西王母、東方の日下の四方の果てのえびすの国のこと。「八極」は八方の遠方の地。

出典　白居易《はくきょい》の詩

市虎三伝　しこ　さんでん

2級

⇩三人成虎（さんにんせいこ）

事後承諾　じご　しょうだく

3級

意味　**事がすんだあとで、それについての承諾をすること。**また、**承諾を与えること。**

自己韜晦　じこ　とうかい

1級

意味　**自分の才能・地位・本心などをかくして表に出さないこと。**「韜」はつつみかくす、「晦」はくらます意で、「韜晦」は才能や学問などをつつみかくすことをいう。

類義語　韜光晦迹《とうこうかいせき》、韜光養晦《とうこうようかい》

自己矛盾　じこ　むじゅん

4級

意味　**同一人物の考えや行動が前後でつじつまが合わなくなること。**

補説　「矛盾」は『韓非子《かんぴし》』〈難《なん》〉に出ている寓話《ぐうわ》にもとづく。「矛盾撞着《むじゅんどうちゃく》」の故事参照。

類義語　自家撞着《じかどうちゃく》、自己撞着《じこどうちゃく》、矛盾撞着《むじゅんどうちゃく》

而今而後　じこん　じご

準1級

意味　**今からのち。**これから。

補説　「而今《いま》よりして後《のち》」とも読む。

出典　『論語』〈泰伯《たいはく》〉

士魂商才　しこん　しょうさい

3級

意味　**武士の心と商人としての才能とを持ちあわせていること。**「士魂」は武士の精神のこと、「商才」は商売の才能・うでまえの意。商人や実業家の理想の姿としていわれた。

補説　「和魂漢才」をもじった語。

思索生知　しさく　せいち

準2級

意味　**筋道をたどって物事をよく考えることによって、知恵がうまれるということ。**「思索」は筋道をたどって考えること、「生知」は知恵・知識が生じる意。

補説　「思索、知を生《しょう》ず」とも読む。また、「生知」は「しょうち」とも読む。

出典　『管子《かんし》』〈内業《ないぎょう》〉

屍山血河　しざん　けつが

準1級

意味　**非常に激しい戦闘のたとえ。**「屍山」は死体の山、「血河」は血の川のこと。激戦で死体が山のように積み重なり、血が川のように流れること。

補説　「血河」は「けっか」とも読む。

時時刻刻　じじ　こくこく

5級

意味　**時を追ってつぎつぎと。**絶えず。「時刻」は時間の流れの中の決まった一瞬を指すが、それを重ねて一瞬一瞬が絶え間なく経過して行くさまをいう。

志士仁人　しし　じんじん

5級

意味　**学問修養に志す人と仁徳のある人。**学徳ともにそなえた立派な人。「志士」は道や学問に志をもつ人、「仁人」は徳のある人。

出典　『論語』〈衛霊公《えいれいこう》〉

獅子身中　しし　しんちゅう

準1級

意味　**内部からわざわいが生じること。**また、**恩をうけておきながら、逆に害悪を与えること。**獅子の体内に寄生している虫が、獅子を死に至らしめることがあるという意から。

補説　「獅子身中の虫」の略。

注意　「身中」を「心中」と書き誤らない。

出典　『梵網経《ぼんもうきょう》』〈下〉

師資相承　しし そうしょう　5級

意味　**師の教えを受け継ぐこと。**また**師から弟子へ学問・技術などを受け継いでいくこと。**「師資」は師匠。また、先生と弟子。「相承」は相手に引き継ぐこと。

補説　「師資、相《あい》承《う》く」とも読む。

子子孫孫　しし そんそん　5級

意味　**末代まで。**子孫のまた子孫。孫子の代。子孫の続く限りの意。

補説　「ししそんぞん」とも読む。

出典　『書経《しょきょう》』〈梓材《しざい》〉

事実無根　じじつ むこん　5級

意味　**事実に基づいていないこと。**根拠のないいつわりであること。

字体　「実」の旧字体は「實」。

舐痔得車　しじ とくしゃ　1級

意味　**卑しいことをしてまで、大きな利益を手に入れること。**自分を卑しめる行為をしてまで大きな利を求めるのをあざける語。「舐痔」は痔疾を舐《な》めること、「得車」は車を手に入れる意。

補説　「痔《じ》を舐《ねぶ》りて車を得《う》」とも読む。

故事　中国宋《そう》の曹商《そうしょう》が使者として秦《しん》に行き、秦王から大きな車を与えられて得意満面で帰国した。これを見た荘子が、「おまえは、痔疾を患っている秦王の患部を舐めて、その褒美として車をもらったのだろう」と揶揄《やゆ》したという故事から。

出典　『荘子《そうじ》』〈列禦寇《れつぎょこう》〉

獅子搏兎　しし はくと　1級

意味　**やさしいと思われることでも、全力をあげて努めるべきだということ。**「獅子」はライオンのこと、「搏兎」は兎《うさぎ》を捕らえること。ライオンは兎のような弱いものを捕らえるときにも全力を出すということから。

補説　「獅子《しし》兎《うさぎ》を搏《う》つ」とも読む。

注意　「搏兎」を「博兎」と書き誤らない。

事事物物　じじ ぶつぶつ　5級

意味　**あらゆる物事。**一つ一つすべての物事。「事物」を分けて繰り返し、意味を強調した語。

獅子奮迅　しし ふんじん　準1級

意味　**猛烈な勢いで活動すること。**獅子（ライオン）が奮い立って勇猛に動きまわるように、事に対処する際の意気込みや勢いがすさまじいこと。「奮迅」は勢い激しく奮い立つ意。もと仏教の語。

出典　『大般若経《だいはんにゃきょう》』〈五二〉

刺字漫滅　しじ まんめつ　3級

意味　**長いあいだ人を訪問しない。**名刺をポケットに入れたまま、長いあいだ使用しないために文字がすり汚れて見えなくなる意。「刺字」は名刺の字、名刺のこと。

注意　「刺字」を「剌字」と書き誤らない。

出典　『後漢書《ごかんじょ》』〈文苑《ぶんえん》・禰衡伝《でいこうでん》〉

四十不惑　しじゅう ふわく　4級

意味　**四十歳であれこれ迷わなくなること。**自分の学問に自信をもち、自分の向かう方向が妥当であると確信して迷わなくなったのである。孔子が自分の生涯を述懐して語った言葉。孔子のこの語から「不惑《ふわく》」は四十歳を意味するようになった。

補説　「四十《しじゅう》にして惑わず」とも読む。

出典　『論語』〈為政《いせい》〉

類義語　十五《じゅうご》志学《しがく》、三十《さんじゅう》而立《じりつ》、五十《ごじゅう》知《ち》命《めい》、六十《ろくじゅう》耳《じ》順《じゅん》

耳熟能詳　じじゅく のうしょう　4級

意味　**何度も聞きなれていることは、詳しく説明することができるということ。**また、**物事を知りつくしていること。**「耳熟」は耳になれていること、「能詳」は詳《つまび》らかにできる意。

補説　「耳に熟し能《よ》く詳《つまび》らかにす」とも読む。

出典　欧陽脩《おうようしゅう》の「滝岡阡表《そうこうせんぴょう》」

自縄自縛　じじょう じばく　準2級

意味　**自分の心がけや言動によって、動きがとれなくなり苦しむこと。**「縛」はしばること。自分の縄で自分を縛る意。

字体　「縄」の旧字体は「繩」。

類義語　自業自縛《じごうじばく》、自業自得《じごうじとく》

紙上談兵　しじょう だんぺい　5級

意味　**理屈だけで、実際にはまったく役に立たないこと。**「談兵」は戦術を論ずること。紙の上で戦術を論議する意。

補説　「紙上に兵を談ず」とも読む。

類義語　按図索驥《あんずさくき》、空理空論《くうりくうろん》、机上之論《きじょうのろん》

事上磨錬　じじょう まれん　準2級

意味　**実際に行動や実践をしながら知識や精神をみがき修養すること。**明《みん》の王《おう》守仁《しゅじん》(陽明《ようめい》)が学問の修養について述べた語。「事上」は実際の行動や業務を遂行しながらという意。「磨錬」はねりみがく。修養するのに実際の業務を離れて思索のみをする静座に対して、「事」を離れて「学」があるわけではなく、日常の業務そのものをきちんとこなし、それを通して修養することが真実の学問であるとする。

出典　『伝習録《でんしゅうろく》』〈下〉

梓匠輪輿　ししょう りんよ　準1級

意味　**大工と家具職人や車台・車輪を作る職人。**「梓匠」は梓人(建具工)と匠人(大工など)のこと。「輪輿」は輪人(車輪を作る職人)と輿人(車台を作る職人)のこと。

注意　「輿」を「興」と書き誤らない。

出典　『孟子《もうし》』〈滕文公《とうぶんこう》・下〉

四書五経　ししょ ごきょう　4級

意味　**聖人や賢人の言行や教えなどを記した儒教の聖典。**「四書」は大学・中庸《ちゅうよう》・論語・孟子《もうし》。「五経」は易経《えききょう》・詩経《しきょう》・書経《しょきょう》・礼記《らいき》・春秋《しゅんじゅう》をいう。五経については時代によって異説が多い。

字体　「経」の旧字体は「經」。

死屍累累　しし るいるい　準1級

意味　**多くの死体が重なりあっているむごたらしいさま。**「死屍」はしかばね・死体、「累累」はあたり一面に積み重なっているさま。

補説　「累累」は「纍纍」とも書く。

詩人蛻骨　しじん ぜいこつ　1級

意味　**銘茶をたたえる語。**また、**銘茶のこと。**銘茶を飲むと詩人の骨をぬけかわらせる意。すぐれたお茶は詩人の感性までもすぐれたものに変えてしまうことをいう。「蛻」はぬけがら。また、ぬけかわる意。

四神相応　しじん そうおう　5級

意味　**四神に応じた最もよいとされる地相のこと。**すなわち、左方(東)に流水のあるのを青竜《せいりゅう》、右方(西)に大道のあるのを白虎《びゃっこ》、前方(南)にくぼ地のあるのを朱雀《しゅじゃく》、後方(北)に丘陵のあるのを玄武《げんぶ》とする。官位・福禄《ふくろく》・無病・長寿をあわせもった地相で、わが国の平安京はそれに合った地といわれる。

字体　「応」の旧字体は「應」。

類義語　四地相応《しちそうおう》

死生契闊 しせいけっかつ

1級

意味 **生死を共にすることを約束し、共に苦しみ努力すること。**「契闊」はつとめ苦しむこと、久しくあわないこと。

出典 『詩経《しきょう》』〈邶風《はいふう》・撃鼓《げきこ》〉

死生有命 しせいゆうめい

5級

意味 **人の生き死には天命であり、人の力ではどうすることもできない。**

補説 「死生命《めい》有《あ》り」とも読む。

出典 『論語』〈顔淵《がんえん》〉

咫尺之書 しせきのしょ

1級

意味 **短い書状。**簡単な書状。尺書のこと。「咫尺」は周代の長さの単位で、咫は八寸、尺は十寸。転じて、きわめて短い距離や長さをいう。

出典 『史記』〈淮陰侯伝《わいいんこうでん》〉

自然淘汰 しぜんとうた

準1級

意味 **適しているものだけが自然に選ばれて残ること。**「淘汰」はよりわける、選びわける意。自然界において、生存するための条件・環境に適合する生物は生き残り、そうではないものは滅びるということ。ダーウィンが進化論の中で用いた語。

注意 「淘汰」を「陶汰」と書き誤らない。

類義語 自然選択《しぜんせんたく》、弱肉強食《じゃくにくきょうしょく》、生存競《せいぞんきょう》争《そう》、適者生存《てきしゃせいぞん》、優勝劣敗《ゆうしょうれっぱい》

紫髯緑眼 しぜんりょくがん

1級

意味 **西洋人。**また、西洋人の顔の形容。赤茶色のほおひげと青い目の意。わが国ではオランダ人などを紅毛人、紅毛《こうもう》碧眼《へきがん》などといった。

出典 岑参《しんじん》の詩

志操堅固 しそうけんご

4級

意味 **主義や考えなどを堅く守って変えないこと。**「志操」は堅く守って変えない志のこと。

注意 「志操」を「思想」と書き誤らない。

類義語 志節堅固《しせつけんご》、志操堅確《しそうけんかく》、道心堅《どうしんけん》固《ご》、堅忍不抜《けんにんふばつ》、雪中松柏《せっちゅうのしょうはく》、秋霜烈日《しゅうそうれつじつ》

四塞之国 しそくのくに

準1級

意味 **四方を山や川に囲まれて攻めにくく守りやすい要害の国をいう。**「塞」はふさぐの意。

字体 「国」の旧字体は「國」。

出典 『史記』〈秦始皇紀《しんしこうき》〉

類義語 四塞之地《しそくのち》、山河襟帯《さんがきんたい》、要害之地《ようがいのち》

対義語 四戦之地《しせんのち》、四戦之国《しせんのくに》

志大才疎 しだいさいそ

準2級

意味 **志は大きいが才能が乏しいこと。**心に抱く望みは雄大だが才能や力量が伴わないこと。「疎」はまばらなこと。

補説 「志《こころざし》大にして才疎《さいそ》」とも読む。

類義語 志大智小《しだいちしょう》、眼高手低《がんこうしゅてい》

時代錯誤 じだいさくご

3級

意味 **時代の流れに合わない昔ながらの考え方。**「錯誤」はまちがったことを正しいと思い誤ること。時代おくれ。アナクロニズム。

至大至剛 しだいしごう

準2級

意味 **ものすごく大きくて、ものすごく強い。**「至大」はこのうえなく大きい。「至剛」はこのうえなく強い。限りなく大きくて、どんな力にも屈しない強さをもつこと。

出典 『孟子《もうし》』〈公孫丑《こうそんちゅう》・上〉

類義語 天下至大《てんかしだい》

舌先三寸 したさきさんずん

5級

意味 **口先だけで誠実さがない。**また誠実さに欠ける口先だけの言葉。口先だ

けの弁舌でうまく相手をあしらったり、丸め込んだりすること。
出典『史記』〈平原《へいげん》君《くん》虞《ぐ》卿《けい》列伝《れつでん》〉

七嘴八舌 しちし はちぜつ
1級

意味 **意見の多いこと**。また、**あちこちから意見の出ること**。七つのくちばしと八つの舌の意。「嘴」はくちばし。
出典 袁枚《えんばい》の「牘外余言《とくがいよげん》」

七十古稀 しちじゅう こき
準1級

意味 **七十歳の高齢まで生きられるのは古来より稀《まれ》である**。中国古代では七十歳まで生きる人は稀であったからいう。
出典の詩から「古稀」は七十歳をいう。
補説 「人生《じんせい》七十《しちじゅう》古《こ》来《らい》稀《まれ》なり」の略。また「古稀」は「古希」とも書く。
出典 杜甫《とほ》の「曲江《きょっこう》‐詩」

七種菜羹 しちしゅの さいこう
1級

意味 **七種の野菜の汁物**。また、**七種がゆ。七草がゆ**。陰暦一月七日にこれを食べる。「菜羹」は野菜の汁物。

七縦七擒 しちしょう しちきん
1級

意味 **敵を捕らえたり逃がしたりして味方にすること**。「七縦」は七回縦《はな》つこと、「七擒」は七回擒《とら》えること。
補説 「七擒七縦」ともいう。
字体 「縦」の旧字体は「縱」。
故事 中国、三国《さんごく》時代、蜀《しょく》の諸葛亮《しょかつりょう》（孔《こう》明《めい》）が敵将の孟獲《もうかく》を七回擒《とりこ》にして、七回縦《はな》ったところ、ついに背かなくなったという故事から。
出典『三国志《さんごくし》』〈蜀書《しょくしょ》・諸葛亮伝《しょかつりょうでん》・注〉

七転八起 しちてん はっき
5級

意味 **失敗を重ねても、くじけることなく奮起すること**。「七」「八」は数が多いことを表す。七回転んでも八回起きあがる意。
補説 「七転」は「七顚」とも書く。「七《なな》転《ころ》び八《や》起《お》き」の漢語表記。
字体 「転」の旧字体は「轉」。
類義語 捲土重来《けんどちょうらい》、不撓不屈《ふとうふくつ》、勇猛精進《ゆうもうしょうじん》

七顚八倒 しちてん ばっとう
準1級

意味 **激しい苦痛に転げまわってもがくこと**。七回転げまわり八回倒れるさまから。「七…八…」は数が多いこと。
補説 「しってんばっとう」「しちてんはっとう」とも読む。「顚」は「転」とも書く。
出典『朱子語類《しゅしごるい》』〈五一〉

七堂伽藍 しちどう がらん
準1級

意味 **七つの堂のそろった寺**。「七堂」は宗派などにより異なるが、禅宗では山門・仏殿・法堂・庫裏《くり》・僧堂・浴室・東《とう》司《す》（便所）。寺院の備えるべき七つの堂塔。「伽藍」は寺の建物。寺院。

七難九厄 しちなん くやく
準2級

意味 **七と九との年まわり**（十七歳や四十九歳など）**では、男女とも災厄にあいがちだという俗信**。

七難八苦 しちなん はっく
5級

意味 **ありとあらゆる災難・苦難のこと**。また、そのような多くの災難・苦難に出会うこと。本来は仏教用語。「七難」は教典によって異なるが、『観音経《かんのんきょう》』では、火難・水難・羅刹《らせつ》難・王難・鬼難・枷鎖《かさ》難・怨賊《おんぞく》難の七つ。「八苦」は生苦・老苦・病苦・死苦・愛別離《あいべつり》苦・怨憎会《おんぞうえ》苦・求不《ぐふ》得《とく》苦・五陰盛《ごおんじょう》苦の八つ。

七歩之才 しちほの さい
準1級

意味 **すぐれた詩文をすばやく作る才能**。「七歩」は七歩あるくこと。
故事 「煮豆燃萁《しゃとうねんき》」の項参照。

出典　『世《せ》説《せつ》新《しん》語《ご》』〈文《ぶん》学《がく》〉

類義語　七《しち》歩《ほ》八《はっ》叉《さ》、七《しち》歩《ほ》成《せい》詩《し》、陳《ちん》思《し》七《しち》歩《ほ》

七歩八叉　しちほはっさ　準1級

意味　**詩文を作るすぐれた才能。** 七歩あるく間に詩を作り、八たび手を腕組みする間に賦《ふ》を作る意。「叉」は腕組みする、手をこまねく意。

故事　「七歩」は「七《しち》歩《ほ》之《の》才《さい》」「煮《しゃ》豆《とう》燃《ねん》萁《き》」の項参照。「八叉」は八回腕組みする間に八韻の賦ができたという唐の温《おん》庭《てい》筠《いん》の故事から。

出典　七歩＝『世《せ》説《せつ》新《しん》語《ご》』〈文《ぶん》学《がく》〉・八叉＝『全《ぜん》唐《とう》詩《し》話《わ》』

類義語　七《しち》歩《ほ》之《の》才《さい》、七《しち》歩《ほ》成《せい》詩《し》、陳《ちん》思《し》七《しち》歩《ほ》

死中求活　しちゅうきゅうかつ　5級

意味　**死ぬ覚悟で難関を切り抜ける。** 絶体絶命の窮地でも生き延びる方法を考える意。「死中」は死を待つしかないような状況、「求活」は活路を求めること。

補説　「死中に活を求む」とも読む。

出典　『後《ご》漢《かん》書《じょ》』〈公《こう》孫《そん》述《じゅつ》伝《でん》〉

類義語　死《し》中《ちゅう》求《きゅう》生《せい》

史籀大篆　しちゅうだいてん　1級

意味　**史籀が大篆という書体を作った。** 「史籀」は周の宣《せん》王《のう》のときの史官でそれまでの古文を改変して大篆という書体を作ったとされる（『説《せつ》文《もん》解《かい》字《じ》』〈叙〉）。「大篆」は書体の名。籀《ちゅう》書《しょ》ともいう。

出典　『蒙《もう》求《ぎゅう》』〈史《し》籀《ちゅう》大《だい》篆《てん》〉

類義語　程《てい》邈《ばく》隷《れい》書《しょ》

視聴言動　しちょうげんどう　3級

意味　**見ること、聞くこと、言うこと、行動すること。** また、**この四者を慎むこと。** 顔《がん》回《かい》の問いに対して孔子が「礼《れい》に基づかないものは見ても聞いても言っても行動してもいけない」と言った故事から。

字体　「聴」の旧字体は「聽」。

出典　『論語』〈顔《がん》淵《えん》〉

詩腸鼓吹　しちょうのこすい　4級

意味　**詩を作る情をかきたてるうぐいすの声をいう。** 「詩腸」は詩を作る情。「鼓吹」は太鼓や笛を鳴らす意から、勢いづける、かきたてる、鼓舞する意。

故事　中国六《りく》朝《ちょう》時代、宋《そう》の戴《たい》顒《ぎょう》が春の日に出かけ、人がどこに行くのかと問うたところ、「うぐいすの声を聞きに行って、世俗に染まった耳をきれいにして詩を作る情をかきたてようとするのだ」と言った故事から。

出典　『世《せ》説《せつ》新《しん》語《ご》補《ほ》』〈言《げん》語《ご》〉

四鳥別離　しちょうべつり　4級

意味　**親と子の悲しい別れのこと。** 「四鳥」は四羽の雛《ひな》鳥《どり》の意で、巣立つ雛鳥を送る親鳥の悲しみをいう。四鳥の別れ。

故事　孔子がある朝悲鳴のような泣き声がしたので、弟子の顔《がん》回《かい》に「あれはどうしたのだろうか」と聞いたところ、顔回は「桓《かん》山《ざん》で鳥が四羽の雛鳥を育て、それが巣立つとき母鳥は悲しみの声をあげて見送るといいますが、あの声もわが子と別れる母親の悲しみの泣き声でしょう」と答えた。調べてみると、父親が死んで子供を売らなければならなくなった母親の泣き叫ぶ声であったという故事から。

出典　『孔《こう》子《し》家《け》語《ご》』〈顔《がん》回《かい》〉

七里結界　しちりけっかい　5級

意味　**ある人を嫌って寄せつけないこと。** 密教で魔障を入れないため七里四方に境界を設けること。

補説　この語の音が転じて、「しちりけっぱい」「しちりけんばい」ともいう。

四通八達　しつうはったつ　5級

意味　**道路が四方八方に広がっている**

さま。転じて交通網が発達し往来が激しくて、にぎやかなところを指す。

補説　「四達八通」ともいう。

注意　「八達」を「発達」と書き誤らない。

出典　『晋書《しんじょ》』〈慕《ぼ》容徳《ようとく》載《さい》記《き》〉

類義語　四通五達《しつうごたつ》

悉皆成仏　しっかいじょうぶつ　準1級

意味　**生きとし生ける一切の有情《うじょう》のものが、すべて成仏すること。**仏教の語。「悉皆」はすべて、ことごとくの意。

字体　「仏」の旧字体は「佛」。

十寒一暴　じっかんいちばく　4級

⇩一暴十寒（いちばくじっかん）

質疑応答　しつぎおうとう　5級

意味　**疑わしい点を問いただしたり、それに答えたりする。**「質疑」は疑問点を質問すること、「応答」は対応して回答すること。

字体　「応」の旧字体は「應」。

注意　「質疑」を「質議」と書き誤らない。

日月星辰　じつげつせいしん　準1級

意味　**空のこと。**太陽と月と星の意。「辰」は日・月・星の総称。

日月逾邁　じつげつゆまい　1級

意味　**月日がどんどん過ぎていくこと。**また、**年老いて死期が近くなること。**「日月」は時間のこと、「逾」「邁」はともに、過ぎる、経過する意。

出典　『書経《しょきょう》』〈秦誓《しんせい》〉

疾言遽色　しつげんきょしょく　1級

意味　**落ち着きがない。**早口でしゃべり、あわてた顔つきをすること。「疾」は早い、「遽」はあわてふためくこと、「色」は顔色をいう。

注意　「疾言」を「失言」と書き誤らない。

出典　『後漢書《ごかんじょ》』〈劉寛伝《りゅうかんでん》〉

失魂落魄　しっこんらくはく　1級

意味　**ひどく驚き、あわてふためく。**また、精神が不安定で奇怪な行動をすること。「魂」も「魄」もたましいで、「魂」は天から受けた精神のたましい、「魄」は地から受けた肉体のたましい。

補説　「魂《たましい》を失い魄《はく》を落とす」とも読む。

類義語　失魂喪魄《しっこんそうはく》、失神落魄《しっしんらくはく》

十死一生　じっしいっしょう　5級

意味　**ほとんど助かる見込みのないところをかろうじて命拾いすること。**

補説　「十死」は「じゅっし」とも読む。

出典　『漢書《かんじょ》』〈孝宣許皇后伝《こうせんきょこうごうでん》〉

類義語　九死一生《きゅうしいっしょう》

実事求是　じつじきゅうぜ　4級

意味　**事実の実証にもとづいて物事の真理を追求すること。**「実事」はほんとうのこと・事実、「求是」はまこと・真実を求める意。

字体　「実」の旧字体は「實」。

出典　『漢書《かんじょ》』〈何間献王劉徳伝《かかんけんおうりゅうとくでん》〉

質実剛健　しつじつごうけん　準2級

意味　**飾りけがなくまじめで、心身ともに強くたくましいこと。**「質実」はまじめで飾りけがないこと、「剛健」は強くてすこやかな意。

補説　「剛健質実」ともいう。

字体　「実」の旧字体は「實」。

注意　「剛健」を「強健」と書き誤らない。

類義語　剛毅朴訥《ごうきぼくとつ》

対義語　巧言令色《こうげんれいしょく》

失笑噴飯　しっしょうふんぱん　4級

意味　**あまりのおかしさを押さえきれずに、食べている飯を吹き出して笑って**

しまうこと。また、その飯のこと。

出典　蘇軾《そしょく》の文

漆身呑炭　しっしん どんたん　準1級

意味　**仇討《あだう》ちのためにさまざまな苦労をすること。**「漆身」は身体に漆《うるし》を塗ること、「呑炭」は炭を呑《の》む意。

補説　「身に漆《うるし》し炭を呑む」ともいう。また「呑炭漆身」ともいう。

故事　中国春秋時代、晋《しん》の予譲《よじょう》が主君智伯《ちはく》のかたきを討つために、体に漆を塗って皮膚病をよそおい、炭を呑んで声を変え、姿の見分けがつかないようにして機会をうかがったという故事から。

出典　『史記』〈刺客《しかく》・予譲伝《よじょうでん》〉

実践躬行　じっせん きゅうこう　1級

意味　**自分自身の力で実際にすすんで行動してみること。**「実践」は実行すること、「躬」は自分での意で、「躬行」は自ら行うこと。「躬」はみずからの意。口先だけでなく実行することが大切だという意。

補説　「躬行実践」ともいう。

字体　「実」の旧字体は「實」、「践」の旧字体は「踐」。

注意　「躬」を「窮」と書き誤りやすい。

類義語　率先躬行《そっせんきゅうこう》、率先垂範《そっせんすいはん》、率先励行《そっせんれいこう》

叱咤激励　しった げきれい　1級

意味　**大声で励まして、奮いたたせること。**「叱咤」は大声でしかること、転じて大声で励ますこと。「激励」は励まして元気づける意。

字体　「励」の旧字体は「勵」。

類義語　鼓舞激励《こぶげきれい》、叱咤督励《しったとくれい》、啓発激励《けいはつげきれい》

十中八九　じっちゅう はっく　5級

意味　**ほとんど。**おおかた。十のうち八か九の割合。また、十のうち八割から九割の的中率をいう。

補説　「十中」は「じゅうちゅう」とも読む。

類義語　九分九厘《くぶくりん》

七珍万宝　しっちん まんぽう　4級

意味　**多くの宝物のこと。**「七珍」は仏教語で金・銀・瑠璃《るり》・硨磲《しゃこ》・瑪瑙《めのう》・玻璃《はり》・珊瑚《さんご》の七種の宝石(但し、経典によって多少違いがある)。「万宝」はあらゆる宝物の意。

補説　「万宝」は「まんぼう」とも読む。

字体　「万」の旧字体は「萬」、「宝」の旧字体は「寶」。

疾風勁草　しっぷう けいそう　1級

意味　**苦境に立ったとき、はじめてその人物の真価がわかるというたとえ。**「疾風」は激しい風、「勁草」は強い草。激しい風が吹いてはじめて強い草であることがわかるということから。

補説　「疾風に勁草を知る」の略。

出典　『後漢書《ごかんじょ》』〈王覇伝《おうはでん》〉

類義語　歳寒松柏《さいかんしょうはく》、雪中松柏《せっちゅうのしょうはく》

疾風迅雷　しっぷう じんらい　準2級

意味　**行動がすばやく激しいさま。**非常に速い風と激しい雷の意から。

注意　「迅雷」を「甚雷」「迅来」などと書き誤らないこと。

出典　『礼記《らいき》』〈玉藻《ぎょくそう》〉

類義語　迅速果敢《じんそくかかん》、電光石火《でんこうせっか》

疾風怒濤　しっぷう どとう　準1級

意味　**時代が激しく変化することのたとえ。**「疾風」は速く吹く風、「怒濤」は逆巻く大波。疾風や怒濤のように世の中が激しく変わることの形容。

補説　ドイツ語「シュトルム-ウント-ドラング」の訳語。十八世紀後半のゲーテを中心とする文学革新運動をいう。

類義語 狂瀾怒濤《きょうらんどとう》

櫛風沐雨 しっぷう もくう

1級

意味 **非常に苦労することのたとえ。**
風雨にもめげずよく働くこと。「櫛風」は風が髪をくしけずり、「沐雨」は雨が体を洗うこと。風雨にさらされながらも仕事で奔走することのたとえ。

補説 「風に櫛《くしけず》り雨に沐《もく》す」とも読む。また「風櫛雨沐」ともいう。

出典 『晋書《しんじょ》』〈文帝紀《ぶんていき》〉・『荘子《そうじ》』〈天下《てんか》〉

類義語 櫛風浴雨《しっぷうよくう》

失望落胆 しつぼう らくたん

3級

意味 **希望を失い、非常にがっかりすること。**「失望」も「落胆」も気落ちする意。ほぼ同意の語を重ねたいい方。

字体 「胆」の旧字体は「膽」。

耳提面命 じてい めんめい

4級

⇩提耳面命(ていじめんめい)

紫電一閃 しでん いっせん

準1級

意味 **刀剣などがきらめく形容。**転じて、**きわめて短い時間。**また、その短い時間の急激な変化。「紫電」は研《と》ぎすまされた刀を鋭く振るときにひらめく光、「一閃」は一瞬のひらめき。紫のいなずまが一瞬閃《ひらめ》くという意。

紫電清霜 しでん せいそう

準2級

意味 **容姿がすぐれて節操の堅い形容。**
紫の電光のようにすぐれて光り輝き、清く白い霜のようにきりっとひきしまっていること。物事の様子や人物などについていう。「紫電」は紫の光、いなずま、美しく輝く形容。「清霜」は清らかにきりっとひきしまったものの形容。

出典 王勃《おうぼつ》の「滕王閣序《とうおうかくのじょ》」

舐犢之愛 しとくの あい

1級

意味 **親が子をむやみに愛すること。**
親牛が子牛をなめて愛するさまから、親が子を溺愛《できあい》することをいう。「舐」はなめる意。「犢」は牛の子。

出典 『後漢書《ごかんじょ》』〈楊彪伝《ようひょうでん》〉

自然法爾 じねん ほうに

準1級

意味 **少しも人為的な力が加わらないあるがままの姿であること。**「自然」は本来そうなっていること、「法爾」は法則のまま、あるがままの意。仏教で、すべてのものが如来の知恵のあらわれであり、真理にかなっていることをいう。

補説 「法爾自然」ともいう。

類義語 法爾法然《ほうにほうねん》

士農工商 しのう こうしょう

5級

意味 **武士・農民・工人・商人の職分による身分階級。**総称して四民という。

補説 わが国では江戸時代に武士・農民・職人・商人の身分制度が確立され、明治時代になって、四民平等が叫ばれた。

出典 『管子《かんし》』〈小匡《しょうきょう》〉

慈眉善目 じび ぜんもく

2級

意味 **やさしくて、善良そうな顔つきのこと。**「慈眉」は慈愛に満ちた眉《まゆ》のこと、「善目」は正直ですなおそうな目の意。

慈悲忍辱 じひ にんにく

準1級

意味 **いつくしみの心が深く、どんな苦難も耐えしのぶこと。**仏教語で僧として必ず守るべき道をいう。「慈悲」は衆生《しゅじょう》をいつくしむ心、「忍辱」は苦難を耐えしのぶこと。

出典 『太平記《たいへいき》』〈一二〉

四百四病 しひゃくし びょう

5級

意味 **人のかかるあらゆる病気。**仏教で人間の体は地・水・火・風の四大元素

の和合であり、それぞれに百ずつの病気があり、もとの四つの元素と合わせて四百四病とした。
補説 語構成は「四百四」＋「病」。

雌伏雄飛 しふく ゆうひ
3級

意味 **将来を期して人につき従い、やがて盛んに活躍すること。**「雌伏」は雌鳥が雄鳥に従い伏すことから、将来の活躍を期して人につき従う意、「雄飛」は雄鳥が飛ぶように、おおしく飛び立つことをいう。
出典 『後漢書《ごかんじょ》』〈趙典伝《ちょうてんでん》〉
類義語 戢鱗潜翼《しゅうりんせんよく》

四分五裂 しぶん ごれつ
3級

意味 **ばらばらに分裂すること。**秩序や統一が乱れているさま。
注意 「四分」を「よんぶん」と読み誤らない。
出典 『戦国策《せんごくさく》』〈魏策《ぎさく》〉
類義語 四散五裂《しさんごれつ》、四分五割《しぶんごかつ》、分崩離《ぶんぽうり》析《せき》、四分五剖《しぶんごぼう》、四分五落《しぶんごらく》

資弁捷疾 しべん しょうしつ
準1級

意味 **生まれつき弁舌が巧みで、行動がすばやいこと。**「資弁」は生まれつき弁舌が達者なこと。「捷疾」ははやい、すばやいこと。
字体 「弁」の旧字体は「辯」。
出典 『史記』〈殷紀《いんき》〉

自暴自棄 じぼう じき
3級

意味 **すてばちで、やけくそになる。**物事がうまくいかないために、投げやりな行動をして将来の希望を棄《す》てること。「自暴」はめちゃくちゃな行動で自分の身をそこなうこと、「自棄」は自分で自分を見捨てること。
補説 「自棄自暴」ともいう。
出典 『孟子《もうし》』〈離婁《りろう》・上〉

子墨客卿 しぼく かくけい
準1級

意味 **詩文を作る人。**文人。「子墨」は墨のこと。墨を擬人化した表現。「子」は男子の敬称。「客卿」は他国からきて高官として滞在している者。
出典 揚雄《ようゆう》の「長揚賦《ちょうようのふ》」〈序〉
類義語 文人墨客《ぶんじんぼっかく》

子墨兎毫 しぼく とごう
1級

意味 **文人。詩文をつくる人。**「子墨」は墨を擬人視していう。「子」は男子の敬称。「兎毫」はうさぎの毛で作った筆。
出典 『本朝文粋《ほんちょうもんずい》』
類義語 子墨客卿《しぼくかくけい》、文人墨客《ぶんじんぼっかく》

徙木之信 しぼくの しん
1級

意味 **約束を実行するたとえ。**とくに政府は法の権威と信用を人民に示すべきであるということ。
故事 秦《しん》の商鞅《しょうおう》が法の改正にあたって都の南門の木を北門に移す者には金十金を与えると布告したが、疑って移す者がいないので五十金に増額すると木を移す者がいた。商鞅は運んだ者には法の約束どおり金を与えてその信用性を示したことから。
出典 『史記』〈商君伝《しょうくんでん》〉
類義語 移木之信《いぼくのしん》

慈母敗子 じぼ はいし
3級

意味 **教育には時には厳しさが必要なたとえ。**母親が慈愛に満ち溢《あふ》れすぎていると、その子にはかえって親不孝な道楽者ができる。甘いだけの母親にはわがままな甘えた子ができる。「慈母」は慈愛溢れる母、「敗子」は道楽息子、家をやぶる子の意。
補説 「慈母《じぼ》に敗子《はいし》有《あ》り」の略。
出典 『韓非子《かんぴし》』〈顕学《けんがく》〉

揣摩臆測　しまおくそく　1級

意味　**物事を自分の心だけでいいかげんに推測すること。**「揣摩」はおしはかること、「臆測」はいいかげんな推測の意。

補説　「揣摩」は「すいま」とも読む。「臆測」は「憶測」とも書く。

七五三縄　しめなわ　準1級

意味　**神前や神事の場所に張る縄。**鳥居や神殿に飾ったり、神域を区別するために用いたりする。縄の編み目に七・五・三筋のわらをはさんで垂らすところから「七五三」の数字が当てられる。

字体　「縄」の旧字体は「繩」。

四面楚歌　しめんそか　準1級

意味　**周囲のすべての人から非難されていることのたとえ。**周囲がすべて敵で孤立している意。

故事　楚《そ》の項羽の軍を取り囲んだ漢の劉邦《りゅうほう》の軍の中から楚の歌が聞こえてきた故事から。

出典　『史記』〈項羽紀《こううき》〉

鴟目虎吻　しもくこふん　1級

意味　**残忍で凶暴な人相のたとえ。**「鴟目」はふくろうの目つき、「虎吻」は虎《とら》の口つき。残虐であきることなくむさぼり食うさま。

出典　『漢書《かんじょ》』〈王莽伝《おうもうでん》・中〉

四門遊観　しもんゆうかん　5級

意味　釈迦《しゃか》がまだ太子であったとき、王城の四方の門から郊外に出かけ、老・病・死の苦を見て人生の無常を感じ、出家を決意したということ。釈迦は、東門を出て老人を、南門を出て病人を、西門を出て死人を見た後、北門を出て修行者に会い、出家を決意したといわれる。

字体　「観」の旧字体は「觀」。

類義語　四門出遊《しもんしゅつゆう》

車胤聚蛍　しゃいんしゅうけい　1級

意味　**苦学のたとえ。**車胤は蛍を集めてその光で読書した。「車胤」は東晋《とうしん》の人。「聚」は集める。

字体　「蛍」の旧字体は「螢」。

故事　車胤は若いとき勤勉であったが貧乏で夏には蛍を集めて袋に入れその光で読書したという故事（『晋書《しんじょ》』〈車胤伝《しゃいんでん》〉）。

出典　『蒙求《もうぎゅう》』〈車胤聚蛍《しゃいんしゅうけい》〉

類義語　蛍雪之功《けいせつのこう》、嚢蛍映雪《のうけいえいせつ》、車蛍孫《しゃけいそん》雪《せつ》、孫康映雪《そんこうえいせつ》

社燕秋鴻　しゃえんしゅうこう　準1級

意味　**出会ったかと思うとまたすぐ別れることのたとえ。**「社燕」は春の社日《しゃにち》（立春から五番目の戊《つちのえ》の日）に来て、秋の社日（立秋から五番目の戊の日）に飛び去る燕《つばめ》。「鴻」は秋に来て春に去る白鳥。

出典　蘇軾《そしょく》の詩

舎近求遠　しゃきんきゅうえん　5級

意味　**身近に良いものがあることがわからず、遠くまでさがし求めること。**「舎」は「捨」と同じで、「舎近」は近くにあるものを捨てること、「求遠」は遠くにあるものを求める意。

補説　「近きを舎《す》てて遠きを求む」とも読む。

字体　「舎」の旧字体は「舍」。

類義語　舎近謀遠《しゃきんぼうえん》、在邇求遠《ざいじきゅうえん》

釈根灌枝　しゃくこんかんし　準1級

意味　**大切でない部分に心を奪われて、物事の根本を忘れること。**また、**本質的な原因を探究しないで結果だけを問題にすること。**「釈」はすてる意、「灌」は水を注ぎかけること。木根に水をやらないで、枝に注ぎかけるという意から。

補説　「根を釈《す》てて枝に灌《そそ》ぐ」とも読む。
字体　「釈」の旧字体は「釋」。
出典　『淮南子《えなんじ》』〈泰族訓《たいぞくくん》〉
類義語　捨根注枝《しゃこんちゅうし》、舎本逐末《しゃほんちくまつ》、主客転倒《しゅかくてんとう》、本末転倒《ほんまつてんとう》

杓子果報　しゃくし かほう　準1級

意味　**運にめぐまれること。**「杓子」は菜・汁を盛る具、「果報」はしあわせ。食べ物が杓子に山盛りに配られるしあわせの意から。

杓子定規　しゃくし じょうぎ　準1級

意味　**一つの基準ですべてを決めようとして、応用や融通がきかないこと。**曲がっている杓子の柄を、無理やり定規の代わりにする意。
類義語　四角四面《しかくしめん》
対義語　融通無礙《ゆうずうむげ》、臨機応変《りんきおうへん》

鵲巣鳩居　じゃくそう きゅうきょ　1級

意味　**他人の地位を横取りすること。**また、**女性が嫁いで夫の家をわが家とすること。**巣作りのうまい鵲《かささぎ》の巣に、巣作りのへたな鳩が入ってすみつく意。
補説　「鳩居鵲巣」ともいう。
出典　『詩経《しきょう》』〈召南《しょうなん》・鵲巣《じゃくそう》〉
類義語　鵲巣鳩占《じゃくそうきゅうせん》

鵲巣鳩占　じゃくそう きゅうせん　1級

⇩**鵲巣鳩居**（じゃくそう きゅうきょ）

弱肉強食　じゃくにく きょうしょく　5級

意味　**弱い者が強い者の犠牲にされること。**弱者の犠牲の上に強者が繁栄しているさま。
補説　「強食弱肉」ともいう。
出典　韓愈《かんゆ》の文
類義語　優勝劣敗《ゆうしょうれっぱい》
対義語　共存共栄《きょうぞんきょうえい》

寂滅為楽　じゃくめつ いらく　3級

意味　**迷いから解放された悟りの境地に、真の安楽があるということ。**仏教語。「寂滅」は「涅槃《ねはん》」と同義で、煩悩を捨て去った悟りの境地のこと。
補説　「寂滅《じゃくめつ》、楽《らく》を為《な》す」とも読む。
字体　「為」の旧字体は「爲」、「楽」の旧字体は「樂」。
出典　『涅槃経《ねはんぎょう》』
類義語　生滅滅已《しょうめつめつい》

車蛍孫雪　しゃけい そんせつ　準2級

意味　**苦学のたとえ。**車胤は蛍の光で読書し、孫康は月明かりの下で雪に照らして書物を読んだ。
字体　「蛍」の旧字体は「螢」。
故事　「車胤聚蛍《しゃいんしゅうけい》」「孫康映雪《そんこうえいせつ》」の項参照。
類義語　蛍雪之功《けいせつのこう》、車胤聚蛍《しゃいんしゅうけい》、孫康映雪《そんこうえいせつ》

捨根注枝　しゃこん ちゅうし　準2級

⇩**釈根灌枝**（しゃくこん かんし）

車載斗量　しゃさい とりょう　3級

意味　**人や物の数や量が多くてはかりきれないことのたとえ。**車に載せ、ますで量《はか》る意。「斗」はます、量器の総称。「量」ははかる意。
補説　「車に載せ斗《ます》もて量《はか》る」とも読む。
出典　『三国志《さんごくし》』〈呉書《ごしょ》・呉主権伝《ごしゅけんでん》・注〉

奢侈淫佚　しゃし いんいつ　1級

意味　**度をこしたぜいたくをし、不道徳な楽しみにふけること。**「奢侈」は必要以上のぜいたくのこと、「淫佚」はみだらでだらしがない意。
補説　「淫佚」は「淫逸」とも書く。
類義語　驕奢淫逸《きょうしゃいんいつ》

奢侈文弱　しゃし ぶんじゃく　1級

意味　**おごり、ぜいたくをつくし、文**

事ばかりにふけって、おとなしく、気がよわいこと。「奢侈」は分限を超えた暮らしをすること。「奢」も「侈」もおごる、ほしいままにする意。「文弱」は文事（文学・学問上の事）にのみふけって、やさしいこと。

洒洒落落　しゃしゃらくらく　1級

意味　**性格や言動がさっぱりしていて、物事にこだわらないさま。**気質がさっぱりしていてこだわらないさまをいう「洒《しゃ》落《らく》」という語を重ねて強調したもの。

補説　「洒洒」は「灑灑」とも書き「さいさい」とも読む。また、「洒落」を「しゃれ」と読んだ場合は別の意味となり、同字異義語。

注意　「洒洒」を「酒酒」と書き誤らない。

類義語　軽妙洒脱《けいみょうしゃだつ》

射将先馬　しゃしょうせんば　5級

意味　**目的を達成するためには、まず相手がよりどころとしているものを攻めるのがよいということ。**馬上の武将を射とめるには、まず乗っている馬を射るのがよいということから。

補説　「将を射んと欲すれば先《ま》ず馬を射よ」の略。

字体　「将」の旧字体は「將」。

出典　杜甫《とほ》の「前出塞《ぜんしゅつさい》」詩

社稷之臣　しゃしょくのしん　1級

意味　**国家の重臣。**「社」は土地の神、「稷」は五穀の神で、ともに国家の重要な守り神。「社稷」は転じて国家の意。

出典　『論語』〈季氏《きし》〉

社稷之守　しゃしょくのまもり　1級

意味　**国家の守りとなる臣。**「社稷」は土地の神と五穀の神。昔、天子は宮殿の右にその二神を、左に先祖のみたまを祭ったことから転じて、「国家」の意となった。

出典　『国語《こくご》』〈晋語《しんご》〉

車水馬竜　しゃすいばりょう　準1級

意味　**車馬の往来のにぎやかなさま。**非常ににぎわっているさま。車は流れる水のようにとめどなく、馬は竜のようにつらなっている意。

補説　「車は流水の如《ごと》く馬は游竜《ゆうりょう》の如し」の略。また「馬竜」は「ばりゅう」とも読む。

字体　「竜」の旧字体は「龍」。

出典　『後漢書《ごかんじょ》』〈明徳馬皇后紀《めいとくばこうごうき》〉

射石飲羽　しゃせきいんう　4級

意味　**精神を集中して必死の思いで事にのぞめば、どんな困難なことでもできるということ。**「射石」は矢で石を射ること、「飲羽」は矢の羽の部分まで深くつきささる意。

補説　「石を射《い》て羽を飲む」とも読む。また「射石」は「せきせき」とも読む。

字体　「飲」の旧字体は「飮」。

故事　中国楚《そ》の熊渠子《ゆうきょし》が、暗闇《くらやみ》の中にうずくまっているものがいたので虎《とら》だと思って力の限り弓を引いて矢を射た。そばに寄ってみるとそれは大きな石で、矢はその羽根のあたりまで石につきささっていたという故事から。

出典　『韓詩外伝《かんしがいでん》』〈六〉

類義語　一念通天《いちねんつうてん》、精神一到《せいしんいっとう》

邪説異端　じゃせついたん　3級

⇨**異端邪説**（いたんじゃせつ）

舎短取長　しゃたんしゅちょう　5級

意味　**短所や欠点をすてて、長所をのばすこと。**また、**つまらないものを排除して、よいものを取りあげること。**「舎」は「捨」と同じで、短所を捨て長所を取

るという意から。

補説　「短を舎《す》てて長を取る」とも読む。

字体　「舎」の旧字体は「舍」。

出典　『漢書《かんじょ》』〈芸文志《げいもんし》〉

類義語　採長補短《さいちょうほたん》、助長補短《じょちょうほたん》、続短断長《ぞくたんだんちょう》

邪智奸佞　じゃち かんねい　（1級）

⇩奸佞邪智（かんねいじゃち）

寂光浄土　じゃっこう じょうど　（準2級）

意味　**仏の住んでいる世界。**また、仏道に励んで究極の悟りに達した境界のこと。「寂」は真理の静寂、「光」は真知の光照、「浄土」は汚れのない国。

字体　「浄」の旧字体は「淨」。

出典　『浄名経疏《じょうみょうきょうそ》』

類義語　極楽浄土《ごくらくじょうど》、十万億土《じゅうまんおくど》

煮豆燃萁　しゃとう ねんき　（1級）

意味　**兄弟の仲が悪く、争い合うこと。**「煮豆」は豆を煮ること、「萁」は豆殻のことで、「燃萁」は豆殻《まめがら》を燃やす意。

補説　「豆を煮るに萁《まめがら》を燃《や》く」とも読む。また「燃萁」は「然萁」とも書く。

故事　中国三国時代、魏《ぎ》の曹丕《そうひ》・曹植《そうしょく》の兄弟はともに詩才に恵まれていた。父曹操《そうそう》の死後、即位して文帝となった曹丕は弟の才能をねたんで迫害し、あるとき曹植に「七歩歩く間に詩を一首作れ。できなければ殺す」と言った。これを聞いた曹植は「私は豆で、あなたは豆殻。豆と豆殻は同じ根から生まれたのに、豆殻は火となって釜《かま》の中の豆を煮て苦しめる。兄弟なのにどうして苦しめるのですか」という詩を作った。これを見た曹丕は深く恥じたという故事から。

出典　曹植《そうしょく》の「七歩詩」

類義語　七歩之才《しちほのさい》、兄弟鬩牆《けいていげきしょう》

遮二無二　しゃに むに　（準2級）

意味　**がむしゃらに。**他のことは考えずに強引に物事を進めること。「遮二」は二を断ち切ること、「無二」は二が無いことで、あと先のことを考えない意。なお、「遮二無二」は当て字とする説もある。

類義語　無二無三《むにむさん》、我武者羅《がむしゃら》

舎本逐末　しゃほん ちくまつ　（準2級）

意味　**物事の根幹となることをおろそかにして、つまらないことに関心をもつこと。**「舎」は「捨」と同じで、「舎本」は根本を捨てる意、「逐末」は瑣末《さまつ》なことを追い求めること。

補説　「本《もと》を舎《す》てて末《すえ》を逐《お》う」とも読む。また「舎」は「捨」とも書く。

字体　「舎」の旧字体は「舍」。

類義語　舎本事末《しゃほんじまつ》、背本趨末《はいほんすうまつ》、釈根灌枝《しゃくこんかんし》、主客転倒《しゅかくてんとう》、本末転倒《ほんまつてんとう》

醜悪奸邪　しゅうあく かんじゃ　（1級）

意味　**非常にみにくくよこしまなこと。**また、そういう人。「醜悪」はみにくい、見苦しい意。「奸邪」はよこしまなこと。

補説　「奸邪」は「姦邪」とも書く。

字体　「悪」の旧字体は「惡」。

拾遺補闕　しゅうい ほけつ　（1級）

意味　**見逃している過失をみつけて、それを正し補うこと。**臣下が君主の欠点を正し補って朝政を補佐すること。「拾遺」は君主が気づかない過失を見つけること、「補闕」は天子の過失を正す意。

補説　「遺《い》を拾い闕を補う」とも読む。

出典　司馬遷《しばせん》の「報任少卿書《じんしょうけいにほうずるのしょ》」

縦横無尽　じゅうおう むじん　（4級）

意味　**自由自在に振る舞うさま。思う存分振る舞うさま。**また、「縦横」は自由自在・勝手気ままの意、「無尽」は尽きることがない意。

字体　「縦」の旧字体は「縱」、「尽」の

旧字体は「盡」。

注意　「無尽」を「無人」と書き誤らない。

類義語　縦横《じゅうおう》自在《じざい》、縦横《じゅうおう》無礙《むげ》、自由《じゆう》自在《じざい》

秀外恵中　しゅうがい けいちゅう

4級

意味　**容姿が美しく心もやさしいこと。**また、**外見が立派で心もさといこと。**女性についていう語。「秀外」は外にあらわれた容貌《ようぼう》が美しいこと。「恵中」は心中がやさしい、また、さとい意。

補説　「外に秀いでて中《うち》に恵あり」とも読む。

字体　「恵」の旧字体は「惠」。

出典　韓愈《かんゆ》の文

類義語　才色兼備《さいしょくけんび》、才貌両全《さいぼうりょうぜん》

自由闊達　じゆう かったつ

1級

意味　**のびのびとして心が広く物事にこだわらないさま。**「自由」は何事にも束縛されないこと、「闊達」は心が広くてこだわらないこと。

補説　「闊達」は「豁達」とも書く。また「闊達自由」ともいう。

類義語　闊達《かったつ》自由《じゆう》、天空海闊《てんくうかいかつ》

衆寡不敵　しゅうか ふてき

準2級

意味　**少数は多数にかなわない。**戦争や勝負では人数が多いほうが有利であるということ。「衆」は多数、「寡」は少数の意。「不敵」は敵対できない意。

補説　「衆寡敵せず」とも読む。

出典　『三国志《さんごくし》』〈魏書《ぎしょ》・張範伝《ちょうはんでん》〉

羞花閉月　しゅうか へいげつ

2級

⇨**羞月閉花**（しゅうげつ へいか）

衆議一決　しゅうぎ いっけつ

5級

意味　**多くの人の議論・相談の結果、意見が一致し結論が出ること。**「衆議」は多人数での合議・相談のこと、「一決」は一つに決まる意。

愁苦辛勤　しゅうく しんきん

準2級

意味　**ひじょうに憂え苦しむこと。**また、その苦しみ。「愁苦」は憂え苦しむ意。

出典　白居易《はくきょい》の「王昭君《おうしょうくん》-詩」

羞月閉花　しゅうげつ へいか

2級

意味　**美しい女性のこと。**「羞」ははじらう意。あまりの美しさに、月も羞じらい花も閉じてしまうという意。

補説　「月をも羞《はず》かしめ花をも閉ざしむ」とも読む。「羞花閉月」「閉月羞花」ともいう。

類義語　沈魚落雁《ちんぎょらくがん》

衆賢茅茹　しゅうけん ぼうじょ

1級

意味　**多くの賢人が協力しあうこと。**「衆賢」はたくさんの賢者のこと、「茅茹」は茅《ちがや》の根が連なっているさまをいう語。賢人は自分だけが重用されればよいというような考え方はしないということ。

出典　『易経《えききょう》』〈泰《たい》〉

衆口一致　しゅうこう いっち

4級

意味　**全員の言うことがぴったり合うこと。**「衆口」は多くの人の口から出る言葉・多くの人の評判のこと。「一致」は全体が一つになる意。

類義語　衆議一決《しゅうぎいっけつ》

対義語　議論百出《ぎろんひゃくしゅつ》、甲論乙駁《こうろんおつばく》

重厚長大　じゅうこう ちょうだい

4級

意味　**どっしりとして大きいさま。**人の性格・構造物などについていう。

対義語　軽薄短小《けいはくたんしょう》

秋毫之末　しゅうごうの すえ

1級

意味　**ほんの少し。**ごく小さい微細なものをいう。「秋毫」は秋に生えかわって出てくる動物の細い毛、「末」はその細い

毛の末端のこと。転じて、きわめてわずかの意。

出典 『孟子《もうし》』〈梁恵王《りょうけいおう》・上〉

秋高馬肥 しゅうこう ばひ （5級）

意味 **空高く澄み渡ったさわやかな秋の季節をいう。**秋の空が高く澄み渡り、馬も食欲が盛んでよく肥える意。もと中国北方の騎馬民族が中国に攻め入る好機がきたことをいった。

補説 「秋高く馬肥ゆ」とも読む。

出典 『漢書《かんじょ》』〈趙充国伝《ちょうじゅうこくでん》〉

十五志学 じゅうご しがく （5級）

意味 **十五歳で学問の道にこころざす。**「志学」は学問をしようと決意すること。孔子が自分の生涯を述懐した語。孔子のこの語から「志学」は十五歳を意味するようになった。

補説 「十有五《じゅうゆうご》にして学に志す」の略。

字体 「学」の旧字体は「學」。

出典 『論語』〈為政《いせい》〉

類義語 四十不惑《しじゅうふわく》、五十知命《ごじゅうちめい》、三十而立《さんじゅうじりつ》、六十耳順《ろくじゅうじじゅん》

修己治人 しゅうこ ちじん （5級）

意味 **自分に徳を積んで世を治めること。**自己を修養して徳を積み、その徳で人々を感化して世を安らかに治めること。

補説 「己を修めて人を治む」とも読む。

出典 朱熹《しゅき》『大学章句《だいがくしょうく》』〈序〉

聚散十春 しゅうさん じっしゅん （1級）

意味 **別離のあとまたたくまに歳月が経過したということ。**「聚」は人々の集まり・なかまの意で、「聚散」は集まったなかまが別れること、「十春」は十年の意。

出典 杜甫《とほ》の詩

集散離合 しゅうさん りごう （4級）

⇩離合集散（りごう しゅうさん）

終始一貫 しゅうし いっかん （3級）

意味 **始めから終わりまで言動や態度が変わらないこと。**「一貫」は一つのことを貫き通すこと。

注意 「一貫」を「一環」と書き誤らない。

類義語 首尾一貫《しゅびいっかん》、徹頭徹尾《てっとうてつび》

自由自在 じゆう じざい （5級）

意味 **何事も思いのままにすること。**また、思う存分に振る舞うさま。「自由」も「自在」もともに思うまま、心のままの意。

出典 『景徳伝灯録《けいとくでんとうろく》』〈二三〉

類義語 縦横自在《じゅうおうじざい》、縦横無尽《じゅうおうむじん》、自由無礙《じゆうむげ》、七縦八横《しちしょうはちおう》

獣聚鳥散 じゅうしゅう ちょうさん （1級）

意味 **統率や規律のとれていない集まりのたとえ。**けもののように集まり鳥のように散り行く意。鳥やけものは集まるのも散り行くにも無秩序なことからいう。「聚」は集まる意。

字体 「獣」の旧字体は「獸」。

出典 『漢書《かんじょ》』〈主父偃伝《しゅふえんでん》〉

類義語 烏合之衆《うごうのしゅう》

囚首喪面 しゅうしゅ そうめん （準2級）

意味 **容貌《ようぼう》を飾らないことのたとえ。**囚人のように髪をとかさず、服喪中の人のように顔を洗わないこと。

出典 蘇洵《そじゅん》の「弁姦論《べんかんろん》」

袖手旁観 しゅうしゅ ぼうかん （1級）

意味 **何もしないでそばで見ていること。**ただ傍らで見ているだけで成り行きにまかせる意。また、思案にくれるさま。「袖手」は袖《そで》の中に手を入れていること。転じて手をこまねいて何もしない意。「旁観」は傍らで見ていること。

補説　「旁観」は「傍観」とも書く。

字体　「観」の旧字体は「觀」。

出典　韓愈《かんゆ》の「祭柳子厚文《りゅうしこうをまつるぶん》」

類義語　拱手傍観《きょうしゅぼうかん》、旁観縮手《ぼうかんしゅくしゅ》

周章狼狽　しゅうしょう ろうばい　準1級

意味　**思いがけないことに出あって、あわてふためくこと。**「周章」「狼狽」ともにあわてふためく意。

補説　「狼狽」は、「狼」が前足が長くうしろ足が短いおおかみ、「狽」がその反対のおおかみといわれ、狼と狽とはいつも一緒に歩き、一方が離れると倒れるので、あわてふためくということから出た語という。

注意　「狼狽」を「狼敗」と書き誤らない。

類義語　右往左往《うおうさおう》

対義語　泰然自若《たいぜんじじゃく》、神色自若《しんしょくじじゃく》

修身斉家　しゅうしん せいか　準2級

意味　**自分の身を修め行いを正し円満な家庭を築くこと。**「修身」は心がけや身の行いを正しくする、「斉家」は家を整え治める。「斉」はととのえる意。儒教で政治家の理念を説いた語。まず身を修め（修身）てそれを家庭に及ぼして家をととのえおさめ（斉家）、その後に国を治めて（治国）天下を平和に保つ（平天下）というもの。

補説　「身を修め家を斉《ととの》う」とも読む。

字体　「斉」の旧字体は「齊」。

注意　「斉家」を「さいか」と読み誤らない。

出典　『大学《だいがく》』

衆酔独醒　しゅうすい どくせい　2級

意味　**周囲の人はみな道をはずれており、自分だけが正しいということ。**多くの人が酔っぱらっているが、自分独りだけ醒《さ》めているという意から。

補説　「衆人皆酔《みな》いて我独《ひと》り醒《さ》む」の略。

字体　「酔」の旧字体は「醉」、「独」の旧字体は「獨」。

出典　『史記』〈屈原伝《くつげんでん》〉

十全十美　じゅうぜん じゅうび　5級

意味　**すべてが完全で整っていること。**欠点がまったくなく完全なこと。

注意　「十美」を「十備」と書き誤らない。

類義語　尽善尽美《じんぜんじんび》、完全無欠《かんぜんむけつ》

秋霜三尺　しゅうそう さんじゃく　準2級

意味　**研《と》ぎすました刀剣。**「秋霜」は秋の霜が冷ややかに厳しく光るので剣のたとえ。また「三尺」は刀剣の長さからいう。

類義語　三尺秋水《さんじゃくしゅうすい》

秋霜烈日　しゅうそう れつじつ　準2級

意味　**刑罰・権威・意志などがきわめて厳しいたとえ。**秋の厳しく冷たい霜と強烈に照りつける太陽から転じた言葉。

注意　「烈日」を「列日」と書き誤らない。

周知徹底　しゅうち てってい　準2級

意味　**世間一般、広くすみずみまで知れわたるようにすること。**「周」はあまねくすみずみまでの意。

注意　「徹底」を「撤底」と書き誤らない。

舟中敵国　しゅうちゅう てきこく　4級

意味　**自分の味方だと思っていた側近や親近者がそむき離れるたとえ。**味方でも敵になることがあるということ。同じ舟に乗っている者は利害が同じであるが、何かが原因で変心する者があれば敵になるという意から。外敵のことだけ考えて内政を怠ると、国内の反逆者に滅ぼされるという為政者への戒めとして用いられた語。

字体　「国」の旧字体は「國」。

出典　『史記』〈呉起伝《ごきでん》〉

獣蹄鳥跡
じゅうていちょうせき　準1級

意味　**世の中が乱れてけものや鳥が横行すること。**「獣蹄」はけもののあしあと、「鳥跡」は鳥のあしあと。

字体　「獣」の旧字体は「獸」。

出典　『孟子《もうし》』〈滕文公《とうぶんこう》・上〉

縦塗横抹
じゅうとおうまつ　準2級

意味　**乱暴に書きなぐること。**「抹」は塗り消す意。縦に塗り横に塗り消す意から、縦横に書いたり消したりすること。

字体　「縦」の旧字体は「縱」。

終南捷径
しゅうなんしょうけい　準1級

意味　**終南山には仕官の近道がある。**また、**正規の段階をふむことなく官職につく法をいう。**終南山に隠居して隠者のふりをすると名を世に知られ仕官の道が得やすい意。「終南」は長安の南にある終南山、「捷径」は最短距離・はやみち。

字体　「径」の旧字体は「徑」。

出典　『新唐書《しんとうじょ》』〈盧蔵用伝《ろぞうようでん》〉

類義語　南山捷径《なんざんしょうけい》

十人十色
じゅうにんといろ　5級

意味　**人の好みや考え方、性格などはそれぞれ違うということ。**

類義語　各人各様《かくじんかくよう》、十人《じゅうにん》十《と》腹《はら》、多《た》種《しゅ》多《た》様《よう》

十年一日
じゅうねんいちじつ　5級

意味　**長年経っても変わらないこと。**長い年月にわたって同じ状態が続き、少しも変化や進歩・成長のないさま。

補説　「十年一日の如《ごと》し」と使う。十年間も同じ日の繰り返しのようだという意。なお、長期間たゆまず努力する意もある。

類義語　旧態《きゅうたい》依然《いぜん》

十年一剣
じゅうねんいっけん　4級

意味　**長年武芸の修養をつんで、力を発揮する機会を待つこと。**十年の間、一ふりの剣を磨き続けるという意から。

補説　「十年、一剣を磨く」の略。

字体　「剣」の旧字体は「劍」。

出典　賈島《かとう》の「剣客《けんきゃく》-詩」

十年一昔
じゅうねんひとむかし　5級

意味　**世の中の移りかわりが激しいことのたとえ。**十年という年月も昔のように思われる意。

柔能制剛
じゅうのうせいごう　準2級

意味　**弱いものがかえって強い者に打ち勝つ。**弱々しく見えても柔軟性のある者は、かえって強くて剛直性の者に勝つという意味。

補説　「柔能《じゅうよ》く剛《ごう》を制《せい》す」とも読む。

出典　『三略《さんりゃく》』〈上略《じょうりゃく》〉

類義語　弱能制強《じゃくのうせいきょう》、柔能克剛《じゅうのうこくごう》

戎馬倥偬
じゅうばこうそう　1級

意味　**戦場にあって忙しく軍務を行うこと。**「戎馬」は武器と軍馬のことから戦争の意、「倥偬」はあわただしいこと。軍人の生活をいう。

注意　「戎馬」を「重馬」「十馬」などと書き誤らないこと。

類義語　兵馬倥偬《へいばこうそう》

十風五雨
じゅうふうごう　5級

⇩五風十雨（ごふうじゅうう）

秋風索莫
しゅうふうさくばく　準1級

意味　**勢いが衰えてものさびしいさま。**秋風がものさびしく吹くさま。「索莫」はむなしくものさびしい意。夏の盛りのあとの、秋風が吹いてものさびしい様子をいう。

補説　「索莫」は「索寞」「索漠」とも書く。

類義語　秋風寂莫《しゅうふうせきばく》、秋風落莫《しゅうふうらくばく》

秋風落莫　しゅうふう らくばく　準1級

⇨**秋風索莫**（しゅうふう さくばく）

秋風冽冽　しゅうふう れつれつ　1級

意味　**秋の風のきびしくつめたいさま。**「冽冽」は寒さがきびしい意。

補説　「冽冽」は「冽冽」とも書く。

注意　「冽」を「烈」と書き誤りやすい。

出典　左思《さし》の「雑詩《ざっし》」

類義語　秋風凜冽《しゅうふうりんれつ》

聚蚊成雷　しゅうぶん せいらい　1級

意味　**小さなものもたくさん集まると大きな力になるということ。**また、**多くの人が口をそろえて言いたてて、害悪を生じること。**「聚」は集まる意。小さな蚊もたくさん集まると、その羽音が雷のような音になるという意から。

補説　「聚蚊《しゅうぶん》、雷《らい》を成す」とも読む。

出典　『漢書《かんじょ》』〈景十三王伝《けいじゅうさんおうでん》〉

類義語　三人成虎《さんにんせいこ》、衆口鑠金《しゅうこうしゃくきん》、曽母投杼《そうぼとうちょ》、浮石沈木《ふせきちんぼく》

自由奔放　じゆう ほんぽう　準2級

意味　**気がねなしに自分の思うままに行動するさま。**「自由」は思うまま・心のまま、「奔放」は勢いよく走る。転じて、思いのままに振る舞うさま。

類義語　自在奔放《じざいほんぽう》、不羈奔放《ふきほんぽう》

十万億土　じゅうまん おくど　5級

意味　**極楽浄土のこと。**仏教語で、この世から西方の阿弥陀仏《あみだぶつ》がいる極楽浄土に至るまでの非常に遠いみちのりの意。

字体　「万」の旧字体は「萬」。

類義語　極楽浄土《ごくらくじょうど》、寂光浄土《じゃっこうじょうど》

衆妙之門　しゅうみょうの もん　準1級

意味　**万物の出てくる根源。**「衆」は多くの意。「妙」はすぐれた、ふしぎ、神妙の意。「衆妙」は多くのすぐれた道理の意で、「衆妙之門」はそれらが出てくる門、根本のところをいう。

出典　『老子《ろうし》』〈一章〉

襲名披露　しゅうめい ひろう　準2級

意味　**親または師匠の名前を継いだことを公表すること。**「襲名」は名前を受け継ぐこと、「披露」は公に発表すること。

戢鱗潜翼　しゅうりん せんよく

意味　**志を抱いて時機の到来をじっと待つたとえ。**「戢」はおさめる意で、「戢鱗」は竜がうろこをつぼめてじっとしていること、「潜翼」は鳥が羽をすぼめてじっとしている意。

補説　「鱗を戢《おさ》め翼《よく》を潜《ひそ》む」とも読む。

字体　「潜」の旧字体は「潛」。

注意　「鱗」を「隣」「麟」と書き誤りやすい。

出典　『晋書《しんじょ》』〈宣帝紀《せんていき》〉

類義語　雌伏雄飛《しふくゆうひ》

酒甕飯嚢　しゅおう はんのう　1級

意味　**無知無能の人。**「酒甕」は酒を入れるかめ。「飯嚢」はめしを入れる袋。人間もただ酒を飲むだけ、飯を食うだけでは酒がめや飯ぶくろと変わらない。転じて、そのような生きざまの人をののしっていう言葉。

出典　『晋書《しんじょ》』〈左思伝《さしでん》〉

類義語　酒嚢飯袋《しゅのうはんたい》、無芸大食《むげいたいしょく》

主客転倒　しゅかく てんとう　4級

意味　**物事の順序・立場・重要度などが逆転すること。**主人と客人との立場が逆になることもいう。「客」は主に対して従となるもの。

補説　「主客」は「しゅきゃく」とも読

む。また「転倒」は「顚倒」とも書く。

字体 「転」の旧字体は「轉」。

類義語 本末転倒《ほんまつてんとう》

樹下石上 じゅか せきじょう 5級

意味 **出家行脚《あんぎゃ》の境遇のこと。**路ばたの木の下や石の上で寝泊まりする意。

補説 「石上樹下」ともいう。また、「樹下」は「じゅげ」とも読む。

縮衣節食 しゅくい せっしょく 5級

意味 **節約・倹約すること。**衣服や食事をはぶき倹約する意。「節」ははぶく、倹約する意。

補説 「衣を縮《ちぢ》め食を節《せっ》す」とも読む。また「節衣縮食」ともいう。

出典 陸游《りくゆう》の詩

類義語 悪衣《あくい》悪食《あくしょく》

対義語 煖衣《だんい》飽食《ほうしょく》

夙興夜寝 しゅくこう やしん 準1級

意味 **朝は早く起き、夜はおそく寝て、日夜、職務に精励すること。**「夙興」は朝早く起きること、「夜寝」は夜中になって就寝すること。

補説 「夙《つと》に興《お》き夜《よわ》に寝《い》ぬ」とも読む。

字体 「寝」の旧字体は「寢」。

出典 『詩経《しきょう》』〈衛風《えいふう》・氓《ぼう》〉

類義語 夙興《しゅくこう》夜《や》寐《び》

熟思黙想 じゅくし もくそう 4級

意味 **物事を沈黙してじっくりと考えること。**「熟思」はよくよく考えること、「黙想」はだまって思いにふける意。

字体 「黙」の旧字体は「默」。

類義語 沈思《ちんし》凝想《ぎょうそう》、沈思《ちんし》黙考《もっこう》

縮地補天 しゅくち ほてん 5級

意味 **政治上の改革を行うこと。**「地」は現実の政治、「天」は政治理念のたとえ。政治を正して、政治理念の不足を補うということ。

補説 「地を縮《ちぢ》め天を補《おぎな》う」とも読む。

注意 「補天」を「補塡」と書き誤らない。

出典 『旧唐書《くとうじょ》』〈音楽志《おんがくし》〉

熟読玩味 じゅくどく がんみ 2級

意味 **文章の意味をじっくり考えて読み味わうこと。**「熟読」は十分に詳しく読む。「玩味」は食物をよく味わって食べることから、詩文や物事の意味をよく考え味わうこと。

字体 「読」の旧字体は「讀」。

出典 『小学《しょうがく》』〈嘉言《かげん》〉

夙夜夢寐 しゅくや むび 1級

意味 **朝早くから夜おそくまで。寝てもさめても、終日絶えずということ。**また、「夙」は早朝、「夢寐」はねて夢をみること、ねむっている間の意。

出典 『後漢書《ごかんじょ》』〈郎顗伝《ろうがいでん》〉に「夙夜《しゅくや》夢《む》寤《ご》」とあるのにもとづく。

類義語 夙夜《しゅくや》夢《む》寤《ご》

熟慮断行 じゅくりょ だんこう 4級

意味 **よくよく考えたうえで、思いきって実行すること。**「熟慮」は十分に考えること、「断行」は断固として実行する意。

字体 「断」の旧字体は「斷」。

輸攻墨守 しゅこう ぼくしゅ 準1級

意味 **攻める方も守る方も知略を尽くすたとえ。**公輸般《こうしゅはん》（盤ともいう）が強く攻め墨子《ぼくし》が固く守る意。「輸」は魯国《ろこく》の名工で城を攻める兵器の雲梯《うんてい》（雲まで届くはしご）を作った。「公輸」は号で、呼び名は別に「魯般」「魯班」ともいう。「墨」は諸子百家の一人墨翟《ぼくてき》のこと。「墨守」という語は墨翟《ぼくてき》が城を堅く守った故事から、固く守ること。

注意 「輸」は「しゅ」と特殊な読みになることに注意。

故事　公輸般が楚《そ》のために宋《そう》を攻めようとしていると聞いた墨翟はただちに楚に行き、般と机上戦をしてよく守って攻めあぐねさせ、実際に攻める意欲を失わせた故事から。
出典　『墨《ぼく》子《し》』〈公輸《こうしゅ》〉

取捨選択　しゅしゃ せんたく　3級

意味　**必要なものを取り不必要なものを捨てて選ぶ。** よいものを取り悪いものを捨てるという意もある。取るものと捨てるものとを選択するという意味。
字体　「択」の旧字体は「擇」。

珠襦玉匣　しゅじゅ ぎょっこう　1級

意味　**美しいもののたとえ。** 黄金の糸で珠玉を縫い合わせて作った短衣と玉を飾りつけた美しい箱の意。昔、帝王や諸侯など高貴な人の死を送るのに用いた。「襦」は腰までの短い衣服。「匣」は箱。
出典　任昉《じんぼう》の文

種種雑多　しゅじゅ ざった　5級

意味　**いろいろなものが入り混じっていること。** また、関連のないものが雑然とあるさま。
字体　「雑」の旧字体は「雜」。
類義語　多《た》種《しゅ》多《た》様《よう》、種種様様《しゅじゅさまざま》、千《せん》差《さ》万別《ばんべつ》

守株待兎　しゅしゅ たいと　準1級

意味　**古いしきたりにとらわれて融通がきかないこと。** また、**偶然の幸運をあてにすること。**「守株」は木の切り株を見守ること、「待兎」はうさぎを待つ意。
補説　「株《かぶ》を守りて兎《うさぎ》を待つ」とも読む。
故事　中国春秋時代、宋《そう》の農夫が、たまたまうさぎが切り株にぶつかって死んだのを見て、また同じようなことが起こるものと思い、仕事もしないで毎日切り株を見張って過ごし、畑は荒れ果ててしまったという故事から。
出典　『韓《かん》非《ぴ》子《し》』〈五《ご》蠹《と》〉
類義語　旧套墨守《きゅうとうぼくしゅ》、刻舟求剣《こくしゅうきゅうけん》

衆生済度　しゅじょう さいど　準2級

意味　**仏道によって生きているものすべてを迷いから救い、悟りの境地へ導くこと。**「衆生」はすべての生きもの、「済度」は仏道によって苦海から救い出し、悟りの世界に導く意。
字体　「済」の旧字体は「濟」。

朱脣皓歯　しゅしん こうし　1級

意味　**美人の形容。** 赤いくちびると白い歯の意から。「皓」は白い。
補説　「朱脣」は「朱唇」とも書く。
字体　「歯」の旧字体は「齒」。
出典　『楚《そ》辞《じ》』〈大招《たいしょう》〉

寿則多辱　じゅそく たじょく　3級

意味　**長生きをするということは、それだけ恥をかくことも多いということ。**
補説　「寿」は長生き、長生きをすること。「寿《いのちなが》ければ則《すなわ》ち辱《はじ》多し」とも読む。
字体　「寿」の旧字体は「壽」。
出典　『荘《そう》子《じ》』〈天地《てんち》〉

首鼠両端　しゅそ りょうたん　準1級

意味　**どっちつかずの曖昧《あいまい》な態度。** ぐずぐずしていて形勢を見てから態度を決めることをいう。穴から首を出したねずみがどっちに行こうか迷って、両側をきょろきょろ見回しているようすから。日《ひ》和《より》見《み》。
字体　「両」の旧字体は「兩」。
出典　『史記』〈灌《かん》夫《ぷ》伝《でん》〉
類義語　遅《ち》疑《ぎ》逡巡《しゅんじゅん》、狐《こ》疑《ぎ》逡巡《しゅんじゅん》、左《さ》右《ゆう》傾《けい》側《そく》、首《しゅ》施《し》両端《りょうたん》

受胎告知　じゅたい こくち　3級

意味　**キリスト教で、天使ガブリエル**

が聖母マリアにキリストのみごもりを告げたこと。「受胎」はみごもること、「告知」は告げ知らせる意。

酒池肉林　しゅちにくりん　5級

意味　**ぜいたくの限りを尽くした豪奢《ごうしゃ》な宴会。**また、みだらな宴会のたとえ。

注意　「酒池」を「酒地」と書き誤らない。

故事　殷《いん》の紂王《ちゅうおう》は、池に酒をたたえ、木々に肉を懸け、男女を裸にしてその間を追いかけまわらせ、昼夜を徹して酒宴を張った、ということから。

出典　『史記』〈殷紀《いんき》〉

類義語　肉山《にくざん》脯林《ほりん》

朮羹艾酒　じゅっこうがいしゅ　1級

意味　**朮でつくった羹《あつもの》(吸い物)とよもぎがはいった酒のこと。**「朮」は薬草の名。また、「艾」はよもぎ。昔、洛陽《らくよう》の人たちが五月の節句を祝うためにつくった。

出谷遷喬　しゅっこくせんきょう　準1級

意味　**出世すること。**春になって鳥が谷から出て(出谷)、高い木に移る(遷喬)の意。転じて人が低い地位から高い地位にのぼること、出世の意となる。

補説　「谷を出《い》でて喬に遷《うつ》る」とも読む。

出典　『詩経《しきょう》』〈小雅《しょうが》・伐木《ばつぼく》〉

出将入相　しゅっしょうにゅうしょう　4級

意味　**文武の才を兼ね備えた人物のたとえ。**朝廷から出れば将軍として軍を指揮し、朝廷の中にいれば宰相として力を発揮する。

補説　「出《い》でては将、入《い》りては相」とも読む。

字体　「将」の旧字体は「將」。

出典　『旧唐書《くとうじょ》』〈李徳裕伝《りとくゆうでん》〉

出処進退　しゅっしょしんたい　5級

意味　**現在の職にとどまるか辞めてしまうかという身のふり方。**「出」は社会に出て仕えること、「処」は官につかずに家にいること。「進退」もここでは職務上の去就、身の処理の意。「進退伺《しんたいうかが》い」の進退である。

補説　「進退出処」ともいう。

字体　「処」の旧字体は「處」。

注意　「出処」を「出所」と書き誤らない。

出典　王安石《おうあんせき》の文

出藍之誉　しゅつらんのほまれ　準1級

意味　**弟子が師よりもまさるたとえ。**また、学問をすれば人はその本性をよい方へ向上することができるたとえ。「藍」は「あい」。タデ科の一年草で、葉から青色の染料をとる。

補説　出典の「青《あお》は之《これ》を藍《あい》より取《と》りて藍《あい》よりも青《あお》し(青の色は藍から取るが原料の藍よりも青い)」から出た語。

字体　「誉」の旧字体は「譽」。

注意　「藍」を「監」と書き誤らない。

出典　『荀子《じゅんし》』〈勧学《かんがく》〉

類義語　青藍氷水《せいらんひょうすい》

殊塗同帰　しゅとどうき　3級

⇩**同帰殊塗**(どうきしゅと)

酒嚢飯袋　しゅのうはんたい　準1級

⇩**酒甕飯嚢**(しゅおうはんのう)

首尾一貫　しゅびいっかん　3級

意味　**初めから終わりまで、方針や態度が変わらないこと。**「首」は頭の意、「一貫」はひとすじに貫きとおすこと、筋がとおっていることをいう。

類義語　終始一貫《しゅうしいっかん》、首尾相応《しゅびそうおう》、徹頭徹尾《てっとうてつび》

手舞足踏　しゅぶそくとう　4級

意味　**うれしくて思わず小躍りすることのたとえ。**躍り上がって大喜びするこ

との形容。両手で舞い、両足で飛び跳ねる意。

補説 「手の舞《ま》い足の踏《ふ》むを知らず」の略。また「手《て》の舞《ま》い足《あし》の踏《ふ》む」とも読む。

出典 『詩経《しきょう》』〈周南《しゅうなん》・関雎《かんしょ》・序《じょ》〉

類義語 歓天喜地《かんてんきち》、狂喜乱舞《きょうきらんぶ》、欣喜雀躍《きんきじゃくやく》

朱墨爛然 しゅぼくらんぜん　1級

意味 **学問や研究に専念することのたとえ。** 読書するのに朱色の墨で書き入れするので本が真っ赤になる。「朱墨」は朱色の墨。「爛然」はあざやかで美しいさま。ここでは黒い文字の本に朱色の書き入れが鮮やかなことをいう。

出典 『国朝漢学師承記《こくちょうかんがくししょうき》』〈七〉

儒林棟梁 じゅりんのとうりょう　準1級

意味 **儒学者の世界で、重任にある人のこと。**「儒林」は儒学者の仲間のこと、「棟梁」は統率者・かしらの意。

注意 「棟梁」を「棟粱」と書き誤らない。

珠聯璧合 しゅれんへきごう　準1級

意味 **りっぱな才能のある人々が集まるたとえ。** 転じて、新婚を祝う語として用いられる。「珠」と「璧」が連合する意。「珠」も「璧」も玉の意。

補説 「聯」は「連」とも書く。

注意 「璧」を「壁」と書き誤りやすい。

出典 庾信《ゆしん》の文

類義語 珠聯玉映《しゅれんぎょくえい》

株連蔓引 しゅれんまんいん　準1級

意味 **株やつるがつらなっているように、関係した者が残らず罰せられること。**「株連」は一人の罪の罰が数人をまきぞえにすること。「蔓引」は互いに引き連なること、つるのように連なること。

出典 蘇轍《そてつ》の文

春蛙秋蟬 しゅんあしゅうぜん　準1級

意味 **無用の言論。** 春のかえると秋のせみ。いずれもやかましく鳴きわめく。人間のわめきちらすのも春のかえるや秋のせみのようなものだという意。

出典 『物理論《ぶつりろん》』

類義語 蛙鳴蟬噪《あめいせんそう》

純一無雑 じゅんいつむざつ　5級

意味 **まったく混じりけがないこと。** また、**性質がすなおで偽りや邪念がない人物のこと。**「純一」「無雑」はともに純粋で混じりけがないこと。

字体 「雑」の旧字体は「雜」。

春寒料峭 しゅんかんりょうしょう　1級

意味 **春になっても寒さが残り、春風が肌にうすら寒く感じられるさま。**「料峭」の「料」はなでる、触れる、「峭」はきびしい意。

蓴羹鱸膾 じゅんこうろかい　1級

意味 **故郷を懐かしく思う情。**「蓴羹」は蓴菜《じゅんさい》の吸い物（羹《あつもの》）、「鱸膾」は鱸《すずき》の切り身料理（膾《なます》）。

故事 晋《しん》の張翰《ちょうかん》が故郷の料理である蓴菜のお吸い物と鱸の膾のおいしさにひかれ、官を辞して故郷に帰ったことから。

出典 『晋書《しんじょ》』〈張翰伝《ちょうかんでん》〉

類義語 狐死首丘《こししゅきゅう》、胡馬北風《こばほくふう》、池魚故淵《ちぎょこえん》

舜日尭年 しゅんじつぎょうねん　準1級

意味 **天下太平で盛んな世の中。** 古代の聖天子といわれる舜帝や尭帝が治めた太平の年月、の意。

字体 「尭」の旧字体は「堯」。

出典 沈約《しんやく》の「四時《しいじ》白紵歌《はくちょのうた》」

春日遅遅 しゅんじつちち　4級

意味 **春の日が長く、のどかなさま。**「春日」は春の太陽・日ざし、「遅遅」は

進行がゆっくりしていること。春は太陽の運行がゆっくりとしていて、日の暮れるのが遅いという意味。

字体 「遅」の旧字体は「遲」。

出典 『詩経《しきょう》』〈豳風《ひんぷう》・七月《しちがつ》〉

春愁秋思 しゅんしゅう しゅうし 準2級

意味 **春の日の物憂《ものう》さと秋の日の物思い。**気候のいいときになんとなく気がふさぐこと。また、いつも心に悲しみや悩みを抱いていること。「春愁」は春の日の物思い、「秋思」は秋の日の物思い、秋の物寂しい心持ち。

出典 白居易《はくきょい》の「陵園妾《りょうえんのしょう》-詩」

類義語 春恨秋懐《しゅんこんしゅうかい》

春秋筆法 しゅんじゅうの ひっぽう 5級

意味 **言葉づかいや文章の細やかな筆づかいの中に賞賛や批判の意味を暗に含ませること。**また、**公正な態度で厳しく批判すること。**表面的なことだけで判断せず、間接的な原因や結果も見落とさないで厳正に批判すること。また、直接的な表現でなく間接的な表現で真意を説くこと。

補説 孔子が著した『春秋』には簡潔な表現の中に厳しい歴史批判が込められている。孔子のそのような表現方法を「春秋の筆法」と言うようになった。

類義語 春秋筆削《しゅんじゅうのひっさく》、一字褒貶《いちじほうへん》

春宵一刻 しゅんしょう いっこく 準2級

意味 **春の夜は何よりも趣深く、その一刻はなにものにもかえがたい価値があるということ。**「春宵」は春のよい、春の夜。

補説 「春宵一刻値千金《あたいせんきん》」の略。

出典 蘇軾《そしょく》の「春夜-詩」

純情可憐 じゅんじょう かれん 準1級

意味 **すなおで邪念がなく清らかで愛らしい。**「純情」は気持ちがすなおなこと。「可憐」はいじらしく可愛いさま。とくに少女の可愛らしいようすをいう。

類義語 純真可憐《じゅんしんかれん》、純真無垢《じゅんしんむく》

純真無垢 じゅんしん むく 準1級

意味 **けがれのない心を持っていること。**自然のままで飾りけのないこと。「垢」はあか・よごれの意。「純真」「無垢」というほぼ同意の熟語を組み合わせ意味を強めたもの。

字体 「真」の旧字体は「眞」。

注意 「無垢」を「むこう」と読み誤らない。

類義語 純粋無垢《じゅんすいむく》、純情可憐《じゅんじょうかれん》

駿足長阪 しゅんそく ちょうはん 準1級

意味 **すぐれた人物が、困難を恐れずに自分の才能を試してみたいと思うこと。**「駿足」は足の速いすぐれた馬のこと、「長阪」は長い坂道の意。駿馬《しゅんめ》はけわしい長い坂を走りたいと思うということから。

補説 「駿足長阪を思う」の略。「長阪」は「長坂」とも書く。

出典 陸厥《りくけつ》の文

春風駘蕩 しゅんぷう たいとう 1級

意味 **何事もなく平穏なさま。**また、**穏和でのんびりとした人柄のこと。**「駘」「蕩」ともにゆるやか、おだやかの意。春風がのどかに吹くようすをいう。

対義語 秋霜烈日《しゅうそうれつじつ》

醇風美俗 じゅんぷう びぞく 準1級

意味 **人情が厚くうるわしい風俗や習慣。**「醇風」は善良で人情の厚い風俗のこと、「美俗」は美しい風俗の意。

補説 「醇風」は「淳風」とも書く。

注意 「醇風」を「順風」と書き誤らない。

類義語 良風美俗《りょうふうびぞく》

順風満帆　じゅんぷう まんぱん　3級

意味　**物事がすべて順調に進んでいるさま。**帆いっぱいに風を受けて船が順調に進むようす、の意。

字体　「満」の旧字体は「滿」。

注意　「満帆」を「まんぽ」と読み誤らない。

類義語　乗《じょう》風《ふう》破《は》浪《ろう》、万《ばん》事《じ》如《にょ》意《い》

春和景明　しゅんわ けいめい　5級

意味　**穏やかでひざしが明るい春の陽気のこと。**「春和」は和らいだ春の意、「景明」はひざしが明るいこと。

補説　「春《はる》和《わ》し景《けい》明《あき》らかなり」とも読む。

出典　范《はん》仲《ちゅう》淹《えん》の「岳《がく》陽《よう》楼《ろう》記《のき》」

叙位叙勲　じょい じょくん　準2級

意味　**位を授けたり、勲等により勲記・勲章を授けたりすること。**また、**位を与えられたり、勲記・勲章を与えられたりすること。**「叙」はさずける意。

字体　「叙」の旧字体は「敍」、「勲」の旧字体は「勳」。

上意下達　じょうい かたつ　5級

意味　**上の者の意志や命令を、下の者によく徹底させること。**「上意」は上に立つ者の考えや命令のこと、「下達」は下の者に通じさせる意。

類義語　上《じょう》命《めい》下《か》達《たつ》

対義語　下《か》意《い》上《じょう》達《たつ》

宵衣旰食　しょうい かんしょく　1級

意味　**天子が朝早くから夜遅くまで熱心に政治にはげむこと。**夜明け前から正服を着て政治にはげみ、太陽が沈んでから夕食をとること。「宵」はよい・夜半前。「旰」は日暮れがた、日が暮れること。

補説　「旰食宵衣」、また、略して「宵旰」ともいう。

出典　徐《じょ》陵《りょう》の「陳《ちん》文《ぶん》皇《こう》帝《てい》哀《あい》冊《さく》文《ぶん》」にある「昃《しょく》食《しょく》宵《しょう》衣《い》」にもとづく。

情意投合　じょうい とうごう　5級

意味　**お互いの気持ちがよく通じ合うこと。**「情意」は感情と意志。「投合」は「投」も「合」も合う、ぴったり合うこと。

類義語　意《い》気《き》投《とう》合《ごう》

冗員淘汰　じょういん とうた　準1級

意味　**官庁などでむだな人員を整理すること。**「冗員」はむだな人員。いなくてもよい人員の意。

類義語　人《じん》員《いん》整《せい》理《り》、定《てい》員《いん》削《さく》減《げん》

上援下推　じょうえん かすい　4級

意味　**適任者として上から引き立てられ、下からも推されること。**「推」はすすめる、おす意。「援」は引きあげること。

硝煙弾雨　しょうえん だんう　準2級

意味　**戦闘が非常に激しいこと。**「硝煙」は火薬の煙、「弾雨」は銃弾が雨が降るように撃ち込まれるさま。

補説　「硝煙」は「硝烟」とも書く。

字体　「弾」の旧字体は「彈」。

類義語　砲《ほう》煙《えん》弾《だん》雨《う》

上下一心　しょうか いっしん　準2級

意味　**身分の上下にかかわらず一致団結すること。**身分の上の者も下の者も心を一つにする。また心を一つにして事に当たること。

補説　「上《しょう》下《か》、心《こころ》を一《いっ》にす」とも読む。また「上下」は「じょうげ」とも読む。

出典　『淮《え》南《なん》子《じ》』〈詮《せん》言《げん》訓《くん》〉

類義語　君《くん》臣《しん》同《どう》志《し》

上下天光　しょうか てんこう　準2級

意味　**空も水も一様に光り輝くこと。**

「上下」はさまざまな意をもつが、ここでは天地、なかでも空と水の意。「天光」は日光と同意だが、ここでは霊妙な光の意を表す。

出典　范仲淹《はんちゅうえん》の「岳陽楼記《がくようろうのき》」

小家碧玉　しょうか へきぎょく　準1級

意味　**貧しい家庭に育った美しい娘のこと。**また、**とるにたりないような家の大事な宝物のこと。**「小家」は貧しい家、また、自分の家の謙称。「碧玉」は青く美しい玉の意。

出典　『楽府詩集《がふししゅう》』〈四五・碧玉歌《へきぎょくか》〉

上求菩提　じょうぐ ぼだい　準1級

意味　**菩薩《ぼさつ》が上に向かって悟りの道を求めること。**菩薩が行う自利の行。「上求」は上に求めること。「菩提」は煩悩《ぼんのう》を断ち切って正しい知恵を得、悟りを開くこと。仏教ではこの二つが菩薩の道とされている。

出典　『摩訶止観《まかしかん》』〈一・上〉

笙磬同音　しょうけい どうおん　1級

意味　**人が心を合わせて仲良くするたとえ。**各楽器の音が調和する意。「笙」は管楽器の名。「磬」は打楽器の名で、石で作る。「同音」は多くの楽器を一斉に奏して調和すること。

出典　『詩経《しきょう》』〈小雅《しょうが》・鼓鍾《こしょう》〉

証拠隠滅　しょうこ いんめつ　3級

意味　**事実を証明する根拠となるものをなくすこと。**裁判になったとき不利になるような書類や物を被疑者・被告人がなくしてしまうこと。「隠滅」は隠したり、消滅させたりする意。

補説　「隠滅」は本来「湮滅」または「堙滅」と書く。

字体　「証」の旧字体は「證」、「拠」の旧字体は「據」、「隠」の旧字体は「隱」。

上行下効　じょうこう かこう　5級

意味　**上の者がすると、下の者がそれを見習うこと。**「効」はならう、まねる意。

補説　「上《かみ》行えば下効《しもなら》う」とも読む。

字体　「効」の旧字体は「效」。

出典　『旧唐書《くとうじょ》』〈賈曾伝《かそうでん》〉

類義語　上行下従《じょうこうかじゅう》

小国寡民　しょうこく かみん　準2級

意味　**国土が小さくて、人口が少ないこと。**「寡民」は人民が少ないこと。老子が唱えた国家の理想像として有名な言葉。

字体　「国」の旧字体は「國」。

出典　『老子《ろうし》』〈八〇章〉

城狐社鼠　じょうこ しゃそ　準1級

意味　**権力者のかげに隠れて悪事をはたらく者のたとえ。**「城狐」は城にすむきつね、「社鼠」は社（土地神を祭る神社）に巣くうねずみ。そのような所にいるきつねやねずみは悪事をはたらいても、城や社を壊さないと退治できないことからいう。

出典　『晋書《しんじょ》』〈謝鯤伝《しゃこんでん》〉

商山四皓　しょうざんの しこう　1級

意味　**商山に隠れた四人の老人。**「商山」は陝西省商県《せんせいしょうしょうけん》にある山の名。「四皓」はあごひげと眉《まゆ》がみな白かったので、「皓」（白い意）と呼ばれた四人の老人の意。秦《しん》末、乱世を避けて、東園公《とうえんこう》・夏黄公《かこうこう》・甪《ろく》里《り》先生・綺里季《きりき》の四人が商山に隠棲《いんせい》した。

出典　『漢書《かんじょ》』〈王貢両龔鮑伝序《おうこうりょうきょうほうでんのじょ》〉

常山蛇勢　じょうざんの だせい　準2級

意味　**どこから見てもすきや欠点がないこと。**また、すきや欠点のない陣の態勢のこと。

故事　河北省曲陽山の常山に棲《す》んでい

た率然《そつぜん》という蛇は、頭を攻めると尾が襲いかかり、尾を攻めると頭が襲いかかったということから。

出典　『孫子《そんし》』〈九地《きゅうち》〉

類義語　常山蛇陣《じょうざんだじん》

生死事大　しょうじじだい　5級

意味　**人の世は、無常でうつろいやすいこと。**生き死にを繰り返すこの世の迷いを捨てて悟りを開くことは、いま生きているこの時しかなく、最も大切なことであるという。「事大」は一大事の意。

出典　『景徳伝灯録《けいとくでんとうろく》』〈五〉

類義語　生死無常《しょうじむじょう》、無常迅速《むじょうじんそく》

笑止千万　しょうしせんばん　4級

意味　**非常にくだらなくて、ばかばかしいこと。**「笑止」はおかしいこと、ばかばかしいこと。「千万」はこのうえない、ひどい、きわめて程度が高いこと。

字体　「万」の旧字体は「萬」。

銷鑠縮栗　しょうしゃくしゅくりつ　1級

意味　**意気が阻喪《そそう》して縮み上がっておそれること。**「銷鑠」はとろける意から、意気消沈すること。「縮栗」は縮み上がっておそれること。「栗」は「慄」に同じ。

出典　韓愈《かんゆ》の文

盛者必衰　じょうしゃひっすい　準2級

意味　**勢いの盛んな者はいつか必ず衰えること。**この世は無常であることをいう。もとは仏教語で『仁王経《にんのうぎょう》』などに「盛者は必ず衰え…」の字句が見えるが、有名なのは『平家物語』の冒頭。

注意　「盛者」は「しょうしゃ」「しょうじゃ」とも読む。

出典　『仁王経《にんのうぎょう》』〈下〉

類義語　盛者必滅《じょうしゃひつめつ》、生者必滅《しょうじゃひつめつ》

生者必滅　しょうじゃひつめつ　3級

意味　**生きているものは必ず死ぬこと。**仏教で人生の無常をさとす言葉。「生者必滅」は「会者定離《えしゃじょうり》」と対にして、人生の無常を表す。

出典　『大涅槃経《だいねはんぎょう》』〈第二寿命品《だいにじゅみょうぼん》〉

類義語　盛者必衰《じょうしゃひっすい》、会者定離《えしゃじょうり》

常住坐臥　じょうじゅうざが　準1級

意味　**座っているときも寝ているときも。いつも。**また、**ふだん・平生。**「常住」は一定の場所に住むこと、ふだん・平常の意。「坐臥」は座ることと寝ること。「常住」は、歩くことと止まることの意の「行住」と混同して用いられた言い方。

類義語　行住坐臥《ぎょうじゅうざが》

常住不断　じょうじゅうふだん　5級

意味　**ずっと続いていて絶えないこと。**「常住」は仏教語で、過去・現在・未来にわたって生滅変化することなく、常に存在する意、「不断」も絶え間なく続く意。

字体　「断」の旧字体は「斷」。

漿酒霍肉　しょうしゅかくにく　1級

意味　**非常にぜいたくなことのたとえ。**酒を水のように肉を豆の葉のようにみる意。「漿」は沸かして冷ました水。また、こんず(酢の一種)。「霍」は豆の葉で、賤《いや》しい人の食べ物。

補説　「酒《さけ》を漿《しょう》とし肉《にく》を霍《かく》とす」とも読む。

出典　『漢書《かんじょ》』〈鮑宣伝《ほうせんでん》〉

類義語　食前方丈《しょくぜんほうじょう》

対義語　一汁一菜《いちじゅういっさい》、糟糠不飽《そうこうふほう》、簞食瓢飲《たんしひょういん》

畳牀架屋　じょうしょうかおく　1級

意味　**余計なことを重ね行うことのたとえ。**無駄なことを繰り返すたとえ。また、人のまねをして新味のまったくないことのたとえ。床の上に床を張り屋根の

下にさらに屋根を作る意。屋上屋《おくじょうおく》を架《か》す。「畳」は重ねる意。「牀」はねどこの意。「屋」は屋根。

補説 「牀《しょう》を畳《かさ》ね屋《おく》を架《か》す」とも読む。

字体 「畳」の旧字体は「疊」。

出典 『顔氏家訓《がんしかくん》』〈序致《じょち》〉

類義語 屋上架屋《おくじょうかおく》、屋下架屋《おくかかおく》、牀上施牀《しょうじょうししょう》

牀上施牀 しょうじょうししょう （1級）

意味 **重複すること、余計なことをするたとえ。** 床の上に床を張る意。「牀」はねどこの意。

補説 「牀上《しょうじょう》に牀《しょう》を施《ほどこ》す」とも読む。

出典 『顔氏家訓《がんしかくん》』〈序致《じょち》〉

類義語 屋上架屋《おくじょうかおく》、屋下架屋《おくかかおく》、畳牀架屋《じょうしょうかおく》

清浄寂滅 しょうじょうじゃくめつ （準2級）

意味 **道家の教えと仏家の教え。** 「清浄」は清浄無為を説く老子の教え、「寂滅」は寂滅為楽《じゃくめついらく》を本旨とする仏家の教え。

字体 「浄」の旧字体は「淨」。

出典 韓愈《かんゆ》の文

情状酌量 じょうじょうしゃくりょう （準2級）

意味 **犯罪の諸事情を酌《く》み量《はか》って刑罰を軽くすること。** 「情状」は犯人の年齢・境遇、犯罪の軽重など幅広い諸事情。「酌量」は事情を酌みとって同情ある扱い方をすること。

注意 「情状」を「状情」と書き誤らない。

類義語 酌量減軽《しゃくりょうげんけい》

生生世世 しょうじょうせぜ （5級）

意味 **未来永劫《えいごう》、いつまでも。** 生まれかわり、死にかわって経験する世の意から、現世も来世も永遠にの意。

補説 「世世」は「せせ」とも読む。

出典 『南史《なんし》』〈王敬則伝《おうけいそくでん》〉

瀟湘八景 しょうしょうはっけい （1級）

意味 **瀟湘付近の景色のよい八つの場所。** 宋《そう》の宋迪《そうてき》が描いた瀟湘の八つの風景、平沙落雁《へいさらくがん》・遠浦帰帆・山市晴嵐《さんしせいらん》・江天暮雪・洞庭秋月・瀟湘夜雨・煙寺晩鐘・漁村夕照のこと。「瀟湘」は中国湖南省、瀟水と湘江《しょうこう》のあたり。

補説 わが国の近江八景はこれにならったもの。

生生流転 しょうじょうるてん （準2級）

⇩生生流転（せいせい るてん）

相如四壁 しょうじょしへき （3級）

意味 **貧しいことのたとえ。** 司馬相如《しばしょうじょ》は貧窮して家は四方の壁のほか何もなかったの意。「相如」は漢代の文人で特に賦《ふ》にすぐれて武帝に重用された。

注意 「相如」を「そうじょ」と読まないこと。

出典 『史記』〈司馬相如伝《しばしょうじょでん》〉

情緒纏綿 じょうしょてんめん （準1級）

意味 **感情がいつまでもまつわりついて離れないさま。** 「情緒」は感情・気分のこと、「纏綿」はいつまでもからみつく、まといつく意。

補説 「情緒」は「じょうちょ」とも読む。「じょうちょ」は慣用読み。

生死流転 しょうじるてん （準2級）

意味 **生と死をくり返すこと。** 仏教で人間は生まれては死に、また生まれ変わって六道（地獄・餓鬼・畜生・修羅・人間・天上の六界）の迷界を果てしもなくめぐる、と教える。「流転」は水の流れ、車輪が回るように経めぐる意。

字体 「転」の旧字体は「轉」。

小人閑居 しょうじんかんきょ （準2級）

意味 **つまらない人間は、人目につかずひとりでぶらぶらしていると、とかく**

よくないことをしがちである。「小人」は徳のないつまらない人間。「閑居」はすることなくひまでいること。「閑」はすきま・ひまの意。

補説　出典には「小人閑居しては不善を為《な》すこと至らざる所無し」とある。「閑居」は「間居」とも書く。

出典　『大学《だいがく》』

焦唇乾舌　しょうしん かんぜつ　準2級

意味　**非常に悩み苦しむこと。**唇が焦《こ》げ舌が乾く意で、苦労するさまをいう。

補説　「焦唇」は「焦脣」とも書く。

注意　「焦唇」を「焦心」と書き誤らない。

出典　『孔子家語《こうしけご》』〈屈節解《くっせつかい》〉

類義語　意匠惨澹《いしょうさんたん》、苦心惨憺《くしんさんたん》、粒粒辛苦《りゅうりゅうしんく》

焦心苦慮　しょうしん くりょ　3級

意味　**気をもんであれこれ考え苦しむこと。**「焦心」は気をもむこと、あせること。「苦慮」はあれこれと心配する意。

注意　「焦心」を「小心」と書き誤らない。

精進潔斎　しょうじん けっさい　準2級

意味　**飲食を慎み、心身を清めてけがれのない平静な状態にしておくこと。**「精進」は肉食をせず心を清めること、「潔斎」は心身のけがれを絶ち不浄を避ける意。

字体　「斎」の旧字体は「齋」。

注意　「潔斎」を「潔斉」と書き誤らない。

類義語　斎戒沐浴《さいかいもくよく》

正真正銘　しょうしん しょうめい　準2級

意味　**まったくうそ偽りがなく、本物であること。**「正真」はほんとうのこと、「正銘」は本物である意。

補説　「正真」は「しょうじん」とも読む。

字体　「真」の旧字体は「眞」。

注意　「正銘」を「証明」「正明」などと書き誤りやすい。

小人之勇　しょうじんの ゆう　準1級

意味　**血気にはやるあさはかな勇気。**「小人」は身分の低い者、小市民の意。「勇」は勇気、または腕力をふるうこと。

出典　『荀子《じゅんし》』〈栄辱《えいじょく》〉

類義語　匹夫之勇《ひっぷのゆう》

小心翼翼　しょうしん よくよく　4級

意味　**気が小さくて、びくびくしているさま。**本来は、慎み深くてうやうやしいさまをいう。「小心」は慎み深く小さなことまで心を配ることが転じて、気が小さいこと、「翼翼」はうやうやしいさまの意が転じて、びくびくしているさま。

出典　『詩経《しきょう》』〈大雅《たいが》・大明《たいめい》〉

類義語　細心翼翼《さいしんよくよく》

剰水残山　じょうすい ざんざん　準2級

意味　**戦乱のあとに残った荒廃した山や川の自然。**また、滅ぼされた国の山水。「剰」は「残」と同じ。「水」は川。

補説　「残山剰水」ともいう。

字体　「剰」の旧字体は「剩」、「残」の旧字体は「殘」。

出典　杜甫《とほ》の詩

支葉碩茂　しよう せきも　準1級

意味　**支族まで繁栄する。本家はもとより分家まで栄えること。**一族すべてが繁栄することをいう。「支葉」は枝葉。幹《みき》の対語。「碩」は大きい意。

補説　出典では「支」であるが、意味上「枝葉」でもよい。

出典　『漢書《かんじょ》』〈叙伝《じょでん》・下〉

少壮気鋭　しょうそう きえい　準2級

意味　**年が若く意気盛んであること。**「少壮」は二十代、三十代の元気な年ごろ。「気鋭」は意気ごみが鋭いこと。

字体　「壮」の旧字体は「壯」、「気」の旧字体は「氣」。
類義語　新進気鋭《しんしんきえい》

消息盈虚　しょうそくえいきょ　準1級

意味　**時の移り変わり。**「消息」は消えることと生ずることで、栄えることと衰えること。「盈虚」は満ちることと欠けることで、満ちることとむなしいこと。
出典　『易経《えききょう》』〈剝《はく》〉

躡足附耳　じょうそくふじ　1級

意味　**人に注意する場合には、相手の立場を考え相手を傷つけないような配慮が必要であるということ。**また他にさとられないようにそっと相手に教えること。「躡足」は足をふむこと。「附耳」は耳に口をつけてそっと言うこと。
補説　「足を躡《ふ》み耳に附《つ》く」とも読む。
出典　『史記』〈淮陰侯伝《わいいんこうでん》〉

掌中之珠　しょうちゅうのたま　準1級

意味　**自分にとって最も大切なもののこと。**また、**最愛の妻や子供のこと。**手のひらの中にある大切な宝玉の意。
出典　傅玄《ふげん》の「短歌行《たんかこう》」
類義語　掌上明珠《しょうじょうめいしゅ》

常套手段　じょうとうしゅだん　準1級

意味　**いつも決まってとられる手段。**「常套」は古くさい、ありふれた、決まりきった習慣の意。
注意　「常套」を「常当」と書き誤らない。
類義語　慣用手段《かんようしゅだん》

焦頭爛額　しょうとうらんがく　1級

意味　**根本を忘れ瑣末《さまつ》なことを重視すること。**また、**物事を非常に苦労してすること。**火災を予防する方法を教えた者は感謝されず、火災が起きてから頭を焦《こ》がし額《ひたい》を爛《ただ》れさせて消火にあたった者だけが礼をされるということから。また、一命を賭《と》して消火にあたる意にも用いる。「焦頭」は頭を焦《こ》がすこと、「爛額」は額が爛れる意。
補説　「焦頭爛額を上客《じょうかく》と為《な》す」の略。「爛額焦頭」ともいう。また「焦頭」は「燋頭」とも書く。
出典　『漢書《かんじょ》』〈霍光伝《かくこうでん》〉

松柏之寿　しょうはくのじゅ　準1級

意味　**ながいき。**長命。「松柏」は松とこのてがしわ。いずれも千年の樹齢をきざむ植物。「寿」は「寿命」の意。
字体　「寿」の旧字体は「壽」。
出典　白居易《はくきょい》の「效陶潜体詩《とうせんのたいにならうのし》」

賞罰之柄　しょうばつのへい　準1級

意味　**賞罰を行う権力。**「賞罰」はほめることと罰すること、「柄」は権力。
出典　『呂氏春秋《りょししゅんじゅう》』〈義賞《ぎしょう》〉

笑比河清　しょうひかせい　4級

意味　**厳格でほとんど笑顔を見せないこと。**「河清」は常に黄色く濁って澄むことのない黄河《こうが》の水が澄む意。澄むことのない黄河が澄むのと同じほど笑うことがない意。
補説　「笑《わら》いを河清《かせい》に比《ひ》す」とも読む。
出典　『宋史《そうし》』〈包拯伝《ほうじょうでん》〉

攘臂疾言　じょうひしつげん　1級

意味　**得意なさま。**腕まくりをして、早口にしゃべること。「攘臂」は腕をまくる、奮い立つこと。「疾言」は早口でしゃべること。また、そのことば。
注意　「疾言」を「失言」と書き誤らない。
出典　『呂氏春秋《りょししゅんじゅう》』〈驕恣《きょうし》〉

焦眉之急　しょうびのきゅう　準1級

意味　**非常にさし迫った急務。**また、

さし迫った危難のこともいう。「焦眉」は眉《まゆ》を焦がすほど火が迫っていること。

補説　「焦眉」は「焼眉」とも書く。

出典　『五灯会元《ごとうえげん》』〈一六〉

類義語　燃眉之急《ねんびのきゅう》

常備不懈　じょうびふかい　1級

意味　**日ごろから気をゆるめることなく準備を整えておくこと。**「常備」はいつも備えておくこと、「懈」はなまける、気をゆるめる意。

補説　「常に備えて懈《おこた》らず」とも読む。

注意　「不懈」を「不解」と書き誤らない。

類義語　有備無患《ゆうびむかん》

蕉風俳諧　しょうふうはいかい　準1級

意味　**江戸時代の俳人、松尾芭蕉《まつおばしょう》およびその一派の俳諧のこと。**さび・しおり・細み・軽みなどを主体とし、幽玄閑寂の境地を尊んだ。

補説　「蕉風」は「正風」とも書く。

傷風敗俗　しょうふうはいぞく　4級

意味　**風紀を乱して社会に害を及ぼすこと。**「傷風」「敗俗」はともによい風俗を害すること。

補説　「風《ふう》を傷《そこな》い俗を敗《やぶ》る」とも読む。

出典　『魏書《ぎしょ》』〈遊明根伝《ゆうめいこんでん》〉

類義語　傷化敗俗《しょうかはいぞく》、風紀紊乱《ふうきびんらん》、風俗壊乱《ふうぞくかいらん》

嘯風弄月　しょうふうろうげつ　1級

意味　**自然の風景に親しみ、風流を好んで楽しむこと。**「嘯」は口をすぼめて声を長く引いて歌を口ずさむさまで、「嘯風」は風に合わせて歌うこと、「弄月」は月をながめ賞する意。

補説　「風に嘯《うそぶ》き月を弄《もてあそ》ぶ」とも読む。

類義語　嘲風弄月《ちょうふうろうげつ》、悠悠自適《ゆうゆうじてき》

昭穆倫序　しょうぼくりんじょ　準1級

意味　**廟《びょう》の昭穆には一定の序列があること。**「昭穆」は祖先の宗廟の順序を示す名称。中央は太祖で二世・四世・六世を昭といい左に祭り、三世・五世・七世を穆といい右に祭った。廟の中での順序は変わっても昭と穆が入れ替わることはないのでいう。

枝葉末節　しようまっせつ　準2級

意味　**本質からはずれた些細《ささい》なこと。**どうでもよい部分。「枝葉」は木の枝と葉で、物事の主要でない部分、「末節」は木の末の方の節《ふし》で、ともにつまらない事柄のたとえ。

類義語　枝葉末端《しようまったん》

鐘鳴鼎食　しょうめいていしょく　準1級

意味　**富貴の人の生活。**「鐘鳴」は鐘を鳴らして時を告げること。「鼎食」はかなえを並べて食事をすること。富貴な家では大勢の人に食事の合図の鐘を鳴らし、食物を盛ったかなえをたくさん並べて食事をすることから。

出典　王勃《おうぼつ》の文

生滅滅已　しょうめつめつい　1級

意味　**生と滅、生きることと死ぬことがなくなって、ともに存しないこと。**生滅無常の現世を離れて生死を超越した涅《ね》槃《はん》に入ること。仏教の語。

注意　「滅已」を「滅己」と書き誤らない。

出典　『涅槃経《ねはんぎょう》』〈一四〉

笑面夜叉　しょうめんやしゃ　準1級

意味　**顔は笑っていても心の底に一物《いちもつ》あること。**陰険《いんけん》な人や裏表のある人にいう。「笑面」は笑顔。「夜叉」は人を害する猛悪な鬼神。

出典　『説郛《せっぷ》』〈四引『老学庵続筆記《ろうがくあんぞくひっき》』〉

類義語　笑面老虎《しょうめんろうこ》

対義語　千金笑面《せんきんしょうめん》

将門有将　しょうもん ゆうしょう　5級

意味　**立派な家柄からは必ずすぐれた人材が出るということ。**「将門」は代々将軍が出る家柄のこと、「有将」は将軍があらわれる意。将軍の家門には必ず将軍があらわれるという意から。
補説　「将門《しょうもん》、将《しょう》有《あ》り」とも読む。
字体　「将」の旧字体は「將」。
出典　『史記』〈孟嘗君伝《もうしょうくんでん》〉
類義語　相門有相《しょうもんゆうしょう》

逍遥自在　しょうよう じざい　1級

意味　**俗事をはなれて気ままに楽しむこと。**「逍遥」はぶらつく意から、気ままに楽しむこと、「自在」は束縛や支障がなく思いのままである意。
類義語　採薪汲水《さいしんきゅうすい》、悠悠自適《ゆうゆうじてき》

従容就義　しょうよう しゅうぎ　準2級

意味　**ゆったりと落ち着いて、恐れることなく正義のために身を投げ出すこと。**「従容」はゆったりと落ち着いていること、「就義」は身を殺しても正義に従う意。
補説　「従容として義《ぎ》に就《つ》く」とも読む。「従容」は「縦容」とも書く。
出典　『河南程氏遺書《かなんていしいしょ》』〈一一〉
類義語　舎生取義《しゃせいしゅぎ》

従容不迫　しょうよう ふはく　準2級

意味　**ゆったりと落ち着いていて、あわてないこと。**「従容」はゆったりと落ち着いていること、「不迫」はあわてない意。
補説　「従容として迫らず」とも読む。「従容」は「縦容」とも書く。

逍遥法外　しょうよう ほうがい　1級

意味　**法律を犯した者が罰を受けないで自由に生活していること。**「逍遥」はぶらつく、気ままに歩くこと。「法外」は法律の外《そと》の意。法律の外側を自由気ままに歩くということから。

乗輿車駕　じょうよ しゃが　準1級

意味　**天子の乗る車。**天子の使う物。転じて、**天子のこと。**「乗輿」「車駕」とも天子の行幸中に乗る車の称。
補説　「乗輿」を「乗輿」と書き誤らない。
字体　「乗」の旧字体は「乘」。
出典　『独断《どくだん》』〈上〉

乗輿播越　じょうよ はえつ　準1級

意味　**天子が都を落ちのびて他国をさすらうこと。**「乗輿」は君主が乗る馬車、天子の乗り物。「播越」は移り逃れること。居場所を失って他国をさまよう意。
字体　「乗」の旧字体は「乘」。
注意　「乗輿」を「乗輿」と書き誤らない。
出典　『資治通鑑《しじつがん》』〈漢紀《かんき》〉

笑裏蔵刀　しょうり ぞうとう　4級

意味　**外見はおだやかでやさしそうでありながら、内心は陰険なものをもつこと。**表面上の笑いの中に刀を蔵すること。
補説　「笑裏、刀を蔵す」とも読む。
字体　「蔵」の旧字体は「藏」。
類義語　笑面夜叉《しょうめんやしゃ》

小利大損　しょうり だいそん　5級

意味　**わずかの利益を得ようとして、かえって大損をしてしまうこと。**
注意　「小利」を「少利」と書かないこと。
類義語　小利大害《しょうりたいがい》

常鱗凡介　じょうりん ぼんかい　準1級

意味　**ごくありふれた人のたとえ。**凡人。普通の魚やごくありふれた貝類。
出典　韓愈《かんゆ》の文

上漏下湿　じょうろう かしゅう　準1級

意味　**貧乏なあばら屋のさま。**屋根か

らは雨が漏り、床からは湿気が上ってくるという意。
補説 「下湿」は「かしつ」とも読む。
字体 「湿」の旧字体は「濕」。
出典 『荘子《そうじ》』〈譲王《じょうおう》〉
類義語 上漏旁風《じょうろうぼうふう》

生老病死 しょうろうびょうし 5級

意味 **人として免かれえない四つの苦悩のこと。**四苦。「生」は生まれること、「老」は年をとること、「死」は死ぬこと。「病」は病気になること。仏教の語。
類義語 四苦八苦《しくはっく》

杵臼之交 しょきゅうのまじわり 準1級

意味 **身分にこだわらない交際。**主人と使用人との身分の違いを超えた交際。
補説 「杵臼」はきねとうす。「交」は「こう」とも読む。
故事 後漢の公孫穆《こうそんぼく》が学資がなくて呉《ご》祐《ゆう》の家に雇われて臼《うす》つきをしたとき、呉祐が公孫穆の学力に驚き、以後主従の身分をこえた親交を結んだことから。
出典 『後漢書《ごかんじょ》』〈呉祐伝《ごゆうでん》〉

諸行無常 しょぎょうむじょう 5級

意味 **人生ははかないものであるという仏教の根本思想。**この世のすべての事物はつねに変化して永久不変なものはない。「諸」は万物、「行」は流動を意味する。「無常」は変転して定まらないこと。
注意 「無常」を「無情」と書き誤りやすい。
出典 『北本涅槃経《ほくほんねはんぎょう》』〈一四〉
類義語 有為転変《ういてんぺん》、万物流転《ばんぶつるてん》

蜀犬吠日 しょくけんはいじつ 1級

意味 **教養のない者が、わかりもしないのに賢者の言行を非難すること。**また、見識のせまい者が無用の疑いをいだいて非難すること。
補説 「蜀犬《しょくけん》、日に吠《ほ》ゆ」とも読む。
故事 中国四川《しせん》省の蜀《しょく》の地は高山に囲まれ、雨や霧の日が多く、晴れの日が少なかった。そこで、この地の犬は太陽をみるとあやしんで吠えたという故事から。
出典 岑参《しんじん》の「招北客文《ほっきゃくをまねくぶん》」
類義語 吠日之怪《はいじつのあやしみ》、呉牛喘月《ごぎゅうぜんげつ》、越犬吠雪《えっけんはいせつ》

食前方丈 しょくぜんほうじょう 4級

意味 **ひじょうにぜいたくな食事のこと。**「食前」は食事のときに座る席の前の意、「方丈」は一丈四方のこと。食事の席で一丈四方いっぱいに料理を並べるということから。
出典 『孟子《もうし》』〈尽心《じんしん》・下〉
類義語 炊金饌玉《すいきんせんぎょく》、太牢滋味《たいろうのじみ》
対義語 一汁一菜《いちじゅういっさい》

嗇夫利口 しょくふりこう 1級

意味 **身分は低いが、口が達者な男のこと。**「嗇夫」は下級役人のこと。
故事 張釈之《ちょうしゃくし》が、前漢の文帝の供をして虎圏《こけん》(上林苑《じょうりんえん》の中の動物園)に登ったとき、文帝が帳簿を調べ、管理者に疑問点をたずねたが、だれも答えられなかった。そのとき虎圏の嗇夫(雑役夫)がその質問に的確に答えたので、文帝がその男を上林苑の令(長官)に抜擢《ばってき》しようとしたが、張釈之の口先だけが巧みな嗇夫の昇進は天下の混乱のきっかけになるという諫《いさ》めにより、嗇夫の登用を中止したという故事から。
注意 「利口」を「利巧」と書き誤らない。
出典 『史記』〈張釈之伝《ちょうしゃくしでん》〉

初志貫徹 しょしかんてつ 準2級

意味 **初めに思い立った志を、最後まで貫き通すこと。**「初志」は最初に心に決めたこと、「貫徹」は貫き通す意。
注意 「初志」を「所思」「初思」、「貫

徹」を「完徹」と書き誤りやすい。

諸子百家　しょしひゃっか　5級

意味　**中国の春秋戦国時代に活躍した多くの学者や学派、またその著書の総称。**代表的な思想家は、儒家の孔子《こうし》・孟子《もうし》、道家の老子《ろうし》・荘子《そうし》、墨家の墨翟《ぼくてき》、法家の韓非《かんぴ》などである。「百家」ここではたくさんの学団、または学者の意。

注意　「諸子」を「緒子」「諸氏」と書かないこと。

類義語　百家《ひゃっか》九流《きゅうりゅう》、九流百家《きゅうりゅうひゃっか》

練裳竹笥　しょしょうちくし　準1級

意味　**娘の嫁入り仕度を謙遜《けんそん》していう語。**「練」は目の粗い布のことで、「練裳」は目の粗い布で作った衣装、「竹笥」は竹製の衣装箱の意。いずれも粗末なことから、十分行き届かない嫁入り仕度だとへりくだっていう。

処女脱兎　しょじょだっと　準1級

意味　**始めはたいしたことのないように見せかけて、後には見違えるほどの力を発揮するたとえ。**始めは少女のようにしとやかに弱々しくみせかけて相手を油断させ、後にはうさぎのような突進で圧倒する変化の妙を示す兵法。

補説　「始《はじ》めは処女の如《ごと》く後《のち》は脱兎の如《ごと》し」の略。

字体　「処」の旧字体は「處」。

出典　『孫子《そんし》』〈九地《きゅうち》〉

諸説紛紛　しょせつふんぷん　3級

意味　**いろいろな意見や説が入り乱れてまとまりがつかないさま。**「紛紛」は入り乱れていること。

補説　「紛紛」は「芬芬」とも書く。

注意　「紛紛」を「粉粉」と書き誤らない。

類義語　議論百出《ぎろんひゃくしゅつ》、甲論乙駁《こうろんおつばく》、紛紛聚訴《ふんぷんしゅうそ》

助長抜苗　じょちょうばつびょう　準2級

意味　**成長を助けようとして力をかすことがかえって成長を妨げること。**

補説　「長《ちょう》を助けんとして苗を抜く」とも読む。

字体　「抜」の旧字体は「拔」。

故事　宋《そう》の農夫が稲の成長を助けようとして苗をひっぱったら、かえって苗が枯れてしまったことから。

出典　『孟子《もうし》』〈公孫丑《こうそんちゅう》・上〉

職権濫用　しょっけんらんよう　3級

意味　**公務員などが職務にかこつけて、実際には職務でない行為を不当に行うこと。**「職権」は職務上与えられている権限のこと、「濫用」はみだりに用いる意。

補説　「濫用」は「乱用」とも書く。

字体　「権」の旧字体は「權」。

初転法輪　しょてんぼうりん　5級

意味　**釈尊《しゃくそん》が悟りを開いたのち、はじめて行った鹿野苑《ろくやおん》の説法のこと。**「転法輪」は仏の教えを説くこと。

補説　語構成は「初」＋「転法輪」。

字体　「転」の旧字体は「轉」。

諸法無我　しょほうむが　4級

意味　**いかなる存在も不変の本質を有しないという仏教の根本思想。**宇宙間に存在する有形・無形のすべての事物や現象は我(生滅変化《しょうめつへんげ》を離れた永遠不滅の存在とされるもの)ではないということ。

黍離之歎　しょりのたん　準1級

意味　**国が滅びたことの嘆き。**「黍離」は『詩経《しきょう》』王風の詩篇《しへん》の名。東周の大夫《たいふ》が西周の王宮の跡が黍《きび》畑となって荒れ果てているのを見て嘆いて作った詩。王宮のあった場所がきびや麦畑に変わり果てたのを見て発する嘆きをいう。

補説 「歎」は「嘆」とも書く。

出典 『詩経《しきょう》』〈王風《おうふう》・黍離《しょり》〉

類義語 麦秀之歎《ばくしゅうのたん》

白河夜船 しらかわ よふね （5級）

意味 **知ったかぶりをいう。また、何も知らないほど、ぐっすり寝こんでしまうこと。**「白河」は京都の地名。

補説 「白河」は「白川」、「夜船」は「夜舟」とも書く。また、「夜船」は「よぶね」とも読む。

故事 京都を見たふりをした者が、京都の地名である白河のことを聞かれ、川のことと思い込んで、夜、船で通ったので眠っていてわからなかったと答えたという話から。

出典 『毛吹草《けふきぐさ》』〈二〉

芝蘭玉樹 しらん ぎょくじゅ （準1級）

意味 **すぐれた人材。すぐれた子弟。**また、すぐれた人材を輩出すること。「芝」は瑞兆《ずいちょう》とされた霊芝。「蘭」はふじばかまで香草。「玉樹」は美しい木。

出典 『世説新語《せせつしんご》』〈言語《げんご》〉

芝蘭結契 しらん けっけい （準1級）

⇩**芝蘭之交**（しらんの まじわり）

芝蘭之室 しらんの しつ （準1級）

意味 **善人（良き友）のたとえ。**「芝」は霊芝、「蘭」はふじばかま。ともに香草で、善人にたとえる。

出典 『孔子家語《こうしけご》』〈六本〉

芝蘭之交 しらんの まじわり （準1級）

意味 **美しくうるわしい交際。**君子や善人などすぐれた人の交際にいう。「芝」は霊芝《れいし》、「蘭」はふじばかま。ともに香気高い草で、君子や善人にたとえる。

補説 「交」は「こう」とも読む。

自力更生 じりき こうせい （4級）

意味 **他人に頼らず自分の力で生活を改めていくこと。**「更生」は過去の悪い生活態度を改めていくこと。また、信仰や反省によって心持ちが根本的に変化することの意もある。

補説 「更生」は「甦生」とも書く。

注意 「更生」を「更正」と書き誤らない。

私利私欲 しり しよく （5級）

意味 **自分の利益だけを考えて行動しようとする欲望。**私的な利益と私的な欲望という意。

補説 「私欲」は「私慾」とも書く。

至理名言 しり めいげん （5級）

意味 **きわめて道理にかなったすぐれた言葉のこと。**「至理」はきわめて正しい道理のこと、「名言」はすぐれた言葉の意。

事理明白 じり めいはく （5級）

意味 **物事の道理・筋道がきわめてはっきりしている。**物事の道理が明白であるという意。仏教語で「事理」は本体と現象の意。物事の道理がきちんと通っていることを「事理にかなう」という。

支離滅裂 しり めつれつ （3級）

意味 **ばらばらで筋道が立っていないこと。**「支離」「滅裂」ともに、ばらばらになること。

注意 「支離」を「枝離」「四離」などと書き誤りやすい。

類義語 四分五裂《しぶんごれつ》、乱雑無章《らんざつむしょう》

対義語 理路整然《りろせいぜん》

持粱歯肥 じりょう しひ （1級）

意味 **ご馳走《ちそう》を食べること。**また、**ご馳走を食べられる身分になること。**上等な食物を盛った器を手に持ち肥えた肉を

食べる意。「持粱」は上等な食物の盛られた器を手に持つこと。「粱」はおおあわで、昔は上等な穀物。転じて上等な食べ物。米飯。「歯」はかむ、食べる意。「肥」は肥えた肉の意。

補説 「粱を持して肥を歯《くら》う」とも読む。

字体 「歯」の旧字体は「齒」。

出典 『史記』〈蔡沢伝《さいたくでん》〉

思慮分別　しりょふんべつ　4級

意味 **物事に深く考えをめぐらし判断すること。**「思慮」は慎重に考えること、「分別」は道理をよくわきまえる意。世の中の道理をわきまえた大人の考え方の意で用いられることが多い。

類義語 熟慮断行《じゅくりょだんこう》

対義語 軽挙妄動《けいきょもうどう》、軽率短慮《けいそつたんりょ》

緇林杏壇　しりんきょうだん　1級

意味 **学問所・講堂のこと。**「緇林」は樹木のおい茂った林のこと。

注意 「壇」を「檀」と書き誤らない。

故事 孔子が黒いとばりのような緇帷《しい》の林に遊び、杏《あんず》の花が咲く木の下の土の壇(一段高いところ)に休息したという故事から。

出典 『荘子《そうじ》』〈漁夫《ぎょほ》〉

砥礪切磋　しれいせっさ　1級

意味 **つとめみがく。学問や品性をはげみ修養して大成を期すること。**「砥」「礪」「磋」はとぎみがく意。「切」は骨などをたちきる意。

出典 『言志録《げんしろく》』

類義語 切磋琢磨《せっさたくま》

眥裂髪指　しれつはっし　1級

意味 **激しくいきどおるさま。**まなじりが裂け髪が天をつく意。「眥裂」は怒りで眼を大きく見開くこと、「髪指」は怒りで髪の毛が逆立って天を突き上げる意。

字体 「髪」の旧字体は「髮」。

類義語 怒髪衝冠《どはつしょうかん》、怒目横眉《どもくおうび》、怒目切歯《どもくせっし》

指鹿為馬　しろくいば　準1級

意味 **道理の通らないことを無理に押し通すこと。**また、鹿《しか》を指差し馬とする意。**間違いを認めず押し通すこと。**

補説 「鹿《しか》を指《さ》して馬《うま》と為《な》す」とも読む。

字体 「為」の旧字体は「爲」。

故事 秦《しん》の趙高《ちょうこう》は始皇帝の死後、権力を独占しようと二世皇帝に「馬でございます」と言って鹿を献上し、ほんとうのことを言って鹿であるとした者を罪におとしいれた故事から。

出典 『史記』〈秦始皇紀《しんしこうき》〉

類義語 漱石枕流《そうせきちんりゅう》

四六時中　しろくじちゅう　5級

意味 **一日じゅう。いつも。**しじゅう。「四六時」は四×六で、二十四時間の意。「中」はその間ずうっとの意。

補説 昔、一日を昼六刻、夜を六刻に分けていた名残で「二六時中」ともいう。

四六駢儷　しろくべんれい　1級

意味 **四字句と六字句の対句を多く用いた修辞的な文体。**四六駢儷文のこと。「駢」は馬を二頭並べて車につなぐこと、「儷」は一対になって並ぶことの意から、「駢儷」は二つのものが対応して並ぶ意。

補説 四六駢儷文は四六駢儷体、四六文、駢文、駢四儷六などとも呼ばれる。古代中国の六朝《りくちょう》から唐時代に盛んに用いられ、中国の美文の基本となった。

人為淘汰　じんいとうた　準1級

意味 **動植物の遺伝・突然変異を利用して人工的に優秀な新種を作ること。**バイオテクノロジー。動植物は自然淘汰が自然の法則であるが、バイオテクノロジ

ーは人為的に淘汰を行う。

字体　「為」の旧字体は「爲」。

神韻縹渺　しんいんひょうびょう　1級

意味　**芸術作品のもつたいそう奥深くすぐれた趣のこと。**「神韻」は人間わざとは思えないようなすぐれた趣のこと、「縹渺」は遠くはるかな意。

補説　「縹渺」は「縹緲」「縹眇」とも書く。

心猿意馬　しんえんいば　準2級

意味　**煩悩《ぼんのう》や妄念のために心が乱れ落ち着かないことのたとえ。**心は馬のように馳《は》せ、猿のように騒ぎ立て落ち着かない意。「意」は心の意。

補説　「意馬心猿」ともいう。

出典　『維摩詰経講経文《ゆいまきつきょうこうきょうもん》』

人海戦術　じんかいせんじゅつ　5級

意味　**多数の人員を投じて仕事を完成させること。**本来は、多数の兵員を動員させて、数の力で敵軍を撃破する戦術を指す。「人海」は人が多数集まって海のように見えるさま。

字体　「戦」の旧字体は「戰」。

類義語　人海作戦《じんかいさくせん》

心願成就　しんがんじょうじゅ　準2級

意味　**神仏などに心から念じていると願いはかなえられる。**「心願」は神仏などに心の中でかける願《がん》。心からの願い。

人間青山　じんかんせいざん　5級

意味　**世の中は広いので、志を貫くには故郷を離れてどこに死に場所を求めようともかまわないということ。**「人間」は世の中、「青山」は墓のある山。また骨を埋める所、死に場所。

補説　「人間《じんかん》到《いた》る処《ところ》青山《せいざん》有《あ》り」の略。「人間」は「にんげん」と読まれることもある。

出典　釈月性《しゃくげっしょう》の「将東遊題壁《まさにとうゆうせんとしてかべにだいす》詩」

心機一転　しんきいってん　5級

意味　**なにかをきっかけとして、気持ちがすっかり変わること。**「心機」は心の持ち方・気持ちのこと、「一転」はまったく変わる意。良い方向に気持ちが変わる場合に用いる。

字体　「転」の旧字体は「轉」。

注意　「心機」を「心気」「新規」「新気」などと書き誤らない。

類義語　改過自新《かいかじしん》

心悸亢進　しんきこうしん　1級

意味　**心臓の鼓動が速く激しくなること。**「心悸」は心臓の鼓動、動悸。「亢進」ははたかぶること。心臓病や精神的興奮によって心臓の動悸が激しく急速になるさまをいう。

補説　「亢進」は「昂進」とも書く。

新鬼故鬼　しんきこき　4級

意味　**新たに死んで霊魂となったものと昔からの霊魂。**「鬼」は霊魂の意。

補説　「鬼」は「き」と音で読み、わが国の「鬼《おに》」の意とは異なる。

出典　『春秋左氏伝《しゅんじゅうさしでん》』〈文公《ぶんこう》二年〉

神機妙算　しんきみょうさん　4級

意味　**人知では思いつかないようなすばらしいはかりごと。**「神機」は神が行うような絶妙なはかりごと、「妙算」は巧みなはかりごとの意。

注意　「神機」を「神気」「神鬼」などと書き誤りやすい。

類義語　神機《しんき》妙道《みょうどう》、神算《しんさん》鬼謀《きぼう》

晨去暮来　しんきょぼらい　1級

意味　**朝方に去って夕暮れにもどる。**

野鳥が朝に巣を飛び立ち餌《えさ》を求め、夕暮れに巣にもどることをいう。「晨」は朝、早朝の意。

字体　「来」の旧字体は「來」。

注意　「晨」を「唇」と書き誤らない。

出典　『漢書《かんじょ》』〈朱博伝《しゅはくでん》〉

辛苦遭逢　しんく そうほう　準1級

意味　**ひどい困難や苦しみにであうこと。**「辛苦」はからさと苦さ。転じて、つらく苦しいこと。

出典　文天祥《ぶんてんしょう》の詩

身軽言微　しんけい げんび　4級

意味　**身分が低くて、言うことが人に重んじられないこと。**「微」は卑しい意。身分が卑しくて、言葉が軽んじられるという意。

補説　「身軽くして言微《いや》し」とも読む。

字体　「軽」の旧字体は「輕」。

出典　『後漢書《ごかんじょ》』〈孟嘗伝《もうしょうでん》〉

類義語　人微言軽《じんびげんけい》

人権蹂躙　じんけん じゅうりん　1級

意味　**国家が国民の基本的人権を侵害すること。**また、強い立場の者が弱い立場の者の人権を侵犯すること。「蹂躙」は踏みにじること。

字体　「権」の旧字体は「權」。

類義語　人権侵害《じんけんしんがい》

身言書判　しんげん しょはん　5級

意味　**人物を登用するときの基準とするもの。**容姿と言葉と文字と文章。唐代の官吏登用試験での人物鑑定の基準。

出典　『唐書《とうじょ》』〈選挙志《せんきょし》・下〉

心慌意乱　しんこう いらん　準2級

意味　**あわてふためいて何がなんだかわからなくなる。**「心慌」はあせってあわてふためくこと、「意乱」は精神が錯乱すること。

補説　「心慌《あわ》ただしく意乱《みだ》る」とも読む。

字体　「乱」の旧字体は「亂」。

類義語　周章狼狽《しゅうしょうろうばい》

人口膾炙　じんこう かいしゃ　1級

⇩**膾炙人口**（かいしゃじんこう）

神工鬼斧　しんこう きふ　準1級

意味　**人間わざとは思えないほどすぐれた細工や作品のこと。**「神工」は神の細工のこと、「鬼斧」は鬼が斧《おの》をふるった細工の意。神わざ・名人芸のことをいう。

補説　「鬼斧神工」ともいう。

出典　『荘子《そうじ》』〈達生《たっせい》〉

類義語　運斤成風《うんきんせいふう》、匠石運斤《しょうせきうんきん》

深溝高塁　しんこう こうるい　準2級

意味　**深い掘割と高いとりで。堅固な城塞。**また、**守りの堅牢《けんろう》なこと。**「溝」はみぞで、ここではお堀の意。「塁」は土石を重ねて作った小城。

字体　「塁」の旧字体は「壘」。

注意　「深溝」を「深構」と書き誤らない。

出典　『六韜《りくとう》』〈竜韜《りゅうとう》・奇兵《きへい》〉

類義語　堅塞固塁《けんさいこるい》

心広体胖　しんこう たいはん　1級

意味　**心が広く穏やかであれば、外見上の体もゆったりと落ち着いて見えるということ。**「心広」は心が広く大きいこと、「胖」はゆたか・のびやかな意。

補説　「心広く体胖《たいゆた》かなり」とも読む。

字体　「広」の旧字体は「廣」、「体」の旧字体は「體」。

出典　『大学《だいがく》』

類義語　心寛体舒《しんかんたいじょ》

人口稠密　じんこう ちゅうみつ　1級

意味　**人や人家がびっしりとすきまな**

く集まっていること。「稠密」は込み合っていること。密集していること。

補説　「稠密」を「ちょうみつ」と読むのは慣用読み。

深根固柢　しんこん こてい　1級

意味　**物事の基礎をしっかり固めること。**「根」「柢」はともに木の根のことで、物事の基本・基礎のたとえ。木の根を深く強固なものにする意から。

補説　「根を深くして柢《てい》を固《かた》くす」とも読み、「根深柢固」ともいう。また、「柢」は「蔕」とも書く。

出典　『老子《ろうし》』〈五九章〉

神采英抜　しんさい えいばつ　2級

意味　**心も風采も、人にぬきん出てすぐれていること。**「神采」は精神と風采。

補説　「神采」は「神彩」とも書く。

字体　「抜」の旧字体は「拔」。

出典　『陳書《ちんじょ》』〈江総伝《こうそうでん》〉

神算鬼謀　しんさん きぼう　3級

意味　**人間離れした巧みな計略のこと。**「算」「謀」はともに、はかりごとのこと。神や鬼がめぐらしたはかりごとの意から。

類義語　神機妙算《しんきみょうさん》、神機妙道《しんきみょうどう》

深山幽谷　しんざん ゆうこく　3級

意味　**人が踏み入れていない、奥深く静かな自然のこと。**「深山」は人里離れた奥深い山、「幽谷」は奥深く静かな谷。

出典　『列子《れっし》』〈黄帝《こうてい》〉

類義語　窮山幽谷《きゅうざんゆうこく》、窮山通谷《きゅうざんつうこく》

慎始敬終　しんし けいしゅう　4級

意味　**物事を始めから終わりまで気を引き締めてやりとおすこと。**また、物事をするには始めと終わりが肝心だということ。「慎」「敬」はともに、注意深く行うこと。

補説　「始めを慎み終わりを敬《つつ》しむ」とも読む。

字体　「慎」の旧字体は「愼」。

出典　『礼記《らいき》』〈表記《ひょうき》〉

類義語　善始善終《ぜんしぜんしゅう》、徹頭徹尾《てっとうてつび》

参差錯落　しんし さくらく　準1級

意味　**ふぞろいな物が入り混じっているさま。**「参差」は長短ふぞろいのさま、「錯落」は入り混じること。

字体　「参」の旧字体は「參」。

注意　「参差」を「さんさ」と読まないこと。

類義語　参差不斉《しんしふせい》

紳士淑女　しんし しゅくじょ　準2級

意味　**教養があり、品格があって、礼儀正しい男性と女性のこと。**

類義語　貴紳淑女《きしんしゅくじょ》

真実一路　しんじつ いちろ　5級

意味　**嘘《うそ》いつわりのないまことひとすじ。**いつわりのない真心のままひとすじに進むことをいう。「一路」はひとすじに、ひたすらの意。

字体　「真」の旧字体は「眞」、「実」の旧字体は「實」。

人事天命　じんじ てんめい　5級

意味　**人間として最善の努力を尽くして、結果は静かに運命にまかせること。**「人事」は人間のなしうる事柄、「天命」は自然に身に備わった運命の意。

補説　「人事を尽くして天命を待つ」の略。

人事不省　じんじ ふせい　5級

意味　**病気や怪我《けが》などで意識を失うこと。**昏睡《こんすい》状態に陥ること。「人事」はこの場合「人の為《な》し得る事」の意。「不省」は

省みないこと。

注意 「不省」を「ふしょう」と読まないこと。

類義語 前《ぜん》後《ご》不《ふ》覚《かく》

脣歯輔車 しんしほしゃ 1級

⇩輔車脣歯（ほしゃ しんし）

斟酌折衷 しんしゃくせっちゅう 1級

意味 **事情をくみとってほどよくはからい、その中をとること。**「斟酌」は事情をくみとりとりはからうこと、「折衷」は過不足を調節して、その中をとる意。

補説 「折衷」は「折中」とも書く。

仁者不憂 じんしゃふゆう 3級

意味 **仁徳者は常に正しい道を行くので悩むことがない。**仁徳者は常に道理に従い自分にやましいことがないので憂えることがない意。

補説 出典の「知者は惑わず、仁者は憂えず、勇者は懼《おそ》れず」による。

出典 『論語』〈子《し》罕《かん》〉

類義語 知《ち》者《しゃ》不《ふ》惑《わく》、勇《ゆう》者《しゃ》不《ふ》懼《く》

仁者無敵 じんしゃむてき 5級

意味 **仁徳者には天下に敵対する者のないことをいう。**仁徳者が為政者の位にあれば仁愛の政治を施し、人民を分け隔てることなく愛するからいう。

補説 「仁《じん》者《しゃ》は敵《てき》無《な》し」とも読む。

出典 『孟《もう》子《し》』〈梁《りょう》恵《けい》王《おう》・上〉

仁者楽山 じんしゃらくざん 5級

意味 **仁徳者は安らかにゆったりとして心が動くことがないから、どっしりと安定して動かない山を愛する。**

補説 「仁《じん》者《しゃ》は山《やま》を楽《たの》しむ」とも読む。

字体 「楽」の旧字体は「樂」。

注意 「楽山」を「がくざん」と読まない。

出典 『論語』〈雍《よう》也《や》〉

類義語 智《ち》者《しゃ》楽《らく》水《すい》

進取果敢 しんしゅかかん 3級

意味 **物事に積極的に取り組み、決断力に富んでいること。**「進取」は物事に進んで取り組むこと、「果敢」は決断力に富んでいる意。

類義語 剛《ごう》毅《き》果《か》断《だん》、勇《ゆう》猛《もう》果《か》敢《かん》

対義語 意《い》志《し》薄《はく》弱《じゃく》、優《ゆう》柔《じゅう》不《ふ》断《だん》

人主逆鱗 じんしゅげきりん 準1級

意味 **君主や権力者のひどい怒りを買うことのたとえ。**「人主」は君主。「逆鱗」は触《ふ》れると怒り、人を食いころすという竜ののどにさかさまに生えているうろこ。

補説 「人主にもまた逆鱗有り」の略。

出典 『韓《かん》非《ぴ》子《し》』〈説《ぜい》難《なん》〉

神出鬼没 しんしゅつきぼつ 3級

意味 **すばやく現れたり隠れたりすること。**また、自在に現れたり隠れたりして居場所がわからないこと。神も鬼も人間わざを超えるという意。

字体 「没」の旧字体は「沒」。

注意 「神出」を「進出」と書き誤らない。

出典 『淮《え》南《なん》子《じ》』〈兵《へい》略《りゃく》訓《くん》〉

類義語 神《しん》変《ぺん》出《しゅつ》没《ぼつ》、鬼《き》出《しゅつ》電《でん》入《にゅう》、鬼《き》出《しゅつ》神《しん》行《こう》

浸潤之譖 しんじゅんのそしり 1級

意味 **水が次第に物にしみこむように、中《ちゅう》傷《しょう》の言葉が徐々に深く信じられるようになること。**「譖」は悪口、讒《ざん》言《げん》の意。

注意 「浸潤」を「侵潤」と書き誤らない。

出典 『論語』〈顔《がん》淵《えん》〉

類義語 膚《ふ》受《じゅ》之《の》愬《うったえ》

尋常一様 じんじょういちよう 4級

意味 **他と変わりなく、ごくあたりまえなさま。**「尋常」はあたりまえ、「一様」は行動・状態などが他と変わらないこと。

字体　「様」の旧字体は「樣」。

尋章摘句　じんしょう てきく

4級

意味　**こまかいところに気をとられ、大局的な物の見方ができないこと。**「尋章」は一章のことを考える意、「摘句」は一句を取り出すこと。文章や詩の一章一句のこまかな部分に気をとられて、全体の意味や趣意が理解できないという意から。

補説　「章を尋《たず》ね句を摘《つ》む」とも読む。

出典　『三国志《さんごくし》』〈呉書《ごしょ》・呉主権伝《ごしゅけんでん》・注〉

類義語　尋言逐語《じんごんちくご》、滞言滞句《たいごんたいく》

参商之隔　しんしょうの へだて

準1級

意味　**遠く離れて会うことのないたとえ。また夫婦や兄弟の別離や仲たがいのたとえ。**「参」は参星《しんせい》（オリオン座の星）、「商」は商星（さそり座の星）。参星は西方に商星は東方にあって同時に空に現れないことからいう。

字体　「参」の旧字体は「參」。

注意　「参商」を「さんしょう」と読まないこと。

故事　高辛氏《こうしんし》の二子の閼伯《あっぱく》と実沈が争いばかりするので遠く住まわせ、それぞれ商星と参星をつかさどらせた故事から、兄弟の仲たがいのたとえ（『春秋左氏伝《しゅんじゅうさしでん》』昭公《しょうこう》元年）。

信賞必罰　しんしょう ひつばつ

4級

出典　杜甫《とほ》の詩

類義語　燕雁代飛《えんがんだいひ》

意味　**賞罰を厳正に行うこと。**功績のあった者には必ず賞を与え、罪を犯した者には必ず罰を課すという意味。

出典　『韓非子《かんぴし》』〈外儲説《がいちょせつ》・右上〉

対義語　僭賞濫刑《せんしょうらんけい》

針小棒大　しんしょう ぼうだい

5級

意味　**物事を実際より大げさにいう。**針ほどの小さいことを棒ほどに大きく表現すること。

注意　「棒大」を「膨大」と書き誤らない。

類義語　大言壮語《たいげんそうご》

神色自若　しんしょく じじゃく

4級

意味　**落ち着いて顔色一つ変えないさま。**「神色」は精神と顔色。「自若」は心が落ち着いて動じないこと。

出典　『晋書《しんじょ》』〈王戎伝《おうじゅうでん》〉

類義語　泰然自若《たいぜんじじゃく》

心織筆耕　しんしょく ひっこう

準2級

意味　**文筆で生活すること。**心で機《はた》を織り、筆で田を耕して生活する意。

故事　唐《とう》の王勃《おうぼつ》が人に頼まれて文を作り、謝礼の金帛《きんぱく》で車がいっぱいになったことを当時の人が揶揄《やゆ》した語。

出典　『雲仙雑記《うんぜんざっき》』〈九〉

身心一如　しんしん いちにょ

準2級

意味　**仏教で、肉体と精神は分けることができないもので、一つのものの両面であるということ。**「身心」はからだと心のこと、「一如」は真理は現れ方は違っても、本質はただ一つだという意。

補説　「身心」は「心身」とも書き、「しんじん」とも読む。

人心一新　じんしん いっしん

5級

意味　**人々の気持ちをすっかり新しくすること。**「人心」は、世の中の人々の考えや気持ち、「一新」は旧弊を打破してすっかり新しくする意。明治維新を「御一新」と呼んだ。

薪尽火滅　しんじん かめつ

3級

意味　**人が死ぬこと。**「薪尽」はたきぎが尽きること、「火滅」は火が消える意。仏教で、釈迦《しゃか》の入滅のことをいった語で、転じて、人の死をいう。

字体　「尽」の旧字体は「盡」。
出典　『法華経《ほけきょう》』〈序品《じょほん》〉

新進気鋭　しんしん きえい
4級

意味　**ある分野に新しく登場し、意気込みが盛んで将来性があること。**また、そういう人。「新進」は新たに現れ出ること、「気鋭」は意気盛んな意。
字体　「気」の旧字体は「氣」。
注意　「新進」を「進新」と書き誤らない。
類義語　少壮気鋭《しょうそうきえい》、少壮有為《しょうそうゆうい》

人心洶洶　じんしん きょうきょう
1級

意味　**世間の人々の心が騒ぎ動揺すること。**「人心」は多くの人の心のこと、「洶洶」はどよめき騒ぐさま。
注意　「人心」を「人身」、「洶洶」を「胸胸」などと書き誤りやすい。
出典　『唐書《とうじょ》』〈陸贄伝《りくしでん》〉

心神耗弱　しんしん こうじゃく
準2級

意味　**精神が衰弱して判断力が乏しくなり正常な行動ができないこと。**心神喪失よりは軽い状態。「耗弱」はすり減って弱くなること。
注意　「耗弱」を「もうじゃく」と読まないこと。
類義語　神経衰弱《しんけいすいじゃく》

人心収攬　じんしん しゅうらん
1級

意味　**多くの人の気持ちをうまくつかんでまとめること。**また、**人々の信頼を得ること。**「人心」は多くの人の心のこと、「攬」は「持」と同じで、「収攬」は集めて自分の手ににぎる意。
字体　「収」の旧字体は「收」。
注意　「収攬」を「収覧」と書き誤らない。
類義語　人心籠絡《じんしんろうらく》、妖言惑衆《ようげんわくしゅう》

真人大観　しんじん たいかん
5級

⇩**達人大観**（たつじん たいかん）

薪水之労　しんすいの ろう
準1級

意味　**人に仕えて骨身を惜しまず働くこと。**たきぎをとったり水を汲《く》んだりする苦労の意から。また、そのような日常の雑事を指す場合もある。
字体　「労」の旧字体は「勞」。
出典　『南史《なんし》』〈陶潜伝《とうせんでん》〉

人生行路　じんせい こうろ
5級

意味　**人として生きてゆく道。**「行路」はここでは「旅路」の意。人生をさまざまな困難や苦難が待ちうけている旅路にたとえた。
注意　「行路」を「航路」と書き誤らない。

晨星落落　しんせい らくらく
1級

意味　**しだいに仲のよい友人がいなくなること。**また、**友人が年とともにだんだん死んでいなくなること。**明け方の空に残っていた星が一つ一つ消えていく意。「晨星」は夜明けの空に残っている星のこと、「落落」はまばらでさみしいさま。
補説　「落落晨星」ともいう。
出典　劉禹錫《りゅううしゃく》の詩

人跡未踏　じんせき みとう
4級

意味　**まだ一度も人が足を踏み入れたことがないこと。**「人跡」は人の足跡のこと、「未踏」はまだ誰もそこまで足を踏み入れていない意。
注意　「未踏」を「未到」と書き誤らない。

神仙思想　しんせん しそう
準2級

意味　**俗世から抜け出して不老・長生の世界に生きようという考え。**「神仙」は神通力を持っている仙人。仙人の住む世界を「仙境」と呼び人間の理想郷とした。道教には不老長生を求める神仙思想が混入している。

尽善尽美 じんぜん じんび

4級

意味 **完璧で欠けるものがないこと。**りっぱさと美しさをきわめているという意から。

字体 「尽」の旧字体は「盡」。

出典 『論語』〈八佾《はちいつ》〉

類義語 完全無欠《かんぜんむけつ》、十全十美《じゅうぜんじゅうび》

深層心理 しんそう しんり

5級

意味 **日常的な生活の中では意識されていない奥深くかくれている心理のこと。**心理学者フロイト、ユングによる心理学的用語。

迅速果断 じんそく かだん

準2級

意味 **物事をすばやく決断し、思いきって行うこと。**「迅速」はたいへん速いこと、「果断」は思い切りよく実行する意。

補説 「果断迅速」ともいう。

字体 「断」の旧字体は「斷」。

類義語 迅速果敢《じんそくかかん》、即断即決《そくだんそっけつ》

身体髪膚 しんたい はっぷ

4級

意味 **からだ全体のこと。**からだと髪の毛と皮膚で、からだ全体をいう。父母から受けついだ大切なものの意がこめられている。

補説 出典に「身体髪膚之《これ》を父母に受く、敢《あ》えて毀傷《きしょう》せざるは孝の始めなり」とある。

字体 「体」の旧字体は「體」、「髪」の旧字体は「髮」。

出典 『孝経《こうきょう》』〈開宗明義章《かいそうめいぎしょう》〉

進退両難 しんたい りょうなん

5級

意味 **にっちもさっちもゆかないこと。**前進することも後退することも、どちらも困難なこと。

補説 「進退両《ふた》つながら難《かた》し」とも読む。

字体 「両」の旧字体は「兩」。

心地光明 しんち こうめい

5級

意味 **心が清らかで正しく広いこと。**「心地」は心・精神のこと、「光明」は仏の心身から放つ明るい光の意。

補説 「心地」は「しんじ」、「光明」は「こうみょう」とも読む。

類義語 公平無私《こうへいむし》、公明正大《こうめいせいだい》、大公無私《たいこうむし》

尽忠報国 じんちゅう ほうこく

4級

意味 **忠義を尽くして国の恩に報いること。**「尽忠」は君主や国家に忠誠心を尽くすこと、「報国」は国の恩に報いる意。

補説 「忠を尽くして国に報う」とも読む。

字体 「尽」の旧字体は「盡」、「国」の旧字体は「國」。

故事 中国宋《そう》の岳飛《がくひ》は忠誠心に富んでいて、この四字を背中に入れ墨していたと伝えられる。

出典 『北史《ほくし》』〈顔之儀伝《がんしぎでん》〉

類義語 義勇奉公《ぎゆうほうこう》

新陳代謝 しんちん たいしゃ

3級

意味 **新しいものが古いものにとって代わること。**特に生物体内で必要な物質を取り入れ、不必要な物質を排出する作用。転じて組織の若返りなどにもいう。「陳」は古い、「代謝」は代わって去る意。

類義語 物質代謝《ぶっしつたいしゃ》

震天動地 しんてん どうち

4級

意味 **大変な出来事。**大事件の形容。天を震わせ地を揺るがす、または天地を震動させる意。また、そのような大音響や大騒動のこと。

補説 「天を震《ふる》わし地を動かす」とも読む。

出典 『水経注《すいけいちゅう》』〈河水《かすい》・三〉

類義語 驚天動地《きょうてんどうち》、震天駭地《しんてんがいち》

神茶鬱塁 しんと うつりつ

意味 **門を守る神のこと。**「神茶」「鬱塁」は古代中国における兄弟の神の名。ともに門を守る神で、百鬼を支配し、従わないものは捕らえて、虎《とら》に食わせたという。古代中国では、この二神と虎の絵を家の門に貼って、魔除けにした。

補説 「鬱塁神茶」ともいう。また、「神茶」は「しんだ」「しんじょ」、「鬱塁」は「うつるい」とも読む。

字体 「塁」の旧字体は「壘」。

心頭滅却 しんとう めっきゃく

3級

意味 **心の中の雑念を取り去ること。**どんな苦難に出会っても心の中から雑念を取り去れば苦しさを感じないという意。「心頭」はこころ、胸のうちの意。「滅却」はなくしてしまうこと。

補説 「心頭を滅却すれば火もまた涼し」の略。織田軍に包囲された武田軍ゆかりの恵林寺《えりんじ》の住職快川禅師《かいせんぜんし》がこの句を唱えて焼死したことから有名になった。

出典 杜荀鶴《とじゅんかく》の詩

塵飯塗羹 じんぱん とこう

1級

意味 **実際にはなんの役にも立たないもの、とるに足りないもののこと。**子供のままごと遊びのちりの飯と泥のあつもの(吸い物)の意。

出典 『韓非子《かんぴし》』〈外儲説《がいちょせつ》・左上〉

類義語 塵羹土飯《じんこうとはん》

振臂一呼 しんぴ いっこ

1級

意味 **つとめてみずから奮起するたとえ。**腕を振るい声を上げて自分を奮い立たせることをいう。「臂」はひじ・うで。

出典 李陵《りりょう》の「答蘇武書《そぶにこたうるのしょ》」

人品骨柄 じんぴん こつがら

4級

意味 **ひとがらや風采《ふうさい》。**「人品」はその人に備わる品性。「骨柄」はからだつきから受ける風格。

神仏混淆 しんぶつ こんこう

1級

意味 **神道と仏教を融合し調和させること。**「混淆」は入り混じること。

補説 「混淆」は「混交」とも書く。

字体 「仏」の旧字体は「佛」。

類義語 神仏習合《しんぶつしゅうごう》、本地垂迹《ほんじすいじゃく》

対義語 神仏分離《しんぶつぶんり》

深謀遠慮 しんぼう えんりょ

3級

意味 **深く考え将来のことまで見通して計画を立てること。**また、その計画。「深謀」は深く考えること、「遠慮」は遠く先のことを考慮すること。

補説 「遠謀深慮《えんぼうしんりょ》」「深慮遠謀《しんりょえんぼう》」ともいう。

出典 賈誼《かぎ》の「過秦論《かしんろん》」

唇亡歯寒 しんぼう しかん

1級

意味 **密接な関係にあるものの一方が滅びると片方も危うくなること。**唇がなくなると歯が寒くなる意から。

補説 「唇亡びて歯寒し」とも読む。「亡唇寒歯」ともいう。また、「唇」は「脣」とも書く。

字体 「歯」の旧字体は「齒」。

出典 『春秋左氏伝《しゅんじゅうさしでん》』〈哀公《あいこう》八年〉

心満意足 しんまん いそく

5級

意味 **きわめて満ち足りた気分になること。**「心満」「意足」ともに、心が満ち足りること。

字体 「満」の旧字体は「滿」。

対義語 欲求不満《よっきゅうふまん》

人面獣心 じんめん じゅうしん

4級

意味 **冷酷で義理人情をわきまえない人のこと。**人間の顔をしているが、心は

けだもののようであるという意から。

補説　「人面」は「にんめん」とも読む。

字体　「獸」の旧字体は「獸」。

注意　「獣心」を「獣身」と書き誤らない。

出典　『漢書《かんじょ》』〈匈奴伝《きょうどでん》・賛〉

類義語　人頭畜鳴《じんとうちくめい》、虎吻鴟目《こふんしもく》

対義語　鬼面仏心《きめんぶっしん》

人面獣身　じんめん　じゅうしん　4級

意味　**顔は人間で身体は獣。**妖怪《ようかい》を形容する語。「人面」は人の顔、「獣身」はけだもののからだ。

字体　「獣」の旧字体は「獸」。

注意　「人面獣心」と同音異義語なので混同しないこと。

出典　『史記』〈五帝紀《ごていき》・注〉

人面桃花　じんめん　とうか　4級

意味　**美人の顔と桃の花。**かつて美人と出会った場所に行っても、今はもう会えないという場合にいう言葉。また、内心で思いながら会うことのできない女性をいう。

故事　唐の詩人崔護《さいご》があるとき桃の花の下で美人と出会い、忘れられずに翌年再び訪ねたが、その人の姿は見えなかった。そこで「人面桃花相応じて紅《くれない》なり…」の詩を残して帰ったことから。

出典　『本事詩《ほんじし》』〈情感《じょうかん》〉

瞋目張胆　しんもく　ちょうたん　1級

意味　**大いに勇気をうちふるうさま。**「瞋目」は目玉をむきだすこと、「張胆」は胆っ玉を大きくふくらますこと。恐ろしい場面に直面しても、目をらんらんと輝かし胆っ玉をすえて立ち向かうさま。

字体　「胆」の旧字体は「膽」。

出典　『史記』〈張耳《ちょうじ》・陳余伝《ちんよでん》〉

晨夜兼道　しんや　けんどう　1級

意味　**昼夜の区別なく急行すること。仕事を急いで行うこと。**「晨」は朝、早朝。「晨夜」は朝と夜、朝早くから夜おそくまで。「兼道」は行程を倍にして行く、大急ぎで行くこと。

出典　『資治通鑑《しじつがん》』〈漢紀《かんき》〉

類義語　昼夜兼行《ちゅうやけんこう》

迅雷風烈　じんらい　ふうれつ　準2級

意味　**はげしいかみなりと猛烈な風。**「迅雷」は天地をとどろかす激しい雷。「風烈」は烈風に同じ、暴風のこと。

出典　『礼記《らいき》』〈玉藻《ぎょくそう》〉

類義語　疾風迅雷《しっぷうじんらい》

森羅万象　しんら　ばんしょう　準2級

意味　**宇宙に存在するすべてのもの。**「森羅」は限りなく連なること、「万象」はすべての形のあるものの意。

補説　「万象」は「ばんぞう」「まんぞう」とも読む。

字体　「万」の旧字体は「萬」。

出典　『法句経《ほっくきょう》』

類義語　有象無象《うぞうむぞう》

新涼灯火　しんりょう　とうか　準2級

意味　**初秋の涼しさは読書にふさわしい。**「新涼」は秋の初めの涼しさ、「灯火」は灯火の下《もと》で読書をする意を略した語。

字体　「灯」の旧字体は「燈」。

類義語　灯火可親《とうかかしん》

深慮遠謀　しんりょ　えんぼう　3級

⇩**深謀遠慮**（しんぼう えんりょ）

深厲浅掲　しんれい　せんけい　1級

意味　**その場の状況に応じて適切な処理をすること。**「厲」は高くあげる意、「掲」は着物のすそをからげること。川が深ければ着物を高くたくしあげ、浅ければすそをからげて渡るということから。

補説 「深ければ厲《れい》し、浅ければ掲《けい》す」とも読む。
字体 「浅」の旧字体は「淺」。
出典 『詩経《しきょう》』〈邶風《はいふう》・匏有苦葉《ほうゆうこよう》〉
類義語 随機《ずいき》応変《おうへん》、量体裁衣《りょうたいさいい》、臨機《りんき》応変《おうへん》

蜃楼海市 しんろう かいし
1級

⇨**海市蜃楼**(かいししんろう)

辛労辛苦 しんろう しんく
3級

意味 **辛い苦労のこと。**「労苦」を分けて両方に「辛(つらい)」の字を加えた形の語。「辛労」も「辛苦」も非常な苦しみ。
字体 「労」の旧字体は「勞」。

【す】

随鴉彩鳳 ずいあ さいほう
1級

⇨**彩鳳随鴉**(さいほうずいあ)

吹影鏤塵 すいえい ろうじん
1級

意味 **無駄な努力。やりがいのないことのたとえ。**また、とりとめがない、つかみどころがないことのたとえ。影を吹いたり、細かなちりに刻みほろうとする意。「鏤」はきざむこと。
補説 「影《かげ》を吹き塵《ちり》に鏤《ちりば》む」ともいう。また「鏤塵」は「るじん」とも読む。
出典 『関尹子《かんいんし》』

随感随筆 ずいかん ずいひつ
3級

意味 **感じるままに書きつけること。**また、**その文。**「随感」は感じるに従って、感じるままにの意。
字体 「随」の旧字体は「隨」。

酔眼朦朧 すいがん もうろう
1級

意味 **酒に酔って物がはっきり見えないさま。**「酔眼」は酒に酔ってとろんとした目のこと、「朦朧」はぼんやりしたさま。
字体 「酔」の旧字体は「醉」。
出典 蘇軾《そしょく》の「杜介送魚《とかいうおをおくる》詩」
類義語 酔歩蹣跚《すいほまんさん》

随機応変 ずいき おうへん
3級

⇨**臨機応変**(りんきおうへん)

随喜渇仰 ずいき かつごう
準2級

意味 **喜んで仏に帰依《きえ》し、心から信仰すること。**また、**ある物事に深くうちこんで熱中すること。**仏教語で、「随喜」は喜んで仏に帰依すること、「渇仰」は深く信仰する意。
字体 「随」の旧字体は「隨」。

随宜所説 ずいぎ しょせつ
準2級

意味 **仏法を受け入れる衆生《しゅじょう》の素質や能力に応じて説いた言葉をいう。**
補説 「宜《よろ》しきに随《したが》いて説《と》く所《ところ》」とも読む。
字体 「随」の旧字体は「隨」。
出典 『法華経《ほけきょう》』〈方便品《ほうべんぼん》〉
類義語 随類応同《ずいるいおうどう》、随宜説法《ずいぎせっぽう》

垂拱之化 すいきょうの か
1級

意味 **天子の徳化によって自然と天下が平穏に治まること。**天子の徳によって人民がおのずから教化されて、天子が何をしなくても自然と世の中が治められているようす。「垂拱」は衣装を垂れ手をこまぬいて何もしないこと、「化」は教化。
補説 出典に「垂拱して天下治まる」とある。
出典 『書経《しょきょう》』〈武成《ぶせい》〉
類義語 垂拱之治《すいきょうのち》

水魚之交 すいぎょの まじわり
準1級

意味 **非常に親密な交際や友情のたとえ。**魚にとって水がどうしても必要なよ

うに、離れることができない親密な関係をいう。君主と臣下、夫婦の仲などについても用いる。

補説 「交」は「こう」とも読む。

故事 中国三国《さんごく》時代、蜀《しょく》の劉備《りゅうび》が若い諸葛亮《しょかつりょう》(孔明《こうめい》)を軍師に招いたとき、古参の武将たちが不満をもらしたが、劉備は「私と孔明は魚と水のようなもので、互いに離れがたい間柄である」と言ったという故事から。

出典 『三国志《さんごくし》』〈蜀志《しょくし》・諸葛亮伝《しょかつりょうでん》〉

類義語 水魚《すいぎょ》之《の》親《しん》、管鮑《かんぽう》之《の》交《まじわり》、金蘭《きんらん》之《の》契《けい》、膠漆《こうしつ》之《の》交《まじわり》、耐久《たいきゅう》之《の》朋《とも》、断金《だんきん》之《の》交《まじわり》、莫《ばく》逆《ぎゃく》之《の》友《とも》、雷陳《らいちん》膠漆《こうしつ》

炊金饌玉 すいきん せんぎょく

1級

意味 **たいへんなご馳走《ちそう》。** 豪華このうえない食事のこと。また、他者の歓待を感謝していう語。金を炊いて食物とし、玉を取りそろえて膳《ぜん》に並べる意。

補説 「金を炊《た》き、玉を饌《せん》す」とも読む。また「饌玉炊金」ともいう。

出典 駱賓王《らくひんおう》の「帝京篇《ていけいへん》」

類義語 食前方丈《しょくぜんほうじょう》

水月鏡花 すいげつ きょうか

5級

⇨**鏡花水月**(きょうか すいげつ)

随侯之珠 ずいこうの たま

準1級

意味 **貴重な宝玉、天下の至宝をいう。** 中国春秋時代、諸侯の随侯が傷ついた大蛇を助け、そのお礼に大蛇がくわえてきたという宝玉のこと。

補説 「随侯」は「隋侯」とも書く。

字体 「随」の旧字体は「隨」。

出典 『荘子《そうじ》』〈譲王《じょうおう》〉

類義語 和氏《かし》之《の》璧《へき》、隋珠和璧《ずいしゅかへき》、隋和《ずいか》之《の》宝《たから》

隋珠和璧 ずいしゅ かへき

1級

意味 **この世にまたとない貴重な宝物。この世の至宝ともいうべき宝玉。**「隋珠」は「随侯之珠」の項参照。「和璧」は楚《そ》の卞和《べんか》が山中で見つけた貴重な宝玉の原石。

補説 「隋珠」は「随珠」とも書く。

注意 「和璧」を「和壁」と書き誤らない。また「わへき」と読まないこと。

出典 『淮南子《えなんじ》』〈覧冥訓《らんめいくん》〉

類義語 和氏《かし》之《の》璧《へき》、隋侯《ずいこう》之《の》珠《たま》、隋和《ずいか》之《の》材《ざい》、隋和《ずいか》之《の》宝《たから》

随珠弾雀 ずいしゅ だんじゃく

準1級

意味 **用いるものが適当でないたとえ。** また、**得るところが少なく失うことが多いたとえ。** 随侯の珠《たま》のような宝玉ですずめをうつこと。「随珠」は「随侯之珠」の項参照。

補説 「随珠《ずいしゅ》をもって雀《すずめ》を弾《う》つ」とも読む。また、「随」は「隋」とも書く。

字体 「随」の旧字体は「隨」、「弾」の旧字体は「彈」。

出典 『荘子《そうじ》』〈譲王《じょうおう》〉

類義語 随珠《ずいしゅ》弾鵲《だんじゃく》

翠色冷光 すいしょく れいこう

準1級

意味 **冷ややかな青い光の形容。** また月の光の形容。「翠色」はみどり、青緑色。「冷光」は冷ややかな光。

出典 『竜鳳録《りゅうほうろく》』

水随方円 すいずい ほうえん

3級

意味 **人民の善悪は、為政者によって感化されるということ。** また、**人の考え方や性格は、友人や環境によってよくも悪くもなるということ。** 「方円」は四角いものと丸いもの。水は容器の形によって四角にも丸にもなるということから。

補説 「水は方円の器《うつわ》に随《したが》う」の略。出典には「民は猶《なお》水のごとし、盂方《うほう》なれば水方《みずほう》に、盂円《うえん》なれば水円なり」とある。

字体 「随」の旧字体は「隨」、「円」の旧字体は「圓」。

出典　『韓非子《かんぴし》』〈外儲説《がいちょせつ》・左上〉
類義語　潜移黙化《せんいもくか》、墨子泣糸《ぼくしきゅうし》

水清無魚　すいせいむぎょ　5級

意味　**人になつかれないたとえ。**あまりに清廉潔白で心が正しすぎると、かえって人に親しまれないものだということ。澄み切った水には魚はすまない意から。
補説　「水清ければ魚《うお》無《な》し」ともいう。
出典　『後漢書《ごかんじょ》』〈班超伝《はんちょうでん》〉
対義語　清濁併呑《せいだくへいどん》

酔生夢死　すいせいむし　3級

意味　**何をなすこともなく、ぼんやりと生涯を過ごすこと。**酒に酔ったように生き、夢心地で死んでいく意から。
補説　「夢死」は「ぼうし」とも読む。
字体　「酔」の旧字体は「醉」。
注意　「夢死」を「無死」と書き誤らない。
出典　『小学《しょうがく》』〈嘉言《かげん》〉
類義語　遊生夢死《ゆうせいむし》

垂涎三尺　すいぜんさんじゃく　1級

意味　**あるものをひどくほしがるたとえ。**おいしそうなものを見て食べたくて思わずよだれを長くたらすこと。「涎」はよだれのこと。おいしそうなものを見てよだれを三尺もたらすということ。
補説　「垂涎」は「すいえん」とも読む。
出典　張元幹《ちょうげんかん》の詩

水村山郭　すいそんさんかく　3級

意味　**水辺の村と山ざと。**もと中国の江南《こうなん》地方ののどかな農村を描写したもの。江南はクリーク(小運河)が網の目のように通じているので「水村」という。「山郭」は山ぎわの集落。「郭」はもと集落を囲む塁壁の意で、転じて集落の意。
注意　「山郭」を「山廓」と書き誤らない。
出典　杜牧《とぼく》の「江南春《こうなんのはる》-詩」

翠帳紅閨　すいちょうこうけい　1級

意味　**高貴な女性の寝室のこと。**「翠帳」はかわせみの羽で飾った緑色の美しい帳《とばり》のこと、「紅閨」は赤く塗って飾った寝室の意。身分の高い家に生まれて大切に育てられた令嬢の生活のたとえとして使われる。

垂髫戴白　すいちょうたいはく　1級

意味　**幼児と老人。**「垂髫」はおさげ髪。転じて、幼児のこと。「戴白」は頭に白髪をいただくことで、老人の意。
出典　『十八史略《じゅうはっしりゃく》』〈東漢《とうかん》・光武帝《こうぶてい》〉

水滴石穿　すいてきせきせん　準1級

⇩点滴穿石(てんてきせんせき)
類義語　垂髪戴白《すいはつたいはく》

水天一碧　すいてんいっぺき　準1級

意味　**空と海とがともに青々としてただ一色に連なり、区別がつかないさま。**「碧」はあおみどり、濃い青色。
出典　王勃《おうぼつ》の「滕王閣序《とうおうかくのじょ》」の「秋水長天と共に一色なり」にもとづく。
類義語　水天一色《すいてんいっしょく》、水天髣髴《すいてんほうふつ》

水天髣髴　すいてんほうふつ　1級

意味　**遠い海上の水と空とがひと続きになって、見分けがつきにくいさま。**「水天」は水面と空のこと、「髣髴」はぼんやりしてはっきりしない意。
補説　「髣髴」は「彷彿」とも書く。
出典　頼山陽《らいさんよう》の「泊天草洋《あまくさなだにはくす》-詩」
類義語　水天一色《すいてんいっしょく》、水天一碧《すいてんいっぺき》

水到渠成　すいとうきょせい　準1級

意味　**学問をきわめると自然に徳もそなわるということ。**また、**物事は時期がくれば自然に成就するということ。**「渠」は溝《みぞ》・掘割のこと。水が流れてくると、

自然に溝ができるという意。

補説 「水到《いた》りて渠《きょ》成《な》る」とも読む。

出典 蘇軾《そしょく》の「答秦太虚書《しんたいきょにこたうるのしょ》」

類義語 水到魚行《すいとうぎょこう》

垂頭喪気 すいとう そうき

準2級

意味 元気がなく、しょげているさま。「垂頭」は頭を低くたれること、「喪気」は元気をなくす意。

補説 「頭《かしら》を垂れ気を喪《うしな》う」とも読む。

字体 「気」の旧字体は「氣」。

類義語 意気銷沈《いきしょうちん》、意気沮喪《いきそそう》

対義語 意気軒昂《いきけんこう》、意気衝天《いきしょうてん》、意気揚揚《いきようよう》

随波逐流 ずいは ちくりゅう

準2級

意味 自分の考えや主張をもたず、ただ世の中の流れに従うこと。波に随《したが》い流れを逐《お》いかけるという意から。

補説 「波に随《したが》い流れを逐《お》う」とも読む。

字体 「随」の旧字体は「隨」。

類義語 随波漂流《ずいはひょうりゅう》

彗氾画塗 すいはん がと

1級

意味 きわめて容易なことのたとえ。ほうきで水たまりを掃き、刀で泥に線を引くこと。

字体 「画」の旧字体は「畫」。

注意 「彗」を「慧」と書き誤らない。

出典 『漢書《かんじょ》』〈王褒伝《おうほうでん》〉

酔歩蹣跚 すいほ まんさん

1級

意味 酒に酔ってふらふら歩くさま。「蹣跚」はよろめくこと。

補説 「蹣跚」は「ばんさん」とも読む。

字体 「酔」の旧字体は「醉」。

類義語 酔眼朦朧《すいがんもうろう》

推本溯源 すいほん そげん

準1級

意味 物事の根源を究め求めること。根本を推察して根源にさかのぼる意。「溯」はさかのぼる意。

補説 「溯源」は「遡源」とも書く。

類義語 推究根源《すいきゅうこんげん》、追本究源《ついほんきゅうげん》

垂名竹帛 すいめい ちくはく

1級

⇩竹帛之功(ちくはくのこう)

吹毛求疵 すいもう きゅうし

1級

意味 やたらと人のあらさがしをすること。人の欠点をなじっているうちに自分の欠点が暴露されてしまうこと。皮膚に生えている毛を吹いて、隠れたきずをさがし出すこと。

補説 「毛《け》を吹いて疵《きず》を求《もと》む」とも読む。

出典 『韓非子《かんぴし》』〈大体《だいたい》〉

類義語 吹毛之求《すいもうのもとめ》、披毛求瑕《ひもうきゅうか》、洗垢求瘢《せんこうきゅうはん》

随類応同 ずいるい おうどう

3級

意味 それぞれの性格や考え方に応じて指導すること。「随類」は種類に随うこと、「応同」は同じなかまに応える意。仏教語で、仏が相手の心や素質の種類に応じて説法・教化を施す意。

補説 「類《るい》に随《したが》い同《どう》に応《おう》ず」とも読む。

字体 「随」の旧字体は「隨」、「応」の旧字体は「應」。

類義語 随宜所説《ずいぎしょせつ》

鄒衍降霜 すうえん こうそう

1級

意味 鄒衍が天に訴えて夏に霜を降らせた。「鄒衍」は戦国時代の思想家で五行《ごぎょう》説《せつ》を唱えて、すべての現象を陰陽五行で説明しようとした。

補説 「鄒衍」は「騶衍」とも書く。

故事 戦国時代の鄒衍が無実の罪で獄に捕らわれたとき、鄒衍はその無実を天に訴え、天はこれに感じて真夏に霜を降らせたという故事による(『太平御覧《たいへいぎょらん》』〈一四引『淮南子《えなんじ》』〉)。

出典 『蒙求《もうぎゅう》』〈鄒衍降霜《すうえんこうそう》〉

趨炎附熱　すうえんふねつ

準1級

意味　**時の権力のある者につき従うこと。**燃えたぎる炎に向かって走り、熱いものにつくこと。「趨」ははしる意。「炎」「熱」はともに、勢いが盛んなもののたとえ。

補説　「炎《えん》に趨《おもむ》き熱《ねつ》に附《つ》く」とも読む。「附熱」は「付熱」とも書く。

出典　『宋史《そうし》』〈李《り》垂伝《すいでん》〉

類義語　趨炎《すうえん》附勢《ふせい》、趨炎《すうえん》奉勢《ほうせい》

鄒魯遺風　すうろいふう

1級

意味　**孔子と孟子《もうし》の教えのこと。**「鄒」は孟子、「魯」は孔子の出生地、「遺風」は後世に残された教えの意。儒教のこと。

類義語　鄒魯《すうろ》之《の》学《がく》

頭寒足熱　ずかんそくねつ

5級

意味　**頭を冷やし足をあたためること。**また、その状態。健康によいとされる。

注意　「頭」を「ず」と読むことに注意。

類義語　頭《ず》寒《かん》足《そく》暖《だん》

杜撰脱漏　ずさんだつろう

準1級

意味　**粗末で誤りの多いこと。ぞんざいで誤脱も多いこと。**「杜撰」は故事の項参照。ここでは転じて粗末、ぞんざいの意。「脱漏」は漏れ落ちること。誤脱。

注意　「杜撰」を「とせん」と読み誤らない。

故事　「杜撰」は、宋《そう》の杜《と》黙《もく》の作った詩が多く規則に合わなかったことから、詩文・著述などに規格はずれや誤りが多いことをいう。「撰」は詩文を作ること（『野《や》客叢書《かくそうしょ》』）。

寸指測淵　すんしそくえん

準1級

意味　**愚かなこと。**また、**不可能なこと。**「寸指」は一寸の指、「測淵」は淵《ふち》の深さを測る意。学問が浅くては、物事の深い道理は理解できないの意でも用いる。

補説　「寸指もて淵を測《はか》る」とも読む。

出典　『孔叢子《くぞうし》』〈答問《とうもん》〉

寸善尺魔　すんぜんしゃくま

3級

意味　**世の中にはよいことが少なくて悪いことが多いたとえ。**また、少しよいことがあっても悪事がおこって邪魔をするたとえ。「寸善」は一寸のよいこと、「尺魔」は一尺の悪いこと。一尺は一寸の十倍の長さ。

補説　「尺魔」は「せきま」とも読む。

注意　「寸善」を「寸前」と書き誤らない。

寸草春暉　すんそうしゅんき

1級

意味　**父母の恩は大きくその万分の一も報いることが難しいことのたとえ。**「寸草」は丈の低い草の意で、子が親の恩に報いようとするほんのわずかな心のたとえ。「春暉」は春の陽光の意で、父母の広大な慈愛をいう。

注意　「春暉」を「春輝」と書き誤らない。

出典　孟郊《もうこう》の「遊子吟《ゆうしぎん》」

類義語　寸草《すんそう》之《の》心《こころ》

寸鉄殺人　すんてつさつじん

5級

意味　**短い警句で人の急所を批判するたとえ。**「寸鉄」は一寸の刃物。小さくて鋭い刃物で人を殺すように、要を得た短い言葉で相手の人の急所や欠点をつき、敗北させること。

補説　「寸鉄、人を殺《ころ》す」とも読む。

字体　「鉄」の旧字体は「鐵」。

出典　『鶴林玉露《かくりんぎょくろ》』〈殺人手段《さつじんしゅだん》〉

類義語　頂門一針《ちょうもんのいっしん》

寸田尺宅　すんでんしゃくたく

5級

意味　**ほんのわずかな財産のこと。**「寸田」は一寸四方の田のこと、「尺宅」は一尺四方の住居の意で、いずれもわずかな

資産のたとえ。

出典　蘇軾《そしょく》の詩

類義語　寸土尺地《すんどしゃくち》

寸馬豆人　すんばとうじん　5級

意味　**遠くの人馬が小さく見えること。**絵画の中の遠景の人馬の形容。「寸」も「豆」も小さいことのたとえ。

出典　荊浩《けいこう》の「画山水賦《さんすいをえがくのふ》」

寸歩不離　すんぽふり　4級

意味　**すぐそばにいること。**また、**関係が非常に密接であること。**「寸歩」はごくわずかな歩みのこと。一歩もないくらいしか離れることなく、くっついているさまをいう。

補説　「寸歩離れず」とも読む。

類義語　一心同体《いっしんどうたい》、異体同心《いたいどうしん》

【せ】

青鞋布韈　せいあいふべつ　1級

⇩布韈青鞋（ふべつせいあい）

晴雲秋月　せいうんしゅうげつ　5級

意味　**純真でけがれのない心のたとえ。**「晴雲」は晴れわたった空に浮かぶ白い雲のこと、「秋月」は秋の澄んだ月の意。

出典　『宋史《そうし》』〈文同伝《ぶんどうでん》〉

類義語　虚心坦懐《きょしんたんかい》、光風霽月《こうふうせいげつ》、明鏡止水《めいきょうしすい》

青雲之志　せいうんのこころざし　準1級

意味　**徳をみがいてりっぱな人物になろうとする志。**また、**立身出世しようとする功名心。**「青雲」は雲の上の青い空の意から、高位・高官、立身出世のこと。

出典　王勃《おうぼつ》の「滕王閣序《とうおうかくのじょ》」

精衛塡海　せいえいてんかい　2級

意味　**不可能なことを企て、徒労に終わること。**また、**いつまでも悔やみ続けること。**「精衛」は海辺にすむという古代中国の想像上の小鳥の名、「塡海」は海をうずめる意。きわめて意志が堅いことにも用いる。

補説　「精衛、海を塡《うず》む」とも読む。

字体　「衛」の旧字体は「衞」。

故事　中国古代の伝説上の皇帝炎帝《えんてい》の娘女娃《じょあ》が東海で溺《おぼ》れ死んでしまった。女娃は精衛という名の小鳥に化身して、西山の小石や小枝をくわえては、東海をうずめようとしたが、とうとうその効はなかったという伝説から。

清音幽韻　せいおんゆういん　準2級

意味　**すぐれた文章のたとえ。**「清音」は清らかな音声、「幽韻」は奥深く妙《たえ》なる趣きの意。北宋《ほくそう》の王安石が欧陽脩《おうようしゅう》を評した言葉。

出典　王安石の文

臍下丹田　せいかたんでん　1級

意味　**へその三寸下あたりのところ。**漢方医学ではここに力を集めると元気や勇気がわいてくるという。

出典　『黄庭経《こうていけい》』〈注〉

出典　『山海経《せんがいきょう》』〈北山《ほくざん》〉

類義語　塡海之志《てんかいのこころざし》

星火燎原　せいかりょうげん　1級

意味　**初めは小さな勢力でも次第に成長して侮れなくなる。**「星火」は見える星のような小さな火、「燎原」は野原を焼きはらうこと。反乱や一揆《いっき》などは初めは力が小さくてもだんだん広がって防ぎようがなくなることをたとえたもの。

出典　『後漢書《ごかんじょ》』〈周紆伝《しゅううでん》〉

誠歓誠喜　せいかんせいき　4級

意味　**まことに喜ばしい。**臣下が天子

に奉る書に用いる言葉。「歓喜」にそれぞれ「誠」を重ねて至上の喜びの意を表す。
[補説] 「誠に歓び誠に喜《よろこ》ぶ」とも読む。
[字体] 「歓」の旧字体は「歡」。
[出典] 『後漢書《ごかんじょ》』〈劉盆子伝《りゅうぼんしでん》〉

旌旗巻舒 せいき けんじょ （1級）

[意味] **戦いが続くことのたとえ。**「旌旗」ははた、旗の総称。「巻舒」は巻いたり広げたりすること。軍旗をまいたり、ひろげたりして戦いに明け暮れること。
[字体] 「巻」の旧字体は「卷」。
[出典] 『三国志《さんごくし》』〈魏書《ぎしょ》・傅嘏伝《ふかでん》〉

生寄死帰 せいき しき （5級）

[意味] **人が生きているのは、仮にこの世に身を寄せているだけで、死は自分の住居に帰るように、本来のところに落ちつくことだということ。**「寄」は仮ずまいのこと、「帰」は本来の場所にもどる意。
[補説] 「生は寄《き》なり、死は帰《き》なり」とも読む。
[字体] 「帰」の旧字体は「歸」。
[出典] 『淮南子《えなんじ》』〈精神訓《せいしんくん》〉

生気溌溂 せいき はつらつ （1級）

[意味] **いきいきとして気力、活気にあふれているさま。**「生気」はいきいきとしたさま、元気。「溌溂」は動作や表情に元気のあふれているさま。
[補説] 「溌溂」は「溌剌」とも書く。
[字体] 「気」の旧字体は「氣」。
[類義語] 元気溌溂《げんきはつらつ》

精金良玉 せいきん りょうぎょく （5級）

[意味] **性格が穏やかで純粋なこと。**「精金」はまじりけのない金属、「良玉」は美しい宝玉。北宋《ほくそう》の学者、程顥《ていこう》の人柄について述べた言葉。
[補説] 「良玉精金」ともいう。
[出典] 『宋名臣言行録《そうめいしんげんこうろく》』〈外集・二〉

斉駆並駕 せいく へいが （準1級）

⇨**並駕斉駆**（へいがせいく）

晴好雨奇 せいこう うき （4級）

[意味] **晴雨どちらでもすばらしいながめ。**山水の景色が晴れた日も美しく、また雨が降れば降ったですばらしいこと。「奇」はふつうと違ってすぐれている意。
[補説] 「水光瀲灔《れんえん》として晴れ方《まさ》に好《よ》く、山色空濛《くうもう》として雨も亦《ま》た奇なり」の略。「雨奇晴好」ともいう。
[出典] 蘇軾《そしょく》の「飲湖上初晴後雨《こじょうにいんすはじめははれのちにあめふる》-詩」

晴耕雨読 せいこう うどく （5級）

[意味] **田園で悠々自適の生活をすること。**晴れた日は畑を耕し、雨の日は家にこもって読書する意。俗世間を離れた生活のさま。
[字体] 「読」の旧字体は「讀」。
[類義語] 昼耕夜誦《ちゅうこうやしょう》

性行淑均 せいこう しゅくきん （準2級）

[意味] **性質がすなおで、行動がかたよらないこと。**「性行」は性質と行動、「淑均」は善良で公平なこと。「性行」の「性」は「淑均」の「淑」に、「行」は「均」に対する。
[出典] 諸葛亮《しょかつりょう》の「前出師表《ぜんすいしのひょう》」

誠惶誠恐 せいこう せいきょう （1級）

[意味] **まことに恐れかしこまる。**「惶」（おそれかしこまる）を強調してさらに丁寧にいう言葉。天子に自分の意見を言うときに用いる。
[補説] 「誠に惶《おそ》れ誠に恐る」とも読む。

生殺与奪 せいさつ よだつ （3級）

[意味] **他のものを自分の思うままに支配すること。**生かすも殺すも、与えるも

奪うもすべて思いのままであるという意。絶対的な権力をいう。生かすと殺す、与えると奪うの各対語を重ねて、熟語としたもの。
補説 「殺生与奪」ともいう。
字体 「与」の旧字体は「與」。
出典 『荀子《じゅんし》』〈王制《おうせい》〉
類義語 活殺自在《かっさつじざい》

青史汗簡 せいしかんかん
4級

意味 **歴史書のこと。**「青史」は歴史のこと、「汗簡」は文書・書籍の意。昔、まだ紙がなかったころには、竹を火であぶって青みと油（汗）をぬき、それにうるしで記録したことからこのようにいう。
注意 「青史」を「正史」と書き誤らない。

噬指棄薪 ぜいしきしん
1級

意味 **母と子の気持ちが通じあうこと。**「噬指」は指をかむこと。「棄薪」はたきぎをほうり出すこと。
補説 「指を噬《か》みて薪《たきぎ》を棄《す》つ」とも読む。
故事 後漢の蔡順《さいじゅん》は日ごろから母に孝養を尽くしていた。蔡順がたきぎをとりに行った留守の間に来客があり、母親がこまって自分の指をかむと、その気持ちが蔡順に通じて、たきぎをすてて帰ってきたという故事から。類似の説話に春秋時代の曾参《そうしん》に関するものがある。
出典 『白孔六帖《はっこうろくじょう》』〈孝《こう》・嚙指《ぜいし》〉
類義語 齧指痛心《げっしつうしん》

生死肉骨 せいしにくこつ
5級

意味 **落ち目の者を救いあげること。**窮地から自分を助け出してくれた人の大恩をいう。死んだ者を生かして骨に肉づけをする意。
補説 「死を生かして骨《ほね》に肉《にく》す」とも読む。
出典 『春秋左氏伝《しゅんじゅうさしでん》』〈襄公《じょうこう》二二年〉

斉紫敗素 せいしはいそ
準2級

意味 **賢者が事をなせばわざわいを福に転じるように、失敗を成功へと導くことができるというたとえ。**世にもてはやされる紫色のきぬも粗悪な白ぎぬを染めたものである意。「斉紫」は中国の戦国時代の斉の国産出の紫染めの服地、「敗素」は質の悪い白絹。斉紫は敗素を染めただけで十倍の値になったという。
字体 「斉」の旧字体は「齊」。
注意 「斉紫」を「斉柴」と書き誤らない。
出典 『戦国策《せんごくさく》』〈燕策《えんさく》〉

西施捧心 せいしほうしん
準1級

意味 **病に悩む美女のようす。**また、同じ行いでも人によって場合によって善悪の差が生まれるたとえ。
補説 「西施、心を捧《ささ》ぐ」とも読む。
故事 中国、春秋時代、絶世の美女西施が病気になり、痛む胸を手で押さえ、眉《まゆ》をひそめて歩いた。人々はその姿の美しさに見惚《みほ》れた。すると村で評判の醜い女が自分もあのようにすれば美しく見えると思って、顔をしかめて歩いたところ、人々はみな逃げだした、という故事から。
出典 『荘子《そうじ》』〈天運《てんうん》〉

静寂閑雅 せいじゃくかんが
準2級

意味 **ひっそり静かでみやびやかな趣のあること。**「閑雅」は静かで風情のあること。主としてある場所の景色や雰囲気についていう。
字体 「静」の旧字体は「靜」。
注意 「静寂」を「清寂」と書き誤らない。

西戎東夷 せいじゅうとうい
準1級

意味 **西方と東方の異民族。また異民族の総称。えびす。**異民族を卑しんでいう語。「戎」は西方の、「夷」は東方の異

民族の称。

出典 『礼記《らいき》』〈曲礼《きょくらい》・下〉

類義語 南蛮北狄《なんばんほくてき》

西狩獲麟 せいしゅかくりん

準1級

意味 **魯《ろ》の哀公《あいこう》十四年、西方に狩りに行って麒麟《きりん》を得た故事。** 本来は聖人が世にあらわれるのに乗じて出現する麒麟が乱世にあらわれたのに感じて、孔子は『春秋』を書き、この記事で筆を置いたといわれる。「麟」は想像上の動物で体は鹿《しか》、尾は牛で、毛は五色に輝き、聖人が世にあらわれるのに応じて出現するという。

補説 「西狩《せいしゅ》して麟《りん》を獲《え》たり」とも読む。

出典 『春秋左氏伝《しゅんじゅうさしでん》』〈哀公《あいこう》一四年〉

清浄無垢 せいじょうむく

準1級

意味 **清らかで汚れのないこと。** また仏教の語では心が清らかで煩悩がないこと。「無垢」は汚れないこと。「垢」はあか・けがれ。

補説 「無垢」は「むこう」とも読む。

字体 「浄」の旧字体は「淨」。

青松落色 せいしょうらくしょく

5級

意味 **交友が途絶えそうになることのたとえ。**「青松」は常緑樹である松のこと、「落色」はいつも青い松の色があせること。青松がいつまでも色を保つように心変わりしないことを「青松の心」という。ここはその色があせる意。

出典 孟郊《もうこう》の「衰松《すいしょう》‐詩」

精神一到 せいしんいっとう

4級

意味 **全精神を一つに集中すればどんなことでも成し遂げられる。**

補説 「精神一到、何事か成らざらん」の略。

出典 『朱子語類《しゅしごるい》』〈八〉

聖人君子 せいじんくんし

5級

意味 **知識・人格ともにすぐれた立派な人物。**「聖人」は最高の人格者、「君子」は才知・徳望のある人。

類義語 聖人賢者《せいじんけんじゃ》

誠心誠意 せいしんせいい

5級

意味 **純粋なまごころ。** まことの心とまことの気持ち。自分の欲得を交えずに正直な態度で相手に接する心をいう。

注意 「誠心」を「精神」と書き誤らない。

精神統一 せいしんとういつ

5級

意味 **心のはたらきを一点に集中すること。** 何か目的を達成しようとするときに、気を散らさずに精神を一点に集中することをいう。

類義語 精神一到《せいしんいっとう》

聖人無夢 せいじんむむ

5級

意味 **徳を身につけた聖人は、けっして憂《うれ》いや雑念を持たないので、夢を見ることはない。**

補説 「聖人に夢無《ゆめな》し」とも読む。

出典 『荘子《そうじ》』〈大宗師《たいそうし》〉

凄凄切切 せいせいせつせつ

2級

意味 **きわめてものさびしいこと。** また、きわめてものすさまじいこと。「凄切」はきわめてものさびしいさま。それを二語重ねて強調した四字句。

清聖濁賢 せいせいだくけん

3級

意味 **酒の異称。**「聖」は聖人、「賢」は賢者。

注意 「濁賢」を「獨賢」と書き誤らない。

故事 魏《ぎ》の曹操《そうそう》が禁酒令を出したとき、酒好きの人が清酒を聖人、濁り酒を賢人と呼んで、ひそかに飲んだという故事。

出典 『三国志《さんごくし》』〈魏書《ぎしょ》・徐邈伝《じょばくでん》〉

類義語 麦曲《ばくきょく》之《の》英《えい》、米泉《べいせん》之《の》精《せい》、百薬《ひゃくやく》之《の》

長《ちょう》、忘憂《ぼうゆう》之《の》物《もの》

正正堂堂　せいせいどうどう　5級

意味　**手段や態度が正しくて立派なこと。また、陣容が整って意気盛んなこと。**「正正」は軍旗が整うこと、正しくきちんとしていること、「堂堂」は陣列が盛んなさま。

補説　「正正の旗、堂堂の陣」の略。

出典　『孫子《そんし》』〈軍争《ぐんそう》〉

類義語　公明《こうめい》正大《せいだい》

生生流転　せいせいるてん　準2級

意味　**万物が絶えず生じては変化し、移り変わってゆくこと。**「生生」はものがつぎつぎと生まれ変化すること、「流転」は絶えず移り変わる意。

補説　「生生」は「しょうじょう」とも読む。

字体　「転」の旧字体は「轉」。

類義語　生死《しょうじ》流転《るてん》、生生《しょうじょう》世世《せぜ》、流転《るてん》輪廻《りんね》

井渫不食　せいせつふしょく　1級

意味　**賢者が登用されないままでいること。**「渫」は水底の泥やごみを除く意で、「井渫」は井戸の水がきれいに澄んでいること、「不食」は飲用として用いられない意。せっかくきれいな井戸水があっても、汲《く》んで用いられないということから。

補説　「井渫《せいさら》えども食《くら》われず」とも読む。

出典　『易経《えききょう》』〈井《せい》〉

青銭万選　せいせんばんせん　4級

意味　**すぐれた文章のたとえ。**青銅製の銭は一万回選び出しても他と間違えられることがないように、何度試験を受けても必ず合格するようなすぐれた文をいう。「青銭」は青銅製の銭。

字体　「銭」の旧字体は「錢」、「万」の旧字体は「萬」。

出典　『唐書《とうじょ》』〈張薦伝《ちょうせんでん》〉

類義語　椽大《てんだい》之《の》筆《ふで》

悽愴流涕　せいそうりゅうてい　1級

意味　**悼《いた》み悲しんで涙を流す。**「悽愴」は痛ましいほどに悼み悲しむさま。「涕」は涙の意。

補説　「悽愴」は「凄愴」「淒愴」とも書く。

出典　『孔叢子《くぞうし》』〈儒服《じゅふく》〉

盛粧麗服　せいそうれいふく　準1級

意味　**盛んによそおい美しい服を着る。**十分に化粧をして美麗な服を身につけること。「粧」はよそおう、化粧をするの意。

補説　「盛粧」は「せいしょう」とも読む。

出典　『紅楼夢《こうろうむ》』〈三回〉

贅沢三昧　ぜいたくざんまい　1級

意味　**したい放題の贅沢をすること。**「贅沢」は無駄なおごり、「三昧」はひたすらそのことにふけること。もともとは仏教語で、雑念を捨てて精神を集中すること。

字体　「沢」の旧字体は「澤」。

注意　「三昧」を「三味」と書き誤らない。

類義語　活計《かっけい》歓楽《かんらく》

清濁併呑　せいだくへいどん　準1級

意味　**度量が大きく、どんなことでも受け入れること。**清らかなものも濁っているものも差別しないで呑み込む意。

補説　「清濁併《あわ》せ呑《の》む」とも読む。

清淡虚無　せいたんきょむ　3級

意味　**心にわだかまりがなく静かに落ち着いた境地。**無私無欲で物事に執着せず平静な心のこと。「清淡」は心の清く淡白なこと。「虚無」は心の空虚なさま。

類義語 虚無恬淡《きょむてんたん》、虚静恬淡《きょせいてんたん》

生知安行 せいちあんこう
5級

意味 **生まれながらにして人のふみ行うべき道を熟知し、心安んじてそれを行うこと。**「生知」は生まれつき仁道を理解していること、「安行」は心安んじて行うこと、また、なんの努力もせずに道を行う意。→「困知勉行《こんちべんこう》」

出典 『中庸《ちゅうよう》』〈二〇章〉

類義語 良知良能《りょうちりょうのう》

井底之蛙 せいていのあ
準1級

⇩**埳井之鼃**（かんせいのあ）

青天霹靂 せいてんのへきれき
1級

意味 **思いもかけない出来事。**突発的な事件・変事、思いもかけない出来事のたとえ。「青天」は晴れた空、「霹靂」は急に激しく鳴る雷。本来の意味は筆勢がのびやかで躍動的であることのたとえ。

出典 陸游《りくゆう》の詩

青天白日 せいてんはくじつ
5級

意味 晴れわたった青空と日の光で快晴の意から転じて、**心にやましいことがまったくないことのたとえ。**また、はっきりしていること。無罪が明らかになること。「白日」は輝く太陽のこと。

補説 「白日青天」ともいう。

出典 韓愈《かんゆ》の「与崔羣書《さいぐんにあたうるのしょ》」

正当防衛 せいとうぼうえい
5級

意味 **不当な暴行から身を守る権利。**法律的には、不意に暴行を受けた場合に自分または他人を守るために、やむをえずする加害行為をいう。

字体 「当」の旧字体は「當」、「衛」の旧字体は「衞」。

類義語 緊急防衛《きんきゅうぼうえい》、正当防御《せいとうぼうぎょ》

対義語 過剰防衛《かじょうぼうえい》

斉東野語 せいとうやご
準2級

意味 **聞くにたえない下品で愚かな言葉。**また、**信じがたい妄説《もうせつ》のこと。**斉国《せいこく》の東部の田舎者の言葉つきの意。「斉東」は斉（今の中国山東省）の東部。「野語」は野卑な言葉。

補説 「斉東野人《せいとうやじん》の語」の略。

字体 「斉」の旧字体は「齊」。

注意 「斉東」を「さいとう」と読み誤らない。また「斉東」を「西東」「斉藤」などと書き誤らない。

出典 『孟子《もうし》』〈万章《ばんしょう》・上〉

盛徳大業 せいとくたいぎょう
4級

意味 **盛んな徳と大きな事業。**「盛徳」はさかんな徳、高くすぐれた徳。盛徳大業は聖人君子の目標とされた。

出典 『易経《えききょう》』〈繋辞《けいじ》・上〉

聖読庸行 せいどくようこう
準2級

意味 **聖人のすぐれた文を読んで学んでもその行いは凡人と異ならないこと。**「庸」は平凡・凡庸の意。

補説 「聖読《せいどく》して庸行《ようこう》す」とも読む。

字体 「読」の旧字体は「讀」。

出典 『法言《ほうげん》』〈問明《もんめい》〉

生呑活剝 せいどんかっぱく
準1級

⇩**活剝生呑**（かっぱくせいどん）

萋斐貝錦 せいひばいきん

意味 **巧みに言い立てて人を罪に陥れるたとえ。**また、**讒言《ざんげん》のたとえ。**たから貝のように美しいあや模様に織り成した錦《にしき》の意。そしり悪口を言う者が小さな過ちをあれこれ飾り立てて大きな罪のように言い立てること。「萋斐」はあや模様の美しいさま。「貝錦」はたから貝のように美しい模様をした錦。

出典　『詩経《しきょう》』〈小雅《しょうが》・巷伯《こうはく》〉

精疲力尽　せいひりきじん　4級

⇨**疲労困憊**(ひろうこんぱい)

清風故人　せいふうこじん　5級

意味　**秋になってさわやかな風が吹いてくるのは、久しぶりに友人が訪ねてくれたようだということ。**「清風」は清らかな秋風のこと、「故人」は古くからの友人の意。

補説　「清風に故人来《きた》る」の略。

出典　杜牧《とぼく》の「早秋《そうしゅう》」詩

清風明月　せいふうめいげつ　5級

意味　**夜の静かで清らかなたたずまいの形容。**清らかな美しい自然の形容。また、**風雅な遊びのこと。**「清風」はさわやかなすがすがしい風のこと、「明月」は清く澄んだ月の意。

出典　蘇軾《そしょく》の「前赤壁賦《ぜんせきへきのふ》」

類義語　清風朗月《せいふうろうげつ》

精明強幹　せいめいきょうかん　5級

意味　**物事によく通じていて、仕事を処理する能力が高いこと。**「精明」は物事に明るくて詳しいこと、「強幹」は任務をやり遂げる能力がすぐれている意。

声名狼藉　せいめいろうぜき　1級

意味　**評判を落として、それが回復しないこと。**どうにもならないほど悪名がとどろいていること。「声名」はよい評判のことで、「名声」と同じ。「狼藉」はとりちらかして収拾のつかないこと。

字体　「声」の旧字体は「聲」。

注意　「声名」を「声明」と書き誤らない。

出典　『史記』〈蒙恬伝《もうてんでん》〉に「悪声狼藉」とあるのにもとづく。

類義語　悪声狼藉《あくせいろうぜき》

星羅雲布　せいらうんぷ　準2級

意味　**星のように点々と連なり、雲のように多く群がり集まること。**もと軍隊の布陣の盛大な様子を述べた語。「羅」はつらなること。「布」はしき連なる意。

補説　「星のごとく羅《つら》なり雲のごとく布《し》く」とも読む。

出典　班固《はんこ》の「西都賦《せいとのふ》」

類義語　星羅棋布《せいらきふ》

青藍氷水　せいらんひょうすい　2級

意味　**弟子が師よりもまさるたとえ。**

→「出藍之誉《しゅつらんのほまれ》」

補説　「青は之《これ》を藍《あい》より取りて藍よりも青し。氷《こおり》は水之《みずこれ》を為《な》して水よりも寒《つめた》し」の略。

出典　『荀子《じゅんし》』〈勧学《かんがく》〉

類義語　出藍之誉《しゅつらんのほまれ》

生離死別　せいりしべつ　4級

意味　**このうえなく悲痛な別れ。**生きながら離ればなれになることと死んで永遠に別れること。「生離」は生き別れのこと、「死別」は死によって永久に別れてしまう意。

出典　『陳書《ちんしょ》』〈除陵伝《じょりょうでん》〉

類義語　生離死絶《せいりしぜつ》

精力絶倫　せいりょくぜつりん　準2級

意味　**心身の活力が抜群に盛んなこと。**「精力」は心身の活動力のこと、「絶倫」はなみはずれてすぐれている意。

類義語　精力旺盛《せいりょくおうせい》

勢力伯仲　せいりょくはくちゅう　準2級

意味　**互いの力が接近していて、優劣がつけにくいこと。**「伯」は長兄、「仲」は次兄のことで、「伯仲」はよく似ていて格別の違いがなく、力が接近している意。

注意　「勢力」を「精力」と書き誤らない。

類義語　伯《はく》仲《ちゅう》之《の》間《かん》

精励恪勤　**せいれいかっきん**　1級

意味　**力を尽くして学業や仕事に励むこと。**「精励」は励み努めること、「恪」はつつしむ意で、「恪勤」はまじめに勤めること。

補説　「恪勤精励」ともいう。

字体　「励」の旧字体は「勵」。

類義語　精励勤勉《せいれいきんべん》、刻苦勉励《こっくべんれい》、奮励努《ふんれいど》力《りょく》、昼耕《ちゅうこう》夜誦《やしょう》

清廉潔白　**せいれんけっぱく**　3級

意味　**心や行いが清く、私欲や不正などまったくないさま。**「廉」はいさぎよい、正しい意。「潔白」は心や行いがきれいで正しく、やましいところがないこと。

類義語　青天白日《せいてんはくじつ》、清浄潔白《せいじょうけっぱく》

世運隆替　**せうんりゅうたい**　3級

意味　**世の気運が時代とともにあるいは盛んとなり、あるいは衰えること。**「世運」は時代の気運、時勢。「隆替」は時勢の栄えることと衰えること。「替」はすたれる、衰えること。

注意　「隆替」を「隆代」と書き誤らない。

類義語　栄枯盛衰《えいこせいすい》、栄枯浮沈《えいこふちん》

世外桃源　**せがいとうげん**　4級

⇩**武陵桃源**（ぶりょう とうげん）

是耶非耶　**ぜかひか**　準1級

意味　**善悪の判断に迷うこと。**是であるのか非であるのか、是非がよく分からず迷うこと。「是非」（よいと悪い。善と悪。正と不正）に疑問の助字「耶」をつけた語。

出典　『史記』〈伯夷伝《はくいでん》〉

積悪余殃　**せきあくのよおう**　1級

意味　**悪事をかさねた報いが子孫にまで及ぶこと。**「積悪」は数々の悪い行い、悪事の積み重ね。「余殃」は祖先の悪事の報いとして子孫にまで残るわざわい。

字体　「悪」の旧字体は「惡」、「余」の旧字体は「餘」。

出典　『易経《えききょう》』〈坤《こん》・文言伝《ぶんげんでん》〉

対義語　積善余慶《せきぜんのよけい》

積羽沈舟　**せきうちんしゅう**　4級

意味　**小さなものでもたくさん集まれば大きな力になるということ。**羽毛のように軽いものでもたくさん積むと、舟を沈めてしまうほどの重さになるという意から。

補説　「積羽舟を沈《しず》む」とも読む。

出典　『戦国策《せんごくさく》』〈魏策《ぎさく》〉

類義語　積水成淵《せきすいせいえん》、積土成山《せきどせいざん》、羽翮飛《うかくひ》肉《にく》、群軽折軸《ぐんけいせつじく》、叢軽折軸《そうけいせつじく》

碩学大儒　**せきがくたいじゅ**　準1級

意味　**学問の奥義をきわめた大学者のこと。**「碩」は大きい意で、「碩学」は大学者のこと、「大儒」はすぐれた儒者の意。

字体　「学」の旧字体は「學」。

注意　「碩学」を「硯学」と書き誤らない。

類義語　碩学鴻儒《せきがくこうじゅ》、通儒碩学《つうじゅせきがく》

跖狗吠尭　**せきくはいぎょう**　1級

意味　**人はそれぞれ自分の仕える主人に忠を尽くすもので、善悪をわきまえて尽くすわけではないということ。**「跖」は中国春秋時代の大盗賊の盗跖《とうせき》、「尭」は理想的な聖天子といわれた尭帝のこと。「狗」は犬の意。盗跖に飼われている犬が尭帝に吠えつくという意から。

補説　「跖《せき》の狗《いぬ》尭に吠《ほ》ゆ」ともいう。

字体　「尭」の旧字体は「堯」。

出典　『戦国策《せんごくさく》』〈斉策《せいさく》〉

積厚流光　**せきこうりゅうこう**　4級

意味　**蓄積されたものが厚ければ、そ**

れだけその恩恵も大きいということ。先祖の功績が大きければ、それだけ大きな恩恵が子孫に及ぶこと。「流」は流沢・恩沢の意。「光」は広、大きい意。

出典 『大戴礼《だたいれい》』〈礼三本《れいさんぼん》〉

尺山寸水　せきざん すんすい　準1級

意味 **高い山から見下ろす景観。**高い山から見下ろすと他の山や川が非常に小さく見えることをたとえたもの。「尺」も「寸」も長さの単位。「丈《じょう》」「尋《じん》」に比べるとごく短い長さなので、ともに小さい意をあらわす。

類義語 尺呉寸楚《せきごすんそ》

隻紙断絹　せきし だんけん　準2級

意味 **文字を記したごくわずかの紙や絹布。**「隻紙」は紙切れ、「断絹」は絹布の切れ端。それらに貴重な文字が書かれたものをいう。

字体 「断」の旧字体は「斷」。

積日累久　せきじつ るいきゅう　準2級

意味 **官吏などが年功を積むこと。**日数を重ねること。「積日」は多くの日数、日数を重ねる。

故事 前漢の春秋学の大家の董仲舒《とうちゅうじょ》が官吏の昇格について「現在は昔のように賢不肖によらず、年功のみによって昇格させているから人材が育たない」と武帝に上申した故事から。

出典 『漢書《かんじょ》』〈董仲舒伝《とうちゅうじょでん》〉

碩師名人　せきし めいじん　準1級

意味 **大学者や名声の高い人。大いなる徳を備えた人や声望のある人。**「碩」は大きい意、転じて偉大な、立派なの意。「名人」は名声の高い人。

出典 宋濂《そうれん》の文

類義語 碩学名家《せきがくめいか》

赤手空拳　せきしゅ くうけん　2級

意味 **なんの助けもかりずに独力で物事を行うこと。**手に何も武器を持たない意から転じた。「赤手」は素手《すで》、「空拳」は拳《こぶし》だけで武器をもたないこと。

出典 『西遊記《さいゆうき》』〈二回〉

類義語 徒手空拳《としゅくうけん》

石心鉄腸　せきしん てっちょう　5級

⇩**鉄腸石心**（てっちょう せきしん）

積薪之嘆　せきしんの たん　準1級

意味 **後から来た者が重用され、以前からいる者が下積みの苦労をする悩みのこと。**「積薪」はたきぎを積み重ねる意。新しいたきぎが次々と積み重ねられるため、古いたきぎがいつまでも下積みになったままであることから。

補説 「嘆」は「歎」とも書く。

赤心奉国　せきしん ほうこく　3級

意味 **真心をもって国のために尽くすこと。**「赤心」はいつわりのない心、真心。誠意。北斉の楊愔《よういん》がクーデターによって殺されるときに、自分は忠臣で殺される覚えがないと叫んだときの言葉の中にある語。

字体 「国」の旧字体は「國」。

出典 『資治通鑑《しじつがん》』〈陳紀《ちんき》〉

類義語 尽忠報国《じんちゅうほうこく》

積水成淵　せきすい せいえん　準1級

意味 **小さなものでもたくさん集まれば大きな力になるということ。**また、**努力を重ねれば物事が成就するということ。**少しの水でも、それが積もり積もると淵《ふち》になるという意から。

補説 「積水淵《せきすいふち》を成《な》す」とも読む。

出典 『荀子《じゅんし》』〈勧学《かんがく》〉

類義語 積羽沈舟《せきうちんしゅう》、積土成山《せきどせいざん》、群軽折軸《ぐんけいせつじく》、叢軽折軸《そうけいせつじく》

尺寸之功 せきすんのこう 準1級

意味 **わずかな功績。**「尺」「寸」はともに長さの単位、十寸が一尺。周代では一尺は十八センチメートル。短いこと、わずかなことのたとえ。

補説 「功」は「効」とも書く。

注意 「尺寸」を「しゃくすん」とは読まない。

出典 『戦国策《せんごくさく》』〈燕策《えんさく》〉

類義語 咫《し》尺《せき》之《の》功《こう》

尺寸之地 せきすんのち 準1級

意味 **ほんの少しの土地。**「尺寸」は「尺寸之功」の項参照。

注意 「尺寸」を「しゃくすん」と読まない。

出典 『史記』〈主《しゅ》父《ふ》偃伝《えんでん》〉

類義語 弾丸《だんがん》之《の》地《ち》、弾丸《だんがん》黒子《こくし》、黒子《こくし》之《の》地《ち》

尺寸之柄 せきすんのへい 準1級

意味 **わずかの権力。**「尺寸」は「尺寸之功」の項参照。「柄」は器物の柄《え》でとっ手・にぎりの意。転じて支配する力、権力の意。

注意 「尺寸」を「しゃくすん」と読まない。

出典 『史記』〈魏《ぎ》豹《ひょう》彭《ほう》越《えつ》伝《でん》・賛《さん》〉

積善余慶 せきぜんのよけい 準2級

意味 **善行を積んだ家は子孫まで必ず幸福がおよぶ。**「積善」はよい行いを積み重ねること、「余慶」は子孫にまでおよぶ幸福。

補説 「積善の家に必ず余慶あり」の略。

字体 「余」の旧字体は「餘」。

出典 『易経《えききょう》』〈坤《こん》・文言伝《ぶんげんでん》〉

刺草之臣 せきそうのしん 準1級

意味 **一般の人民。**草を刈るいやしい者の意。平民が君主に対して自分をへりくだっていう。「刺草」は草を刈る。また、文字どおりとげがある草、のこぎりぐさ・おにあざみなども指す。

補説 「刺草」は「しそう」とも読む。

出典 『儀礼《ぎらい》』〈士《し》相《そう》見《けん》礼《れい》〉

尺沢之鯢 せきたくのげい 1級

意味 **見聞の狭いたとえ。**「尺沢」は小さい池。「鯢」は山椒魚《さんしょううお》、一説にめだかともいう。

字体 「沢」の旧字体は「澤」。

出典 宋玉《そうぎょく》の文

類義語 埳井《かんせい》之《の》鼃《あ》、井底《せいてい》之《の》蛙《あ》、管窺《かんき》蠡測《れいそく》

尺短寸長 せきたんすんちょう 準1級

意味 **どんなにすぐれた人にも短所があり、どんなに劣った人にも長所があるということ。**

補説 出典には「尺も短き所有り、寸も長き所有り」とある。

出典 『楚辞《そじ》』〈卜居《ぼくきょ》〉

責任転嫁 せきにんてんか 準2級

意味 **責任を他になすりつけること。**「責任」は自分が引き受けて果たすべき任務。「転嫁」は二度目の嫁入りの意から転じて、ほかに移すこと。

字体 「転」の旧字体は「轉」。

注意 「転嫁」を「転化」と書き誤らない。

石破天驚 せきはてんきょう 4級

意味 **このうえなく音楽が巧妙なこと。**また、**詩文が非常に奇抜ですぐれていること。**石が破れ、天がびっくりするほど巧妙であるという意。

出典 李賀《りが》の詩

尺璧非宝 せきへきひほう 準1級

意味 **時間は何よりも貴重であるということ。**「尺璧」は直径が一尺もある大き

な宝玉のこと。尺璧も時間の貴重さと比較すれば、宝物とはいえないという意。

補説　「尺璧《せきへき》は宝《たから》に非《あら》ず」とも読む。

字体　「宝」の旧字体は「寶」。

注意　「尺璧」を「尺壁」と書き誤らない。

出典　『淮南子《えなんじ》』〈原道訓《げんどうくん》〉

隻履西帰　せきり　せいき

準2級

意味　**達磨《だるま》がくつの片方を手に持って西に帰る。**「隻履」は一対のうち一方のくつの意。

補説　「隻履西《せきり》に帰る」とも読む。

字体　「帰」の旧字体は「歸」。

故事　高僧の達磨が亡くなって三年後、北魏《ほくぎ》の宋雲《そううん》が西域《せいいき》からの帰途、達磨がくつの片方を手に持って西に帰るのに出会い、ふしぎに思って達磨の墓を検分したところ、くつが片方しか残っていなかったという故事から。

出典　『景徳伝灯録《けいとくでんとうろく》』〈三〉

是生滅法　ぜしょう　めっぽう

3級

意味　**生ある者は必ず滅びる。**仏教で万物は常住することなく変転し、生きている者は必ず死ぬという思想。

注意　「是生」を「是正」と書き誤らない。

出典　『涅槃経《ねはんぎょう》』〈一四〉

類義語　生者必滅《しょうじゃひつめつ》、諸行無常《しょぎょうむじょう》

是是非非　ぜぜ　ひひ

4級

意味　**客観的・公平に物事を判断すること。**正しいこと(是)は正しいと認め、正しくないこと(非)は正しくないと認めること。

補説　「是《ぜ》を是とし、非《ひ》を非とする」とも読む。

出典　『荀子《じゅんし》』〈脩身《しゅうしん》〉

雪案蛍窓　せつあん　けいそう

準2級

⇩蛍窓雪案(けいそう せつあん)

窃位素餐　せつい　そさん

準1級

⇩尸位素餐(しい そさん)

雪萼霜葩　せつがく　そうは

1級

意味　**梅のこと。雪や霜のように白く、雪や霜をしのいで咲くのでいう。**「萼」はがく。つぼみのとき花びらを外側から包んでいるもの。うてな。「葩」は花の意。

類義語　雪裏清香《せつりせいこう》、氷姿雪魄《ひょうしせっぱく》

折花攀柳　せっか　はんりゅう

1級

意味　**色街で遊女と遊ぶこと。**「折花」は花を手折《たお》ること、「攀柳」は柳の枝を引く意。昔、色街には柳の木が植えられていたことから、遊里のことを「柳巷花街《りゅうこうかがい》」といい、そこで遊女と遊ぶ意に用いる。

折檻諫言　せっかん　かんげん

1級

意味　**臣下が君主を厳しくいさめること。**「檻」は手すり・欄干。「折檻」は手すりが折れること。「諫言」は目上の人をいさめる言葉。

故事　前漢の朱雲《しゅうん》が成帝《せいてい》に奸臣《かんしん》を斬《き》るように諫《いさ》めたところ、帝は怒り朱雲をその場から連れ出させようとしたが、朱雲は御殿の欄檻《らんかん》につかまって諫言をやめなかったため欄檻の手すりの木が折れてしまったという故事から。

出典　『漢書《かんじょ》』〈朱雲伝《しゅうんでん》〉

窃玉偸香　せつぎょく　とうこう

1級

意味　**こっそり女に手を出して女色にふけること。**「玉」と「香」を女にたとえたもの。

補説　「窃」「偸」はともにぬすむ意。「玉《たま》を窃《ぬす》み香《こう》を偸《ぬす》む」とも読む。

字体　「窃」の旧字体は「竊」。

出典　『西廂記《せいしょうき》』〈一〉

雪月風花　せつげつ　ふうか

5級

意味　**四季折々の自然の美しい景観の**

こと。また、それを観賞し、詩歌を作ったりする風流なさまのこと。冬の雪・秋の月・夏の風・春の花の意で、四季の景物をいう。

補説 「風花雪月」ともいう。

類義語 花鳥風月《かちょうふうげつ》、春花秋月《しゅんかしゅうげつ》

接見応対 せっけんおうたい

5級

意味 **対面して受け答えすること。**また、面会しての相手への対応のしかた。

字体 「応」の旧字体は「應」、「対」の旧字体は「對」。

節倹力行 せっけんりっこう

3級

意味 **節約につとめ励む。**「節倹」は節約と倹約。いずれも無駄な費用をへらすこと。「力行」はつとめ励むこと。

補説 「力行」は「りょっこう」とも読む。

字体 「倹」の旧字体は「儉」。

出典 『史記』〈晏嬰伝《あんえいでん》〉

絶巧棄利 ぜっこうきり

3級

意味 **文明によって人為的に作られたものをすてて、自然に戻ること。**「絶巧」は巧みに作られた道具を絶つこと。「棄利」は便利なものを棄《す》てる意。

補説 「巧《こう》を絶《た》ち利を棄《す》つ」とも読む。

注意 「絶巧」を「絶好」「絶交」などと書き誤りやすい。

出典 『老子《ろうし》』〈一九章〉

切磋琢磨 せっさたくま

1級

意味 **学問や修養によって自分を磨きあげる。**また、友人どうしが競争・激励しあって学問や仕事に励むこと。「切」は象牙《ぞうげ》や獣骨を切る、「磋」はそれを磨く、「琢」は玉や石を削って形を整える、「磨」はそれを磨く意。

補説 「切磋」は「切瑳」とも書く。

出典 『詩経《しきょう》』〈衛風《えいふう》・淇奥《きいく》〉

截趾適履 せっしてきく

意味 **本末を転倒して無理に物事を行うこと。**履いている物に合わせるために足を切ること。「履」はくつ・はきもの。

補説 「趾《あし》を截《き》り履《くつ》に適《てき》せしむ」とも読む。

出典 『後漢書《ごかんじょ》』〈荀爽伝《じゅんそうでん》〉

類義語 削足適履《さくそくてきり》、刖趾適履《げっしてきり》

切歯腐心 せっしふしん

4級

意味 **非常に激しく怒ること。**切歯し心をなやますこと。「切歯」は歯ぎしりをする、歯をくいしばる、激しく怒り残念がること。

字体 「歯」の旧字体は「齒」。

出典 『史記』〈刺客《しかく》・荊軻伝《けいかでん》〉

類義語 切歯扼腕《せっしやくわん》

切歯扼腕 せっしやくわん

1級

意味 **非常に悔しがるさま。**「切歯」は歯ぎしりすること、「扼腕」は一方の手でもう一方の腕を押さえること。

補説 「扼腕」は「搤腕」とも書く。

字体 「歯」の旧字体は「齒」。

出典 『史記』〈張儀伝《ちょうぎでん》〉

類義語 切歯腐心《せっしふしん》

摂取不捨 せっしゅふしゃ

3級

意味 **仏がすべての生き物を見捨てず救うこと。**「摂取」は仏が慈悲によって衆生を救うこと、「不捨」は仏がどんな生き物も見捨てることはないということ。

字体 「摂」の旧字体は「攝」。

出典 『観無量寿経《かんむりょうじゅきょう》』

折衝禦侮 せっしょうぎょぶ

準1級

意味 **武勇によって敵をくじき、敵の侮《あなど》りを防ぎとめ恐れさせる。**「折衝」は衝《つ》いてくる敵をくじく意。「禦侮」は敵がこちらを侮るのを防ぎとめる意。

注意 「禦侮」を「禦悔」と書き誤らない。

出典 『詩経《しきょう》』〈大雅《たいが》・緜《めん》・毛伝《もうでん》〉

殺生禁断 せっしょうきんだん 準2級

意味 **鳥・獣・魚などを捕ったり殺したりすることを禁ずること。**仏教の慈悲の精神から行われる。

字体 「断」の旧字体は「斷」。

出典 『続日本紀《しょくにほんぎ》』〈一二〉

絶世独立 ぜっせいどくりつ 5級

意味 **美人の形容。**世にすぐれて並ぶものがない意。「絶世」は世に並びなくすぐれていること、「独立」はひとりそびえ立つこと。

字体 「独」の旧字体は「獨」。

出典 『漢書《かんじょ》』〈孝武李夫人伝《こうぶりふじんでん》〉

切切偲偲 せっせつしし 準1級

意味 **ねんごろに事こまかく善をすすめ励ますこと。**「切偲」だけでねんごろに強く善をすすめる意。「切偲」を重ねて語意を強調した四字句。

出典 『論語』〈憲問《けんもん》〉

絶体絶命 ぜったいぜつめい 5級

意味 **せっぱつまってどうにも逃れられない状態。**「絶」は窮《きわ》まる意。体も命も窮まったという意味。

字体 「体」の旧字体は「體」。

注意 「絶体」を「絶対」と書き誤らない。

類義語 風前之灯《ふうぜんのともしび》、窮途末路《きゅうとまつろ》

舌端月旦 ぜったんげったん 2級

意味 **口先で人を評論すること。**「舌端」は口先。「月旦」は人物を批評すること。後漢の許劭《きょしょう》が毎月のついたちに従兄の靖《せい》と郷里の人物の批評をした故事による。

出典 『海録砕事《かいろくさいじ》』〈人事《じんじ》〉

対義語 皮裏陽秋《ひりようしゅう》

截断衆流 せつだんしゅる 1級

意味 **俗世間の雑念妄想をたちきること。**修行者が煩悩《ぼんのう》をたちきること。「衆流」は雑念妄想のたとえ。仏教の語。

字体 「断」の旧字体は「斷」。

出典 『石林詩話《せきりんしわ》』〈上〉

雪中松柏 せっちゅうのしょうはく 準1級

意味 **志や節操が固いことのたとえ。**厳しい雪の中でも松や柏は緑の葉の色を変えないことから、時勢によって変節しない人をたとえた。「柏」はひのき・このてがしわなど、檜《ひのき》類の総称。

類義語 歳寒松柏《さいかんのしょうはく》、志操堅固《しそうけんご》

雪泥鴻爪 せつでいのこうそう 準1級

意味 **人間の行為など一時的ではかないものであることのたとえ。**「雪泥」は雪解けのぬかるみ、「鴻爪」は鴻《おおとり》の爪《つめ》あと。雪解けのぬかるみには鴻の爪あとさえのこらないという意。転じて、行方がわからないこと、痕跡《こんせき》の残らないこと、さらに、あとかたも残らない人生にたとえる。

出典 蘇軾《そしょく》の詩

類義語 無影無踪《むえいむそう》

刹那主義 せつなしゅぎ 2級

意味 **人生はその場その場がよければそれでいいという考え。**「刹那」は仏教用語で、ごく短い時間、瞬間をいう。その瞬間、瞬間を満足できればよいとする主義をいう。

雪魄氷姿 せっぱくひょうし 1級

意味 **雪のように清らかな魂魄《こんぱく》と氷のような姿。梅の形容。**また、**高潔な人のたとえ。**梅は百花にさきがけて雪をしのいで清楚《せいそ》に白い花をつけるからいう。

補説 「氷姿雪魄」ともいう。また「氷姿」は「冰姿」とも書く。

類義語　雪萼霜葩《せつがくそうは》、雪裏清香《せつりせいこう》

窃鈇之疑　せっぷのぎ

意味　**確かな証拠もないのに人に疑いをかけること。**「鈇」は斧《おの》。

字体　「窃」の旧字体は「竊」。

注意　「鈇」を「鉄」と書き誤らない。

故事　昔ある人が斧をなくし、隣の子を疑った。すると、その子の歩き方、表情、言葉遣いまで斧泥棒にしか見えなくなったが、やがて斧は物置で見つかった。すると隣の子がかわいく見えだしたという故事から。

出典　『列子《れっし》』〈説符《せっぷ》〉

類義語　疑心暗鬼《ぎしんあんき》

切問近思　せつもんきんし　5級

意味　**すべての事を身近な問題として切実に取りあげ、自分のこととして考えること。**「切問」は熱心に問うこと。

補説　「切に問いて近く思う」とも読む。

出典　『論語』〈子張《しちょう》〉

雪裏清香　せつりせいこう　4級

意味　**梅のこと。**雪の中にほのかなにおいを漂わせる意。梅は百花にさきがけて雪をしのいで咲くのでいう。「雪裏」は雪の降る中、また雪の積もった中。

類義語　雪萼霜葩《せつがくそうは》、雪魄氷姿《せっぱくひょうし》

世道人心　せどうじんしん　5級

意味　**世の中の道徳とそれを守る人の心のこと。**「世道」は人の守るべき道義のこと、「人心」は人々の心の意。

是非曲直　ぜひきょくちょく　4級

意味　**物事の善悪・正不正のこと。**正しいこと(是)と、正しくないこと(非)、曲がっていること(曲)と、まっすぐなこと(直)の四つを詰めたもの。

出典　『論衡《ろんこう》』〈説日《せつじつ》〉

類義語　理非曲直《りひきょくちょく》、是非善悪《ぜひぜんあく》

是非善悪　ぜひぜんあく　4級

意味　**物事のよしあし。**「是非」は正しいことと正しくないこと、「善悪」はよいことと悪いこと。是と非、善と悪の対意の言葉を重ねて、すべての事物の判断の基準を示した語。

字体　「悪」の旧字体は「惡」。

類義語　是非曲直《ぜひきょくちょく》、理非曲直《りひきょくちょく》

是非之心　ぜひのこころ　準1級

意味　**物事の是と非を正しく判別できる能力。**よいことをよいとし悪いことを悪いと分別することのできる心。

出典　『孟子《もうし》』〈公孫丑《こうそんちゅう》・上〉

潜移暗化　せんいあんか　3級

意味　**環境や他人の影響で知らず知らずのうちに気質や思想などが変化していること。**「潜」「暗」はひそかに、知らず知らずのうちにの意。「移」「化」は変わる、感化される意。

補説　「潜《ひそ》かに移《うつ》り暗《あん》に化《か》す」とも読む。

字体　「潜」の旧字体は「潛」。

出典　『顔氏家訓《がんしかくん》』〈慕賢《ぼけん》〉

類義語　潜移黙化《せんいもくか》

善因善果　ぜんいんぜんか　5級

意味　**善《よ》い行いには善い果報があるということ。**「善因」は仏教語で、よい結果を生むもととなるよい行い。

類義語　積善余慶《せきぜんのよけい》、因果応報《いんがおうほう》

対義語　悪因悪果《あくいんあっか》

扇影衣香　せんえいいこう　4級

意味　**貴婦人が多く寄り集うさま。**手に持つ扇子の影と、きらびやかな衣装の芳香の意から。高貴な身分の女性たちの会合のようすを形容したもの。

遷客騒人　せんかく そうじん　準2級

[意味]　**左遷された人や心に愁《うれ》いを抱く人。詩人墨客のこと。**「遷客」は左遷され異郷にきた人。「騒人」は心の愁いを抱く人の意。どちらも愁いをもってそれを詩に託すことから詩人墨客の別称。

[字体]　「騒」の旧字体は「騷」。

[出典]　范仲淹《はんちゅうえん》の「岳陽楼記《がくようろうのき》」

浅学非才　せんがく ひさい　4級

[意味]　**学識が浅く、才能も乏しいこと。**「浅学」は学問や見識が浅いこと、「非才」は才能がない意。自分のことを謙遜《けんそん》していうことば。

[補説]　「非才」は「菲才」とも書く。

[字体]　「浅」の旧字体は「淺」、「学」の旧字体は「學」。

[類義語]　浅学短才《せんがくたんさい》、浅知短才《せんちたんさい》

[対義語]　博学多才《はくがくたさい》

千巌万壑　せんがん ばんがく　1級

[意味]　**岩山と渓谷の景観。**またそれがけわしくつづくことの形容。多くの岩山の連なりと多くの谷の意。「巌」は大きな岩山、「壑」は谷のこと。「千」「万」は数が多いこと。けわしい岩山や谷が連なっている景観を表現した語。

[字体]　「巌」の旧字体は「巖」、「万」の旧字体は「萬」。

[出典]　『世説新語《せせつしんご》』〈言語《げんご》〉

[類義語]　千山万水《せんざんばんすい》

先義後利　せんぎ こうり　5級

[意味]　**まず道理を第一に考えて、利益は二の次にすること。**「義」は道理にかなったこと、「利」は利益の意。

[補説]　「義を先にして利を後にす」とも読む。

[出典]　『孟子《もうし》』〈梁恵王《りょうけいおう》・上〉

千客万来　せんきゃく ばんらい　4級

[意味]　**商売繁盛のたとえ。**多くの客が絶え間なくやってくること。「千」「万」は数が多いことを表す。

[補説]　「千客」は「せんかく」とも読む。

[字体]　「万」の旧字体は「萬」、「来」の旧字体は「來」。

[類義語]　門前成市《もんぜんせいし》

[対義語]　門前雀羅《もんぜんじゃくら》

善巧方便　ぜんぎょう ほうべん

[意味]　**機に応じた方法にきわめて巧みなこと。**また、**その方法。**仏が衆生《しゅじょう》を救うとき相手の素質や性格に応じて巧みに方法を講ずること。仏教の語。

[注意]　「善巧」を「ぜんこう」と読み誤らないこと。

[類義語]　応機接物《おうきせつもつ》、対症下薬《たいしょうかやく》、因病下薬《いんぺいかやく》、応病与薬《おうびょうよやく》

饌玉炊金　せんぎょく すいきん　1級

⇩炊金饌玉（すいきん せんぎょく）

前倨後恭　ぜんきょ こうきょう　1級

[意味]　**それまでの態度をがらりと変えて、相手にへつらうこと。**「倨」は人をあなどること、「恭」はうやうやしくする意。

[補説]　「前《さき》には倨《おご》りて後《のち》には恭《うやうや》し」とも読む。

[故事]　中国戦国時代の遊説家蘇秦《そしん》が、諸国をめぐったあげくすっかり貧乏になって故郷の洛陽《らくよう》に戻ったところ、妻や兄弟の家族が彼のことをばかにした。のちに秦《しん》に対抗する六国の宰相となって戻ったところ、皆が目を伏せ、腰を低くして給仕をしたので、「どうして今度はうやうやしくするのか」と尋ねたところ、嫂《あによめ》が「あなたは位が高く、お金持ちだからです」と答えたという故事から。

[出典]　『史記』〈蘇秦伝《そしんでん》〉

千金一刻　**せんきん いっこく**　5級

⇩**一刻千金**（いっこく せんきん）

千金一擲　**せんきん いってき**　1級

⇩**一擲千金**（いってき せんきん）

千鈞一髪　**せんきん いっぱつ**　1級

⇩**一髪千鈞**（いっぱつ せんきん）

千金弊帚　**せんきん へいそう**　1級

⇩**弊帚千金**（へいそう せんきん）

千軍万馬　**せんぐん ばんば**　4級

意味　**多くの兵士、軍馬。大規模で強い軍をいう。**転じて、**多くの辛酸をなめ、経験が豊富な老練の人をいう。**「千」「万」は数が多いことを表す。多くの兵士と軍馬のことで、転じて何度も戦場に行って、戦闘の経験が豊かなことにもいう。

字体　「万」の旧字体は「萬」。

類義語　千兵万馬《せんぺいばんば》、海千山千《うみせんやません》、百戦錬磨《ひゃくせんれんま》、飽経風霜《ほうけいふうそう》

千荊万棘　**せんけい ばんきょく**　1級

意味　**非常に多くの困難があること。困難なことのたとえ。**「千」「万」は数が多いことを示す語、「荊」「棘」はともにいばらのことで、とげのある草木の総称。いばらが非常に多い意から。

補説　「荊」は「荆」とも書く。

字体　「万」の旧字体は「萬」。

類義語　前途多難《ぜんとたなん》

鮮血淋漓　**せんけつ りんり**　1級

意味　**血がしたたり落ちるさま。**「鮮血」は体から出たばかりの鮮紅色の血のこと、「淋漓」は血・水・汗がしたたり落ちる意。

注意　「淋漓」を「淋離」と書き誤らない。

旋乾転坤　**せんけん てんこん**　準1級

意味　**国の政局を一新すること。**「旋」「転」はともに、まわしてもとへもどす意、「乾」は天、「坤」は地のこと。天地を一回転させて、もとの位置にもどすという意から。

補説　「乾《けん》を旋《めぐ》らし坤《こん》を転《てん》ず」とも読む。

字体　「転」の旧字体は「轉」。

出典　韓愈《かんゆ》の「潮州刺史謝上表《ちょうしゅうししゃじょうひょう》」

先見之明　**せんけんの めい**　準1級

意味　**将来を見通す聡明《そうめい》さ。**将来にある事態が起こることを前もって見通す眼力のこと。「先見」は将来を見通すこと。「明」は見識・聡明さの意。

類義語　先見之識《せんけんのしき》

千言万語　**せんげん ばんご**　4級

意味　**多くのことばを尽くして言うこと。**また、**あれこれ長たらしく言うこと。**「千」「万」は数が多いことを表す。

字体　「万」の旧字体は「萬」。

類義語　千言万句《せんげんばんく》、千言万言《せんげんばんげん》

対義語　一言半句《いちげんはんく》

先庚後庚　**せんこう こうこう**　準1級

意味　**物事を過ちのないようにていねいにすること。**物事を変更する場合には、その前後にていねいに説明すること。「庚」はかわる、改変する意で「更」と同じ。

出典　『易経《えききょう》』〈巽《そん》〉

洗垢索瘢　**せんこう さくはん**　1級

意味　**他人の欠点や誤りをどこまでも追求してほじくりだすたとえ。**垢《あか》を洗い落としてまで傷を探す。「索」は求める。「瘢」はあと、傷あとの意から、欠点や過失の意。

補説　「垢《あか》を洗《あら》いて瘢《きず》を索《もと》む」とも読む。

出典　『後漢書《ごかんじょ》』〈趙壱伝《ちょういつでん》〉

類義語　洗垢求瘢《せんこうきゅうはん》、吹毛求疵《すいもうきゅうし》

千紅万紫　せんこう ばんし

4級

意味　**色とりどりの花が咲き乱れているさま。**「千」「万」は数の多いことを表す。

補説　「千紫万紅」「万紫千紅」ともいう。

字体　「万」の旧字体は「萬」。

前虎後狼　ぜんこ こうろう

準1級

意味　**つぎつぎと災難・危害におそわれるたとえ。**前からも後ろからも虎《とら》や狼《おおかみ》がおそいかかってくる意。前に虎がいて後ろに狼が来る。前門で虎を防いでいると後門から狼が進んでくる。一難去ってまた一難の意。「虎狼」は一般に残忍で欲深のたとえで、ここでは危難にたとえる。

補説　「前門《ぜんもん》に虎《とら》を拒《ふせ》いで後門《こうもん》に狼《おおかみ》を進《すす》む」の略。また「前狼後虎」ともいう。

出典　『評史《ひょうし》』

類義語　除《じょ》狼《ろう》得《とく》虎《こ》、舎《しゃ》虎《こ》逢《ほう》狼《ろう》

千呼万喚　せんこ ばんかん

3級

意味　**何度もくり返し呼び叫ぶこと。**「千」「万」は数の多いことを表す。

字体　「万」の旧字体は「萬」。

注意　「万喚」を「万換」と書かないこと。

出典　白居易《はくきょい》の「琵琶行《びわこう》」

千古不易　せんこ ふえき

5級

意味　**永久に変わらないこと。**「千古」は大昔からの長い時間、永久の意。「不易」は変化しないこと。

注意　「不易」を「ふい」と読まないこと。

類義語　千《せん》古《こ》不《ふ》変《へん》、千《せん》古《こ》不《ふ》抜《ばつ》、千《せん》載《ざい》不《ふ》易《えき》、万《ばん》古《こ》不《ふ》易《えき》、万《ばん》世《せい》不《ふ》易《えき》

前後不覚　ぜんご ふかく

5級

意味　**正体がなくなること。**後先もわからなくなることで、酒を飲みすぎたり、気を失ったときなどにいう言葉。

字体　「覚」の旧字体は「覺」。

注意　「不覚」を「不確」と書き誤らない。

類義語　人《じん》事《じ》不《ふ》省《せい》

千古不磨　せんこ ふま

準2級

意味　**永久に滅びない。**また、永久に伝わる。「千古」は遠い昔、または遠い後の世の意から永久の時間を指す。「不磨」は擦り減って滅びることがない。

類義語　千《せん》古《こ》不《ふ》朽《きゅう》、千《せん》古《こ》不《ふ》易《えき》

潜在意識　せんざい いしき

3級

意味　**心の奥底にひそみかくれている、自覚されない意識。**「潜在」は表面に出ないで、内にひそんでいること。「顕在」の対語。精神分析の用語でいう「無意識」と同じようなもの。

字体　「潜」の旧字体は「潛」。

千載一遇　せんざい いちぐう

3級

意味　**またとないよい機会。**絶好のチャンス。「載」は「年」の意で千年に一度しかめぐり遇えないという意味から。

注意　「一遇」を「一偶」と書き誤らないこと。

出典　王褒《おうほう》の「四子講徳論《ししこうとくろん》」

類義語　千《せん》載《ざい》一《いち》時《じ》、千《せん》載《ざい》一《いち》合《ごう》、千《せん》載《ざい》一《いち》会《え》、盲《もう》亀《き》浮《ふ》木《ぼく》

仙才鬼才　せんさい きさい

準2級

意味　**人並みはずれたすぐれた才。凡俗を超えた才。**「仙才」は仙人の才の意から、衆にすぐれた才。もと唐の詩人の李《り》白《はく》が仙才、李《り》賀《が》が鬼才と称された語。

出典　『麈史《しゅし》』〈中〉

千錯万綜　せんさく ばんそう

準1級

意味　**さまざまに入り交じること。**入り交じる意の「錯綜」にそれぞれ「たくさん、さまざまに」の意の「千万」を配して四字句にしたもの。

字体 「万」の旧字体は「萬」。

千差万別 せんさ ばんべつ 4級

意味 **さまざまな種類や違いがあること。**「千」「万」は数が多いことを表す。
補説 「万別」は「まんべつ」とも読む。
字体 「万」の旧字体は「萬」。
類義語 種種《しゅじゅ》様様《さまざま》、千《せん》種《しゅ》万《ばん》様《よう》、千《せん》種《しゅ》万《ばん》別《べつ》、多《た》種《しゅ》多《た》様《よう》、十人《じゅうにん》十《と》色《いろ》

千山万水 せんざん ばんすい 4級

意味 **山また山、川また川の広大で奥深い自然をいう。**また、道の遠くはるかなことの形容。道のけわしいことの形容。「千」「万」は数の多いことを表す。
補説 「万水千山」ともいう。
字体 「万」の旧字体は「萬」。
出典 宋《そう》之《し》問《もん》の詩

仙姿玉質 せんし ぎょくしつ 準2級

意味 **とびぬけた美人に対する形容。**「仙姿」は仙女のような容姿、「玉質」は玉のように美しい肉体。
類義語 仙《せん》姿《し》玉色《ぎょくしょく》

千思万考 せんし ばんこう 4級

意味 **あれこれと思いをめぐらすこと。**「千」「万」は数が多いことを表す。「千万の思考」の意。
字体 「万」の旧字体は「萬」。
類義語 千《せん》思《し》万《ばん》慮《りょ》、千《せん》思《し》万《ばん》想《そう》、千《せん》方《ぽう》百《ひゃっ》計《けい》、百術千慮《ひゃくじゅつせんりょ》

千紫万紅 せんし ばんこう 4級

⇩**千紅万紫**（せんこう ばんし）

千姿万態 せんし ばんたい 4級

意味 **種々さまざまな姿かたち。**「千」「万」は数が多いことを表す。「千万の姿態」の意。
字体 「万」の旧字体は「萬」。
注意 「万態」を「万体」と書き誤らない。
類義語 千《せん》状《じょう》万《ばん》態《たい》、千《せん》態《たい》万《ばん》状《じょう》、千《せん》態《たい》万《ばん》様《よう》

浅酌低唱 せんしゃく ていしょう 準2級

⇩**浅斟低唱**（せんしん ていしょう）

前車覆轍 ぜんしゃの ふくてつ 準1級

意味 **先人の失敗は、後の人の戒めになるということ。**「前車」は前を行く車、「覆轍」はひっくりかえった車の轍《わだち》（車輪の跡）の意。前の車がひっくり返ると、後続の車への警告になることからいう。
補説 出典の「前車の覆《くつがえ》るは後車の誡《いまし》め」にもとづく。
出典 『漢書《かんじょ》』〈賈誼伝《かぎでん》〉
類義語 覆《ふく》車《しゃ》之《の》戒《いましめ》、前《ぜん》覆《ぷく》後《こう》戒《かい》
対義語 重《じゅう》蹈《とう》覆《ふく》轍《てつ》

千射万箭 せんしゃ ばんせん 準1級

意味 **弓道で射手の心構えを説いた語。**弓を射る場合は常に、千本、万本の矢を射る場合でも、あとの矢をたのむことなしに、今射る一本の矢をおろそかにしてはならないということ。「千射」は千本の矢を射ること。「万箭」は万本の矢。
字体 「万」の旧字体は「萬」。
注意 「万箭」を「万扇」と書き誤らない。

先従隗始 せんじゅう かいし 1級

意味 **言い出した者から始めよの意。**また、**物事を手近なところからはじめることのたとえ。**物事を始めるには、他人まかせにしないで、まず自分が率先して始めることが重要であるということ。「隗」は戦国時代の人、郭隗《かくかい》のこと。
補説 「先《ま》ず隗《かい》より始めよ」とも読む。
故事 戦国時代、燕《えん》の昭王が賢人を招こうと賓客の郭隗に相談すると、隗は「まずこの隗から優遇しはじめてごらんなさい。私のような愚かな者ですら優遇され

ているのですから、私よりすぐれた賢人もたくさん集まってくるでしょう」と自薦した。昭王が進言のとおり隗のために邸宅を新築して尊んだところ果たして多くの賢人が集まってきた故事から。

出典 『史記』〈燕召公世家《えんしょうこうせいか》〉

類義語 燕照築台《えんしょうちくだい》

千秋万古 せんしゅうばんこ　4級

意味 **永遠の歳月。**「千秋」は千年、「万古」は万年の意。非常に長い年月のことをいう。「万古」から過去の年月と考えがちだが、本来、後の世までの長い年月の意で使われる。

字体 「万」の旧字体は「萬」。

類義語 千秋万歳《せんしゅうばんざい》

千秋万歳 せんしゅうばんざい　4級

意味 **非常に長い年月のこと。**また、**長寿を祝うことば。**「千」「万」は数の多いことを表し、「秋」「歳」はともに年の意。千年も万年もということ。

補説 「万歳」は「ばんぜい」「まんざい」とも読む。

字体 「万」の旧字体は「萬」。

出典 『韓非子《かんぴし》』〈顕学《けんがく》〉

類義語 千秋万古《せんしゅうばんこ》

千乗之国 せんじょうのくに　準1級

意味 **兵車千台を出すことのできる諸侯の国。**「乗」は車を数える単位。周代では一乗に甲兵三人、歩兵七十二人、車士二十五人がつくといわれる。十万の軍隊を持つ諸侯の意。

字体 「乗」の旧字体は「乘」、「国」の旧字体は「國」。

出典 『論語』〈学而《がくじ》〉

類義語 万乗之国《ばんじょうのくに》

川上之歎 せんじょうのたん　準1級

意味 **時間が過ぎ去ることへの嘆き。**「川上」は川のほとり。水の流れを見て常に止まることなく流れ行く時間に対して感慨をもよおすことをいう。

補説 「歎」は「嘆」とも書く。

故事 孔子が川のほとりで水の流れるのを見て、「時間が過ぎ去るのはこの水の流れのようなものだなあ」と嘆じたことから。

出典 『論語』〈子罕《しかん》〉

千乗万騎 せんじょうばんき　3級

意味 **非常に多数の車と騎馬のこと。**「千乗」は千の兵車。「乗」は車を数える単位。周代では、天子は兵車万乗(一万台)、諸侯は兵車千乗(一千台)を出した。一乗には甲兵三人、歩兵七十二人、車士二十五人がつくといわれる。

字体 「乗」の旧字体は「乘」、「万」の旧字体は「萬」。

出典 白居易《はくきょい》の「長恨歌《ちょうごんか》」

千状万態 せんじょうばんたい　4級

意味 **いろいろ、さまざまな様子。**「千」「万」は数の多いことを表す。

字体 「万」の旧字体は「萬」。

出典 欧陽脩《おうようしゅう》の文

禅譲放伐 ぜんじょうほうばつ　準2級

意味 **中国古代の政権交代の二つの方法。**君主が位を世襲せず人徳ある者に譲る禅譲と暴政を行う君主を臣下が追放したり討伐したりして位を奪う放伐のこと。具体的には堯《ぎょう》帝から舜《しゅん》帝への政権交代は禅譲、殷《いん》の湯《とう》王が夏《か》の桀《けつ》王を伐《う》ち位を奪ったのが放伐。

字体 「禅」の旧字体は「禪」、「譲」の旧字体は「讓」。

僭賞濫刑 せんしょうらんけい　1級

意味 **適正を欠いた賞罰。**「僭賞」は身

分をこえた恩賞のこと。「濫刑」はむやみやたらに罰する意。度が過ぎた賞罰をいう。

出典　『春秋《しゅんじゅう》左《さ》氏《し》伝《でん》』〈襄公《じょうこう》二六年〉

対義語　信賞必罰《しんしょうひつばつ》

千緒万端　せんしょ ばんたん　準2級

意味　**種々雑多な事柄のこと。**「千」「万」は数が多いことを表す。「緒」は物事の始めのこと、「端」は物事のはしの意。

補説　「千端万緒」ともいう。また、「千緒」は「せんちょ」とも読む。

字体　「万」の旧字体は「萬」。

出典　『晋書《しんじょ》』〈陶侃伝《とうかんでん》〉

類義語　千緒万縷《せんしょばんる》、千頭万緒《せんとうばんしょ》

専心一意　せんしん いちい　5級

⇩一意専心（いちい せんしん）

全身全霊　ぜんしん ぜんれい　3級

意味　**その人の体力と気力のすべて。**「霊」は心のことで、身も心もすべての意。

字体　「霊」の旧字体は「靈」。

類義語　全心全力《ぜんしんぜんりょく》

浅斟低唱　せんしん ていしょう　1級

意味　**少々酒を飲んで小声で歌を口ずさむこと。**「浅斟」は軽く酒をくみかわす、「低唱」は低い声で詩や歌をうたうこと。

補説　「低唱浅斟」ともいう。

字体　「浅」の旧字体は「淺」。

類義語　浅酌低唱《せんしゃくていしょう》、浅酌微吟《せんしゃくびぎん》

千仞之谿　せんじんの たに　1級

意味　**非常に深い谷。**「千仞」は「千尋」と同じで長さを表し、「仞」は周尺の七尺。「谿」は渓谷。

千辛万苦　せんしん ばんく　3級

意味　**さまざまな苦しみや難儀のこと。**「千」「万」は数が多いことを表す。「千万の辛苦」の意。

字体　「万」の旧字体は「萬」。

類義語　艱難辛苦《かんなんしんく》、粒粒辛苦《りゅうりゅうしんく》

前人未到　ぜんじん みとう　4級

意味　**今までに誰《だれ》も到達していないこと。**空前の記録や偉業などについていう。

補説　「前人未《いま》だ到らず」とも読む。「未到」は「未踏」とも書く。

煎水作氷　せんすい さくひょう　2級

意味　**まったく不可能なこと。**「煎水」は水を煮つめること。水を煮つめて氷を作る意。

補説　「水を煎《に》て氷を作る」とも読む。「作氷」は「作冰」とも書く。

出典　『三国志《さんごくし》』〈魏書《ぎしょ》・高堂隆伝《こうどうりゅうでん》〉

類義語　縁木求魚《えんぼくきゅうぎょ》、敲氷求火《こうひょうきゅうか》

先制攻撃　せんせい こうげき　4級

意味　**先手を取って相手を攻めること。**機先を制して攻めること。

類義語　先手必勝《せんてひっしょう》

全生全帰　ぜんせい ぜんき　5級

意味　**親からもらった体を傷つけることなく生を全うするのが、真の親孝行だということ。**「全」は完全の意。完全な体で生んでくれたものを、完全な体のまま帰すという意から。

字体　「帰」の旧字体は「歸」。

故事　曾子《そうし》の門人の楽正子春《がくせいししゅん》が、あるとき足にけがをした。けがは間もなく治ったが、彼は毎日うかない顔をしていたので、ある人がその理由を尋ねたところ、「孔子の教えに『子は父母から完全な体をいただいているのだから、完全な体のまま父母に返すことこそ、親孝行なのだ』とあるが、私はその体を傷つけてしまった」と嘆いたという故事から。

出典　『礼記《らいき》』〈祭義《さいぎ》〉

先聖先師　せんせい　せんし　5級

意味　**孔子の尊称。**「先聖」は昔の聖人。「先師」は聖人の教えを広め師と仰がれる人。古代中国では学校を建てると先聖・先師を必ず祭ったが、だれを先聖・先師とするかは時代によって異なった。長く周公《しゅうこう》を先聖としたが、唐の太宗《たいそう》以後は孔子を先聖、顔淵《がんえん》を先師とした。なお明《みん》の時代からは先聖・先師を合し、孔子を至《し》聖《せい》先師と称して祭るようになった。

出典　『礼記《らいき》』〈文王世子《ぶんのうせいし》〉

泉石膏肓　せんせき　こうこう　1級

意味　**自然や山水の中で暮らしたいという気持ちが非常に強いこと。**「泉石」は流水と石、山水のたたずまい。「膏」は胸の下のところ、「肓」は胸と腹の間のうすい膜。病気が入ったら治る見込みがない場所とされる。俗世を離れて山水の中で暮らしたい気持ちが癒《いや》しがたい病気のように切なことをいう。

注意　「肓」を「盲」と書き誤りやすい。

出典　『旧唐書《くとうじょ》』〈田游巌伝《でんゆうがんでん》〉

戦戦兢兢　せんせん　きょうきょう　1級

意味　**恐れてびくびくするさま。**「戦戦」は恐れおののくこと。「兢兢」は恐れおののいて戒めつつしむ意。

補説　「兢兢」は「恐恐」とも書く。

字体　「戦」の旧字体は「戰」。

注意　「兢兢」を「競競」と書き誤らない。

出典　『詩経《しきょう》』〈小雅《しょうが》・小旻《しょうびん》〉

類義語　戦戦慄慄《せんせんりつりつ》

戦戦慄慄　せんせん　りつりつ　2級

意味　**恐れつつしむさま。**また、**びくびくして、ふるえ恐れるさま。**「戦慄」は恐れおののく、びくびくする、という意の語で、それを二つ重ねて語意を強めた四字句。

字体　「戦」の旧字体は「戰」。

出典　『淮南子《えなんじ》』〈人間訓《じんかんくん》〉

類義語　戦戦兢兢《せんせんきょうきょう》

蟬噪蛙鳴　せんそう　あめい　1級

⇩蛙鳴蟬噪（あめい せんそう）

翦草除根　せんそう　じょこん　1級

意味　**災いを根こそぎ除きさること。問題を根本から解決するたとえ。**草を切り根を除いて二度と生えないようにする意。「翦」は「剪」に同じで、切ること。

補説　「草《くさ》を翦《き》り根《ね》を除《のぞ》く」とも読む。

出典　『春秋左氏伝《しゅんじゅうさしでん》』〈隠公《いんこう》六年〉

類義語　削株掘根《さくしゅくっこん》、断根枯葉《だんこんこよう》、釜底抽薪《ふていちゅうしん》、抜本塞源《ばっぽんそくげん》

吮疽之仁　せんその　じん　1級

意味　**大将が部下を手あつくいたわること。**「吮」は吸い出すこと、「疽」は根の深い、悪性で危険なはれもの。

故事　中国の戦国時代の楚《そ》の将軍呉起《ごき》が、部下が悪性のはれもので苦しんでいるのをみて、その血うみを吸いとってやったという故事から。

出典　『史記』〈呉起伝《ごきでん》〉

千村万落　せんそん　ばんらく　4級

意味　**多くの村落。**多数の村ざとをいう。「村落」を分けて、数が多いことを表す「千万」をつけた言葉。

字体　「万」の旧字体は「萬」。

出典　杜甫《とほ》の「兵車行《へいしゃこう》」

前代未聞　ぜんだい　みもん　準2級

意味　**今まで聞いたことがないような変わったこと。**「前代」は前の時代・これまでのこと、「未聞」は「未《いま》だ聞かず」と訓読し、聞いたことがない意。

注意　「未聞」を「末問」「見聞」など

と書き誤りやすい。

類義語 空前絶後《くうぜんぜつご》、破天荒解《はてんこうかい》

千朶万朶　せんだばんだ　1級

意味 **多くの花がついた枝。** 花が非常に多く咲き乱れていることの形容。「千」「万」は数が多いことを示す語。「朶」は花のついた枝のこと。

字体 「万」の旧字体は「萬」。

出典 杜甫《とほ》の詩

栴檀双葉　せんだんのふたば　準1級

意味 **偉大な人物は小さいときからすぐれているということ。**「栴檀」は香木の白檀《びゃくだん》のこと、「双葉」は草木が芽を出したばかりの小さい二枚の葉の意。栴檀の木は芽ばえたばかりのころから香気があるということ。

補説 「栴檀は双葉より芳《かんば》し」の略。「双葉」は「二葉」とも書く。

字体 「双」の旧字体は「雙」。

出典 『平家物語』〈一〉

対義語 大器晩成《たいきばんせい》

先知先覚　せんちせんがく　5級

意味 **一般の人より先に道理を知りさとること。** またその人。また、学問や人格、見識などがすぐれている人。

字体 「覚」の旧字体は「覺」。

出典 『孟子《もうし》』〈万章《ばんしょう》・上〉

全知全能　ぜんちぜんのう　5級

意味 **神の能力。** あらゆることを理解しあらゆることを実行できる能力をもっていること。

補説 「全知」は「全智」とも書く。

類義語 完全無欠《かんぜんむけつ》

扇枕温衾　せんちんおんきん　1級

意味 **親孝行なことのたとえ。** 夏には枕《まくら》もとで扇であおいで涼しくし、冬には自分の体温で親の布団を温めてから親を寝かせる意。「衾」は掛け布団。

注意 「衾」を「衿」と書き誤らない。

出典 『東観漢記《とうかんかんき》』〈黄香伝《こうきょうでん》〉の「扇枕温席」にもとづく。

類義語 扇枕温被《せんちんおんぴ》、温凊定省《おんせいていせい》

前程万里　ぜんていばんり　4級

意味 **これからの道のりが非常に遠いこと。** また、**将来の可能性や希望が大きいこと。** 前途有為なこと。「前程」は行く先の道のり・前途のこと、「万里」は遠大な道のりの意。

字体 「万」の旧字体は「萬」。

出典 『南楚新聞《なんそしんぶん》』

類義語 前程遠大《ぜんていえんだい》、前途万里《ぜんとばんり》

先手必勝　せんてひっしょう　5級

意味 **相手より先に攻撃すれば必ず勝つ。** 戦争や勝負事は先手をとって機先を制すれば必ず勝つということ。

補説 「先手」はもともと将棋や囲碁から出た語で、先に着手する方を先手、後で打つ方を後手という。

類義語 先制攻撃《せんせいこうげき》

旋転囲繞　せんてんいじょう　1級

意味 **相手を取り囲むこと。ぐるぐる回って取り囲むこと。**「旋転」はぐるぐる回る、「囲繞」は取り囲む意。

補説 「囲繞」を「いぎょう」と読み誤らない。

字体 「転」の旧字体は「轉」、「囲」の旧字体は「圍」。

前途多難　ぜんとたなん　4級

意味 **行く先に多くの困難が予想されること。**「前途」は将来・行く先のこと。「多難」は多くの困難や災難の意。

類義語 前途遼遠《ぜんとりょうえん》

対義語 前《ぜん》途《と》洋洋《ようよう》、前程《ぜんてい》万里《ばんり》

前途有望 ぜんと ゆうぼう 4級

意味 **将来に大いに見込みがあること。**「前途」は行き先・将来のこと、「有望」は望みや見込みがある意。

類義語 前《ぜん》途《と》有為《ゆうい》、前《ぜん》途《と》洋洋《ようよう》

前途洋洋 ぜんと ようよう 4級

意味 **将来が明るく希望に満ちていること。**「前途」は将来・行く先のこと、「洋洋」は水が豊かにあり広々としている意から、希望に満ちたさまをいう。

注意 「洋洋」を「揚揚」と書き誤らない。

類義語 前《ぜん》途《と》有望《ゆうぼう》、前《ぜん》途《と》有為《ゆうい》、鵬程《ほうてい》万里《ばんり》

対義語 前《ぜん》途《と》多難《たなん》、前《ぜん》途《と》遼遠《りょうえん》

前途遼遠 ぜんと りょうえん 準1級

意味 **行く先の道のりがはるかに遠いこと。**「前途」は将来・行く先のこと、「遼」「遠」はともに遠い意。

類義語 前《ぜん》途《と》多難《たなん》

対義語 前《ぜん》途《と》洋洋《ようよう》、前程《ぜんてい》万里《ばんり》

千成瓢箪 せんなり びょうたん 準1級

意味 **豊臣秀吉の馬印《うまじるし》。**もともとは小形の果実がたくさんなるひょうたんの一種。それを図案化した秀吉の馬印が有名になった。「千成」は一本の植物にたくさんの実が群がってなること、「瓢箪」はウリ科の植物。

先難後獲 せんなん こうかく 4級

意味 **仁徳者は難事を先にして利益は後のこととすること。**人がいやがる困難なことを率先して行い、人がしたがる利益に直結するようなことは後回しにすること(新注)。また、まず苦労して後に功を得ること(古注)。いろいろ骨折ってから目的に到達することをいう。「先難」は困難なことを先にする意、「後獲」は成果は後のこととするということ。

補説 「難《かた》きを先にし獲《う》るを後《のち》にす」とも読む。

出典 『論語』〈雍也《ようや》〉

類義語 先苦後甜《せんくこうてん》

善男善女 ぜんなん ぜんにょ 4級

意味 **仏教を信仰する人々。**また、広く寺院や神社に参詣《さんけい》する人々。

類義語 善男信女《ぜんなんしんにょ》

漸入佳境 ぜんにゅう かきょう 準2級

意味 **状況や話などが、最も興味深い部分にさしかかること。**「漸入」はだんだん入る意、「佳境」は最も趣深いところのこと。

補説 「漸《よう》く佳境に入《い》る」とも読む。

注意 「漸入」を「暫入」と書き誤らない。

故事 中国東晋《とうしん》の顧愷之《こがいし》は甘蔗《かんしょ》(さとうきび)が好物であったが、食べるとき必ず先のまずい方から根元のおいしい方に向かってかじった。そのわけを人が尋ねたところ、「だんだん佳境に入るからだ」と答えたという故事から。

出典 『晋書《しんじょ》』〈顧愷之伝《こがいしでん》〉

類義語 漸至佳境《ぜんしかきょう》

前跋後疐 ぜんばつ こうち

意味 **進むことも退くこともできず、どうにもならない困難な状態に追いこまれること。**老いた狼《おおかみ》が前は自分のあごに垂れ下がった肉を跋《ふ》み、後ろは自分のしっぽに疐《つま》ずくの意。

出典 『詩経《しきょう》』〈豳風《ひんぷう》・狼跋《ろうばつ》〉

全豹一斑 ぜんぴょう いっぱん 準1級

意味 **物事の一部分を見て全体を批評すること。**豹の一つの斑文を見て豹全体を批評する意。見識のきわめて狭いことのたとえ。「全豹」は豹全体、転じて全体

の意。

出典　『晋書《しんじょ》』〈王献之伝《おうけんしでん》〉

類義語　管中窺豹《かんちゅうきひょう》、管窺蠡測《かんきれいそく》

仙風道骨　せんぷう どうこつ　準2級

意味　**俗っぽさがなく非凡な姿のこと。**仙人や道者の風采骨相《ふうさいこっそう》のたとえ。

出典　李白《りはく》の「大鵬賦序《たいほうふじょ》」

前覆後戒　ぜんぷく こうかい　3級

⇨**前車覆轍**（ぜんしゃの ふくてつ）

穿壁引光　せんぺき いんこう　準1級

意味　**苦学のたとえ。貧困にもかかわらず、熱心に学問に励むこと。**壁に穴をあけ、その穴からもれる隣の家の光で読書すること。

補説　「壁を穿《うが》ちて光を引く」とも読む。

出典　『西京雑記《せいけいざっき》』〈二〉

類義語　蛍雪之功《けいせつのこう》

千篇一律　せんぺん いちりつ　準1級

意味　**多くのものが、どれも変わりばえがしなくて面白味に欠けること。**「千篇」は数多くの詩篇のこと。「一律」は変化がなく同じ調子の意。

補説　「千篇」は「千編」とも書く。

注意　「千篇」を「千偏」「千遍」、「一律」を「一率」などと書き誤りやすい。

出典　『詩品《しひん》』〈中〉

類義語　一本調子《いっぽんちょうし》、千篇一体《せんぺんいったい》

対義語　千変万化《せんぺんばんか》、変幻自在《へんげんじざい》

千変万化　せんぺん ばんか　4級

意味　**さまざまに変化すること。**「変化」が「千」通りも「万」通りもあると誇張した言葉。

補説　「千変」は「せんべん」とも読む。

字体　「変」の旧字体は「變」、「万」の旧字体は「萬」。

出典　『列子《れっし》』〈周穆王《しゅうぼくおう》〉

瞻望咨嗟　せんぼう しさ　1級

意味　**遠くのぞみ見てその素晴らしさにため息を吐く。高貴の人などを敬慕しうらやむこと。**「瞻望」はのぞみ見る、仰ぎ見る意。「咨嗟」はため息を吐くこと。

補説　「瞻望」を「羨望」としても意味は通じる。

注意　「咨嗟」を「恣嗟」と書き誤らない。

出典　欧陽脩《おうようしゅう》の「相州昼錦堂記《しょうしゅうちゅうきんどうき》」

千万無量　せんまん むりょう　5級

意味　**はかり知れないほど多いこと。**「千万」は数が多いこと、「無量」ははかり知れないほど量が多い意。

字体　「万」の旧字体は「萬」。

先憂後楽　せんゆう こうらく　3級

意味　**先に心配事・苦痛に思うことを片付け、楽しみは後回しにすること。**天下の人々に先立って国事を心配し、人々が楽しんだ後で自分が楽しむ。北宋《ほくそう》の名臣、范仲淹《はんちゅうえん》が政治家の心構えを述べた言葉。

補説　「天下の憂《うれ》えに先んじて憂え、天下の楽しみに後《おく》れて楽しむ」の略。

字体　「楽」の旧字体は「樂」。

出典　范仲淹《はんちゅうえん》の「岳陽楼記《がくようろうのき》」

千里同風　せんり どうふう　5級

⇨**万里同風**（ばんり どうふう）

千里結言　せんりの けつげん　5級

意味　**遠方の友と約束した言葉。**「千里」は遠方の意。「結言」は言葉で約束すること。

出典　『後漢書《ごかんじょ》』〈范式伝《はんしきでん》〉

千里無烟　せんり むえん　1級

意味　**民衆の生活が窮乏をきわめてい**

ること。千里四方にわたって、食事の準備をする竈《かまど》の煙が立ちのぼらないという意から。

補説　「無烟」は「無煙」とも書く。

出典　『三国志《さんごくし》』〈魏書《ぎしょ》・衛覬伝《えいきでん》〉

千里命駕　せんり めいが　準1級

意味　**はるかな遠方からおいでになること。**千里の彼方からの来駕の意。「千里」は遠方のたとえ、「命駕」は命じて馬車を用意させる、または馬車に乗ること。

補説　「千里、駕《が》を命《めい》ず」とも読む。

注意　「駕」を「賀」と書き誤らない。

出典　『晋書《しんじょ》』〈嵆康伝《けいこうでん》〉

類義語　千里之駕《せんりのが》

千慮一失　せんりょの いっしつ　4級

意味　**どんなに賢い者にも多くの考えの中には一つぐらい誤りがある。**また、十分に用意しても思いがけない失敗があること。

出典　『史記』〈淮陰侯伝《わいいんこうでん》〉

類義語　智者一失《ちしゃのいっしつ》、百慮一失《ひゃくりょいっしつ》

対義語　愚者一得《ぐしゃのいっとく》

千慮一得　せんりょの いっとく　4級

意味　**愚者の考えの中にも一つくらいはよいものがある。**「千慮」は多くの考え。

出典　『史記』〈淮陰侯伝《わいいんこうでん》〉

類義語　愚者一得《ぐしゃのいっとく》、百慮一得《ひゃくりょいっとく》

対義語　千慮一失《せんりょのいっしつ》

善隣友好　ぜんりん ゆうこう　4級

意味　**隣の国と友人のように仲良くすること。**また、隣の国と友好的な外交関係を結ぶこと。「善隣」は隣国・隣人と仲良くすること。

賤斂貴発　せんれん きはつ　1級

意味　**物価が安いときに買い入れて、物価が高騰したときに安く売り出す物価安定策のこと。**「斂」はおさめる、買い入れる意。「賤」「貴」は身分の高下ではなく、価値や値段の高下の意。

補説　「賤《せん》に斂《おさ》め貴《き》に発《はっ》す」とも読む。

字体　「発」の旧字体は「發」。

出典　『唐書《とうじょ》』〈鄭珣瑜伝《ていじゅんゆでん》〉

類義語　賤斂貴出《せんれんきしゅつ》

前狼後虎　ぜんろう こうこ　準1級

⇩前虎後狼（ぜんこ こうろう）

【そ】

粗衣粗食　そい そしょく　3級

意味　**質素な生活・貧しい生活のたとえ。**粗末な衣服と粗末な食事のこと。

類義語　悪衣悪食《あくいあくしょく》、節衣縮食《せついしゅくしょく》

対義語　煖衣飽食《だんいほうしょく》

創意工夫　そうい くふう　4級

意味　**新しいことを考え出し、いろいろ手段をめぐらすこと。**「創意」は新しい考え・思いつき。「工夫」は手段を講ずること。

草偃風従　そうえん ふうじゅう　1級

意味　**人民は天子の徳によって教化され、自然とつき従うようになるということ。**「偃」はなびく意。草は風が吹くと従いなびくということから。

出典　『論語』〈顔淵《がんえん》〉

類義語　君子徳風《くんしとくふう》

滄海桑田　そうかい そうでん　1級

意味　**世の変転のはなはだしいたとえ。**「滄海変じて桑田となる（青海原が桑畑に変わる）」の意から（→「滄桑之変《そうそうのへん》」）。

補説　「桑田滄海」ともいう。

出典　『神仙伝《しんせんでん》』

類義語　滄桑《そうそう》之《の》変《へん》、桑田《そうでん》碧海《へきかい》、東海桑《とうかいそう》田《でん》、滄海揚塵《そうかいようじん》

滄海遺珠　そうかいのいしゅ　1級

意味　**世に埋もれた有能な人材のたとえ。**広い海原の底に取り残された真珠の意から。「滄海」は青い大海原。

出典　『唐書《とうじょ》』〈狄仁傑伝《てきじんけつでん》〉

滄海一粟　そうかいのいちぞく　1級

意味　**比較にならないほど小さいもののたとえ。**また、広大な宇宙で人間の存在は小さくてはかないものであることのたとえ。青い大海原（滄海）の一粒の粟《あわ》（一粟）の意から。

注意　「一粟」を「一栗」と書き誤らない。

出典　蘇軾《そしょく》の「前赤壁賦《ぜんせきへきのふ》」

総角之好　そうかくのよしみ　準1級

意味　**幼な友だちとの交わり。**幼い頃からの親友。「総角」は髪を束ねて頭の両側に角《つの》のように垂らした髪形。小児の髪形で、転じて小児の意。「好」は親しい交わり。「友好」の「好」。

字体　「総」の旧字体は「總」。

出典　『晋書《しんじょ》』〈何劭伝《かしょうでん》〉

類義語　総角《そうかく》之《の》交《まじわり》、竹馬《ちくば》之《の》友《とも》

喪家之狗　そうかのいぬ　準1級

意味　**ひどくやつれて元気がない人。**また、**身の寄せ所がなく、うろつきまわる者。**「喪家」は喪中《もちゅう》の家のこと、「狗」は犬の意。喪中の家では、飼っている犬の世話をする人もないので餌《えさ》ももらえず、犬がやせ衰えてしまうという意から。失意の人の意にもいう。また「喪」を失う意に解して、家を失った犬、宿無し犬のことともいう。

補説　「狗」は「く」とも読み、「犬」とも書く。

出典　『史記』〈孔子世家《こうしせいか》〉

桑間濮上　そうかんぼくじょう

意味　**淫乱《いんらん》な音楽のこと。**また、**国を滅亡にみちびく亡国の音楽のこと。**「濮上」は濮水（河南省にある川の名）のほとりのこと、「桑間」は濮水のほとりの地名。一説に、濮水のほとりの桑の木の間の意。

補説　「桑間濮上の音《おん》」の略。

故事　中国衛《えい》の霊公《れいこう》が晋《しん》に行く途中、夜半に濮水のほとりで聞いた音楽が素晴らしかったので、これを晋の平公の前で演奏させた。すると晋の楽官師曠《しこう》が、これは殷《いん》を滅亡させた不吉な音楽だといって演奏をやめさせたという故事から。

出典　『礼記《らいき》』〈楽記《がくき》〉

類義語　濮上《ぼくじょう》之《の》音《おん》、桑濮《そうぼく》之《の》音《おん》

僧伽藍摩　そうぎゃらんま　準1級

意味　**寺院の建物の総称。**寺院の意。仏教の語。「僧伽」は衆多の僧の意。

補説　「僧伽」は「そうが」とも読む。

創業守成　そうぎょうしゅせい　5級

意味　**新しい事業を始めるのはやさしくその成果を守り維持してゆくのは難しい。**「創業」は事業を新しく始めること。「守成」は成果を守り続けること。

補説　「創業は易《やす》く、守成は難《かた》し」を略した語。出典には「草創守文」とある。

出典　『貞観政要《じょうがんせいよう》』〈君道《くんどう》〉

類義語　創業守文《そうぎょうしゅぶん》

痩軀長身　そうくちょうしん　準1級

⇩長身痩軀（ちょうしん　そうく）

蒼狗白衣　そうくはくい　準1級

⇩白衣蒼狗（はくい　そうく）

叢軽折軸　そうけいせつじく　準1級

意味　**小さなものでもたくさん集まる**

と大きな力になるということ。「叢軽」はたくさん集まった軽いもののこと、「折軸」は車軸が折れる意。軽いものでもたくさんになると、車の軸がその重みで折れてしまうということから。

補説　「叢軽軸《そうけいじく》を折る」とも読む。

字体　「軽」の旧字体は「輕」。

出典　『漢書《かんじょ》』〈中山靖王勝伝《ちゅうざんせいおうしょうでん》〉

類義語　群軽折軸《ぐんけいせつじく》、羽翮飛肉《うかくひにく》、積羽沈舟《せきうちんしゅう》、積土成山《せきどせいざん》、積水成淵《せきすいせいえん》

造言蜚語　ぞうげんひご　1級

意味　**根拠のないでたらめなうわさ。**「造言」は根も葉もないでたらめ、つくりごと。「蜚語」は誰がいうともなく伝わった根拠のないうわさ、流言のこと。

注意　「蜚語」は「飛語」とも書く。

類義語　流言蜚語《りゅうげんひご》

糟糠之妻　そうこうのつま　準1級

意味　**貧しいときから苦労を共にしてきた妻のこと。**「糟糠」は酒かすと米ぬかのことで、粗末な食べものの意。粗末な食べものを分けあって、貧乏暮らしの苦労を共にしてきた妻をいう。

故事　中国後漢の光武帝《こうぶてい》が、やもめとなった姉の湖陽公主と家臣の宋弘《そうこう》を結婚させようとした。帝が宋弘を呼んで「地位が高くなると友を変え、裕福になると妻を変えるという諺《ことわざ》があるがどうか」というたところ、宋弘は「貧しいときの友を忘れてはいけない、苦労を共にした妻は正堂から追い出して離縁してはいけない（糟糠の妻は堂《どう》より下《くだ》さず）と聞いています」と答えたという故事から。

出典　『後漢書《ごかんじょ》』〈宋弘伝《そうこうでん》〉

類義語　宋弘不諧《そうこうふかい》

草行露宿　そうこうろしゅく　4級

意味　**草の生い茂った野原を分けて進み、野宿しながら旅をすること。**

出典　『資治通鑑《しじつがん》』〈晋紀《しんき》〉

送故迎新　そうこげいしん　4級

意味　**前任者を送り、新任の人を迎えること。**「故」は古い意。古いものを送り、新しいものを迎えるということから。

補説　「故《ふる》きを送り新しきを迎う」とも読む。

出典　『漢書《かんじょ》』〈王嘉伝《おうかでん》〉

痩骨窮骸　そうこつきゅうがい　2級

意味　**やせて窮乏している身。**老いぼれの意。

出典　『長生殿《ちょうせいでん》』〈弾詞《だんし》〉

桑弧蓬矢　そうこほうし　準1級

意味　**男子が志を立てること。**「桑弧」は桑の木の弓。「蓬矢」はよもぎの矢。

故事　昔、男児が生まれると桑の木で作った弓で、よもぎの矢を射て、将来四方に雄飛せんことを祝ったことから。

出典　『礼記《らいき》』〈射義《しゃぎ》〉

類義語　桑蓬之志《そうほうのこころざし》

草根木皮　そうこんぼくひ　5級

意味　**漢方薬の原料のこと。**草の根と樹木の皮の意。

補説　「木皮」は「もくひ」とも読む。

出典　『金史《きんし》』〈食貨志《しょっかし》〉

走尸行肉　そうしこうにく　1級

意味　**生きていてもなにも役立たない者をけなしていう言葉。**走るしかばねと歩く肉の意。「尸」はしかばね。

出典　安井息軒《やすいそっけん》の「三計塾記《さんけいじゅくき》」

相思相愛　そうしそうあい　5級

意味　**男女が互いに慕い合い愛し合っていること。**「相思」は相互に慕い合うこと、「相愛」は相互に愛し合うこと。

[注意] 「相思」を「想思」「双思」、「相愛」を「双愛」などと書き誤らないこと。

造次顚沛　ぞうじ てんぱい　(1級)

[意味] **あわただしいとき。とっさのとき。**「造次」はあわただしい時、「顚沛」はつまずき倒れることの意で、それくらいの短い時間のこと。

[出典] 『論語』〈里仁《りじん》〉

荘周之夢　そうしゅうの ゆめ　(準1級)

⇩**胡蝶之夢**(こちょうの ゆめ)

双宿双飛　そうしゅく そうひ　(3級)

[意味] **夫婦の仲がむつまじく、つねに起居をともにすること。**「双」はつがいの鳥のこと、雌雄の鳥がともに宿り、並んで飛ぶという意から。

[字体] 「双」の旧字体は「雙」。

[類義語] 鴛鴦《えんおう》之《の》契《ちぎり》、比翼連理《ひよくれんり》

簇酒斂衣　そうしゅ れんい　(1級)

[意味] **貧しい生活のたとえ。**「簇」は集める意で、「簇酒」は杯に一杯ずつ集めた酒のこと、「斂」は物を乞《こ》う意で、「斂衣」は端ぎれを乞い集めて作った衣服のこと。

[注意] 「簇酒」を「ぞくしゅ」と読み誤りやすい。

[故事] 昔、辛洞《しんとう》という酒好きの男がいたがとても貧しかった。そこで彼は酒だるを持って人の家に行き、杯に一杯ずつの酒をもらっては酒だるに貯めて飲んだという。また、伊処士《いしょし》という者がいたがこれも貧しくて、人から端ぎれをもらってはつぎはぎをして、それで衣服を作ったという故事から。

[出典] 『雲仙雑記《うんぜんざっき》』〈四〉

[類義語] 簇酒斂衣《そうしゅかんい》、粗《そ》衣《い》粗《そ》食《しょく》

宋襄之仁　そうじょうの じん　(1級)

[意味] **無用の情けをかけること。**「宋襄」は中国宋の国の襄公のこと、「仁」は思いやりの意。

[故事] 中国春秋時代、宋の襄公が楚《そ》と戦ったとき、家臣が、敵の布陣が整わないうちに攻撃するよう進言したが、襄公は「君子は人の困難につけこんでこれを苦しめるものではない」と言って攻めなかった。そのために逆に楚に敗れてしまったという故事から。

[出典] 『十八《じゅうはっ》史《し》略《りゃく》』〈春秋戦国《しゅんじゅうせんごく》・宋《そう》〉

壮士凌雲　そうし りょううん　(準1級)

⇩**凌雲之志**(りょううんの こころざし)

蚤寝晏起　そうしん あんき　(1級)

[意味] **夜はやく寝て、朝おそく起きる。赤子や幼児のさま。**「蚤」は「早」と同じでつとに、はやくの意。「晏」は遅くの意。

[補説] 「蚤《はや》く寝《い》ね晏《おそ》く起《お》く」とも読む。

[字体] 「寝」の旧字体は「寢」。

[注意] 「晏起」を「安起」と書き誤らない。

[出典] 『礼記《らいき》』〈内則《だいそく》〉

曽参殺人　そうしん さつじん　(準1級)

⇩**曽母投杼**(そうぼ とうちょ)

曽参歌声　そうしんの かせい　(準1級)

[意味] **貧しくても高潔で私欲にとらわれないことのたとえ。**「曽参」は人名で、孔子の弟子の曽子のこと。

[字体] 「曽」の旧字体は「曾」、「参」の旧字体は「參」、「声」の旧字体は「聲」。

[注意] 「曽」を「會(会の旧字体)」と書き誤らない。

[故事] 中国春秋時代、孔子の弟子の曽子が衛《えい》の国で暮らしていたころ、生活が貧しくて冠も着物も靴もぼろぼろで、三日間も炊事をしないというありさまであった。ところがその曽子が、足をひきずりながら『詩経』の商頌《しょうしょう》の詩を歌うと、

その声は天地に響き、まるで金石の楽器を演奏するような高雅な調べであったという故事から。

出典 『荘子《そうじ》』〈譲王《じょうおう》〉

甑塵釜魚 そうじん ふぎょ 準1級

意味 **非常に貧しいことのたとえ。**非常に貧しく長い間炊事をしていないので、こしきに塵《ちり》がつもり、釜《かま》に魚がわくということ。「甑」はこしき、せいろう。土焼きで上が大きく下が細く、底に七個の穴がある蒸すための器。「魚」はぼうふらともいう。

補説 「甑中塵《そうちゅうちり》を生じ、釜中魚《ふちゅうぎょ》を生ず」の略。

出典 『後漢書《ごかんじょ》』〈范冉伝《はんぜんでん》〉

類義語 范冉生塵《はんぜんせいじん》

騒人墨客 そうじん ぼっかく 3級

意味 **詩を作ったり書や絵をかいたりする風流人。**「騒人」は屈原の「離騒」の作風に学んだ文人一派から転じて、広く詩人をいう。「墨客」は書画にすぐれた人の意。

補説 「墨客」は「ぼっきゃく」とも読む。

字体 「騒」の旧字体は「騷」。

出典 『宣和画譜《せんながふ》』〈宋迪《そうてき》〉

類義語 文人墨客《ぶんじんぼっかく》、詞人墨卿《しじんぼっけい》、詩人墨客《しじんぼっかく》

痩身矮軀 そうしん わいく 1級

意味 **やせていて小さい。やせて背が低い。**「矮」は低い、「軀」はからだ・骨組み。

注意 「矮軀」を「歪軀」と書き誤らない。

漱石枕流 そうせき ちんりゅう 1級

⇩**枕流漱石**(ちんりゅう そうせき)

蒼然暮色 そうぜん ぼしょく 準1級

⇩**暮色蒼然**(ぼしょく そうぜん)

滄桑之変 そうそうの へん 1級

意味 **世の中の変化が激しいこと。**「滄桑」は「滄海桑田《そうかいそうでん》」の略。「滄海」は大海原のこと、「桑田」は桑畑の意。広い大海原が干上がって桑畑になるということから、移り変わりが激しいことをいう。

補説 出典の「東海三《み》たび桑田と為《な》るを見る」とあるのによる。

字体 「変」の旧字体は「變」。

注意 「滄桑」を「蒼桑」と書き誤らない。

出典 『神仙伝《しんせんでん》』

類義語 滄海桑田《そうかいそうでん》、桑田碧海《そうでんへきかい》

相即不離 そうそく ふり 4級

意味 **密接な関係で切り離すことができないこと。**「相即」は仏教語で、万物の本質は一つに溶けあって一体であるということ。

象箸玉杯 ぞうちょ ぎょくはい 準1級

意味 **ぜいたくな生活をすること。**「象箸」は象牙《ぞうげ》の箸《はし》のこと、「玉杯」は玉で作った杯《さかずき》の意。

故事 中国殷《いん》の紂王《ちゅうおう》の賢臣箕子《きし》は、王が象牙の箸を作ったのを知って、次は玉の杯を作るだろう、そして王の贅沢《ぜいたく》ぶりはとどまるところがなくなるに違いないと恐れた。はたして紂王は贅沢の限りをつくし、殷は滅びたという故事から。

出典 『韓非子《かんぴし》』〈喩老《ゆろう》〉

桑田滄海 そうでん そうかい 1級

⇩**滄海桑田**(そうかい そうでん)

桑田碧海 そうでん へきかい 準1級

⇩**滄桑之変**(そうそうの へん)

桑土綢繆 そうど ちゅうびゅう 1級

意味 **災難を事前に防ぐため準備をす**

ること。「桑土」は桑《くわ》の根のこと。「綢繆」は固めふさぐ、つくろう意。風雨が来る前に、鳥が桑の根をとって巣の穴をふさぐことから。

出典　『詩経《しきょう》』〈豳風《ひんぷう》・鴟鴞《しきょう》〉

類義語　綢繆《ちゅうびゅう》牖戸《ゆうこ》、有備無患《ゆうびむかん》

走馬看花　そうば かんか　5級

意味　**物事を大ざっぱに見て、その本質を窮めようとしないこと。**もと、科挙(官吏登用試験)に合格した後に都を馬で走って花を見尽くす意で、楽しく得意なさまを言った語。「走馬」は馬を走らせること、「看花」は花を見る意。

補説　「馬を走らせて花を看《み》る」とも読む。

出典　孟郊《もうこう》の「登科後《とうかのち》-詩」

造反無道　ぞうはん むどう　5級

意味　**体制に背いて道理にはずれた行いをすること。**「造反」は反逆・むほん。「無道」は道理にあわない行いをすること。

対義語　造反有理《ぞうはんゆうり》

造反有理　ぞうはん ゆうり　5級

意味　**体制に背くのにもそれなりの道理がある。**中国の文化大革命のときこの語がスローガンとして叫ばれた。「造反」は反逆・むほんの意。

対義語　造反無道《ぞうはんむどう》、造反無理《ぞうはんむり》

草茅危言　そうぼう きげん　準1級

意味　**民間人の国政に対するきびしい批判の声。**「草茅」は草と茅《ちがや》で草むらの意で、転じて民間・在野の意。「危言」は正しい意見をすなおに言うこと。また、きびしい言葉。

出典　李覯《りこう》の「袁州学記《えんしゅうがくき》」

桑蓬之志　そうほうの こころざし　準1級

⇩**桑弧蓬矢**(そうこ ほうし)

桑濮之音　そうぼくの おん

⇩**桑間濮上**(そうかん ぼくじょう)

曽母投杼　そうぼ とうちょ　1級

意味　**誤ったうわさも多くの人が口にしているうちに誰《だれ》でも信じるようになるたとえ。**「曽母」は曽参《そうしん》の母のこと。曽参は春秋時代、魯《ろ》の人で親孝行で知られ、『孝経』の作者ともいわれる。孔子の弟子。

補説　「曽母《そうぼ》、杼《ひ》を投ず」とも読む。

注意　「曽」を「會(会の旧字体)」と書き誤らない。

故事　曽参が費という村にいたとき同姓同名の人が人を殺した。曽参の母は「曽参が人を殺した」と告げられ、はじめは信じなかったが三人目が告げにくると織りかけの機《はた》を投げて飛び出した故事から。

出典　『戦国策《せんごくさく》』〈秦策《しんさく》〉

類義語　曽参殺人《そうしんさつじん》、三人成虎《さんにんせいこ》、市虎三伝《しこさんでん》、聚蚊成雷《しゅうぶんせいらい》、浮石沈木《ふせきちんぼく》、衆口鑠金《しゅうこうしゃくきん》

草満囹圄　そうまん れいご　1級

意味　**善政で国がよく治まっていること。**「囹圄」は牢獄《ろうごく》のこと。獄舎に罪人がいないため、草が生い茂っているということから。

補説　「草《くさ》、囹圄《れいご》に満つ」とも読む。「囹圄」は「れいぎょ」とも読む。

字体　「満」の旧字体は「滿」。

出典　『隋書《ずいしょ》』〈劉曠伝《りゅうこうでん》〉

聡明叡知　そうめい えいち　準1級

意味　**聖人の四つの徳。**「聡」はあらゆることを聞き分けること。「明」はあらゆることを見分けること。「叡」はあらゆることに通ずること。「知」はあらゆることを知っていること。

補説　「叡知」は「叡智」とも書く。

字体　「聡」の旧字体は「聰」。

出典『易経《えききょう》』〈繋辞《けいじ》・上〉

争名争利　そうめいそうり　5級

意味　**名誉と利益を争い奪う。**名利を争って奪い合うさまをいう。
補説　「名を争い利を争う」とも読む。
字体　「争」の旧字体は「爭」。
出典　『史記』〈張儀伝《ちょうぎでん》〉
類義語　争名競利《そうめいきょうり》、争名奪利《そうめいだつり》

草莽之臣　そうもうのしん　1級

意味　**官職に就かない民間人。**在野の人。「草莽」は草むら・田舎。転じて在野・民間をいう。
補説　「草莽」は「そうぼう」とも読む。
出典　『孟子《もうし》』〈万章《ばんしょう》・下〉
類義語　草茅之臣《そうぼうのしん》、市井之臣《しせいのしん》

草木皆兵　そうもくかいへい　4級

意味　**ひどく恐れるたとえ。**恐れるあまり草や木まで敵兵に見えておびえる意。
出典　『晋書《しんじょ》』〈苻堅載記《ふけんさいき》〉
類義語　風声鶴唳《ふうせいかくれい》

草木禽獣　そうもくきんじゅう　準1級

意味　**地に生きるすべてのもの。**「禽獣」は鳥とけだものの意。
補説　「禽獣草木」ともいう。
字体　「獣」の旧字体は「獸」。

装模作様　そうもさくよう　5級

意味　**気どったり、みえをはったりすること。**また、そのようなようすをすること。「装」はうわべを飾る、まねる、似せること、「模」も似せる意。「作様」はそのようなようすをする意。
補説　「装《そう》、模様《もよう》を作《な》す」とも読む。
字体　「装」の旧字体は「裝」、「様」の旧字体は「樣」。

蒼蠅驥尾　そうようきび　1級

意味　**凡人が賢人のおかげで功績をあげることのたとえ。**青蠅《あおばえ》が駿馬《しゅんめ》のしっぽにとまって千里も遠くに行く意。小人や凡人にたとえる。「蒼蠅」は青ばえ。「驥」は駿馬のこと。
補説　「蒼蠅《そうよう》、驥尾《きび》に附《ふ》して千里《せんり》を致《いた》す」の略。
注意　「驥尾」を「騎尾」と書き誤らない。
出典　『史記』〈伯夷伝《はくいでん》・索隠《さくいん》〉

総量規制　そうりょうきせい　5級

意味　**汚染物質の総排出量を規制する制度。**生活環境を保護するために、各地域の汚染物質の総排出量を決め、工場ごとに総排出量を割り当てること。
字体　「総」の旧字体は「總」。

巣林一枝　そうりんいっし　準2級

意味　**分相応に満足すること。**鳥が巣を作るのは多くの木がある林の中でもたった一本の枝にすぎないの意から、人には分相応ということがあり、ものにはおのずと限度があること。
出典　『荘子《そうじ》』〈逍遥遊《しょうようゆう》〉

草廬三顧　そうろさんこ　1級

⇩**三顧之礼**（さんこのれい）

楚越同舟　そえつどうしゅう　準1級

⇩**呉越同舟**（ごえつどうしゅう）

足音跫然　そくおんきょうぜん　1級

意味　**足音のひびくさま。**転じて、**得難い来客。**また、**得難い人物に遭遇するたとえ。**人里離れた荒野で迷っているときに人の足音を聞いただけでほっと喜ぶことからいう。「跫然」は人の歩く足音のさま。
補説　「足音」は「そくいん」とも読む。
注意　「跫然」を「恐然」と書き誤らない。
出典　『荘子《そうじ》』〈徐無鬼《じょむき》〉

粟散辺地　ぞくさんへんち　準1級

意味　**粟《あわ》つぶの散らばったような世界の果ての小さな国。**特に中国などから見て日本をいう語。

補説　「辺地粟散」ともいう。

字体　「辺」の旧字体は「邊」。

注意　「粟」を「栗」と書き誤らない。

類義語　粟散辺土《ぞくさんへんど》

即時一杯　そくじいっぱい　4級

意味　**後の大きな利益や喜びより、たとえ小さくても今のそれの方がいいということ。**その時すぐの一杯の酒が貴重だという意から。

補説　「即時一杯の酒」の略。「杯」は「盃」とも書く。

故事　中国晋《しん》の張翰《ちょうかん》は生活が乱れ、自分勝手なことばかりしていたので、ある人が諫《いさ》めて「後世に名を残したくないのか」と言ったところ、張翰は「死後の名誉より目の前の一杯の酒の方が自分にとっては大事だ」と答えたという故事から。

出典　『世説新語《せせつしんご》』〈任誕《にんたん》〉

俗臭芬芬　ぞくしゅうふんぷん　1級

意味　**非常に俗っぽくて、気品に欠けること。**「俗臭」は下品で俗っぽい感じのこと、「芬芬」は臭いが強い意。

注意　「俗臭」を「俗習」と書き誤らない。

類義語　俗臭紛紛《ぞくしゅうふんぷん》

即身成仏　そくしんじょうぶつ　準2級

意味　**生きたまま仏になること。**また出家しないで在家のまま悟りを開くことも指す。「即身」は生身のままの意。真言密教の教え。

字体　「仏」の旧字体は「佛」。

類義語　即身菩薩《そくしんぼさつ》、即身是仏《そくしんぜぶつ》

束晳竹簡　そくせきちくかん　1級

意味　**束晳は古墓などから出土した竹簡を解読して博学を称された。**「束晳」は晋《しん》の人で博学をうたわれた。「竹簡」は竹のふだで、紙のない昔はこれに文字を書きつけた。

故事　晋《しん》の束晳は汲郡《きゅうぐん》の古い墓から出土した竹簡など古い文字をよく解読してその博学多聞を称されたという故事から（『晋書《しんじょ》』〈束晳伝《そくせきでん》〉）。

出典　『蒙求《もうぎゅう》』〈束晳竹簡《そくせきちくかん》〉

速戦即決　そくせんそっけつ　4級

意味　**短時間で決着をつけること。**戦闘において、戦いが始まるとともに一気に勝利を決定づけることをいう。持久戦の対義語。転じて、議論・試合・闘争などにいう。

字体　「戦」の旧字体は「戰」。

注意　「速戦」を「即戦」、「即決」を「速決」と書き誤りやすい。

類義語　短期決戦《たんきけっせん》

対義語　緩兵之計《かんぺいのけい》

即断即決　そくだんそっけつ　4級

意味　**間をおかず決断すること。**「決断」に「即（すぐに）」を添えた語。

補説　「即決即断」ともいう。

字体　「断」の旧字体は「斷」。

類義語　当機立断《とうきりつだん》

対義語　優柔不断《ゆうじゅうふだん》

続短断長　ぞくたんだんちょう　5級

意味　**過不足がないよううまい具合に整えること。**「続」は継ぐこと。短いものを継ぎ、長いものを断ち切る意。

補説　「短を続《つ》ぎ長を断《た》つ」とも読む。また「断長続短」ともいう。

字体　「続」の旧字体は「續」、「断」の旧字体は「斷」。

類義語　採長補短《さいちょうほたん》、舎短取長《しゃたんしゅちょう》、助長補短《じょちょうほたん》

則天去私　そくてんきょし　5級

意味　**私心を捨てて自然のままに生きること。**「則天」は自然の法則に従う、「去私」は私心を捨てる。夏目漱石《そうせき》が晩年に目指した境地を表す言葉。

補説　「天に則《のっと》り私《わたくし》を去る」とも読む。

束帛加璧　そくはくかへき　1級

意味　**一束の帛《はく》の上に璧《たま》をのせる。昔、最高の礼物《れいもつ》。**「束帛」は束ねたきぬ。昔は十反《たん》を一束として礼物に用いた。「璧」はたまの意。

注意　「加璧」を「加壁」と書き誤らない。

出典　『儀礼《ぎらい》』〈聘礼《へいれい》〉

類義語　束錦《そくきん》加璧《かへき》

束髪封帛　そくはつふうはく　1級

意味　**妻が堅く貞操を守ること。**「束髪」は髪を束ねること。「封帛」は白いねり絹で封じる意。

字体　「髪」の旧字体は「髮」。

故事　中国唐の賈直言《かちょくげん》は、連座の罪で遠方に左遷されることになった。直言は若い妻に「私を待たないで、再婚するように」と言ったところ、妻は縄で髪を束ねて、「あなた以外の人にこの縄は解かせない」という誓文を書いた帛(白いねり絹の布)を作り、夫に署名をさせたうえで束髪を封じた。それから二十年の後、罪を許された直言が戻ると、妻は夫を待ち続けていたという故事から。

出典　『唐書《とうじょ》』〈列女《れつじょ》・賈《か》直言妻董《ちょくげんのつまとう》〉

属毛離裏　ぞくもうりり　4級

意味　**子と父母との深いつながりのこと。**「属」「離」はともに、つらなる、つながる意。「裏」は母胎のこと。子の身体は、毛髪皮膚《ひふ》まですべて母胎(父母の血肉)とつながっているという意。

補説　出典には「毛《もう》に属《ぞく》せざらんや、裏《うち》に離《つ》かざらんや」とある。

字体　「属」の旧字体は「屬」。

出典　『詩経《しきょう》』〈小雅《しょうが》・小弁《しょうべん》〉

鏃礪括羽　ぞくれいかつう　1級

意味　**学識をみがいて、世に役立つ人材になること。**「鏃礪」は鏃《やじり》(矢の先端につけるとがったもの)を研ぐこと、「括羽」は矢はず(矢をつがえるところ)と鳥羽の意。竹に研いだ鏃をつけ、さらに矢はずと鳥羽をつけて鋭い矢にすることから、学問や知識を身につけることをいう。

出典　『説苑《ぜいえん》』〈建本《けんぽん》〉

楚材晋用　そざいしんよう　準1級

意味　**ある部署の人材を他の部署でうまく重用すること。**また、自国の人材が他の国に登用され流出すること。楚の国の人材を晋の国で使う意。

字体　「晋」の旧字体は「晉」。

出典　『春秋左氏伝《しゅんじゅうさしでん》』〈襄公《じょうこう》二十六年〉

麤枝大葉　そしたいよう　1級

意味　**細かい規則にとらわれず大らかに書いた文章。**また、ごく大まかなこと。「麤枝」はまばらな枝、「大葉」は大きな木の葉。

補説　「麤枝」は「粗枝」とも書く。

出典　『朱子語類《しゅしごるい》』〈七八〉

素車白馬　そしゃはくば　5級

意味　**葬式用の馬車。**「素車」は飾りのない白木づくりの車で、「白馬」はそれを引く白い馬。死を覚悟して降伏・謝罪を願い出るときにも用いたという。

出典　『史記』〈高祖紀《こうそき》〉

楚囚南冠　そしゅうなんかん　準1級

意味　**捕らわれの身になっても故国を忘れないこと。**また、捕らわれて他国に

ある者のこと。「楚囚」は他国に捕らえられた楚国の人のこと、「南冠」は冠をかぶって南方の故国の礼を守る意。

故事　中国春秋時代、楚の鍾儀《しょうぎ》が晋《しん》に捕らえられたとき、いつも楚の冠をかぶって、南方にある故国の礼を守り、楚のことを忘れなかったという故事から。

出典　『春秋左氏伝《しゅんじゅうさしでん》』〈成公《せいこう》九年〉

粗酒粗餐　そしゅそさん　準1級

意味　**粗末な酒と食事のこと。**「餐」は料理・食事の意。用意した酒食を客にすすめるときに謙遜《けんそん》していう語。

類義語　粗酒《そしゅ》粗肴《そこう》

粗製濫造　そせいらんぞう　3級

意味　**質の悪い品をやたらに多くつくること。**「濫造」はみだりにつくる意。

補説　「濫造」は「乱造」とも書く。

鼠窃狗盗　そせつくとう　準1級

意味　**こそどろのたとえ。**ねずみや犬のようにこそこそとものを盗む意。「鼠窃」はねずみのようにこそこそ盗むこと、「狗盗」は犬のまねをして入りこむこそどろ。

字体　「窃」の旧字体は「竊」、「盗」の旧字体は「盜」。

出典　『史記』〈叔孫通伝《しゅくそんとうでん》〉

即決即断　そっけつそくだん　4級

⇩即断即決（そくだんそっけつ）

率先躬行　そっせんきゅうこう　1級

意味　**人がするまえに自分から進んで実行すること。**「率先」は人に先立つこと、「躬行」はみずから行う意。

類義語　率先垂範《そっせんすいはん》、率先励行《そっせんれいこう》、実践躬行《じっせんきゅうこう》

率先垂範　そっせんすいはん　4級

意味　**人に先立って模範を示すこと。**「率先」は人に先立つこと、「垂範」は模範を示す意。

類義語　率先躬行《そっせんきゅうこう》、率先励行《そっせんれいこう》、実践躬行《じっせんきゅうこう》

啐啄同時　そったくどうじ　準1級

意味　**逸することのできない好機。**また、**熟した機をとらえ悟りに導くこと。**禅宗で師家と修行者が機を得て気持ちの相応ずることをいう。「啐」はひなが孵化《ふか》するとき、殻の中で鳴く声、「啄」は母鳥が外から殻をつっつくこと。

率土之浜　そっとのひん　準1級

意味　**国中。全国。**「率土」は土地から土地とつづくところ。「浜」は海にめぐらされた陸地のはて。「率土」だけでも国中、天下中の意。

字体　「浜」の旧字体は「濱」。

出典　『詩経《しきょう》』〈小雅《しょうが》・北山《ほくざん》〉

素波銀濤　そはぎんとう　準1級

意味　**白い波。また白い雲やもやのたとえ。**「素波」は白い波、「銀濤」は波頭の白く激しく泡立つ大波。

楚夢雨雲　そむううん　準1級

意味　**男女が情を交わすこと。**「楚夢」は楚の懐王《かいおう》が見た夢の意。

故事　「雲雨巫山《うんうふざん》」の項参照。

類義語　雲雨之夢《うんうのゆめ》、雲雨巫山《うんうふざん》、朝雲暮雨《ちょううんぼう》、巫山之夢《ふざんのゆめ》

孫康映雪　そんこうえいせつ　5級

意味　**苦学することのたとえ。**晋《しん》の孫康が雪明かりで読書したこと。

故事　孫康は家が貧しく灯油が買えなかったので月の照らす雪あかりで勉強した故事（『初学記《しょがくき》』二引『宋斉語《そうせいご》』）。

出典　『蒙求《もうぎゅう》』〈孫康映雪《そんこうえいせつ》〉

類義語　蛍雪之功《けいせつのこう》、車胤聚蛍《しゃいんしゅうけい》、蛍窓雪案《けいそうせつあん》、苦学力行《くがくりっこう》

損者三友　そんしゃさんゆう　5級

意味　**交わって損をする三種類の友人。**「損者」は無益な友人のこと。「三友」は便辟《べんぺき》(体裁だけ)の人・善柔《ぜんじゅう》(こびへつらう)の人・便佞《べんねい》(口先だけ)の人の三種類の友人をいう。

出典　『論語』〈季《き》氏《し》〉

対義語　益者三友《えきしゃさんゆう》

樽俎折衝　そんそせっしょう　1級

意味　**なごやかに交渉すること。**武力を用いず飲食をともにしながらかけひきをする外交交渉のこと。「樽俎」は酒だると肉料理をのせる台。「折衝」は敵の兵車(衝)の勢いをくじく意。

補説　「樽」は「尊」とも書く。

出典　『晏《あん》子《し》春秋《しゅんじゅう》』〈内編《ないへん》・雑上〉

孫楚漱石　そんそそうせき　1級

⇩枕流漱石(ちんりゅう そうせき)

尊皇攘夷　そんのうじょうい　1級

意味　**天皇を尊《たっと》び外敵を打ち払うこと。**尊皇論と攘夷論とが結びついた江戸時代末期の政治思想。「攘」は払いのける意、「夷」は異民族・外敵の意。

補説　「尊皇」は「尊王」とも書く。

【た】

大安吉日　たいあんきちじつ　3級

意味　**物事を行うのに最も縁起のよいという日。**「大安」は陰陽道でいう六輝《ろっき》(先《せん》勝《しょう》・友引《ともびき》・先負《せんぶ》・仏滅《ぶつめつ》・大安《たいあん》・赤口《しゃっこう》)の一つ。

補説　「大安」は「だいあん」、「吉日」は「きちにち」とも読む。

類義語　黄道吉日《こうどうきちにち》

大隠朝市　たいいんちょうし　4級

意味　**真の隠遁者《いんとんしゃ》は山中などにいるのではなく、一見一般の人と変わらない生活をしているものだということ。**「大隠」は真に悟りを得た隠者のこと。「朝市」は人の大ぜい集まる場所・まちなかの意。

補説　「大隠は朝市に隠《かく》る」の略。

字体　「隠」の旧字体は「隱」。

出典　王康琚《おうこうきょ》の「反招隠《はんしょういん》詩」

類義語　市中閑居《しちゅうのかんきょ》

太液芙蓉　たいえきのふよう　準1級

意味　**美人のこと。**「太液」は漢代に未《び》央《おう》宮の北にあった池の名。「芙蓉」は蓮《はす》の花のこと。白居易《はくきょい》が、玄宗皇帝の楊貴妃《ようきひ》を慕う気持ちを歌った詩句から。

出典　白居易《はくきょい》の「長恨歌《ちょうごんか》」

類義語　天香国色《てんこうこくしょく》、仙姿玉質《せんしぎょくしつ》、一顧傾城《いっこけいせい》

大快人心　たいかいじんしん　5級

意味　**人々を痛快な気持ちにさせる。**特に悪人や悪事がきびしく罰せられたことを評していう。

補説　「大いに人心を快《こころよ》くす」とも読む。また、「人心大快」ともいう。

類義語　痛快無比《つうかいむひ》

大海撈針　たいかいろうしん　1級

意味　**ほとんど実現不可能なこと。**「撈」はすくいあげる意で、大海の底に落ちた針をすくいあげること。

補説　「大海に針を撈《すく》う」とも読む。

類義語　東海撈針《とうかいろうしん》、海底撈針《かいていろうしん》

大廈高楼　たいかこうろう　1級

意味　**大きな建物のこと。**豪壮な建物のこと。「廈」は家、大きな建物のこと。「楼」は二階建て以上の建物のこと。

補説　「高楼大廈」ともいう。

字体　「楼」の旧字体は「樓」。

大喝一声 だいかつ いっせい
準2級

意味 **大声でどなりつけたり、しかりつけたりすること。**また、その声。

補説 「大声一喝」ともいう。

字体 「声」の旧字体は「聲」。

大廈棟梁 たいかの とうりょう
1級

意味 **国の重要な任務をになう人材のたとえ。**「大廈」は大きな家屋、大建築。「棟梁」はむな木とはりで、ともに家屋の重要な部分。転じて、一国を支える重任にある人。

注意 「棟梁」を「棟粱」と書き誤らない。

大願成就 たいがん じょうじゅ
準2級

意味 **大きな望みがかなうこと。**神仏の加護によって願いがかなうこと。

補説 「大願」は「だいがん」とも読む。

対岸火災 たいがんの かさい
5級

意味 **自分には関係のないできごとのたとえ。**向こう岸で起きた火事の意。川や水を隔てているので、気にもかけず、無関心でいられるのでいう。

字体 「対」の旧字体は「對」。

類義語 隔岸観火《かくがんかんか》

大器小用 たいき しょうよう
5級

意味 **すぐれた才をもった人を使いこなせないたとえ。また、人材の用い方が不当なたとえ。**大きい器を小さなことに使う意。大人物につまらない小さな仕事をさせること。

出典 『後漢書《ごかんじょ》』〈辺譲伝《へんじょうでん》〉

類義語 大材小用《たいざいしょうよう》、大才小用《たいさいしょうよう》

対義語 適材適所《てきざいてきしょ》

大器晩成 たいき ばんせい
5級

意味 **大人物は往々にして、遅れて頭角をあらわすことのたとえ。**大きな器はできあがるまでに時間がかかるという意。

補説 出典の「大方《たいほう》は隅《ぐう》無く、大器は晩成なり」にもとづく。

注意 「晩成」を「晩生」と書き誤らない。

出典 『老子《ろうし》』〈四一章〉

類義語 大本晩成《たいほんばんせい》、大才晩成《たいさいばんせい》

大義名分 たいぎ めいぶん
5級

意味 **ある行為の根拠となる正当な理由や道理。**人として国家や君主に対して守るべき道理や本分。

注意 「名分」を「名文」「明分」などと書かないこと。

大義滅親 たいぎ めっしん
3級

意味 **君国に報いるためには親兄弟もかえりみないということ。**「親」は親子兄弟など身内の関係、「大義」は臣下が君国に尽くすべき道義。

補説 「大義親《しん》を滅《めっ》す」とも読む。

出典 『春秋左氏伝《しゅんじゅうさしでん》』〈隠公《いんこう》四年〉

類義語 以義割恩《いぎかつおん》

大逆無道 たいぎゃく むどう
5級

意味 **道理や人の道をふみはずした行い。**「大逆」は人の道にそむいた行い。君・父を殺すなどの行為。

補説 「大逆」は「だいぎゃく」、「無道」は「ぶどう」「ぶとう」とも読む。

出典 『史記』〈高祖紀《こうそき》〉

類義語 悪逆無道《あくぎゃくむどう》、悪逆非道《あくぎゃくひどう》、極悪非道《ごくあくひどう》

対牛弾琴 たいぎゅう だんきん
準2級

意味 **なんの効果もなく無駄なこと。**「弾琴」は琴を弾《ひ》くこと。牛に対して琴を弾いて聞かせる意から。

補説 「牛に対して琴を弾《だん》ず」とも読む。

字体 「対」の旧字体は「對」、「弾」の旧字体は「彈」。

出典 牟融《ぼうゆう》の「理惑論《りわくろん》」

類義語　対《たい》驢《ろ》撫《ぶ》琴《きん》、馬《ば》耳《じ》東《とう》風《ふう》

大驚失色　たいきょう しっしょく　4級

意味　**たいそう驚き恐れ顔色を失う。**「大驚」は大いに驚く意だが、単に驚くだけでなく驚愕《きょうがく》すること。「失色」は顔色をなくす、顔色が青ざめること。

補説　「大いに驚きて色を失う」とも読む。

類義語　瞠《どう》目《もく》結《けつ》舌《ぜつ》

堆金積玉　たいきん せきぎょく　2級

意味　**非常に多くの富を集めること。**貴金属や珠玉を積み上げる意。「堆」「積」とも積み上げる意。もと「積《せき》金《きん》累《るい》玉《ぎょく》」といったものが転じた語。

出典　『論衡《ろんこう》』〈命禄《めいろく》〉

類義語　積《せき》金《きん》累《るい》玉《ぎょく》、猗《い》頓《とん》之《の》富《とみ》、陶《とう》朱《しゅ》猗《い》頓《とん》

大衾長枕　たいきん ちょうちん　1級

意味　**兄弟の仲むつまじいこと。**また**交情が親密なこと。**大きな夜着と長いまくら。寝具。「衾」は寝るときにからだをおおうもの。夜着。かけぶとん。もとは夫婦の仲むつまじいことを言ったが、唐の玄宗が兄弟仲よく寝られるように長い枕《まくら》に大きな掛け布団を作ったことから兄弟の仲むつまじいことのたとえとして用いられるようになった（『資《し》治《じ》通《つ》鑑《がん》』〈開元二年〉）。

注意　「長枕」を「長沈」と書き誤らない。

出典　蔡邕《さいよう》の「協《きょう》和《わ》婚《こん》賦《ふ》」

類義語　長《ちょう》枕《ちん》大《たい》被《ひ》、唐《とう》明《めい》友《ゆう》悌《てい》

大桀小桀　たいけつ しょうけつ　1級

意味　**悪い為政者。**残虐な暴君のことをいう。「桀」は夏《か》の暴君桀王のこと。

出典　『春秋《しゅんじゅう》公《く》羊《よう》伝《でん》』〈宣公《せんこう》一五年〉

類義語　大《だい》貉《ばく》小《しょう》貉《ばく》

大月小月　たいげつ しょうげつ　5級

意味　**大きい月と小さい月。大の月と小の月。**「大の月」は日数が三十一日ある月で、一・三・五・七・八・十・十二月をいい、「小の月」はそれ以外の月。

戴月披星　たいげつ ひせい　2級

⇩**披星戴月**（ひせい たいげつ）

体元居正　たいげん きょせい　5級

意味　**善を身につけて正しい立場に身をおくこと。**「体元」は善徳を身につけること。「元」は善。

補説　「元を体《たい》して正に居《お》る」とも読む。

大賢虎変　たいけん こへん　2級

字体　「体」の旧字体は「體」。

出典　『春秋《しゅんじゅう》』〈隠公《いんこう》元年・杜注〉

⇩**大人虎変**（たいじん こへん）

大言壮語　たいげん そうご　準2級

意味　**口では大きなことを言っても、実行がともなわないこと。**実力以上の大げさな言葉。

字体　「壮」の旧字体は「壯」。

注意　「壮語」を「荘語」と書き誤らない。

類義語　放《ほう》言《げん》高《こう》論《ろん》

滞言滞句　たいげん たいく　3級

意味　**言葉にばかりこだわって、真の道理が理解できないこと。**「滞」はこだわる意、「言」「句」はともに言葉のこと。もと仏教の語。

字体　「滞」の旧字体は「滯」。

類義語　尋《じん》言《ごん》逐《ちく》語《ご》、尋《じん》章《しょう》摘《てき》句《く》

太羹玄酒　たいこう げんしゅ　1級

意味　**規則のみにしばられた淡白で面白味のない文章のたとえ。**太羹と玄酒。「太羹」は味のついていない肉じる、「玄酒」は水の別名。太古、祭りのときに水

を酒の代用としたところからいう。

補説　「太羹」は「大羹」とも書く。

大巧若拙　たいこうじゃくせつ　準2級

意味　**このうえなく巧みなものは一見稚拙にみえる。本当に技量のあるものはかえって不器用に見える。**「拙」はつたない意。「若」は「如」と同じく「ごとし(…のようだ)」の意。

補説　「大巧《たいこう》は拙《せつ》なるが若《ごと》し」とも読む。

注意　「巧」を「功」と書き誤らない。

出典　『韓詩外伝《かんしがいでん》』〈九〉

類義語　大智不智《だいちふち》、大成若欠《たいせいじゃくけつ》、大弁若訥《たいべんじゃくとつ》

大悟徹底　たいごてってい　準2級

意味　**仏教で完全に煩悩をすて、悟りきること。**

補説　「たいご」は「だいご」とも読む。

出典　『無門関《むもんかん》』〈二〉

類義語　廓然大悟《かくねんたいご》

泰山鴻毛　たいざんこうもう　準1級

意味　**へだたりの甚だしいことのたとえ。**きわめて重いものときわめて軽いもの。重さがまったく違うこと。「泰山」は中国山東省の名山で重いもののたとえ。「鴻毛」は「鴻《おおとり》」の羽毛の意で、きわめて軽いもののたとえ。

補説　「泰山」は「太山」とも書く。

出典　司馬遷《しばせん》の「報任少卿書《じんしょうけいにほうずるのしょ》」

類義語　鴻毛山岳《こうもうさんがく》

泰山之安　たいざんのやすき　準1級

意味　**泰山のように、どっしりと安定して揺るぎのないこと。**「泰山」は中国山東省にある名山で揺るぎないもの、どっしりとしたもの、また長寿のたとえ。

補説　「泰山」は「太山」とも書く。

出典　枚乗《ばいじょう》の「上書諫呉王《じょうしょしてごおうをいさむ》」

泰山府君　たいざんふくん　準2級

意味　**中国の泰山の山神。**人の寿命をつかさどる神。「府君」は元来は郡の長官の意。「泰山」は中国山東省にある名山。「府君」はここでは神のこと。

補説　「泰山」は「太山」とも書く。「府君」は「ぶくん」とも読む。

泰山北斗　たいざんほくと　準2級

意味　**学問や芸術などある分野の第一人者。**「泰山」は中国山東省にある名山。「北斗」は北斗七星で、どちらも誰《だれ》もが仰ぎ見る存在であることによる。

補説　略して「泰斗」ともいう。

出典　『唐書《とうじょ》』〈韓愈伝《かんゆでん》・賛《さん》〉

類義語　天下無双《てんかむそう》、天下無敵《てんかむてき》、斗南一人《となんのいちにん》

大山鳴動　たいざんめいどう　5級

意味　**騒ぎだけ大きくて結果は意外に小さいことのたとえ。**大きな山が大音響をたてて震動する意。

補説　ふつうは「大山鳴動して鼠《ねずみ》一匹」と使われる。「大山」は「太山」「泰山」とも書く。

泰山梁木　たいざんりょうぼく　準1級

意味　**賢人のこと。**「泰山」は中国山東省にある名山、「梁木」は屋根を支えるため横に渡した太く長い材木のこと。人々から仰ぎ尊ばれる名山と建物の中で最も重要な梁《はり》の意から、賢者をいう。

補説　「泰山」は「太山」とも書く。

出典　『礼記《らいき》』〈檀弓《だんぐう》・上〉

類義語　一世師表《いっせいのしひょう》

大死一番　だいしいちばん　5級

意味　**ここぞと意を決すること。**死んだつもりで奮起する意。仏教では、おのれを捨て欲を去り迷いを断って仏の道に精進することにいう。

補説　「大死」は「たいし」とも読む。

[出典] 『碧巌録《へきがんろく》』

大慈大悲 だいじだいひ
3級

[意味] **限りなく大きい仏の慈悲。**「大慈」は衆生《しゅじょう》に楽を与えること、「大悲」は衆生の苦しみを救うこと。仏教語。

[出典] 『法華義疏《ほっけぎしょ》』〈二・譬喩品《ひゆぼん》〉

対症下薬 たいしょうかやく
準2級

[意味] **問題点を確認したうえで、解決策を講ずること。**「対症」は病気の症状に応じての意、「下薬」は薬を与えること。

[補説] 「症に対して薬を下《くだ》す」とも読む。

[字体] 「対」の旧字体は「對」、「薬」の旧字体は「藥」。

[注意] 「対症」を「対象」と書き誤りやすい。

[出典] 『朱子語類《しゅしごるい》』〈四一〉

[類義語] 因機説法《いんきせっぽう》、応機接物《おうきせつもつ》、応病与薬《おうびょうよやく》、善巧方便《ぜんぎょうほうべん》

対牀風雪 たいしょうふうせつ
1級

[意味] **夜通し隣どうしの寝床《ねどこ》の中で語り合うこと。**風雨の夜に友二人が寝台に寝《ね》、またはこしかけにすわって語りあかす意。「牀」は寝台・こしかけ・ゆかの意。

[字体] 「対」の旧字体は「對」。

[出典] 韋応物《いおうぶつ》の「示全真元常《ぜんしんげんじょうにしめす》」詩

[類義語] 夜雨対牀《やうたいしょう》

対牀夜雨 たいしょうやう
1級

⇩**夜雨対牀**(やうたいしょう)

大所高所 たいしょこうしょ
5級

[意味] **細部にこだわらないで全体を見通す大きな観点のこと。**「大所」は広い視野、「高所」は高い観点。

大処着墨 たいしょちゃくぼく
3級

[意味] **もっとも大切なポイントを押さえて物事を行うこと。**「大処」は大事なところのこと、「着墨」は墨をつける意。絵や文章を書くにあたって、まずもっとも大事なところを押さえてから筆をおろす意から。

[補説] 「大処より墨《すみ》を着《つ》く」とも読む。

[字体] 「処」の旧字体は「處」。

[注意] 「大処」を「大所」と書き誤らない。

[類義語] 大処落墨《たいしょらくぼく》

大人虎変 たいじんこへん
2級

[意味] **すぐれた賢人が時の推移に従って日ごとに新たに自己変革をとげること。**また、人格者によって、古い制度がりっぱな新しい制度に改められること。「大人」は有徳の人格者のこと。「虎変」は虎《とら》の皮ががらりと生《は》え変わることから、みごとに変化・変革することにたとえる。

[補説] 「大人は虎変す」とも読む。

[字体] 「変」の旧字体は「變」。

[出典] 『易経《えききょう》』〈革《かく》〉

[類義語] 大賢虎変《たいけんこへん》、君子豹変《くんしひょうへん》

大信不約 たいしんふやく
5級

[意味] **ほんとうの信頼関係はあらかじめ約束するような瑣末《さまつ》なものではない。**「大信」は本当の信頼関係。また、このうえないまごころ。

[補説] 「大信《たいしん》は約《やく》せず」とも読む。

[出典] 『礼記《らいき》』〈学記《がくき》〉

[類義語] 大徳不官《だいとくふかん》、大道不器《たいどうふき》、大時不斉《たいじふせい》

大声疾呼 たいせいしっこ
3級

[意味] **大声で激しく叫ぶこと。**「疾呼」ははげしく呼び立てること。

[字体] 「声」の旧字体は「聲」。

[類義語] 疾声大呼《しっせいたいこ》、励声疾呼《れいせいしっこ》

泰然自若 たいぜんじじゃく
準2級

[意味] **何か事が起こっても、落ち着きはらって少しも動じないさま。**「泰然」は

落ちついて物事に動じないさま、「自若」は大事に直面しても平静なさま。

類義語 神色自若《しんしょくじじゃく》、意気自如《いきじじょ》

対義語 右往左往《うおうさおう》、周章狼狽《しゅうしょうろうばい》

頽堕委靡 たいだいび
1級

意味 **身体や気力などが、しだいにくずれおとろえること。**「頽堕」はくずれおちる、だらしがなくなること。「委靡」は衰え弱る、ふるわないこと。

字体 「堕」の旧字体は「墮」。

出典 韓愈《かんゆ》の文

大沢礨空 だいたくらいくう

意味 **大小がひどくかけ離れていることのたとえ。**大きな沢と小さい穴の意。「大沢」は大きな沢、広い沼地。「礨空」は小さな穴、あり穴。

字体 「沢」の旧字体は「澤」。

注意 「礨空」を「雷空」と書き誤らない。

出典 『荘子《そうじ》』〈秋水《しゅうすい》〉

大胆不敵 だいたんふてき
3級

意味 **度胸があって恐れ驚かないこと。**「大胆」はものを恐れず度胸があること、「不敵」は「敵をせず」と読み、敵を敵とも思わない意。

字体 「胆」の旧字体は「膽」。

黛蓄膏渟 たいちくこうてい
1級

意味 **水面が非常に静かなさま。**まゆずみをたくわえ、あぶらをたたえたような静かな水面の意。「渟」は水などを深くたたえていること。

注意 「渟」を「停」と書き誤りやすい。

出典 柳宗元《りゅうそうげん》の「遊黄渓記《こうけいにあそぶのき》」

大智如愚 だいちじょぐ
準1級

意味 **すぐれて知恵のある賢者は、人前で自分の才能をひけらかすことがないから、ちょっと見たところ愚者のように見えるということ。**

補説 「大智《だいち》は愚《ぐ》なるが如《ごと》し」とも読む。「如愚」は「若愚」とも書く。

出典 蘇軾《そしょく》の文

類義語 大智不智《だいちふち》

大智不智 だいちふち
準1級

意味 **本当にすぐれた知者はそれをあらわにせず一見無知のように見えるということ。**「大智」は真の知恵者。

補説 「大智《だいち》は智《ち》ならず」とも読む。

出典 『六韜《りくとう》』〈武韜《ぶとう》〉

類義語 大智如愚《だいちじょぐ》、知者不言《ちしゃふげん》

大同小異 だいどうしょうい
5級

意味 **細かい点に違いはあるが、だいたいは同じであること。**似たりよったり。わが国ではこの成語から「小異を捨てて大同につく」という句ができた。

注意 「小異」を「小違」と書き誤らない。

出典 『荘子《そうじ》』〈天下《てんか》〉

類義語 同工異曲《どうこういきょく》

対義語 大異小同《だいいしょうどう》

大同団結 だいどうだんけつ
5級

意味 **多くの団体・政党などが、共通の目的のために意見の違いをこえて団結すること。**明治二十年代に自由民権運動諸派が藩閥政府攻撃に使った語。

字体 「団」の旧字体は「團」。

大道不器 たいどうふき
5級

意味 **聖人のふみ行う大いなる道はごく限られた物しか盛ることのできない器とは違い、広く普遍的な作用を発揮できるものであるということ。**「大道」は人格の完成した聖人がふみ行うこのうえなく大きな道。「器」は道具で、茶碗《ちゃわん》のように一つの用にしか役立たないもの。

補説 「大道《たいどう》は器《き》ならず」とも読む。

出典　『礼記《らいき》』〈学記《がくき》〉

類義語　大徳《だいとく》不官《ふかん》、大信《たいしん》不約《ふやく》、大時《たいじ》不斉《ふせい》

大貉小貉　たいばく しょうばく

準2級

意味　**文化程度の低い野蛮人のような為政者のこと。**「貉」は野蛮人のたとえ。

出典　『春秋公羊伝《しゅんじゅうくようでん》』〈宣公《せんこう》一五年〉

類義語　大桀小桀《たいけつしょうけつ》

大兵肥満　だいひょう ひまん

準2級

意味　**体が大きく太っていること。**また、そのような人。「大兵」は体が大きくたくましいこと、また、その人。

字体　「満」の旧字体は「滿」。

注意　「大兵」を「だいへい」と読まないこと。

体貌閑雅　たいぼう かんが

2級

意味　**姿かたちが落ち着いて雅《みやび》やかなこと。**「体貌」は体つきと容貌、「閑雅」はゆったりとしてみやびやかなこと。

字体　「体」の旧字体は「體」。

大法小廉　たいほう しょうれん

3級

意味　**上下の臣がすべて皆清く正しいこと。**大臣《だいしん》は法にかない、小臣《しょうしん》は清廉《せいれん》で忠良なこと。

補説　出典の「大臣《だいしん》は法《ほう》あり、小臣《しょうしん》は廉《れん》に、官職《かんしょく》相序《あいじょ》し、君臣《くんしん》相正《あいただ》しきは、国《くに》の肥《こ》ゆるなり」による。

注意　「小廉」を「小簾」と書き誤らない。

出典　『礼記《らいき》』〈礼運《れいうん》〉

戴盆望天　たいぼん ぼうてん

2級

意味　**二つのことを一度に実現させるのは無理だということ。**「戴盆」は頭に盆をのせること、「望天」は天を仰ぎ見る意。頭に盆をのせたまま天を仰ぎ見ることはできないことから。

補説　「盆を戴《いただ》きて天を望む」とも読む。

出典　司馬遷《しばせん》の「報任少卿書《じんしょうけいにほうずるのしょ》」

大味必淡　たいみ ひったん

4級

意味　**淡白なものこそ真にすぐれており、良く好まれるものだということ。**「大味」はすぐれた味の食べ物のこと。ほんとうにうまい食べ物は、必ず味が淡白だという意から。

補説　「大味《たいみ》、必ず淡《あわ》し」とも読む。

出典　『漢書《かんじょ》』〈揚雄伝《ようゆうでん》・下〉

大名鼎鼎　たいめい ていてい

準1級

意味　**名声が世に響きわたっていること。**「大名」は大きな名声・名誉のこと、「鼎鼎」は盛大なさま。

類義語　名声《めいせい》赫赫《かくかく》

大欲非道　たいよく ひどう

5級

意味　**欲が深くて、慈悲人情のないこと。**「大欲」は大きな欲望、非常に欲の深いこと、「非道」は人道にはずれる意。

補説　「大欲」は「大慾」とも書き「だいよく」とも読む。

帯厲之誓　たいれいの ちかい

1級

意味　**功臣の家は末長く絶やさせないという約束。**黄河が帯のように細くなり、泰山が砥石《といし》のように平らになっても変わらない意。

補説　「帯厲」は「帯礪」とも書く。

字体　「帯」の旧字体は「帶」。

出典　『史記』〈高祖《こうそ》功臣侯者年表《こうしんこうしゃねんぴょう》〉

類義語　河山帯礪《かざんたいれい》

太牢滋味　たいろうの じみ

準1級

意味　豪華なご馳走《ちそう》のたとえ。「太牢」は祭りに供える牛・羊・豕《し》(ぶた)の犠牲がそろったもの。「滋味」は栄養のあるおいしい食物。

補説　「太牢」は「大牢」とも書く。

出典　王褒《おうほう》の「聖主得賢臣頌《せいしゅけんしんをうるのしょう》」

対驢撫琴　たいろぶきん　1級

意味　**愚かな者に物の道理を説いても役に立たないたとえ。**「驢」はろばのこと、「撫」はつまびく意。ろばにむかって琴をつまびくということから。

補説　「驢に対して琴を撫《ぶ》す」とも読む。

字体　「対」の旧字体は「對」。

類義語　対牛弾琴《たいぎゅうだんきん》、馬耳東風《ばじとうふう》

大惑不解　たいわくふかい　4級

意味　**自分の心の惑いがわかっていない者は一生の間真理を悟ることができない。また、いろいろ疑い迷って、疑問がなかなか解けないこと。**「大惑」は自分の心の惑いを認識していない凡人をいう。

補説　「大惑解《と》けず」とも読む。

注意　「不解」を「不快」と書き誤らない。

出典　『荘子《そうじ》』〈天地《てんち》〉

多岐亡羊　たきぼうよう　3級

意味　**方針が多すぎて選択に迷うたとえ。**学問の道は根本は一つであるが、やり方が多方面に分かれて真理をとらえることができない意。「岐」は分かれ道。

補説　「岐《き》多《おお》くして羊《ひつじ》を亡《うしな》う」とも読む。

故事　中国、戦国時代の思想家、楊子《ようし》の隣人の羊一匹が逃げ、それを大勢で追いかけたが分かれ道が多く、結局とり逃がしてしまった。楊子はそれを聞き「学問も同様で、多方面に分かれすぎその根本を忘れ理解できないのだ」と嘆いたという故事から。

出典　『列子《れっし》』〈説符《せっぷ》〉

類義語　岐路亡羊《きろぼうよう》、亡羊之嘆《ぼうようのたん》

濯纓濯足　たくえいたくそく　1級

意味　**世のなりゆきに応じて進退すること。**また、**善行をすれば尊ばれ、悪行をすれば卑しまれるということ。**また、**世俗を超越すること。**「濯」は洗う、すすぐ意。水が澄んでいれば纓(冠の紐《ひも》)を洗い、水が濁っていればよごれた足を洗うという意から。

補説　出典の「滄浪《そうろう》の水《みず》清《す》まば以《もっ》て吾《わ》が纓《えい》を濯《あら》う可《べ》し、滄浪の水濁《にご》らば以て吾が足を濯う可し」による。

出典　『楚辞《そじ》』〈漁父《ぎょほ》〉

択言択行　たくげんたくこう　3級

意味　**言行が道理にかなって立派なこと。**「択」は善悪を区別して選び分ける意。本来は「択言択行無し」の意で、すべて道理にかなった言行で、選び分ける必要がないことからいう。

字体　「択」の旧字体は「擇」。

出典　『孝経《こうきょう》』〈卿大夫章《けいたいふしょう》〉

託孤寄命　たくこきめい　3級

意味　**国の大事を信頼してまかせること。**また、それができる人。父君に死なれた幼君の補佐を頼み、国政をゆだねるのむこと。「託孤」は父親に死なれた孤児をたのむこと。「寄命」は政治をまかせること。「命」は政令。

補説　出典の「以《もっ》て六尺《りくせき》(子供)の孤を託す可《べ》く、以て百里の命(諸侯の政令)を寄す可し」による。

出典　『論語』〈泰伯《たいはく》〉

度徳量力　たくとくりょうりき　4級

意味　**自分の信望と力量の有無を考えはかること。**「度」「量」はともに、はかるという意。徳をはかり、力をはかるという意から、身のほどを知ることをいう。

補説　「徳を度《はか》り力を量《はか》る」とも読む。

出典　『春秋左氏伝《しゅんじゅうさしでん》』〈隠公《いんこう》一一年〉

濁流滾滾　だくりゅうこんこん　1級

意味　**濁った水が盛んに流れるさま。**「濁流」は濁った水の流れのこと。「滾滾」

は水が盛んに流れる意。

踔厲風発　たくれいふうはつ
準1級

意味 **議論がうまく風のようにはやく口から出ること。**雄弁の形容。「踔厲」は勢いのすぐれてはげしいこと。「風発」は風が起こるように勢いのはげしいこと。

字体 「発」の旧字体は「發」。

出典 韓愈《かんゆ》の「柳子厚墓誌銘《りゅうしこうぼしめい》」

多言数窮　たげんすうきゅう
準2級

意味 **言葉数が多ければ、その結果としてたびたび困窮するということ。**言葉を慎むべきことの戒め。

補説 「多言なれば数窮《しばしばきゅう》す」とも読む。

字体 「数」の旧字体は「數」。

出典 『老子《ろうし》』〈五章〉

他山之石　たざんのいし
準1級

意味 **自分の反省になる他人のまちがった言動。**ほかの山から出る粗末な石の意で、それを砥石《といし》として自分の玉を美しくするのに役立てることからいう。

補説 出典には「他山の石、以《もっ》て玉を攻《みが》くべし」とある。

出典 『詩経《しきょう》』〈小雅《しょうが》・鶴鳴《かくめい》〉

類義語 殷鑑不遠《いんかんふえん》、反面教師《はんめんきょうし》

多士済済　たしせいせい
準1級

意味 **すぐれた人材が多いこと。**「多士」は多数のすぐれた人材。「済済」は多くて盛んなさま、また威儀が整ってりっぱなさま。

補説 「済済多士」ともいう。また「済済」は「さいさい」とも読む。(本来は誤用)

字体 「済」の旧字体は「濟」。

注意 「多士」を「多子」、「済済」を「斉斉」と書き誤りやすい。

出典 『詩経《しきょう》』〈大雅《たいが》・文王《ぶんのう》〉

多事多端　たじたたん
4級

意味 **仕事が多くて非常に忙しいこと。**「多事」は仕事が多いこと。「多端」は忙しいさまをいう。

注意 「多事」を「他事」と書き誤らない。

類義語 多事多忙《たじたぼう》

多事多難　たじたなん
5級

意味 **事件が多く、困難なことが多いこと。**「多事」は事件が多いこと。「多難」は困難や災難などが多い意。

注意 「多事」を「他事」と書き誤らない。

類義語 多事多患《たじたかん》

対義語 平穏無事《へいおんぶじ》

打成一片　だじょういっぺん
準2級

意味 **すべてのことを忘れて物事に専念すること。**千差万別の事物の相を平等に観ずること。仏教語。

補説 「打成」は「たじょう」とも読む。

注意 「一片」を「一編」と書き誤らない。

出典 『碧巌録《へきがんろく》』

多情多感　たじょうたかん
5級

意味 **感受性が強く、物事の情趣を深く感じる。**「多情」は物のあわれを強く感じやすいこと。「多感」は物に感じやすいこと。情感(物)に感じて情が起こる意を強めた言葉。

類義語 多情多恨《たじょうたこん》、多情仏心《たじょうぶっしん》

多情多恨　たじょうたこん
3級

意味 **物事に感じやすいために、うらみや悲しみも多いこと。**また、恋愛感情が豊かなさまにもいう。

多生之縁　たしょうのえん
準1級

意味 **多くの生を経て結ばれている因《いん》縁《ねん》。**「袖振《そでふ》り合うも多生の縁」といい、見知らぬ人と道で袖が触れ合うようなわずかな接触も前世からの深い因縁によるも

のだということ。人は何回も生まれ変わって、多くの生を経てこの世に生まれ出るという仏教思想から。

補説　「多生」を「他生」と書くのは本来は誤用。

注意　「多生」を「多少」と書き誤らない。

多情仏心　たじょう ぶっしん　5級

意味　**感情が豊かで移り気だが、薄情にはなれない性質のこと。**もともと人や物事に対して情の多いことが仏の慈悲の心につながるという意。

字体　「仏」の旧字体は「佛」。

多銭善賈　たせん ぜんこ　1級

意味　**資材や条件が整っていれば成功しやすいということ。**「多銭」は元手・資本がたくさんあること。「善賈」はよい商いをする意。資本がたくさんある者は、有利に商売するということ。

補説　「多銭、善く賈《こ》す」とも読む。

字体　「銭」の旧字体は「錢」。

出典　『韓非子《かんぴし》』〈五蠹《ごと》〉

類義語　多財善賈《たざいぜんこ》、長袖善舞《ちょうしゅうぜんぶ》

打草驚蛇　だそう きょうだ　準2級

意味　**よけいなことをして、かえってつまらない災難を受けること。**「打草」は草をたたく、「驚蛇」は蛇を驚かす意。

補説　「草を打って蛇を驚かす」とも読む。

出典　『南唐近事《なんとうきんじ》』〈二〉

多蔵厚亡　たぞう こうぼう　4級

意味　**欲深い者は人間関係をそこなって、やがてはすべてを失ってしまうということ。**欲をおさえて足るを知ることがみずからを保つことにつながるという戒め。「多蔵」は多くの財物を貯えること、「厚亡」は失うものが多い意。

補説　「多く蔵《ぞう》すれば厚《あつ》く亡《うしな》う」とも読む。

字体　「蔵」の旧字体は「藏」。

注意　「厚亡」を「興亡」と書き誤らない。

出典　『老子《ろうし》』〈四四章〉

達人大観　たつじん たいかん　5級

意味　**道理を極めた人は、物事の全体を見通すので判断を誤らないということ。**「達人」は物事に深く通じて道理をわきまえた人、「大観」は大局から判断する意。

字体　「観」の旧字体は「觀」。

出典　賈誼《かぎ》の「鵩鳥賦《ふくちょうのふ》」

類義語　大人大観《たいじんたいかん》、真人大観《しんじんたいかん》

奪胎換骨　だったい かんこつ　3級

⇨**換骨奪胎**（かんこつだったい）

蛇蚹蜩翼　だふ ちょうよく

意味　**互いにもちつもたれつの関係にあること。**「蛇蚹」は蛇《へび》の下腹にあるうろこのこと。「蜩」は蟬《せみ》のことで、「蜩翼」は蟬の羽の意。蛇はうろこによって動くことができ、うろこは蛇によって動くことができる。また、蟬は羽によって飛ぶことができ、羽は蟬によってはばたくことができるということ。

出典　『荘子《そうじ》』〈斉物論《せいぶつろん》〉

多謀善断　たぼう ぜんだん　3級

意味　**よくよく考えて、物事を巧みに処理すること。**「謀」は考えをめぐらす意で、「多謀」はよくよく考えること、「善断」はうまくさばく意。

字体　「断」の旧字体は「斷」。

注意　「多謀」を「多忙」と書き誤らない。

類義語　好謀善断《こうぼうぜんだん》、多略善断《たりゃくぜんだん》

他力本願　たりき ほんがん　5級

意味　**自分で努力せず、もっぱら他人の力をあてにすること。**阿弥陀如来《あみだにょらい》の本

願で極楽往生を願うこと。「本願」は仏が修行しているときに立てられた誓願。

類義語　悪人正機《あくにんしょうき》

煖衣飽食　だんいほうしょく　1級

意味　**物質的になんの不足もない満ち足りた生活。**暖かい衣服を着て、腹いっぱいに食べられる生活。

補説　「煖衣」は「暖衣」とも書く。また、「飽食煖衣」ともいう。

出典　『孟子《もうし》』〈滕文公《とうぶんこう》・上〉

類義語　金衣玉食《きんいぎょくしょく》、錦衣玉食《きんいぎょくしょく》、豊衣足食《ほういそくしょく》

対義語　悪衣悪食《あくいあくしょく》、節衣縮食《せついしゅくしょく》、粗衣粗食《そいそしょく》

断崖絶壁　だんがいぜっぺき　2級

意味　**険しく切り立ったがけ。**また、物事がせっぱつまって危険な状態にあることのたとえ。

字体　「断」の旧字体は「斷」。

断鶴続鳧　だんかくぞくふ　1級

意味　**生まれつきの自然のあり方に手を加え損なうこと。**「鳧」は鴨《かも》のこと。鶴《つる》の足が長いからといって短く切り、鴨の足が短いからといってつぎ足して長くするという意から。物事は自然のままがいちばんよいということ。

補説　「鶴を断ちて鳧《ふ》に続く」とも読む。

字体　「断」の旧字体は「斷」、「続」の旧字体は「續」。

出典　『荘子《そうじ》』〈駢拇《べんぼ》〉

短褐穿結　たんかつせんけつ　準1級

意味　**貧者や卑しい人の着物。**「短褐」は短い荒布の着物。「穿結」は破れたのを縫い合わせること。また、その衣服。いずれも貧者の粗末な着物の意。

出典　陶潜《とうせん》の「五柳先生伝《ごりゅうせんせいでん》」

類義語　短褐不完《たんかつふかん》

弾丸雨注　だんがんうちゅう　4級

意味　**雨が降り注ぐように激しく弾丸が飛んでくること。**弾雨《だんう》。

補説　「弾丸雨のごとく注《そそ》ぐ」とも読む。

字体　「弾」の旧字体は「彈」。

類義語　砲煙弾雨《ほうえんだんう》

弾丸黒子　だんがんこくし　4級

意味　**きわめて狭い土地のたとえ。**「弾丸」は小鳥をとるはじき玉。「黒子」はほくろ。

補説　「黒子」は「黒痣」とも書く。「痣」ははくろの意。

字体　「弾」の旧字体は「彈」。

出典　庾信《ゆしん》の「哀江南賦《あいこうなんのふ》」

類義語　弾丸之地《だんがんのち》、黒子之地《こくしのち》、尺寸之地《せきすんのち》

弾丸黒痣　だんがんこくし　1級

⇩弾丸黒子（だんがんこくし）

弾丸之地　だんがんのち　準1級

意味　**きわめて狭い土地のたとえ。**「弾丸」ははじき玉、きわめて小さいもののたとえ。

字体　「弾」の旧字体は「彈」。

出典　『戦国策《せんごくさく》』〈趙策《ちょうさく》〉

類義語　黒子之地《こくしのち》、弾丸黒子《だんがんこくし》、尺寸之地《せきすんのち》

断簡零墨　だんかんれいぼく　3級

意味　**ちょっとした書き物や、書き物のきれはし。**「断簡」は断ち切られた文書、「零墨」は一滴の墨の意で、墨跡の断片のこと。

字体　「断」の旧字体は「斷」。

類義語　断篇零楮《だんぺんれいちょ》、断篇零墨《だんぺんれいぼく》、片簡零墨《へんかんれいぼく》、断編残簡《だんぺんざんかん》

断機之戒　だんきのいましめ　準1級

意味　**学問は中途で放棄してしまってはなんにもならないという教え。**

補説　「戒」は「誡」とも書く。

字体　「断」の旧字体は「斷」。

故事　孟子が学問をしても進歩がないと言うのを聞いた孟子の母は、はた織りの糸を切り、学問を途中でやめるのは、この未完成の織物と同じだと戒めた故事から。

出典　『列女伝《れつじょでん》』〈鄒孟軻母《すうもうかぼ》〉

類義語　孟母断機《もうぼだんき》

断金之交　だんきんのまじわり　準1級

意味　**非常に強い友情で結ばれていること。**二人が心を同じくすれば、金属をも断ち切ることができることからいう。

補説　「交」は「こう」とも読む。

字体　「断」の旧字体は「斷」。

出典　『易経《えききょう》』〈繋辞《けいじ》・上〉

類義語　断金《だんきん》之《の》契《ちぎり》、断金《だんきん》之《の》利《り》、管鮑《かんぽう》之《の》交《まじわり》、金蘭《きんらん》之《の》契《けい》、膠漆《こうしつ》之《の》交《まじわり》、水魚《すいぎょ》之《の》交《まじわり》、耐《たい》久《きゅう》之《の》朋《とも》、莫逆《ばくぎゃく》之《の》友《とも》、刎頸《ふんけい》之《の》交《まじわり》

談言微中　だんげんびちゅう　4級

意味　**ものごとをはっきり言わず、それとなく人の弱みや急所をつくような話しぶりのこと。**

注意　「談言」を「断言」と書き誤りやすい。

出典　『史記』〈滑稽伝《こっけいでん》・論賛《ろんさん》〉

男耕女織　だんこうじょしょく　準2級

意味　**男女それぞれの天職のたとえ。**男は田畑を耕し、女は布を織ることが男女の自然の職分であるということ。

補説　「男耕女織生業《せいぎょう》と作《な》す」による。

注意　「女織」を「女識」と書かないこと。

出典　『路史《ろし》』〈後紀《こうき》一二〉

断港絶潢　だんこうぜっこう

意味　**他から孤立した辺鄙《へんぴ》なところのこと。**「断港」は海へ通じる航路を断たれた港のこと、「絶潢」は水の出口がない水たまりの池の意。

字体　「断」の旧字体は「斷」。

出典　韓愈《かんゆ》の「送王塤序《おうけんをおくるのじょ》」

箪食壺漿　たんしこしょう　1級

意味　**自分たちを救ってくれた軍隊を歓迎すること。**竹の器の飯と壺《つぼ》の飲み物で軍隊を迎える意。「箪」は竹製の器、「食」は飯、「漿」は酒でない飲み物の意。

出典　『孟子《もうし》』〈梁恵王《りょうけいおう》・下〉

箪食瓢飲　たんしひょういん　準1級

意味　**清貧に甘んじるたとえ。**わずかな飲食物。竹の器の飯とひょうたんに入れた飲み物。もと孔子が弟子の顔回の清貧ぶりをたたえた語。

字体　「飲」の旧字体は「飮」。

出典　『論語』〈雍也《ようや》〉

類義語　一汁一菜《いちじゅういっさい》、顔回箪瓢《がんかいたんぴょう》、羹藜含糗《こうれいがんきゅう》、朝齏暮塩《ちょうせいぼえん》

単純明快　たんじゅんめいかい　5級

意味　**はっきりしていてわかりやすいこと。**とくに話や文章などが込み入っていないで、内容・筋道がよくわかること。「単純」は単一でまじりけがない、「明快」ははっきりしていて気持ちがよいこと。

字体　「単」の旧字体は「單」。

類義語　簡単明瞭《かんたんめいりょう》、直截簡明《ちょくせつかんめい》

対義語　複雑怪奇《ふくざつかいき》

断章取義　だんしょうしゅぎ　5級

意味　**抜き出して用いること。**他人の詩文の一部を取り出し、原文の前後の意味に無関係に勝手に解釈したり利用したりすること。

補説　「章を断ちて義を取る」とも読む。

字体　「断」の旧字体は「斷」。

注意　「取義」を「主義」と書き誤らない。

出典　『礼記《らいき》』〈中庸・疏《そ》〉

類義語　断章截句《だんしょうせっく》、断章取意《だんしょうしゅい》

淡粧濃抹　たんしょう のうまつ　準2級

意味　**女性の化粧。**薄い化粧と濃い化粧。また、**女性の美しい形容。**薄化粧でも濃い化粧でもそれぞれ趣があり美しいからいう。「抹」はぬる、化粧する意。

補説　「濃抹」は「濃沫」とも書き、また「のうばつ」とも読む。

出典　蘇軾《そしょく》の「飲湖上初晴後雨《こじょうにいんすはじめははれのちにあめふる》-詩」

丹書鉄契　たんしょ てっけい　3級

意味　**天子が功臣に与えた誓文《せいもん》のこと。**鉄製の割り符に消えないよう朱で書いたもの。本人やその子孫が罪を犯したとき、これで罪が減免された。

字体　「鉄」の旧字体は「鐵」。

出典　『漢書《かんじょ》』〈高帝紀《こうていき》〉

断虀画粥　だんせい かくしゅく　1級

意味　**貧乏に耐えて勉学に励むこと。**「虀」はなずな(ぺんぺん草)のことで、「断虀」はなずなをきざむ意。「画」はたてよこに線を引いて四つに区切る意で、「画粥」は固くなった粥《かゆ》を四つに切ること。

字体　「断」の旧字体は「斷」、「画」の旧字体は「畫」。

故事　中国北宋《ほくそう》の范仲淹《はんちゅうえん》は若いころ貧乏で、なずなをきざんでおかずとし、冷えて固くなった粥を四つに切って、朝晩二つずつ食べるという生活をしながら、勉学に励んだという故事から。

類義語　蛍雪之功《けいせつのこう》、蛍窓雪案《けいそうせつあん》、車胤聚蛍《しゃいんしゅうけい》、苦学力行《くがくりっこう》

袒裼裸裎　たんせき らてい　1級

意味　**はなはだ無礼なこと。**「袒裼」はひじをあらわす、肌ぬぎになること。「裸裎」は裸になること。

出典　『孟子《もうし》』〈公孫丑《こうそんちゅう》・上〉

胆戦心驚　たんせん しんきょう　3級

意味　**恐怖で胸が震えおののくこと。**「胆」は肝臓、「心」は心臓のことだが、ここでは人間のこころ、精神の意。「戦」「驚」ともに驚き恐れおののくさまをいう。

補説　「胆《きも》戦《おのの》き心《しん》驚く」とも読む。

字体　「胆」の旧字体は「膽」、「戦」の旧字体は「戰」。

胆大心小　たんだい しんしょう　3級

意味　**大胆でしかも細心の注意を払うこと。**胆(度胸)は大きく、心(気くばり)は小さなところまでという意味。

字体　「胆」の旧字体は「膽」。

出典　『旧唐書《くとうじょ》』〈孫思邈伝《そんしばくでん》〉

類義語　胆大心細《たんだいしんさい》

談天雕竜　だんてん ちょうりょう　1級

意味　**弁舌や文章などが広大でみごとなこと。**転じて、広大だが実用には適さない無用の議論や行為などのたとえ。「談天」は天を語ること、「雕竜」は竜を彫刻する意。天を談ずるように気宇広大で、竜の彫り物のようにみごとなさまをいう。

補説　「天を談じて竜を雕《ほ》る」とも読む。「雕竜」は「ちょうりゅう」とも読む。

字体　「竜」の旧字体は「龍」。

故事　中国、戦国時代斉《せい》の騶衍《すうえん》がよく天象について弁じ、騶奭《すうせき》がよく竜の文様を彫刻するように文章を飾ったことを、斉人が「談天衍、雕竜奭」と頌した故事から。

出典　『史記』〈孟子荀卿伝《もうしじゅんけいでん》〉

単刀直入　たんとう ちょくにゅう　5級

意味　**前置きなしに、いきなり本題に入ること。**一本の刀を持ち、ただ一人で敵陣に切り込むこと。

字体　「単」の旧字体は「單」。

注意　「単刀」を「短刀」と書かないこと。

出典　『五灯会元《ごとうえげん》』〈九〉

断悪修善　だんなくしゅぜん　準1級

意味　**仏教で、一切の煩悩を断とうとする誓いのこと。**悪を断ち切って善を修行する意で、あらゆるものを救おうとする菩薩《ぼさつ》の誓願の一つ。

補説　「悪を断ち善を修む」とも読む。

字体　「断」の旧字体は「斷」、「悪」の旧字体は「惡」。

断髪文身　だんぱつぶんしん　4級

意味　**野蛮な風習のたとえ。**髪を短く切り、いれずみをすること。「断髪」は髪を短く切ること。「文身」は刺青、いれずみのこと。

字体　「断」の旧字体は「斷」、「髪」の旧字体は「髮」。

出典　『荘子《そうじ》』〈逍遥遊《しょうようゆう》〉

耽美主義　たんびしゅぎ　準1級

意味　**人生の目的を理性より美におき、官能・感覚を重視する芸術上の態度。**「耽美」は美を最高のものと考え、美を重んじひたりきること。

注意　「耽美」を「嘆美」「歎美」などと書き誤らないこと。

類義語　唯美主義《ゆいびしゅぎ》

貪夫徇財　たんぷじゅんざい　1級

意味　**欲深い者は、金のためならなんでもするということ。**「貪夫」は欲の深い男のこと。「徇財」は命がけで金を求める、金のためなら命を捨てる意。

補説　「貪夫は財に徇《したが》う」とも読む。

注意　「貪夫」を「貧夫」と書き誤らない。

出典　『史記』〈伯夷伝《はくいでん》〉

類義語　我利我利《がりがり》

対義語　烈士徇名《れっしじゅんめい》

単文孤証　たんぶんこしょう　3級

意味　**わずか一つの文章と一つの証拠。**学問などで証拠が不十分なことをいう。

字体　「単」の旧字体は「單」、「証」の旧字体は「證」。

注意　「単文」を「短文」と書き誤らない。

対義語　博引旁証《はくいんぼうしょう》

断編残簡　だんぺんざんかん　5級

意味　**書物の残欠して完全でないもの。**時代を経るにしたがってなくなったり乱れたりした残りのもの。「簡」は紙のなかった昔は木の札に書きつけたことから、書きもの、書物の意。

補説　「断簡残編」ともいう。

字体　「断」の旧字体は「斷」、「残」の旧字体は「殘」。

出典　『宋史《そうし》』〈欧陽脩伝《おうようしゅうでん》〉

端木辞金　たんぼくじきん　4級

意味　**納得のいかない金は受け取らないという潔癖な態度のこと。**「端木」は孔子の弟子の子貢《しこう》の姓。理財家で金持ちであった。「辞金」は金を辞退する意。

補説　「端木、金を辞す」とも読む。

字体　「辞」の旧字体は「辭」。

故事　中国春秋時代、魯《ろ》の法律では、諸侯の召し使いを身請けして買い戻す場合、その代金は国から受け取るように決められていた。しかし、子貢はこのことを潔白正直な行いではないとして、公金を辞退し私費を投じて買い戻したという故事から(『孔子家語《こうしけご》』〈致思《ちし》〉)。

出典　『蒙求《もうぎゅう》』〈端木辞金《たんぼくじきん》〉

断爛朝報　だんらんちょうほう　1級

意味　**きれぎれになって、続き具合のわからない朝廷の記録のこと。**また、『春秋』をそしっていう語。「断爛」は破れてぼろぼろになること。「朝報」は朝廷の報告書・記録の意。

字体　「断」の旧字体は「斷」。

出典　『宋史《そうし》』〈王安石伝《おうあんせきでん》〉

探卵之患　たんらんのうれい　準1級

意味　**自分の拠点をおそわれることへの恐れ。**親鳥の留守の間に、巣からたまごを取られる心配。

出典　『北史《ほくし》』〈斉《せい》・孝昭帝紀《こうしょうていき》〉

探驪獲珠　たんりかくしゅ　1級

意味　**驪竜《りりょう》の顎《あご》の下を探って珠玉を手に入れる。**転じて、**危険を冒して大きな利益を得るたとえ。**また、要領を得たすばらしい文章を作ることのたとえとしても用いる。「驪」は驪竜のこと。黒色の竜。この竜の顎の下には珠玉があるとされる。→「驪竜之珠《りりょうのたま》」

補説　「驪《り》を探《さぐ》って珠《しゅ》を獲《う》」とも読む。

出典　『荘子《そうじ》』〈列禦寇《れつぎょこう》〉

類義語　探驪得珠《たんりとくしゅ》、驪竜之珠《りりょうのたま》、頷下之珠《がんかのたま》

短慮軽率　たんりょけいそつ　4級

意味　**思慮が足りず、軽はずみなこと。**「短慮」は考えがあさはかなこと、「軽率」は軽はずみの意。

字体　「軽」の旧字体は「輕」。

注意　「軽率」を「軽卒」と書き誤らない。

類義語　軽佻浮薄《けいちょうふはく》、軽佻浮華《けいちょうふか》

対義語　深謀遠慮《しんぼうえんりょ》

湛盧之剣　たんろのけん　1級

意味　**静かに澄みきった黒い剣。**呉王《ごおう》闔閭《こうりょ》の名剣。「湛」はたたえる、澄む、しずむ意。「盧」はここでは黒色の意。

字体　「剣」の旧字体は「劍」。

談論風発　だんろんふうはつ　5級

意味　**盛んに話しあい議論すること。**「風発」は、風が吹きおこるように勢いが盛んなこと。雄弁の形容。

字体　「発」の旧字体は「發」。

類義語　議論百出《ぎろんひゃくしゅつ》、踔厲風発《たくれいふうはつ》、百家争鳴《ひゃっかそうめい》

【ち】

徴羽之操　ちうのそう　準1級

意味　**正しい音楽のこと。**「徴羽」は五《ご》音《いん》（音楽の五つの音色、宮・商・角・徴・羽）の徴と羽。「操」はあやつる、うまくつかう意。

出典　『淮南子《えなんじ》』〈説林訓《ぜいりんくん》〉

地角天涯　ちかくてんがい　準2級

⇩**天涯地角**（てんがいちかく）

遅疑逡巡　ちぎしゅんじゅん　1級

意味　**物事に対し、疑い迷って決断できずに、ぐずぐずとためらうこと。**「遅疑」は疑い迷ってためらうこと、ぐずぐずして決行しないこと。「逡巡」もためらうこと、しりごみすること。

字体　「遅」の旧字体は「遲」。

類義語　狐疑逡巡《こぎしゅんじゅん》、右顧左眄《うこさべん》

知己朋友　ちきほうゆう　準1級

意味　**交際のある友人のすべてのこと。**「知己」は自分の真価をよく知ってくれる人の意で、親しい友人をいう。「朋友」は友人・友だちのこと。

注意　「知己」を「知已」「知巳」などと書き誤りやすい。

池魚之殃　ちぎょのわざわい　1級

意味　**なんのかかわりもないのに、とんだ災難をうけること。**また、まきぞえで無実の罪に問われること。

補説　「殃」は「禍」とも書く。

故事　池に投げこまれた宝玉を探すため、池の水をさらったので魚が死んでしまったという話から（『呂氏春秋《りょししゅんじゅう》』〈必己《ひっき》〉）。また一説に、城内が火事で焼け、消火に

池の水を使ったため魚が死んでしまったことからともいう(『太平御覧《たいへいぎょらん》』〈九三五引『風俗通《ふうぞくつう》』〉)。

池魚籠鳥　ちぎょろうちょう　2級

意味　**宮仕えの役人などの不自由な境遇のたとえ。** 自由を束縛された池の魚やかごの鳥。不自由な身で自由な生活にあこがれるたとえ。

出典　潘岳《はんがく》の「秋興賦《しゅうきょうのふ》」

築室道謀　ちくしつどうぼう　3級

意味　**意見ばかり多くてまとまらず、物事が実現しないこと。**「築室」は家を建てること。「道謀」は道を行く人に相談する意。家を建てようとして道行く人に相談していると、それぞれ勝手な意見をいうので、結局家はできなくなってしまうという意から。

補説　「室《しつ》を築《きず》いて道《みち》に謀《はか》る」とも読む。

出典　『詩経《しきょう》』〈小雅《しょうが》・小旻《しょうびん》〉

竹頭木屑　ちくとうぼくせつ　準1級

意味　**役に立たないもののたとえ。** また、**細かなもの、つまらないものでも役立つことがあるのでおろそかにしないこと。**「竹頭」は竹の切れはし、「木屑」は木のけずりくず。

故事　晋《しん》の陶侃《とうかん》が、船を造るときにできた竹の切れはしや木のくずをとっておき、木のくずは雪の降ったときのぬかるみ防止に、竹の切れはしは竹釘《たけくぎ》にして船の修理に役立てたという故事から。

出典　『世説新語《せせつしんご》』〈政事《せいじ》〉

類義語　鶏鳴狗盗《けいめいくとう》

竹帛之功　ちくはくのこう　1級

意味　**名前が歴史に残るような功績のこと。**「竹帛」は竹の札と白い絹の布。紙のない時代には、竹帛に文字が書かれた。

出典　『後漢書《ごかんじょ》』〈鄧禹伝《とううでん》〉

類義語　垂名竹帛《すいめいちくはく》

竹馬之友　ちくばのとも　準1級

意味　**幼友達。** 幼いころに竹馬《たけうま》に乗っていっしょに遊んだ友達。

出典　『晋書《しんじょ》』〈殷浩伝《いんこうでん》〉

類義語　竹馬之好《ちくばのよしみ》

竹苞松茂　ちくほうしょうも　1級

意味　**新築家屋の落成を祝う語。**「竹苞」は竹が叢《むら》がり生えているように堅固なことで、家の下部構造をほめる語。「松茂」は松が青々と茂っているようにみごとな意で、上部の組み立てをほめる語。

出典　『詩経《しきょう》』〈小雅《しょうが》・斯干《しかん》〉

竹林七賢　ちくりん(の)しちけん　3級

意味　**竹林で清談《せいだん》をかわした七人の隠者。** 西晋《せいしん》時代、乱世のなか俗世間を避けて竹林で老子や荘子の思想を慕い、酒をくみかわし清談(俗世を離れた高尚な論談)を楽しんだ阮籍《げんせき》・阮咸《げんかん》・山濤《さんとう》・向秀《しょうしゅう》・嵆康《けいこう》・劉伶《りゅうれい》・王戎《おうじゅう》のこと。

出典　『世説新語《せせつしんご》』〈任誕《にんたん》〉

知行合一　ちこうごういつ　5級

意味　**本当の知は実践を伴わなければならないということ。** 王守仁《おうしゅじん》(陽明《ようめい》)が唱えた陽明学の中心をなす思想。

出典　『伝習録《でんしゅうろく》』〈上〉

智者一失　ちしゃのいっしつ　準1級

意味　**どんなに知恵がある人でも、時には過失があるということ。**「智者」は知恵のある人・賢者のこと。「一失」は千に一つの過失の意。

補説　「智者も千慮《せんりょ》に必ず一失有り」の略。「智者」は「知者」とも書く。

出典　『史記』〈淮陰侯伝《わいいんこうでん》〉

類義語　千慮一失《せんりょのいっしつ》

対義語　愚者一得《ぐしゃのいっとく》

知者不言《ちしゃふげん》　5級

意味　物事をほんとうに知っているものは言わないものだ。真に知るものはあえて言葉で説明しようとはしないものだ。

補説　「知る者は言わず」とも読む。「知者」は「智者」とも書く。

出典　『老子《ろうし》』〈五六章〉

類義語　大智不智《だいちふち》、言者不知《げんしゃふち》

知者不惑《ちしゃふわく》　4級

意味　本当に賢い人は、物事の道理をわきまえているので、判断を誤り迷うことはないということ。

補説　出典の「知者は惑わず、仁者《じんしゃ》は憂えず、勇者は懼《おそ》れず」による。また「知者」は「智者」とも書く。

出典　『論語』〈子罕《しかん》〉

対義語　狐疑逡巡《こぎしゅんじゅん》、遅疑逡巡《ちぎしゅんじゅん》

知者楽水《ちしゃらくすい》　5級

意味　知恵のある人は、知が滞ることなく自由に働き、そのさまが水に似ているので、水を好んで楽しむということ。

補説　「知者は水を楽しむ」とも読む。「知者」は知恵が豊かな人のこと。「知者」は「智者」とも書く。

字体　「楽」の旧字体は「樂」

出典　『論語』〈雍也《ようや》〉

対義語　仁者楽山《じんしゃらくざん》

置酒高会《ちしゅこうかい》　5級

意味　盛大に酒宴を催すこと。「置酒」は酒宴を設ける、酒盛りをする意。「高会」は盛大な宴会のこと。

字体　「会」の旧字体は「會」。

出典　『漢書《かんじょ》』〈高帝紀《こうていき》・上〉

知小謀大《ちしょうぼうだい》　3級

意味　力もないのに大きなことを企てること。知力がないのにはかりごとだけは大きいの意から。

出典　『易経《えききょう》』〈繋辞《けいじ》・下〉

置錐之地《ちすいのち》　準1級

意味　とがった錐《きり》の先をやっと突き立てることができるほどの狭い土地。わずかな空間。

出典　『荘子《そうじ》』〈盗跖《とうせき》〉

類義語　立錐之地《りっすいのち》

知崇礼卑《ちすうれいひ》　準2級

意味　真の知者は学識が増せば増すほど、へりくだって礼を尽くすものだということ。「崇」は積む、高くなること。「卑」はへりくだる、低くする意。

補説　「知崇《たか》く礼卑《ひく》し」とも読む。

字体　「礼」の旧字体は「禮」。

出典　『易経《えききょう》』〈繋辞《けいじ》・上〉

知足安分《ちそくあんぶん》　5級

意味　高望みをしないこと。自分の身分や境遇に応じ、分をこえて高くは望まない意。

補説　「足るを知り分《ぶん》に安んず」とも読む。

注意　「安分」を「案分」と書き誤らない。

類義語　安分守己《あんぶんしゅき》

知足不辱《ちそくふじょく》　3級

意味　節度を超えた欲望をもつことを戒めたもの。分《ぶん》に安んじて満足することを知ればはずかしめを受けることもない。

補説　「足《た》るを知《し》れば辱《はずかし》められず」とも読む。

出典　『老子《ろうし》』〈四四章〉

類義語　止足之分《しそくのぶん》、知足者富《ちそくしゃふ》

致知格物《ちちかくぶつ》　4級

⇩格物致知（かくぶつちち）

蟄居屏息　ちっきょ へいそく

1級

意味　**江戸時代、公家・武士に科した刑の一つ。**家にこもって外出せず、息を殺して、おそれつつしむこと。「蟄居」は家の内にとじこもっていることで、もと虫などが地中にこもっていることと、隠れていること。「屏息」は「屏気」と同じで、息を殺してじっと隠れていること、おそれつつしむこと。

類義語　蟄居《ちっきょ》閉門《へいもん》

地平天成　ちへい てんせい

5級

意味　**世の中が平穏で、万物が栄えること。**また、**地変や天災がなく、自然界が穏やかなこと。**「地平」は地変がなく世の中が平穏に治まること、「天成」は天の運行が順調で万物が栄える意。

補説　「地平《たい》らかに天成《な》る」とも読む。「内平外成《ないへいがいせい》」とともに、元号「平成」のもととなったとされる語。

出典　『書経《しょきょう》』〈大禹謨《たいうぼ》〉・『春秋左氏伝《しゅんじゅうさしでん》』〈僖公《きこう》二四年・文公《ぶんこう》一八年〉

対義語　天災地変《てんさいちへん》、天変地異《てんぺんちい》

智謀浅短　ちぼう せんたん

準1級

意味　**知恵や計画があさはかなこと。短慮なこと。**「智謀」は知恵のあるはかりごと。また知恵や計画。

補説　「智謀」は「知謀」とも書く。

字体　「浅」の旧字体は「淺」。

出典　『漢書《かんじょ》』〈孔光伝《こうこうでん》〉

遅暮之嘆　ちぼの たん

準1級

意味　**しだいに年をとっていくわが身を嘆くこと。**「遅暮」はだんだんと年をとること。

補説　「遅暮」は「遅莫」とも書く。また、「嘆」は「なげき」とも読む。

字体　「遅」の旧字体は「遲」。

出典　『楚辞《そじ》』〈離騒《りそう》〉

魑魅魍魎　ちみ もうりょう

1級

意味　**いろいろな化け物。**また、**私欲のために悪だくみをする悪人のたとえ。**「魑魅」は山林・沼沢《しょうたく》の気から生じる妖怪《ようかい》。「魍魎」は山川・木石の精気から生じる妖怪。

補説　出典には「螭魅罔両」とある。

出典　『春秋左氏伝《しゅんじゅうさしでん》』〈宣公《せんこう》三年〉

類義語　百鬼夜行《ひゃっきやこう》

着眼大局　ちゃくがん たいきょく

5級

意味　**ものごとを全体として大きくとらえること。**「大局」は小さな区切り(局)の全体。ものごとの細部にとらわれず、全体の姿を見て判断し対処する意。

補説　「眼を大局に着く」とも読む。

対義語　着手小局《ちゃくしゅしょうきょく》

忠君愛国　ちゅうくん あいこく

5級

意味　**君に忠節をつくし、国を愛すること。**

字体　「国」の旧字体は「國」。

出典　陳傅良《ちんふりょう》の文

忠言逆耳　ちゅうげん ぎゃくじ

4級

意味　**忠告は聞きにくいものだが、自分にとって真にためになるものだということ。**「逆耳」は聞きづらいこと。人からの忠告はとかく聞きにくいものだが、あえて聞く態度をもつことが大事だという意。

補説　「忠言は耳に逆《さか》らう」とも読む。「忠言は耳に逆らえども行いに利あり」の略。「良薬は口に苦し」と類義。

出典　『孔子家語《こうしけご》』〈六本《ろっぽん》〉

中権後勁　ちゅうけん こうけい

1級

意味　**戦略・陣容ともに整っていること。**「権」ははかりごとの意で、「中権」

は中央の軍に将軍がいて計略をめぐらすこと。「勁」は強い意で、「後勁」は後方にいる強い軍勢のこと。

字体　「権」の旧字体は「權」。

注意　「中権」を「中堅」、「後勁」を「後継」などと書き誤りやすい。

出典　『春秋左氏伝《しゅんじゅうさしでん》』〈宣公《せんこう》一二年〉

中原逐鹿　ちゅうげん ちくろく　準1級

意味　**群雄が割拠して天子の位を争いあうこと。**また、ある地位をねらって競争する意にも用いる。「中原」は当時の中国の中央であった黄河流域を指す。「鹿」は天子の位のたとえ。中国、戦国時代には天子の位を得ようとして群雄が天下を争うことを、猟師が鹿《しか》を追うのにたとえた語。

補説　「中原に鹿を逐《お》う」とも読む。

出典　『史記』〈淮陰侯伝《わいいんこうでん》〉

類義語　中原《ちゅうげん》之《の》鹿《しか》

中原之鹿　ちゅうげんの しか　準1級

⇨中原逐鹿（ちゅうげん ちくろく）

智勇兼備　ちゅう けんび　準1級

意味　**知恵と勇気をともに持つこと。**

補説　「智勇」は「知勇」とも書く。

類義語　高材疾足《こうざいしっそく》

忠孝一致　ちゅうこう いっち　4級

意味　**忠義と孝行はともに全うすることができること。**また、天皇は日本国民という一大家族の家長であるという立場から、主君に忠節をつくすことと、親に孝行をつくすこととが一致することをいう。→「忠孝両全《ちゅうこうりょうぜん》」

出典　吉田松陰《よしだしょういん》の「士規七則《しきしちそく》」

類義語　忠孝両全《ちゅうこうりょうぜん》

抽黄対白　ちゅうこう たいはく　3級

意味　**黄色や白色の美しい色を適切に配合する。巧みに四六駢儷文《しろくべんれいぶん》を作ること。**四六駢儷文は四字句と六字句を基本として対句《ついく》など修辞を多用した美しい文。

補説　「黄《こう》を抽《ぬ》きて白《はく》に対《たい》す」とも読む。

字体　「対」の旧字体は「對」。

出典　柳宗元《りゅうそうげん》の「乞巧文《きっこうのぶん》」

昼耕夜誦　ちゅうこう やしょう　1級

意味　**貧乏な生活のなかで勉学に励むこと。**「誦」はそらんじること。昼間は畑を耕して仕事をし、夜になってから書物をそらんじて勉強をする意から。

補説　「昼は耕《たがや》し夜は誦《しょう》す」とも読む。

字体　「昼」の旧字体は「晝」。

出典　『魏書《ぎしょ》』〈崔光伝《さいこうでん》〉

類義語　蛍雪之功《けいせつのこう》、蛍窓雪案《けいそうせつあん》、断齏画粥《だんせいかくしゅく》

忠孝両全　ちゅうこう りょうぜん　5級

意味　**君主に対する忠義と親に対する孝行を二つとも全うすること。**忠義と孝行は一致するもので両方同時に全うできるという考え。これとは逆に「忠ならんと欲すれば孝ならず」というように忠であろうとすれば不孝となるという考えもある。

字体　「両」の旧字体は「兩」。

注意　「忠孝」を「忠考」と書かない。

出典　李商隠《りしょういん》の文

類義語　忠孝双全《ちゅうこうそうぜん》、忠孝両立《ちゅうこうりょうりつ》、忠孝一致《ちゅうこういっち》

対義語　忠孝不並《ちゅうこうふへい》

忠魂義胆　ちゅうこん ぎたん　3級

意味　**忠義にあふれた心のこと。**「忠魂」は忠義のために死んだ人の魂。「義胆」は正義に強い心。

字体　「胆」の旧字体は「膽」。

出典　滝沢馬琴《たきざわばきん》の「八犬士伝序《はっけんしでんのじょ》」

鋳山煮海　ちゅうさん しゃかい　準2級

意味　**財を多く蓄えること。**「鋳山」は、

山の銅を採ってそれを溶かし、型に流しこんで銭《ぜに》を作ること、「煮海」は海水を煮て塩を造る意。

補説 「山に鋳《い》、海に煮る」とも読む。

字体 「鋳」の旧字体は「鑄」。

出典 『史記』〈呉《ご》王《おう》濞《び》伝《でん》〉

中秋玩月 ちゅうしゅうがんげつ

2級

意味 **仲秋の夜に雅《みやび》な月見の宴会を催すこと。**「中秋」は仲秋に同じで陰暦八月の称。また狭義として八月十五日のこと。「玩月」は月をめでる意。

補説 「玩月」は「翫月」とも書く。

出典 『曲《きょく》洧《い》旧聞《きゅうぶん》』〈八〉

中秋名月 ちゅうしゅうのめいげつ

5級

意味 **陰暦八月十五日の夜の月。**「中秋」は陰暦八月の異称。

補説 「中秋」は「仲秋」とも書く。

抽薪止沸 ちゅうしんしふつ

準2級

意味 **わざわいなどの問題を根本から解決すること。**燃えているたきぎを竈《かまど》から引き抜いて煮えたぎった湯をさます意。「抽」は抜き取る意、「沸」は沸騰した湯。

補説 「薪《たきぎ》を抽《ぬ》きて沸《たぎり》を止《とど》む」とも読む。

出典 『三国志《さんごくし》』〈魏書《ぎしょ》・董卓伝《とうたくでん》・注〉

類義語 削株掘根《さくしゅくっこん》、断根枯葉《だんこんこよう》、釜底抽《ふていちゅう》薪《しん》、抜本塞源《ばっぽんそくげん》

補説 ほぼ同意の熟語を重ねて意味を強めた四字句。

誅心之法 ちゅうしんのほう

1級

意味 **実際の行為として現れなくても、心の中が正しくなければ、それを処罰する筆法。**「誅心」は心の不純を罰すること。『春秋』はこうした筆法を用いているといわれる。→「春秋筆法《しゅんじゅうのひっぽう》」

出典 『春秋左氏伝《しゅんじゅうさしでん》』〈宣公《せんこう》二年・会箋《かいせん》〉

疇昔之夜 ちゅうせきのよ

1級

意味 **昨夜。ゆうべ。**「疇昔」はきのう・昨日・ゆうべ・むかし。

出典 『礼記《らいき》』〈檀弓《だんぐう》・上〉

昼想夜夢 ちゅうそうやむ

5級

意味 **昼に思ったことが夜の夢になること。**昼に思い考えたことを夜になって夢に見ることをいう。

字体 「昼」の旧字体は「晝」。

出典 『列子《れっし》』〈周穆王《しゅうぼくおう》〉

躊躇逡巡 ちゅうちょしゅんじゅん

1級

意味 **ためらって進まないこと。**「躊躇」はためらう、ぐずぐずする意。「逡巡」はあとずさりする、ぐずぐずする意。

中通外直 ちゅうつうがいちょく

5級

意味 **君子の心と行動が広く正しいことのたとえ。**「中通」は蓮《はす》の茎が空洞であることから、君子の心中に邪心のないたとえ。「外直」は蓮の茎の外形がまっすぐなことから、君子が毅然《きぜん》としてまっすぐなたとえ。いずれも蓮の茎の形容から君子を説いたもの。

補説 「中通《なかつう》じ外直《そとなお》し」とも読む。

出典 周敦頤《しゅうとんい》の「愛蓮説《あいれんのせつ》」

中途半端 ちゅうとはんぱ

準2級

意味 **物事がきちんとかたづかないこと。**徹底しないこと。「中途」は道の中ほど、物事の半ば。「半端」は全部そろわないさま。どちらともつかないさま。

綢繆未雨 ちゅうびゅうみう

1級

意味 **前もって準備をしてわざわいを防ぐこと。**「綢繆」は固めふさぐ、つくろうこと。「未雨」はまだ雨が降らないうちにの意。雨が降る前に巣の透き間を固めつくろうことから。

類義語 綢繆牖戸《ちゅうびゅうゆうこ》

昼夜兼行 ちゅうやけんこう

4級

意味 **昼と夜の区別なく続けて物事を行うこと。**昼も夜も休まず道を急ぐこと。「兼行」は一日の行程を二倍にすることから、昼と夜を兼ねて行うという意味になった。

字体 「昼」の旧字体は「晝」。

故事 呉《ご》の孫権《そんけん》は蜀《しょく》の関羽《かんう》を討つために呂蒙《りょもう》を送った。呂蒙は昼夜兼行し長江（揚子江）に関羽が設けた物見をとりこにした故事から。

出典 『三国志《さんごくし》』〈呉書《ごしょ》・呂蒙伝《りょもうでん》〉

類義語 不眠不休《ふみんふきゅう》、倍日并行《ばいじつへいこう》

忠勇義烈 ちゅうゆうぎれつ

4級

意味 **忠義で勇気があり、正義感が強いこと。**

中流砥柱 ちゅうりゅうのしちゅう

準1級

意味 **困難にあってもびくともせず、節義を曲げない人物のたとえ。**黄河の中に立って少しも動かない砥柱山。「中流」は川の流れの中ほど。「砥柱」は中国河南《かなん》省三門峡《しょうさんもんきょう》の東にあり、黄河の激流の中にそびえ立っている砥石《といし》のように平らな岩石のこと。

注意 「砥柱」を「ていちゅう」と読み誤らない。

出典 『晏子春秋《あんししゅんじゅう》』〈諫《かん》・下〉

仲連蹈海 ちゅうれんとうかい

1級

意味 **節操が清く高いたとえ。**「仲連」は中国、戦国時代の斉《せい》の人。清廉で拘束を好まない性質で仕官しなかった。「蹈海」は海に身を投げて死ぬこと。「蹈」はふみ入るの意。

故事 魯《ろ》仲連《ちゅうれん》は趙《ちょう》の国に行き秦《しん》軍に囲まれたとき、秦は非道の国でそのような秦が帝となって天下を統一することがあれば、自分は潔く東海に身を投げて死んでしまおうと言った故事（『史記』〈魯《ろ》仲連《ちゅうれん》伝《でん》〉）。

出典 『蒙求《もうぎゅう》』〈仲連蹈海《ちゅうれんとうかい》〉

沖和之気 ちゅうわのき

準1級

意味 **天地間の調和した気のこと。**「沖和」は穏やかにやわらぐ意。

字体 「気」の旧字体は「氣」。

出典 『列子《れっし》』〈天瑞《てんずい》〉

黜陟幽明 ちゅっちょくゆうめい

1級

意味 **正しい基準に従って人材を評価すること。**「黜陟」は退けることと官位を引きあげること。「幽明」は暗愚と賢明の意。暗愚な者を退け、賢明な者を登用するということから。

補説 「幽明を黜陟す」とも読む。

注意 「幽明」を「幽冥」と書き誤らない。

出典 『書経《しょきょう》』〈舜典《しゅんてん》〉

類義語 適材適所《てきざいてきしょ》、量才取用《りょうさいしゅよう》、量才録用《りょうさいろくよう》

対義語 大器小用《たいきしょうよう》、大材小用《たいざいしょうよう》

寵愛一身 ちょうあいいっしん

準1級

意味 **多くの人の中から特別に目をかけられ、愛情を一人占めにすること。**

補説 出典の「後宮《こうきゅう》の佳麗《かれい》三千人《さんぜんにん》、三《さん》千《ぜん》の寵愛《ちょうあい》一身《いっしん》に在《あ》り」による。

出典 白居易《はくきょい》の「長恨歌《ちょうごんか》」

長安日辺 ちょうあんにっぺん

5級

意味 **遠く離れた地のこと。**また、**才知に富んでいること。**「長安」は地名で、中国王朝の都。「日辺」は太陽が輝くあたりの意から、太陽のこと。

字体 「辺」の旧字体は「邊」。

故事 中国晋《しん》の明帝がまだ幼いころ、父の元帝から「長安と太陽はどちらが遠いか」と問われて「長安から来たという人の話は聞いたことがあるが、太陽から来た人の話は聞いたことがないので、太

陽の方が遠い」と答え、父を感心させた。翌日群臣の前で同じ質問をされた明帝は、今度は「長安の方が遠い」と答えた。驚いた元帝が「なぜ昨日の答えと違うのか」と尋ねたところ、「太陽は見えるが、長安は見えないからです」と答えたという故事から。

出典　『晋書《しんじょ》』〈明帝紀《めいていき》〉

朝衣朝冠　ちょういちょうかん　3級

意味　**朝廷に出仕するときに着る制服やかんむり。**正装。礼装。

出典　『孟子《もうし》』〈公孫丑《こうそんちゅう》・上〉

超軼絶塵　ちょういつぜつじん　1級

意味　**非常に軽やかに速く走ること。**

「超軼」は抜きんでていること、「絶塵」は塵《ちり》ひとつ立てずに、きわめて速く走る意。馬などが疾駆するさまをいう。

補説　「超軼」は「超逸」とも書く。

出典　『荘子《そうじ》』〈徐無鬼《じょむき》〉

類義語　奔逸絶塵《ほんいつぜつじん》

朝雲暮雨　ちょううんぼう　4級

意味　**男女の情交のこと。**

故事　「雲雨巫山《うんうふざん》」の項参照。

出典　宋玉《そうぎょく》の「高唐賦《こうとうのふ》」

類義語　雲雨巫山《うんうふざん》、雲雨之夢《うんうのゆめ》、巫山之夢《ふざんのゆめ》

朝盈夕虚　ちょうえいせききょ　準1級

意味　**人生のはかないことのたとえ。**

朝に栄え夕べに滅びる意。

類義語　朝栄夕滅《ちょうえいせきめつ》、諸行無常《しょぎょうむじょう》

張王李趙　ちょうおうりちょう　1級

意味　**これといって取り柄のない平凡な人のこと。**張・王・李・趙はいずれも中国の姓のうち最もありふれたものであることから。

出典　『曲洧旧聞《きょくいきゅうぶん》』〈七〉

類義語　張三李四《ちょうさんりし》

朝改暮変　ちょうかいぼへん　4級

⇨朝令暮改（ちょうれいぼかい）

鳥革翬飛　ちょうかくきひ

意味　**家の造りが美しくて立派なこと。**

「革」は翼、「翬」は雉《きじ》のこと。鳥が翼をひろげ、美しい雉が飛ぶさま。宮殿の美しく立派なさまをたとえた語。

出典　『詩経《しきょう》』〈小雅《しょうが》・斯干《しかん》〉

朝過夕改　ちょうかせきかい　4級

意味　**あやまちを犯せばすぐに改めるたとえ。**朝方あやまちを犯せば夕べには改める意。君子の態度をいう。

補説　「朝《あした》に過《あやま》ちて（過てば）夕《ゆう》べに改《あらた》む」とも読む。

出典　『漢書《かんじょ》』〈翟方進伝《てきほうしんでん》〉

朝歌夜絃　ちょうかやげん　準1級

意味　**朝から晩まで一日中遊楽にあけくれること。**朝はうたい、夜は音楽を奏すること。

出典　杜牧《とぼく》の「阿房宮賦《あぼうきゅうのふ》」

朝観夕覧　ちょうかんせきらん　4級

意味　**朝に見て夕べにも見る。朝な夕なに見る。**書画などを愛玩すること。

字体　「観」の旧字体は「觀」、「覧」の旧字体は「覽」。

注意　「夕覧」を「ゆうらん」と読み誤らない。

張冠李戴　ちょうかんりたい　準1級

意味　**名と実が一致しないこと。**張さんのかんむりを李さんがかぶること。

出典　『留青日札《りゅうせいにっさつ》』

重熙累洽　ちょうきるいこう　1級

意味　**光明をかさねて広く恩恵が行き**

わたること。代々の天子が賢明で、太平が長く続くこと。「重熙」は光明を重ねる意。「洽」は天子の徳があまねく行きわたること。

出典 班固《はんこ》の「東都賦《とうとのふ》」

長頸烏喙 ちょうけいうかい
1級

意味 **くびが長く、口のとがった人相のこと。**忍耐強く苦難をともにすることはできるが、残忍・強欲で疑い深く安楽をともにすることはできない性質をいう。范蠡《はんれい》がともに呉王夫差《ごおうふさ》を破った越王勾践《えつおうこうせん》を評して言った言葉。

注意 「烏喙」を「鳥喙」と書き誤らない。

出典 『史記』〈越世家《えつせいか》〉

重見天日 ちょうけんてんじつ
5級

意味 **暗く苦しい状況から解放されて、以前の明るい状態に戻ること。**「重見」は重ねて見る、再び見る意、「天日」は太陽のこと。

補説 「重《かさ》ねて天日を見る」とも読む。

類義語 撥雲見天《はつうんけんてん》

朝憲紊乱 ちょうけんびんらん
1級

意味 **国家のおきてが乱れること。**「朝憲」は国家が定めた法律や規則のこと、「紊乱」は道徳や秩序が乱れる意。

補説 「びんらん」は慣用読みで、本来は「ぶんらん」と読む。

字体 「乱」の旧字体は「亂」。

注意 「朝憲」を「朝権」と書き誤らない。

懲羹吹膾 ちょうこうすいかい
1級

意味 **一度失敗したことに懲りて、必要以上に用心深くなりすぎること。**「羹」は肉・野菜などを熱く煮た汁（あつもの）。「膾」は生肉《なまにく》の冷たいあえもの（なます）。一度あつもので口にやけどをした者は、それに懲りて冷たいなますまで吹いて食べる意。

補説 「羹《あつもの》に懲《こ》りて膾《なます》を吹く」とも読む。また「膾」は「齏」とも書く。

出典 『楚辞《そじ》』〈九章《きゅうしょう》・惜誦《せきしょう》〉

長江天塹 ちょうこうてんざん
1級

意味 **長江は天然の塹壕《ざんごう》だということ。**「長江」は揚子江のこと、「塹」は城のまわりの堀で、「天塹」は敵の攻撃を防ぐ、天然自然の堀という意。

出典 『南史《なんし》』〈孔範伝《こうはんでん》〉

朝耕暮耘 ちょうこうぼうん
1級

意味 **朝に耕し夕べに草ぎる。農耕に精を出すこと。**「耕」はたがやす。「耘」は草ぎる意。

補説 「朝《あした》に耕《たがや》し暮《く》れに耘《くさぎ》る」とも読む。

出典 『輟耕録《てっこうろく》』〈検田吏《けんでんり》〉

鳥語花香 ちょうごかこう
4級

意味 **鳥の鳴き声と花の香り。春ののどかな風物をいう。**

類義語 柳暗花明《りゅうあんかめい》、桃紅柳緑《とうこうりゅうりょく》

兆載永劫 ちょうさいようごう
準1級

意味 **きわめて長い年月のこと。**「兆載」は兆でもって数えるほどの年月、「永劫」は長く久しい時。仏教の語。

出典 『無量寿経《むりょうじゅきょう》』〈上〉

朝三暮四 ちょうさんぼし
4級

意味 **目先の違いにこだわり、事柄の本質を理解しないこと。**同じ結果になるのに気がつかないこと。言葉たくみに人をだますこと。また、変わりやすく一定しないことにも用いられる。

補説 「朝四暮三」ともいう。

故事 宋《そう》の狙公《そこう》が、飼っていた猿たちにとちの実を朝三つ晩に四つ与えたら猿たちが怒ったので、朝四つ晩に三つにしたら猿たちは喜んだという故事から。

出典　『荘子《そうじ》』〈斉物論《せいぶつろん》〉
類義語　狙公《そこう》配事《はいじ》

張三李四　ちょうさんりし　準1級

意味　**ごくありふれた平凡な人のたとえ。**張氏《ちょうし》の三男と李氏《りし》の四男の意で、張も李も中国では非常に多い姓。
出典　『景徳伝灯録《けいとくでんとうろく》』〈一九〉
類義語　張三呂四《ちょうさんりょし》、張甲李乙《ちょうこうりいつ》

長袖善舞　ちょうしゅうぜんぶ　2級

意味　**事前に周到な準備がしてあれば事は成功しやすいということ。**条件が整い拠り所があれば何事も成功しやすいこと。長い袖《そで》の衣をまとっている人のほうがあでやかに舞うことができる意から。
補説　「長袖善《よ》く舞う」とも読む。
出典　『韓非子《かんぴし》』〈五蠹《ごと》〉
類義語　多銭善賈《たせんぜんこ》

朝種暮穫　ちょうしゅぼかく　3級

意味　**朝植えて暮れには収穫すること。**方針が一定しないこと。
出典　『漢書《かんじょ》』〈郊祀志《こうしし》〉

鳥尽弓蔵　ちょうじんきゅうぞう　4級

意味　**目的が達せられると、それまでの功績が忘れられ冷たく見捨てられること。**鳥が捕らえ尽くされてしまうと、不必要となった弓がしまわれてしまうという意から。
補説　「鳥尽《つ》き弓蔵《おさ》めらる」とも読む。
字体　「尽」の旧字体は「盡」、「蔵」の旧字体は「藏」。
出典　『史記』〈越世家《えつせいか》〉
類義語　狡兎良狗《こうとりょうく》、兎死狗烹《としくほう》、得魚忘筌《とくぎょぼうせん》、忘恩負義《ぼうおんふぎ》

長身痩軀　ちょうしんそうく　準1級

意味　**背が高く痩《や》せていること。**
補説　「痩軀長身」「痩身長軀」ともいう。

朝真暮偽　ちょうしんぼぎ　準2級

意味　**真偽の定めがたいたとえ。**朝方と夕方で真実と虚偽がくるくるかわる意。本来は白居易が道理をわきまえず節操なく変節する人々を風刺した語。
字体　「真」の旧字体は「眞」、「偽」の旧字体は「僞」。
出典　白居易《はくきょい》の「放言《ほうげん》-詩」

朝秦暮楚　ちょうしんぼそ　準1級

意味　**住所が定まらず放浪することのたとえ。**また、**節操なく主義主張が常に変わるたとえ。**朝、秦国にいたと思うと、夕方には楚の国にいる意。
出典　晁補之《ちょうほし》の「北渚亭賦《ほくしょていのふ》」

彫心鏤骨　ちょうしんるこつ　1級

意味　**身を削るような苦労をすること。**苦心して詩文をつくること。「鏤」は彫りつける、ちりばめる意。
補説　「心に彫《ほ》り骨に鏤《きざ》む」とも読む。また「鏤骨」は「ろうこつ」とも読む。
類義語　粉骨砕身《ふんこつさいしん》、彫肝琢腎《ちょうかんたくじん》

長生久視　ちょうせいきゅうし　5級

意味　**長生きをすること。**長生不老のことをいう。「長生」は長生きをする、長命の意。「久視」は永遠の生命を保つことで、「視」は「活」の意。
出典　『老子《ろうし》』〈五九章〉

長生不死　ちょうせいふし　5級

意味　**長生きして死なない。長生きして衰えない。**
補説　「長生」を「長成」と書き誤らない。
類義語　長生不老《ちょうせいふろう》、不老長生《ふろうちょうせい》、不老長寿《ふろうちょうじゅ》

朝齏暮塩　ちょうせいぼえん　1級

意味　**極貧のたとえ。**朝に塩づけの野

菜を食べ、晩に塩をなめるような生活のこと。赤貧。「齏」はなます・あえもの・つけ物・粗食。

字体 「塩」の旧字体は「鹽」。

出典 韓愈《かんゆ》の「送窮文《きゅうをおくるのぶん》」

類義語 箪《たん》食《し》瓢《ひょう》飲《いん》、羹《こう》藜《れい》含《がん》糗《きゅう》、一《いち》汁《じゅう》一《いっ》菜《さい》、顔《がん》子《し》一瓢《いっぴょう》

朝成暮毀 ちょうせいぼき 2級

意味 **建物などの造営が盛んなことのたとえ。** 朝に完成して夕べには壊す意。

補説 「毀」はこぼつ、こわす意。「朝《あした》に成《な》り暮れに毀《こぼ》つ」とも読む。

出典 『宋書《そうしょ》』〈少帝紀《しょうていき》〉

朝生暮死 ちょうせいぼし 4級

意味 **極めて短命なことのたとえ。** 朝生まれて夕方には死ぬ意。かげろうの類など生命の短いものを言った語。

補説 「朝《あした》に生《う》まれて暮《く》れに死《し》す」とも読む。

出典 『爾雅《じが》』〈釈虫《しゃくちゅう》・注〉

類義語 朝活暮死《ちょうかつぼし》

朝穿暮塞 ちょうせんぼそく 準1級

意味 **建築・造営が頻繁であることのたとえ。** 朝あなをあけたと思えば、その日の夕方にはもうふさぐこと。

補説 「朝《あした》に穿《うが》ち暮れに塞《ふさ》ぐ」とも読む。

出典 『南斉書《なんせいしょ》』〈東昏侯紀《とうこんこうき》〉

冢中枯骨 ちょうちゅう(の)ここつ 1級

意味 **無能でとりえのない人のたとえ。** 「冢」は墓の意で、墓の中の白骨のこと。

出典 『三国志《さんごくし》』〈蜀書《しょくしょ》・先主伝《せんしゅでん》〉

彫虫篆刻 ちょうちゅうてんこく 1級

意味 **取るに足りない小細工。** 虫の形や複雑な篆書の字を細かく刻みつけるように、文章を作るのに字句を美しく飾りたてること。「彫」「刻」はともに刻みつける意。「篆」は書体の名で、印章に多く用いる複雑な書体。

補説 「彫虫」は「雕虫」とも書く。

出典 『法言《ほうげん》』〈吾子《ごし》〉

類義語 雕虫小技《ちょうちゅうのしょうぎ》、咬文爵字《こうぶんしゃくじ》

喋喋喃喃 ちょうちょうなんなん 1級

意味 **小声で親しげに話しあうさま。** 男女がむつまじげに語り合うさま。「喋喋」は口数多くしきりにしゃべるさま。「喃喃」は小声でささやくさま。

補説 「喃喃喋喋」ともいう。

打打発止 ちょうちょうはっし 準1級

意味 **激しく議論をたたかわしあうさま。** たがいに激しく打ち合うさま。「打打」は物を続けて打ちたたく音。「発止」はかたいものどうしが打ち当たる音。ともに剣などがはげしくぶつかり合う音の形容。

補説 「打打」は「丁丁」、「発止」は「発矢」とも書く。

字体 「発」の旧字体は「發」。

朝朝暮暮 ちょうちょうぼぼ 4級

意味 **毎朝毎晩。** 「朝朝」は毎朝、あさなあさな。「暮暮」は毎夕、夕暮れのたびに。

注意 「暮暮」を「墓墓」と書き誤らない。

出典 宋玉《そうぎょく》の「高唐賦《こうとうのふ》」〈序〉

長枕大被 ちょうちんたいひ 準1級

⇩**大衾長枕**(たいきんちょうちん)

長汀曲浦 ちょうていきょくほ 準1級

意味 **はるかに続いている海岸線。** 長く続く汀《みぎわ》と曲がりくねった入り江。

糶糴斂散 ちょうてきれんさん 1級

意味 **豊作の年には政府が米を買いあ**

げ、それを凶作の年に安く売ること。「糶」は米穀を売り出すこと、「糴」は米穀を買い入れる意。「斂」は収める、集める、「散」はくばる意で、「糴斂」は米を買い集めること、「糶散」は米を放出することをいう。中国春秋時代、管仲《かんちゅう》に始まったという経済政策。

頂天立地 ちょうてんりっち 5級

意味 **堂々として誰《だれ》にも頼らず生きていること。**また、正々堂々として志の遠大なさま。

補説 「天を頂《いただ》いて地に立つ」とも読む。

出典 『五灯会元《ごとうえげん》』〈二〇〉

張眉怒目 ちょうびどもく 2級

意味 **眉《まゆ》をつり上げて目をむくこと。**仁王さまのような荒々しい形相をいう。

補説 「眉を張り目を怒らす」とも読む。

類義語 横眉怒目《おうびどもく》

凋氷画脂 ちょうひょうがし 準1級

意味 **苦労して効果のないたとえ。力を無用なところに用いるたとえ。**氷に彫り付けて、あぶらに画く意。「凋」は彫に同じで、彫り込む意。「脂」はあぶら。

補説 「氷に凋《ほ》りて脂《あぶら》に画《えが》く」とも読む。また「凋氷」は「凋冰」とも書く。「画脂」を「かくし」と読むこともある。

字体 「画」の旧字体は「畫」。

出典 『甲乙剰言《こうおつじょうげん》』

類義語 画脂鏤氷《がしろうひょう》、鏤氷雕朽《ろうひょうちょうきゅう》

嘲風哢月 ちょうふうろうげつ 1級

意味 **風や月を題材にして詩歌を作ること。**「嘲風」は文章家のたわむれに作った詩文をそしる語。「哢月」は月をながめ楽しむこと。

雕文刻鏤 ちょうぶんこくる 1級

意味 **文章中の字や句を美しく飾ること。**模様を彫刻し、金銀をちりばめること。「雕文」は模様を彫刻すること。また彫刻された模様のこと。「雕」はきざむ、ほる意。「刻鏤」はほりつける、きざむ。木にほりつけるのを刻、金属にほりつけるのを鏤という。

出典 『漢書《かんじょ》』〈景帝紀《けいていき》〉

長鞭馬腹 ちょうべんばふく 準1級

意味 **強大な力があっても、思わぬ手近なところに力が及ばないことがあるということ。**また、**長すぎたり大きすぎて役に立たないこと。**鞭《むち》があまり長いとかえって馬の腹に届かないという意から。

補説 「長鞭馬腹に及ばず」の略。

出典 『春秋左氏伝《しゅんじゅうさしでん》』〈宣公《せんこう》一五年〉

長命富貴 ちょうめいふうき 準2級

意味 **長生きして身分高く裕福であること。**

注意 「富貴」を「ふき」と読み誤らない。

出典 『旧唐書《くとうじょ》』〈姚崇伝《ようすうでん》〉

類義語 富貴長生《ふうきちょうせい》

鳥面鵠形 ちょうめんこくけい 準1級

意味 **飢えのためにひどくやせ衰えているさま。**「鵠」はくぐい。

補説 「鵠面鳥形」ともいう。

類義語 鳩形鵠面《きゅうけいこくめん》、鵠面鳩形《こくめんきゅうけい》

長目飛耳 ちょうもくひじ 4級

意味 **広く情報を収集し、物事を深く鋭く判断すること。**遠方のことをよく見る目とよく聞くことのできる耳。

補説 「飛耳長目」ともいう。

出典 『管子《かんし》』〈九守《きゅうしゅ》〉

類義語 鳶目兎耳《えんもくとじ》

頂門一針 ちょうもんのいっしん 5級

意味 **人の急所をつく適切な戒め。**頂

門(頭のいただき)に刺した一本の針。

補説 「一針」は「ひとはり」とも読む。「一針」は「一鍼」とも書く。

注意 「頂門」を「頂問」「項門」と書かないこと。

出典 蘇軾《そしょく》「荀卿論《じゅんきょうろん》」の王慎中《おうしんちゅう》の評

類義語 頂門金椎《ちょうもんのきんつい》、当頭一棒《とうとういちぼう》、寸鉄殺人《すんてつさつじん》

頂門金椎 ちょうもんのきんつい

2級

意味 **人の急所をついた適切な戒め。**「頂門」は頭の上、「金椎」は金属のつち。

出典 『佩文韻府《はいぶんいんぷ》』〈引「黄庭堅《こうていけん》-詞」〉

類義語 頂門一針《ちょうもんのいっしん》、当頭一棒《とうとういちぼう》、寸鉄殺人《すんてつさつじん》

長夜之飲 ちょうやのいん

準1級

意味 **昼夜を通しての大宴会。**夜が明けても窓や戸を閉じて灯をともし続けて酒宴を張ること。殷《いん》の紂王《ちゅうおう》が酒池肉林《しゅちにくりん》(→「酒池肉林」)の大宴会をした故事から。一説にこの酒宴は百二十日続いたといわれる。

字体 「飲」の旧字体は「飮」。

出典 『史記』〈殷紀《いんき》〉

類義語 酒池肉林《しゅちにくりん》、長夜之楽《ちょうやのたのしみ》

長夜之楽 ちょうやのたのしみ

準1級

⇩**長夜之飲**(ちょうやのいん)

朝有紅顔 ちょうゆうこうがん

5級

意味 **人生の無常のたとえ。**若さにあふれている血色のよい美少年も、あっという間に白骨と化してしまうという意。

補説 出典の「朝《あした》に紅顔《こうがん》有《あ》りて、夕《ゆう》べに白骨《はっこつ》となる」による。

字体 「顔」の旧字体は「顏」。

出典 蓮如《れんにょ》の「御文章《おぶんしょう》」

類義語 諸行無常《しょぎょうむじょう》、愛別離苦《あいべつりく》、会者定離《えしゃじょうり》

長幼之序 ちょうようのじょ

準1級

意味 **年長者と年少者の間にある、当然守らなければならない社会的、道徳上の秩序のこと。**「長幼」は年長者と年少者、おとなと子供。

出典 『礼記《らいき》』〈楽記《がくき》〉

朝蠅暮蚊 ちょうようぼぶん

準1級

意味 **つまらない小人物がはびこるたとえ。**人にまといつく朝の蠅《はえ》と夕方の蚊《か》。

出典 韓愈《かんゆ》の「雑詩《ざっし》」

重卵之危 ちょうらんのき

準1級

意味 **きわめて危険なことのたとえ。**卵を積みかさねるといつくずれるかわからないからいう。

補説 「危」は「あやうき」とも読む。

出典 『説苑《ぜいえん》』〈正諫《せいかん》〉

類義語 累卵之危《るいらんのき》

跳梁跋扈 ちょうりょうばっこ

1級

意味 **悪者などがはびこり、勝手気ままに振る舞うこと。**「跳梁」はおどりあがりはね回ること。「跋扈」は思うままにのさばり振る舞うこと。

補説 「跋扈跳梁」ともいう。

類義語 飛揚跋扈《ひようばっこ》、横行闊歩《おうこうかっぽ》

朝令暮改 ちょうれいぼかい

4級

意味 **命令や法令がすぐに変わって定まらないこと。**朝に命令を出して、夕方にはもう変更するという意。

補説 「朝《あした》に令《れい》して暮《く》れに改《あらた》む」とも読む。

出典 『漢書《かんじょ》』〈食貨志《しょっかし》〉

類義語 朝改暮変《ちょうかいぼへん》、朝出暮改《ちょうしゅつぼかい》、朝立暮廃《ちょうりつぼはい》、天下法度《てんかはっと》、三日法度《みっかはっと》

凋零磨滅 ちょうれいまめつ

準1級

意味 **しぼみ落ちて滅びること。**文物などが滅びなくなることにいう。「凋」はしぼむ、「零」は落ちる、「磨滅」はすり減る、すり減りなくなる意。

出典 『唐書《とうじょ》』〈芸文志《げいもんし》・論〉

直往邁進　ちょくおうまいしん　1級

意味 **ただ一すじに突き進む。ためらわずに突き進むこと。**

注意 「直往」を「直住」と書き誤らない。

類義語 勇往邁進《ゆうおうまいしん》、猪突猛進《ちょとつもうしん》

直言極諫　ちょくげんきょっかん　準1級

意味 **思ったことをはっきり言って強くいさめること。**「直言」は思ったことを状況を気にせずに言うこと。「極諫」は強くいさめていう、また強いいさめ。

出典 『漢書《かんじょ》』〈文帝紀《ぶんていき》〉

類義語 直言骨鯁《ちょくげんこっこう》、直言無諱《ちょくげんむき》

直言骨鯁　ちょくげんこっこう

意味 **遠慮しないで直言し、意志強固で人に屈しないこと。**「直言」は思っていることを遠慮なしで言うこと。「骨鯁」は君主のあやまちを諫《いさ》める剛直な忠臣。「鯁」は魚の骨。

出典 韓愈《かんゆ》の「諍臣論《そうしんろん》」

類義語 直言極諫《ちょくげんきょっかん》、直言無諱《ちょくげんむき》

直情径行　ちょくじょうけいこう　5級

意味 **周囲の状況や相手の気持ちにかまわず、自分の思ったとおりにふるまうこと。**「直情」はありのままの感情、「径行」はただちに、すぐに行う意。

字体 「径」の旧字体は「徑」。

注意 「径行」を「経行」「軽行」などと書き誤りやすい。

出典 『礼記《らいき》』〈檀弓《だんぐう》・下〉

類義語 短慮軽率《たんりょけいそつ》、猪突猛進《ちょとつもうしん》、直言直行《ちょくげんちょくこう》

対義語 熟慮断行《じゅくりょだんこう》

直截簡明　ちょくせつかんめい　1級

意味 **くどくどしくなくきっぱりしていること。**また、そのさま。文章や人の性質などを評していう。「直截」はすぐに裁決する、きっぱりしている意。

注意 「直截」を「ちょくさい」と読むのは誤り。

類義語 単純明快《たんじゅんめいかい》

対義語 婉曲迂遠《えんきょくうえん》

佇思停機　ちょしていき　1級

意味 **しばらくの間その場に立ちどまって、あれこれ思いなやみ、心のはたらきをやめてしまうこと。**「機」は心のはたらき・作用。

補説 「佇《たたず》みて思い、機を停《とど》む」とも読む。

猪突豨勇　ちょとつきゆう

意味 **いのししのように勇ましい武者のこと。**漢の王莽《おうもう》が組織した軍隊の名。「猪突」はいのししのようにがむしゃらに突き進むこと。

出典 『漢書《かんじょ》』〈食貨志《しょっかし》〉

猪突猛進　ちょとつもうしん　準1級

意味 **目的にむかってがむしゃらに突き進むこと。**いのししが一直線につっぱしるように前進すること。

樗櫟散木　ちょれきさんぼく　1級

⇩**樗櫟之材**（ちょれきのざい）

樗櫟之材　ちょれきのざい　1級

意味 **役に立たない人やもの。**自己の謙称。「樗櫟」はおうちとくぬぎで役に立たない木、無用の材。無能の人。

注意 「材」を「財」と書かないこと。

類義語 樗櫟散木《ちょれきさんぼく》、樗櫟庸材《ちょれきようざい》

治乱興亡　ちらんこうぼう　5級

意味 **世の中がよく治まることと、乱れて亡びること。**「興亡」はおこることと亡びること。

字体 「乱」の旧字体は「亂」。
類義語 治乱興廃《ちらんこうはい》

知略縦横 ちりゃくじゅうおう 5級

意味 **才知をはたらかせた計略を思いのままにあやつること。**「略」ははかりごと、「縦横」は自由自在の意。
補説 「知略」は「智略」とも書く。
字体 「縦」の旧字体は「縱」。
類義語 機略縦横《きりゃくじゅうおう》、知謀縦横《ちぼうじゅうおう》

沈鬱頓挫 ちんうつとんざ 2級

意味 **詩文の風格が高く内容が深くて文章中の辞句の意味がすらすらと通らず、とどこおること。**「沈鬱」は気分が沈みはればれとしないこと。出典ではこの話の後「時に随いて敏捷《びんしょう》(軽快ですらすら流れる)」とあるから、詩文の調子に変化があることを言ったもの。
出典 杜《と》甫《ほ》の「進雕賦表《ちょうふをすすむるのひょう》」

枕戈待旦 ちんかたいたん 1級

意味 **闘いの備えをおこたらないこと。**戈《ほこ》を枕《まくら》にして眠り、朝になるのを待つ意。いつも戦場に身をさらしていること。
補説 「戈《ほこ》を枕にして旦《あした》を待つ」とも読む。
出典 『晋書《しんじょ》』〈劉琨伝《りゅうこんでん》〉
類義語 枕戈寝甲《ちんかしんこう》

沈魚落雁 ちんぎょらくがん 準1級

意味 **はなやかな美人の形容。**美人を見ると魚や雁もはじらって身を隠す意。『荘子《そうじ》』〈斉物論《せいぶつろん》〉の中の「毛嬙《もうしょう》・麗姫《りき》といった美人でも、鳥魚がこれを見ると魚は水底深くかくれ鳥は高く飛び去る」という故事をふまえている。
補説 「落雁沈魚」ともいう。
類義語 閉月羞花《へいげつしゅうか》

椿萱並茂 ちんけんへいも 準1級

意味 **父と母がともに健在なこと。**「椿」は長寿の木で父にたとえられ、「萱」は通称わすれ草といい、「憂いを忘れる」ということから主婦のいる部屋の前に植えるので、母にたとえられる。「並茂」は並んで繁茂する意。
補説 「椿萱並《なら》び茂《しげ》る」とも読む。
字体 「並」の旧字体は「竝」。
類義語 椿庭萱堂《ちんていけんどう》

陳蔡之厄 ちんさいのやく 1級

意味 **旅の途中で災難にあうたとえ。**孔子が諸国歴遊中に陳と蔡の国境近辺で、兵に囲まれ、食料が足りずに苦労した災厄のこと。「陳」「蔡」はいずれも国の名。
出典 『史記』〈孔子世家《こうしせいか》〉

沈思凝想 ちんしぎょうそう 3級

意味 **物事を深く考え、じっと思いをこらすこと。**「沈思」は深く考えること、「凝想」はじっと考えこむ意。
類義語 沈思黙考《ちんしもっこう》、熟思黙想《じゅくしもくそう》

沈思黙考 ちんしもっこう 4級

意味 **沈黙して深くじっと考えこむこと。**おもいにしずむこと。
字体 「黙」の旧字体は「默」。
類義語 沈思凝想《ちんしぎょうそう》、熟思黙想《じゅくしもくそう》

陳勝呉広 ちんしょうごこう 準2級

意味 **ものごとの先駆けをなす人のこと。反乱の最初の指導者をもいう。**楚《そ》の人陳勝と呉広は秦《しん》の二世皇帝(紀元前二〇九年)のとき兵を挙げ、秦打倒の口火を切ったが、その後敗れた。しかしこれが契機となり、各地で秦に反旗をひるがえすものが現れ、やがて秦はほろびた。
字体 「広」の旧字体は「廣」。
出典 『史記』〈陳渉世家《ちんしょうせいか》〉

沈著痛快 ちんちゃくつうかい 準1級

意味 **落ち着きがあり、さっぱりとして心地よいこと。**人の性質や芸術作品についていう語。

補説 「沈著」は「沈着」とも書く。

出典 黄庭堅《こうていけん》の文

沈博絶麗 ちんぱくぜつれい 4級

意味 **文章などの意味や内容が深遠で広く表現がはなはだ美しいこと。**「沈」は深い意。「絶」はこの上なく、非常にの意。

出典 揚雄《ようゆう》の「答劉歆書《りゅうきんにこたうるのしょ》」

珍味佳肴 ちんみかこう 準1級

意味 **たいへんおいしいご馳走《ちそう》。**「珍味」は珍しい味の食べ物、「佳肴」はうまい酒の肴《さかな》の意。

補説 「佳肴」は「嘉肴」とも書く。

類義語 太牢滋味《たいろうのじみ》

沈黙寡言 ちんもくかげん 準2級

意味 **口数が少なく無口なこと。落ち着いていて無口なこと。**「寡」は少ない意。

補説 「寡言沈黙」ともいう。

字体 「黙」の旧字体は「默」。

対義語 饒舌多弁《じょうぜつたべん》

枕流漱石 ちんりゅうそうせき 1級

意味 **強情で負け惜しみの強いこと。**また、うまくこじつけていい逃れをすること。

補説 「流れに枕《まくら》し石に漱《くちすす》ぐ」とも読む。「漱石枕流」ともいう。夏目漱石の雅号「漱石」はこの語からとった。

注意 「枕流」を「沈流」と書かないこと。

故事 西晋《せいしん》の孫楚《そんそ》が隠遁《いんとん》を望み「石に枕し流れに漱ぐような自然の暮らしがしたい」と言うべきところを「石に漱ぎ流れに枕す」といい誤った。そんなことはできないといわれて、孫楚は「石に漱ぐのは歯を磨くため、流れに枕するのは耳を洗うためだ」といいはって、誤りを認めなかったことから。

出典 『晋書《しんじょ》』〈孫楚伝《そんそでん》〉

類義語 孫楚漱石《そんそそうせき》、指鹿為馬《しろくいば》

【つ】

墜茵落溷 ついいんらくこん 1級

意味 **人には運不運があるということ。**「茵」はしとね・敷物のこと、「溷」はかわやの意。風に吹かれて散った花が、あるものは幸運なことに敷物の上に落ち、あるものは不運にもかわやに落ちるということから。

補説 「茵《いん》に墜《お》ち溷《こん》に落《お》つ」とも読む。

注意 「墜茵」を「墜因」と書き誤らない。

出典 『南史《なんし》』〈范縝伝《はんしんでん》〉

類義語 運否天賦《うんぷてんぷ》

追奔逐北 ついほんちくほく 準2級

意味 **逃げる賊を追いかけること。**「奔」は走る、逃げ走る。「逐」は追う。「北」は逃げる意。

補説 「奔《はし》るを追い北《に》ぐるを逐《お》う」とも読む。

注意 「逐」を「遂」と書き誤らない。

出典 李陵《りりょう》の「答蘇武書《そぶにこたうるのしょ》」

通暁暢達 つうぎょうちょうたつ 準1級

意味 **ある事柄を詳しく知りぬいていてのびやかであること。**ある事柄について奥深く通じているので文章や言語がのびのびして意味がわかりやすいこと。「暢達」はのびのびしていること。

字体 「暁」の旧字体は「曉」。

通儒碩学 つうじゅせきがく 準1級

⇩**碩学大儒**（せきがくたいじゅ）

痛定思痛　つうていしつう　5級

意味　**過ぎ去った苦難を振り返り、いまの戒めとする意。**痛みが治ってから、なおその痛みを思うことから。「痛定」は病気がおさまる意。

補説　「痛《いた》み定《さだ》まって痛《いた》みを思う」とも読む。

出典　韓愈《かんゆ》の「与李翺書《りこうにあたうるのしょ》」

津津浦浦　つつうらうら　準2級

意味　**全国いたる所。**「津」は港、「浦」は海辺・海岸の意。

補説　「津津」は「つづ」とも読む。

九十九折　つづらおり　準1級

意味　**くねくねと何度も折れ曲がっている。**また、そのような坂道・山道をいう。「つづら」は野性のつる草つづらふじのことで、「つづら折」はそのつるのように折れ曲がっていること。「つづら」に「九十九」を当てるのは折れ曲がる数が多いことによる。

補説　「つづら」は「葛」とも書く。

【て】

殢雨尤雲　ていうゆううん

⇩尤雲殢雨（ゆううんていう）

鄭衛桑間　ていえいそうかん　準1級

意味　**国を滅ぼすような下品でみだらな音楽のこと。**「鄭」「衛」は中国、春秋時代の国の名。「桑間」は衛の地名。

字体　「衛」の旧字体は「衞」。

出典　『礼記《らいき》』〈楽記《がくき》〉

鄭衛之音　ていえいのおん　準1級

意味　**みだらな音楽。**古代中国で鄭国と衛国の音楽はみだらであったのでいう。

→「桑間濮上《そうかんぼくじょう》」

字体　「衛」の旧字体は「衞」。

出典　『礼記《らいき》』〈楽記《がくき》〉

類義語　鄭衛之声《ていえいのこえ》、鄭衛桑間《ていえいそうかん》

低回顧望　ていかいこぼう　3級

意味　**行きつもどりつして前後をふりかえるさま。**心ひかれてあちこちを見まわすさま。「低回」はさまよう、行きつもどりつすること。

補説　「低回」は「低徊」「彽徊」とも書く。

出典　『日本外史《にほんがいし》』〈新田氏前記《にったしぜんき》〉

低徊趣味　ていかいしゅみ　1級

意味　**世俗を離れて、余裕ある心で自然や芸術にひたる態度。**「低徊」は思いにふけり、行きつもどりつするさま。自然主義への反発から夏目漱石《そうせき》が高浜虚子の「鶏頭」の序文で唱えたもの。

補説　「低徊」は「低回」「彽徊」とも書く。

棣鄂之情　ていがくのじょう　1級

意味　**兄弟が仲良くむつまじくする情。兄弟のうるわしい愛情。**「棣」はにわうめ、「鄂」は花のがくをいう。にわうめの花のがくが寄り集まり美しく咲くことに兄弟の情をたとえたもの。

出典　『詩経《しきょう》』〈小雅《しょうが》・常棣《じょうてい》〉

類義語　棣華増映《ていかぞうえい》、鶺鴒之情《せきれいのじょう》

程孔傾蓋　ていこうけいがい　2級

意味　**親しく話をすること。**「程孔」は程子と孔子のこと、「傾蓋」は車のかさを傾ける意から、車を止めること。

補説　「程孔蓋《がい》を傾く」とも読む。

故事　「傾蓋知己《けいがいのちき》」の項参照。

出典　『孔子家語《こうしけご》』〈致思《ちし》〉

類義語　傾蓋知己《けいがいのちき》

渟膏湛碧　ていこう たんぺき　1級

意味　水があぶらのように深く静かによどんで深緑色にたたえているさま。「渟」は水が止まって流れないさま。「湛碧」は深緑色の水をたたえていること。

出典　文徴明《ぶんちょうめい》の文

提耳面命　ていじ めんめい　4級

意味　懇切に教え諭すことのたとえ。耳に口を近づけ面と向かって教え諭す意。「提耳」は耳を引っ張り上げることから。「面命」は目の当たりに命ずる、面と向かって教え諭す。

補説　「耳《みみ》を提《てい》して面《まのあたり》に命《めい》ず」とも読む。また「耳提面命」ともいう。

出典　『詩経《しきょう》』〈大雅《たいが》・抑《よく》〉

類義語　三令五申《さんれいごしん》、耳提面訓《じていめんくん》

泥車瓦狗　でいしゃ がこう　準1級

意味　役に立たないもののたとえ。泥で作った車や瓦《かわら》で作った犬。

出典　『潜夫論《せんぷろん》』〈浮侈《ふし》〉

類義語　土牛木馬《どぎゅうもくば》、陶犬瓦鶏《とうけんがけい》

泥首銜玉　でいしゅ かんぎょく　1級

意味　頭を土につけ、口に玉をふくむこと。謝罪降伏するときの儀礼のこと。

出典　『後漢書《ごかんじょ》』〈公孫述伝《こうそんじゅつでん》・論〉

低唱浅斟　ていしょう せんしん　1級

⇩浅斟低唱（せんしんていしょう）

低唱微吟　ていしょう びぎん　準2級

意味　小さな声でしんみりと歌うこと。低い声で歌をくちずさむこと。

補説　ほぼ同意の熟語を重ねて意味を強めた四字句。

類義語　低吟微詠《ていぎんびえい》

鼎新革故　ていしん かくこ　準1級

⇩革故鼎新（かくこていしん）

定省温凊　ていせい おんせい　1級

⇩温凊定省（おんせいていせい）

泥船渡河　でいせん とか　準2級

意味　人生行路の危険なことのたとえ。泥で作った船で川を渡る意。

補説　「泥船《でいせん》に乗《の》りて河《かわ》を渡《わた》る」の略。

出典　『三慧経《さんえきょう》』

鼎鐺玉石　ていそう ぎょくせき　1級

意味　非常な贅沢《ぜいたく》をするたとえ。宝物のかなえを日用のなべのように使い、宝玉を石と同様にみなす意。「鼎」は三足または四足で主に祭器として用いられ権威や高い位の象徴とされた。「鐺」は両耳三足のかなえの一種で、主に酒を温めるのに用いた。

出典　杜牧《とぼく》の「阿房宮賦《あぼうきゅうのふ》」

類義語　金塊珠礫《きんかいしゅれき》

廷諍面折　ていそう めんせつ　1級

⇩面折廷諍（めんせつていそう）

低頭傾首　ていとう けいしゅ　4級

意味　頭を低くして、身をつつしむこと。「低頭」はこうべをたれること。「傾首」もこうべをかたむける意。どちらも首を垂れ下げること。

補説　「頭《こうべ》を低《た》れて首を傾く」とも読む。

出典　『北史《ほくし》』〈薛灯伝《せっとうでん》〉

剃頭辮髪　ていとう べんぱつ　1級

意味　中国の周辺民族で行われた髪形。頭の四周をぐるりと剃《そ》って中央部の残った長い髪を編んで後ろに垂らしたもの。古くから行われたが、特に清朝《しんちょう》では漢民族にも強制された。「剃頭」は髪を剃ること。「辮」は編む意。

字体 「髪」の旧字体は「髮」。

注意 「辮」を「弁」と書き換えるのは本来は誤り。「辮」を「辨」「辧」「辯」「瓣」などと書き誤らない。

剃髪落飾 ていはつらくしょく 準1級

意味 **髪を剃《そ》って出家すること。**「剃髪」は髪を下ろすこと。「落飾」は髪を剃り仏門に入ることで、特に身分の高い人の出家をいう。

補説 「髪を剃り飾りを落とす」とも読む。

字体 「髪」の旧字体は「髮」。

綈袍恋恋 ていほうれんれん

意味 **昔なじみを忘れない友情の厚いことのたとえ。**「綈袍」はつむぎ地の綿入れ・どてらの類。「恋恋」は情のこまやかなさま。

補説 出典の「綈袍恋恋、故人《こじん》の意《い》有《あ》り」にもとづく。

字体 「恋」の旧字体は「戀」。

故事 中国戦国時代、魏《ぎ》の須賈《しゅこ》は范雎《はんしょ》が困窮していることに同情して、綿入れを贈った。のち范雎は旧恩を忘れず、須賈の命を救った故事による。

出典 『史記』〈范雎伝《はんしょでん》〉

擲果満車 てきかまんしゃ 1級

意味 **非常に人気があり評判なこと。**また、**非常な美少年のこと。**「擲」はなげつける、なげすてる。

補説 「擲果《てきか》、車に満つ」とも読む。

字体 「満」の旧字体は「滿」。

故事 晋《しん》の潘岳《はんがく》は容貌《ようぼう》が非常に美しく、洛陽《らくよう》の町を行くと婦人たちは彼をとりまいて果物を投げつけ、果物で車がいっぱいになったという故事から。

出典 『晋書《しんじょ》』〈潘岳伝《はんがくでん》〉

適材適所 てきざいてきしょ 5級

意味 **その人の能力に適した地位や任務につけること。**

注意 「適材」を「適才」と書き誤らない。

類義語 黜陟幽明《ちゅっちょくゆうめい》、量才録用《りょうさいろくよう》

対義語 大器小用《たいきしょうよう》、大材小用《たいざいしょうよう》、驥服塩車《きふくえんしゃ》

適者生存 てきしゃせいぞん 5級

意味 **環境に最も適したものが生き残り、適していないものは淘汰《とうた》され滅びること。**ハーバード＝スペンサーによる生物進化の用語。

類義語 自然淘汰《しぜんとうた》、生存競争《せいぞんきょうそう》、優勝劣《ゆうしょうれっ》敗《ばい》、弱肉強食《じゃくにくきょうしょく》

擿埴冥行 てきしょくめいこう

⇩冥行擿埴（めいこうてきしょく）

滴水成氷 てきすいせいひょう 4級

意味 **冬の厳しい寒さのこと。**また、**極寒の地のこと。**滴《したた》りおちる水が、すぐ氷になる意から。

補説 「滴水、氷を成す」とも読む。また「成氷」は「成冰」とも書く。

注意 「滴水」を「摘水」と書き誤らない。

類義語 滴水成凍《てきすいせいとう》

滴水嫡凍 てきすいてきとう 準1級

意味 **瞬時も気をゆるめないで仏道修行に励むこと。**「嫡」は直系の血筋の意から転じて、ただちに・すぐにの意。滴《したた》りおちる水がただちに凍結するように、一瞬のすきもない意から。

出典 『碧巌録《へきがんろく》』

適楚北轅 てきそほくえん 1級

⇩北轅適楚（ほくえんてきそ）

鉄樹開花 てつじゅかいか 5級

意味 **物事の見込みがないこと。**「鉄樹」は鉄でできた木、また、六十年に一度、

丁卯《ひのとう》の年にだけ開花するといわれる木のこと。鉄の木に花は咲かないし、六十年に一度というのは、めったに来るものではないことから。

補説　「鉄樹、花を開く」とも読む。

字体　「鉄」の旧字体は「鐵」。

出典　『五灯会元《ごとうえげん》』〈二〇〉

類義語　雄鶏生卵《ゆうけいせいらん》

鉄心石腸　てっしん せきちょう　5級

⇩鉄腸石心（てっちょう せきしん）

鉄中錚錚　てっちゅうの そうそう　1級

意味　**凡人の中では少しすぐれている者のたとえ。**金や銀に比べて価値の劣る鉄の中でも少し響きの美しいものの意。「錚錚」は金属の音の形容。

字体　「鉄」の旧字体は「鐵」。

出典　『後漢書《ごかんじょ》』〈劉盆子伝《りゅうぼんしでん》〉

類義語　庸中佼佼《ようちゅうのこうこう》

鉄腸石心　てっちょう せきしん　5級

意味　**強い精神、堅い意志のたとえ。**鉄や石のように強く、堅い心臓や胃腸の意。「心」「腸」は内臓で心や意志のたとえ。

補説　「石心鉄腸」「鉄心石腸」「鉄石心腸」ともいう。

徹頭徹尾　てっとう てつび　準2級

意味　**最初から最後まで。**どこまでも。「徹」はつらぬく意で、頭からしっぽまでつらぬくこと。

出典　『河南程氏遺書《かなんていしいしょ》』〈一八〉

跌蕩放言　てっとう ほうげん　1級

意味　**まわりの人をまったく気にしないでしゃべりちらすこと。**ほしいままに放言すること。「跌蕩」はしまりがなくほしいままの意。

出典　『後漢書《ごかんじょ》』〈孔融伝《こうゆうでん》〉

哲婦傾城　てっぷ けいせい　準1級

意味　**賢い女性があれこれ口出しするようになると、家や国を滅ぼしかねないということ。**「哲婦」はすぐれて賢い婦人のこと、「傾城」は城を傾ける意。

補説　出典には「哲夫《てっぷ》城を成《な》し、哲婦城を傾く」とある。「傾城」は「けいじょう」とも読む。

出典　『詩経《しきょう》』〈大雅《たいが》・瞻卬《せんぎょう》〉

類義語　牝鶏之晨《ひんけいのしん》

対義語　哲夫成城《てっぷせいじょう》

轍鮒之急　てっぷの きゅう　準1級

意味　**危険や災難がさしせまっていることのたとえ。**「轍」は道に残った車輪の跡、わだちのこと。わだちの水たまりであえぐ鮒《ふな》のように危険な状況。

出典　『荘子《そうじ》』〈外物《がいぶつ》〉

類義語　涸轍鮒魚《こてつのふぎょ》、釜底遊魚《ふていゆうぎょ》、風前之灯《ふうぜんのともしび》、小水之魚《しょうすいのうお》

鉄網珊瑚　てつもう さんご　準1級

意味　**すぐれた人物や珍しい物を探し求めること。**鉄製の網を海底に沈めて、そこに珊瑚を生えさせ、成長したところでそれを引きあげるという意から。唐代に払菻《ふつりん》国（東ローマ帝国）では鉄の網を沈めてその網の目を通して生えてくる珊瑚を採取したという。

字体　「鉄」の旧字体は「鐵」。

出典　『唐書《とうじょ》』〈払菻国《ふつりんこく》〉

轍乱旗靡　てつらん きび　1級

意味　**軍隊などが敗走する形容。**兵車のわだちの跡が乱れ軍旗がしなだれる意。「靡」はしおれる、しなだれること。

字体　「乱」の旧字体は「亂」。

出典 『春秋左氏伝《しゅんじゅうさしでん》』〈荘公《そうこう》一〇年〉

類義語 喪旗乱轍《そうきらんてつ》

手前味噌 てまえみそ
準1級

意味 **自分で自分のことをほめること。**自分が造った味噌の味を自慢することから。「手前味噌を並べる」などという。

類義語 自画自賛《じがじさん》

手練手管 てれんてくだ
5級

意味 **人をだまし操る手段や技巧のこと。**「手練」「手管」ともに、人をだます手段・てぎわのこと。もとは遊女が客をだます技巧をいった言葉。

天威咫尺 てんいしせき
1級

意味 **天子の威光が眼前にあること。**天子に近づき恐れ多いこと。「天威」は天帝の威力、天子の威光。「咫」は八寸。「咫尺」は間近な距離のこと。

出典 『春秋左氏伝《しゅんじゅうさしでん》』〈僖公《きこう》九年〉

顛委勢峻 てんいせいしゅん
準1級

意味 **水源も末流もその勢いが激しく盛んなこと。**源流から末流まで勢いが激しいこと。「顛」は頂《いただき》、「委」は末・終わりの意から、「顛委」は源流と末流の意。「勢峻」は勢いがあって激しいこと。

出典 柳宗元《りゅうそうげん》の「鈷鉧潭記《こぼたんのき》」

天一地二 てんいちちに
5級

意味 **天の数《すう》と地の数。**その数の中に宇宙のすべての変化を含むとされる。

出典 『易経《えききょう》』〈繋辞《けいじ》・上〉

天衣無縫 てんいむほう
3級

意味 **飾りけがなく自然であること。**「天衣」は天人・天女の着物。「無縫」は着物に縫い目のないこと。また人の細工のあとが見えないこと。詩文や物事が人の手が加わっていると感じさせず自然のままで完成していて美しいこと、また人柄が無邪気なことをいう。

補説 「無縫天衣」ともいう。

注意 「天衣」を「天意」、「無縫」を「無法」と書き誤りやすい。

出典 『太平広記《たいへいこうき》』引『霊怪集《れいかいしゅう》』

類義語 純真無垢《じゅんしんむく》、天真爛漫《てんしんらんまん》

天宇地廬 てんうちろ
1級

意味 **天と地。天地。この世。**「天宇」は天空。転じて天下の意。「地廬」は地のいおり、大地の意。

注意 「地廬」を「地盧」と書き誤らない。

出典 左思《さし》の「魏都賦《ぎとのふ》」

顛越不恭 てんえつふきょう
準1級

意味 **道をはずれて、君主の命令をつつしんで行わないこと。**「顛越」はころがり落ちる、「不恭」はつつしみがない意。

出典 『書経《しょきょう》』〈盤庚《ばんこう》〉

田園将蕪 でんえんしょうぶ
準1級

意味 **田畑を耕す働き手がいないために、雑草がおい茂って田畑が荒れはてていること。**「田園」は田畑。「蕪」はおい茂った雑草のこと。

補説 出典には「帰りなんいざ、田園《でんえん》将《まさ》に蕪《あ》れなんとす。胡《なん》ぞ帰らざる」とある。

字体 「将」の旧字体は「將」。

注意 「将蕪」を「菖蒲」と書き誤らない。

出典 陶潜《とうせん》の「帰去来辞《ききょらいのじ》」

天淵之差 てんえんのさ
準1級

意味 **物事の隔たりがはなはだしく大きいことのたとえ。**高い天と深い淵《ふち》ほどの大きな差。

出典 『詩経《しきょう》』〈大雅《たいが》・旱麓《かんろく》〉

類義語 雲泥之差《うんでいのさ》、霄壌之差《しょうじょうのさ》、天淵之別《てんえんのべつ》、天壌之別《てんじょうのべつ》

天淵氷炭　てんえん ひょうたん　準1級

意味　**差のはなはだしいことのたとえ。**天と淵《ふち》、氷と炭。天と地ほどの差があること。→「天淵《てんえん》之《の》差《さ》」

補説　「氷」は「冰」とも書く。

出典　陸游《りくゆう》の詩

類義語　雲泥《うんでい》之《の》差《さ》、霄壌《しょうじょう》之《の》差《さ》、天淵《てんえん》之《の》差《さ》、天淵《てんえん》之《の》別《べつ》、天壌《てんじょう》之《の》別《べつ》、天懸地隔《てんけんちかく》

天涯孤独　てんがい こどく　準2級

意味　**身寄りがなくひとりぼっちであること。**また、故郷を遠く離れてひとりで暮らすこと。「天涯」は空の果て、故郷を遠く離れた所。

字体　「独」の旧字体は「獨」。

天涯地角　てんがい ちかく　準2級

意味　**きわめて遠く離れていることのたとえ。**またはるかに遠く辺鄙《へんぴ》な場所のたとえ。天の果てと地のすみ。

補説　「地角天涯」ともいう。

出典　徐陵《じょりょう》の文

類義語　天涯《てんがい》海角《かいかく》、海角天涯《かいかくてんがい》

天涯比隣　てんがい ひりん　準2級

意味　**故郷を遠く離れていても、すぐとなりにいるような親しい関係のこと。**「比隣」はすぐ近く、となりの意。

注意　「比隣」を「比燐」と書かないこと。

出典　王勃《おうぼつ》の詩

類義語　千里比隣《せんりひりん》

天下泰平　てんか たいへい　準2級

意味　**世の中が穏やかに治まり平和なこと。**平穏無事でのんびりしていること。

補説　「泰平」は「太平」とも書く。

出典　『礼記《らいき》』〈仲尼燕居《ちゅうじえんきょ》〉

類義語　泰平無事《たいへいぶじ》、尭風舜雨《ぎょうふうしゅんう》

伝家宝刀　でんかの ほうとう　5級

意味　**いざという時以外にはめったに使わない、とっておきの物や手段。**「伝家」は家宝として伝わっている名刀。代々その家に伝わること。

字体　「伝」の旧字体は「傳」、「宝」の旧字体は「寶」。

天下無双　てんか むそう　3級

意味　**天下にくらべる者がないこと。**「無双」は世に並ぶものがないこと。

補説　「天下に双《なら》ぶ無し」とも読む。

字体　「双」の旧字体は「雙」。

出典　『史記』〈李将軍伝《りしょうぐんでん》〉

天花乱墜　てんか らんつい　3級

意味　**ことのほか話し方がいきいきしていること。**また、**事実を誇張して話すこと。巧みな言葉で人をだますこと。**「天花」は天の妙花のこと、「乱墜」は乱れ落ちる意。

補説　「天花乱れ墜《お》つ」とも読む。「天花」は「天華」とも書く。

字体　「乱」の旧字体は「亂」。

注意　「天花」を「天下」と書き誤らない。

故事　中国梁《りょう》の法師雲光《うんこう》が経の講義をしたところ、それを聞いた天が感動して花を降らせたという伝説から。

天顔咫尺　てんがん しせき　1級

意味　**天子(君主)のおそばに侍《はべ》ること。**「天顔」は天子の顔。「咫」は八寸、「咫尺」は間近な距離のこと。

字体　「顔」の旧字体は「顏」。

出典　劉禹錫《りゅううしゃく》の「望賦《ぼうふ》」

伝観播弄　でんかん はろう　準1級

意味　**次から次に人の手にわたして弄《もてあそ》ぶこと。またそうされること。**「伝観」は次々と伝えて見ること。「播」は広く施す、広く布《し》く意。

字体　「伝」の旧字体は「傳」、「観」の旧字体は「觀」。

出典　『日本外史《にほんがいし》』〈徳川氏前記《とくがわしぜんき》〉

天空海闊　てんくう かいかつ　1級

⇩**海闊天空**（かいかつてんくう）

天懸地隔　てんけん ちかく　準2級

意味　**へだたりのはなはだしいことのたとえ。**天と地のように雲泥《うんでい》の差のあること。「天懸」ははなはだしくへだたる意。

補説　出典には「天懸壌隔」とある。

出典　『南斉書《なんせいしょ》』〈陸厥伝《りくけつでん》〉

類義語　天壌之隔《てんじょうのかく》、天壌懸隔《てんじょうけんかく》

甜言蜜語　てんげん みつご　準1級

意味　**蜜のように甘く聞いていて快い言葉。**人にへつらい人の気に入るようなうまい話や勧誘の言葉にいう。「甜」は甘い意。

注意　「蜜語」を「密語」と書き誤らない。

出典　『宵光剣伝奇《しょうこうけんでんき》』

類義語　甜言美語《てんげんびご》、甜語花言《てんごかげん》、甘言蜜語《かんげんみつご》

電光影裏　でんこう えいり　4級

意味　**人生ははかないものだが、悟りを得た人の魂は滅びることがないということ。**「電光」は稲妻、「影」は光の意。

補説　「電光影裏、春風《しゅんぷう》を斬《き》る」の略。中国宋《そう》の僧祖元《そげん》が元《げん》の兵に襲われて、首を斬《き》られようとしたとき唱えた経文の句で、「斬るなら斬れ、稲妻が春風を斬るようなもので魂まで滅びはしない」の意。

天香桂花　てんこう けいか　準1級

意味　**月の中にあるという桂《かつら》の花。**「天香」は天から下り来るよい香りの意。

出典　『長生殿《ちょうせいでん》』

天香国色　てんこう こくしょく　4級

⇩**国色天香**（こくしょくてんこう）

電光石火　でんこう せっか　5級

意味　**動作や振る舞いが非常にすばやいこと。**また、きわめて短い時間のたとえ。「電光」はいなずまの光。「石火」は火打ち石などを打つときに出る火。

注意　「石火」を「石下」と書き誤らない。

出典　『五灯会元《ごとうえげん》』〈七〉

電光朝露　でんこう ちょうろ　4級

意味　**ごく短い時間のたとえ。**また、**人生のはかないことのたとえ。**「電光」はいなずま、「朝露」は葉に宿る朝のつゆ。一瞬の光であり、日が昇れば消える命であることから。

出典　『金剛経《こんごうきょう》』

類義語　一炊《いっすい》之《の》夢《ゆめ》、邯鄲《かんたん》之《の》夢《ゆめ》、黄粱《こうりょう》之《の》夢《ゆめ》

天潢之派　てんこうのは

意味　**皇室、皇族のこと。**「天潢」は天の川、皇族、天子の一族のこと。

出典　庾信《ゆしん》の文

電光雷轟　でんこう らいごう　準1級

⇩**雷轟電撃**（らいごうでんげき）

天閫地垠　てんこん ちぎん

意味　**天の門と地の果て。**また、天の門と地の果てが開かれて天下の人が和らぎ楽しむこと。「閫」はしきみ・門ぐい、門の内と外とを区画するためにしく横木。「垠」は地のはて・かぎり・さかい。

出典　揚雄《ようゆう》の「甘泉賦《かんせんのふ》」

天災地変　てんさい ちへん　5級

意味　**天地の間に起こる災難や異変。**暴風・地震・落雷・洪水など、自然界の変化に起因する災害のこと。

字体　「変」の旧字体は「變」。

類義語　天変《てんぺん》地《ち》異《い》、天変《てんぺん》地《ち》変《へん》

天姿国色　てんし こくしょく　5級

意味　**生まれながらの絶世の美人をいう。**「天姿」は天から与えられた美しい容姿、天性の美人の意。「国色」は国中で一番の美人。

字体　「国」の旧字体は「國」。

類義語　傾城傾国《けいせいけいこく》、一顧傾城《いっこけいせい》、傾国美女《けいこくのびじょ》

天日之表　てんじつの ひょう　準1級

意味　**天子となるべき人相をしていること。**「表」はおもて・顔・人相の意。「天日」は太陽、天子をいう。

出典　『唐書《とうじょ》』〈太宗紀《たいそうき》〉

天井桟敷　てんじょう さじき　準2級

意味　**劇場で後方最上階に設けた値段の安い席。**舞台からいちばん遠い席なので演技が見づらいうえにせりふも聞きとりにくい。「桟敷」は見物席のこと。

字体　「桟」の旧字体は「棧」。

天壌無窮　てんじょう むきゅう　準2級

意味　**天地とともに永遠に続くこと。**「天壌」は天と地。永久に不滅、広大なことのたとえ。

字体　「壌」の旧字体は「壤」。

類義語　天長地久《てんちょうちきゅう》

転生輪廻　てんしょう りんね　準1級

⇩輪廻転生（りんね てんしょう）

天神地祇　てんしん ちぎ　準1級

意味　**天と地すべての神々。**あまつ神とくにつ神。

補説　「天神」は「てんじん」とも読む。

注意　「地祇」を「地祗」と書き誤らない。

類義語　天地神明《てんちしんめい》

天人冥合　てんじん めいごう　2級

意味　**天意と人事が暗にあう。**人の言行が正しければ、おのずと天意にあうことをいう。「冥」は暗にの意。

類義語　天人相関《てんじんそうかん》、天人感応《てんじんかんのう》、天人相応《てんじんそうおう》、天人相与《てんじんそうよ》

天真爛漫　てんしん らんまん　1級

意味　**純粋で無邪気なさま。**自然のままの本性が言動に表れるさま。「天真」は天から与えられたままの本性。「爛漫」は輝きあらわれるさま。

字体　「真」の旧字体は「眞」。

注意　「天真」を「天心」、「爛漫」を「爛慢」と書かないこと。

類義語　天衣無縫《てんいむほう》

点睛開眼　てんせい かいがん　1級

⇩画竜点睛（がりょう てんせい）

天造草昧　てんぞう そうまい　2級

意味　**天地の開けはじめ。**天地創造のはじめはすべてが未開で秩序が立たず雑然として暗いからいう。「天造」は天が万物を創造すること。「草」ははじめ、「昧」は暗いこと。

注意　「草昧」を「草味」と書き誤らない。

出典　『易経《えききょう》』〈屯《ちゅん》〉

天孫降臨　てんそん こうりん　5級

意味　記紀《きき》（古事記と日本書紀）の神話の中で、孫の瓊瓊杵尊《ににぎのみこと》が天照大神《あまてらすおおみかみ》の命を受けて高天原《たかまがはら》から日向国《ひゅうがのくに》の高千穂《たかちほ》に天降《あまくだ》ったこと。

霑体塗足　てんたい とそく　1級

意味　**苦労して労働すること。**からだをぬらし、足をどろまみれにして、野良仕事をすることから。「霑」はうるおす、ぬらすこと、「塗」はどろにまみれる、よごれる意。

補説　「体を霑《うるお》し、足に塗《ぬ》る」とも読む。

字体　「体」の旧字体は「體」。
出典　『国語《こくご》』〈斉語《せいご》〉

椽大之筆　てんだいのふで　（1級）

意味　**重厚で堂々としたりっぱな文章。**「椽」は家の棟から軒にかけた屋根を支えるたる木。
故事　王珣《おうじゅん》がたる木のような大きな筆をもらった夢を見てから、堂々とした武帝の弔辞を書いたという故事から。
出典　『晋書《しんじょ》』〈王珣伝《おうじゅんでん》〉

恬淡寡欲　てんたんかよく　（1級）

意味　**あっさりして欲の少ないこと。**人の性格にいう。「恬」は心が静かであっさりしている意。「寡」はすくない。

天地一指　てんちいっし　（5級）

意味　**すべての対立をこえた絶対的な観点からすると、天も地も同じ一本の指にすぎないということ。**
出典　『荘子《そうじ》』〈斉物論《せいぶつろん》〉
類義語　万物一馬《ばんぶついちば》

天地開闢　てんちかいびゃく　（1級）

意味　**天地のはじまり。世界のはじまり。**天地創造。「開闢」は天地の開けはじめのこと。
類義語　開天闢地《かいてんへきち》、天地創造《てんちそうぞう》

天地玄黄　てんちげんこう　（4級）

意味　**天は黒く、地は黄色であること。**「玄」は黒色の意。『千字文《せんじもん》』のはじめに「天地玄黄、宇宙洪荒《うちゅうこうこう》」とある。
補説　「天玄地黄」ともいう。
出典　『易経《えききょう》』〈坤《こん》〉

天地四時　てんちしいじ　（準1級）

意味　**天地と春夏秋冬。**「四時」は四季。
注意　「四時」を「しじ」と読まない。

天地神明　てんちしんめい　（5級）

意味　**天と地のすべての神々のこと。**「天地」は天と地のこと、「明」は神のことで、「神明」は神々の意。
注意　「神明」を「神命」と書かないこと。
類義語　天神地祇《てんしんちぎ》

天地無用　てんちむよう　（5級）

意味　**荷物の上下を逆さまにしてはいけない。**荷物を運ぶ際にその包装の外によく見えるように記す。「天地」は上下のこと、「無用」はここでは「してはならない」の意。

天長地久　てんちょうちきゅう　（5級）

意味　**天地は永遠で尽きることがないこと。**
補説　「天は長く地は久し」とも読む。
出典　『老子《ろうし》』〈七章〉
類義語　天地長久《てんちちょうきゅう》、天壌無窮《てんじょうむきゅう》

点滴穿石　てんてきせんせき　（準1級）

意味　**わずかな力でも積み重なると非常に大きな力を発揮すること。**一滴一滴の小さな水滴《すいてき》も、長い間には固い石に穴をあけることができるということ。
補説　「点滴石をも穿《うが》つ」とも読む。
字体　「点」の旧字体は「點」。
注意　「点滴」を「点適」「点摘」と書かないこと。
出典　『漢書《かんじょ》』〈枚乗伝《ばいじょうでん》〉
類義語　水滴石穿《すいてきせきせん》

輾転反側　てんてんはんそく　（1級）

意味　**心配したり思い悩んだりして眠れず何度も寝返りをうつこと。**「輾転」も「反側」も、寝返りをうつ意。
補説　「輾転」は「展転」とも書く。
字体　「転」の旧字体は「轉」。
出典　『詩経《しきょう》』〈周南《しゅうなん》・関雎《かんしょ》〉

天人五衰 てんにんのごすい 3級

意味 **天人の死にぎわに現れるという五つの死相のこと。**「天人」は仏教でいう天に住む者、天上界の人。五衰には大小二種があるが、例えば大の五衰は、衣服が垢《あか》でよごれる、頭上の華《け》鬘《まん》がしおれる、体がよごれ臭くなる、腋《わき》の下に汗が流れる、自分の座席を楽しまないの五つ。

注意 「五衰」を「五哀」と書かないこと。

出典 『涅槃経《ねはんぎょう》』

類義語 天上五衰《てんじょうごすい》

天之美禄 てんのびろく 準1級

意味 **酒の異称。**酒をたたえていう語。「美禄」はよい俸禄。天から授かったありがたい贈り物の意から。

出典 『漢書《かんじょ》』〈食《しょっ》貨《か》志《し》〉

類義語 百薬《ひゃくやく》之《の》長《ちょう》

天之暦数 てんのれきすう 準1級

意味 **天のまわりあわせ。天のめぐりの運命。**特に、**天命を受けて帝位につく運命をいう。**もと堯帝《ぎょうてい》が舜帝《しゅんてい》に帝位を禅《ぜん》譲《じょう》するとき語った語。

補説 「暦」は清朝《しんちょう》の文献では皇帝の諱《いみな》を避けて「歴」となっていることが多いため、時に「歴数」となることもある。

字体 「数」の旧字体は「數」。

出典 『論語』〈堯曰《ぎょうえつ》〉

顚沛流浪 てんぱいるろう 1級

意味 **つまずき倒れながらさまよい歩くこと。**「顚沛」はつまずき倒れること、「流浪」は所を定めずさすらう意。

注意 「顚沛」を「顚肺」と書き誤らない。

類義語 顚沛流離《てんぱいりゅうり》

天馬行空 てんばこうくう 5級

意味 **考え方や行動が何ものにも拘束されず自由奔放なこと。**文章や書の勢いがすぐれているさま。「天馬」は天帝が乗って空を駆けめぐる馬。

補説 「天馬空《くう》を行く」とも読む。「天馬」は「てんま」とも読む。

類義語 自由奔放《じゆうほんぽう》、不羈奔放《ふきほんぽう》

天罰覿面 てんばつてきめん 1級

意味 **悪いことをすると、天の下す罰がすぐに現れること。**「天罰」は天の下す罰のこと、「覿面」は目のあたりに見る意で、すぐに現れることをいう。

注意 「覿面」を「適面」「敵面」などと書き誤らない。

類義語 天網恢恢《てんもうかいかい》

天覆地載 てんぷうちさい 準1級

意味 **天地のように広くおおらかな心や仁徳のこと。**天は上にあって万物を覆《おお》い、地は下にあって万物を載せるということから。

出典 『中庸《ちゅうよう》』〈三一章〉

類義語 天覆《てんぷう》之《の》心《こころ》

天府之国 てんぷのくに 準1級

意味 **自然の要害の地で地味が肥え、産物に富む土地。**「天府」は天然の倉庫の意。

字体 「国」の旧字体は「國」。

出典 『史記』〈留侯世家《りゅうこうせいか》〉

田夫野人 でんぷやじん 5級

⇩田夫野老(でんぷやろう)

田夫野老 でんぷやろう 5級

意味 **ふるまいが粗野で教養のない人。**「田夫」は農夫。

類義語 田夫野人《でんぷやじん》

天変地異 てんぺんちい 5級

意味 **地震・暴風など天地間に起こる**

自然の異変。

字体 「変」の旧字体は「變」。

注意 「天変」を「転変」と書き誤らない。

類義語 天変《てんぺん》地変《ちへん》、天災《てんさい》地変《ちへん》

対義語 地《ち》平《へい》天《てん》成《せい》

天保九如 てんぽうきゅうじょ

準1級

意味 **人の長寿を祈る語。**「天保」は『詩《し》経《きょう》』の小雅《しょうが》の篇名《へんめい》。この詩は、天子の長寿と幸せを祈るもので、詩中の句の中に「如」の字が九個あることからいう。

出典 『詩《し》経《きょう》』〈小雅《しょうが》・天保《てんぽう》〉

類義語 千秋万歳《せんしゅうばんざい》

天歩艱難 てんぽかんなん

1級

意味 **時運に恵まれず非常に苦労すること。**「天歩」は天命・時運、国家の運命をいう。

出典 『詩《し》経《きょう》』〈小雅《しょうが》・白華《はくか》〉

顚撲不破 てんぼくふは

準1級

意味 **動かし破ることができないこと。**学説などにいう。天下の断案《だんあん》。「顚」はくつがえす。「撲」はうつ。くつがえしても打っても破れないほど強い意。

補説 「顚撲」を「顚僕」と書き誤らない。

出典 『朱《しゅ》子《し》語《ご》類《るい》』〈五〉

典謨訓誥 てんぼくんこう

1級

意味 『書経《しょきょう》』**にある典・謨・訓・誥の四体の文。『書経』の篇名《へんめい》の併称。**転じて、**聖人の教え。経典《けいてん》のこと。**『書経』は儒教の経典で五経《ごきょう》の一つ。夏《か》・殷《いん》・周《しゅう》三代から秦《しん》の穆公《ぼっこう》までの政治に関する記録。『尚《しょう》書《しょ》』ともいう。典は堯典《ぎょうてん》・舜典《しゅんてん》の二典。謨は大《だい》禹《う》謨《ぼ》・皐《こう》陶《よう》謨《ぼ》・益《えき》稷《しょく》謨《ぼ》の三謨。訓は敷奏諫言《かんげん》の語で伊《い》訓《くん》の類。誥は臣下を教え諭す語で大誥《たいこう》の類。

転迷開悟 てんめいかいご

3級

意味 **迷いを転じて悟《さと》りを開くこと。**いろいろな煩悩《ぼんのう》の迷いから解脱《げだつ》して、涅《ね》槃《はん》の悟りに達すること。

補説 「開悟」は「解悟」とも書く。

字体 「転」の旧字体は「轉」。

天網恢恢 てんもうかいかい

準1級

意味 **天は公平で決して悪人・悪事を見のがさないということ。**天が張りめぐらした網は広大で目は粗いようだが、何一つ取りこぼさないということ。

補説 「天網恢恢疎《そ》にして失わず」「天網恢恢疎にして漏《も》らさず」の略。

出典 『老《ろう》子《し》』〈七三章〉

天網之漏 てんもうのろう

準1級

意味 **天罰からもれること。**「天網」は天が悪人をつかまえるために張るあみのこと。天罰。

出典 『晋書《しんじょ》』〈劉頌伝《りゅうしょうでん》〉

天門開闔 てんもんかいこう

1級

意味 **天の造化の門が開き閉じる。開くと万物が生成し、閉じると消滅することから、万物の生滅変化をいう。**「天門」は万物が生まれ出る門。老荘思想でいう無、道と同意とも、また玄妙な雌の性器とも心にある英知の門とも解され異説が多い。「闔」は閉じる意。

出典 『老《ろう》子《し》』〈一〇章〉

天門登八 てんもんとうはち

5級

意味 仕官して、**その頂点に近づけばかえって自分の身を危うくすることのたとえ。**

故事 晋《しん》の陶侃《とうかん》が夢の中で翼《つばさ》で飛び、天の八つの門をくぐり、最後の門をくぐろうとしたがどうしてもくぐることができずに門番に杖《つえ》でうたれて地におち翼を折ってしまった。のちに八州を管理し、さらに高官をめざそうとしたが、夢を思

い出して思いとどまったという故事から。

出典 『晋書《しんじょ》』〈陶侃伝《とうかんでん》〉

天佑神助 てんゆう しんじょ

準1級

意味 **天のたすけと神のたすけ。**思いもよらない偶然にめぐまれ助かること。

補説 「天佑」は「天祐」とも書く。また「神佑天助」ともいう。

天理人欲 てんり じんよく

5級

意味 **天の条理と人の欲望。人にある天然の本性と欲望。**「天理」は自然の本性。道理をそなえた人の本性。「天理」と「人欲」という相対する語を重ねたもの。

出典 『孟子《もうし》』〈梁恵王《りょうけいおう》・集注《しっちゅう》〉

【と】

当意即妙 とうい そくみょう

4級

意味 **機転をきかせて、その場にあった対応をすること。**

字体 「当」の旧字体は「當」。

注意 「当意」を「当為」と書き誤らない。

蕩佚簡易 とういつ かんい

1級

意味 **のんびりして自由なこと。寛大でやさしいこと。**また、ほしいままでしまりのないこと。「蕩佚」はのんびり自由なこと。「簡易」は簡単でやさしい、性格がおだやかでさっぱりしていること。

出典 『後漢書《ごかんじょ》』〈班超伝《はんちょうでん》〉

桃園結義 とうえん けつぎ

4級

意味 **義兄弟のちぎりを結ぶこと。**将来を期して深い結びつきをちかうたとえ。

補説 「桃園にて義を結ぶ」とも読む。

故事 中国三国時代、蜀《しょく》の劉備《りゅうび》・関羽《かんう》・張飛《ちょうひ》が桃園で義兄弟の深いちぎりを結んだ故事による。

出典 『三国志演義《さんごくしえんぎ》』〈一〉

類義語 桃園之契《とうえんのちぎり》

冬温夏凊 とうおん かせい

1級

意味 **親に孝行を尽くすこと。**「凊」は「涼」に同じで、涼しい意。冬は温かく、夏は涼しくして、過ごしやすくしてあげる意から。

出典 『礼記《らいき》』〈曲礼《きょくらい》・上〉

類義語 温凊定省《おんせいていせい》、扇枕温衾《せんちんおんきん》

凍解氷釈 とうかい ひょうしゃく

3級

意味 **氷が溶けていくように疑問などが解決していくこと。**疑問などが氷解することをいう。「釈」はここでは氷がとけていくこと。

補説 「氷釈」は「冰釈」とも書く。

字体 「釈」の旧字体は「釋」。

出典 朱熹《しゅき》の「中和旧説序《ちゅうわきゅうせつじょ》」

灯火可親 とうか かしん

5級

意味 **涼しい秋は、あかりの下で読書するのに適しているということ。**初秋の好季節の形容。

補説 「灯火親《した》しむ可《べ》し」とも読む。

字体 「灯」の旧字体は「燈」。

注意 「灯火」を「灯下」と書き誤りやすい。

出典 韓愈《かんゆ》の「符読書城南《ふしょをじょうなんによむ》」詩」

類義語 新涼灯火《しんりょうとうか》

桃花癸水 とうか きすい

1級

意味 **女性の月経《げっけい》をいう。**つきのもの。つきのさわり。「癸」は、みずのと。水に属し、「癸水」は女性の月経の意。「桃花」は女性を象徴させた雅語。

補説 「癸水」を「発水」と書き誤らない。

出典 『粧楼記《しょうろうき》』

冬夏青青 とうか せいせい

5級

意味 **かたく守って変わらない節操の**

こと。松やひのき・このてがしわなどの常緑樹は、他の植物のように冬に枯れたり、夏しおれたりすることなく、年中青青と茂っていることからいう。

出典　『荘子《そうじ》』〈徳充符《とくじゅうふ》〉

堂下周屋　どうかのしゅうおく　5級

意味　**廊下のこと。**

出典　『海録砕事《かいろくさいじ》』〈地《ち》・屋宅《おくたく》〉

恫疑虚喝　どうぎきょかつ　1級

意味　**心中ではびくびくしながら相手をおどすこと。**「恫疑」は恐れてためらう、「疑」はどうしようかと迷うこと。「虚喝」は虚勢をはっておどすこと。からおどし。こけおどし。

補説　「虚喝」は「虚猲」とも書く。また、略して「恫喝《どうかつ》」「恫猲」ともいう。

出典　『史記』〈蘇秦伝《そしんでん》〉

同帰殊塗　どうきしゅと　3級

意味　**帰着するところは同じだが、そこに到る道が異なること。**「同帰」は同じところに行きつくこと、「殊」は異なる意、「塗」は「途」と同じで、道のこと。

補説　「帰《き》を同じうして塗《みち》を殊《こと》にす」とも読む。「殊塗同帰」ともいう。また、「殊塗」は「殊途」とも書く。

字体　「帰」の旧字体は「歸」。

出典　『易経《えききょう》』〈繋辞《けいじ》・下〉

類義語　異路同帰《いろどうき》

東窺西望　とうきせいぼう　準1級

意味　**あちこちをちらちら見ること。落ち着きのないさま。**「窺」はうかがいみること。

同気相求　どうきそうきゅう　5級

意味　**同じ気性のものは互いに自然に求め合い、寄り集まるようになるということ。**

補説　「同気相求む」とも読む。

字体　「気」の旧字体は「氣」。

注意　「同気」を「同期」と書かないこと。

出典　『易経《えききょう》』〈乾《けん》・文言伝《ぶんげんでん》〉

類義語　同類相求《どうるいそうきゅう》、同声相応《どうせいそうおう》

同軌同文　どうきどうぶん　3級

⇩同文同軌（どうぶん どうき）

道揆法守　どうきほうしゅ　1級

意味　**道理をもって物事をはかり定め、法度をみずから守る。**「揆」ははかる意。もと「道揆」は上位者、「法守」は下位者についていった語。

出典　『孟子《もうし》』〈離婁《りろう》・上〉

刀鋸鼎鑊　とうきょていかく

意味　**昔の刑罰の道具。**また、**刑罰。**「刀鋸」は刀とのこぎり。「鼎鑊」は人を煮るかまのこと。いずれも転じて刑罰の意がある。

出典　蘇軾《そしょく》の「留侯論《りゅうこうろん》」

当機立断　とうきりつだん　5級

意味　**時機を失わずに、ただちに決断すること。**「当」は臨む意で、「当機」は機に臨むこと、「立」はたちどころにの意で、「立断」はすばやく決断すること。

補説　「機に当たりて立《た》ちどころに断《だん》ず」とも読む。

字体　「当」の旧字体は「當」、「断」の旧字体は「斷」。

類義語　応機立断《おうきりつだん》、即断即決《そくだんそっけつ》、臨機応変《りんきおうへん》

同衾共枕　どうきんきょうちん　1級

意味　**同じしとねに枕《まくら》を同じくして寝ること。**主として男女が布団を同じくして睦《むつ》まじく寝ることをいう。「衾」は掛け布団・夜具・しとね。

補説　「衾《きん》を同《おな》じうして枕《まくら》を共《とも》にす」と

も読む。

注意　「同衾」を「同衿」と書き誤らない。

陶犬瓦鶏 とうけんがけい

2級

意味　**格好ばかりで役に立たないもののたとえ。**陶製の犬と素《す》焼《や》きの鶏。

補説　「瓦鶏陶犬」ともいう。

字体　「鶏」の旧字体は「鷄」。

出典　『金楼子《きんろうし》』〈立言《りつげん》・上〉

洞見癥結 どうけんちょうけつ

意味　**隠れたわかりにくい障害をはっきり見抜くこと。**「洞見」は見通す、見抜く意。「癥結」は腹の中にできたしこりで、転じて、隠れた障害の意。

故事　中国鄭《てい》の名医扁鵲《へんじゃく》が、長桑君《ちょうそうくん》という人から伝授された秘伝の薬を服用したところ、土塀の向こう側の人が見えるようになった。その眼力で病人を見ると、五臓にできたしこりをすべて見抜くことができたという故事から。

出典　『史記』〈扁鵲伝《へんじゃくでん》〉

倒懸之急 とうけんのきゅう

準1級

意味　**状態が非常に逼迫《ひっぱく》していること。危急の状況の形容。**「倒懸」は手足をしばって逆さにつり下げることで、苦しみのはなはだしいことのたとえ。

出典　『孟子《もうし》』〈公孫丑《こうそんちゅう》・上〉

同工異曲 どうこういきょく

5級

意味　**外見は異なるが、内容は似たり寄ったりであること。**音楽を演奏する技量が同じでも、その味わいが異なっていること。詩文など技量が同じでも、作品の趣が異なること。

補説　「異曲同工」ともいう。

注意　「同工」を「同巧」と書かないこと。

出典　韓愈《かんゆ》の「進学解《しんがくかい》」

類義語　大同小異《だいどうしょうい》

韜光晦迹 とうこうかいせき

1級

意味　**才能などを包み隠して表面にあらわさないこと。**「韜」は包む、包み隠す意。「光」は人の才能などのたとえ。「晦」はくらます、隠す意。「迹」は「跡」と同じで、あと・痕跡《こんせき》の意。また、仏教では「とうこうまいせき」と読み、高い境地に達した人が俗世を避けて人里はなれた所に居る意。

補説　「光《ひかり》を韜《つつ》み迹《あと》を晦《くら》ます」とも読む。「晦迹韜光」ともいう。また、「迹」は「跡」とも書く。

類義語　韜光隠迹《とうこういんせき》、韜光養晦《とうこうようかい》

刀耕火種 とうこうかしゅ

5級

意味　**山林を伐採して、その後に山を焼いて種を植える。**焼畑農耕をいう。

出典　『東斎紀事《とうさいきじ》』

類義語　刀耕火耨《とうこうかどう》

騰蛟起鳳 とうこうきほう

1級

意味　**才能が特別すぐれていること。**「騰蛟」は天におどり上がる蛟竜（竜の一種で洪水を起こすことができるという伝説上の動物）、「起鳳」は飛び立つ鳳凰《ほうおう》のこと。

出典　王勃《おうぼつ》の「滕王閣序《とうおうかくのじょ》」

倒行逆施 とうこうぎゃくし

3級

意味　**正しい道理にさからって物事を行うこと。**また、転じて時代の風潮にさからうよくない行為などにも用いられる。無理じいをすること。「倒」も「逆」もさからうこと。

補説　「逆施倒行」ともいう。

出典　『史記』〈伍子胥伝《ごししょでん》〉

刀光剣影 とうこうけんえい

4級

意味　**事態が緊迫して今にも戦いが起こりそうな雰囲気をいう。**刀がきらりと

ひかり、剣の影がちらつく意。

字体 「剣」の旧字体は「劍」。

類義語 一触即発《いっしょくそくはつ》、剣抜弩張《けんばつどちょう》

灯紅酒緑 とうこう しゅりょく

5級

⇨紅灯緑酒（こうとう りょくしゅ）

東行西走 とうこう せいそう

5級

意味 **忙しくあちこちと走りまわること。**あちこちと奔走すること。

出典 『易林《えきりん》』〈鼎《てい》〉

類義語 東奔西走《とうほんせいそう》

韜光晦迹 とうこう まいせき

1級

⇨韜光晦迹（とうこう かいせき）

桃紅柳緑 とうこう りゅうりょく

準2級

意味 **紅《くれない》の桃の花と緑あざやかな柳におおわれた春景色の美しさのこと。**

補説 「柳緑桃紅」「紅桃緑柳」ともいう。

出典 王維《おうい》の「洛陽女児行《らくようじょじこう》」

類義語 鳥語花香《ちょうごかこう》、柳暗花明《りゅうあんかめい》

桃弧棘矢 とうこ きょくし

1級

意味 **災いをとりのぞくこと。**「桃弧」は桃の木で作った弓、「棘矢」はいばらの木で作った矢、ともに魔よけにした。

出典 『春秋左氏伝《しゅんじゅうさしでん》』〈昭公《しょうこう》四年〉

党錮之禍 とうこの わざわい

準1級

意味 **政党や党派をつくることからおこるわざわい。**後漢の末、宦官《かんがん》が政権をほしいままにするのを見て、気骨のある士が攻撃したが失敗し、終身禁固の刑を受けた事件。「党錮」は党人を禁固する意。

補説 略して「党禍《とうか》」ともいう。

字体 「党」の旧字体は「黨」。

出典 『後漢書《ごかんじょ》』〈霊帝紀《れいていき》〉

倒載干戈 とうさい かんか

1級

意味 **戦いがすんで平和になったことの形容。**武器を上下さかさまに車に載せる意。「干戈」は盾《たて》と矛《ほこ》で、武器の総称。

補説 「干戈《かんか》を倒載《とうさい》す」とも読む。

故事 周《しゅう》の武王《ぶおう》が殷《いん》の紂王《ちゅうおう》を討伐して帰るとき、武器をさかさまに車に載せ、刃を虎《とら》の皮でおおって、二度と戦いをしないことを示した故事から。

出典 『礼記《らいき》』〈楽記《がくき》〉

類義語 倒置干戈《とうちかんか》

対義語 干戈倥偬《かんかこうそう》

東西古今 とうざい ここん

5級

⇨古今東西（ここん とうざい）

刀山剣樹 とうざん けんじゅ

4級

意味 **残酷な刑罰のこと。**刀の山や、剣を葉とした樹の林を通らせる刑から、むごい刑罰、酷刑を意味する。「刀山」は、地獄にあるというつるぎの山。

字体 「剣」の旧字体は「劍」。

出典 『宋史《そうし》』〈劉鋹伝《りゅうちょうでん》〉

桃三李四 とうさん りし

準1級

意味 **物事を成しとげるには、それなりの年月がかかること。**桃は三年、李《すもも》は四年かかって実を結ぶこと。

道之以徳 どうし いとく

準1級

意味 **国民を指導するには道徳教育が重要であること。**

補説 「之《これ》を道《みちび》くに徳を以《もっ》てす」とも読む。

出典 『論語』〈為政《いせい》〉

冬日之温 とうじつの おん

準1級

意味 **君恩のあたたかさのたとえ。**冬の日光のあたたかさのこと。「冬日」は冬の日、冬の太陽、冬の日光。

注意 「温」を「恩」と書かないこと。

出典 王倹の文

同床異夢　どうしょういむ
4級

意味　同じ仲間や同じ仕事をしているものでも、考え方や目的がちがうことのたとえ。夫婦が同じ寝床に寝ても、それぞれ違った夢を見ること。

出典　陳亮《ちんりょう》の「与朱元晦書《しゅげんかいにあたうるのしょ》」

類義語　同床各夢《どうしょうかくむ》

対義語　異榻同夢《いとうどうむ》

蹈常襲故　とうじょうしゅうこ
1級

意味　今までのやり方を受け継いでそのとおりにしてゆくこと。「蹈」はしたがう、守る、「襲」はうけつぐ、つぐ意。

補説　「常《つね》を蹈《ふ》んで故《こ》を襲《おそ》う」とも読む。

類義語　循常習故《じゅんじょうしゅうこ》、蹈常習故《とうじょうしゅうこ》

銅牆鉄壁　どうしょうてっぺき
1級

意味　守りの堅牢《けんろう》なことのたとえ。銅の垣根と鉄の壁の意。「牆」は垣根のこと。

字体　「鉄」の旧字体は「鐵」。

桃傷李仆　とうしょうりふ
1級

意味　兄弟が互いに争い、反目することのたとえ。桃がきずつき、すももがたおれる意。「仆」はたおれる、たおれ死ぬ、ころす意。

出典　『海録砕事《かいろくさいじ》』〈人事《じんじ》・兄弟《けいてい》〉

同仁一視　どうじんいっし
5級

⇩一視同仁（いっしどうじん）

同心戮力　どうしんりくりょく
1級

意味　心を一つにして力を合わせ一致協力すること。「同心」は心を合わせること、「戮力」は力を合わせること、努力すること。

補説　「心を同じくして力を戮《あわ》す」とも読む。「戮力同心」ともいう。

出典　『春秋左氏伝《しゅんじゅうさしでん》』〈成公《せいこう》一三年〉

類義語　協心戮力《きょうしんりくりょく》

同声異俗　どうせいいぞく
4級

意味　人は本性は同じでも後天的な教育や環境によって品行に差を生じるたとえ。人は産まれたときの泣き声は同じようだが、大きくなると風俗や習慣が変わってくるということ。教育の必要性を説く荀子《じゅんし》の教え。

補説　「生まれて声を同じくし、長じて俗を異にする」の略。「習い性と成る（習与性成）」と類義。

字体　「声」の旧字体は「聲」。

出典　『荀子《じゅんし》』〈勧学《かんがく》〉

動静云為　どうせいうんい
準1級

意味　人の言動のこと。「動静」は日常の行動、立ち居振る舞い。「云為」は言行。

字体　「静」の旧字体は「靜」、「為」の旧字体は「爲」。

出典　朱熹《しゅき》の文

蹈節死義　とうせつしぎ
1級

意味　節操を守り、正義のために命を捨てること。「蹈」は守る、実行する意で、「蹈節」は節操を守ること。「死義」は正義のために死ぬ意。

補説　「節を蹈《ふ》んで義に死す」とも読む。

出典　『晋書《しんじょ》』〈元帝紀《げんていき》〉

冬扇夏鑪　とうせんかろ
1級

⇩夏鑪冬扇（かろとうせん）

陶潜帰去　とうせんききょ
3級

意味　陶潜は俗を嫌い自然を愛し、官を辞して故郷に帰った。「陶潜」は東晋《とうしん》の人。字《あざな》は淵明《えんめい》。自然を愛し田園詩人と称された。

字体　「潜」の旧字体は「潛」、「帰」の旧字体は「歸」。

故事　陶潜は彭沢《ほうたく》の県令（長官）となっ

たとき慣例で巡察の役人に礼装で応対しなければならなくなり、五斗米の俸禄《ほうろく》のために腰を折ってぺこぺこできないと、「帰去来辞《ききょらいのじ》」を書いて帰郷した故事（『晋《しん》書《じょ》』〈陶潜伝《とうせんでん》〉）。

出典 『蒙求《もうぎゅう》』〈陶潜帰去《とうせんききょ》〉

銅駝荊棘 どうだけいきょく （1級）

⇩**荊棘銅駝**（けいきょくどうだ）

湯池鉄城 とうちてつじょう （5級）

意味 **きわめて堅固な備えのこと。**「湯池」は熱湯をたたえた堀の意で、敵の攻撃から守る堅固な堀のこと、「鉄城」は鉄壁に囲まれた城の意。守りの固い城のことをいう。

字体 「鉄」の旧字体は「鐵」。

出典 『世説新語《せせつしんご》』〈文学《ぶんがく》〉

類義語 金城鉄壁《きんじょうてっぺき》、金城湯池《きんじょうとうち》、難攻不落《なんこうふらく》

道聴塗説 どうちょうとせつ （3級）

意味 **学問や知識を正しく理解しないで、いいかげんに知ったかぶりをして他人に話すこと。** また真に身についていない受け売りの学問にもいう。「塗」は「道」と同じで道路のこと。道路でたまたま聞いたことを、同じ道路で他人に得意そうに話すこと。

補説 「道に聴《き》きて塗《みち》に説《と》く」とも読む。

字体 「聴」の旧字体は「聽」。

出典 『論語』〈陽貨《ようか》〉

洞庭春色 どうていしゅんしょく （準2級）

意味 **みかんで醸造した酒の名前。** 洞庭湖の春景色の意。

出典 蘇軾《そしょく》の「洞庭春色賦《どうていしゅんしょくふ》」引

堂塔伽藍 どうとうがらん （準1級）

意味 **寺院の建物の総称のこと。** 堂と塔と伽藍のこと。「伽藍」は僧侶《そうりょ》たちが住み仏道修行する閑静な所。

類義語 七堂伽藍《しちどうがらん》

頭童歯豁 とうどうしかつ （1級）

意味 **老人のこと。**「頭童」は子供の坊主頭から転じて、頭髪がなくなること。「歯豁」は歯と歯の間がひらいてまばらになる意。

補説 「歯豁頭童」ともいう。

字体 「歯」の旧字体は「齒」。

出典 韓愈《かんゆ》の「進学解《しんがくかい》」

銅頭鉄額 どうとうてつがく （5級）

意味 **きわめて勇猛なたとえ。** 銅の頭に鉄のひたいの意。また、重武装した勇敢な兵にもいう。

字体 「鉄」の旧字体は「鐵」。

出典 『史記』〈五帝紀《ごていき》・正義《せいぎ》〉

堂堂之陣 どうどうのじん （準1級）

意味 **陣容がととのって盛んなさま。**「堂堂」はりっぱでいかめしいさま、陣容などが整って盛んなさま。『孫子《そんし》』の「堂堂の陣（陣）は撃《う》つこと勿《なか》れ（正々堂々たる陣容の軍は攻撃してはならない）」の句は有名。

出典 『孫子《そんし》』〈軍争《ぐんそう》〉

党同伐異 とうどうばつい （3級）

意味 **善悪・正否に関係なしに、同じ党派の者に味方し、他の党派のものを排斥すること。**

補説 「同じきに党《むら》がり異なるを伐《う》つ」とも読む。「党同異伐」ともいう。

字体 「党」の旧字体は「黨」。

注意 「伐」を「代」と書き誤りやすい。

出典 『後漢書《ごかんじょ》』〈党錮伝《とうこでん》・序《じょ》〉

投桃報李 とうとうほうり （準1級）

意味 **善に対して善で報いることのたとえ。** 桃が贈られてくれば、返礼として

すももを贈り報いる意。また、みずから徳を施せば人もこれを手本とするたとえ。さらに友人間の贈答にもいう。

補説　「桃《もも》を投《とう》じて李《すもも》に報《むく》ゆ」とも読む。

注意　「投桃」を「投挑」と書き誤らない。

出典　『詩経《しきょう》』〈大雅《たいが》・抑《よく》〉

類義語　投珠報宝《とうしゅほうほう》、桃来李答《とうらいりとう》

頭髪上指　とうはつじょうし

4級

意味　**激しい怒りで、髪の毛がさかだつこと。**

字体　「髪」の旧字体は「髮」。

出典　『史記』〈項羽紀《こううき》〉

類義語　怒髪衝天《どはつしょうてん》、怒髪指冠《どはつしかん》

蟷臂当車　とうひとうしゃ

1級

⇩蟷螂之斧（とうろうのおの）

同病相憐　どうびょうそうれん

準1級

意味　**同じ境遇・悩みに苦しむ者どうしは、互いに同情しあうこと。**同じ病気で苦しむ者は、その苦しみをなぐさめ合うこと。

補説　「同病相憐《あいあわ》れむ」とも読む。

注意　「憐」を「隣」と書き誤らない。

出典　『呉越春秋《ごえつしゅんじゅう》』〈闔閭内伝《こうりょないでん》〉

類義語　同憂相救《どうゆうそうきゅう》

同文同軌　どうぶんどうき

3級

意味　**天下が広く統一されたさま。**天下みな同じ文字を使い、同じ車を用いること。

補説　「文を同じくし軌《き》を同じくす」とも読む。また「同軌同文」ともいう。

出典　『中庸《ちゅうよう》』〈二八章〉

洞房花燭　どうぼうかしょく

準1級

意味　**新婚の夜のこと。**また、**新婚の部屋のこと。**「洞房」は奥まった部屋・婦人の部屋のこと、「花燭」は華やかなろうそくのあかりの意。婦人の部屋にともす華やかなろうそくのあかりの意から。

補説　「花燭洞房」ともいう。また、「花燭」は「華燭」とも書く。

出典　庾信《ゆしん》の詩

豆剖瓜分　とうぼうかぶん

準1級

⇩瓜剖豆分（かぼうとうぶん）

同袍同沢　どうほうどうたく

1級

意味　**苦労をともにする親密な友。**また、**戦友のこと。**衣服をともにする意から。「袍」はわた入れ。「沢」は肌着。一枚のわた入れや肌着を貸したりして助け合うこと。

字体　「沢」の旧字体は「澤」。

注意　「同袍」を「同胞」と書き誤らない。

出典　『詩経《しきょう》』〈秦風《しんぷう》・無衣《ぶい》〉

道傍苦李　どうぼうのくり

準1級

意味　**人から見捨てられ、見向きもされないもののたとえ。**「道傍」は道ばたの意、「苦李」は苦いすもものこと。道ばたの木に実っていても、苦いすももでは誰《だれ》もとろうとしないことから。

注意　「苦李」を「苦季」と書き誤らない。

出典　『世説新語《せせつしんご》』〈雅量《がりょう》〉

東奔西走　とうほんせいそう

準2級

意味　**仕事や用事のため四方八方忙しく走りまわること。**東に西に奔走する意。

補説　「東走西奔」ともいう。

類義語　東行西走《とうこうせいそう》、南行北走《なんこうほくそう》、南船北馬《なんせんほくば》

稲麻竹葦　とうまちくい

準1級

意味　**たくさんあることのたとえ。多くの人や物が群がって入り乱れるさま。**また、幾重にも取り囲んでいるさま。稲《いね》・麻《あさ》・竹《たけ》・葦《あし》が群生している意。

字体　「稲」の旧字体は「稻」。

出典　『法華経《ほけきょう》』〈方便品《ほうべんぽん》〉

橦末之伎 とうまつのぎ
1級

意味 かるわざ。竿《さお》の先で行う曲芸のこと。「橦末」は竿の先。

出典 張衡《ちょうこう》の「西京賦《せいきょうのふ》」

瞠目結舌 どうもくけつぜつ
1級

意味 驚いて呆然《ぼうぜん》とすること。「瞠目」は驚いて目を見張ること。「結舌」は舌を結ぶ意から、ものを言わないこと。ひどく驚いて目をむき、舌をこわばらせてものが言えないさまをいう。

類義語 大驚失色《たいきょうしっしょく》

桐葉知秋 どうようちしゅう
準1級

⇩一葉知秋（いちようちしゅう）

桃李成蹊 とうりせいけい
1級

意味 **徳がある人のもとにはだまっていても自然に人が集まってくるということ。** 花が美しく実がうまい桃やすももの木の下には、それにひかれて人が集まってくるために、自然に小みちができるということ。「蹊」は小道。

補説 「桃李言わざれども下自《おの》ずから蹊《けい》を成《な》す」の略。

注意 「桃李」を「桃季」と書かないこと。

出典 『史記』〈李将軍伝《りしょうぐんでん》・賛《さん》〉

類義語 李広成蹊《りこうせいけい》

党利党略 とうりとうりゃく
5級

意味 **自分が属する政党・党派の利益とそのためにする策略。**

字体 「党」の旧字体は「黨」。

桃李満門 とうりまんもん
準1級

意味 **優秀な人材が多く集まること。** おいしい桃やすももが門にあふれる意から。旬《しゅん》の桃李を優秀な人材にたとえた。

補説 「桃李門に満《み》つ」とも読む。

字体 「満」の旧字体は「滿」。

出典 『資治通鑑《しじつがん》』〈唐紀《とうき》〉

等量斉視 とうりょうせいし
準2級

意味 **すべての人々を平等に扱うこと。** 「等」「斉」ともにひとしいこと。すべての人に対してひとしく量《はか》り、ひとしく視《み》るという意。

補説 「等《ひと》しく量《はか》り斉《ひと》しく視《み》る」とも読む。

字体 「斉」の旧字体は「齊」。

蟷螂之衛 とうろうのえい
1級

意味 **微弱な兵力・兵備のたとえ。** 「蟷螂」はかまきり。「衛」はまもり・守備、防備する人の意。

補説 「蟷螂」は「螳螂」「螳蜋」とも書く。

字体 「衛」の旧字体は「衞」。

出典 左思《さし》の「魏都賦《ぎとのふ》」

蟷螂之斧 とうろうのおの
1級

意味 **微弱な者が自分の力をかえりみず強者に立ち向かうたとえ。** かまきりがそのかまを振り上げて車に立ち向かう意。「蟷螂」はかまきり、「斧」はここではかまきりのかま。

補説 「蟷螂」は「螳螂」「螳蜋」とも書く。

故事 かまきりが足をあげて斉《せい》の荘公《そうこう》の車に立ち向かったという故事から。

出典 『韓詩外伝《かんしがいでん》』〈八〉

類義語 蟷螂之力《とうろうのちから》、蟷臂当車《とうひとうしゃ》、蟷螂之衛《とうろうのえい》

土階三等 どかいさんとう
5級

意味 **質素な住居のたとえ。** 「土階」は土の階段。「等」は階段の意。

出典 『呂氏春秋《りょししゅんじゅう》』〈召類《しょうるい》〉・『史記』〈太《たい》史公自序《しこうじじょ》〉

類義語 堂高三尺《どうこうさんじゃく》、尭階三尺《ぎょうかいさんじゃく》、茅茨《ぼうし》不《ふ》翦《せん》、采椽《さいてん》不《ふ》斲《たく》、黎杖《れいじょう》韋《い》帯《たい》

土階茅茨 どかい ぼうし 準1級

意味　**宮殿の質素なさま。**君主の質素の美徳をたたえた語。「土階」は土を盛ってきずいた質素な階段。「茅茨」はかやぶきの屋根や家。

出典　『史記』〈太《たい》史《し》公《こう》自《じ》序《じょ》〉

類義語　土《ど》階《かい》三《さん》等《とう》

兎角亀毛 とかく きもう 準1級

意味　**この世にありえないもののたとえ。**うさぎのつのとかめの毛。

補説　出典の「兎角の弓《ゆみ》に亀毛の矢《や》を矧《は》げ空花《くうげ》の的を射る」による。

字体　「亀」の旧字体は「龜」。

出典　『楞厳経《りょうごんきょう》』

兎葵燕麦 とき えんばく 準1級

意味　**名ばかりで実のないもののたとえ。**「兎葵」は草の名、いえにれ。「燕麦」はからすむぎ。

字体　「麦」の旧字体は「麥」。

出典　『唐書《とうじょ》』〈劉禹錫伝《りゅううしゃくでん》〉

類義語　菟《と》糸《し》燕《えん》麦《ばく》、有《ゆう》名《めい》無《む》実《じつ》

兎起鶻落 とき こつらく 1級

意味　**書画や文章の筆致に盛んに勢いがあることのたとえ。**野うさぎが跳びあがり、はやぶさが急激に飛び下りるような勢いをいう。「鶻」ははやぶさ。「落」は獲物をめがけて急速に飛び下りること。

出典　蘇軾《そしょく》の文

兎起鳧挙 とき ふきょ 1級

意味　**すばやいことのたとえ。**「鳧挙」はかもがぱっと飛び上がる意。

補説　「兎《うさぎ》起《た》ち鳧《かも》挙《あ》がる」とも読む。

字体　「挙」の旧字体は「擧」。

出典　『呂《りょ》氏《し》春《しゅん》秋《じゅう》』〈論《ろん》威《い》〉

吐気揚眉 とき ようび 2級

⇩揚眉吐気（ようび とき）

蠹居棊処 ときょ きしょ 1級

意味　**いたるところに悪人がいることのたとえ。**木のしんを食うきくい虫が木におり、碁石が盤面にちらばるように、悪人がいることのたとえ。「蠹」はきくいむし、衣服や書物を食べる虫。

字体　「処」の旧字体は「處」。

出典　韓愈《かんゆ》の文

得意忘形 とくい ぼうけい 4級

意味　**芸術などで精神をとって表面にあらわれた外形や形式を捨て忘れること。**また、**得意のあまり我を忘れること。**「忘形」は自分の肉体を忘れる意。

補説　「意《い》を得て形を忘る」とも読む。

出典　『晋書《しんじょ》』〈阮籍伝《げんせきでん》〉

得意忘言 とくい ぼうげん 4級

意味　**真理を体得すれば言葉の助けはいらない。**言葉は意味や真理を捕らえるための道具であり、意味や真理を捕らえたあとは忘れてしまえばよいという荘子《そうし》の説。

補説　「意を得て言を忘る」とも読む。

出典　『荘《そう》子《じ》』〈外《がい》物《ぶつ》〉

類義語　得《とく》魚《ぎょ》忘《ぼう》筌《せん》

得意満面 とくい まんめん 5級

意味　**思いどおりになり、誇らしげなようすが顔いっぱいに表れること。**「得意」は思いどおりになり満足するさま。

字体　「満」の旧字体は「滿」。

類義語　喜《き》色《しょく》満《まん》面《めん》

独学孤陋 どくがく ころう 1級

意味　**師匠や学問上の友もなく一人で学ぶと、見聞が狭くひとりよがりでかたくなになる。**「孤陋」は見識が狭くひとり

よがりでかたくななこと。

補説　「孤陋《ころう》」は「固陋《ころう》」となってもほぼ同意。

字体　「独」の旧字体は「獨」、「学」の旧字体は「學」。

出典　『礼記《らいき》』〈学記《がくき》〉

跿跔科頭　とくかとう

意味　**勇猛な兵士のこと。**「跿跔」は足に何もはかないこと、素足。「科頭」はかぶとや頭巾《ずきん》などをつけない頭の意。

出典　『史記』〈張儀伝《ちょうぎでん》〉

得魚忘筌　とくぎょぼうせん　1級

意味　**目的を達すると、それまで役に立ったものを忘れてしまうこと。**「筌」は水中に沈めて魚を捕る竹製のかごのこと。やな。魚を捕ってしまうと、筌のことなど忘れてしまうという意から。

補説　「魚《うお》を得て筌《うえ》を忘る」とも読む。

出典　『荘子《そうじ》』〈外物《がいぶつ》〉

類義語　狡兎良狗《こうとりょうく》、鳥尽弓蔵《ちょうじんきゅうぞう》、得兎忘《とくとぼう》蹄《てい》、忘恩負義《ぼうおんふぎ》

対義語　飲水思源《いんすいしげん》

独弦哀歌　どくげんあいか　準2級

意味　**ひとりで弦をつまびきつつ悲しげな歌をうたう。**ひとり悲痛な調子で論弁することをいう。

字体　「独」の旧字体は「獨」。

出典　『荘子《そうじ》』〈天地《てんち》〉

徳高望重　とくこうぼうじゅう　5級

意味　**人徳があって、人々からの信望も厚いこと。**「徳高」は徳が高いこと、「望」は人から仰がれる意で、「望重」は人望が重いこと。

補説　「徳《とく》高く望重《ぼうおも》し」とも読む。

読書三到　どくしょさんとう　4級

意味　**読書に大切な三つの心得のこと。**目でよく見ること(眼到《がんとう》)、声を出して読むこと(口到《こうとう》)、心を集中して読むこと(心《しん》到《とう》)の三つをいう。宋《そう》の朱熹《しゅき》の読書訓。

字体　「読」の旧字体は「讀」。

出典　朱熹《しゅき》の「訓学斎規《くんがくさいき》」

読書三余　どくしょさんよ　5級

意味　**読書をするのに最も都合のよい三つの余暇のこと。**「三余」は三つの余暇の意で、年の余りの冬・日の余りの夜・時の余りの雨降りをいう。

補説　中国三国《さんごく》時代、魏《ぎ》の董遇《とうぐう》は書物をくり返し読むことの必要性を弟子に説いていた(→「読書百遍《どくしょひゃっぺん》」)。弟子が時間のなさを嘆いたとき董遇がさとして言った語。

字体　「読」の旧字体は「讀」、「余」の旧字体は「餘」。

出典　『三国志《さんごくし》』〈魏書《ぎしょ》・王粛伝《おうしゅくでん》・注〉

類義語　董遇三余《とうぐうさんよ》

読書尚友　どくしょしょうゆう　準2級

意味　**書物を読んで、昔の賢人を友とすること。**「尚」は過去にさかのぼる意。

字体　「読」の旧字体は「讀」。

出典　『孟子《もうし》』〈万章《ばんしょう》・下〉

読書百遍　どくしょひゃっぺん　準2級

意味　**むずかしい書物でも繰り返して読めば意味がわかってくる意。**「百遍」は数の多い意を表す語。

補説　「読書百遍義自《ぎおの》ずから見《あらわ》る」あるいは「読書百遍意《い》自ずから通《つう》ず」の略。

字体　「読」の旧字体は「讀」。

注意　「百遍」を「百篇」「百辺」などと書き誤りやすい。

出典　『三国志《さんごくし》』〈魏書《ぎしょ》・王粛伝《おうしゅくでん》・注〉

読書亡羊　どくしょぼうよう　5級

意味　**ほかのことに気をとられて肝心な仕事をおろそかにすること。**

補説　「書を読みて羊《ひつじ》を亡《うしな》う」とも読む。

字体　「読」の旧字体は「讀」。

注意　「亡羊」を「茫洋」と書き誤らない。

故事　二人の男が羊の放牧をしていたが、一人は読書に夢中になり、もう一人は博打《ばくち》に夢中になっていたので、二人とも羊を逃がしてしまったという故事から。

出典　『荘子《そうじ》』〈駢拇《べんぼ》〉

徳性滋養　とくせいじよう　準2級

意味　**徳性を養い育てること。**「徳性」は人が天から与えられた本性。道徳的な立派な性質。「滋養」は養い育てる意。

独断専行　どくだんせんこう　5級

意味　**自分一人の判断で勝手に物事を行うこと。**「独断」は自分一人の考えで勝手に決めること。

字体　「独」の旧字体は「獨」、「断」の旧字体は「斷」、「専」の旧字体は「專」。

注意　「専行」を「先行」と書き誤らない。

特筆大書　とくひつたいしょ　5級

意味　**特別に人目につくよう大きく書くこと。**ことさら目立つように強調することのたとえ。「特筆」は特に取りたてて記すこと。

独立自尊　どくりつじそん　5級

意味　**人に頼らずに自分の尊厳を保つこと。**「独立」は他人の援助を受けないこと、「自尊」は自分自身の品位を保つ意。

字体　「独」の旧字体は「獨」。

類義語　自主独立《じしゅどくりつ》

独立独歩　どくりつどっぽ　5級

意味　**他人に影響されることなく、自分の信ずる道を進むこと。**他人の援助に頼らずに自活すること。

字体　「独」の旧字体は「獨」。

類義語　独立独行《どくりつどっこう》、独立不羈《どくりつふき》

独立不羈　どくりつふき　1級

意味　**自分の力や判断で行動し、他から束縛されないこと。**「独立」は他人の束縛を受けないこと、「羈」はつなぎとめる意で、「不羈」は自由に振る舞うこと。

字体　「独」の旧字体は「獨」。

類義語　独立独歩《どくりつどっぽ》、独立独行《どくりつどっこう》

独立不撓　どくりつふとう　1級

意味　**他人に頼らず自立して活動し、困難にあってもへこたれないこと。**「撓」は枝などがたわむ意から、へこたれる意。

字体　「独」の旧字体は「獨」。

注意　「不撓」を「不倒」と書き誤らない。また「不撓」を「ふぎょう」と読まない。

類義語　不撓不屈《ふとうふくつ》、百折不撓《ひゃくせつふとう》

徳量寛大　とくりょうかんだい　準2級

意味　**りっぱな徳をそなえ、度量がひろく大きいこと。**徳が広大で、よく人を容《い》れること。「徳量」は徳が高く器量のあること、徳のある人格、「寛大」は心を大きく持ち、他人の欠点に対してゆるやかである意。

得隴望蜀　とくろうぼうしょく　1級

意味　**人間の欲望には限りがないということ。**「隴」は今の甘粛《かんしゅく》省、「蜀」は四《し》川《せん》省の地域をいう。後漢の光武帝が隴の地を得た後に、さらに蜀の地まで手に入れたいと望んだことからいう。

補説　「隴《ろう》を得て蜀《しょく》を望む」とも読む。

出典　『後漢書《ごかんじょ》』〈岑彭伝《しんぼうでん》〉

類義語　望蜀《ぼうしょく》之《の》嘆《たん》

土豪劣紳　どごうれっしん　準2級

意味　**官僚や軍とはかって農民を搾取する地方豪族や資産家のこと。**「土豪」は地方の豪族。「劣紳」は卑劣な紳士の意で、

地主や資産家など上流階級をさげすんでいう語。
補説　「劣紳」を「劣神」と書き誤らない。
類義語　土《ど》豪《ごう》悪《あく》覇《は》

斗斛之禄　とこくのろく　1級

意味　わずかな俸禄《ほうろく》。「斗斛」は一斗と一石《こく》、ます、わずかの意。
出典　韓愈《かんゆ》の文
類義語　斗《と》升《しょう》之《の》禄《ろく》

吐故納新　とこのうしん　4級

意味　古いものを排除し、新しいものを取り入れること。「吐故」は古いものを吐き出すこと、「納新」は新しいものを入れる意。
補説　「故《ふる》きを吐《は》きて新しきを納《い》る」とも読む。
出典　『荘子《そうじ》』〈刻意《こくい》〉
類義語　除旧更新《じょきゅうこうしん》、新旧交替《しんきゅうこうたい》、新陳代謝《しんちんたいしゃ》
対義語　因循守旧《いんじゅんしゅきゅう》、旧套墨守《きゅうとうぼくしゅ》

菟糸燕麦　としえんばく　準1級

意味　有名無実のたとえ。役に立たないもののたとえ。「菟糸」はねなしかずら、「燕麦」はからす麦。「菟糸」は糸の字がついても織ることができず、「燕麦」は麦の字がついても食べることができない意。
補説　「菟糸」は「兎糸」とも書く。
字体　「糸」の旧字体は「絲」、「麦」の旧字体は「麥」。
出典　『太平御覧《たいへいぎょらん》』〈九九四・燕麦《えんばく》〉
類義語　菟《と》葵《き》燕《えん》麦《ばく》

兎死狗烹　としくほう　準1級

意味　利用価値のある間は用いられるが、無用になると捨てられること。うさぎが殺されると、猟犬は不必要になり煮て食べられてしまうことから。
補説　「兎《うさぎ》死して狗《いぬ》烹《に》らる」とも読む。
出典　『韓非子《かんぴし》』〈内儲説《ないちょせつ》・下〉
類義語　狡兎走狗《こうとそうく》、得魚忘筌《とくぎょぼうせん》、鳥尽弓蔵《ちょうじんきゅうぞう》

徒手空拳　としゅくうけん　2級

意味　物事を始めようとするとき、頼れるもののないこと。手に何も持っていないこと。「徒手」「空拳」は両方とも素手の意。
類義語　赤手空拳《せきしゅくうけん》

斗酒隻鶏　としゅせきけい　3級

意味　一斗の酒と一羽の鶏。友人を哀悼し述懐することをいう。一斗の酒と一羽の鶏は死者を祭るのに用いた。もと魏《ぎ》の曹操《そうそう》が友人の橋玄《きょうげん》の墓を祭ったときに用いた語。「斗酒」は一斗の酒。「隻」は鳥一羽をいう。
補説　「鶏」は「雞」とも書く。
字体　「鶏」の旧字体は「鷄」。
注意　「隻鶏」を「雙鶏」と書き誤らない。
出典　『後漢書《ごかんじょ》』〈橋玄伝《きょうげんでん》〉

斗酒百篇　としゅひゃっぺん　準1級

意味　大いに酒を飲みながら、たくさんの詩を作ること。「斗酒」は一斗の酒、多量の酒。「篇」は文字を書く竹のふだ、転じて詩歌や文章のこと。杜甫《とほ》が李白《りはく》のことを歌った詩による。
注意　「百篇」を「百編」と書かないこと。
出典　杜甫《とほ》の「飲中八仙歌《いんちゅうはっせんか》」

斗筲之人　としょうのひと　1級

意味　器量の小さい人物のたとえ。「斗」は一斗(周代では約一、九四リットル)入りのます。「筲」は一斗二升入りの竹器。ともに小さな容器。
出典　『論語』〈子路《しろ》〉
類義語　斗筲之材《としょうのさい》、斗筲之器《としょうのうつわ》、斗筲之子《としょうのし》

屠所之羊　としょのひつじ　1級

意味　刻々と死に近づいているものの

たとえ。屠所にひかれていく羊。不幸に直面している気弱な者。

出典　『涅槃経《ねはんぎょう》』〈三八〉

斗折蛇行　とせつだこう

準2級

意味　**川や道などがくねくねと折れ曲がるさま。**北斗七星のように折れ曲がり、へびが行くようにくねくねと曲がること。

注意　「斗折」を「十折」「斗析」などと書き誤らない。

出典　柳宗元《りゅうそうげん》の「至小邱西小石潭記《しょうきゅうのにししょうせきたんにいたるのき》」

類義語　羊腸小径《ようちょうしょうけい》

兎走烏飛　とそううひ

準1級

意味　**歳月がせわしく過ぎ去ること。**うさぎは月にすみ、からすは太陽にすむといわれ、歳月にたとえる。

補説　「烏飛兎走」ともいう。

注意　「烏」を「鳥」と書き誤らない。

出典　荘南傑《そうなんけつ》の「傷歌行《しょうかこう》」

類義語　烏兎匆匆《うとそうそう》、露往霜来《ろおうそうらい》

斗粟尺布　とぞくしゃくふ

準1級

意味　**兄弟の仲が悪いこと。**「斗粟」は一斗の粟《あわ》、「尺布」は一尺の布の意で、わずかな食料と衣類のこと。

注意　「粟」を「栗」と書き誤らない。

故事　中国漢の文帝と淮南《わいなん》王は腹違いの兄弟であったが、淮南王はそれをよいことに驕《おご》りたかぶって、しばしば法に背いた。そこで文帝は淮南王の王位を取りあげ、蜀《しょく》郡の厳道県に送ることにした。その護送中に淮南王は苦しみ悶《もだ》え、食を断って死んだ。のち、民衆が「一尺の布でも衣服にすれば、ともに寒さを防げる。一斗の粟でもついて食べれば、ともに飢えをしのげる。なのに兄弟はどうして仲良くできなかったのだろうか」と歌ったという故事から。

出典　『史記』〈淮南厲王長伝《わいなんれいおうちょうでん》〉

対義語　棣鄂之情《ていがくのじょう》

弩張剣抜　どちょうけんばつ

1級

⇩剣抜弩張（けんばつどちょう）

訥言敏行　とつげんびんこう

1級

意味　**人格者はたとえ口は重くても、実行は正しく敏速でありたいということ。**「訥言」はことばが巧みでない、口べたの意。「敏行」はすばやく行動すること。

補説　「言に訥《とつ》にして行《おこな》いに敏《びん》なり」とも読む。

出典　『論語』〈里仁《りじん》〉

類義語　不言実行《ふげんじっこう》

咄嗟叱咤　とっさしった

1級

意味　**わめき叫びながら大声でしかること。**「咄嗟」はなげくこと、しかること。「叱咤」は大声でしかりつけること。

補説　「叱咤」は「叱吒」とも書く。

出典　蘇軾《そしょく》の「三国論《さんごくろん》」

突怒偃蹇　とつどえんけん

1級

意味　**岩石がごつごつと突き出た様子を人が怒った姿、またおごり高ぶるさまにたとえたもの。**「突怒」は激しく怒るさま。「偃蹇」は人のおごり高ぶるさま。

出典　柳宗元《りゅうそうげん》の「鈷鉧潭記《こぼたんのき》」

咄咄怪事　とつとつかいじ

1級

意味　**驚くほど意外で怪しい出来事。**また、非常に都合が悪くよくないこと。「咄咄」は、意外さに驚いて発する声。

注意　「怪事」を「快事」と書き誤らない。

出典　『晋書《しんじょ》』〈殷浩伝《いんこうでん》〉

屠毒筆墨　とどくのひつぼく

1級

意味　**人を害しそこなう書物。**「屠毒」はほふり毒する、害しそこなう意。「筆墨」は書き物・書物の意。

出典　『紅楼夢《こうろうむ》』〈一回〉

斗南一人　となんのいちにん　3級

意味　**天下の第一人者。**世に並ぶ者なき賢者の意。「斗南」は北斗七星より南。転じて、天下のこと。

出典　『唐書《とうじょ》』〈狄仁傑伝《てきじんけつでん》〉

図南鵬翼　となんのほうよく　準1級

意味　**大事業や海外雄飛を企てることのたとえ。**また、大志を抱くたとえ。「図」は計画する意。「鵬《おおとり》」が南方をめざし翼を広げること。

字体　「図」の旧字体は「圖」。

出典　『荘子《そうじ》』〈逍遥遊《しょうようゆう》〉

類義語　図南之翼《となんのよく》

駑馬十駕　どばじゅうが　1級

意味　**才能のない者でも、たえず努力すれば才能のある者に肩を並べることができるということ。**駑馬が十日間車をひいて走ること。「駑馬」はのろい馬。「駕」は馬に車をつけて走ること。

補説　出典の「驥《き》は一日《いちにち》にして千里《せんり》なるも、駑馬も十駕すれば之《これ》に及《およ》ぶ」による。「驥」は一日に千里を走るという名馬。

注意　「駕」を「賀」と書き誤らない。

出典　『荀子《じゅんし》』〈脩身《しゅうしん》〉

怒髪衝天　どはつしょうてん　3級

意味　**髪の毛が逆立つほど激しく怒ること。**「怒髪」は怒りのために逆立った髪の毛。「衝」は突くこと。

補説　「怒髪《どはつ》天を衝《つ》く」とも読む。

字体　「髪」の旧字体は「髮」。

出典　『史記』〈藺相如伝《りんしょうじょでん》〉

類義語　怒髪衝冠《どはつしょうかん》、怒髪指冠《どはつしかん》、頭髪上指《とうはつじょうし》

吐哺握髪　とほあくはつ　2級

意味　**すぐれた人材を求めるのに熱心なこと。**「吐哺」は、口の中の食べ物を吐き出すこと、「握髪」は、洗髪中に髪を握って洗うのを中断する意。

補説　「握髪吐哺」ともいう。

字体　「髪」の旧字体は「髮」。

故事　昔、中国の周公旦《たん》が来客があると、食事中のときには口の中の食べ物を吐き出し、入浴中のときには濡《ぬ》れた髪を握ったたますぐに出迎え、有能な人材を求めたという故事から。

出典　『韓詩外伝《かんしがいでん》』〈三〉

類義語　吐哺捉髪《とほそくはつ》

土崩瓦解　どほうがかい　2級

意味　**物事が根底から崩れ、もはや手のほどこしようもない状態のこと。**土が崩《くず》れ、瓦《かわら》がくだけること。

補説　「瓦解土崩」ともいう。

出典　『史記』〈秦始皇紀《しんしこうき》〉

土崩魚爛　どほうぎょらん　1級

⇩魚爛土崩（ぎょらんどほう）

途方途轍　とほうとてつ　準1級

意味　**すじみち。理屈。**また、**方法の意。**「途方」は方法・みちすじの意。「途轍」は通ってゆく道の意から、方法、みちすじの意。ほぼ同意の熟語をかさねて意味を強めた四字句。

注意　「途轍」を「途徹」と書き誤らない。

土木形骸　どぼくけいがい　2級

意味　**体を自然の土や石のようにする。人が飾らず自然のままでいることをいう。**「形骸」は人のからだ、「土木」は土と石と木などで自然物を象徴する語。

補説　「形骸《けいがい》を土木《どぼく》にす」とも読む。また「形骸土木」ともいう。

出典　『世説新語《せせつしんご》』〈容止《ようし》〉

土木壮麗　どぼくそうれい　準2級

意味　**庭園や建物が壮大で美しいこと。**

「土木」は家の造作の称で、庭や建物の意。「壮」は大きく広いこと。
字体　「壮」の旧字体は「壯」。
出典　『国史略《こくしりゃく》』〈円融天皇《えんゆうてんのう》〉

吐哺捉髪　とほそくはつ　2級

⇨吐哺握髪（とほあくはつ）

塗抹詩書　とまつししょ　準2級

意味　**幼児のいたずら。**また、**幼児のこと。**幼児は大切な経書《けいしょ》である『詩経《しきょう》』や『書経《しょきょう》』でもおかまいなくぬりつぶしてしまうことからいう。
補説　「詩書を塗抹《とまつ》す」とも読む。
出典　盧仝《ろどう》の「示添丁《てんていにしめす》‐詩」

左見右見　とみこうみ　準1級

意味　**あっちを見たりこっちを見たりすること。**また、**あちらこちらに気を配ること。**左を見たり、右を見たりの意。
補説　「と」「こう（「かく」の転）」はともに副詞で、そのように、このようにの意。
類義語　右顧左眄《うこさべん》

杜黙詩撰　ともくしさん　準1級

意味　**詩文や著作などに誤りが多く、いいかげんなこと。**「杜黙」は人の名、「詩撰」は詩文を作ること。
補説　略して「杜撰《ずさん》」ともいう。「撰」は「せん」とも読む。
字体　「黙」の旧字体は「默」。
故事　中国宋《そう》の詩人杜黙の作る詩のほとんどが、定型詩の格式に合っていなかったという故事から。
出典　『野客叢書《やかくそうしょ》』〈八・杜撰《ずさん》〉
類義語　杜撰脱漏《ずさんだつろう》

屠羊之肆　とようのし　1級

意味　**羊を殺してその肉を売る店のこと。**「屠」は牛馬などを殺すこと。「肆」はここでは店の意。
出典　『荘子《そうじ》』〈譲王《じょうおう》〉

斗量帚掃　とりょうそうそう　1級

意味　**自分のことを謙遜《けんそん》していう語。**また、**人や物があり余るほどあること。**「斗量」はますで量《はか》る、「帚掃」はほうきで掃く意。ますで量り、ほうきで掃きすてるほどの、たいしたことはない人間の意。また、それほどたくさんあること。
出典　『日本外史《にほんがいし》』〈源氏正記《げんじせいき》〉

屠竜之技　とりょうのぎ　1級

意味　**学んでも実際には役立たない技術。**竜を殺す技《わざ》を練習しても、現実には竜はいないのでその技は役立たないこと。
補説　「屠竜」は「とりゅう」とも読む。
字体　「竜」の旧字体は「龍」。
出典　『荘子《そうじ》』〈列禦寇《れつぎょこう》〉

呑雲吐霧　どんうんとむ　準1級

意味　**仙術（仙人の行う術）を行う方士《ほうし》（医術・占い・仙術を行う人）が、変幻の術で雲をのみ霧をはくこと。**
補説　「雲を呑《の》み霧を吐《は》く」とも読む。
出典　沈約《しんやく》の「効居賦《こうきょのふ》」

呑花臥酒　どんかがしゅ　準1級

意味　**春の行楽をつくすことをいう。**「呑花」は花をめでて酒を酌む意。また花をはなはだしくめでること。「臥酒」は酒を飲んで気持ちよくなり横になること。
補説　「花《はな》に呑《の》み酒《さけ》に臥《ふ》す」とも読む。
出典　『雲仙雑記《うんぜんざっき》』〈五〉

呑牛之気　どんぎゅうのき　準1級

意味　**気持ちが広く大きいこと。**牛を丸呑みにするほど意気が盛んなこと。
字体　「気」の旧字体は「氣」。
出典　杜甫《とほ》の「徐卿二子歌《じょけいにしか》」
類義語　食牛之気《しょくぎゅうのき》

敦煌五竜　とんこうごりょう　（1級）

意味　晋《しん》代に敦煌《とんこう》の人で太学（朝廷の大学）で名声のあった五人の称。索靖《さくせい》、索《さく》紒《しん》、索永《さくえい》、氾衷《はんちゅう》、張甝《ちょうかん》。「敦煌」は甘粛《かんしゅく》省北西部の地で、西域《せいいき》との交通の要衝。

補説　「敦煌」は「燉煌」とも書く。「五竜」は「ごりゅう」とも読む。

字体　「竜」の旧字体は「龍」。

出典　『晋書《しんじょ》』〈索靖伝《さくせいでん》〉

吞舟之魚　どんしゅうのうお　（準1級）

意味　**大人物や傑出した才能をもつ者のたとえ。**船を吞み込むほどの大きな魚。転じて、大人物・大物のたとえ。

出典　『荘子《そうじ》』〈庚桑楚《こうそうそ》〉

類義語　吞波《どんぱ》之《の》魚《うお》

頓首再拝　とんしゅさいはい　（2級）

意味　**頭を下げてうやうやしく礼をすること。**「頓首」は頭を地面に打ちつけるおじぎ、「再拝」は再び拝む意。手紙の最後に書いて、相手への敬意を表す語。

字体　「拝」の旧字体は「拜」。

吞炭漆身　どんたんしっしん　（準1級）

⇩漆身吞炭（しっしんどんたん）

豚蹄穣田　とんていじょうでん　（準1級）

意味　**わずかなものから大きな利益を得ようとすること。**「豚蹄」は豚のひづめ、「穣田」は田んぼの豊作を祈る意。豚のひづめを供えて、豊作を神に祈るということから。

出典　『史記』〈淳于髡伝《じゅんうこんでん》〉

吞刀刮腸　どんとうかっちょう　（1級）

意味　**心を入れ替えて善になることのたとえ。**刀を吞《の》んで腸をけずり汚れを除き去る意。「刮」ははけずる意。

補説　「刀《かたな》を吞んで腸《ちょう》を刮《けず》る」とも読む。

出典　『南史《なんし》』〈荀白玉伝《じゅんはくぎょくでん》〉

敦篤虚静　とんとくきょせい　（準1級）

意味　**人情に厚くて心にわだかまりがなく、静かに落ち着いていること。**「敦篤」は人情が厚いこと、「虚静」は心がすなおで静かな意。

字体　「静」の旧字体は「靜」。

出典　『近思録《きんしろく》』〈存養《そんよう》〉

類義語　温柔敦厚《おんじゅうとんこう》、敦厚周慎《とんこうしゅうしん》

吞吐不下　どんとふげ　（準1級）

意味　**他人に何とも応答できないことのたとえ。**飲むことも吐くこともできない意。仏教の語。

注意　「不下」を「ふか」と読まない。

出典　『虚堂録《きょどうろく》』〈一〉

吞波之魚　どんぱのうお　（準1級）

⇩吞舟之魚（どんしゅうのうお）

【な】

内剛外柔　ないごうがいじゅう　（準2級）

⇩外柔内剛（がいじゅうないごう）

内柔外剛　ないじゅうがいごう　（準2級）

意味　**内心は気が弱いのだが、外見は強そうに見えること。**内は柔《やわ》らかで外は剛《かた》い意。

補説　「内《うち》は陰《いん》にして外《そと》は陽《よう》なり、内柔にして外剛なり、内小人《しょうじん》にして外君子なり」による。「外剛内柔」ともいう。

出典　『易経《えききょう》』〈否《ひ》・彖伝《たんでん》〉

対義語　外柔内剛《がいじゅうないごう》、内剛外柔《ないごうがいじゅう》

内清外濁　ないせいがいだく　（4級）

意味　**内心は清潔さを保持しながら、うわべは汚れたさまを装い、俗世間とう**

まく妥協しながら生きていくこと。乱世で身を保持する処世術。

補説　「内は清く外は濁《にご》る」とも読む。

類義語　和光同塵《わこうどうじん》

内政干渉　ないせいかんしょう　準2級

意味　**ある国の政治・外交などに他の国が口出しすること。**国家または数国家が、他の国の政治・外交などに介入し、その主権を束縛・侵害することをいう。

内疎外親　ないそがいしん　準2級

意味　**外見は親しそうにしているが内心では疎《うと》んじていること。**「疎」はうとんじる、きらう、遠ざける意。

出典　『韓詩外伝《かんしがいでん》』〈二〉

内憂外患　ないゆうがいかん　準2級

意味　**内部にも外にも問題が多く、心配事が多いこと。**「内憂」は国内の心配事、「外患」は外国との間に起こる煩わしい諸問題。

出典　『春秋左氏伝《しゅんじゅうさしでん》』〈成公《せいこう》一六年〉

類義語　内患外禍《ないかんがいか》

南無三宝　なむさんぼう　準2級

意味　**仏・法・僧の三宝を唱えて仏に帰依《きえ》すること。**また、なにかにしくじったとき発する言葉。

字体　「宝」の旧字体は「寶」。

南轅北轍　なんえんほくてつ　1級

⇨**北轍南轅**（ほくてつなんえん）

南郭濫吹　なんかくらんすい　3級

意味　**無能な者が才能があるように見せかけて、よい地位を占めること。**また、そのような人。「南郭」は人の名、「濫吹」はみだりに笛を吹くこと。

故事　「濫竽充数《らんうじゅうすう》」の項参照。

出典　『韓非子《かんぴし》』〈内儲説《ないちょせつ》・上〉

類義語　南郭濫竽《なんかくらんう》

南橘北枳　なんきつほくき　1級

意味　**人も住む環境によって、よくも悪くもなること。**江南の橘《たちばな》を江北に移植すると食べられない枳《からたち》に変わることから。

出典　『晏子春秋《あんししゅんじゅう》』〈内篇《ないへん》・雑・下〉

類義語　墨子泣糸《ぼくしきゅうし》

難行苦行　なんぎょうくぎょう　5級

意味　**たいへんな苦労をすること。**多くの苦痛や困難にたえてする修行。

注意　「苦行」を「苦業」と書き誤らない。

出典　『法華経《ほけきょう》』〈提婆達多品《だいばだったほん》〉

輭紅塵中　なんこうじんちゅう

意味　**繁華な都会の中。**転じて、繁華な都会の地の意。「輭紅」はやわらかな花びら。「輭」は「軟」と同じ。「塵中」は華やかでにぎやかな町のほこりの中。

補説　「輭紅」は「軟紅」とも書く。

類義語　輭紅香塵《なんこうこうじん》、軟紅車塵《なんこうしゃじん》

難攻不落　なんこうふらく　4級

意味　**攻めにくく簡単には陥落しないこと。**また、なかなか思いどおりにならないことのたとえ。

類義語　南山不落《なんざんふらく》、金城鉄壁《きんじょうてっぺき》、金城湯池《きんじょうとうち》

南洽北暢　なんこうほくちょう　1級

意味　**天子の威光と恩恵が四方八方に広くゆきわたること。**「洽」「暢」ともに広くゆきわたること。

出典　『漢書《かんじょ》』〈終軍伝《しゅうぐんでん》〉

南山捷径　なんざんしょうけい　準1級

⇨**終南捷径**（しゅうなんしょうけい）

南山之寿　なんざんのじゅ　準1級

意味　**南山が欠けず崩れないように、**

事業がいつまでも栄え続くこと。転じて、**長寿を祝う言葉。**「南山」は終南山《しゅうなんざん》で、長《ちょう》安《あん》の南にある山。大山であることから長寿、堅固の象徴。

字体　「寿」の旧字体は「壽」。

出典　『詩経《しきょう》』〈小雅《しょうが》・天保《てんぽう》〉

類義語　万寿《ばんじゅ》無《む》疆《きょう》、南山《なんざん》不落《ふらく》

南山不落　なんざん ふらく

5級

意味　**城などが堅固で容易には陥落しないことのたとえ。**終南山が崩れないのと同じように永久に崩壊しない意。

類義語　難攻不落《なんこうふらく》、金城鉄壁《きんじょうてっぺき》、金城湯池《きんじょうとうち》

南征北伐　なんせい ほくばつ

3級

意味　**あちこちで戦い、いとまのないたとえ。**南方や北方で遠征や征伐を繰り返す意。「征」「伐」ともに戦う意。

出典　呉鼓吹曲《ごこすいきょく》十二曲の「伐烏林《ばつうりん》」

類義語　南征北討《なんせいほくとう》

南船北馬　なんせん ほくば

5級

意味　**あちこち広く旅行すること。**中国では、南は川が多いので船を使い、北は山が多く馬で往来したことによる。

出典　『淮南子《えなんじ》』〈斉俗訓《せいぞくくん》〉

類義語　東奔西走《とうほんせいそう》、東走西奔《とうそうせいほん》、東行西走《とうこうせいそう》、南行北走《なんこうほくそう》

難中之難　なんちゅうの なん

準1級

意味　**むずかしいことの中でも最高にむずかしいこと。**至難のこと。

南都北嶺　なんと ほくれい

準1級

意味　**奈良と比叡山《ひえいざん》。**また、**奈良の興《こう》福寺《ふくじ》と比叡山の延暦寺《えんりゃくじ》。**「南都」は奈良のこと。また比叡山(延暦寺)を「北嶺」というのに対して奈良の興福寺をいう。

出典　『歎異抄《たんにしょう》』〈二〉

南蛮鴃舌　なんばん げきぜつ

1級

意味　**うるさいだけで意味のわからない言葉。**「鴃舌」は百舌《もず》のさえずりのこと。南方の蛮人《ばんじん》が話すわからない言葉。意味不明の外国人の話しぶり。

字体　「蛮」の旧字体は「蠻」。

出典　『孟子《もうし》』〈滕文公《とうぶんこう》・上〉

南蛮北狄　なんばん ほくてき

1級

意味　**古く中国人が南方や北方の異民族をさげすんで称したもの。**「南蛮」は南方のえびす、文化未開の民族、「北狄」は古代中国で、北方の異民族の称。

字体　「蛮」の旧字体は「蠻」。

類義語　夷蛮戎狄《いばんじゅうてき》、東夷西戎《とういせいじゅう》

【に】

二河白道　にが びゃくどう

準2級

意味　**水と火の二つの川に挟まれたひとすじの白い道。極楽の彼岸《ひがん》に到達する道にたとえたもの。**水の川と火の川を貪《むさぼ》りと怒りにたとえ、この二つの川に挟まれた白い道を彼岸に至る信心の道にたとえ、煩悩《ぼんのう》にまみれた人でも念仏ひとすじにつとめれば悟りの彼岸に至ることができるという。仏教の語。

注意　「白道」を「はくどう」と読まない。

出典　『観経散善義《かんぎょうさんぜんぎ》』

肉山脯林　にくざん ほりん

1級

意味　**ぜいたくな宴会のこと。**「脯」は干し肉のこと。なま肉が山のように、干し肉が林のように多いこと。夏《か》の桀王《けつおう》の故事。→「酒池肉林《しゅちにくりん》」

出典　『帝王世紀《ていおうせいき》』

類義語　酒池肉林《しゅちにくりん》、肉山酒海《にくざんしゅかい》

肉食妻帯　にくじき さいたい

準2級

意味　**僧が肉を食べ妻をもつこと。**明

治時代以前は浄土真宗を除いて禁じられていた。

補説 「肉食」は「にくしょく」とも読む。

字体 「帯」の旧字体は「帶」。

肉袒牽羊 にくたんけんよう （1級）

意味 **降伏して臣下となることを請い願うこと。** 肌をぬいで上半身をあらわし羊をひくこと。降伏のとき、思いのままに罰してよいとの意志を示す。「肉袒」は肌ぬぎして上半身をあらわすこと、「牽羊」は料理人として仕える意。

補説 「肉袒して羊を牽《ひ》く」とも読む。

注意 「牽」を「索」と書き誤らない。

出典 『春秋左氏伝《しゅんじゅうさしでん》』〈宣公《せんこう》一二年〉

類義語 肉袒負荊《にくたんふけい》

肉袒負荊 にくたんふけい （1級）

意味 **思うままに処罰せよと謝罪する作法のこと。真心からの謝罪のたとえ。** はだ脱ぎして、笞刑《ちけい》に用いるいばらのつえを背負い、これで打ってくれと謝罪の意を示すことから。「荊」はいばらのむち、罪人を打って罰するつえ。「袒」ははだぬぐ意。

補説 「肉袒《にくたん》して荊《けい》を負《お》う」とも読む。また「荊」は「刑」とも書く。

故事 「刎頸《ふんけい》之《の》交《まじわり》」の項参照。

出典 『史記』〈廉頗《れんぱ》藺相如伝《りんしょうじょでん》〉

類義語 廉頗《れんぱ》負荊《ふけい》、肉袒面縛《にくたんめんばく》

二者択一 にしゃたくいつ （3級）

意味 **二つのものごとのうち一つを選ぶこと。** 「二者択一を迫られる」などという。「択」はえらび取る意。

字体 「択」の旧字体は「擇」。

類義語 二者選一《にしゃせんいつ》

二姓之好 にせいのこう （準1級）

意味 **夫の家と妻の家との親しい交際のこと。** 結婚に際していう。

出典 『礼記《らいき》』〈昏義《こんぎ》〉

二束三文 にそくさんもん （5級）

意味 **極端に安い値で品物を売ること。** 捨て値。たたき売りの値段。二たばで三文にしか売れないこと。

補説 「二束」は「二足」とも書く。

日常坐臥 にちじょうざが （準1級）

意味 **日常いつでもの意。** ふだん。日常すわっているときもねているときもの意から。

類義語 常住坐臥《じょうじゅうざが》

日常茶飯 にちじょうさはん （4級）

意味 **ごくありふれたこと。** 毎日の食事の意から。「日常茶飯事」「茶飯事」ともいう。

類義語 家常茶飯《かじょうさはん》

日陵月替 にちりょうげったい （3級）

意味 **日に日に衰えること。** 「陵」「替」ともしだいに衰える意。

補説 「日《ひ》に陵《りょう》し月《つき》に替《たい》す」とも読む。また「日陵」は「じつりょう」とも読む。

出典 『貞観政要《じょうがんせいよう》』〈君道《くんどう》〉

日居月諸 にっきょげっしょ （5級）

意味 **日よ月よ。** 君と臣、また国君とその夫人、また父母にたとえる。「居」「諸」は語末の助字。

補説 「日や月や」とも読む。

出典 『詩経《しきょう》』〈邶風《はいふう》・日月《じつげつ》〉

日昃之労 にっしょくのろう （1級）

意味 **昼食も食べずに昼過ぎまで苦労して働くこと。** 「日昃」は昼過ぎ、未《ひつじ》の刻。今の午後二時頃。「昃」は日が西に傾く意。

字体 「労」の旧字体は「勞」。

出典 『後漢書《ごかんじょ》』〈陳元伝《ちんげんでん》〉

日進月歩　にっしん げっぽ　5級

意味　**とどまることなく急速に進歩すること。**日に月に進歩する意。

注意　「日進」を「日新」と書き誤らない。

類義語　日就月将《にっしゅうげっしょう》、日新月異《にっしんげっつい》

対義語　旧態依然《きゅうたいいぜん》

二人三脚　ににん さんきゃく　4級

意味　**二人が互いに助け合って事に当たること。**二人三脚は、二人が肩を組み、隣り合った足首をしばり三脚の形をつくって走る競技。

入境問禁　にゅうきょう もんきん　5級

意味　**国境を越えたら、まずその国・地方で禁止されていることをたずね、それを犯さないことがたいせつであるということ。**

補説　「境《さかい》に入《い》りては禁《きん》を問《と》う」とも読む。

出典　『礼記《らいき》』〈曲礼《きょくらい》・上〉

類義語　入郷従郷《にゅうきょうじゅうきょう》、殊俗《しゅぞく》帰風《きふう》

入木三分　にゅうぼく さんぶ　5級

意味　**書道で筆勢が非常に強いこと。**また、**物事を的確に深くつっこんで考えること。**「入木」は木にしみこむ意、「分」は長さの単位で、「三分」は約七ミリ。

補説　「入木」は「じゅぼく」とも読む。

故事　中国東晋《とうしん》の書家王羲之《おうぎし》は筆勢がきわめて強く、文字を記した木片を削ってみたところ、三分の深さにまで墨がくい込んでいたという故事から。また、書道のことを「入木道《じゅぼくどう》」というのはこの故事による。

出典　『説郛《せっぷ》』八七引『書断《しょだん》』〈王羲之《おうぎし》〉

如是我聞　にょぜ がもん　準2級

意味　**経典の初めにある語。**私はこのように伝え聞いたという意。

補説　「是《かく》の如《ごと》く我《われ》は聞けり」とも読む。

女人禁制　にょにん きんせい　4級

意味　**修行の妨げになるとして女人が寺や聖域山内に入ることを禁じたこと。**明治初年まで高野山・比叡山《ひえいざん》はこれを守った。

補説　「禁制」は「きんぜい」とも読む。

如法暗夜　にょほう あんや　準2級

意味　**まっくらやみのこと。**暗黒の闇《やみ》、真のやみをいう。「如法」は副詞的に使っており、まったく・文字通りの意。「暗夜」はやみよのこと。

二律背反　にりつ はいはん　5級

意味　**相互に対立・矛盾する二つの命題が、同等の権利をもって主張されること。**ドイツ語のアンチノミーの訳語。

二六時中　にろくじ ちゅう　5級

意味　**一日じゅう。終日。いつも。しじゅう。**昔、一日を昼六つ、夜六つにくぎり合計十二時としたことによる。

類義語　四六時中《しろくじちゅう》

忍気呑声　にんき どんせい　準1級

意味　**怒りをこらえて声に出さないこと。**遠慮して憤《いきどお》りを押さえ、言いたいこともあえて言わないでいること。

補説　「気を忍《しの》び声を呑《の》む」とも読む。

字体　「気」の旧字体は「氣」、「声」の旧字体は「聲」。

類義語　忍之一字《にんのいちじ》、隠忍自重《いんにんじちょう》

【ね】

熱願冷諦　ねつがん れいてい　2級

意味　**熱心に願うことと冷静に本質を**

見つめること。「諦」は明らかによく見る。

涅槃寂静 ねはんじゃくじょう (1級)

意味 **涅槃は苦しみのない安穏《あんのん》な理想境であるということ。**「涅槃」は煩悩《ぼんのう》を脱して永遠の生命を得ること。

字体 「静」の旧字体は「靜」。

拈華微笑 ねんげみしょう (1級)

意味 **言葉によらず、心から心へ伝えること。**「拈華」は華《はな》を指先で拈《ひね》ること。

故事 釈迦《しゃか》が弟子に説法しているとき、はすの花をひねって見せたが、弟子たちはその意味がわからずただ一人迦葉《かしょう》だけが悟ってにっこりと笑った。そこで釈迦は彼に仏法の奥義を授けたという故事から。

類義語 破顔微笑《はがんみしょう》、以心伝心《いしんでんしん》、教外別伝《きょうげべつでん》、不立文字《ふりゅうもんじ》、維摩一黙《ゆいまいちもく》

年災月殃 ねんさいげつおう (1級)

意味 **最も不幸な日のこと。**「年災」は天災で穀物が実らないこと。「殃」はわざわい・とがめ・天罰。

出典 『還魂記《かんこんき》』〈詗薬《けいやく》〉

燃犀之明 ねんさいのめい (準1級)

意味 **物事の本質を明らかに見抜く見識のあることのたとえ。**「犀」はさいのことだが、ここではさいの角《つの》を指す。「燃犀」は暗い所を明らかに照らすこと。これを燃やすとよく水中を照らすといわれた。

故事 中国、東晋《とうしん》の温嶠《おんきょう》が深く怪物がすむといわれた牛渚磯《ぎょしょき》をさいの角を燃やして探ったところ果たして水底に怪物がいた故事から。

出典 『晋書《しんじょ》』〈温嶠伝《おんきょうでん》〉

類義語 燃犀之見《ねんさいのけん》

年年歳歳 ねんねんさいさい (4級)

意味 **毎年毎年。** くる年もくる年も。

補説 出典の「年年歳歳花《はな》相《あい》似《に》たり、歳歳年年人《ひと》同《おな》じからず」による。「歳歳年年」ともいう。

出典 劉希夷《りゅうきい》の「代悲白頭翁《はくとうをかなしむおきなにかわる》-詩」

燃眉之急 ねんびのきゅう (準1級)

意味 **危険が非常にさし迫っていること。** 眉《まゆ》が燃えるほど火が迫ってあぶないこと。

類義語 焦眉之急《しょうびのきゅう》

年百年中 ねんびゃくねんじゅう (5級)

意味 **一年中。いつも。** たえず。年がら年中。

類義語 年頭月尾《ねんとうげつび》

念仏三昧 ねんぶつざんまい (2級)

意味 **一心不乱に念仏をとなえ、雑念をはらい、心を統一すること。**「念仏」は阿弥陀仏《あみだぶつ》の名号《みょうごう》をとなえること。

字体 「仏」の旧字体は「佛」。

【の】

嚢沙之計 のうしゃのけい (準1級)

意味 漢の将軍韓信《かんしん》が多くの土嚢《どのう》で川の上流をせきとめ、敵が川を渡ろうとするとき一挙に水を流し敵を打ち破ったという計略のこと。

出典 『史記』〈淮陰侯伝《わいいんこうでん》〉

嚢中之錐 のうちゅうのきり (準1級)

意味 **すぐれた人物は、平凡な人の中にいても必ず才能を発揮し真価があらわれることのたとえ。** 袋の中に入れた錐はその先が袋を破って出てくることからいう。袋の中の錐。

補説 出典には「夫《そ》れ賢士《けんし》の世に処《お》るや、譬《たと》えば錐《きり》の嚢中《のうちゅう》に処《お》るが如《ごと》し。其《そ》の末《すえ》立ちどころに見《あら》わる」とある。

出典 『史記』〈平原君伝《へいげんくんでん》〉
類義語 嚢中《のうちゅう》之《の》穎《えい》

能鷹隠爪 のうよう いんそう
準1級

意味 **人よりすぐれた能力をもつ人はその力量をやたらに人前で誇示するようなことはしないということ。**「能鷹」は才能のある人のたとえ。「隠爪」は力量をやたらに誇示しない奥ゆかしい態度をいう。
補説 「能ある鷹《たか》は爪を隠す」とも読む。
字体 「隠」の旧字体は「隱」。
注意 「爪」を「瓜」と書き誤りやすい。

【は】

佩韋佩弦 はいい はいげん
1級

⇩韋弦之佩（いげんの はい）

吠影吠声 はいえい はいせい
準1級

意味 **根拠がないようなことでも、誰かが言い始めると世間の人がさも本当のことのように言い広めること。**「吠」は犬がほえること。一匹の犬が物影におびえてほえると、あたりにいる他の犬がそれにつられてみんなほえだすという意。
補説 「影に吠《ほ》え声に吠ゆ」とも読む。出典には「一犬形に吠ゆれば、百犬声に吠ゆ」とある。
字体 「声」の旧字体は「聲」。
出典 『潜夫論《せんぷろん》』〈賢難《けんなん》〉
類義語 吠形吠声《はいけいはいせい》、付和雷同《ふわらいどう》

稗官野史 はいかん やし
準1級

意味 **小説。また、民間のこまごましたことを歴史風に書いたもの。**昔中国で、政治を行う者が民間の物語やうわさ話などを集めて政治の参考にしたが、「稗官」はそれを集めた身分の低い役人。「稗」は「細」で民間のこまごました事がら。「野史」は王朝の正式な歴史書の正史に対して民間で書かれた歴史本のこと。

敗軍之将 はいぐんの しょう
準1級

意味 **失敗して、弁解する資格のない者のこと。**戦いに負けた大将の意。
補説 「敗軍の将以《もっ》て勇を言う可《べ》からず」の略。「敗軍の将は兵を語らず」の形で用いることが多い。
字体 「将」の旧字体は「將」。
出典 『史記』〈淮陰侯伝《わいいんこうでん》〉

杯賢杓聖 はいけん しゃくせい
準1級

意味 **杯と杓を聖賢にたとえて言ったもの。**「杯」はさかずき、「杓」は酒を酌むひしゃくの意。

売剣買牛 ばいけん ばいぎゅう
4級

意味 **戦争をやめて、農業を盛んにすること。武器を売り牛を買って、**
補説 「剣を売り牛を買う」とも読む。「買牛売剣」ともいう。
字体 「売」の旧字体は「賣」、「剣」の旧字体は「劍」。
故事 前漢の宣帝のときの勃海《ぼっかい》の長官龔遂《きょうすい》は盗賊を平定し、人民に倹約と農業を奨励した。刀《かたな》や剣《つるぎ》を持っている者に、それを売って牛を買うことをすすめた。人民は耕作に精を出し、収穫も増え税金も多く納めるようになったので、役人も人民も皆豊かになったという故事から。
出典 『漢書《かんじょ》』〈龔遂伝《きょうすいでん》〉
類義語 売刀買犢《ばいとうばいとく》

梅妻鶴子 ばいさい かくし
準1級

意味 **俗世を離れた清らかで風雅な隠《いん》遁《とん》生活のたとえ。**妻を娶《めと》らず梅や鶴《つる》をめでるような生活の意。
補説 「妻梅子鶴」ともいう。
故事 宋《そう》の林逋《りんぽ》が武林の西湖に隠棲し、妻をもたず家の周囲に梅を植え、子

のかわりに鶴を飼って孤高で清らかな生活を送った故事。

出典　『古今図《ここんと》書集成《しょしゅうせい》』引『詩話総亀《しわそうき》』

買妻恥醮　ばいさい ちしょう

意味　**夫を棄《す》てた妻がその後の結婚を恥じること。**「買妻」は朱買臣の妻。「醮」は嫁《とつ》ぐこと。

故事　漢の朱買臣の妻は貧乏に耐えきれず、将来富貴になるだろうという夫の言葉を信ぜず、夫のもとを去った。のちに会稽《かいけい》の太守となった買臣は、故郷で道路の工事人の妻となっているもとの妻を見て、夫とともに太守の宿舎につれ帰り、食事の世話をしたが、一か月後もとの妻は首をくくって自殺したという故事から。

出典　『漢書《かんじょ》』〈朱買臣伝《しゅばいしんでん》〉

吠日之怪　はいじつの あやしみ

準1級

意味　**見識の狭い者が、すぐれた言行をわけもわからず疑って非難すること。**

「吠日」は日にむかって犬がほえること。中国蜀《しょく》の地方は、山が高く雨も多いので日を見る機会が少ない。たまに太陽が出ると犬が怪しんでほえるということから。

補説　「怪」は「かい」とも読む。

類義語　蜀犬吠日《しょくけんはいじつ》、呉牛喘月《ごぎゅうぜんげつ》

倍日幷行　ばいじつ へいこう

1級

意味　**昼夜をわかたず急いで行くこと。**

「倍日」は二日分のこと、「幷」は合わせる意。二日分の行程を一日で行くこと。

補説　「日《ひ》を倍《ばい》して行《こう》を幷《あわ》す」とも読む。

出典　『史記』〈孫子伝《そんしでん》〉

類義語　倍道兼行《ばいどうけんこう》、昼夜兼行《ちゅうやけんこう》、連日連夜《れんじつれんや》

杯酒解怨　はいしゅ かいえん

2級

意味　**互いに酒を酌み交わし心からの会話を通して怨《うら》みやわだかまりを忘れる。**

「杯酒」はさかずきに酌んだ酒。また酒を飲むこと、杯を酌み交わすこと。

補説　「杯酒《はいしゅ》に怨《うら》みを解《と》く」とも読む。

出典　『唐書《とうじょ》』〈張延賞伝《ちょうえんしょうでん》〉

悖出悖入　はいしゅつ はいにゅう

1級

意味　**道理に反した法令を出せば人民の恨みの声となってはね返ってくる。**「悖」はそむく・さからう意。

補説　「悖《もと》りて出《い》づれば悖《もと》りて入《い》る」とも読む。

出典　『大学《だいがく》』

背信棄義　はいしん きぎ

3級

意味　**信義にそむき、道義を忘れること。**「背信」は信頼を裏切る、信義にそむくこと、「棄義」は道義を捨て去る意。

補説　「信に背《そむ》き義を棄《す》つ」とも読む。

廃寝忘食　はいしん ぼうしょく

準2級

意味　**ある事に熱中して、他の事をいっさい顧みないこと。**また、**ある事に専念して励むこと。**「廃寝」は寝るのをやめる、「忘食」は食事を忘れること。

補説　「寝を廃し食を忘る」とも読む。

字体　「廃」の旧字体は「廢」、「寝」の旧字体は「寢」。

出典　『魏書《ぎしょ》』〈趙黒伝《ちょうこくでん》〉

杯水車薪　はいすい しゃしん

4級

意味　**なんの役にも立たないこと。**「杯水」は杯《さかずき》に一杯の水、ほんのわずかな水のこと。「車薪」は車一台分の薪《たきぎ》の意。杯一杯の水で、車一台分の薪が燃えているのを消そうとする意。

補説　「一杯の水を以《もっ》て一車薪の火を救うがごとし」の略。

出典　『孟子《もうし》』〈告子《こくし》・上〉

類義語　杯水輿薪《はいすいよしん》

背水之陣　はいすいの じん

準1級

意味　**必死の覚悟で事に当たること。**

また、**後にひけない困難な状況や立場のこと。**川や海を背にして、退却できないような陣形で戦うことからいう。

故事　中国漢《かん》の韓信《かんしん》が趙《ちょう》と戦ったとき、自軍の兵が寄せ集めのうえ、遠征で疲れていたので、わざと川を背にした陣を敷いて退却できないようにし、決死の覚悟で前進して大勝利をおさめたという故事から。

出典　『史記』〈淮陰侯伝《わいいんこうでん》〉

類義語　破釜沈船《はふちんせん》

杯中蛇影　はいちゅうのだえい　準2級

意味　**疑い深くなり、ありもしないことに恐れ悩むこと。**酒杯の中に映った蛇の影の意。

故事　中国河南《かなん》の長官楽広《がくこう》の友人が酒を飲み、壁にかけた蛇を描いた弓が自分の酒杯に映ったのを蛇だと思って病気になったが、のち、弓であったことを聞いて病気が治ったという故事から。

出典　『晋書《しんじょ》』〈楽広伝《がくこうでん》〉

類義語　杯弓蛇影《はいきゅうだえい》、疑心暗鬼《ぎしんあんき》

買櫝還珠　ばいとくかんしゅ

意味　**外見の立派さにとらわれ、真の価値を見失ってつまらぬものを尊ぶこと。**「櫝」はふた付きの、物をしまう箱のこと。きれいな箱だけ買って、中の珠玉を返すということから。

補説　「櫝《とく》を買《か》いて珠《たま》を還《かえ》す」とも読む。

出典　『韓非子《かんぴし》』〈外儲説《がいちょせつ》・左上〉

類義語　得匣還珠《とっこうかんしゅ》

悖徳没倫　はいとくぼつりん　1級

意味　**人間としての道をはずれた行いのこと。**「悖徳」は道徳にそむくこと、「没倫」は倫理意識をなくす意。

補説　「徳に悖《もと》り倫《みち》を没す」とも読む。「悖徳」は「背徳」とも書く。

字体　「没」の旧字体は「沒」。

悖入悖出　はいにゅうはいしゅつ　1級

意味　**道理にそむいた手段で得た財貨は、道理にそむいた方法で出ていく。**道理にはずれたことをすれば道理にもとった報いを受けること。「悖」はそむく、さからう意。

補説　「悖《もと》りて入れば悖りて出づ」とも読む。

出典　『大学《だいがく》』

杯盤狼藉　はいばんろうぜき　1級

意味　**酒宴のあと、杯《さかずき》や皿が散らかっているさま。**また、**宴席の乱れたさま。**「杯盤」は杯と皿や小鉢のこと、「狼藉」は狼《おおかみ》が草を藉《し》(敷)いて寝たあとが乱れているさまをいう。

補説　「杯盤」は「盃盤」とも書く。

出典　『史記』〈淳于髡伝《じゅんうこんでん》〉

類義語　落花狼藉《らっかろうぜき》

廃仏毀釈　はいぶつきしゃく　2級

意味　**仏教を排斥すること。**「釈」は釈《しゃ》迦《か》のことで、「毀釈」は釈迦(仏教)をそしる意。一八六八(明治元)年の神仏分離令の公布とともに、寺・仏像などの破壊運動がおこった。

補説　「仏《ほとけ》を廃《はい》して釈《しゃく》を毀《そし》る」とも読む。「排仏棄釈」とも書く。

字体　「廃」の旧字体は「廢」、「仏」の旧字体は「佛」、「釈」の旧字体は「釋」。

注意　「廃仏」を「廃物」と書き誤らない。

敗柳残花　はいりゅうざんか　準2級

意味　**美人の容色が衰えたことのたとえ。**また、妓女《ぎじょ》や売春婦などのたとえ。枯れた柳と盛りを過ぎた花。中国では春を告げる柳と花を若々しい娘に見たて、柳葉眉《りゅうようび》・柳腰《りゅうよう》・花顔《かがん》を美人のたとえとして用いるが、その敗れ残《そこな》われた姿を称し

た言葉。

字体 「残」の旧字体は「殘」。

出典 『西廂記《せいしょうき》』

覇王之輔　はおうのほ　準1級

意味 **最も強くて力がある者の補佐役のこと。**「覇王」は覇者と王者のこと、「輔」はたすけ・力添えの意。

字体 「覇」の旧字体は「霸」。

出典 『史記』〈斉太公世家《せいたいこうせいか》〉

破戒無慙　はかいむざん　1級

意味 **戒律を破っても少しも恥じないこと。**仏教語で「破戒」は僧が戒律を破ること、「慙」は恥の意。

補説 「無慙」は「無慚」とも書く。

注意 「破戒」を「破壊」、「無慙」を「無残」と書き誤らない。

馬鹿慇懃　ばかいんぎん　1級

意味 **度を超してていねいなこと。**ばかていねい。また、慇懃《いんぎん》無礼《ぶれい》なこと。「慇懃」は丁寧なこと。ねんごろなこと。

類義語 馬鹿丁寧《ばかていねい》

馬鹿果報　ばかかほう　2級

意味 **思いがけずに大きな幸運を得るたとえ。**愚かな者は他人から憎まれたりしないので、かえってしあわせになれるということ。愚かな者が偶然に大きな幸運を得ること。

破顔一笑　はがんいっしょう　4級

意味 **顔をほころばせて、にっこり笑うこと。**「破顔」は顔をほころばせること、「一笑」はにっこりと軽く笑う意。

字体 「顔」の旧字体は「顏」。

注意 「一笑」を「一生」と書き誤らない。

対義語 笑比《しょうひ》河清《かせい》

波詭雲譎　はきうんけつ　1級

意味 **文章が自在で非常に巧妙なこと。**波や雲のように自由自在に限りなく変化すること。「詭」「譎」はあやしい、あざむく意。転じて人の目を奪い驚かす意。

出典 揚雄《ようゆう》の「甘泉賦《かんせんのふ》」

馬牛襟裾　ばぎゅうきんきょ　準1級

意味 **見識がなく無教養な者のこと。**また、**無礼な者のこと。**「襟裾」はえりとすそのことから転じて、衣服を着ること。馬や牛に衣服を着せただけの者ということから。

出典 韓愈《かんゆ》の詩

波及効果　はきゅうこうか　4級

意味 **波が広がるように伝わっていく物事の影響。**「波及」はある物事の余波が及ぶこと。だんだんと影響が及ぶこと。「効果」はその効きめ、結果のこと。

字体 「効」の旧字体は「效」。

破鏡重円　はきょうじゅうえん　5級

意味 **別れた夫婦がまたいっしょになること。**また、**離ればなれになっていた夫婦が再会すること。**「重」は重ねて・再びの意。割れた鏡が再びもとの円い鏡にもどる意から。

字体 「円」の旧字体は「圓」。

故事 陳の徐徳言《じょとくげん》が戦乱の最中、妻と別れるとき、再会のために鏡を半分に割ってそれぞれ一片を持っていたところ、再会できたという故事による。

出典 『太平広記《たいへいこうき》』一六六引『本事詩《ほんじし》』

対義語 破鏡《はきょう》不照《ふしょう》

灞橋驢上　はきょうろじょう

意味 **詩を作るのに絶好な場所のこと。**「灞橋」は長安の東にある灞水(川の名)にかかる橋、「驢」は驢馬《ろば》の背の上の意。

補説 「詩《し》思《し》は灞橋風雪の中、驢《ろ》子《し》の上

に在《あ》り」の略。

故事　中国唐の鄭綮《ていけい》に、ある人が近頃よい詩ができたかと尋ねたところ、鄭綮は「詩興は灞橋風雪の中、驢子の背上にあるときにこそわくもので、今のように俗事にかかわっているうちはよい詩はできない」と答えたという故事から。

出典　『北夢瑣言《ほくむさげん》』〈七〉

伯夷叔斉　はくい しゅくせい　準1級

意味　**高潔で清廉潔白な人のこと。**「伯夷」「叔斉」はともに人の名。

字体　「斉」の旧字体は「齊」。

故事　伯夷と叔斉は、中国殷《いん》の孤竹君《こちくくん》の子供で、父は弟の叔斉にあとを継がせようとしたが、二人は互いに譲りあって継がなかった。二人はのちに周の文王のもとに行ったが、文王の死後、武王が殷の紂王《ちゅうおう》を討とうとしたのでこれを諫《いさ》めたが聞き入れられず、首陽山に隠れて餓死したという故事から。

出典　『史記』〈伯夷伝《はくいでん》〉

類義語　伯夷之廉《はくいのれん》、伯夷之清《はくいのせい》

白衣蒼狗　はくい そうく　準1級

意味　**世の変化のはやいたとえ。**空の雲は白衣のように見えるかと思えばすぐに青い犬のように変わる意。「蒼狗」は青い犬・黒い犬。

補説　「蒼狗白衣」ともいう。

出典　杜甫《とほ》の「可歎《たんずべし》-詩」

白衣宰相　はくいの さいしょう　準2級

意味　**無位無官の人で宰相のような権勢をもつ人をいう。**「白衣」は無位無官の人。

出典　『唐書《とうじょ》』〈令狐滈伝《れいここうでん》〉

白衣三公　はくいの さんこう　5級

意味　**無位無官の人が出世して、高い位につくこと。**「白衣」は庶民の衣服のこと、転じて無位無官の人。「三公」は最も高い三つの位の意。

故事　中国漢の公孫弘《こうそんこう》が、無位無官の庶人から出世して、三公の一つ丞相《じょうしょう》にまでなったという故事から。

出典　『史記』〈儒林伝《じゅりんでん》〉

博引旁証　はくいん ぼうしょう　1級

意味　**広く資料を引用し、根拠をあげて事を論ずること。**「博引」は広く資料を集めて引用すること、「旁証」はあまねく根拠を示すこと。

字体　「証」の旧字体は「證」。

類義語　博引旁捜《はくいんぼうそう》、考証該博《こうしょうがいはく》

対義語　単文孤証《たんぶんこしょう》

白雲孤飛　はくうん こひ　3級

意味　**旅先で親を思うことのたとえ。**空に白い雲がぽつんと飛んでいるのを見て、その下に暮らす親を思い悲しむこと。

出典　『大唐新語《だいとうしんご》』〈挙賢《きょけん》〉

類義語　白雲親舎《はくうんしんしゃ》、望雲之情《ぼううんのじょう》

白屋之士　はくおくの し　準1級

意味　**仕官せず貧困な読書人をいう。**「白屋」は白い茅《かや》でふいた屋根の家、転じて庶民や貧乏人の家のこと。

出典　『説苑《ぜいえん》』〈尊賢《そんけん》〉

博学審問　はくがく しんもん　3級

意味　**幅広く学び、深く詳しく問いただすこと。**

補説　出典の「博《ひろ》く之《これ》を学び、審《つまび》らかに之を問い、慎《つつし》みて之を思い、明らかに之を弁じ、篤《あつ》く之を行う」による。

字体　「学」の旧字体は「學」。

出典　『中庸《ちゅうよう》』〈二〇章〉

博学多才　はくがく たさい　5級

意味　**広く学問に通じ、才能が豊かな**

こと。「博学」はいろいろな学問に通じていること、「多才」は才能や知識が豊富なこと、また、多くの領域について才能や知識があること。

字体 「学」の旧字体は「學」。

類義語 博学多識《はくがくたしき》、博聞強識《はくぶんきょうしき》、博覧強記《はくらんきょうき》

対義語 浅学非才《せんがくひさい》

博学篤志 はくがくとくし 3級

意味 **学問をする場合の教え。**また、**学問が広く熱心なこと。**広く学んで熱心にこころざす意。

補説 「博《ひろ》く学《まな》び篤《あつ》く志《こころざ》す」とも読む。

字体 「学」の旧字体は「學」。

出典 『論語』〈子張《しちょう》〉

伯牙絶弦 はくがぜつげん 2級

意味 **心からの友人を失った悲しみ。**「伯牙」は人の名、「絶弦」は琴の弦を切ること。

補説 「絶弦」は「絶絃」とも書く。

故事 中国春秋時代、琴の名手伯牙は友人の鍾子期《しょうしき》が死んだとき、もう自分の音楽を理解してくれる者はいなくなったと嘆いて、琴の弦を切り、二度と琴をひかなかったという故事から。

出典 『呂氏春秋《りょししゅんじゅう》』〈本味《ほんみ》〉

白眼青眼 はくがんせいがん 5級

意味 **相手によって冷淡になったり、歓迎したりすること。**「白眼」は白い目で、人を冷淡に見る目つきのこと。「青眼」は黒目がちの涼しい目で、人を歓迎する気持ちを表した目つきの意。

故事 中国晋《しん》の阮籍《げんせき》は竹林の七賢の一人で、形式的な道徳にこだわらない人であった。その阮籍が、好ましくない客には白眼で対し、好ましい客には青眼で迎えたという故事から。

出典 『晋書《しんじょ》』〈阮籍伝《げんせきでん》〉

莫逆之交 ばくぎゃくのまじわり 準1級

意味 **互いに心に逆らうことのない意気投合した親友。**「莫逆」の「莫」は「無」に同じ意で、逆らうことがない意。

補説 「交」は「こう」とも読む。

注意 「莫」を「幕」と書き誤らない。

出典 『北史《ほくし》』〈司馬膺之伝《しばようしでん》〉

類義語 莫逆之友《ばくぎゃくのとも》、莫逆之契《ばくぎゃくのちぎり》

璞玉渾金 はくぎょくこんきん 1級

意味 **人の素質がすぐれていて飾りけのないたとえ。**まだ精錬されていない鉱石とまだ磨かれていない玉の意で、天然の美質をいう。

補説 「渾金璞玉」ともいう。

注意 「璞玉」を「僕玉」と書き誤らない。

出典 『世説新語《せせつしんご》』〈賞誉《しょうよ》〉

白玉微瑕 はくぎょくのびか 1級

⇩**白璧微瑕**（はくへきのびか）

白玉楼中 はくぎょくろうちゅう 3級

意味 **文人の死のこと。**「白玉楼」は白玉で造った天帝の高楼のことで、文人が死ぬとそこへ行くという。

補説 「白玉楼中の人となる」「白玉楼中の人と化す」の略。語構成は「白玉楼」＋「中」。

字体 「楼」の旧字体は「樓」。

故事 中唐の詩人李賀《りが》が死ぬときに、臨終の枕元《まくらもと》に天使が現れて「天帝が白玉楼を完成させ、あなたを招いてその記《き》を書かせることになった」と伝えたという故事から。

出典 『唐詩紀事《とうしきじ》』〈李賀《りが》〉

類義語 白玉楼成《はくぎょくろうせい》

白虹貫日 はくこうかんじつ 準1級

意味 **真心が天に通じること。**また、**兵乱が起こり危機が迫る兆候のこと。**白

い虹《にじ》が太陽を貫くという意。

補説　「白虹《はくこう》、日《ひ》を貫《つらぬ》く」とも読む。

出典　『戦国策《せんごくさく》』〈魏策《ぎさく》〉

博識洽聞　はくしき こうぶん　1級

意味　**見聞が広く物事をよく知っていること。**「博識」は広く知る、「洽聞」は広く聞くという意。

補説　「洽聞」は「広聞」とも書く。

類義語　博物広聞《はくぶつこうぶん》、博聞強記《はくぶんきょうき》、博聞強《はくぶんきょう》識《しき》、博覧強記《はくらんきょうき》

博施済衆　はくし さいしゅう　3級

意味　**広く恩恵を施して、民衆を苦しみから救うこと。**「博施」はくまなく行きわたる、広く施すこと、「済衆」は危険や困難から人を救う意。

補説　「博《ひろ》く施《ほどこ》して衆を済《す》う」とも読む。

字体　「済」の旧字体は「濟」。

注意　「博施」を「博士」と書き誤らない。

出典　『論語』〈雍也《ようや》〉

薄志弱行　はくし じゃっこう　4級

意味　**意志が弱く実行力が乏しいこと。**「薄志」は意志が薄弱なこと、「弱行」は実行力の弱いこと。

類義語　意志薄弱《いしはくじゃく》、優柔不断《ゆうじゅうふだん》

白日昇天　はくじつ しょうてん　3級

意味　**仙人になること。**また、**急に富貴になること。**卑しい者が急に出世すること。「白日」はひるま、また照り輝く太陽のこと。「昇天」は天に昇る意。

白日青天　はくじつ せいてん　5級

⇩**青天白日**（せいてん はくじつ）

白砂青松　はくしゃ せいしょう　4級

意味　**美しい海岸の景色のこと。**白い砂と青々とした松が続く海岸線をいう。

補説　「白砂」は「白沙」とも書き、また、「はくさ」とも読む。

麦秀黍離　ばくしゅう しょり　準1級

意味　**亡国の嘆きをいう。**→「麦秀之《ばくしゅうの》歌《うた》」「黍離之歎《しょりのたん》」

字体　「麦」の旧字体は「麥」。

注意　「麦秀」を「麦秋」と書き誤らない。「麦秋」は陰暦四月の称。

類義語　麦秀之歌《ばくしゅうのうた》、麦秀之歎《ばくしゅうのたん》、黍離之歎《しょりのたん》

麦秀之歌　ばくしゅうの うた　準1級

意味　**故国の滅亡を嘆くこと。**殷《いん》の王族であった箕子《きし》が殷王朝の滅亡後、殷の故都を過ぎその廃墟《はいきょ》に麦が伸びているのを見て悲しみ作った歌。「麦秀」は麦が伸びること。

字体　「麦」の旧字体は「麥」。

注意　「麦秀」を「麦秋」と書き誤らない。「麦秋」は陰暦四月の称。

出典　『史記』〈宋微子世家《そうびしせいか》〉

類義語　麦秀之歎《ばくしゅうのたん》

拍手喝采　はくしゅ かっさい　2級

意味　**手をたたいて、おおいにほめたたえること。**「喝采」はやんやとほめはやすこと。

白首窮経　はくしゅ きゅうけい　準2級

意味　**老年になるまで学問研究に励むこと。**「白首」はしらがあたま・老人のこと、「窮経」は経書を研究する意。

字体　「経」の旧字体は「經」。

出典　蘇轍《そてつ》の文

白水真人　はくすい しんじん　5級

意味　**中国後漢王朝の興起を予言したことば。**また、**銭のこと。**

字体　「真」の旧字体は「眞」。

故事　中国新《しん》の王莽《おうもう》のとき、銭の表面の文字に金刀とあったのを二字合わせる

と劉《りゅう》の字になるので、劉氏が興る予兆と忌みきらって文字を貨泉と改めた。この泉・貨の文字を分けると泉は白水、貨は真人となるので、光武帝が白水郷から興る前兆となったということから。

出典　『後漢書《ごかんじょ》』〈光武紀《こうぶき》・論〉

麦穂両岐　ばくすいりょうき　準2級

意味　**豊作のまえぶれのこと。**また、善政のたとえ。「麦穂」は麦の穂《ほ》、「両岐」は二またに分かれる意。麦の穂が二またになって実るという意。

字体　「麦」の旧字体は「麥」、「穂」の旧字体は「穗」、「両」の旧字体は「兩」。

注意　「麦穂」を「ばくほ」と読まない。

出典　『後漢書《ごかんじょ》』〈張堪伝《ちょうかんでん》〉

百代過客　はくたいのかかく　準1級

⇩**百代過客**（ひゃくだいのかかく）

伯仲叔季　はくちゅうしゅくき　準2級

意味　**兄弟の順序の呼称。**長兄を伯、次兄を仲、次を叔、末弟を季という。

出典　『論語』〈微子《びし》〉

伯仲之間　はくちゅうのかん　準1級

⇩**勢力伯仲**（せいりょくはくちゅう）

幕天席地　ばくてんせきち　5級

意味　**小さいことにこだわらないこと。**また、**志の大きいこと。**「席」は、むしろのこと。天を屋根のかわりの幕とし、大地をむしろとするの意で、士気が雄大で豪放なことの形容。

補説　「天を幕《まく》とし地を席《せき》とす」とも読む。

注意　「幕天」を「暮天」「墓天」などと書き誤りやすい。

出典　劉伶《りゅうれい》の「酒徳頌《しゅとくしょう》」

白兎赤烏　はくとせきう　準1級

意味　**時間のこと。**「白兎」は月にうさぎがいるという伝説から月のことをいう。「赤烏」は太陽の中に三本足のからすがいるという伝説から太陽（日）のことをいう。月日ということから時間の意。

注意　「赤烏」を「赤鳥」と書き誤らない。

出典　白居易《はくきょい》の「勧酒《さけをすすむ》-詩」

白茶赤火　はくとせきか　1級

意味　**一面に軍を展開すること。**兵が一面に白い花のようにちり、赤い火が燃えさかるように展開すること。「茶」はちがや・のげし・にがな。

注意　「茶」を「茶」と書き誤りやすい。

出典　『国語《こくご》』〈呉語《ごご》〉

漠漠濛濛　ばくばくもうもう　1級

意味　**ぼんやりしていてよく分からないさま。**「漠」は漠然の漠でぼんやりの意。「濛」はうす暗い意。それぞれを二つ重ねて意味を強める。とらえどころがなく、何がなんだか分からないさまをいう語。

注意　「濛濛」を「朦朦」と書き誤らない。

白髪青衫　はくはつせいしん　1級

意味　**晩年に官を得ること。**また、**無位の者のこと。**「白髪」はしらが、「青衫」は浅黄色のひとえの短い衣服の意。

字体　「髪」の旧字体は「髮」。

出典　『侯鯖録《こうせいろく》』

白馬非馬　はくばひば　5級

意味　**こじつけや詭《き》弁《べん》をいう。**中国の戦国時代末に公孫竜《こうそんりゅう》が唱えた説。白馬という語は白と馬という二つの概念であって単に馬という概念とは同じでなく、白馬は馬ではないというもの。

補説　「白馬《はくば》は馬《うま》に非《あら》ず」とも読む。

出典　『公孫竜子《こうそんりゅうし》』〈白馬論《はくばろん》〉

類義語　堅白同異《けんぱくどうい》、有厚無厚《ゆうこうむこう》

白板天子　はくはんのてんし　5級

意味　**晋《しん》が南渡《なんと》して東晋《とうしん》となり、天子がその象徴である国璽《こくじ》なく即位したことから、北人が東晋の天子を呼んだもの。**六朝《りくちょう》時代、官位を授けるとき白板に命令を記して任命した。「白板」は何も記していない板の意。国璽なく即位した天子を正当な手続きを経ずに任官した官吏にたとえた語。晋は北方の異民族の侵攻で慌てて南に遷都したので国璽を持たずに即位した。

出典　『南斉書《なんせいしょ》』〈輿服志《よふくし》〉

白眉最良　はくびさいりょう　2級

意味　**多くの中でいちばんすぐれているもののこと。**「白眉」は白いまゆのこと。

補説　「白眉最《はくびもっと》も良《よ》し」とも読む。

故事　中国三国時代、蜀《しょく》の馬氏の五人兄弟は皆優秀な人物であったが、なかでも馬良《ばりょう》はひときわすぐれていた。その馬良の眉《まゆ》に幼い時から白い毛が生えていたので、人々から「馬氏五常、白眉最良」といわれたという故事から。

出典　『三国志《さんごくし》』〈蜀書《しょくしょ》・馬良伝《ばりょうでん》〉

類義語　馬氏五常《ばしごじょう》、馬良白眉《ばりょうはくび》

薄物細故　はくぶつさいこ　4級

意味　**ささいな取るに足りないこと。**「薄物」「細故」ともに、ささいなことの意。「故」は事《こと》の意。

出典　『史記』〈匈奴伝《きょうどでん》〉

博聞強記　はくぶんきょうき　5級

意味　**広く書物に親しみ、内容をよく記憶していること。**また、**知識が豊富なこと。**「博聞」は広く書物を読み見聞の広いこと、「強記」は記憶力がすぐれていること。

注意　「強記」を「強気」と書き誤らない。

出典　『韓詩外伝《かんしがいでん》』〈三〉

類義語　博学多才《はくがくたさい》、博覧強記《はくらんきょうき》、博覧強識《はくらんきょうしき》、博聞強志《はくぶんきょうし》、博聞強識《はくぶんきょうしき》

博聞彊識　はくぶんきょうしき　準1級

意味　**広く書物を読んで、物事をよく記憶していること。見聞が広く、かつよく記憶していること。**「博聞」は広く聞き知る、見聞が広い意。

補説　「彊識」は「強識」とも書く。また、「きょうし」とも読む。

注意　「博聞」を「博文」と書き誤らない。

出典　『礼記《らいき》』〈曲礼《きょくらい》・上〉

類義語　博聞強記《はくぶんきょうき》、博聞強志《はくぶんきょうし》、博覧強記《はくらんきょうき》

博文約礼　はくぶんやくれい　5級

意味　**広く文献に目を通して学問を修め、礼をもって学んだことをしめくくり実践すること。**「文」は書物・文献のこと、「約」はしめくくる、まとめる意。

補説　「博《ひろ》く文を学び、之《これ》を約するに礼を以《もっ》てす」の略。孔子《こうし》が説いた学問の方法。

字体　「礼」の旧字体は「禮」。

出典　『論語』〈雍也《ようや》〉

白璧断獄　はくへきだんごく　2級

意味　**罪の疑わしいものは許し、賞の疑わしい者には賞を与える判決。**まったく同じように見える二つの白璧(白い玉)が、見る方向を変えて見ると、一つはもう一つの倍の厚さに見えるということを聞いて、訴えをさばいたこと。「断獄」は罪人をさばくこと。裁判。

補説　「白璧」を「白壁」と書き誤らない。

字体　「断」の旧字体は「斷」。

出典　『瑯琊代酔編《ろうやだいすいへん》』

白璧微瑕　はくへきのびか　1級

意味　**りっぱな人あるいは物に、わず**

かな欠点があるたとえ。「白璧」は白く美しい宝玉のこと、「微瑕」はほんのわずかな瑕《きず》の意。

注意 「白璧」を「白壁」、「微瑕」を「微暇」と書き誤りやすい。

出典 蕭統《しょうとう》の「陶淵明集序《とうえんめいしゅうのじょ》」

類義語 白玉微瑕《はくぎょくのびか》、美中不足《びちゅうのふそく》、狐裘羔袖《こきゅうこうしゅう》

薄暮冥冥 はくぼ めいめい

2級

意味 **夕暮れの薄暗いさま。**また、**夕暮れのように薄暗いさま。**「薄暮」は夕暮れ。「薄」は迫る、近づく意。「冥冥」は暗いさま。

出典 范仲淹《はんちゅうえん》の「岳陽楼記《がくようろうのき》」

白面書生 はくめんの しょせい

5級

意味 **年少で未熟なこと。**「白面」は素顔、「書生」は学を志して半ばの者のことで、年が若く経験の乏しい書生。

出典 『宋書《そうしょ》』〈沈慶之伝《しんけいしでん》〉

伯兪泣杖 はくゆ きゅうじょう

1級

意味 **親が年老いたことを知り、嘆き悲しむこと。**「伯兪」は人の名、「杖」はむちのこと。

補説 「伯兪《はくゆ》、杖《つえ》に泣く」とも読む。また「兪」は「瑜」とも書く。

故事 中国漢の韓伯兪《かんはくゆ》は孝心が厚い人であったが、あるとき過ちをおかして母にむちうたれた。ところが少しも痛くないので、老母の力の衰えを知って泣いたという故事から。

出典 『説苑《ぜいえん》』〈建本《けんぽん》〉

伯楽一顧 はくらくの いっこ

準2級

意味 **達識の人に能力を認められ重用されるたとえ。**「伯楽」は中国春秋時代の人で、名馬を見分けることで知られた。「一顧」は一度ふりかえって見ること。

字体 「楽」の旧字体は「樂」。

注意 「伯楽」を「白楽」と書き誤らない。

故事 伯楽が数多い馬の中の一頭をちょっとふりかえって見ただけで、その馬は名馬として十倍の値がついたという。

出典 『戦国策《せんごくさく》』〈燕策《えんさく》〉

博覧強記 はくらん きょうき

5級

⇩**博聞強記**（はくぶん きょうき）

薄利多売 はくり たばい

4級

意味 **利益を少なくして品物を多く売ること。**高値で売るよりは数をこなして総勘定でもうけをねらう商法。

字体 「売」の旧字体は「賣」。

白竜魚服 はくりょう ぎょふく

準1級

意味 **貴人がしのび歩きをして危険にあうたとえ。**「白竜」は白い竜で、天帝の使者とされる。「魚服」は魚の服装をする意。

補説 「白竜」は「はくりゅう」とも読む。

字体 「竜」の旧字体は「龍」。

故事 神霊な白竜が魚の姿に化けていたとき、予且《よしょ》という漁師に目を射られ、捕らえられたという説話から。

出典 『説苑《ぜいえん》』〈正諫《せいかん》〉

白竜白雲 はくりょう はくうん

準1級

意味 **古代中国の法官のよび名。**「白竜」は伏羲《ふっき》時代の法官、「白雲」は黄帝時代の法官の称。伏羲・黄帝は古代伝説上の聖天子。

字体 「竜」の旧字体は「龍」。

出典 『唐律疏議《とうりつそぎ》』〈名例《めいれい》〉

馬氏五常 ばし ごじょう

5級

⇩**白眉最良**（はくび さいりょう）

馬耳東風 ばじ とうふう

4級

意味 **人の意見や批評を心にとめず聞**

き流すこと。また、**何を言っても反応がないこと。**「東風」は春風のこと。人間にはとても心地よい春風が吹いていても、馬の耳は何も感じないという意。

補説　「東風、馬耳を射《い》る」の略。

出典　李白《りはく》の詩

類義語　呼牛呼馬《こぎゅうこば》、対牛弾琴《たいぎゅうだんきん》

馬歯徒増　ばしとぞう　5級

意味　**むだに齢《とし》をとること。**「馬歯」は「馬齢」と同じで、自分の年齢の謙遜《けんそん》語、「徒増」は徒《いたず》らに増える意。

補説　「馬歯《ばし》徒《いたず》らに増《ま》す」とも読む。

字体　「歯」の旧字体は「齒」。

類義語　馬歯《ばし》加長《かちょう》

破邪顕正　はじゃけんしょう　準2級

意味　**不正を打破し正義を守ること。**本来は仏教語で、邪説や邪道を打ち破って、正義・正道を確立すること。

補説　「顕正」は「けんせい」とも読む。

字体　「顕」の旧字体は「顯」。

出典　『三論玄義《さんろんげんぎ》』

破綻百出　はたんひゃくしゅつ　2級

意味　**言動がいいかげんで、つぎつぎにぼろを出すこと。**「破綻」は布が破れほころぶこと、「百出」は数多く出る意。

破竹之勢　はちくのいきおい　準1級

意味　**止めがたいほど勢いが盛んなこと。**「破竹」は竹を割ること。竹は最初の一節を割ると、次から次によく裂けることからいう。

出典　『晋書《しんじょ》』〈杜預伝《どよでん》〉

類義語　騎虎之勢《きこのいきおい》、旭日昇天《きょくじつしょうてん》

八元八愷　はちげんはちがい

意味　**心が清く正しくて、徳の高い人のこと。**「元」はよい意、「愷」は徳が大きいこと。「八元」は中国古代伝説時代の高辛氏《こうしんし》のときの八人の徳のある人、「八愷」は同じく高陽氏《こうようし》のときの八人の善人のこと。

出典　『史記』〈五帝紀《ごていき》〉

馬遅枚速　ばちばいそく　準1級

意味　**文章を作るのに司馬相如《しばしょうじょ》は遅く枚皐《ばいこう》は速かった。**「馬」は前漢《ぜんかん》の司馬相如のこと。賦《ふ》(漢代に盛んに作られた散文的な韻文)の大家。「枚」は前漢の枚皐のこと。同じく賦の大家。

字体　「遅」の旧字体は「遲」。

注意　「枚速」を「まいそく」と読み誤らない。

出典　『漢書《かんじょ》』〈枚皐伝《ばいこうでん》〉

八面玲瓏　はちめんれいろう　1級

意味　**四方八方がすき通って明らかなこと。**また、**心にわだかまりがなく、すっきりと澄みきっていること。**また、誰《だれ》とでも円満・巧妙に交際すること。「八面」はあらゆる方面のこと。「玲瓏」は美しく輝くさま、美しく透き通るさま。どこから見てもくもりがなく鮮やかで美しい意。

出典　馬煕《ばき》の「開窓看雨《まどをひらいてあめをみる》-詩」

八面六臂　はちめんろっぴ　1級

意味　**一人で何人分もの働きをすること。**また、**多方面でめざましく活躍すること。**「八面」は八つの顔、「六臂」は六つのひじのこと。一つの体に八つの顔と六本の腕を持っているということ。

類義語　三面六臂《さんめんろっぴ》

撥雲見日　はつうんけんじつ　1級

意味　**気がかりなことがなくなって希望が持てるようになること。**立ちこめていた暗雲が払いのけられて光明がさし、前途に希望が持てるようになるさまをいう。「撥」は、はねのける意。

補説　「雲を撥《ひら》き日を見る」とも読む。
出典　『晋書《しんじょ》』〈楽広伝《らくこうでん》〉
類義語　撥雲見天《はつうんけんてん》、開運見日《かいうんけんじつ》

白駒空谷　はっくくうこく　準1級

意味　**賢人が登用されず野にあること。**「白駒」は白い毛の馬で、賢人のたとえ。「空谷」は人けのない寂しい谷。白毛の馬が寂しい谷にいる意。
出典　『詩経《しきょう》』〈小雅《しょうが》・白駒《はっく》〉

抜苦与楽　ばっくよらく　4級

意味　**苦しみを取り除いて、安楽を与えること。**「抜」は取り除く意で、「抜苦」は苦しみを取り除くこと。本来仏教語で、仏の慈悲のことをいう。
補説　「苦しみを抜《ぬ》き楽しみを与《あた》う」とも読む。
字体　「抜」の旧字体は「拔」、「与」の旧字体は「與」、「楽」の旧字体は「樂」。
出典　『秘蔵宝鑰《ひぞうほうやく》』〈中〉

八紘一宇　はっこういちう　準1級

意味　**全世界を一つの家として考えること。**「八紘」は天地の八方の隅のことで、全世界の意、「宇」は家のこと。
出典　『日本書紀《にほんしょき》』〈神武紀《じんむき》〉
類義語　八紘為宇《はっこういう》

白黒分明　はっこくぶんめい　5級

意味　**よいものと悪いものとの区分がはっきりしていること。**「白黒」は物事のよしあし・是と非、「分明」ははっきりしていること。
注意　「分明」を「文明」と書き誤らない。
出典　『漢書《かんじょ》』〈薛宣伝《せっせんでん》〉

跋扈跳梁　ばっこちょうりょう　1級

⇩跳梁跋扈（ちょうりょうばっこ）

八索九丘　はっさくきゅうきゅう　準2級

意味　**古い書籍のこと。**「八索」「九丘」ともに、中国古代の書名。
出典　『春秋左氏伝《しゅんじゅうさしでん》』〈昭公《しょうこう》一二年〉

抜山蓋世　ばつざんがいせい　2級

意味　**非常に威勢が強いこと。**また、**気性が勇壮盛んなこと。**「抜山」は山を引き抜いてしまうこと、「蓋世」は世をおおう、一世を圧倒する意。山を引き抜くほどの力と、世を蓋《おお》うほどの気力をいう。漢の劉邦《りゅうほう》と天下を争った楚《そ》の項羽《こうう》が、最愛の虞美人《ぐびじん》と最期の酒宴を催した折に歌った詩にもとづく。
補説　「力は山を抜き気は世を蓋《おお》う」の略。「山を抜き世を蓋《おお》う」とも読む。
字体　「抜」の旧字体は「拔」。
注意　「蓋世」を「慨世」と書き誤らない。
出典　『史記』〈項羽紀《こううき》〉
類義語　抜山倒河《ばつざんとうか》、抜山倒海《ばつざんとうかい》、抜山翻海《ばつざんほんかい》

跋山渉水　ばつざんしょうすい　1級

意味　**困難を克服して長い旅を行く。**「跋山」は山を越えること、「渉水」は川を渡ること。けわしい陸路の旅をいう。
補説　「山を跋《ふ》み水を渉《わた》る」とも読む。
出典　『能改斎漫録《のうかいさいまんろく》』

発縦指示　はっしょうしじ　準1級

意味　**戦闘において戦いを指揮すること。**また、**指揮官。**猟犬を解き放ち、獲物のいる場所を指示する意。「発」も「縦」も解き放つ意。
補説　「発縦」は「発蹤」とも書く。
字体　「発」の旧字体は「發」、「縦」の旧字体は「縱」。
故事　項羽《こうう》を滅ぼし天下を平定した高祖が、将兵を評価し蕭何《しょうか》を最大の功労者としたが、功臣たちは実際に戦闘に参加したのは自分たちで、蕭何は文墨《ぶんぼく》をもって議論しただけだと抗議した。それに対

し高祖は、猟をする場合、獣を追いたてて殺すのは犬であり、犬に獣のいる場所を指示するのは人である。諸君の働きは犬に相当し、蕭何の功は人に相当すると言ったという故事から。

出典　『史記』〈蕭相国世家《しょうしょうこくせいか》〉

発人深省　はつじん しんせい

5級

意味　**人を啓発して、物事を深く考えるようにさせること。**「発」は引きあげる、高める意で、「発人」は人を啓発すること、「深省」は深くかえりみる意。

字体　「発」の旧字体は「發」。

伐性之斧　ばっせいのおの

準1級

意味　**心身に害を及ぼす事物のたとえ。女色におぼれたり、偶然の幸運をあてにすること。**「伐性」は人間の本性をそこなうこと。女色や僥幸《ぎょうこう》は人の本性をそこなう斧であるという意。

補説　「斧」は「ふ」とも読む。

出典　『呂氏春秋《りょししゅんじゅう》』〈本生《ほんせい》〉

類義語　逐禍之馬《ちくかのうま》、酒色財気《しゅしょくざいき》

伐氷之家　ばっぴょうのいえ

準1級

意味　**位の高い高貴な家柄のこと。**昔、中国では、卿大夫《けいたいふ》以上の身分の者だけが、喪祭のとき氷を用いる資格があったことによる。

補説　「伐氷」は「伐冰」とも書く。

出典　『大学《だいがく》』

発憤興起　はっぷん こうき

準2級

意味　**気持ちを奮いおこして立ち上がること。**「発憤」は心を奮いおこすこと。「興起」は感動して奮い立つ、立ち上がること。

補説　「発憤」は「発奮」とも書く。

字体　「発」の旧字体は「發」。

発憤忘食　はっぷん ぼうしょく

準2級

意味　**心を奮い立たせて、物事に夢中になって励むこと。**「発憤」は心を奮いおこすこと、「忘食」は食事をとるのも忘れるほど熱中する意。

補説　「発憤して食を忘る」とも読む。「発憤」は「発奮」とも書く。

字体　「発」の旧字体は「發」。

出典　『論語』〈述而《じゅつじ》〉

八方美人　はっぽう びじん

5級

意味　**誰にも悪く思われないように如才《じょさい》なく振る舞うこと。**また、そのような人。「八方」はあらゆる方角の意で、どこから見ても欠点のない美人のこと。軽蔑の意をこめて用いられることが多い。

類義語　八面玲瓏《はちめんれいろう》

抜本塞源　ばっぽん そくげん

2級

意味　**災いの原因を取り除くこと。**「本」は木の根、「源」は水源のこと。弊害をなくすために根本にさかのぼって処理することをいう。もと、根を抜き水源をふさぎ止める意から、根本を破壊する、根本を忘れて道理を乱すたとえ。しかし今は前述の転義の意に用いられることが多い。

補説　「本《もと》を抜き源《みなもと》を塞《ふさ》ぐ」とも読む。

字体　「抜」の旧字体は「拔」。

故事　中国春秋時代、晋《しん》は異民族の戎《じゅう》とともに周を攻めた。そこで、周の景王《けいおう》が晋の平公《へいこう》に使いを送り「周と晋は古来、木と根、水と水源のように密接な関係であるのに、その根を抜き、水源をふさぐのか」といって、攻撃を思いとどまらせようとしたという故事から。

出典　『春秋左氏伝《しゅんじゅうさしでん》』〈昭公《しょうこう》九年〉

類義語　翦草除根《せんそうじょこん》、断根枯葉《だんこんこよう》、削株掘根《さくしゅくっこん》、釜底抽薪《ふていちゅうしん》、抽薪止沸《ちゅうしんしふつ》

発揚蹈厲　はつよう とうれい

1級

意味　**手足をあげ地を踏んで、激しい**

勢いで舞を舞うこと。「発揚」は盛んにすること、「蹈」は足踏みする、小踊りする意、「厲」は激しい、厳しいさまをいう。

字体 「発」の旧字体は「發」。

出典 『礼記《らいき》』〈楽記《がくき》〉

抜来報往　ばつらい ほうおう　4級

意味 **速やかに来て、速やかに往くこと。**また、たびたび行き来すること。「抜」「報」ともに疾《はや》い意。「抜来」は疾く来る、「報往」は疾く往くこと。

補説 「抜《と》く来たり報《と》く往《ゆ》く」とも読む。

字体 「抜」の旧字体は「拔」、「来」の旧字体は「來」。

出典 『礼記《らいき》』〈少儀《しょうぎ》〉

撥乱反正　はつらん はんせい　1級

意味 **乱れた世を治めて、もとの正常な世にもどすこと。**「撥」は治めること、「反」は返す意。

補説 「乱《らん》を撥《おさ》めて正《せい》に反《かえ》す」とも読む。

字体 「乱」の旧字体は「亂」。

出典 『春秋公羊伝《しゅんじゅうくようでん》』〈哀公《あいこう》一四年〉

破天荒解　はてんこう かい　4級

意味 **今まで誰《だれ》もしなかったことにはじめて成功すること。型破り。**「天荒」は凶作、または凶作などで雑草が生い茂ること。「破」はつきやぶる意。「解」は中国の官吏登用試験で地方の選抜試験に合格し、中央に推挙された資格者のこと。

補説 語構成は「破」＋「天荒」＋「解」。

故事 荊州《けいしゅう》は長い間多くの解送者(地方予備試験に及第して中央の本試験を受ける者)がいたが、多くは合格しなかったので「天荒解」といわれたが、劉蛻《りゅうぜい》が合格したとき、都の人々は「天荒を破る」と言ったという故事から。

出典 『北夢瑣言《ほくむさげん》』〈四〉

類義語 前代未聞《ぜんだいみもん》、前人未到《ぜんじんみとう》

波濤万里　はとう ばんり　準1級

意味 **遠い外国のこと。**非常に遠く海をへだてている意。「波濤」はおおなみのこと、「万里」は非常に遠い距離のたとえ。はるばると外国へおもむくときの航路・航程などをいう場合もある。

字体 「万」の旧字体は「萬」。

破釜沈船　はふ ちんせん　準1級

意味 **生還を考えず、決死の覚悟で出陣すること。**出陣に際し、炊事をするための釜《かま》をこわし、船を沈め、退路を断つこと。

補説 「釜《かま》を破《やぶ》り船《ふね》を沈《しず》む」とも読む。

出典 『史記』〈項羽紀《こううき》〉

類義語 背水之陣《はいすいのじん》

跛鼈千里　はべつ せんり　1級

意味 **努力をすれば能力の劣る者でも成功するたとえ。**「鼈」はすっぽんのことで、「跛鼈」は足の悪いすっぽんの意。足の悪いすっぽんも努力して千里の道を行くという意。

注意 「跛鼈」を「破鼈」と書き誤らない。

出典 『荀子《じゅんし》』〈脩身《しゅうしん》〉

爬羅剔抉　はら てきけつ　1級

意味 **隠れた人材をみつけ出して用いること。**また、**人の秘密や欠点をあばき出すこと。**「爬」は爪《つめ》などでかくこと、「羅」は網で鳥を捕ること、「剔」はそぎ取る、「抉」はえぐり取る意。かき集めたり、えぐり出したりすることをいう。

補説 「剔抉」は「てっけつ」とも読む。

出典 韓愈《かんゆ》の「進学解《しんがくかい》」

波瀾曲折　はらん きょくせつ　1級

意味 **非常に込み入った事情。**または非常に込み入った変化。「波瀾」は波と荒波でもめごとの意。「曲折」は折れ曲がる

ことから込み入った事情の意。

補説　「波瀾」は「波乱」とも書く。

類義語　紆余曲折《うよきょくせつ》

波瀾万丈　はらん ばんじょう　1級

意味　**物事の変化がきわめて激しいこと。**「波」は小さな波、「瀾」は大きな波のこと。「丈」は長さの単位で、「万丈」は一丈の一万倍で非常に高いこと。波が非常に高いことで、人生の浮き沈みの激しさをいう。

補説　「波瀾」は「波乱」とも書く。

字体　「万」の旧字体は「萬」。

罵詈讒謗　ばり ざんぼう　1級

意味　**ありとあらゆる悪口をいうこと。**「罵詈」は口ぎたなく相手をののしること、「讒謗」はそしる意。

補説　「讒謗罵詈」ともいう。

類義語　悪口雑言《あっこうぞうごん》、罵詈雑言《ばりぞうごん》

罵詈雑言　ばり ぞうごん　1級

意味　**きたない言葉を吐きかけてののしること。**「罵詈」はののしる、「雑言」はさまざまな悪口。

補説　「雑言」は「ぞうげん」とも読む。

字体　「雑」の旧字体は「雜」。

類義語　悪口雑言《あっこうぞうごん》、罵詈讒謗《ばりざんぼう》

跛立箕坐　はりゅう きざ　1級

意味　**無作法なさま。**片足で立ったり、両足を投げ出してすわったりする。「跛」はかたよる、片足で立つ。「箕」は「み」というざるの一種で両足を投げ出したさまがそれに似ているのでいう。

出典　『礼記《らいき》』〈曲礼《きょくらい》・上〉

馬良白眉　ばりょう はくび　2級

⇩**白眉最良**(はくびさいりょう)

氾愛兼利　はんあい けんり　2級

意味　**すべての人々をあまねく愛し、利益をともに広く分けあうこと。**「氾」は広くすみずみまでの意。『荘子《そうじ》』で、兼愛・非攻を唱えた墨子《ぼくし》について述べた語。

注意　「氾愛」を「汜愛」と書き誤らない。

出典　『荘子《そうじ》』〈天下《てんか》〉

蛮夷戎狄　ばんい じゅうてき　1級

意味　**未開人の住む野蛮な国のこと。**古代中国では、漢民族の周辺の諸国を、東夷・西戎・南蛮・北狄と称して、野蛮な民族とさげすんでいたことから。

字体　「蛮」の旧字体は「蠻」。

注意　「戎狄」を「戒狄」と書き誤らない。

斑衣之戯　はんいの たわむれ　準1級

⇩**老莱斑衣**(ろうらいはんい)

攀轅臥轍　はんえん がてつ　1級

意味　**立派な人の留任を希望して引き留めること。**「攀轅」は車の轅《ながえ》(車の前に出した二本の棒)にすがりつくこと、「臥轍」は車の轍《わだち》に身を臥《ふ》せる意。立派な地方長官が転任したり退任したりするのを人民が惜しむことをいう。

補説　「轅《ながえ》に攀《すが》りて轍《わだち》に臥《ふ》す」とも読む。

出典　『白孔六帖《はっこうろくじょう》』〈刺史《しし》〉

類義語　攀轅扣馬《はんえんこうば》

反間苦肉　はんかん くにく　5級

意味　**敵同士の仲を裂き、敵をあざむくこと。**「反間」は敵のスパイを逆用してうらをかくことから、敵同士の仲を裂く意。「苦肉」は自分の肉体を苦しめてみせて敵をあざむくこと。

注意　「反間」を「反問」と書き誤らない。

半饑半渇　はんき はんかつ　1級

意味　**食糧や水が十分でない。**「半饑」は半《なか》ば饑《う》えている状態、「半渇」は半ば渇《かわ》

いている状態の意。

補説 「半饑」は「半飢」とも書く。

反逆縁坐 はんぎゃく えんざ

準1級

意味 **謀反《むほん》に連座して罪を得ること。**「反逆」は君に背いて国を乱す、謀反のこと、「縁坐」は他人の罪で自分も処罰されること、まきぞえの意。

補説 「縁坐」は「縁座」とも書く。

班荊道故 はんけい どうこ

準1級

意味 **昔の友達とばったり会って昔の親交を思い、語り合うこと。**いばらを布《し》いて座り語り合う意。「班荊」はいばら(草)を布く意。転じて、昔の友人にばったり会うこと。「班」は布に同じ。「道故」は事を言う意。「道」は言に同じ。「故」は出典ではある特定の事だが、この熟語の場合は昔の事の意に解してもよい。

補説 「荊」は「荆」とも書く。

故事 中国春秋時代、楚《そ》の伍挙《ごきょ》は讒言《ざんげん》にあって晋《しん》に逃げようとしたとき、旧知の声子《せいし》とばったり会い、草を布いてともに食事をして語り合い、挙が楚に帰りたいとの意向に、声子が「私がきっと戻してあげよう」と言った故事から。

出典 『春秋左氏伝《しゅんじゅうさしでん》』〈襄公《じょうこう》二六年〉

万頃瑠璃 ばんけい るり

準1級

意味 **青く広々しているさま。**「万頃」は面積のきわめて広いこと。「頃」はもと面積の単位。「瑠璃」は紺青色の宝石。また紺青色の称。

補説 「瑠璃」は「琉璃」とも書く。

字体 「万」の旧字体は「萬」。

出典 杜甫《とほ》の「渼陂行《びはこう》」

繁劇紛擾 はんげき ふんじょう

準1級

意味 **非常に忙しくて混乱していること。**「繁劇」は非常に忙しいこと。「劇」は激しい意。「紛擾」は乱れてごたごたすること。

出典 蘇洵《そじゅん》の「養才《ようさい》」

繁絃急管 はんげん きゅうかん

準1級

意味 **音楽の調子が激しく速いこと。**また、**その音楽。**「絃」は弦楽器。「管」は管楽器。「繁」はあわただしいこと。

補説 「絃」は「弦」とも書く。

出典 銭起《せんき》の「瑪瑙杯歌《めのうはいのうた》」

煩言砕辞 はんげん さいじ

準2級

意味 **くだくだしく細かいことば。**「煩」はわずらわしい、くどくどしい。「砕」はくだく意から、こまごましてわずらわしいこと。

字体 「砕」の旧字体は「碎」、「辞」の旧字体は「辭」。

注意 「砕辞」を「粋辞」と書き誤らない。

出典 『漢書《かんじょ》』〈劉歆伝《りゅうきんでん》〉

万古千秋 ばんこ せんしゅう

4級

意味 **過去から未来までずっとということ。**「万古」はいつまでも、永久にの意。「千秋」は千年で、永い年月の意。

字体 「万」の旧字体は「萬」。

出典 沈佺期《しんせんき》の「邙山《ぼうざん》詩」

類義語 万古不易《ばんこふえき》

万古長青 ばんこ ちょうせい

4級

意味 **良い関係がいつまでも続くこと。**「万古」は永遠にの意。「長青」は松の葉が青々としていつまでも色あせないこと。

字体 「万」の旧字体は「萬」。

類義語 万古長春《ばんこちょうしゅん》

万古不易 ばんこ ふえき

4級

意味 **永久に変わらないこと。**「万古」は永遠にの意。「不易」は変わらないこと。

字体 「万」の旧字体は「萬」。

類義語 千古不易《せんこふえき》、千古不変《せんこふへん》、永久不《えいきゅうふ》

変《へん》、百《ひゃく》世《せい》不《ふ》磨《ま》

対義語 一《いち》時《じ》流行《りゅうこう》、有《う》為《い》転《てん》変《ぺん》

槃根錯節 ばんこんさくせつ (1級)

意味 **事柄が入り組んで、解決が困難なこと。**「槃根」は地中で曲がりくねっている木の根のこと。「錯節」は入り組んだ木の節の意。

補説 「槃根」は「盤根」とも書く。

出典 『後漢書《ごかんじょ》』〈虞詡伝《ぐくでん》〉

類義語 紆余曲折《うよきょくせつ》、複雑多岐《ふくざつたき》

万死一生 ばんしいっせい (4級)

意味 **必死の覚悟で物事を行うこと。**また、**絶体絶命の状況のなかに、かすかな活路をみつけること。**「万死」はとても助かる見込みがないこと。

補説 「一生」は「いっしょう」とも読む。①「万死に一生を顧《かえり》みず」および②「万死を出《い》でて一生に遇《あ》う」の略。

字体 「万」の旧字体は「萬」。

出典 ①『史記』〈張耳陳余伝《ちょうじちんよでん》〉②『貞《じょう》観政要《がんせいよう》』〈君道《くんどう》〉

類義語 九死一生《きゅうしいっしょう》

半死半生 はんしはんしょう (5級)

意味 **今にも死にそうな状態。**半《なか》ば死んで半ば生きているということ。

補説 「半死」は「はんじ」、「半生」は「はんせい」「はんじょう」などとも読む。

出典 枚乗《ばいじょう》の「七発《しちはつ》」

類義語 気息奄奄《きそくえんえん》

盤石之固 ばんじゃくのかため (準1級)

意味 **きわめて堅固なこと。**「盤石」は大きい岩のことで、安定して動かないことのたとえ。

補説 「盤石」は「磐石」とも書く。

出典 陸機《りくき》の「五等諸侯論《ごとうしょこうろん》」

類義語 盤石之安《ばんじゃくのあん》

反首抜舎 はんしゅばっしゃ (4級)

意味 **あわれな姿になって野宿すること。**「反首」は髪の毛をふり乱して垂らした哀れな姿のこと、「抜舎」は野宿をすること。

字体 「抜」の旧字体は「拔」、「舎」の旧字体は「舍」。

出典 『春秋左氏伝《しゅんじゅうさしでん》』〈僖公《きこう》一五年〉

万寿無疆 ばんじゅむきょう (1級)

意味 **いつまでも長生きをすること。**「万寿」は万年の寿命の意から長生きすること。長命。「無疆」はきわまりがない、際限がない意。長命でいく久しく生きられるよう、長寿を祝う言葉。

補説 「万寿《ばんじゅ》疆《きわま》り無《な》し」とも読む。

字体 「万」の旧字体は「萬」、「寿」の旧字体は「壽」。

注意 「無疆」を「無彊」と書き誤らない。

出典 『詩経《しきょう》』〈豳風《ひんぷう》・七月《しちがつ》〉

類義語 南山之寿《なんざんのじゅ》

万乗之君 ばんじょうのきみ (準1級)

意味 **兵車一万台を出せる大国の君主。大諸侯。一般に天子をいう。**「乗」は車を数える数量詞。→「千乗之国《せんじょうのくに》」

字体 「万」の旧字体は「萬」、「乗」の旧字体は「乘」。

出典 『孟子《もうし》』〈公孫丑《こうそんちゅう》・上〉

類義語 万乗之主《ばんじょうのしゅ》、万乗之尊《ばんじょうのそん》、一天万乗《いってんばんじょう》

伴食宰相 ばんしょくさいしょう (準2級)

意味 **その職にいて実力が伴わない無能な宰相。**また、無能な大官や職務を果たさない人のたとえ。「伴食」は正客のお供をしてごちそうになること。相伴。「宰相」は大臣の意。

注意 「伴食」を「晩食」と書き誤らない。

出典 『旧唐書《くとうじょ》』〈盧懐慎伝《ろかいしんでん》〉

類義語 伴食大臣《ばんしょくだいじん》、尸位素餐《しいそさん》

伴食大臣　ばんしょく だいじん　3級

⇩伴食宰相（ばんしょくさいしょう）

班女辞輦　はんじょ じれん　1級

意味　**班倢伃《はんしょうよ》は車に一緒に乗るのを断った。**「班女」は前漢の班倢伃のこと。漢の成帝の寵愛《ちょうあい》があった女性。班が姓、倢伃は女官の位の名。「辞」は辞退する。「輦」は人の引く車、手押し車。

字体　「辞」の旧字体は「辭」。

故事　漢の成帝が寵愛のあまり車に一緒に乗るように言ったとき、班倢伃は「昔の絵画を見ると聖賢とよばれる君主はみな立派な臣を従え、王朝の末の天子はみなその側に気に入りの女を侍らせております」と言って断った故事から（『漢書《かんじょ》』〈孝《こう》成班倢伃伝《せいはんしょうよでん》〉）。

出典　『蒙求《もうぎゅう》』〈班女辞輦《はんじょじれん》〉

万杵千砧　ばんしょ せんちん　準1級

意味　**きぬたを打つ大勢の婦人のこと。**また、**あちこちから聞こえるきぬたの音のこと。**「万」「千」は数が多いことを示す語。「砧」はきぬたで、布を槌《つち》で打って柔らかくしたり、つやを出したりするときの石または木の台のこと。「杵」はきぬたを打つ棒の意。

字体　「万」の旧字体は「萬」。

出典　『経国集《けいこくしゅう》』

半信半疑　はんしん はんぎ　5級

意味　**本当かどうか判断に迷うこと。**半《なか》ば信じ半ば疑うということ。信じる気持ちと疑う気持ちとが微妙に交錯している状態をいう。

注意　「半疑」を「半偽」と書き誤らない。

万水千山　ばんすい せんざん　4級

⇩千山万水（せんざん ばんすい）

万世一系　ばんせい いっけい　4級

意味　**永久に同じ血統が続くこと。**「万世」は万代・よろずよのこと。「一系」は同じ血すじの意。特にわが国の皇室についていう。

字体　「万」の旧字体は「萬」。

半醒半睡　はんせい はんすい　2級

意味　**意識が朦朧《もうろう》としていること。**半《なか》ば目覚め半ば眠っていて、意識がはっきりしない状態をいう。「醒」は目がさめること、「睡」は眠る意。

補説　「半睡半醒」ともいう。

類義語　半覚半醒《はんかくはんせい》

万世不易　ばんせい ふえき　4級

⇩万古不易（ばんこ ふえき）

万世不刊　ばんせい ふかん　4級

意味　**いつまでも滅びることがないこと。**永遠に残ること。「不刊」は滅びない、磨滅しない。「刊」はけずり除く。昔の文書は竹簡に漆《うるし》で書き、不要の部分はけずり取ったことからいう。

字体　「万」の旧字体は「萬」。

出典　揚雄《ようゆう》の「衛尉曲陽侯酈商銘《えいいきょくようこうれきしょうめい》」

類義語　万代不刊《ばんだいふかん》

版籍奉還　はんせき ほうかん　準2級

意味　**各藩主が、領地と領民を朝廷に返すこと。**「版籍」は土地と人民のこと、「奉還」はお返しする意。

補説　「版籍」は「藩籍」とも書く。

万全之策　ばんぜんの さく　準1級

意味　**まったく手ぬかりがないはかりごと。**「万全」は万に一つの失策もないという意。

字体　「万」の旧字体は「萬」。

出典　『三国志《さんごくし》』〈魏書《ぎしょ》・劉表伝《りゅうひょうでん》〉

類義語　万全之計《ばんぜんのけい》

万代不易　ばんだい ふえき　4級

⇨**万古不易**（ばんこ ふえき）

半知半解　はんち はんかい　5級

⇨**一知半解**（いっち はんかい）

班田収授　はんでん しゅうじゅ　5級

意味　**大化改新の土地制度。**国が公民に一定の規則にもとづいて田地を分け与え、死後これを返させた中国の均田法にならって、わが国では大化改新後に行われた。

字体　「収」の旧字体は「收」。

万能一心　ばんのう いっしん　4級

意味　**何事も一心に心を集中して学ばなければ身につかないということ。**どんな技芸をこなせても、真心が欠けていればなんにもならないということ。

補説　「万能」は「まんのう」とも読む。

字体　「万」の旧字体は「萬」。

注意　「一心」を「一身」と書かないこと。

万馬奔騰　ばんば ほんとう　準2級

意味　**非常に勢いが盛んなこと。**「万馬」は多数の馬、「奔」は勢いよく走る、「騰」は高くとびはねる意。非常にたくさんの馬が勢いよく走ったり、とびはねたりするように、勢いが盛んなさまをいう。

字体　「万」の旧字体は「萬」。

万万千千　ばんばん せんせん　4級

意味　**きわめて数の多いことの形容。**

字体　「万」の旧字体は「萬」。

出典　『論衡《ろんこう》』〈自然《しぜん》〉

帆腹飽満　はんぷく ほうまん　3級

意味　**舟の帆《ほ》が風をいっぱいにはらんでいるさま。**「帆腹」は舟の帆のこと、「飽満」は飽きるほど腹いっぱい食べる意で、ここは風をいっぱいにはらんでいるさまをいう。

字体　「満」の旧字体は「滿」。

出典　陸游《りくゆう》の「入蜀記《にっしょくき》」

万物一馬　ばんぶつ いちば　4級

意味　**この世にあるあらゆるものは、すべて同一のものであるということのたとえ。**万物は一頭の馬である意。『荘子《そうじ》』の相対的立場をはなれて万物は同じであるとする万物斉同の考え方による言葉。

字体　「万」の旧字体は「萬」。

出典　『荘子《そうじ》』〈斉物論《せいぶつろん》〉

類義語　万物一府《ばんぶついっぷ》、天地一指《てんちいっし》、万物斉同《ばんぶつせいどう》

万物殷富　ばんぶつ いんぷ　1級

意味　**国が栄えて万物が盛んで豊かなこと。**「殷」は盛んなこと、富むこと。

字体　「万」の旧字体は「萬」。

出典　『史記』〈陸賈伝《りくかでん》〉

万物斉同　ばんぶつ せいどう　準2級

意味　**人間の相対的な知を否定し、唯一絶対の道からすればすべては同じであるとする荘子《そうし》の学説。**人間の認識は相対の対立概念で成り立っているが、それらを超越した絶対の無の境地に立てば是非・善悪・生死といういっさいの対立と差別は消滅するというもの。

字体　「万」の旧字体は「萬」、「斉」の旧字体は「齊」。

出典　『荘子《そうじ》』〈斉物論《せいぶつろん》〉

万物逆旅　ばんぶつの げきりょ　準1級

意味　**天地のこと。**「万物」は宇宙にあるあらゆるもの、「逆旅」は旅館の意。万物が天地の間に生滅するようすが、旅人が旅館に泊まり、そして去ってゆくのに似ていることからいう。

字体 「万」の旧字体は「萬」。

出典 李白《りはく》の「春夜宴桃李園序《しゅんやとうりえんにえんするのじょ》」

万夫之望 ばんぷののぞみ 準1級

意味 **天下の万人が仰ぎ慕うこと。**また、そういう人。「万夫」は数多くの人・万人、「望」は仰ぎ見る、尊敬する意。

字体 「万」の旧字体は「萬」。

出典 『易経《えききょう》』〈繋辞《けいじ》・下〉

万夫不当 ばんぷふとう 4級

意味 **多くの男がかかってもかなわないほどの剛勇をいう。**「万夫」は多数の男、「不当」はかなわないこと。

字体 「万」の旧字体は「萬」、「当」の旧字体は「當」。

繁文縟礼 はんぶんじょくれい 1級

意味 **形式や手続きが複雑で面倒なこと。**「繁文」はこまごました飾り、わずらわしい規則のこと、「縟礼」はこみいった礼儀作法の意。

補説 略して「繁縟」ともいう。

字体 「礼」の旧字体は「禮」。

反哺之羞 はんぽのしゅう 準1級

意味 **親の恩に報いること。**「反哺」は烏《からす》の子が成鳥になると、育ててくれた親鳥に餌《えさ》を運んで、口移しをして親を養うということから、父母に恩を返すことをいう。「羞」は食物をすすめる意。

類義語 反哺《はんぽ》之《の》心《こころ》、反哺《はんぽ》之《の》孝《こう》、烏《う》鳥《ちょう》私《し》情《じょう》

反面教師 はんめんきょうし 5級

意味 **まねてはならないが逆に反省の糧《かて》となるような人・事物をいう。**悪い教師の下にあっても生徒はその悪い面に厳しい批判の目を向けて誤りを犯してはならないとする戒めの言葉。

出典 毛沢東《もうたくとう》の文に「反面教員」とあるのにもとづく。

半面之識 はんめんのしき 準1級

意味 **ほんのちょっとした顔見知りのこと。**「半面」は顔の半分のこと。半面程度の知りあいの意。半面識。

出典 白居易《はくきょい》の「与元九書《げんきゅうにあたうるしょ》」

万目睚眥 ばんもくがいさい 1級

⇩万目睚眥（まんもくがいさい）

汎濫停蓄 はんらんていちく 2級

意味 **広い分野にわたって、深い学識があること。**「汎濫」は水がみなぎりあふれることから転じて、広く物事に通じること、「停蓄」は水が深く溜《た》まる意から学識が深いこと。

出典 韓愈《かんゆ》の「柳子厚墓誌銘《りゅうしこうぼしめい》」

万里同風 ばんりどうふう 4級

意味 **世の中が平和であること。**また遠方まで風俗が同化されていること。万里の遠方まで同じ風が吹く意から。

字体 「万」の旧字体は「萬」。

出典 『漢書《かんじょ》』〈終軍伝《しゅうぐんでん》〉

類義語 千里《せんり》同風《どうふう》

万里之望 ばんりののぞみ 準1級

意味 **立身出世しようとする願いのこと。**「万里」は一万里、転じて遠いところ。遠くに到達しようとする望みをいう。

字体 「万」の旧字体は「萬」。

万里鵬程 ばんりほうてい 準1級

⇩鵬程万里（ほうていばんり）

万里鵬翼 ばんりほうよく 準1級

意味 **非常に遠く隔たった広い空やはるかな旅路などのたとえ。**また、**大きな気概や勢いのたとえ。**「鵬」は想像上の巨大な鳥。背の広さは幾千里あるかわから

ず、その翼は天空にたれこめる雲のように見え、何ものにもとらわれず九万里の高きに飛《ひ》翔《しょう》するという。

【字体】「万」の旧字体は「萬」。

【出典】『荘《そう》子《じ》』〈逍《しょう》遥《よう》遊《ゆう》〉

攀竜附驥　はんりょうふき　1級

【意味】**すぐれた人物に仕えることによって、自分も出世すること。**「攀」はすがりつく、「驥」は一日に千里を走るという名馬。竜につかまり、驥につき従う意。

【補説】「竜に攀《よ》じ驥に附《つ》く」とも読む。また「攀竜」は「はんりゅう」とも読む。

【字体】「竜」の旧字体は「龍」。

【出典】『三《さん》国《ごく》志《し》』〈呉《ご》書《しょ》・呉《ご》主《しゅ》権《けん》伝《でん》・注〉

【類義語】攀竜《はんりょう》附《ふ》鳳《ほう》

攀竜附鳳　はんりょうふほう　1級

【意味】**権勢のある者につき従って出世しようとすること。**「攀」はつかまる、すがりつく意。竜につかまり、鳳《ほう》凰《おう》にしがみつく意。

【補説】「竜に攀《よ》じ鳳《ほう》に附《つ》く」とも読む。また「攀竜」は「はんりゅう」とも読む。

【字体】「竜」の旧字体は「龍」。

【出典】『法言《ほうげん》』〈淵騫《えんけん》〉

【類義語】攀竜《はんりょう》附《ふ》驥《き》

万緑一紅　ばんりょくいっこう　4級

【意味】**多くのものの中に、一つだけすぐれたものが存在すること。**あたり一面の緑の草むらの中の一輪の紅《あか》い花。多くの男性の中のただ一人の女性。

【補説】出典の「万緑叢中《そうちゅう》紅一点、人を動かすの春色、多きを須《もち》いず」による。

【字体】「万」の旧字体は「萬」。

【出典】王安石《おうあんせき》の詩

【ひ】

美意延年　びいえんねん　5級

【意味】**なんの心配事もなく気分が楽しければ、長生きできるということ。**「美意」は意《こころ》を美《たの》しむ意で、心配事がなく楽しいさま。「延年」は長生きをすること。

【補説】「美意、年を延ばす」とも読む。

【出典】『荀子《じゅんし》』〈致士《ちし》〉

靡衣婾食　びいとうしょく

【意味】**美しい着物を好んで一時《いっとき》の食を貪《むさぼ》って将来のことを考えないこと。**「靡衣」は華やかで美しい着物。「婾食」はかりそめの食事、一時の食事。

【出典】『漢書《かんじょ》』〈韓信伝《かんしんでん》〉

【類義語】無《む》為《い》徒《と》食《しょく》

被害妄想　ひがいもうそう　準2級

【意味】**ありもしない危害を受けていると思い込むこと。**精神疾患にみられる症状。「妄想」は仏教語でよこしまな思い。

悲歌慷慨　ひかこうがい　1級

【意味】**道理に反することや社会の不正・乱れをいきどおって嘆くこと。**「悲歌」は悲しげに歌うこと。「慷慨」はいきどおり嘆く意。悲しげに歌いいきどおり嘆くということ。

【補説】「慷慨悲歌」ともいう。「慷慨」は「忼慨」とも書く。

【出典】『史記』〈項《こう》羽《う》紀《き》〉

【類義語】悲《ひ》憤《ふん》慷《こう》慨《がい》

被褐懐玉　ひかつかいぎょく　準2級

【意味】**すぐれた才能を包み隠しているたとえ。**うわべは粗末な服を着ていながら、実はふところに玉を隠し持っている意。すぐれた才能がありながら、それを表にあらわさないということ。「褐」は貧しい人が着る粗末な衣服。

【補説】「褐《かつ》を被《こうむ》り玉《たま》を懐《いだ》く」とも読む。

字体　「懐」の旧字体は「懷」。
出典　『老子《ろうし》』〈七〇章〉
類義語　自己《じこ》韜晦《とうかい》、韜光《とうこう》晦迹《かいせき》、大智《だいち》不《ふ》智《ち》

飛花落葉　ひからくよう　5級

意味　**人の世の無常のたとえ。** 風に散る花、枯れて落ちる葉のようすから。

眉間一尺　びかんいっしゃく　2級

意味　**賢人の相のたとえ。** 両眉《りょうまゆ》の間が広いこと。「眉間」は両方の眉の間。
出典　『呉越春秋《ごえつしゅんじゅう》』〈王僚使公子光伝《おうりょうしこうしこうでん》〉

媚眼秋波　びがんしゅうは　1級

意味　**美人のなまめかしい媚《こ》びる目つきのこと。**「媚眼」はなまめかしい目つき。「秋波」は秋の澄んだ波の意から、美人の澄んだ目、転じて色目・流し目の意。

悲喜交交　ひきこもごも　準1級

意味　**悲しみと喜びが入り交じって、とまどうさま。** ふつう「悲喜交交至る」などという。
類義語　悲喜交集《ひきこうしゅう》

卑躬屈節　ひきゅうくっせつ　1級

意味　**主義主張を変えてまで、人におもねりこびへつらうこと。**「卑躬」は腰をかがめて頭を垂れること、「屈節」は自分の主義主張を曲げる意。
補説　「躬《み》を卑《いや》しくし節《せつ》を屈《くっ》す」とも読む。
注意　「屈節」を「屈折」と書き誤らない。
類義語　卑躬屈膝《ひきゅうくっしつ》、阿諛追従《あゆついしょう》

匪躬之節　ひきゅうのせつ　1級

意味　**自分の利害をかえりみないで、忠節を尽くすこと。**「匪躬」はわが身の利害得失を考えないこと。
出典　韓愈《かんゆ》の「争臣論《そうしんろん》」

披荊斬棘　ひけいざんきょく　1級

意味　**困難を克服し前進すること。**「荊」「棘」ともにいばらのことで、とげのある草木の総称。「披」は切り開く意。いばらの道を切り開いて前へ進むこと。
補説　「荊《いばら》を披《ひら》き棘《いばら》を斬《き》る」とも読む。また「荊」は「荆」とも書く。
出典　『後漢書《ごかんじょ》』〈馮異伝《ふういでん》〉

被堅執鋭　ひけんしつえい　4級

意味　**完全武装をすること。**「被堅」は堅い鎧《よろい》を身につけること、「執鋭」は鋭い刃剣を手に持つこと。また、そのようにして戦うこと。
補説　「堅《けん》を被《こうむ》り鋭《えい》を執《と》る」とも読む。「執鋭」は「しゅうえい」とも読む。また、「被堅」は「披堅」とも書く。
出典　『戦国策《せんごくさく》』〈楚策《そさく》〉

比肩随踵　ひけんずいしょう　1級

意味　**大勢の人があとからあとへと続くこと。**「比肩」は肩を並べる意から、人の多いこと。「随踵」は踵《かかと》に踵がつき従う意。
補説　「肩《かた》を比《なら》べ踵《かかと》に随《したが》う」とも読む。
字体　「随」の旧字体は「隨」。
出典　『晏子春秋《あんししゅんじゅう》』〈雑・下〉
類義語　摩肩接踵《まけんせっしょう》、揮汗成雨《きかんせいう》

微言大義　びげんたいぎ　4級

意味　**簡潔な言葉で奥深い意味や道理を含んでいること。** 孔子の言葉について言った語。また孔子が書いたとされる『春秋《しゅんじゅう》』の記述法を評した語。
注意　「大義」を「大儀」と書き誤らない。
出典　『漢書《かんじょ》』〈芸文志《げいもんし》〉
類義語　微言精義《びげんせいぎ》、意味深長《いみしんちょう》

飛耳長目　ひじちょうもく　4級

⇩**長目飛耳**（ちょうもくひじ）

美酒佳肴　びしゅ かこう
準1級

意味　**大変すばらしいご馳《ち》走《そう》のこと。**「美酒」はおいしい酒、「佳肴」はうまい魚・おいしい料理の意。

類義語　肥《ひ》酒《しゅ》大《たい》肉《にく》

美須豪眉　びしゅ ごうび
準1級

意味　**凜《り》々《り》しい男性のこと。**「美須」は美しいひげのこと。「須」は「鬚」に同じ。「豪眉」は太く強い眉《まゆ》の意。

注意　「美須」を「美酒」と書き誤らない。

出典　『後《ご》漢《かん》書《じょ》』〈趙《ちょう》壱《いつ》伝《でん》〉

悲傷憔悴　ひしょう しょうすい
1級

意味　**非常に悲しんで憂いやつれること。**「悲傷」は悲しみいたむこと。「憔悴」は憂い苦しむ、またやつれ衰える。

出典　蘇《そ》轍《てつ》の「黄《こう》州《しゅう》快《かい》哉《さい》亭《てい》記《き》」

類義語　悲《ひ》歌《か》慷《こう》慨《がい》

飛絮漂花　ひじょ ひょうか
1級

意味　**女性が苦しい境遇にいて、あてもなく辛苦するさま。**特に遊女などに身を落としてあてどもなく辛苦する女性のたとえ。「飛絮」は風に飛びかう柳の花。「絮」はあてもなく漂うさまにたとえる。「絮」は柳の花を綿《わた》にたとえたもの。「花」は女性を象徴したもの。

注意　「漂花」を「標花」と書き誤らない。

類義語　飛《ひ》絮《じょ》流《りゅう》花《か》

美辞麗句　びじ れいく
4級

意味　**巧みに飾り立てた美しい言葉。**また、**うわべだけを飾り立てた内容のない言葉。**「美辞」「麗句」ともに美しく飾った言葉のこと。表面だけが美しくて、内容や真実味に欠けるという悪い意味で用いられることが多い。

字体　「辞」の旧字体は「辭」。

美人薄命　びじん はくめい
4級

意味　**美しい女性は、とかく不運で短命である。**「薄命」は短命でふしあわせなこと。

注意　「薄命」を「薄明」と書き誤らない。

類義語　佳《か》人《じん》薄《はく》命《めい》、才《さい》子《し》多《た》病《びょう》

披星戴月　ひせい たいげつ
2級

意味　**朝早くから夜遅くまで一生懸命働くこと。**「披星」は星をかぶる意で早朝のこと、「戴月」は月を戴《いただ》く意で夜遅いこと。朝は星の出ているうちから、夜は月が輝くころまで外で働く意。

補説　「星を披《かぶ》り月を戴《いただ》く」とも読む。また「戴月披星」ともいう。

注意　「戴月」を「載月」と書き誤らない。

類義語　巫《ふ》馬《ば》戴《たい》星《せい》、披《ひ》星《せい》帯《たい》月《げつ》、夙《しゅく》興《こう》夜《や》寐《び》、昼《ちゅう》夜《や》兼《けん》行《こう》

尾生之信　びせいのしん
準1級

意味　**約束をかたく守ること。**また、**馬《ば》鹿《か》正直で融通がきかないこと。**「尾生」は人名、「信」は信義の意。

故事　中国春秋時代、魯《ろ》の国に尾《び》生《せい》という若者がいた。あるとき橋の下で女と会う約束をしたが、女はなかなかやって来ない。そのうち雨が降り出し、川の水かさが増してきたが、尾生は約束を守って待ち続け、橋脚に抱きついたままおぼれ死んだという故事から。

出典　『荘《そう》子《じ》』〈盗《とう》跖《せき》〉

類義語　抱《ほう》柱《ちゅう》之《の》信《しん》

匪石之心　ひせきのこころ
準1級

意味　**節操が固く何事にも動じない堅固な心のたとえ。**ころころ転がる石とは違い、うつろい変わることのない心の意。「匪」は「非」に同じ。

出典　『詩《し》経《きょう》』〈邶《はい》風《ふう》・柏《はく》舟《しゅう》〉

類義語　鉄《てっ》石《せき》之《の》心《こころ》、鉄《てっ》腸《ちょう》石《せき》心《しん》

皮相浅薄　ひそうせんぱく　4級

意味　**物の見方がうわべだけで底が浅いこと。**また、**知識や学問などに深みがないこと。**「皮相」は表面・うわべのこと、「浅薄」は浅くてうすっぺらい意。

補説　「浅薄皮相」ともいう。

字体　「浅」の旧字体は「淺」。

悲壮淋漓　ひそうりんり　1級

意味　**悲しく哀れな中にも意気のあること。**悲しみのうちにも痛ましいほどの勇ましさのあること。「淋漓」は水などのしたたるさま。また、意気の盛んなさま。

字体　「壮」の旧字体は「壯」。

注意　「悲壮」を「悲荘」と書き誤らない。

出典　林鶴梁《はやしかくりょう》の「東湖遺稿序《とうこいこうじょ》」

肥大蕃息　ひだいはんそく　準1級

意味　**肥え太り盛んにふえること。**「肥大」は肥えて大きくなること。「蕃息」は茂りふえる、生まれふえること。「蕃」は茂る、ふえる意。

注意　「蕃息」を「ばんそく」と読まないこと。

出典　韓愈《かんゆ》の「柳州羅池廟碑《りゅうしゅうらちびょうひ》」

類義語　肥大繁殖《ひだいはんしょく》

尾大不掉　びだいふとう　1級

意味　**臣下の力が強くてのさばり、君主の統制がとれないこと。**「尾大」は尾が大きいこと。「掉」はふり動かすこと。尾が大きすぎて、自分の力ではふり動かせないこと。

補説　「末《すえ》大なれば必ず折れ、尾大《びだい》なれば掉《ふる》われざるは、君の知る所なり」による。「尾大《びだい》なれば掉《ふ》れず」「尾《お》大《おお》きくして掉《ふ》れず」とも読む。

注意　「不掉」を「不棹」と書き誤らない。

出典　『春秋左氏伝《しゅんじゅうさしでん》』〈昭公《しょうこう》一一年〉

筆耕硯田　ひっこうけんでん　準1級

意味　**文筆で生計を立てること。**文人の硯《すずり》を農夫の田に見立て、筆で耕す意。

類義語　傭書自資《ようしょじし》

筆削褒貶　ひっさくほうへん　1級

意味　**批評の態度が公正できびしい「春《しゅん》秋筆法《じゅうのひっぽう》」を表す語。**「筆削」は書くべきものは書きとり去るべきところは削ること、「褒貶」は褒《ほ》めるべきところは褒め、貶《けな》すべきところは貶すこと。

字体　「褒」の旧字体は「襃」。

出典　『経学歴史《けいがくれきし》』

匹夫之勇　ひっぷのゆう　準1級

意味　**考えることもなく、血気にはやるだけの勇気。**「匹夫」は身分の卑しい男のこと、転じて小人《しょうじん》をいう。小人の勇気の意。

出典　『孟子《もうし》』〈梁恵王《りょうけいおう》・下〉

類義語　血気《けっき》之《の》勇《ゆう》、暴虎馮河《ぼうこひょうが》、小人《しょうじん》之《の》勇《ゆう》、猪突猛進《ちょとつもうしん》

匹夫匹婦　ひっぷひっぷ　4級

意味　**教養のない平凡な者のこと。**「匹夫」は身分の卑しい男、「匹婦」は身分の卑しい女の意で、転じて平凡な男女のことをいう。

出典　『論語』〈憲問《けんもん》〉

筆力扛鼎　ひつりょくこうてい　1級

意味　**文章の筆力が非常に強いこと。**「筆力」は筆づかい、勢いをいう。中唐の韓愈《かんゆ》が張籍の文章をほめたたえて言った言葉。「扛鼎」は鼎《かなえ》を持ち上げること。鼎は両耳と三本の脚をもつ金属の器で食物の煮炊きに用いる。重い物の代表、または権勢の象徴とされる。

補説　「筆力鼎《かなえ》を扛《あ》ぐ」とも読む。

出典　韓愈《かんゆ》の「病中贈張十八《びょうちゅうちょうじゅうはちにおくる》-詩」

篳路藍縷　ひつろらんる
（1級）

意味　**たいへん苦労をして働くこと。**貧しく身分の低い身から出発し、困難を乗り越えて事業をはじめること。柴《しば》で作った粗末な車とぼろの着物の意。「篳」は、いばら・しば。「藍縷」はぼろ・やぶれごろも。

出典　『春秋《しゅんじゅう》左《さ》氏《し》伝《でん》』〈昭公《しょうこう》一二年〉

飛兎竜文　ひとりょうぶん
（準1級）

意味　**すぐれた子供のたとえ。**「飛兎」「竜文」とも昔の駿馬《しゅんめ》の名。

補説　「竜」は「りゅう」とも読む。

字体　「竜」の旧字体は「龍」。

出典　『芸林伐山《げいりんばつざん》』

非難囂囂　ひなんごうごう
（1級）

意味　**過失や欠点を責めとがめる声が多く大きいこと。**「囂囂」は騒がしいこと、声の大きいこと。

対義語　好評嘖嘖《こうひょうさくさく》

肥肉厚酒　ひにくこうしゅ
（4級）

意味　**肥えてうまい肉とうまい酒。贅《ぜい》沢《たく》な酒食。**「肥肉」は鳥獣の肥え太ったうまい肉。「厚酒」はよい酒、うまい酒。

補説　「厚酒肥肉」ともいう。

出典　『呂氏春秋《りょししゅんじゅう》』〈本生《ほんせい》〉

類義語　肥肉大酒《ひにくたいしゅ》

髀肉之嘆　ひにくのたん
（1級）

意味　**実力を発揮する機会に恵まれないのを嘆き悲しむこと。**「髀肉」はももの肉、「嘆」は嘆き悲しむこと。

補説　「髀肉」は「脾肉」、「嘆」は「歎」とも書く。

故事　中国三国《さんごく》時代、蜀《しょく》の劉備《りゅうび》は大志を抱いていたが不遇で、人の家に身を寄せていた。その折「自分は常に戦場に出て馬に乗っていたため、ももの肉が締まっていたが、今はももに贅肉《ぜいにく》がついてしまった」と、むなしく月日を過ごしていることを嘆いたという故事から。

出典　『三国志《さんごくし》』〈蜀書《しょくしょ》・先主伝《せんしゅでん》・注〉

肥馬軽裘　ひばけいきゅう
（1級）

意味　**たいそう富貴なさま。**また、**富貴な人の外出のよそおい。**「肥馬」は肥えた立派な馬のこと。「裘」は上等な皮ごろものことで、「軽裘」は軽くて高級な皮ごろもの意。

補説　「肥馬に乗り、軽裘を衣《き》る」の略。また、「軽裘肥馬」ともいう。

字体　「軽」の旧字体は「輕」。

出典　『論語』〈雍也《ようや》〉

被髪纓冠　ひはつえいかん
（1級）

意味　**非常に急いで行動すること。**「被髪」は髪の毛をふり乱したさま、「纓冠」は冠《かんむり》のひもを結ぶこと。髪をふり乱したまま冠のひもを結ぶ意。

字体　「髪」の旧字体は「髮」。

出典　『孟子《もうし》』〈離婁《りろう》・下〉

被髪左衽　ひはつさじん
（1級）

意味　**野蛮な風俗のこと。**「被髪」は髪を結ばないでふり乱したさま。「衽」は襟《えり》のことで、「左衽」は着物を左前に着ること。ふつうと逆の着方。

補説　「左衽」は「左袵」とも書く。

字体　「髪」の旧字体は「髮」。

出典　『論語』〈憲問《けんもん》〉

類義語　被髪文身《ひはつぶんしん》、黒歯彫題《こくしちょうだい》

被髪文身　ひはつぶんしん
（4級）

意味　**中華の文明に浴していない異民族の風俗のこと。**「被髪」は髪を結ばずに解き乱してあるもの、「文身」はからだに入れ墨をする意。

字体　「髪」の旧字体は「髮」。

出典　『礼記《らいき》』〈王制《おうせい》〉
類義語　被髪《ひはつ》左衽《さじん》、黒歯《こくし》彫題《ちょうだい》

被髪佯狂　ひはつようきょう　（1級）

意味　**髪をふり乱して狂人のまねをすること。**「被髪」は髪の毛をふり乱したさま。「佯狂」は狂人のまねをする。
字体　「髪」の旧字体は「髮」。
故事　中国殷《いん》末、紂王《ちゅうおう》に仕えた太師の箕子《きし》は酒と女におぼれて政治を顧みない紂王を諫《いさ》めたが聞かなかった。紂王のもとを去ることは君主の悪を世間に公表し、自分自身を人民に弁解することになると考えた箕子は、髪をふり乱し狂人のまねをして奴隷となったという故事から。
出典　『史記』〈宋世家《そうせいか》〉

皮膚之見　ひふのけん　（準1級）

意味　**うわべだけで本質をとらえようとしない浅薄な考えのこと。**「皮膚」はただのことで、表面・うわべのたとえ、「見」は考えの意。
出典　阮逸《げんいつ》の「文中子序《ぶんちゅうしじょ》」
類義語　皮肉之見《ひにくのけん》、皮相之見《ひそうのけん》

悲憤慷慨　ひふんこうがい　（1級）

意味　**不正や不義に憤《いきどお》りを感じ、嘆き悲しむこと。**「悲憤」は悲しみ憤ること、「慷慨」は怒り嘆く意。
補説　「慷慨悲憤」ともいう。また、「慷慨」は「忼慨」とも書く。
注意　「慷慨」を「梗概」と書き誤らない。
類義語　悲歌慷慨《ひかこうがい》

微妙玄通　びみょうげんつう　（4級）

意味　**物事の真理を知ること。**「微妙」は深淵《しんえん》で知り難いさま・高尚深淵なこと。「玄通」は奥深い道理に通ずる意。
注意　「微妙」を「徴妙」と書き誤らない。
出典　『老子《ろうし》』〈一五章〉

眉目秀麗　びもくしゅうれい　（2級）

意味　**顔かたちが美しくととのっていること。**「眉目」はまゆと目、転じて容貌《ようぼう》のこと。「秀麗」はすぐれて美しい意。
類義語　眉目清秀《びもくせいしゅう》、容姿端麗《ようしたんれい》

眉目清秀　びもくせいしゅう　（2級）

⇩眉目秀麗（びもくしゅうれい）

百依百順　ひゃくいひゃくじゅん　（4級）

意味　**すべて人のいいなりになること。**「依」は頼る、のっとる意。「順」はさからわずに従う意。
補説　「百順百依」ともいう。
類義語　唯唯諾諾《いいだくだく》、百依百随《ひゃくいひゃくずい》

百載無窮　ひゃくさいむきゅう　（準2級）

意味　**天地の永久にきわまりないこと。永久にきわまりないことにいう。**「百載」は百歳に同じで百年の意。転じて、長く、永久にの意。
注意　「百載」を「百戴」と書き誤らない。
類義語　天長地久《てんちょうちきゅう》

百舎重趼　ひゃくしゃちょうけん

意味　**困難を乗りこえて遠路を行くこと。**「百舎」は百日宿泊する、また、百里行って一泊すること。「趼」は足にできたこのことで、「重趼」はたこをたくさん作る意。長い道のりの旅で、足にたこをたくさん作る意から。
補説　「重趼」は「重繭」とも書く。
字体　「舎」の旧字体は「舍」。
出典　『荘子《そうじ》』〈天道《てんどう》〉

百姓一揆　ひゃくしょういっき　（1級）

意味　**江戸時代に、農民が結束して起こした暴動。**農村の疲弊や厳しい税の取り立てからのがれようとして起こした。「土一揆」ともいう。

百縦千随　ひゃくしょうせんずい　準1級

意味　**どんなわがままも聞くこと。**また、**どんなわがままでもきかれること。**「百縦」はさまざまなわがまま。「縦」はほしいままの意。

字体　「縦」の旧字体は「縱」、「随」の旧字体は「隨」。

出典　『竇娥冤《とうがえん》』

類義語　百様依順《ひゃくよういじゅん》

百世之師　ひゃくせいのし　準1級

意味　**のちの世まで人の師と仰がれる人のこと。**「百世」は非常に長い年月、のちのちの世のこと。

出典　『孟子《もうし》』〈尽心《じんしん》・下〉

百世之利　ひゃくせいのり　準1級

意味　**永久の利益のこと。**「百世」はのちのちの世の意。

出典　『史記』〈張儀伝《ちょうぎでん》〉

百世不磨　ひゃくせいふま　準2級

意味　**永久に消滅しないこと。**「百世」は非常に長い年月のこと、「不磨」は磨《す》りへらない意。

注意　「不磨」を「不摩」と書き誤らない。

出典　『後漢書《ごかんじょ》』〈南匈奴伝《なんきょうどでん》〉

類義語　百世不易《ひゃくせいふえき》、永久不変《えいきゅうふへん》、千古不易《せんこふえき》、万古不易《ばんこふえき》、永垂不朽《えいすいふきゅう》、永遠不滅《えいえんふめつ》

百尺竿頭　ひゃくせきかんとう　準1級

意味　**到達できる最高点のこと。**また、**向上しうる最高点のこと。**「竿頭」は竿《さお》の先端の意。百尺(約三〇メートル)もある長い竿の先ということ。

補説　「百尺」は「ひゃくしゃく」とも読む。「百尺竿頭一歩を進む」という形で用いられることが多いが、これは、最高の到達点よりもさらに先に進むことで、努力の上にさらに努力をする意。

出典　『景徳伝灯録《けいとくでんとうろく》』〈一〇〉

百折不撓　ひゃくせつふとう　1級

意味　**何度失敗しても志を曲げないこと。**「百折」は何回も折れること、「不撓」はたわまない、曲がらない意。

補説　「不撓」は「ふどう」とも読む。

注意　「不撓」を「不倒」と書き誤らない。

出典　蔡邕《さいよう》の文

類義語　不撓不屈《ふとうふくつ》、独立不撓《どくりつふとう》

百川帰海　ひゃくせんきかい　4級

意味　**多くの散らばっているものが一か所に集中するたとえ。**また、衆人の考えが一点に集まることのたとえ。すべての川が最後は海に注ぎこむ意。

補説　「百川、海に帰す」とも読む。

字体　「帰」の旧字体は「歸」。

出典　『淮南子《えなんじ》』〈氾論訓《はんろんくん》〉

百戦百勝　ひゃくせんひゃくしょう　5級

意味　**戦ってすべて勝つこと。**百回戦って百回とも勝つことから。中国の兵法家、孫子《そんし》はこれを必ずしも善《よ》しとせず、戦わずして勝つことを最善とした。

字体　「戦」の旧字体は「戰」。

出典　『孫子《そんし》』〈謀攻《ぼうこう》〉

類義語　連戦連勝《れんせんれんしょう》

百戦錬磨　ひゃくせんれんま　準2級

意味　**多くの経験をふんで鍛えられていること。**「百戦」は多くの戦い、「錬磨」はよく鍛え磨《みが》く意。多くの戦いに参加して、武芸を鍛え磨くことをいう。

補説　「錬磨」は「練磨」とも書く。

字体　「戦」の旧字体は「戰」。

類義語　海千山千《うみせんやません》、千軍万馬《せんぐんばんば》、飽経風霜《ほうけいふうそう》

百代過客　ひゃくだいのかかく　4級

意味　**永遠に止まることのない旅人。**

歳月が過ぎ去って帰らないことを旅人にたとえた言葉。「百代」は何代も何代も続くことで永遠の意。「過客」は旅人。

補説　「百代」を「ひゃくたい」「はくたい」と読むのは古い読み方。「過客」は「かきゃく」とも読む。

出典　李《り》白《はく》の「春夜宴桃李園序《しゅんやとうりえんにえんするのじょ》」

百鍛千練　ひゃくたんせんれん　3級

意味　**字句の推敲《すいこう》を重ねること。**「百」「千」は数の多いことを表す。百回鍛《きた》えて千回練《ね》る意。

類義語　月《げっ》下《か》推敲《すいこう》

百二山河　ひゃくにのさんが　5級

意味　**非常に堅固で大事な場所。**「百二」は二で百に対抗すること、一説に、百で二百に対抗すること。もと、秦《しん》の地の要害堅固なことをいった語。「山河」は山と川で、土地・場所の意。二で他国の百に対抗することができる要害の地をいう。

補説　「百二河山」ともいう。

出典　盧宗回《ろそうかい》の詩

百人百様　ひゃくにんひゃくよう　5級

意味　**人によってそれぞれ違った考え方や方法があるということ。**百人いれば百種類のすがた・かたちがあるという意。

字体　「様」の旧字体は「樣」。

類義語　十人《じゅうにん》十《と》色《いろ》

百年河清　ひゃくねんかせい　5級

意味　**あてにならないことをいつまでも待つたとえ。**黄河の流れは百年たっても清らかに澄むことはないという意。「河」は黄土で黄色く濁っている黄河のこと。

補説　「百年河清を俟《ま》つ」の略。出典では「河《か》の清《す》むを俟《ま》つ」とある。

出典　『春秋《しゅんじゅう》左《さ》氏《し》伝《でん》』〈襄公《じょうこう》八年〉

百年之業　ひゃくねんのぎょう　準1級

意味　**後々までの仕事。**また、**古くから伝わった仕事。**「百年」は百年間もの長い間のこと。「業」は仕事・つとめの意。

出典　班固《はんこ》の「西都賦《せいとのふ》」

百年之柄　ひゃくねんのへい　準1級

意味　**後々のことを図る権柄のこと。**「百年」は百年間もの長い間のこと。「柄」は支配する力・権力の意。

注意　「柄」を「丙」「弊」などと書き誤りやすい。

出典　『後漢書《ごかんじょ》』〈班彪伝《はんぴょうでん》〉

百八煩悩　ひゃくはちぼんのう　準2級

意味　**人間が持っている多くの迷いのこと。**「煩悩」は仏教語で人間の悩みや苦しみの意で、それが全部で一〇八種類あるという。

補説　人間は六根(眼・耳・鼻・舌・身・意)を持っていて、その一つずつにそれぞれ好・悪・平の三種があって十八種の煩悩となる。さらにそれらが浄・染の二種に分かれて三十六種、これが過去・現在・未来の三種にわたって人を悩ますので合計一〇八種となるとする。なお、他説もある。

字体　「悩」の旧字体は「惱」。

出典　『智《ち》度《ど》論《ろん》』〈六八〉

百福荘厳　ひゃくふくしょうごん　準1級

意味　**仏像を、数多く積んだ福で飾ること。**仏教語で、「百福」は多くの福のこと、「荘厳」は仏像や殿堂などを美しく飾る意。

補説　「荘厳」は仏教語では「しょうごん」と読む。

字体　「荘」の旧字体は「莊」、「厳」の旧字体は「嚴」。

出典　『法《ほ》華《け》経《きょう》』

百味飲食　ひゃくみのおんじき　準1級

意味　**いろいろな珍しい飲食物のこと。**「百味」はいろいろなうまい食物のこと。「飲食」は飲みものと食べものの意。仏教の語。

字体　「飮」の旧字体は「飲」。

出典　『祖《そ》庭《てい》事《じ》苑《えん》』〈六〉

百薬之長　ひゃくやくのちょう　準1級

意味　**酒のこと。**また、**酒があらゆる薬の中で最もよく効くということ。**「百薬」は多くの薬のこと、「長」はかしら・首領の意。

字体　「薬」の旧字体は「藥」。

出典　『漢《かん》書《じょ》』〈食《しょっ》貨《か》志《し》・下〉

類義語　儀《ぎ》狄《てき》之《の》酒《さけ》、清《せい》聖《せい》濁《だく》賢《けん》、天《てん》之《の》美《び》禄《ろく》、麦《ばく》曲《きょく》之《の》英《えい》、忘《ぼう》憂《ゆう》之《の》物《もの》

百様玲瓏　ひゃくようれいろう　1級

意味　**種々の美しさ。**「百様」はさまざまな。「玲瓏」は玉の鳴る音の形容。転じて、玉のように美しいさま。

字体　「様」の旧字体は「樣」。

百里之命　ひゃくりのめい　準1級

意味　**一国の運命。**君主から委任されて行う政治のこと。「百里」は中国周代における諸侯の国。百里四方の諸侯の国の政治の意で、当時は諸侯がそれぞれ国を治めていた。

出典　『論語』〈泰《たい》伯《はく》〉

百伶百利　ひゃくれいひゃくり　準1級

意味　**非常に聡《そう》明《めい》なこと。**「伶」は利口なこと。「利」は巧みなこと、賢いこと。

補説　「百利」は「百俐」とも書く。

百錬成鋼　ひゃくれんせいこう　3級

意味　**心身を鍛えに鍛えてはじめて立派な人間になるのだということ。**また、意志などが非常に強いことの形容。「百錬」は何度も何度もきたえること。「成鋼」は鋼《はがね》になる意。鋼は錬成に錬成を重ねてやっとできあがるものだという意から。

補説　「百錬、鋼と成《な》る」とも読む。また「錬」は「煉」とも書く。

類義語　百《ひゃく》錬《れん》之《の》鋼《ごう》

百花斉放　ひゃっかせいほう　準2級

意味　**学問や芸術が、自由にまた盛んに行われること。**「百花」は多くの花のこと。「放」は開く意で、「斉放」はいっせいに開くこと。いろいろな花がいっせいに咲くことをいう。

補説　「百家争鳴」とともに、一九五六年に中華人民共和国で、芸術・科学の発展促進のために、国民が自由に論争することを奨励するスローガンに使われた。

字体　「斉」の旧字体は「齊」。

注意　「百《ひゃっ》花《か》」を「百《ひゃっ》家《か》」と書き誤らない。

類義語　百《ひゃっ》家《か》争《そう》鳴《めい》、百《ひゃっ》花《か》繚《りょう》乱《らん》

百家争鳴　ひゃっかそうめい　5級

意味　**さまざまな立場の人が自由に議論をすること。**「百家」は多くの学者のこと。多くの学者や専門家が、活発に論争しあうことをいう。→「百《ひゃっ》花《か》斉《せい》放《ほう》」

字体　「争」の旧字体は「爭」。

注意　「百家」を「百花」、「争鳴」を「騒鳴」などと書き誤りやすい。

類義語　百《ひゃっ》花《か》斉《せい》放《ほう》、百《ひゃっ》花《か》繚《りょう》乱《らん》、議《ぎ》論《ろん》百《ひゃく》出《しゅつ》、談《だん》論《ろん》風《ふう》発《はつ》

百下百全　ひゃっかひゃくぜん　5級

意味　**百のうち一つも欠けることなく完全であること。**

出典　『漢《かん》書《じょ》』〈馮《ふう》奉《ほう》世《せい》伝《でん》〉

百花繚乱　ひゃっかりょうらん　1級

意味　**すぐれた人物や業績が、一時期**

にたくさん現れること。「百花」は多くの花のこと、「繚乱」は花が咲き乱れる意。さまざまな花があでやかに咲き乱れることをいう。

補説　「繚乱」は「撩乱」とも書く。

字体　「乱」の旧字体は「亂」。

注意　「百花」を「百家」、「繚乱」を「瞭乱」などと書き誤りやすい。

類義語　百《ひゃっ》花《か》斉《せい》放《ほう》、百《ひゃっ》家《か》争《そう》鳴《めい》、千《せん》紫《し》万《ばん》紅《こう》、千《せん》紅《こう》万《ばん》紫《し》

百鬼夜行　ひゃっきやこう　4級

意味　**多くの悪人がのさばりはびこるたとえ。**多くの化け物が夜中に行列を作って歩く意。「百鬼」はさまざまな妖怪《ようかい》、「夜行」は夜に列をなして闇《やみ》の中を歩きまわること。

補説　「夜行」は「やぎょう」とも読む。

百挙百捷　ひゃっきょひゃくしょう　準1級

意味　**どんなことも行ったただけうまくいくこと。**やればやっただけうまくいくこと。「百挙」はさまざまな行為、「捷」は勝つこと。

字体　「挙」の旧字体は「擧」。

出典　『三国志《さんごくし》』〈呉書《ごしょ》・周魴伝《しゅうほうでん》〉

類義語　百戦百勝《ひゃくせんひゃくしょう》、百挙百全《ひゃっきょひゃくぜん》

百孔千瘡　ひゃっこうせんそう　1級

意味　**短所や欠点がたくさんあること。**また、穴や傷だらけで破壊の状態がすさまじいこと。「百孔」は百の穴、「千瘡」は千の傷。「百」も「千」も数が多いこと。

補説　「千孔百瘡」「千瘡百孔」ともいう。また「千瘡」は「千創」とも書く。

出典　韓愈《かんゆ》の「与孟簡尚書書《もうかんしょうしょにあたうるのしょ》」

類義語　満身創痍《まんしんそうい》

百古不磨　ひゃっこふま　準2級

意味　**後々の世まで滅びないこと。**「百古」は非常に長い年月・後々の世のこと、「不磨」はすりへらない、磨滅しない意。

注意　「不磨」を「不麿」と書き誤らない。

出典　重野成斎《しげのせいさい》の「明治政体《めいじせいたい》」

類義語　百世不磨《ひゃくせいふま》

百発百中　ひゃっぱつひゃくちゅう　5級

意味　**予想や計画などが、すべてそのとおりになること。**「中」はあたること。矢や弾丸を百発撃って、それが百発とも的にあたること。

字体　「発」の旧字体は「發」。

故事　中国楚《そ》の弓の名手養由基《ようゆうき》が、百歩離れた所から柳の葉を百回射て、百回ともすべて命中させたという故事から。

出典　『戦国策《せんごくさく》』〈西周策《せいしゅうさく》〉

類義語　百歩穿楊《ひゃっぽせんよう》

百歩穿楊　ひゃっぽせんよう　準1級

意味　**射撃の技術がすぐれていること。**百歩離れた所から、ねらいを定めた細い楊《やなぎ》の葉を射ぬいて穴をあける意。「穿」はうがつ、穴をあける。

補説　「百歩楊《やなぎ》を穿《うが》つ」とも読む。

故事　「百発百中」の項参照。

出典　『戦国策《せんごくさく》』〈西周策《せいしゅうさく》〉

類義語　百発百中《ひゃっぱつひゃくちゅう》

謬悠之説　びゅうゆうのせつ　準1級

意味　**でたらめでとりとめのない考え方のこと。**「謬悠」はいつわりまちがって、とりとめのないこと。

出典　『荘子《そうじ》』〈天下《てんか》〉

類義語　荒唐無稽《こうとうむけい》

氷甌雪椀　ひょうおうせつわん　1級

意味　**清らかで上品な文具のこと。**また、**それを用いて詩文を写すこと。**「氷甌」は氷のかめ、「雪椀」は雪のわんの意。清雅な文具のことをいう。

補説　「氷甌」は「冰甌」とも書く。

出典　范成大《はんせいだい》の詩

氷肌玉骨　ひょうきぎょっこつ　準1級

意味　**美しい女性のこと。**また、**梅の花をいう。**「氷肌」は氷のように清らかな肌。また、寒中に白い花を開くことから梅の花。「玉骨」は高潔なようすの意。

補説　「氷肌」は「冰肌」とも書く。

出典　孟昶《もうちょう》の詩

類義語　氷姿《ひょうし》玉骨《ぎょっこつ》

氷壺秋月　ひょうこしゅうげつ　準1級

意味　**心がたいへん清く明らかであることのたとえ。**「氷壺」は氷の入った白玉の壺《つぼ》、「秋月」は秋の月。

補説　「氷」は「冰」、「壺」は「壷」とも書く。

出典　『宋史《そうし》』〈李侗伝《りどうでん》〉

飄忽震蕩　ひょうこつしんとう　1級

意味　**すばやくゆり動かすこと。**「飄忽」はたちまち・すみやかにの意。「震蕩」はふるえ動く、ゆり動かすこと。

補説　「飄忽」は「飄㫚」、「震蕩」は「震盪」とも書く。

注意　「飄忽」を「剽忽」と書き誤らない。

出典　青山佩弦斎《あおやまはいげんさい》の「豊臣太閤論《とよとみたいこうろん》」

氷姿雪魄　ひょうしせっぱく　1級

⇩**雪魄氷姿**（せっぱくひょうし）

剽疾軽悍　ひょうしつけいかん　1級

意味　**すばしこくて強いこと。**「剽疾」はすばやいこと。「疾」も、はやい意。「軽悍」はすばやくたけだけしいこと。「悍」はたけだけしい、気が強い意。

字体　「軽」の旧字体は「輕」。

出典　『淮南子《えなんじ》』〈兵略訓《へいりゃくくん》〉

氷消瓦解　ひょうしょうがかい　2級

意味　**物事が次々と崩れてばらばらになること。**また完全になくなってしまうこと。「氷消」は氷がとけて消えること、「瓦解」は瓦《かわら》が崩れるようにばらばらになる意。

補説　「氷《こおり》と消《き》え瓦《かわら》と解《と》く」とも読む。「氷消」は「氷銷」とも書き、「氷」は「冰」とも書く。また、「瓦解氷消」ともいう。

出典　『魏書《ぎしょ》』〈出帝平陽王紀《しゅっていへいようおうき》〉

類義語　土崩瓦解《どほうがかい》、氷散瓦解《ひょうさんがかい》

豹死留皮　ひょうしりゅうひ　準1級

意味　**死後に功名を残すたとえ。**豹は死んで、その美しい毛皮を残す意。人が生前に功績をあげ、死後に名声を残すことにたとえる。

補説　「豹は死して皮を留《とど》む」とも読む。出典にはこの四字句のあと「人は死して名を留む（人死留名）」とある。

出典　『新五代史《しんごだいし》』〈王彦章伝《おうげんしょうでん》〉

類義語　垂名竹帛《すいめいちくはく》

飛鷹走狗　ひようそうく　準1級

意味　**狩猟をすること。**鷹《たか》をとばし犬を走らせる意。「狗」は犬。ここでは狩りに使う犬。

出典　『後漢書《ごかんじょ》』〈袁術伝《えんじゅつでん》〉

猫鼠同眠　びょうそどうみん　準1級

意味　**どろぼうを捕らえる者とどろぼうがなれ合うこと。**また、上役と下僚が結託して悪事をはたらくことのたとえ。猫《ねこ》と鼠《ねずみ》がいっしょに眠る意から。

補説　出典には「猫鼠同処」とある。

出典　『唐書《とうじょ》』〈五行志《ごぎょうし》〉

類義語　猫鼠同処《びょうそどうしょ》

氷炭相愛　ひょうたんそうあい　5級

意味　**世の中にありえないことのたとえ。**また、**友人どうしが互いに戒めあうたとえ。**氷は炭火によって融け、炭火は

その水によって消える。この両者が愛し合うことはありえない。また氷は炭火によって融け本性である水に復し、炭火は水によって燃え尽きようとするのを消しとめ炭としての本性を保てることから、相反するものが調和し性質を保持するたとえ。また、友人どうしがお互いに特性を生かして助け合うことのたとえの意味もある。

補説　「氷炭、相《あい》愛《あい》す」とも読む。また「氷炭」は「冰炭」とも書く。

出典　『淮南子《えなんじ》』〈説山訓《せつざんくん》〉

廟堂之器　びょうどうのき　準1級

意味　**政治をつかさどることができる立派な器量の人物のこと。**「廟堂」は宗廟《そうびょう》と明堂《めいどう》のことで、古代、宗廟で先祖へまつりごとの報告をし、明堂で群臣と会議を行った。転じて朝廷の意。朝廷で政治を執ることができる立派な人物をいう。

出典　李《り》白《はく》の「贈華州王司士《かしゅうおうししにおくる》詩」

類義語　廟堂《びょうどう》之《の》量《りょう》

漂蕩奔逸　ひょうとうほんいつ　準1級

意味　**あてもなく走り回ること。**「漂蕩」はさすらう、さまよう意。「奔逸」はほしいままに走り動く意。

注意　「漂蕩」を「標蕩」と書き誤らない。

出典　王守仁《おうしゅじん》の文

病入膏肓　びょうにゅうこうこう　1級

意味　**趣味や道楽に熱中したり、弊害などが手のつけられないほどになったりすることのたとえ。重病で治療が難しい状態のこと。**「膏」は心臓の下の部分、「肓」は横隔膜《おうかくまく》の上の部分。身体の奥の病気の治しにくい部分。

補説　「病《やまい》、膏肓《こうこう》に入《い》る」とも読む。

注意　「膏肓《こうこう》」を「膏盲《こうもう》」と書かないこと。

故事　中国春秋時代、晋《しん》の景公が、自分を苦しめている病魔が二豎子《にじゅし》（二人の子供）になってあらわれ、名医も治療できない膏の下、肓の上にかくれた夢を見たという故事から。

出典　『春秋左氏伝《しゅんじゅうさしでん》』〈成公《せいこう》一〇年〉

類義語　膏肓《こうこう》之《の》疾《しつ》、膏肓《こうこう》之《の》病《やまい》

飛揚跋扈　ひようばっこ　1級

意味　**強くてわがままに振る舞うたとえ。**また、**臣下がのさばり君主をしのぐたとえ。**猛々《たけだけ》しい鳥が飛び上がり、大きな魚が跳ね上がる意。常識や規則などを無視して横暴な振る舞いをすることをいう。「飛揚」は猛禽《もうきん》が飛び上がること。「扈」は魚を捕らえるための水中の竹垣のことで、「跋扈」は大魚がその竹垣を跳びこえて逃げること。

出典　『北史《ほくし》』〈斉神武紀《せいしんぶき》〉

類義語　跳梁跋扈《ちょうりょうばっこ》、横行闊歩《おうこうかっぽ》

摽末之功　ひょうまつのこう

意味　**ほんのわずかな功績のこと。**「摽末」は刀のきっさきの意から転じて、ほんのわずかなことをいう。

出典　『漢書《かんじょ》』〈王莽伝《おうもうでん》・上〉

表裏一体　ひょうりいったい　4級

意味　**二つのものが表と裏のように密接な関係にあること。**表裏は同体で切り離せない関係であるということ。また、**相反する二つのものが一つになること。**「表裏」は表と裏のこと、「一体」は一つのものの意。

字体　「体」の旧字体は「體」。

比翼連理　ひよくれんり　4級

意味　**男女の情愛が深く、仲睦《むつ》まじいことのたとえ。**「比翼」は「比翼の鳥」で、雌雄の二羽が翼を共有して常に一体となって飛ぶという想像上の鳥。「連理」は「連理の枝」で、根や幹は別だが、枝と枝が

結合して一つになっているもの。男女の仲のよいことにたとえる。
補説　「比翼の鳥、連理の枝」の略。
出典　白居易《はくきょい》の「長恨歌《ちょうごんか》」
類義語　偕老同穴《かいろうどうけつ》、関関雎鳩《かんかんしょきゅう》

皮裏陽秋　ひりのようしゅう　4級

意味　**口に出しては言わないで、内心で人をほめたり、批判したりすること。**「皮裏」は心中。「陽秋」は『春秋』の別名。内心に春秋（毀誉褒貶《きよほうへん》―ほめたりけなしたりの意）を秘める意。『春秋』は孔子が厳正な態度で歴史を批判し言葉一字一字に深い意味をもたせ、暗に賞賛や批判の意をこめた歴史書。
出典　『晋書《しんじょ》』〈褚裒伝《ちょほうでん》〉
類義語　皮裏春秋《ひりしゅんじゅう》

飛竜乗雲　ひりょうじょううん　準1級

意味　**英雄が時勢に乗じて勢いを得て、才能を発揮すること。**竜が雲に乗って天に上る意から。
補説　「飛竜《ひりょう》雲に乗る」とも読む。また、「飛竜」は「ひりゅう」とも読む。
字体　「竜」の旧字体は「龍」、「乗」の旧字体は「乘」。
出典　『韓非子《かんぴし》』〈難勢《なんぜい》〉

疲労困憊　ひろうこんぱい　1級

意味　**つかれはてること。**「困憊」はつかれて、よわりきること。
字体　「労」の旧字体は「勞」。
類義語　精疲力尽《せいひりきじん》

牝鶏之晨　ひんけいのしん　1級

意味　**妻女が権力を握って、勢力をふるうこと。**「牝鶏」はめんどり、「晨」はにわとりが夜明けの時を告げる意。王后や王妃が勢力をふるうことで、中国では国家が乱れるもととされた。
補説　「牝鶏」は「牝雞」とも書く。
字体　「鶏」の旧字体は「鷄」。
出典　『書経《しょきょう》』〈牧誓《ぼくせい》〉
類義語　牝鶏《ひんけい》司《し》晨《しん》、牝鶏《ひんけい》牡《ぼ》鳴《めい》、哲婦《てっぷ》傾城《けいせい》

牝鶏牡鳴　ひんけいぼめい　準1級

意味　**婦人が権力を握ることをいう。**めんどりがおんどりの鳴きまねをする。
↓「牝鶏《ひんけい》之《の》晨《しん》」
補説　「牝鶏」は「牝雞」とも書く。
字体　「鶏」の旧字体は「鷄」。
出典　『後漢書《ごかんじょ》』〈楊震伝《ようしんでん》〉
類義語　牝鶏《ひんけい》之《の》晨《しん》、牝鶏《ひんけい》晨鳴《しんめい》、牝鶏《ひんけい》司《し》晨《しん》、哲婦《てっぷ》傾城《けいせい》

品行方正　ひんこうほうせい　5級

意味　**行いや心が正しく、やましい点がないこと。**「品行」は行い・行状のこと、「方正」はきちんとしていて正しい意。
類義語　規行矩歩《きこうくほ》、聖人君子《せいじんくんし》

貧者一灯　ひんじゃのいっとう　4級

意味　**まごころの貴いことのたとえ。**貧しい者からのわずかばかりの寄進のこと。真心がこもり、富める者の豪勢に勝《まさ》る意。
補説　「長者の万灯より貧者の一灯」の略。
字体　「灯」の旧字体は「燈」。
故事　阿闍世《あじゃせ》王が仏のために宮門から精舎まで万灯の明かりをともした。ある老婆が貧しい中で油を買い一灯をともした。王の万灯は油が尽きるなどして消えたが老婆の一灯だけは一晩中燃えつづけたという故事から。
出典　『阿闍世王受決経《あじゃせおうじゅけつきょう》』
類義語　貧女一灯《ひんじょのいっとう》

貧富貴賤　ひんぷきせん　準1級

意味　**貧しい者と富める者、身分の貴《とうと》い者と賤《いや》しい者。**

補説 「貴賤貧富」ともいう。

注意 「貧」を「貪」と書き誤らない。

牝牡驪黄 **ひんぼりこう** 1級

意味 **物事は外見にとらわれず、その本質を見抜くことが大切であるということ。**めすとおす、黒色と黄色とを間違えること。「驪」は黒色の馬、くろい意。

故事 中国秦《しん》の穆公《ぼっこう》が馬を見る名人、伯楽のすすめで九方皐《きゅうほうこう》に名馬を求めさせた。砂丘で黄色の牝馬《ひんば》を見つけたというので使いの者に連れてこさせようとしたところ、おすの黒い馬とのことである。穆公は馬の色やおすめすさえわからないのを怒ったのに対し、伯楽は、馬は形や色、性別など外的条件にこだわらずに自然に備わった能力をこそ見るべきだと説いた。馬が到着すると果たして天下の名馬であったという故事から。

出典 『列子《れっし》』〈説符《せっぷ》〉

【ふ】

布衣之極 **ふいのきょく** 準1級

意味 **庶民としての最高の出世のこと。**「布衣」は布で作った庶民の衣服のこと、転じて無位無官の人をいう。「極」は物事の最高・最上の意。

出典 『史記』〈留侯世家《りゅうこうせいか》〉

布衣之交 **ふいのまじわり** 準1級

意味 **身分や地位などを問題にしない心からの交際。**また、**庶民的なつきあい。**「布衣」は麻の布で作った庶民の衣服のことで、転じて庶民の意。

補説 「交」は「こう」とも読む。

出典 『史記』〈廉頗《れんぱ》藺相如《りんしょうじょ》伝《でん》〉

類義語 布衣《ふい》之《の》友《とも》

馮異大樹 **ふういたいじゅ** 1級

意味 **おごりたかぶらない人のたとえ。**「馮異」は後漢の将軍。

注意 「馮異」を「憑異」と書き誤らない。また「ひょうい」と読まない。

故事 馮異は謙譲の徳をもち、諸将が手柄話をするときはいつも大樹の下に遠のいていたので、軍中では彼のことを大樹将軍と呼んだ(『後漢書《ごかんじょ》』〈馮異《ふうい》伝《でん》〉)。

出典 『蒙求《もうぎゅう》』〈馮異《ふうい》大樹《たいじゅ》〉

風雨凄凄 **ふううせいせい** 1級

意味 **風が吹き雨が降って、寒く冷たいさま。**「風雨」は風と雨・あらしのこと。「凄凄」は寒く冷たくて底冷えがする意。乱世の意味に用いることもある。

出典 『詩経《しきょう》』〈鄭風《ていふう》・風雨《ふうう》〉

風雨対牀 **ふううたいしょう** 1級

意味 **兄弟が会うこと。**「牀」は床に同じで、兄弟が床を並べて夜の雨音をたがいに心静かに聞く意から転じた。

字体 「対」の旧字体は「對」。

故事 唐の韋《い》王物《おうぶつ》の詩に「風雪夜」「対牀眠」の語があり、北宋《ほくそう》の蘇軾《そしょく》がその趣旨を変えず語句を変えて、別れて来た弟の蘇轍《そてつ》に送った詩の中に用いた。

出典 蘇軾《そしょく》の詩

風雲月露 **ふううんげつろ** 4級

意味 **なんの役にも立たない、自然の風景を詠んだだけの詩文のこと。**風に吹かれる雲と月光にひかる露の玉の意で、自然の美しい風景のこと。また、花鳥風月を詠んだだけで、毒にも薬にもならない詩文のことをいう。

出典 『隋書《ずいしょ》』〈李諤伝《りがくでん》〉

類義語 煙雲月露《えんうんげつろ》

風鬟雨鬢 **ふうかんうびん** 1級

意味 **風にくしけずり雨に洗われる。**

風雨にさらされ苦労して勤労すること。「鬟」はわげ、頭の上に束ね輪にした髪形。「鬢」はびん、耳ぎわの髪の毛。髪の毛を風雨にさらす意。

出典　『柳《りゅう》毅《き》伝《でん》』

風岸孤峭　ふうがん こしょう　（1級）

意味　**いかめしくて厳しく、角立って人と融和しないために孤独なこと。**「風岸」は性質が角立って人と融和しないこと。「孤峭」は性質がけわしく世間から孤立すること。

出典　『続《ぞく》通《つ》鑑《がん》綱《こう》目《もく》』〈二三〉

富貴栄華　ふうき えいが　（準2級）

意味　**富んで位高く栄えときめくこと。**「栄華」は草木が栄え茂る意から、栄えときめくこと。

字体　「栄」の旧字体は「榮」。

類義語　栄《えい》耀《よう》栄《えい》華《が》

富貴在天　ふうき ざいてん　（準2級）

意味　**富も位も天命によるので人の思うようにはいかないの意。**

補説　「富貴天に在《あ》り」とも読む。

出典　『論語』〈顔《がん》淵《えん》〉

類義語　死《し》生《せい》有《ゆう》命《めい》

風紀紊乱　ふうき びんらん　（1級）

意味　**社会風俗や規律が乱れること。**特に男女間の交遊についていう。「紊乱」はみだれること。

補説　「紊乱」を「びんらん」と読むのは慣用。正しくは「ぶんらん」。

字体　「乱」の旧字体は「亂」。

富貴浮雲　ふうき ふうん　（準2級）

意味　**財産や地位ははかなく頼りにならないものだということ。**また、名利に心を動かされることなく、名利など関係がないということ。また、不正をしての蓄財や得た地位は、浮雲のようにはかなく身につかないものであるということ。

補説　出典の「子曰《いわ》く、疏《そ》食《しょく》を飯《くら》い水を飲むも亦《また》其《そ》の中にあり、不《ふ》義《ぎ》にして富《とみ》且《か》つ貴きは我に於《お》いては浮雲の如《ごと》し」による。

出典　『論語』〈述而《じゅつじ》〉

類義語　浮《ふ》雲《うん》之志《のこころざし》

富貴福沢　ふうき ふくたく　（準2級）

意味　**富んで位高く幸福なこと。**天が人に与える富貴や恩沢。「福沢」は幸福とめぐみ。

字体　「沢」の旧字体は「澤」。

注意　「福沢」を「ふくざわ」と読まない。

出典　『近《きん》思《し》録《ろく》』〈論《ろん》学《がく》〉

対義語　貧《ひん》賤《せん》憂《ゆう》戚《せき》

風魚之災　ふうぎょの わざわい　（準1級）

意味　**海上の暴風による災難のこと。**また、**海賊や外敵などによってこうむる災難。**「風」は海上の暴風、「魚」は鰐《がく》魚《ぎょ》（わに）などわざわいをもたらす悪魚の意。海賊を海の暴風と鰐魚にたとえていったもの。

出典　韓《かん》愈《ゆ》の「送鄭尚書序《ていしょうしょをおくるのじょ》」

富貴利達　ふうき りたつ　（準2級）

意味　**富んで位高くなること。立身出世すること。**「利達」は利益と立身出世する意。

出典　『孟《もう》子《し》』〈離《り》婁《ろう》・下〉

風月玄度　ふうげつ げんたく　（4級）

意味　**人と長いあいだ会っていないこと。**また、心が清く私欲のない人を思うこと。「風月」はすがすがしい風と美しい月、「玄度」は人名。

故事　中国、晋《しん》の劉《りゅう》惔《えん》が「すがすがしい風が吹き、明月の美しい夜になると、

友人の許詢《きょじゅん》を思い出す」と語ったという故事から。「玄度」は許詢の字《あざな》。劉惔も許詢も清談の名人だった。

出典　『世説新語《せせつしんご》』〈言語《げんご》〉

風光明媚　ふうこうめいび　（1級）

意味　**自然の景色が清らかで美しいこと。**「風光」は景色・眺めのこと、「明媚」は清らかで美しい意。

注意　「明媚」を「明眉」「明美」などと書き誤りやすい。

風餐雨臥　ふうさんうが　（準1級）

意味　**旅の苦しみや野外での仕事の苦しみ。**また、**野宿をすること。**「風餐」は風に吹かれて食事をすること、「雨臥」は雨にうたれながら寝る意。

出典　杜甫《とほ》の詩

類義語　風餐露宿《ふうさんろしゅく》、飧風宿水《そんぷうしゅくすい》

風餐露宿　ふうさんろしゅく　（準1級）

意味　**野宿をすること。**「餐」は食べたり飲んだりすることで、「風餐」は風にさらされて食事をすること、「露宿」は露に濡《ぬ》れながら夜を過ごす意。旅や野外の仕事の苦しみを表す意味にも用いる。

出典　范成大《はんせいだい》の「元日《がんじつ》詩」

類義語　風餐雨臥《ふうさんうが》、飧風宿水《そんぷうしゅくすい》

風櫛雨沐　ふうしつうもく　（1級）

⇩櫛風沐雨（しっぷうもくう）

風樹之歎　ふうじゅのたん　（準1級）

意味　**父母が亡くなってしまって、孝行を尽くすことができない嘆き。**「風樹」は風にゆれる木のこと。木が静止したいと思っても、風が止まないと静止できないように、自分の思いどおりにいかないことをいう。

補説　「歎」は「嘆」とも書く。

出典　『韓詩外伝《かんしがいでん》』〈九〉

類義語　風樹之感《ふうじゅのかん》、風木之歎《ふうぼくのたん》、風木之《ふうぼくの》悲《かなしみ》、風木含悲《ふうぼくがんぴ》

風声鶴唳　ふうせいかくれい　（1級）

意味　**ささいなことに驚いたりおじけづいたりすること。**「風声」は風の音のこと、「鶴唳」は鶴《つる》の鳴き声の意。わずかな物音にも、敵が来襲してきたのかとおびえることのたとえ。

補説　「鶴唳風声」ともいう。

字体　「声」の旧字体は「聲」。

故事　中国前秦《ぜんしん》の符堅《ふけん》の軍が戦いに敗れ、敗軍の兵が風の音と鶴の声を聞いて、敵軍の追撃と勘違いして敗走したという故事から。

出典　『晋書《しんじょ》』〈謝玄伝《しゃげんでん》〉

類義語　影駭響震《えいがいきょうしん》、草木皆兵《そうもくかいへい》

風霜高潔　ふうそうこうけつ　（準2級）

意味　**清らかに澄んだ秋の景色のたとえ。**「風霜」は風と霜《しも》のこと。風は高く吹き、霜は白く清らかである意。

出典　欧陽脩《おうようしゅう》の「酔翁亭記《すいおうていき》」

類義語　刻露清秀《こくろせいしゅう》

風霜之任　ふうそうのにん　（準1級）

意味　**司法官のこと。**「風霜」は風と霜《しも》で、峻厳・峻烈なさまのたとえ。「任」は任務の意。不法を糾弾することが峻烈な任務ということから。

出典　『文献通考《ぶんけんつうこう》』〈職官《しょっかん》〉

風俗壊乱　ふうぞくかいらん　（4級）

意味　**世の中の健全な風俗や習慣が乱れること。**「風俗」はしきたり・習慣のこと、「壊乱」はこわれ乱れる意。

補説　「壊乱」は「潰乱」とも書く。

字体　「壊」の旧字体は「壞」、「乱」の旧字体は「亂」。

類義語　傷風敗俗《しょうふうはいぞく》、風紀紊乱《ふうきびんらん》

風木之悲　ふうぼくのかなしみ

準1級

⇨**風樹之歎**（ふうじゅのたん）

風流韻事　ふうりゅういんじ

準2級

意味　**詩歌や書画などの風流な遊び。**また、自然を友とするような優雅な趣味。「風流」は上品で趣があること。「韻事」は詩歌や書画など風流な遊びの意。

類義語　風流閑事《ふうりゅうかんじ》、風流佳事《ふうりゅうかじ》、風流三昧《ふうりゅうざんまい》

風流三昧　ふうりゅうざんまい

2級

意味　**自然を友として詩歌などを作る優雅な遊びに熱中すること。**「風流」は上品で味わいがあるさま、「三昧」はそのことに夢中になって他をかえりみない意。

注意　「三昧」を「三味」と書き誤らない。

類義語　風流韻事《ふうりゅういんじ》、風流佳事《ふうりゅうかじ》、風流閑事《ふうりゅうかんじ》

風林火山　ふうりんかざん

5級

意味　**物事の時機や情勢に応じた行動のしかたのこと。**物事に対処する場合に、風のように敏速に動いたり、林のように静かに好機をうかがったり、火が燃えるような勢いで侵掠《しんりゃく》したり、山のように動かずどっしりと構えたりする意。

補説　「其《そ》の疾《はや》きこと風の如《ごと》く、其《そ》の徐《しず》かなること林の如く、侵掠《しんりゃく》すること火の如く、動かざること山の如し」の略。戦国時代の武将、武田信玄《たけだしんげん》が旗に大書し、旗印にしていたことで有名。

出典　『孫子《そんし》』〈軍争《ぐんそう》〉

浮雲翳日　ふうんえいじつ

1級

意味　**悪人が政権を握って世の中が暗くなることのたとえ。**また、邪悪な家臣が君主の英明をおおい善政が行われないこと。浮雲《うきぐも》が日光をさえぎるという意。「翳」はおおい隠す。

補説　「浮雲《ふうん》日《ひ》を翳《おお》う」とも読む。

出典　孔融《こうゆう》の「臨終《りんじゅう》-詩」

浮雲驚竜　ふうんきょうりょう

準1級

意味　**筆勢がきわめて自由闊達《かったつ》で勢いがあるさま。**浮き雲のように自由でのびのびしており、天に昇る竜のように勢いのある意から。

補説　「驚竜」は「きょうりゅう」とも読む。

字体　「竜」の旧字体は「龍」。

出典　『晋書《しんじょ》』〈王羲之伝《おうぎしでん》〉

巫雲蜀雨　ふうんしょくう

1級

意味　**遠く離れ離れになっている夫婦がお互いを思い合っていることのたとえ。**巫山の雲と蜀の雨。

注意　「巫雲」を「坐雲」と書かないこと。

出典　李賀《りが》の「琴曲歌辞《きんきょくかじ》」

武運長久　ぶうんちょうきゅう

5級

意味　**戦いの場での幸運が長く続くこと。**「武運」は戦いにおける勝敗の運命、また、武人としての運命のこと。「長久」は長く久しい意。

浮雲朝露　ふうんちょうろ

4級

意味　**たよりなくはかないもののたとえ。**「浮雲」は空に浮かぶ雲のことで、たよりなく定まらないことのたとえ。「朝露」は朝方におりる露のことで、すぐに消えてしまうはかないもののたとえ。

出典　『周書《しゅうしょ》』〈蕭大圜伝《しょうたいえんでん》〉

浮雲之志　ふうんのこころざし

準1級

意味　**不正な手段で得た財産や地位は、自分とは関係がないはかないものだという考え方。**「浮雲」は空に浮かぶ雲のことで、すぐに散ってしまうはかないもの、遠くにあって自分とは関係ないものの意。→「富貴浮雲《ふうきふうん》」

出典　『論語』〈述而《じゅつじ》〉

類義語　富貴浮雲《ふうきふうん》

不易流行　ふえき りゅうこう　5級

意味　**蕉風俳諧《しょうふうはいかい》の理念の一。**常に変化をしない本質的なもの(不易)を忘れない中にも、一方で新しく変化してやまないもの(流行)をもとり入れていくのが風雅の根幹であるということ。

対義語　一時流行《いちじりゅうこう》

不壊金剛　ふえ こんごう　準1級

⇨**金剛不壊**(こんごう ふえ)

不解衣帯　ふかい いたい　5級

意味　**あることに不眠不休で専念すること。**衣服を着替えることもしないで仕事に熱中すること。

補説　「衣帯を解かず」とも読む。また、「衣帯不解」ともいう。

字体　「帯」の旧字体は「帶」。

出典　『漢書《かんじょ》』〈王莽伝《おうもうでん》・上〉

類義語　昼夜兼行《ちゅうやけんこう》、不眠不休《ふみんふきゅう》

不可抗力　ふかこう りょく　4級

意味　**人の力ではどうすることもできない、大きな外からの力のこと。**天災地変、地震・落雷などのように、人間の力では防ぐことのできないものをいう。

補説　「抗すべからざるの力」で、さからうことができない力の意。語構成は「不可抗」＋「力」。

浮瓜沈李　ふか ちんり　準1級

意味　**夏の優雅な遊びをいう。**水に瓜《うり》を浮かべ、李(すもも)を沈める意。

補説　「瓜《うり》を浮《う》かべて李《すもも》を沈《しず》む」とも読む。

注意　「瓜」を「爪」と書き誤らないこと。

出典　魏文帝《ぎのぶんてい》の文

夫家之征　ふかの せい　準1級

意味　**中国周代の税の一。**民衆で一定の仕事を持たない者に、罰金として出させた。「夫家」は夫婦、「征」は税をとりたてる意。農民の一組の夫婦に与えられる田に対する税に相当する額を罰金として出させたことによる。

出典　『周礼《しゅらい》』〈地官《ちかん》・載師《さいし》〉

浮家泛宅　ふか はんたく　1級

意味　**船の中に住まうこと。**漂泊して暮らすことから、転じて、**放浪する隠者の生活。**「泛」は浮かぶ、浮かべる意。

出典　顔真卿《がんしんけい》の文

浮花浪蕊　ふか ろうずい　準1級

意味　**取《と》り柄《え》のない平凡なさまのたとえ。**「浮」も「浪」も、ともにあてにならないことで、「蕊」は花のしべ。実を結ばないむだ花のこと。

出典　韓愈《かんゆ》の「杏花《きょうか》」詩

不刊之書　ふかんの しょ　準1級

意味　**永久に滅びることなく伝わる書物。**不朽の名著。「刊」はけずる意。昔は文字を木簡や竹簡に書き、誤りなどは刀で削ったことから、「不刊」は滅びない意となった。

出典　揚雄《ようゆう》の「答劉歆書《りゅうきんにこたうるのしょ》」

類義語　不朽之書《ふきゅうのしょ》、不刊之典《ふかんのてん》、不刊之論《ふかんのろん》

不羈之才　ふきの さい　1級

意味　**何事にも拘束されないのびのびした才能。**学才がすぐれていることをいう。非凡の才。「羈」はつなぐ意から、拘束や束縛の意。

注意　「羈」を「羇」と書き誤らない。

出典　『漢書《かんじょ》』〈司馬遷伝《しばせんでん》〉

不羈奔放　ふき ほんぽう　1級

⇨**奔放不羈**(ほんぽう ふき)

不朽不滅　ふきゅう ふめつ　3級

【意味】**いつまでもほろびないこと。**「朽」はくちる、くさるの意から滅びる、衰える意。

【注意】「朽」を「巧」と書き誤らない。

俯仰之間　ふぎょうの かん　1級

【意味】**ほんのわずかな間のこと。**「俯」はうつむくこと、「仰」はあおむけになる意。うつむいたり、仰いだりするごくわずかな時間をいう。

【補説】「俯仰」は「俛仰」とも書く。

【出典】『漢書《かんじょ》』〈鼂錯伝《ちょうそでん》〉

覆雨翻雲　ふくう ほんうん　3級

⇩雲翻雨覆（うんぽん うふく）

伏寇在側　ふくこう ざいそく　1級

【意味】**身辺の注意を怠らず、言動も慎むべきだということ。**「伏寇」は隠れている盗賊のこと、「在側」はすぐ側《そば》にいるという意。

【補説】出典には「牆《かき》に耳あり、伏寇側《かたわ》らに在《あ》り」とある。

【出典】『管子《かんし》』〈君臣《くんしん》・下〉

【類義語】油断大敵《ゆだんたいてき》

複雑怪奇　ふくざつ かいき　3級

【意味】**事情がこみ入っていて不可解なこと。**「怪奇」は怪しげでふしぎなこと。

【字体】「雑」の旧字体は「雜」。

【対義語】簡単明瞭《かんたんめいりょう》、単純明快《たんじゅんめいかい》、直截簡明《ちょくせつかんめい》

複雑多岐　ふくざつ たき　3級

【意味】**物事が多方面に分かれ、しかも入り組んでいること。**「多岐」は道筋がいくつにも分かれていて、多くの問題を含んでいることをいう。

【字体】「雑」の旧字体は「雜」。

【類義語】複雑多様《ふくざつたよう》

覆車之戒　ふくしゃの いましめ　準1級

【意味】**前人の失敗をみて教訓とすること。**「覆車」は車がひっくりかえること。前の車がひっくりかえるのを見て、後から行く車が用心する意。

【補説】「前車の覆《くつが》えるは後車の戒《いましめ》」の略。

【注意】「覆車」を「復車」と書き誤らない。

【出典】『漢書《かんじょ》』〈賈誼伝《かぎでん》〉

【類義語】前車覆轍《ぜんしゃのふくてつ》

覆水不返　ふくすい ふへん　3級

【意味】**一度犯した誤りはもとどおりにはならないということ。**また、離婚した夫婦の仲はもとにもどらないということ。「覆水」はこぼれた水。

【補説】「覆水《ふくすい》は返《かえ》らず」とも読む。「覆水盆《ぼん》に返らず」の略。「盆」は水や酒を入れる広口の容器。

【注意】「覆水」を「復水」と書き誤らない。

【故事】周の呂尚《りょしょう》（太公望）は本ばかり読み貧乏だったので妻の馬氏《ばし》は離婚したが、呂尚が出世して斉《せい》に封《ほう》じられると馬氏は復縁を求めた。そのとき呂尚は盆の水をこぼして「これを元どおりにしたら応じよう」といったという故事から（『拾遺記《しゅういき》』）。また、朱買臣《しゅばいしん》とその妻にも同様の故事がある。

【類義語】破鏡不照《はきょうふしょう》

【対義語】破鏡重円《はきょうじゅうえん》

不倶戴天　ふぐ たいてん　準1級

【意味】**この世にともに生存できないほど恨みや憎しみが深いこと。**同じ天の下に生きたくないほど深い恨みや怒りがあること。また、そのような間柄にいう。

【補説】「倶《とも》には天を戴《いただ》かず」とも読む。

【注意】「不倶」を「不具」、「戴天」を「載天」などと書き誤りやすい。

【出典】『礼記《らいき》』〈曲礼《きょくらい》・上〉

不屈不撓　ふくつふとう　1級

⇩不撓不屈（ふとうふくつ）

福徳円満　ふくとくえんまん　5級

意味　**精神的・物質的に恵まれ、満ち足りていること。**「福徳」は幸福と財産のこと、「円満」は満ち足りている意。

字体　「円」の旧字体は「圓」、「満」の旧字体は「滿」。

類義語　円満具足《えんまんぐそく》

不虞之誉　ふぐのほまれ　準1級

意味　**思いがけなく得た名誉のこと。**「不虞」は思いがけない・意外の意。

字体　「誉」の旧字体は「譽」。

注意　「不虞」を「不具」と書き誤らない。

出典　『孟子《もうし》』〈離婁《りろう》・上〉

対義語　求全之毀《きゅうぜんのそしり》

腹誹之法　ふくひのほう　準1級

意味　**口に出さなくても、心の中で非難すれば罰するという法律のこと。**「誹」はそしる意で、「腹誹」は口ではいわず心の中でそしること。

補説　「腹誹」は「腹非」とも書く。

出典　『史記』〈平準書《へいじゅんしょ》〉

伏竜鳳雛　ふくりょうほうすう　準1級

意味　**才能を持ちながら機会がなくて実力を発揮できない者のこと。**また、**将来が有望な若者のたとえ。**「伏竜」は地中深く隠れている竜、「鳳雛」は鳳凰《ほうおう》の雛《ひな》の意。もと三国時代、蜀《しょく》の諸葛亮《しょかつりょう》（孔明《こうめい》）と龐統《ほうとう》の二人を評した語。

補説　「伏竜」は「ふくりゅう」とも読む。

字体　「竜」の旧字体は「龍」。

出典　『三国志《さんごくし》』〈蜀書《しょくしょ》・諸葛亮伝《しょかつりょうでん》・注〉

類義語　臥竜鳳雛《がりょうほうすう》、孔明臥竜《こうめいがりょう》、猛虎伏草《もうこふくそう》、鳳凰在笯《ほうおうざいど》

不繫之舟　ふけいのふね　準1級

意味　**心にわだかまりがなくさっぱりしていて無心なこと。**また、**定めなく流れただよっていること。**「不繫」はつなぎとめていない意。

出典　『荘子《そうじ》』〈列禦寇《れつぎょこう》〉

不言実行　ふげんじっこう　5級

意味　**あれこれ理屈をいわずに黙って実際に行動すること。**「不言」はとやかく口に出していわないこと。

字体　「実」の旧字体は「實」。

類義語　訥言実行《とつげんじっこう》、訥言敏行《とつげんびんこう》

対義語　有言実行《ゆうげんじっこう》

不言之教　ふげんのおしえ　準1級

意味　**言葉にして言わずに、相手に体得させることができる教えのこと。**「不言」は言葉に出してとやかく言わないこと。特に、老荘の「無為自然《むいしぜん》」の教えをいう。

出典　『老子《ろうし》』〈二章〉

不言不語　ふげんふご　5級

意味　**何も言わないこと。**「言う」「語る」に不を添えて、「言わず」「語らず」の意を重ねた語。言葉に出して言わない、という意味。何も言わなくても相手に通じる場合にも使われる。

不耕不織　ふこうふしょく　準2級

意味　**生産的な仕事をしないこと。**またはそのような身分。武士。「不耕」は耕《たがや》さない、「不織」は織《お》らない意。

補説　封建時代、農民は耕して作物を得ても年貢として取られ、織った布も売ってしまわねばならなかったが、武士は耕すことも織ることもしなかった。それが四字熟語化して「不耕不織」となった。

注意　「不織」を「不職」と書き誤らない。

富国強兵　ふこく きょうへい　5級

意味　**国の経済力を高め、軍事力を増強すること。**国を富まし兵を強くする意。

字体　「国」の旧字体は「國」。

出典　『戦国策《せんごくさく》』〈秦策《しんさく》〉

夫妻胖合　ふさい はんごう

意味　**夫婦は一つの物の半分ずつで、両方を合わせて初めて完全になるということ。**「胖」は半ば・わかれる意、「胖合」は二つにわかれたものを合わせること。

補説　「胖合」は「判合」とも書く。

出典　『儀礼《ぎらい》』〈喪服《そうふく》〉

類義語　夫婦胖合《ふうふはんごう》

俯察仰観　ふさつ ぎょうかん　1級

⇩仰観俯察（ぎょうかん ふさつ）

巫山雲雨　ふざん うんう　1級

⇩雲雨巫山（うんう ふざん）

巫山之夢　ふざんの ゆめ　1級

⇩雲雨巫山（うんう ふざん）

父子相伝　ふし そうでん　5級

意味　**学術や技芸などの奥義を父からわが子だけに伝えること。**

字体　「伝」の旧字体は「傳」。

類義語　一子相伝《いっしそうでん》

無事息災　ぶじ そくさい　5級

意味　**心配事やわざわいがなく平穏に暮らしていること。**「無事」は変わったこと・心配事がない意、「息」はやめる、しずめる意で、「息災」は災厄《さいやく》を防ぎとめること。

補説　「息災無事」ともいう。

類義語　無事平安《ぶじへいあん》、平穏無事《へいおんぶじ》、無病息災《むびょうそくさい》

不失正鵠　ふしつ せいこく　準1級

意味　**物事の重要な点を正確にとらえること。**的《まと》をはずさず急所をつくこと。「正鵠」は弓の的の真ん中の黒い星（図星《ずぼし》）のこと。

補説　「正鵠を失わず」「正鵠を失《しっ》せず」とも読む。また「正鵠」を「せいこう」と読むのは慣用読み。

出典　『礼記《らいき》』〈射義《しゃぎ》〉

附耳之言　ふじの げん　準1級

意味　**秘密はもれやすいし、すぐに広まるものだということ。**耳に口をつけてする内緒話でも、千里も離れている所まで聞こえてしまうものだということから。

補説　「附耳の言も千里に聞こゆ」の略。「附耳」は「付耳」とも書く。

出典　『淮南子《えなんじ》』〈説林訓《ぜいりんくん》〉

不惜身命　ふしゃく しんみょう　準1級

意味　**自分の身をささげて惜しまないこと。**「不惜」は惜しまない意、「身命」はからだと命のこと。仏道を修めるために、自らの身も命もささげて惜しまないこと。転じて、自分の身をかえりみないこと。

出典　『法華経《ほけきょう》』〈譬喩品《ひゆぼん》〉

対義語　可惜身命《あたらしんみょう》

俛首帖耳　ふしゅ ちょうじ　1級

意味　**人にこびへつらう卑しい態度のこと。**「俛」は伏せる意で、「俛首」は頭を伏せること。「帖」は垂れる意で、「帖耳」は耳をだらりと垂れるさま。犬が飼い主に服従する動作をいう。

補説　「首《こうべ》を俛《ふ》し耳を帖《た》る」とも読む。

「俛首」は「俯首」とも書く。

出典　韓愈《かんゆ》の文

膚受之愬　ふじゅの うったえ　1級

意味　**身にさしせまった痛切な訴えの**

こと。「膚受」は肌身《はだみ》にしみるような痛切なこと、「愬」は困難や不平を申し立てる意。知らないうちに肌に垢《あか》がたまるように、しだいに人をいつわりそしって傷つける意に用いることもある。

補説　「愬」は「そ」とも読む。

出典　『論語』〈顔淵《がんえん》〉

不将不迎　ふしょう ふげい

4級

意味　**過ぎ去ったできごとをくよくよと悔やみ、まだ来ないことにあれこれ心を悩ますことをしないこと。**去るものを送ったり、来るものを迎えたりしないこと。「将」は送る意。

補説　「将《おく》らず迎《むか》えず」とも読む。

字体　「将」の旧字体は「將」。

注意　「不将」を「不肖」と書き誤らない。

出典　『荘子《そうじ》』〈応帝王《おうていおう》〉

類義語　不将不逆《ふしょうふぎゃく》

夫唱婦随　ふしょう ふずい

3級

意味　**夫婦の仲がとてもよいこと。**「唱」は言い出す意。夫が言い出して、妻がそれに随《したが》うこと。

補説　「夫唱」は「夫倡」とも書く。

字体　「随」の旧字体は「隨」。

出典　『関尹子《かんいんし》』〈三極《さんきょく》〉

負薪汲水　ふしん きゅうすい

準1級

⇨**採薪汲水**（さいしんきゅうすい）

負薪之憂　ふしんの うれい

準1級

意味　**自分の病気の称。**「負薪」は薪《たきぎ》を背負うこと、「憂」は病気の意。薪を背負った疲れで病気になること、また、病気で薪を背負えなくなること。

出典　『礼記《らいき》』〈曲礼《きょくらい》・下〉

類義語　采薪之憂《さいしんのうれい》、負薪之病《ふしんのへい》

負薪之病　ふしんの へい

準1級

⇨**負薪之憂**（ふしんのうれい）

鳧趨雀躍　ふすう じゃくやく

1級

意味　**喜んで小躍《こおど》りするさま。**「鳧趨」はかもが小走りに歩く。このときかもの体が左右にゆれ踊るように見えることから、踊るように見えるさま。「雀躍」はすずめが踊る。またそのように喜んで小躍りすること。

出典　盧照鄰《ろしょうりん》の「窮魚賦《きゅうぎょのふ》」

類義語　欣喜雀躍《きんきじゃくやく》、手舞足踏《しゅぶそくとう》

附贅懸疣　ふぜい けんゆう

1級

意味　**無用なもののこと。**「贅」「疣」はともにこぶ・いぼの意。ついてぶらさがっているこぶやいぼということ。

補説　「附贅」は「付贅」とも書く。また「懸」は「県」、「疣」は「肬」とも書く。

出典　『荘子《そうじ》』〈駢拇《べんぼ》〉

浮声切響　ふせい せっきょう

4級

意味　**軽い声と重い声。音韻の軽重や高下にいう。**「浮声」は軽い声。「切響」はするどいひびき。

字体　「声」の旧字体は「聲」。

出典　『宋書《そうしょ》』〈謝霊運伝《しゃれいうんでん》・論《ろん》〉

浮石沈木　ふせき ちんぼく

4級

意味　**大衆の理に反した無責任な言論が威力をもつこと。**水に沈むはずの石を浮かせ、水に浮くはずの木を沈めるような道理に反した言論が力を持つこと。

補説　「石を浮かべ木を沈む」とも読む。

出典　『三国志《さんごくし》』〈魏書《ぎしょ》・孫礼伝《そんれいでん》〉

類義語　三人成虎《さんにんせいこ》、曽母投杼《そうぼとうちょ》、聚蚊成雷《しゅうぶんせいらい》

不即不離　ふそく ふり

4級

意味　**つかず離れずの関係にあること。**また、**あたらずさわらずの曖昧《あいまい》なさま。**「不即」は同じものと見なし得ないこと。「不離」は異なるものと見なし得ないこと。

もと仏教の語で分別を離れた境地をいう。「即」はつく、接する意。

補説　「即《つ》かず離れず」とも読む。「不離不即」ともいう。

注意　「不即」を「不則」「不測」「不足」、「不離」を「不利」などと書き誤りやすい。

出典　『円覚経《えんがくきょう》』〈上〉

二股膏薬　ふたまた こうやく　準1級

意味　**定見がなく、あっちへついたり、こっちへついたりすること。**「二股」は内股のこと、「膏薬」は練り薬の意。股の間に塗った薬は、歩いているうちに両足のあちこちにくっつくことから。

補説　「膏薬」は「ごうやく」とも読む。

字体　「薬」の旧字体は「藥」。

注意　「二股」を「二又」と書き誤らない。

類義語　内股膏薬《うちまたこうやく》

不断節季　ふだん せっき　5級

意味　**一日一日を節季のつもりで、借金をしないで地道でまじめな商売をしていれば、決算期になっても困ることはないということ。**「不断」は日常・平生のこと。「節季」は盆と暮れの年二回の商店の決算期。

字体　「断」の旧字体は「斷」。

不知案内　ふち あんない　5級

意味　**知識や心得がなく、物事の事情やようすがよくわからないこと。**「不知」は知らない、わからない意。「案内」は物事の内情のこと。

補説　「案内を知らず」とも読む。

物換星移　ぶっかん せいい　3級

意味　**自然界の眺めや時世が変わり改まること。**「物換」は物事が変わること、「星移」は歳月が経過する意。

補説　「物換《ものか》わり星移《ほしうつ》る」とも読む。

出典　王勃《おうぼつ》の詩

物議騒然　ぶつぎ そうぜん　4級

意味　**世論が騒がしいこと。**「物議」は世間のうわさ・世論、「騒然」はがやがやと騒がしい意。

字体　「騒」の旧字体は「騷」。

類義語　物情騒然《ぶつじょうそうぜん》

仏足石歌　ぶっそくせき か　5級

意味　**仏足石の歌碑にきざまれた和歌の形式で、三十一音の短歌の末尾にさらに七音を加えた形。**奈良の薬師寺の仏足石歌碑に二十一首、『古事記』『万葉集』にも一首ずつがみられる。この歌の形式を仏足石歌体と名づけている。「仏足石」とは、釈迦《しゃか》が入滅前に残したとされる足跡を智努王《ちぬおう》が石に刻んだもの。

補説　語構成は「仏足石」＋「歌」。

字体　「仏」の旧字体は「佛」。

物論囂囂　ぶつろん ごうごう　1級

意味　**世間のうわさが騒がしいこと。**「物論」は世の中のうわさ・世間の評判のこと、「囂囂」は多くの声が騒がしい意。

類義語　物議騒然《ぶつぎそうぜん》、物議洶然《ぶつぎきょうぜん》

釜底抽薪　ふてい ちゅうしん　準1級

意味　**問題を解決するためには根本の原因を取り除かなければならないというたとえ。**釜《かま》の湯の煮えたぎるのを止めるためには釜の下のたきぎを引き出して火をとめることが肝心である意から。

補説　「釜底薪《たきぎ》を抽《ぬ》く」とも読む。

出典　魏収《ぎしゅう》の文

類義語　抽薪止沸《ちゅうしんしふつ》、断根枯葉《だんこんこよう》、抜本塞源《ばっぽんそくげん》

普天率土　ふてん そつど　4級

意味　**天のおおう限り、地のつづく限りのすべての地。**王の領土の意。「普天」は大空。「率土」は人の行くところ、土地

から土地へつづくこと。

補説　「普天の下《もと》、率土の浜《ひん》」の略。出典では「普天」を「溥天」に作る。また「普天」は「敷天」とも書き、「率土」は「そっと」とも読む。

出典　『詩経《しきょう》』〈小雅《しょうが》・北山《ほくざん》〉

敷天之下　ふてんのもと　準1級

意味　**世界中。**「敷」はあまねく広いこと。天のあまねくおおうところの意。

補説　「敷天」は「普天」「溥天」とも書く。

出典　『詩経《しきょう》』〈周頌《しゅうしょう》・般《はん》〉

不撓不屈　ふとうふくつ　1級

意味　**どんな困難にもくじけないこと。**「不撓」はたわまない、まがらない意。「不屈」は屈しないこと。

補説　「不屈不撓」ともいう。

注意　「不撓」を「ふぎょう」と読み誤りやすい。また、「不撓」を「不倒」「不到」などと書き誤りやすい。

出典　『漢書《かんじょ》』〈叙伝《じょでん》〉

類義語　独立《どくりつ》不《ふ》撓《とう》、百折《ひゃくせつ》不《ふ》撓《とう》

不得要領　ふとくようりょう　5級

意味　**要点がはっきりせず、わけのわからないこと。**「要領」は着物に大切な腰おびと襟のこと、転じて、物事の主要な部分の意。

補説　「要領を得《え》ず」とも読む。

腐敗堕落　ふはいだらく　準2級

意味　**精神がたるみ乱れて、弊害が多く生じる状態になること。**「腐敗」はくさりくずれること、「堕落」は正しい健全な状態を失って、悪い状態になる意。

字体　「堕」の旧字体は「墮」。

不買美田　ふばいびでん　5級

意味　**子孫を甘やかし安楽な生活をさせるような財産を残さないこと。**

補説　「美田を買わず」とも読む。出典の「家を富ますに良田《りょうでん》を買うを用いざれ、書中、自《おの》ずから千鍾《せんしょう》の粟《ぞく》有《あ》り」による。また、西郷隆盛《さいごうたかもり》が「児孫《じそん》の為《ため》に美田を買わず」と唱したことで有名。

出典　北宋真宗《ほくそうしんそう》の「勧学《かんがく》-詩」

不抜之志　ふばつのこころざし　準1級

意味　**物事にくじけない強い意志のこと。**「不抜」は抜きとることができない、堅くて動かないこと。堅固な意志の意。

字体　「抜」の旧字体は「拔」。

出典　『南史《なんし》』〈沈約伝《しんやくでん》〉

類義語　剛毅果敢《ごうきかかん》

対義語　意志薄弱《いしはくじゃく》、優柔不断《ゆうじゅうふだん》

舞馬之災　ぶばのわざわい　準1級

意味　**火事のこと。**「舞馬」は馬が舞踏すること。

故事　中国晋《しん》の黄平《こうへい》が、馬が舞踏する夢をみたので、その夢のことについて占いをよくする索紞《さくたん》に尋ねたところ、索紞は「馬が舞うのは火災が起こる前ぶれです」といった。その言葉のとおり、黄平は火災にあったという故事から。

出典　『晋書《しんじょ》』〈索紞伝《さくたんでん》〉

舞文曲筆　ぶぶんきょくひつ　4級

意味　**ことさらに言葉を飾り、事実を曲げて文章を書くこと。**「舞文」は言葉や表現を飾って、誇張して文を作ること、「曲筆」は事実をわざと曲げて書く意。

補説　「曲筆舞文」ともいう。

注意　「舞文」を「無文」と書き誤らない。

舞文弄法　ぶぶんろうほう　2級

意味　**法を都合のいいように解釈すること。**法の条文を曲解して濫用すること。「舞」「弄」ともに、もてあそぶ、思うよ

うに動かす意。

補説 「文を舞《ま》わし法を弄《もてあそ》ぶ」とも読む。

出典 『史記』〈貨殖伝《かしょくでん》〉

類義語 舞文巧法《ぶぶんこうほう》

布韈青鞋 ふべつせいあい
1級

意味 **旅行のときの服装のこと。**「布韈」は布で作った脚半《きゃはん》のこと。「青鞋」はわらじの意。

補説 「青鞋布韈」ともいう。

普遍妥当 ふへんだとう
準2級

意味 **どんな場合にも真理として承認されること。**「普遍」はすべてのものに共通に存すること。「妥当」は適切にあてはまる意。時間や空間を超越して、一般的・全体的に認められるべきこと。

字体 「当」の旧字体は「當」。

不偏不党 ふへんふとう
準2級

意味 **かたよることなく公平中立の立場に立つこと。**「不偏」はかたよらないこと。「不党」は仲間や党派に属さない意。特定の主義や党派にくみしないことのたとえ。

字体 「党」の旧字体は「黨」。

注意 「不偏」を「不遍」と書き誤らない。

出典 『墨子《ぼくし》』〈兼愛《けんあい》〉

類義語 無私無偏《むしむへん》、無偏無党《むへんむとう》

榑木之地 ふぼくのち
1級

意味 **東方にある太陽が昇る地のこと。**また、**日本の異称。**「榑木」は神木の名で、東方の日の出る所にあって、この木から太陽が昇るといわれる。

補説 「榑木」は「扶木」とも書く。

出典 『呂氏春秋《りょししゅんじゅう》』〈求人《きゅうじん》〉

不眠不休 ふみんふきゅう
4級

意味 **眠らず休まず事にあたること。**

類義語 昼夜兼行《ちゅうやけんこう》、不解衣帯《ふかいいたい》

不毛之地 ふもうのち
準1級

意味 **草木や穀物が生じないやせた土地のこと。**また、**新しい発見もよい結果も得られないこと。**「毛」は地上に生える草木や穀物のこと。文化や人間が育たないことのたとえとしても用いる。

出典 『春秋公羊伝《しゅんじゅうくようでん》』〈宣公《せんこう》一二年〉

類義語 不食之地《ふしょくのち》

蜉蝣一期 ふゆうのいちご
1級

意味 **人生の短くはかないことのたとえ。**「蜉蝣」はかげろう、「一期」は一生のこと。かげろうの成虫は、数時間から数日の命と短いことから、はかないことにたとえられる。

注意 「一期」を「いっき」と読み誤らないこと。

類義語 蜉蝣之命《ふゆうのいのち》

不埒千万 ふらちせんばん
1級

意味 **このうえなくふとどきなこと。非常にけしからぬさま。**「不埒」はけしからぬこと。ふとどきなこと。「埒」はもと馬場などの囲いの意。「千万」は形容詞などの下につけて「このうえなく、はなはだしく」の意。

字体 「万」の旧字体は「萬」。

注意 「埒」を「将」と書き誤らない。また「千万」を「せんまん」とは読まない。

夫里之布 ふりのふ
準1級

意味 **中国古代の税法の一。**夫布と里布のこと。「布」は銭《ぜに》のことをいう。「夫布」は職業のない者に課す税、「里」は居宅に桑麻を植えない者に課す税のこと。

出典 『孟子《もうし》』〈公孫丑《こうそんちゅう》・上〉

不立文字 ふりゅうもんじ
準2級

意味 **文字や言葉によらず、心から心**

へ伝えること。 禅宗の考え方で、道を悟るということは、文字や言葉で伝えられるものではなく、修行を積むうちに心から心へと伝えるものだということ。

[注意] 「不立」を「ふりつ」と読み誤りやすい。

[類義語] 以心伝心《いしんでんしん》、教外別伝《きょうげべつでん》、拈華微笑《ねんげみしょう》、維摩一黙《ゆいまいちもく》

武陵桃源 ぶりょう とうげん

3級

[意味] **俗世間から離れた別天地、理想郷のこと。**「武陵」は中国の地名、「桃源」は俗世間を離れた別天地のこと。

[故事] 武陵の漁師が、川をさかのぼって桃林の奥に入って行き、洞穴を抜けたところに、美しく桃の花が咲き乱れる理想郷をみつけたという故事から。

[出典] 陶潜《とうせん》の「桃花源記《とうかげんのき》」

[類義語] 世外桃源《せがいとうげん》

不老長寿 ふろう ちょうじゅ

3級

[意味] **いつまでも老いることなく長生きすること。**「不老」はいつまでも年をとらない、老いることがない意。「長寿」は長生きすること、長く寿命を保つこと。

[字体] 「寿」の旧字体は「壽」。

[類義語] 長生不老《ちょうせいふろう》、不老不死《ふろうふし》

不老不死 ふろう ふし

5級

[意味] **永久に老いることなく生きること。**「不老」は年をとらないこと、「不死」は死なない意。

[出典] 『列子《れっし》』〈湯問《とうもん》〉

[類義語] 不老長寿《ふろうちょうじゅ》、長生不老《ちょうせいふろう》

附和雷同 ふわ らいどう

準2級

[意味] **自分の主義主張がなく、他人の言動に軽々しく同調すること。**「附和」は軽々しく他人の意見に賛成すること。「雷同」は雷が鳴ると物がそれに応じて響く意。

[補説] 「雷同附和」ともいう。「附和」は「付和」とも書く。

[注意] 「附和」を「不和」、「雷同」を「雷動」などと書き誤りやすい。

[類義語] 附和随行《ふわずいこう》、阿附雷同《あふらいどう》、唯唯諾諾《いいだくだく》、軽挙妄動《けいきょもうどう》、党同伐異《とうどうばつい》、吠影吠声《はいえいはいせい》

焚琴煮鶴 ふんきん しゃかく

準1級

[意味] **殺風景なことのたとえ。** また、風流心のないことのたとえ。琴を焼き鶴《つる》を煮る意。「焚」は焼く意。

[出典] 李商隠《りしょういん》『義山雑纂《ぎざんざっさん》』〈殺風景《さっぷうけい》〉

[類義語] 背山起楼《はいざんきろう》、清泉濯足《せいせんたくそく》

刎頸之交 ふんけいの まじわり

1級

[意味] **心を許しあったきわめて親密な交際。**「刎頸」は刀で頸《くび》(首)を刎《は》ねること。たとえ首を刎ねられても後悔しないほど深い友情のことをいう。

[補説] 「交」は「こう」とも読む。

[故事] 中国春秋時代、趙《ちょう》の将軍廉頗《れんぱ》は、弁舌で恵文王《けいぶんおう》の厚い信頼を得た藺相如《りんしょうじょ》を恨んだが、相如は二人が争えば大国秦《しん》に攻められて趙が滅びるとして二人の争いを避けた。これを伝え聞いた廉頗は心から謝罪し、二人は生死を共にするほどの親交を結んだという故事から。

[出典] 『史記』〈廉頗藺相如伝《れんぱりんしょうじょでん》〉

[類義語] 刎頸之友《ふんけいのとも》、管鮑之交《かんぽうのまじわり》、金蘭之契《きんらんのけい》、膠漆之交《こうしつのまじわり》、水魚之交《すいぎょのまじわり》、耐久之朋《たいきゅうのとも》、断金之交《だんきんのまじわり》、莫逆之友《ばくげきのとも》、雷陳膠漆《らいちんこうしつ》

文芸復興 ぶんげい ふっこう

5級

[意味] 十四世紀末から十六世紀初めにかけてイタリアを中心として全ヨーロッパにひろがった、**ギリシャ・ローマの古典文化を手本とする学術上・芸術上の革新運動のこと。** ルネサンス。この結果、神中心の文化から、人間中心の近代文化を形成するにいたった。「文芸」は学問と

技芸の意。

字体　「芸」の旧字体は「藝」。

分合集散　ぶんごうしゅうさん　5級

⇩離合集散（りごうしゅうさん）

粉骨砕身　ふんこつさいしん　準2級

意味　**全力を尽くして努力すること。**また、**骨身惜しまず働くこと。**骨を粉にし身を砕くほど、努力したり働いたりする意。

補説　「砕身粉骨」「粉身砕骨」「砕骨粉身」ともいう。

字体　「砕」の旧字体は「碎」。

注意　「粉骨」を「紛骨」、「砕身」を「細身」「細心」などと書き誤りやすい。

蚊子咬牛　ぶんしこうぎゅう　1級

意味　**痛くもかゆくもないこと。**また、**自分の実力をわきまえずに行動すること。**「子」は接尾語。蚊《か》が牛を咬《か》むということから。

補説　「蚊《ぶん》子《し》、牛《うし》を咬《か》む」とも読む。

類義語　蟷螂《とうろう》之《の》斧《おの》

文質彬彬　ぶんしつひんぴん　準1級

意味　**外見の美しさと内面の実質がよく調和していること。**人の文雅であってしかも飾りけのないことの形容。「文」は表面の美しさ・外見のこと。「質」は中身・内容の意。「彬彬」はほどよくつりあっているさま。

注意　「彬彬」を「頻頻」と書き誤らない。

出典　『論語』〈雍《よう》也《や》〉

粉愁香怨　ふんしゅうこうえん　2級

意味　**美人がうらみ悲しむ姿の形容。**「粉」「香」は化粧した美しい顔の意で、「愁」「怨」はうれいうらむこと。

出典　丁《てい》鶴《かく》年《ねん》の「故《こ》宮《きゅう》人《じん》詩《のし》」

文従字順　ぶんじゅうじじゅん　5級

意味　**文章の筋がとおっていて、表現もよどみなくわかりやすいこと。**「従」「順」はともに、順調にはこぶ、さからわない意。

補説　「文従《したが》い字順《したが》う」とも読む。

出典　韓《かん》愈《ゆ》の「南陽《なんよう》樊《はん》紹述《しょうじゅつ》墓《ぼ》誌銘《しめい》」

粉粧玉琢　ふんしょうぎょくたく　準1級

意味　**女性の器量がよいたとえ。**「玉琢」は玉を磨く意。女性が化粧をして玉を磨いたように美しいこと。

注意　「玉琢」を「玉啄」と書き誤らない。

出典　『紅楼夢《こうろうむ》』〈一回〉

文章絶唱　ぶんしょうのぜっしょう　5級

意味　**きわめてすぐれた文章のこと。**「絶唱」はきわめてすぐれた詩や歌の意。

出典　『鶴林玉露《かくりんぎょくろ》』〈伯《はく》夷《い》伝《でん》赤《せき》壁《へき》賦《のふ》〉

粉飾決算　ふんしょくけっさん　4級

意味　**会社が経営内容を実際よりもよく見せるために、損益計算などの数字を過大もしくは過小表示して決算すること。**「粉飾」は、よく見せようとして、うわべをよそおい飾ること。

補説　「粉飾」は「扮飾」とも書く。

注意　「粉飾」を「紛飾」と書き誤らない。

焚書坑儒　ふんしょこうじゅ　準1級

意味　**思想・学問・言論を弾圧すること。**「焚書」は書物を焼き捨てること。「坑」は穴埋めにすること。「儒」は儒者の意。書物を焼き捨て、儒学者を生き埋めにするという反文化的な暴政のこと。

注意　「坑儒」を「抗儒」と書き誤らない。

故事　中国秦《しん》の始皇帝が、政治批判を封じるために、一部の実用書を除く一切の書物を焼却するよう命じ、さらに数百人の学者を穴埋めにしたといわれる事件

から。

出典 『史記』〈秦始皇紀《しんしこうき》〉

文人墨客《ぶんじんぼっかく》

3級

意味 **詩文や書画などの風雅なものにたずさわる人のこと。**「文人」は詩や文章を書く人、「墨客」は書画にすぐれた人、書家や画家のこと。

補説 「墨客」は「ぼっきゃく」とも読む。

類義語 騒人墨客《そうじんぼっかく》

文恬武嬉《ぶんてんぶき》

1級

意味 **天下太平なこと。**「恬」は安らかなことで、文官も武官も心安らかに世の平和を楽しむ意。

出典 韓愈《かんゆ》の「平淮西碑《わいせいをたいらぐるのひ》」

粉白黛墨《ふんぱくたいぼく》

準1級

意味 **美人のこと。**「粉白」はおしろい、「黛墨」は眉《まゆ》ずみの意。おしろいをつけて顔を白くし、眉ずみをつけて黒く整った眉にすることから、美人をいう。

注意 「粉白」を「紛白」と書き誤らない。

出典 『戦国策《せんごくさく》』〈楚策《そさく》〉に「粉白墨黒」とあるのにもとづく。

類義語 粉白黛黒《ふんぱくたいこく》、粉白黛緑《ふんぱくたいりょく》、曲眉豊頬《きょくびほうきょう》、容姿端麗《ようしたんれい》

文武一途《ぶんぶいっと》

4級

意味 **文官と武官の区別がないこと。**「文武」は文の道と武の道のこと。「一途」は同じ道の意。

注意 「一途」を「いちず」と読み誤りやすい。

聞風喪胆《ぶんぷうそうたん》

準2級

意味 **うわさを聞いてびっくりする。**「聞風」はうわさを耳にすることで、風聞と同じ意。「喪胆」は胆をつぶす、びっくりすること。どこからともなく聞こえてきた自分についての風評や他人の悪いうわさなどを聞いて、胆をつぶすほどびっくりすることをいう。

補説 「風を聞きて胆《きも》を喪《うしな》う」とも読む。

字体 「胆」の旧字体は「膽」。

文武両道《ぶんぶりょうどう》

5級

意味 **学問と武芸。**また、**その両方にすぐれていること。**転じて、勉強とスポーツの両方にすぐれていること。「文」は学問、「武」は武芸、「両道」は二つの道の意。

字体 「両」の旧字体は「兩」。

類義語 文武兼備《ぶんぶけんび》、文武兼資《ぶんぶけんし》、文武二道《ぶんぶにどう》、允文允武《いんぶんいんぶ》、経文緯武《けいぶんいぶ》、左文右武《さぶんゆうぶ》、文事武備《ぶんじぶび》

蚊虻走牛《ぶんぼうそうぎゅう》

準1級

意味 **小さなものが強大なものを制すること。**また、**ささいなことが原因となって大事件や災難を引きおこすこと。**「蚊虻」は蚊《か》と虻《あぶ》のこと。「走」は逃げる意。蚊や虻のように小さな虫でもたかって血を吸うと、牛はそれを嫌って逃げることから。

補説 「蚊虻牛《うし》を走らす」とも読む。

出典 『説苑《ぜいえん》』〈談叢《だんそう》〉

蚊虻之労《ぶんぼうのろう》

準1級

意味 **取るに足りない技能のこと。**「蚊虻」は蚊《か》と虻《あぶ》のことで、つまらないことのたとえ。「労」は労力の意。蚊や虻の労力の意で、些細《ささい》な技能をいう。

補説 「蚊虻」は「蚊䖟」とも書く。

字体 「労」の旧字体は「勞」。

出典 『荘子《そうじ》』〈天下《てんか》〉

分崩離析《ぶんぽうりせき》

準2級

意味 **組織がちりぢりばらばらにくずれること。**「分崩」はばらばらにくずれること。「離析」ははなれ別れる、ばらばら

になる、分裂する意。国が治まらず、人心が離反し、群雄が争っているさまをいうのに用いられる。

注意 「離析」の「析」を「柝」「折」「拆」などと書き誤りやすい。

出典 『論語』〈季氏《きし》〉

類義語 四分五裂《しぶんごれつ》

墳墓之地 ふんぼのち 準1級

意味 **生まれ故郷のこと。**「墳墓」は墓のこと。先祖代々の墓のある土地の意から、転じて故郷のことをいう。また、一生そこで暮らそうと心に決めている土地の意味にも用いる。

出典 僧月性《そうげつしょう》の詩

文明開化 ぶんめいかいか 5級

意味 **人知が開け世の中が進歩して、文化の水準が高くなること。**「開化」は知識・文化が開け進むこと。

補説 わが国では特に、西欧文明を積極的に受け入れて近代化をした、明治初頭の時代風潮をいう。

注意 「開化」を「開花」と書き誤らない。

分憂之寄 ぶんゆうのき 準1級

意味 **国司（諸国におかれた地方官）のこと。**「分憂」は憂えを分かつ、共に憂えること。「寄」はつとめ・任務の意。民衆と憂えを分かつ任務の意から。

出典 『本朝文粋《ほんちょうもんずい》』〈六〉

類義語 分憂之官《ぶんゆうのかん》

奮励努力 ふんれいどりょく 3級

意味 **気力を奮《ふる》い起こして努め励む。**「奮励」は気持ちをふるい立たせて励むこと。「努力」は一心につとめること。ほぼ同意の言葉を重ねて「努め励む」ことを強調したもの。

字体 「励」の旧字体は「勵」。

類義語 精励恪勤《せいれいかっきん》

【へ】

弊衣破帽 へいいはぼう 準2級

意味 **身なりを構わない、粗野なさま。**「弊衣」はぼろぼろの衣服。「破帽」は破れた帽子。

補説 「破帽弊衣」ともいう。「弊衣」は「敝衣」とも書く。

注意 「弊衣」を「幣衣」と書き誤りやすい。

類義語 弊衣破袴《へいいはこ》、敝衣蓬髪《へいいほうはつ》、蓬頭垢面《ほうとうこうめん》

敝衣蓬髪 へいいほうはつ 1級

意味 **ぼろぼろで、きたないいでたち。なりふりにかまわぬこと。**「敝衣」はぼろぼろの衣服、「蓬髪」はよもぎのようにのびて乱れた髪のこと。

補説 「敝衣」は「弊衣」とも書く。

字体 「髪」の旧字体は「髮」。

類義語 蓬頭垢面《ほうとうこうめん》、弊衣破帽《へいいはぼう》、敝衣草屨《へいいそうく》

米塩博弁 べいえんはくべん 5級

意味 **詳細にわたって議論し、話し合うこと。**また、**くどくどと話すこと。**米も塩も、細かく小さな粒《つぶ》である。たいへん細かい点まで論じ、さらにまた広い範囲にわたって論じる意。

字体 「塩」の旧字体は「鹽」、「弁」の旧字体は「辯」。

出典 『韓非子《かんぴし》』〈説難《ぜいなん》〉

平穏無事 へいおんぶじ 3級

意味 **なにごともなく穏やかなこと。**「平穏」は起伏がなく穏やかなこと、「無事」は特別な事もない意。

字体 「穏」の旧字体は「穩」。

注意 「平穏」を「平隠」と書き誤らない。

類義語 安穏無事《あんのんぶじ》、太平無事《たいへいぶじ》、平安無事《へいあんぶじ》

対義語　多事多難《たじたなん》、内憂外患《ないゆうがいかん》、物議騒然《ぶつぎそうぜん》

並駕斉駆　へいが せいく　準1級

意味　**力や能力に差がないこと。**くつわをならべる、数頭の馬がそろって一台の車を引っ張り疾駆すること。ともに肩をならべて進み力に差がないことのたとえ。「駕」は馬車、のりものの意。「斉駆」は並んで馬を走らせること。

補説　「並駆斉駕」「斉駆並駕」ともいう。

字体　「並」の旧字体は「竝」、「斉」の旧字体は「齊」、「駆」の旧字体は「驅」。

注意　「駆」を「駒」と書き誤らない。

出典　『文心雕竜《ぶんしんちょうりょう》』〈附会《ふかい》〉

類義語　方駕斉駆《ほうがせいく》

兵戈槍攘　へいか そうじょう　1級

意味　**武器が乱れ動くこと。兵乱の形容。**「兵戈」はほこ、転じて武器の意。「槍攘」は乱れるさま。

注意　「兵戈」を「兵弋」と書き誤らない。

出典　『金史《きんし》』〈粘葛奴申伝《ねんかつどしんでん》〉

平気虚心　へいき きょしん　3級

意味　**気を平らかにして心を虚しくすること。心にわだかまりがなく平静な心をいう。**

字体　「気」の旧字体は「氣」。

出典　『荘子《そうじ》』〈漁父《ぎょほ》〉

類義語　虚心平意《きょしんへいい》、虚心坦懐《きょしんたんかい》、公平無私《こうへいむし》

並駆斉駕　へいく せいが　準1級

⇩**並駕斉駆**（へいが せいく）

閉月羞花　へいげつ しゅうか　2級

⇩**羞月閉花**（しゅうげつ へいか）

閉口頓首　へいこう とんしゅ　2級

意味　**どうしようもないほど困りきったさま。**また、**やりこめられて返答につまること。**「閉口」は口を閉ざしてものを言わないさまで、困る意。「頓首」は頭を地につけておじぎをすること。

平沙万里　へいさ ばんり　2級

意味　**広大な砂漠のこと。**「沙」は「砂」と同じで、「平沙」は平らで広い砂原のこと、「万里」ははるかに遠い意。

字体　「万」の旧字体は「萬」。

出典　岑参《しんしん》の「磧中作《せきちゅうのさく》-詩」

平沙落雁　へいさ らくがん　準1級

意味　**中国瀟湘《しょうしょう》八景の一つ。**また、**琴曲の名。**「平沙」は平らで広い砂原、砂漠のことで、砂原におりたつ雁の意。→「瀟湘八景《しょうしょうはっけい》」

兵車之会　へいしゃの かい　準1級

意味　**武力によって諸侯を会合させること。**「兵車」は戦争に用いる車・戦車のこと。戦車を使って軍隊の力で行う会盟の意。

字体　「会」の旧字体は「會」。

出典　『春秋穀梁伝《しゅんじゅうこくりょうでん》』〈荘公《そうこう》二七年〉

類義語　兵車之属《へいしゃのぞく》、乗車之会《じょうしゃのかい》

秉燭夜遊　へいしょく やゆう　1級

意味　**人生ははかなく短いので、せめて夜も灯《あかり》をともして遊び、生涯を楽しもうということ。**「秉《と》る」は持つことで、灯をともして夜も遊ぶということ。

補説　「燭《ともしび》を秉《と》りて夜遊《よるあそ》ぶ」とも読む。

出典　李白《りはく》の詩

平身低頭　へいしん ていとう　5級

意味　**ひたすら恐縮しへりくだること。**また、**ひたすらあやまること。**「平身」はからだをかがめること、「低頭」は頭を低く下げる意。

補説　「低頭平身」ともいう。

注意　「低頭」を「底頭」と書き誤らない。

類義語　三跪九叩《さんききゅうこう》、三拝九拝《さんぱいきゅうはい》、奴顔婢膝《どがんひしつ》

対義語　傲岸不遜《ごうがんふそん》

萍水相逢　へいすいそうほう　(1級)

意味　**人と人とが偶然に知りあいになること。**「萍」は浮き草のこと。浮き草と水とが出合うように、旅先などで偶然知りあいになる意。

補説　「萍水相《あい》逢《あ》う」とも読む。

出典　王勃《おうぼつ》の「滕王閣序《とうおうかくのじょ》」

米泉之精　べいせんのせい　(準1級)

意味　**酒をいう。**酒は主に米から醸造することからいう。

出典　白居易《はくきょい》の「酒功賛《しゅこうさん》」

類義語　清聖濁賢《せいせいだくけん》

弊帚千金　へいそうせんきん　(1級)

意味　**身のほどを知らないで思いあがるたとえ。**「弊帚」は破れたほうき。それを千金の価値があると考えるという意。また、つまらない自分の物を貴重と考えること。

補説　「弊帚」は「敝帚」とも書く。

注意　「弊帚」を「幣帚」と書き誤らない。

故事　魏《ぎ》の文帝が、自分の短所をよく見ないことを、民間のことわざを引用して述べた言葉にもとづく。

出典　『東観漢紀《とうかんかんき》』〈光武帝《こうぶてい》〉

平談俗語　へいだんぞくご　(4級)

意味　**日常の会話で使われるごくふつうの言葉。**「平談」はふだんの話のこと、「俗語」はふだん使う言葉の意。

類義語　平談俗話《へいだんぞくわ》、俗談平話《ぞくだんへいわ》

瓶墜簪折　へいついしんせつ　(1級)

意味　**男女が離れて二度と会い得ないたとえ。**「瓶」はつるべ、「簪」は玉のかんざし。つるべの縄が切れてそれが井戸の底に沈み、玉のかんざしが中央から折れる、の意から転じた。

字体　「瓶」の旧字体は「甁」。

出典　白居易《はくきょい》の「井底引銀瓶《せいていぎんぺいをひく》-詩」

兵者凶器　へいはきょうき　(準1級)

意味　**武器は人をそこなう不吉な道具であるということ。**「兵」は武器・兵器のこと、「者」は主題を強調して提示する語で、「…というものは」の意、「凶器」は人を傷つけたり殺したりする道具のこと。「兵は不祥《ふしょう》の器《き》」と類義。

出典　『国語《こくご》』〈越語《えつご》・下〉

兵馬倥偬　へいばこうそう　(1級)

意味　**戦争にあけくれて忙しいこと。**「兵馬」は武器と軍馬で戦争のこと。「倥偬」は忙しい意。軍人の生活をいう。

注意　「倥偬」を「抗争」と書き誤らない。

類義語　戎馬倥偬《じゅうばこうそう》

平伏膝行　へいふくしっこう　(準1級)

意味　**高貴の人の前で恐縮して進み出るさま。**ひれ伏し目を伏せて膝頭《ひざがしら》をつけてはい進むこと。

平平凡凡　へいへいぼんぼん　(4級)

意味　**ごくありふれていて、特別なことがないさま。**「平凡」という語をくり返して強調した語。

類義語　無声無臭《むせいむしゅう》

閉明塞聡　へいめいそくそう　(準1級)

意味　**世間の事物と接触を断ち切る。**また、現実から逃避すること。「聡」は耳がよく聞こえる。「塞」はふさぐ。世間の出来事や物事から目をつむり、耳をふさいで関係をもたないことをいう。

補説　「明を閉じ聡《そう》を塞《ふさ》ぐ」とも読む。

字体　「聡」の旧字体は「聰」。

出典 『論衡《ろんこう》』〈自紀《じき》〉
類義語 閉目塞聴《へいもくそくちょう》

碧眼紅毛 へきがん こうもう
準1級

⇩**紅毛碧眼**（こうもう へきがん）

碧血丹心 へきけつ たんしん
準1級

意味 **このうえないまごころのこと。**「碧」は青、「丹心」はまごころ。「碧血」は故事を参照。
故事 中国周代の楽官の萇弘《ちょうこう》は讒言《ざんげん》によって追放され、郷里で腹を裂いて自決したが、その血が化して碧玉（青く美しい宝玉）になったという故事から（『荘子《そうじ》』〈外《がい》物《ぶつ》〉）。
類義語 丹石之心《たんせきのこころ》

碧落一洗 へきらく いっせん
準1級

意味 **大空がからりと晴れわたること。**「碧落」は東方の天、転じて青空のこと。「一洗」はきれいさっぱり洗い流す意。雨で青空をひと洗いする意から。
注意 「碧落」を「壁落」と書き誤らない。

汨羅之鬼 べきらのき
1級

意味 **水死した人のこと。**「汨羅」は川の名。「鬼」は死者の霊魂の意。
補説 「鬼」は「おに」とも読む。
故事 中国戦国時代、楚《そ》の詩人屈原《くつげん》は、懐王《かいおう》に忠節を尽くし、王の信任も厚かったが、讒言《ざんげん》のため王の怒りを買い、失意のうちに汨羅に身を投じたという。「汨羅之鬼」は、入水した屈原の霊の意。
出典 斎藤拙堂《さいとうせつどう》の文

壁立千仞 へきりつ せんじん
1級

意味 **断崖が壁のように千仞も高く切り立ちそびえていること。**また仏教の語として「へきりゅうせんじん」と読み、仏法の真理が高遠なことのたとえ。「仞」はひろ。高さや深さをはかる単位。上下に両手を広げた長さを一仞とする。
補説 「壁立」は「へきりゅう」とも読む。
出典 『水経注《すいけいちゅう》』〈河水《かすい》〉

霹靂一声 へきれき いっせい
1級

意味 **突然かみなりがとどろくこと。**また、突然大声でどなること。「霹靂」は突然鳴り響く激しい雷、「一声」は一つの音の意。
字体 「声」の旧字体は「聲」。

霹靂閃電 へきれき せんでん
1級

意味 **すばやいことのたとえ。**急に激しく鳴りきらめきひかる稲妻の意。「霹靂」は急に激しく鳴る雷の意。「閃電」はぴかっとひかる稲妻。
出典 『隋書《ずいしょ》』〈長孫晟伝《ちょうそんせいでん》〉

別有天地 べつゆう てんち
5級

意味 **俗世間を離れた理想的な別天地があるということ。**
補説 「別に天地の人間《じんかん》に非《あら》ざる有り」の略。「別に天地《てんち》有《あ》り」とも読む。
出典 李白《りはく》の「山中問答《さんちゅうもんどう》-詩」
類義語 別有洞天《べつゆうどうてん》

卞和泣璧 べんか きゅうへき

意味 **正しくすぐれた才能や業績が世に認められず嘆くことのたとえ。**「卞和」は春秋時代、楚《そ》の人。「璧」は宝玉の意。
補説 「卞和《べんか》璧《たま》に泣く」とも読む。
注意 「泣璧」を「泣壁」と書き誤らない。また「卞和」を「べんわ」と読み誤らない。
故事 「和氏之璧《かしのへき》」の項参照。
出典 『蒙求《もうぎゅう》』〈卞和泣璧《べんかきゅうへき》〉
類義語 卞和之璧《べんかのへき》、和氏之璧《かしのへき》、連城之璧《れんじょうのへき》

片簡零墨 へんかん れいぼく
3級

⇩**断簡零墨**（だんかん れいぼく）

変幻自在　へんげんじざい　（3級）

意味　**思いのままにすばやく変化すること。**また、**変わり身がはやいこと。**「変幻」は幻《まぼろし》のように現れては、また急に消えること、変化が早いこと。「自在」は自分の思いのままの意。

字体　「変」の旧字体は「變」。

類義語　千変万化《せんぺんばんか》、変幻出没《へんげんしゅつぼつ》、臨機応変《りんきおうへん》

片言隻句　へんげんせきく　（3級）

意味　**わずかな言葉。ほんのひと言ふた言。**「片言」「隻句」ともに、わずかな言葉・ちょっとした言葉の意。

注意　「片言」を「返言」と書き誤らない。

類義語　片言隻語《へんげんせきご》、片言隻言《へんげんせきげん》、片言隻《へんげんせき》辞《じ》、一言半句《いちごんはんく》

弁才無碍　べんざいむげ　（1級）

意味　**弁舌の才能があり、よどみなく話すこと。**「弁才」は巧みな言いまわしをする才能のこと。「無碍」はさえぎるものがない意。もと、菩薩《ぼさつ》の説法がきわめて巧みなさまをいった言葉。

補説　「弁才」は「べんさい」とも読む。「無碍」は「無碍」とも書く。

字体　「弁」の旧字体は「辯」。

騈四儷六　べんしれいろく　（1級）

⇩**四六騈儷**（しろくべんれい）

鞭声粛粛　べんせいしゅくしゅく　（準1級）

意味　**相手に気づかれないように馬を打つ鞭《むち》の音も静かにの意。**わが国の頼山《らいさん》陽《よう》の詩の句に「鞭声粛粛夜河《よるかわ》を渡《わた》る」とある。この句は上杉謙信が武田信玄の機先を制しようと夜半に妻女山をくだり、相手に気づかれないように馬にあてる鞭の音もしずかに、千曲川《ちくまがわ》を渡ったことを詠《よ》んだもの。

字体　「声」の旧字体は「聲」、「粛」の旧字体は「肅」。

注意　「粛粛」を「蕭蕭」と書き誤らない。

出典　頼山陽《らいさんよう》の詩

変態百出　へんたいひゃくしゅつ　（5級）

意味　**形をいろいろと変え、また姿も変えること。**

字体　「変」の旧字体は「變」。

注意　「変態」を「変体」と書かないこと。

出典　『唐書《とうじょ》』〈芸文志《げいもんし》〉

偏袒扼腕　へんたんやくわん　（1級）

意味　**激しく怒ったり悔しがったりするさま。**また、感情を激しく高ぶらせるようす。「偏袒」は片肌を脱いで息まくこと。「扼腕」は片手でもう一方の腕を強く握りしめること。

出典　『戦国策《せんごくさく》』〈燕策《えんさく》〉

辺地粟散　へんちぞくさん　（準1級）

⇩**粟散辺地**（ぞくさんへんち）

胼胝之労　へんちのろう　（1級）

意味　**たいへんな骨折り。**「胼」はひび、「胝」はあかぎれのこと。ひびやあかぎれが切れるほどの骨折りの意。

字体　「労」の旧字体は「勞」。

出典　『梁書《りょうしょ》』〈賀琛伝《がちんでん》〉

辺幅修飾　へんぷくしゅうしょく　（4級）

意味　**うわべ（外見）を飾ること。**「辺幅」は布地などのへり。転じて、外見。「辺幅を飾る」などという。

補説　「修飾辺幅」ともいう。

字体　「辺」の旧字体は「邊」。

出典　『後漢書《ごかんじょ》』〈馬援伝《ばえんでん》〉

鞭辟近裏　べんぺききんり　（1級）

意味　**外物にとらわれることなく身に切実なことと考えること。**また、**はげま**

しによって物事の道理に近づくこと。また、文字や言葉を厳密に考えて書いた文章。「鞭辟」は馬車で道を行くのに御者が鞭《むち》を鳴らして人払いをすること。「辟」はひらく意。また、はげます・督励すること。「近裏」は内《うち》・内部。

補説 「鞭辟して裏《うち》に近づく」とも読む。

注意 「鞭辟」を「鞭壁」、「近裏」を「禁裏」と書き誤りやすい。

出典 『近思録《きんしろく》』〈論学《ろんがく》〉

偏僻蔽固 へんぺきへいこ 準1級

意味 **道理に暗く考えがかたよっていて、かたくななこと。**「偏僻」は考えがかたよりひがむこと、心がねじけていること。「蔽固」は道理に暗くかたくななこと。

注意 「僻」を「辟」、「蔽」を「幣」「弊」と書き誤らない。

偏旁冠脚 へんぼうかんきゃく 1級

意味 **漢字を構成する部首の総称。**「偏《へん》」は左側の部分、「旁《つくり》」は右側の部分、「冠《かんむり》」は上部、「脚《あし》」は下部。

補説 「旁」は「傍」とも書く。漢字の構成要素には、他に「垂《たれ》」「構《かまえ》」「繞《にょう》」があるが、「偏旁冠脚」はこれらも含めた総称として用いられる場合が多い。

変法自強 へんぽうじきょう 5級

意味 **法律や制度を改革して自国を強くすること。**「変法」は法律を変えること、「自強」は自分で努め励み強くなること。

補説 「自強」は「自彊」とも書く。

字体 「変」の旧字体は「變」。

駢拇枝指 べんぼしし 1級

意味 **無用な物のたとえ。**「駢拇」は足の第一指と第二指がくっついて一つになっていること。「枝指」は手の親指のわきに六本目の指が生えていること。

補説 「駢拇」は「へんぼ」とも読む。

故事 荘子《そうじ》が儒家が仁義はもともと人に備わっていると説いたのを批判する際に用いたのにもとづく。

出典 『荘子《そうじ》』〈駢拇《べんぼ》〉

片利共生 へんりきょうせい 4級

意味 **いっしょに生活をしていながら、片方だけが利益を受けること。**「片利」は片一方の利益のこと、「共生」は別種の生物が共に生活をすること。

補説 「共生」は「共棲」とも書く。

注意 「共生」を「強制」と書き誤らない。

対義語 相利《そうり》共生《きょうせい》

【ほ】

縫衣浅帯 ほういせんたい 3級

意味 **儒者の服。**転じて、**儒者・文人。**袖《そで》の下から両わきを縫った衣服と細い帯の意。「縫衣」は袖の下から両わきを縫った服。

字体 「浅」の旧字体は「淺」、「帯」の旧字体は「帶」。

出典 『荘子《そうじ》』〈盗跖《とうせき》〉

褒衣博帯 ほういはくたい 準2級

意味 **儒者の服。**すその広い服と幅の広い帯の意。「褒衣」はすその広い服。

字体 「褒」の旧字体は「襃」、「帯」の旧字体は「帶」。

出典 『漢書《かんじょ》』〈雋不疑伝《しゅんふぎでん》〉

暴飲暴食 ぼういんぼうしょく 5級

意味 **度をすぎた飲食をすること。**「暴」は程度がはげしい意。

字体 「飲」の旧字体は「飮」。

類義語 牛飲馬食《ぎゅういんばしょく》、鯨飲馬食《げいいんばしょく》

冒雨剪韮 ぼううせんきゅう 1級

意味 **友人の来訪を喜んでもてなすこ**

と。「冒雨」は雨を冒《おか》す意。「剪韭」はにらを摘むこと。雨を冒してにらを摘み、ご馳走《ちそう》を作る意から。

補説 「雨を冒《おか》して韮《にら》を剪《き》る」とも読む。

出典 『郭林宗別伝《かくりんそうべつでん》』

逢掖之衣 ほうえきのい
1級

意味 **袖《そで》の大きい着物のこと。**「逢」は大きい、ゆるやかな意。「掖」は「腋」と同じで、腋《わき》の下のこと。袖が大きい儒者の着物（逢衣）のことをいう。

出典 『礼記《らいき》』〈儒行《じゅこう》〉

報怨以徳 ほうえんいとく
2級

意味 **自分に怨《うら》みをもつ人に愛情をもって接し、恩恵を与えること。**

補説 「怨《うら》みに報《むく》ゆるに徳を以《もっ》てす」とも読む。

出典 『老子《ろうし》』〈六三章〉

砲煙弾雨 ほうえんだんう
4級

意味 **戦闘が激しいさま。**「砲煙」は大砲を撃つときに出る煙のこと。「弾雨」は弾丸が雨のように飛んでくるさま。

補説 「砲煙」は「砲烟」とも書く。

字体 「弾」の旧字体は「彈」。

類義語 硝煙弾雨《しょうえんだんう》

鳳凰于飛 ほうおううひ
1級

意味 **夫婦の仲がむつまじいこと。**「鳳凰」はおおとりのことで、雄が「鳳」、雌が「凰」。「于」は助字で「ここに」と読む。雌雄の鳳凰がつがいとなって仲よく飛ぶ意。

補説 「鳳凰于《ここ》に飛ぶ」とも読む。「鳳凰」は「鳳皇」とも書く。

出典 『詩経《しきょう》』〈大雅《たいが》・巻阿《けんあ》〉

類義語 鴛鴦《えんおう》之《の》契《ちぎり》、鴛鴦交頸《えんおうこうけい》、比翼連《ひよくれん》理《り》、比翼双飛《ひよくそうひ》

鳳凰銜書 ほうおうがんしょ
1級

意味 **天子の遣わした使者が勅書をたずさえていること。**鳳凰が文書を口に銜《くわ》えているという意。「鳳凰」は聖天子が世に出ると現れるという瑞鳥《ずいちょう》。

補説 「鳳凰書を銜《ふく》む」とも読む。

出典 『易林《えきりん》』〈三〉

鳳凰在笯 ほうおうざいど

意味 **すぐれた人材が地位に恵まれず民間に埋もれていること。**「笯」は鳥籠《とりかご》の意。鳳凰が鳥籠に閉じこめられているということ。「鳳凰」は聖天子が現れるという瑞鳥《ずいちょう》。おおとり。鳳は雄鳥、凰は雌鳥を表す。すぐれたもののたとえとされる。

補説 「鳳凰、笯《ど》に在《あ》り」とも読む。

出典 『楚辞《そじ》』〈九章《きゅうしょう》・懐沙《かいさ》〉

類義語 臥竜鳳雛《がりょうほうすう》、伏竜鳳雛《ふくりょうほうすう》、孔明臥竜《こうめいがりょう》

鳳凰来儀 ほうおうらいぎ
準1級

意味 **世の中が太平なことのたとえ。**「鳳凰」は麒麟《きりん》とともに、古くから聖天子の世に現れるといわれる瑞鳥《ずいちょう》。「来儀」は鳳凰が聖徳に感じて飛来し、りっぱな姿でいる意。

補説 「鳳凰」は「鳳皇」とも書く。

字体 「来」の旧字体は「來」。

出典 『書経《しょきょう》』〈益稷《えきしょく》〉

茅屋采椽 ぼうおくさいてん
1級

意味 **質素な家のこと。**「茅屋」はかやぶきの屋根のこと、「采椽」は山から切り出したままのたるきの意。

出典 『漢書《かんじょ》』〈芸文志《げいもんし》〉

忘恩負義 ぼうおんふぎ
4級

意味 **恩を忘れ義理にそむくこと。**「忘恩」は恩を忘れること、「負義」は義にそむくこと、「負」はここではうらぎる、恩徳を忘れさからう意。

補説 「恩《おん》を忘《わす》れ義《ぎ》に負《そむ》く」とも読む。

類義語　鳥尽弓蔵《ちょうじんきゅうぞう》、得魚忘筌《とくぎょぼうせん》

法界悋気　ほうかいりんき

1級

意味　**他人のことを嫉妬《しっと》したり、ねたんだりすること。**また、**他人の恋愛をねたむこと。**「法界」は仏教語で、宇宙万物のこと。「悋気」は嫉妬心の意。

補説　「法界」は「ほっかい」とも読む。

字体　「気」の旧字体は「氣」。

放歌高吟　ほうかこうぎん

準2級

⇩高歌放吟（こうかほうぎん）

泛駕之馬　ほうがのうま

1級

意味　**常道に従わない英雄のたとえ。**「泛駕」は馬がはやってわだちに従わず、道をそれてしまうこと。

出典　『漢書《かんじょ》』〈武帝紀《ぶていき》〉

抱関撃柝　ほうかんげきたく

1級

意味　**低い役職の人のこと。**「関」はかんぬきのことで「抱関」は門番の意、「柝」は拍子木《ひょうしぎ》のことで「撃柝」は夜警の意。身分の低い役人のことをいう。

字体　「関」の旧字体は「關」。

注意　「撃柝」を「撃拆」と書き誤らない。

出典　『孟子《もうし》』〈万章《ばんしょう》・下〉

判官贔屓　ほうがんびいき

1級

意味　**弱いほうに同情し、味方したり応援したりすること。**「判官」は源義経《みなもとのよしつね》のこと、「贔屓」は目をかけて応援する意。

補説　「判官」は「はんがん」とも読む。「贔屓」は「贔屭」「贔負」とも書く。

故事　検非違使《けびいし》の尉《じょう》（判官）であった源義経が、兄の頼朝《よりとも》にそねまれて滅ぼされたのに人々が同情を寄せたことから。

暴虐非道　ぼうぎゃくひどう

3級

意味　**乱暴でむごたらしく道理にはずれた行いをすること。**また、その人。

類義語　暴虐無道《ぼうぎゃくむどう》

飽経風霜　ほうけいふうそう

準2級

意味　**世の中の辛酸をなめ尽くし、世渡りもうまいが、したたかで悪賢いこと。**「飽経」は飽きるほど経験すること。「風霜」は困難や苦難のたとえ。

補説　「風霜《ふうそう》を飽経《ほうけい》す」とも読む。

字体　「経」の旧字体は「經」。

類義語　海千山千《うみせんやません》、百戦錬磨《ひゃくせんれんま》、千軍万馬《せんぐんまんば》

放言高論　ほうげんこうろん

5級

意味　**言いたい放題に自由に言論すること。**「放言」は言いたい放題のことをいう。「高論」はすぐれた議論、また、他人の議論に対する敬称。

注意　「高論」を「口論」と書き誤らない。

出典　『文章軌範《ぶんしょうきはん》』

暴言多罪　ぼうげんたざい

5級

意味　**手紙などで言い過ぎたこと、失礼なことをわびる語。**乱暴で礼を失する言葉を述べ多くの罪を犯してしまいましたという意。

類義語　妄言多謝《もうげんたしゃ》

奉公守法　ほうこうしゅほう

3級

意味　**懸命に公務を遂行し法をきちんと守ること。**主に公務員の務めをいう。

類義語　滅私奉公《めっしぼうこう》

貌合心離　ぼうごうしんり

2級

意味　**交際するのに表面だけで誠意のないたとえ。**「貌」は外に現れる形。表向きは合わせているが、心は離れているという意。

出典　『素書《そしょ》』〈遵義《じゅんぎ》〉

暴虎馮河　ぼうこひょうが

1級

意味　**向こうみずのたとえ。**血気にま

かせた無謀な行動のこと。「暴」は「搏《はく》」に同じで、「暴虎」は虎《とら》を素手で殴ること。「馮河」は大河を徒歩で渡る意で、どちらも無謀な行為を指す。孔子が、弟子子路《しろ》の粗野な言動を戒めた言葉。

出典 『論語』〈述而《じゅつじ》〉

類義語 血気《けっき》之《の》勇《ゆう》、匹夫《ひっぷ》之《の》勇《ゆう》

放語漫言　ほうご まんげん　4級

⇩漫言放語（まんげん ほうご）

方趾円顱　ほうし えんろ　1級

⇩円顱方趾（えんろ ほうし）

旁時掣肘　ぼうじ せいちゅう　1級

意味 **他人の仕事にわきから口を出してじゃまをすること。**「掣肘」は人の肘《ひじ》を引っぱること。

補説 「旁《かたわ》らより時に掣肘す」とも読む。

出典 『呂氏春秋《りょししゅんじゅう》』〈具備《ぐび》〉

封豕長蛇　ほうし ちょうだ　1級

意味 **貪欲《どんよく》で残酷な人のたとえ。**「封」は大きいこと、「豕」は豚の意。大きな豚と長い蛇の意から。

補説 「封豕長蛇を為《な》す」の略。

出典 『春秋左氏伝《しゅんじゅうさしでん》』〈定公《ていこう》四年〉

旁若無人　ぼうじゃく ぶじん　1級

意味 **人前にもかかわらず、勝手で無遠慮な振る舞いをすること。**まるでそばに人がいないかのように振る舞うこと。

補説 「旁《かたわ》らに人無きが若《ごと》し」とも読む。「旁」は「傍」とも書く。

注意 「旁若」を「暴若」と書き誤りやすい。

故事 中国戦国時代、荊軻《けいか》という人物が燕《えん》の国へ行った折、筑《ちく》(琴に似た竹で打ち鳴らす楽器)の名人高漸離《こうぜんり》と意気投合して、酒を飲んではあたりはばからず大声で歌ったり、抱き合って大声で泣いたりしたという故事から。

出典 『史記』〈刺客《しかく》・荊軻伝《けいかでん》〉

類義語 眼中《がんちゅう》無人《むじん》、得手《えて》勝手《かって》、勝手気儘《かってきまま》、傲岸《ごうがん》不遜《ふそん》

飽食終日　ほうしょく しゅうじつ　3級

意味 **一日中食べるだけで仕事もせず過ごす。**腹いっぱい食うことだけで一日をむなしく終えてしまうということ。「飽食」は飽きるほど十分に食べること、「終日」は一日中の意。

補説 「飽食して日を終《しま》う」とも読む。

出典 『論語』〈陽貨《ようか》〉

類義語 無為《むい》徒食《としょく》

飽食煖衣　ほうしょく だんい　1級

⇩煖衣飽食（だんい ほうしょく）

望蜀之嘆　ぼうしょくの たん　1級

⇩得隴望蜀（とくろう ぼうしょく）

亡脣寒歯　ぼうしん かんし　1級

⇩脣亡歯寒（しんぼう しかん）

抱薪救火　ほうしん きゅうか　4級

意味 **害を除こうとしてかえってその害を大きくしてしまうこと。**火を消しに行くのにたきぎを抱えて行く意から。火に油を注ぐの類。

補説 「薪《たきぎ》を抱《かか》えて火を救《すく》う」とも読む。

出典 『淮南子《えなんじ》』〈覧明訓《らんめいくん》〉

方枘円鑿　ほうぜい えんさく

⇩円鑿方枘（えんさく ほうぜい）

方正之士　ほうせいの し　準1級

意味 **行いの正しい人のこと。**「方正」は行いがきちょうめんで正しいこと、「士」は成年の男子の意。

類義語 品行《ひんこう》方正《ほうせい》

蜂準長目　ほうせつちょうもく　準1級

意味　**賢くて抜け目のない人相のこと。**「準」は鼻すじ・鼻ばしらのことで、蜂《はち》のように高い鼻と細長い目の意。

注意　「蜂準」を「ほうじゅん」と読み誤らない。

出典　『史記』〈秦《しん》始《し》皇《こう》紀《き》〉

茫然自失　ぼうぜんじしつ　1級

意味　**気が抜けてぼんやりしてしまい、どうしてよいかわからなくなること。**「茫然」はぼんやりと気抜けしたさま。

補説　「茫然」は「呆然」とも書く。

出典　『列《れっ》子《し》』〈仲《ちゅう》尼《じ》〉

包蔵禍心　ほうぞうかしん　準2級

意味　**悪いたくらみを心に隠しもつ。**「包蔵」はつつみかくすこと。「禍心」は悪い計画をたくらむ心。

補説　「禍心を包蔵す」とも読む。また「包蔵」は「苞蔵」とも書く。

字体　「蔵」の旧字体は「藏」。

出典　『春《しゅん》秋《じゅう》左《さ》氏《し》伝《でん》』〈昭《しょう》公《こう》元年〉

放胆小心　ほうたんしょうしん　3級

意味　**文章を書くはじめは大胆に筆を揮《ふる》って思いきって書くのがよく、ある程度熟練してからは細心の注意を払って書くのがよいこと。**また、**それら二つの文体。**「放胆」は修辞や文法からは少しはずれることもあるが思ったことを大胆に書き記すこと。またその文。「小心」は細かい点に注意を払って書くこと。またその文。

字体　「胆」の旧字体は「膽」。

出典　『文《ぶん》章《しょう》軌《き》範《はん》』

抱柱之信　ほうちゅうのしん　準1級

⇨尾生之信(びせいのしん)

忙中有閑　ぼうちゅうゆうかん　準2級

意味　**忙しい仕事の合い間にも、ほっと一息つくひまがあること。**多忙の中にも、多少の一息つく時間があること。

補説　「忙《ぼう》中《ちゅう》閑《かん》有《あ》り」とも読む。

類義語　忙《ぼう》裡《り》偸《とう》閑《かん》

方底円蓋　ほうていえんがい　2級

意味　**物事がくいちがって合わないことのたとえ。**四角い底の器に丸い蓋《ふた》の意。

字体　「円」の旧字体は「圓」。

注意　「方底」を「方低」と書かないこと。

出典　『顔《がん》氏《し》家《か》訓《くん》』〈兄《けい》弟《てい》〉

類義語　円《えん》孔《こう》方《ほう》木《ぼく》、方《ほう》枘《ぜい》円《えん》鑿《さく》

鵬程万里　ほうていばんり　準1級

意味　**遠大な道程のたとえ。海が限りなく広がることの形容。**おおとりがつむじ風に羽ばたき九万里も飛び上がること。また前途が洋々たることの形容に使われることもある。「鵬」は想像上のおおとり。「程」は道程・みちのりの意。

補説　「万里鵬程」ともいう。

字体　「万」の旧字体は「萬」。

出典　『荘《そう》子《じ》』〈逍《しょう》遥《よう》遊《ゆう》〉

類義語　前《ぜん》程《てい》万《ばん》里《り》、鵬《ほう》霄《しょう》万《ばん》里《り》

宝鈿玉釵　ほうでんぎょくさい　1級

意味　**美しいもののたとえ。**珠玉や金銀で飾った美しいかんざしやこうがいの意。「鈿」はかんざし、造花のかんざし。「釵」は二股《ふたまた》のかんざし。

字体　「宝」の旧字体は「寶」。

出典　斎《さい》藤《とう》拙《せつ》堂《どう》『月《つき》瀬《がせ》紀《き》勝《しょう》』

蓬頭垢面　ほうとうこうめん　準1級

意味　**身だしなみが悪く、むさくるしいさま。**「蓬」はよもぎ、「蓬頭」はよもぎのようなぼさぼさの頭髪の意。「垢面」は垢《あか》だらけの顔のこと。外見を気にしない、むさくるしいさまをいう。

補説　「垢面」は「くめん」とも読む。

出典　『魏書《ぎしょ》』〈封軌伝《ほうきでん》〉

類義語　蓬髪垢面《ほうはつこうめん》、蓬頭乱髪《ほうとうらんぱつ》、弊衣破帽《へいいはぼう》、囚首喪面《しゅうしゅそうめん》、蓬頭赤脚《ほうとうせききゃく》

放蕩三昧　ほうとう ざんまい

準1級

意味　**勝手放題にすること。酒や女におぼれて品行が悪く、勝手気ままなこと。**「放蕩」は酒色におぼれて勝手気ままな行動をすること。「三昧」はそのことに夢中になって他をかえりみない意。

注意　「三昧」を「三味」と書き誤らない。

類義語　放蕩不羈《ほうとうふき》、放蕩無頼《ほうとうぶらい》

朋党比周　ほうとう ひしゅう

準1級

意味　**同志が団結して助けあい、仲間以外の者を排斥すること。**「朋党」は主義や利害を同じくする仲間のこと。「比周」はかたよって一方に仲間入りする意。

字体　「党」の旧字体は「黨」。

出典　『韓非子《かんぴし》』〈孤憤《こふん》〉

放蕩不羈　ほうとう ふき

1級

意味　**気の向くまま勝手に振る舞う。**「放蕩」は勝手気まま、思いのまま。「羈」はつなぐ、束縛するという語で、「不羈」は何ものにも束縛されない意。

出典　『晋書《しんじょ》』〈王長文伝《おうちょうぶんでん》〉

類義語　放縦不羈《ほうじゅうふき》、放蕩無頼《ほうとうぶらい》、勝手気儘《かってきまま》

放蕩無頼　ほうとう ぶらい

準1級

意味　**酒色にふけり、身をもちくずすこと。**「放蕩」は酒や女におぼれて身もちが悪いこと。「無頼」は性行がよくない意。

類義語　放蕩不羈《ほうとうふき》、流連荒亡《りゅうれんこうぼう》

蓬頭乱髪　ほうとう らんぱつ

準1級

意味　**よもぎのように髪が乱れるさま。**「蓬」はよもぎ。転じて、物の乱れているたとえ。

字体　「乱」の旧字体は「亂」、「髪」の旧字体は「髮」。

出典　『近古史談《きんこしだん》』〈台徳公美事《だいとくこうびじ》〉

類義語　蓬頭垢面《ほうとうこうめん》、蓬頭赤脚《ほうとうせききゃく》、敝衣蓬髪《へいいほうはつ》

茅堵蕭然　ぼうと しょうぜん

1級

意味　**かやぶきの垣根が物寂しいさま。**かやぶきの垣根で囲った粗末ないなか家が寂しげにひっそりとしているさま。「茅堵」はかやぶきの垣根。転じて田舎家。「堵」は垣根。「蕭然」は寂しげなさま。

法爾自然　ほうに じねん

準1級

⇩**自然法爾**(じねん ほうに)

豊年満作　ほうねん まんさく

5級

意味　**農作物が豊かにみのり、収穫の多いこと。**また、その年。「豊年」は穀物のよく実った年、豊作の年。「満作」は農作物が十分にみのること、豊作の意。

字体　「豊」の旧字体は「豐」、「満」の旧字体は「滿」。

注意　「満作」を「万作」と書かないこと。

類義語　五穀豊穣《ごこくほうじょう》

尨眉皓髪　ぼうび こうはつ

1級

意味　**白毛がまじったまゆと白い髪。老人のこと。**「尨」はまじる、白髪がまじる意。「皓」はしろい、ひかる、髪が白くなってぬける意。

字体　「髪」の旧字体は「髮」。

出典　『後漢書《ごかんじょ》』〈劉寵伝《りゅうちょうでん》〉

捧腹絶倒　ほうふく ぜっとう

準1級

意味　**腹をかかえて大笑いすること。**「捧腹」は腹をかかえて笑うこと。「絶倒」はころげ回るほど笑う意。

補説　「捧腹」は「抱腹」とも書く。

出典　『史記』〈日者伝《にっしゃでん》〉に「腹を捧《かか》えて大笑す」とあるのにもとづく。

類義語　破顔大笑《はがんたいしょう》、呵呵大笑《かかたいしょう》、捧腹大笑《ほうふくたいしょう》

捧腹大笑 ほうふくたいしょう 準1級

⇨捧腹絶倒（ほうふくぜっとう）

望文生義 ぼうぶんせいぎ 5級

意味 **文字の意味をあまり考えず、見当で勝手に解釈すること。**「文」は字句。「義」は意味。

補説 「文を望みて義を生ず」とも読む。

出典 『輶軒語《ゆうけんご》』

望聞問切 ぼうぶんもんせつ 5級

意味 **医者の診察で重要な四つの方法。**「望」は目で察し、「聞」は耳で聴いて診察し、「問」は言葉で問いただし、「切」は指でさすって診察すること。

出典 『難経《なんけい》』〈六一難〉

放辟邪侈 ほうへきじゃし 1級

意味 **わがまま勝手な悪い行為のこと。**「放」はほしいまま、「辟」はかたよる、「邪」はよこしま、「侈」はぜいたくの意。

出典 『孟子《もうし》』〈梁恵王《りょうけいおう》・上〉

類義語 勝手気儘《かってきまま》、我儘放題《わがままほうだい》

蜂房水渦 ほうぼうすいか 2級

意味 **家屋が蜂《はち》の巣のように密集しているさま。**建物が蜂の巣の穴のように接して隣り合い、水の渦巻きのようにつながりめぐっていること。「蜂房」は蜂の巣。蜂の巣の中の分画が建物の部屋の分画に似ているのでいう。

出典 杜牧《とぼく》の「阿房宮賦《あぼうきゅうのふ》」

報本反始 ほうほんはんし 5級

意味 **天地や祖先の恩に感謝し報いること。**「本」は天地、「始」は祖先のこと。自分が現在あるおおもとの天地・祖先の恩に報いようとする気持ちをいう。

補説 「本《もと》に報《むく》い始めに反《かえ》る」とも読む。

出典 『礼記《らいき》』〈郊特牲《こうとくせい》〉

泡沫夢幻 ほうまつむげん 準1級

意味 **人生のはかないことのたとえ。**水のあわと夢まぼろしのように、はかないもののたとえ。「泡沫」は水のあわ・あぶく。

類義語 夢幻泡影《むげんほうよう》

蜂目豺声 ほうもくさいせい 1級

意味 **凶悪で冷酷な人のこと。**「蜂目」は蜂《はち》のように細い目つき。「豺」は狼《おおかみ》に似て凶暴な山犬のことで、「豺声」はその山犬のような不気味な声をいう。

字体 「声」の旧字体は「聲」。

出典 『春秋左氏伝《しゅんじゅうさしでん》』〈文公《ぶんこう》元年〉

鳳友鸞交 ほうゆうらんこう 1級

意味 **男女間の情事、交接のたとえ。**「鳳」は鳳凰《ほうおう》。想像上の霊鳥。「鸞」は鳳凰に似た想像上の霊鳥。いずれも美しい鳥でその交わりを男女の情事にたとえたもの。

出典 『長生殿《ちょうせいでん》』〈絮閣《じょかく》〉

類義語 鳳友鸞諧《ほうゆうらんかい》

亡羊之嘆 ぼうようのたん 準1級

⇨多岐亡羊（たきぼうよう）

亡羊補牢 ぼうようほろう 準1級

意味 **失敗したあとで改めることのたとえ。**あとのまつりの意。また、失敗したあとで改めれば、過ちを大きくしないですむというたとえ。羊に逃げられたあとで、その囲いを修繕する意。

補説 「羊を亡《うしな》いて牢《ろう》を補う」とも読む。

注意 「補牢」を「捕牢」と書かないこと。

出典 『戦国策《せんごくさく》』〈楚策《そさく》〉

蓬萊弱水 ほうらいじゃくすい 準1級

意味 **遠くはるかにへだたっているこ**

と。「蓬萊」は中国の東方海上(渤海《ぼっかい》とも)にあるという伝説上の島で、そこに仙人が住み、不老不死の薬があるといわれている。「弱水」は西方海上の鳳麟洲《ほうりんしゅう》という陸地をめぐる水。この両者のへだたりは三十万里とされる。

注意　「蓬萊」を「蓬来」と書き誤らない。

出典　『続神仙伝《ぞくしんせんでん》』〈上〉

方領矩歩　ほうりょう くほ　準1級

意味　**儒者の身なりや態度のたとえ。**四角い襟の衣服と正しい歩行の意。「方」は四角いこと。「領」はえり。「矩」はさしがね。転じて、法。また法に適うことのたとえ。

出典　『後漢書《ごかんじょ》』〈儒林伝序《じゅりんでんじょ》〉

類義語　縫衣浅帯《ほういせんたい》、褒衣博帯《ほういはくたい》

暴戻恣睢　ぼうれい しき

意味　**横暴で残忍な人物の形容。**乱暴で道理にもとり気ままに振る舞い人をにらみつける意。「暴」は乱暴または横暴なこと。「戻」は道理にもとる、道理にそむくこと。「恣」はほしいまま、気ままの意。「睢」は怒って目をむく、にらみつける意。

注意　「睢」を「雎」と書き誤らない。

出典　『史記』〈伯夷伝《はくいでん》〉

類義語　乱暴狼藉《らんぼうろうぜき》、悪逆非道《あくぎゃくひどう》、大逆無道《たいぎゃくむどう》

暮雲春樹　ぼうん しゅんじゅ　4級

意味　**遠くの友を切になつかしむ情。**「暮雲」は暮れがたの雲のこと、「春樹」は若芽をつけた春の木の意。

補説　「春樹暮雲」ともいう。

出典　杜甫《とほ》の「春日憶李白《しゅんじつりはくをおもう》‐詩」

母猿断腸　ぼえん だんちょう　準2級

意味　**腸《はらわた》がちぎれるような激しい悲しみや苦しみのこと。**

補説　「母猿《ぼえん》腸を断ず」とも読む。

字体　「断」の旧字体は「斷」。

故事　中国東晋《とうしん》の桓温《かんおん》が蜀《しょく》を攻め、三《さん》峡《きょう》に船でさしかかったとき、兵士が子猿をつかまえ連れてきてしまった。母猿は激しく泣きながら船を追い、やっと追いつき船に飛びこんだが息絶えた。腹をさくと腸《はらわた》がずたずただった。桓公は怒ってその兵士を罰したという故事から。

出典　『世説新語《せせつしんご》』〈黜免《ちゅつめん》〉

保革伯仲　ほかく はくちゅう　準2級

意味　**保守政党と革新政党の議員数がほぼ同じ状態。**「保」は保守政党、「革」は革新政党のそれぞれ略。「伯」は兄、「仲」は弟。「伯仲」は(兄弟が)お互いに似ていて優劣をつけがたいこと。

北轅適楚　ほくえん てきそ　1級

意味　**志と行動とが相反するたとえ。**「轅」は馬車または牛車の車体の左右両側から出ている二本のかじ棒。それを北に向けているわけだから、目ざしているのは北の方向であるはずなのに、南方の楚の国へ行くという意味。

補説　「轅《ながえ》を北にして楚《そ》に適《ゆ》く」とも読む。また、「適楚北轅」ともいう。

出典　『申鑒《しんかん》』〈雑言《ざつげん》・下〉

類義語　南轅北轍《なんえんほくてつ》、北轍南轅《ほくてつなんえん》

撲朔謎離　ぼくさく めいり　準1級

意味　**男か女か分からないこと。**「撲朔」はおすのうさぎが足をばたばたさせること。「謎離」はめすのうさぎの目がぼんやりしてはっきりしないさま。うさぎの雌雄は見分けにくく耳をつかみ吊《つ》るすとおすは足をばたばたし、めすは目がぼんやりしてはじめて見分けられるという。

故事　木蘭《もくらん》という女性が男装して十二年間出征した後に帰国し、今度は女装してもとの戦友の前に現れると、彼らは彼女を十二年も女性であることに気づかな

かったことに驚いた、という。

出典　南朝梁《りょう》、無名氏「木蘭詩《もくらんのし》」

墨子泣糸　ぼくしきゅうし

3級

意味　**人は習慣や他人の影響などによって善にも悪にもなるたとえ。**「墨子」は中国戦国時代の思想家墨翟《ぼくてき》のこと。「泣糸」は糸を見て泣いたということ。

補説　「墨子《ぼくし》糸に泣く」とも読む。

字体　「糸」の旧字体は「絲」。

故事　墨子は白い糸が染料によって黄色にも黒にもなるのを見て、物事は何を選択するかで結果が大きく分かれもどることができないことを嘆いて涙を流した故事による。

出典　『淮南子《えなんじ》』〈説林訓《ぜいりんくん》〉

類義語　潜移黙化《せんいもくか》、水随方円《すいずいほうえん》、南橘北枳《なんきつほくき》、楊子岐泣《ようしききゅう》、墨子悲染《ぼくしひせん》、楊朱泣岐《ようしゅきゅうき》

墨子兼愛　ぼくしけんあい

3級

意味　**墨子は儒家の差別愛に対して博愛平等を主張したこと。**「墨子」は戦国時代の思想家の墨翟《ぼくてき》のこと。兼愛・非戦・節倹(倹約)などを主張し、儒家に対抗した。「子」は先生ほどの意の尊称。「兼愛」は博愛の意。

出典　『孟子《もうし》』〈尽心《じんしん》・上〉

墨子薄葬　ぼくしはくそう

3級

意味　**墨子は盛大な儀式を主張する儒《じゅ》家《か》に対して質素な葬儀を唱えたこと。**「墨子」は「墨子兼愛」の項参照。「薄葬」は質素な弔いの儀式。

墨子悲糸　ぼくしひし

3級

出典　『孟子《もうし》』〈滕文公《とうぶんこう》・上〉

⇩**墨子泣糸**(ぼくし きゅうし)

墨守成規　ぼくしゅせいき

3級

意味　**古くからあるやり方を固く守って、変え改めようとしないこと。**「墨守」は、墨子が城を堅く守ったことから、固く守って変えないこと。「成規」は先人の作った法規、既成の規範の意。従来の方法や規則にこだわる保守的な態度をいう。

補説　「成規を墨守《ぼくしゅ》す」とも読む。

類義語　旧套墨守《きゅうとうぼくしゅ》

濮上之音　ぼくじょうのおん

5級

⇩**桑間濮上**(そうかん ぼくじょう)

北窓三友　ほくそうのさんゆう

意味　**琴と詩と酒のこと。**

出典　白居易《はくきょい》の「北窓三友《ほくそうさんゆう》-詩」

墨翟之守　ぼくてきのまもり

意味　**自分の説などを堅く守って改めないこと。**「墨翟」は中国戦国時代の思想家墨子《ぼくし》のこと。城の守りが非常に堅固である意から。

故事　中国楚《そ》が小国の宋《そう》を攻めようとした。それを聞いた墨子は楚に行き軍師公輸般《こうしゅはん》(盤ともいう)と机上戦を行い、般は宋の城をさんざん攻撃したが、墨翟は城をしっかり守って、九度も攻撃を退け、楚はついに宋攻撃をあきらめたという故事から(『墨子《ぼくし》』〈公輸《こうしゅ》〉)。

出典　『戦国策《せんごくさく》』〈斉策《せいさく》〉

北轍南轅　ほくてつなんえん

1級

意味　**志と行動が相反するたとえ。**「轍」は車輪の跡・わだちのこと、「轅」は車のかじ棒・ながえの意。わだちが北に向かっているのに、ながえを南に向けていることで、あべこべ・ゆきちがいの意。

補説　「南轅北轍」ともいう。

出典　周亮工《しゅうりょうこう》の文

類義語　北轅適楚《ほくえんてきそ》

北斗七星　ほくとしちせい

3級

意味　**天の北極に、ひしゃくの形につ**

らなっている大熊座《おおぐまざ》の七つの星のこと。「斗」はひしゃくの意。七つの星が並んで、ひしゃく状をなすので、このようにいう。

補説　ひしゃくの柄《え》にあたる第七星の方向で、古来これによって時を測った。「北斗」「北斗星」ともいう。

墨名儒行　ぼくめい じゅこう　準2級

意味　**表面は墨者と称しながら、実際には孔子の教えに合った行いをすること。**名目は墨者でも、行動は儒者であるという意。

出典　韓愈《かんゆ》の「送浮屠文暢師序《ふとのぶんちょうしをおくるのじょ》」

対義語　儒名墨行《じゅめいぼくこう》

輔車脣歯　ほしゃ しんし　1級

意味　**お互いに助け合う密接な関係。**「輔車」は車のそえ木と荷台。また、頬骨《ほおぼね》(輔)と下顎《したあご》の骨(車)という説もある。「脣歯」は唇と歯。これらのように一方が欠けると他方がだめになるような関係をいう。

補説　「輔車は相依《あいよ》り脣亡《くちびるほろ》ぶれば歯寒し」の略。「脣歯輔車」ともいう。また「脣」は「唇」とも書く。

字体　「歯」の旧字体は「齒」。

出典　『春秋左氏伝《しゅんじゅうさしでん》』〈僖公《きこう》五年〉

類義語　脣亡歯寒《しんぼうしかん》、輔車相依《ほしゃそうい》

輔車相依　ほしゃ そうい　準1級

⇩**輔車脣歯**(ほしゃ しんし)

暮色蒼然　ぼしょく そうぜん　準1級

意味　**夕暮れどきの、あたりが薄暗くなっている様子。**「暮色」は夕暮れの景色、「蒼然」は日暮れどきの薄暗いさま。

補説　「蒼然暮色」ともいう。

法華三昧　ほっけ ざんまい　2級

意味　**一心不乱に法華経を極めること。**「法華」は法華経のこと、「三昧」は一心不乱に物事を極める意。

注意　「三昧」を「三味」と書き誤らない。

墨痕淋漓　ぼっこん りんり　1級

意味　**墨で表現したものが生き生きしているさま。墨の跡がみずみずしいさま。**「墨痕」は墨で表現したもの、墨の跡。文字や絵の類。「淋漓」は水や血などがしたたるさま。転じて筆勢などの盛んなさま。

発菩提心　ほつ ぼだいしん　準1級

意味　**仏門に入って僧になろうと思うこと。**また、**悟りを開こうという気持ちを持つこと。**「発」は起こす、「菩提心」は仏道を求める心、悟りを求める心の意。

補説　語構成は「発」＋「菩提心」。

字体　略して「発心《ほっしん》」ともいう。「発」の旧字体は「發」。

注意　「発」を「はつ」と読み誤りやすい。

匍匐膝行　ほふく しっこう　1級

意味　**膝《ひざ》を床につき、すり足で前に移動すること。**立ち上がらないで身を動かすさま。非常におそれつつしむさま。高貴な人の前に出るときのしぐさ。「匍」も「匐」もはらばうこと。「膝行」は膝を地または床にすりつけながら進むこと。

類義語　匍匐前進《ほふくぜんしん》

蒲柳之質　ほりゅうの しつ　準1級

意味　**若いときから体質が虚弱なこと。**「蒲柳」はかわやなぎで、木がややわらかく、その葉も秋の初めにはやばやと散ってしまうことから、か弱い体質をいう。

出典　『世説新語《せせつしんご》』〈言語《げんご》〉

類義語　蒲柳之姿《ほりゅうのし》、虚弱体質《きょじゃくたいしつ》

対義語　松柏之質《しょうはくのしつ》

賁育之勇　ほんいくの ゆう　1級

意味　**非常に気力が盛んで強いこと。**

「賁」は孟賁《もうほん》、「育」は夏育《かいく》のことで、ともに秦《しん》の武王に仕えた有名な大力の勇士。「勇」は気力が盛んで強い意。孟賁夏育のような勇の意。

出典 『漢書《かんじょ》』〈爰盎伝《えんおうでん》〉

奔逸絶塵 ほんいつぜつじん 準1級

意味 **非常にはやく走ること。**「奔逸」は走り逃げること。「絶塵」は塵《ちり》ひとつ立てずに速く走る意。

補説 「奔逸」は「奔佚」とも書く。

出典 『荘子《そうじ》』〈田子方《でんしほう》〉

類義語 韋駄天走《いだてんばしり》

翻雲覆雨 ほんうんふくう 3級

⇨雲翻雨覆（うんぽんうふく）

凡聖一如 ぼんしょういちにょ 準1級

意味 **人には凡人と聖者の別はあるが本性は平等であること。**「凡」は凡夫（衆生）、「聖」は聖者（如来）。迷っている者も悟っている者も、本質的には変わりのないことをいう。仏教の語。

注意 「ぼんせいいいちじょ」と読まないこと。

出典 『金剛経《こんごうきょう》注』

類義語 凡聖不二《ぼんしょうふに》

本地垂迹 ほんちすいじゃく 1級

意味 **仏や菩薩《ぼさつ》が人々を救う一つの手段として、神の姿を借りて現れること。**また、そのように仏教と神道を結びつけた考え方。「本地」は仏の本体のこと、「垂迹」は迹《あと》を垂れる意。

補説 「本地」は「ほんじ」とも読む。

類義語 神仏混淆《しんぶつこんこう》

対義語 神仏分離《しんぶつぶんり》

奔南狩北 ほんなんしゅほく 準2級

意味 **天子が難を避けて、南北にのがれること。**「奔」は逃げる、「狩」は狩りに行く意。昔は天子が難を避けて逃げることを直言するのを忌んで「狩」に行くと言った。

出典 思肖《ししょう》の「春日偶成《しゅんじつぐうせい》-詩」

煩悩菩提 ぼんのうぼだい 準1級

意味 **煩悩は悟りの縁であること。**煩悩も人間の本性であるから、本来別のものでなく、二つは一体であるということ。また、迷いがあってはじめて悟りもあるという意。仏教の語。「煩悩」は心身を悩ますいっさいの欲望。「菩提」は悟りの境地。

補説 「煩悩即菩提《ぼんのうそくぼだい》」の略。

字体 「悩」の旧字体は「惱」。

出典 『六祖壇経《ろくそだんきょう》』

奔放不羈 ほんぽうふき 1級

意味 **なにものにもとらわれることなく、自分の思うままに振る舞うこと。**「奔放」は束縛されず思うままに振る舞うこと、「羈」はつなぎとめることで、「不羈」はなにものにも束縛されない意。

補説 「不羈奔放」ともいう。

類義語 自由奔放《じゆうほんぽう》

本末転倒 ほんまつてんとう 4級

意味 **物事の大事なこととそうでないことを逆にすること。**「本末」は根本と末端のこと。「転倒」は逆さにすること。

補説 「転倒」は「顛倒」とも書く。

字体 「転」の旧字体は「轉」。

類義語 主客転倒《しゅかくてんとう》、冠履倒易《かんりとうえき》、釈根灌《しゃくこんかん》枝《し》、釈根注《しゃくこんちゅう》枝《し》、舎本逐末《しゃほんちくまつ》

本来面目 ほんらいのめんもく 5級

意味 **人の手を加えないありのままの本性のこと。**「本来」はもともとの意、「面目」はすがた・ようすのこと。

字体 「来」の旧字体は「來」。

本領安堵　ほんりょうあんど　準1級

意味　鎌倉・室町時代、幕府や大名がその支配下にある者に対して、ある特定の領地が間違いなくその者の領地であることを承認し証明の書面を出すこと。

【ま】

真一文字　まいちもんじ　5級

意味　**まっすぐなこと。一直線であること。**「一」の字のようにまっすぐな意。

補説　語構成は「真」＋「一文字」。「真」は、真実の意を表す接頭語。

字体　「真」の旧字体は「眞」。

麻姑掻痒　まこそうよう　1級

意味　**物事が思いのままになること。**また、**行きとどくこと。**「麻姑」は中国伝説の仙女。鳥のような長い爪《つめ》をもつという。「掻痒」はかゆいところをかくこと。

故事　漢の桓帝《かんてい》のころ蔡経《さいけい》という者が麻姑の長い爪で背中をかかせたら、さぞ気持ちがよいだろうと秘かに思ったという故事から。

出典　『神仙伝《しんせんでん》』〈麻姑《まこ》〉

対義語　隔靴掻痒《かっかそうよう》

磨穿鉄硯　ませんてっけん　準1級

意味　**猛烈に勉強すること。**鉄でできている硯《すずり》を磨《す》りへらして穴をあけるほど勉強するという意。「磨」は磨滅させる、すりへらす。「穿」は穴をあける。筆で文字を書いて勉強するときには硯で墨をすることから始めた。

補説　「鉄硯を磨穿す」とも読む。また、「鉄硯磨穿」ともいう。

字体　「鉄」の旧字体は「鐵」。

出典　『新五代史《しんごだいし》』〈桑維翰伝《そういかんでん》〉

類義語　蛍窓雪案《けいそうせつあん》

麻中之蓬　まちゅうのよもぎ　準1級

意味　**よい環境の中では悪しきものも正されるというたとえ。**まっすぐに伸びる麻の中に生えた蓬《よもぎ》は、曲がりがちな性質が矯められて、まっすぐに育つ意。

出典　『荀子《じゅんし》』〈勧学《かんがく》〉

類義語　南橘北枳《なんきつほくき》

摩頂放踵　まちょうほうしょう　1級

意味　**自分の身を犠牲にして、他人のために尽くすこと。**頭のさきから足のかかとまですりへらす意。

補説　「頂《いただき》を摩《ま》して踵《くびす》に放《いた》る」とも読む。

注意　「踵」を「鍾」と書き誤らない。

出典　『孟子《もうし》』〈尽心《じんしん》・上〉

末法末世　まっぽうまっせ　5級

意味　**時代がくだり、道徳が衰え乱れた末の世のこと。**「末法」は、釈迦《しゃか》の死後五百年を正法《しょうぼう》、続く千年を像法《ぞうぼう》、その次の一万年を末法《まっぽう》といい、末法は仏法の衰えすたれる時期とされる。「末世」は末法の世の意。

末路窮途　まつろきゅうと　準2級

⇩窮途末路（きゅうとまつろ）

磨礱砥礪　まろうしれい

意味　**知らず知らずのうちに、物が減ってしまうたとえ。**「磨礱」はとぎみがくこと。「砥」は刃物をとぐ砥石《といし》、「礪」はそれよりも目のあらい砥石のこと。

故事　呉王が乱を起こしたときに家臣の枚乗《ばいじょう》が王を諫《いさ》めた書状にある言葉。物をとぐと知らないうちにすり減っていくが、人の行いも小さな行動が積もり積もって栄えたり滅亡したりする原因になる、と述べている。

出典　枚乗《ばいじょう》の「上書諫呉王《しょをたてまつりてごおうをいさむ》」

漫言放語　まんげんほうご　4級

意味　**言いたい放題。**「漫言」はとりとめのない言葉、「放語」は口から出まかせを言いちらすこと。

補説　「放語漫言」ともいう。

満腔春意　まんこうしゅんい　準1級

意味　**全身になごやかな気分が満ちていること。**人を祝う言葉。「満腔」は胸いっぱい・全身。転じて、心からの、の意。

字体　「満」の旧字体は「滿」。

注意　「満腔」を「まんくう」と読み誤らないこと。

出典　『書言故事大全《しょげんこじだいぜん》』〈時令類《じれいるい》〉

万劫末代　まんごうまつだい　準1級

意味　**遠い後《のち》の世。**「万劫」はきわめて長い年月、「末代」は後世。「劫」は仏教で長い時間。万劫・億劫・永劫はいずれも長い年月をいう。

字体　「万」の旧字体は「萬」。

類義語　未来永劫《みらいえいごう》

満身創痍　まんしんそうい　1級

意味　**精神的にひどく痛めつけられていること。**また、**さまざまな病気で苦しんでいること。**「満身」はからだ全体の意。全身、「創」「痍」はともにきずのこと。全身、傷だらけであることをいう。

字体　「満」の旧字体は「滿」。

注意　「満身」を「慢心」と書き誤らない。

類義語　満身傷痍《まんしんしょうい》、百孔千瘡《ひゃっこうせんそう》、疲労困憊《ひろうこんぱい》

万目睚眥　まんもくがいさい　1級

意味　**たくさんの人ににらまれること。**「万目」は多くの人の目。転じて多くの人。「睚眥」は目にかどをたててにらむこと。「睚」はもと「まなじり」の意。「眥」はにらむ意。

補説　「万目」は「ばんもく」とも読む。

字体　「万」の旧字体は「萬」。

注意　「睚眥」を「がいし」と読み誤らない。また「涯眥」と書き誤らない。

出典　『紅楼夢《こうろうむ》』〈五回〉

類義語　百口嘲謗《ひゃっこうちょうぼう》

満目荒涼　まんもくこうりょう　準2級

意味　**見渡すかぎり荒れはてているさま。**「満目」は目のとどくかぎり、「荒涼」は荒れはててもの寂しいこと。

字体　「満」の旧字体は「滿」。

注意　「満目」を「万目」と書き誤らない。

類義語　満目荒寥《まんもくこうりょう》、満目蕭条《まんもくしょうじょう》

満目蕭条　まんもくしょうじょう　1級

意味　**見渡すかぎりもの寂しいさま。**「満目」は目に入るかぎり・あたり一面の意。「蕭条」はひっそりとしてもの寂しいさまのこと。

字体　「満」の旧字体は「滿」、「条」の旧字体は「條」。

類義語　満目蕭然《まんもくしょうぜん》、満目荒涼《まんもくこうりょう》

曼理皓歯　まんりこうし　1級

意味　**美人のこと。**「曼理」はきめの細かい肌、「皓歯」は白い歯。

字体　「歯」の旧字体は「齒」。

類義語　明眸皓歯《めいぼうこうし》、朱脣皓歯《しゅしんこうし》

【み】

密雲不雨　みつうんふう　5級

意味　**前兆があるのに、まだ事が起こらないこと。**また、**恩恵が下に行きわたらないこと。**空いっぱいに黒い雲がおおっているけれど、まだ雨は降ってきていない意を表す。

補説　「密雲あれど雨《あめふ》らず」とも読む。

出典　『易経《えききょう》』〈小畜《しょうちく》〉

三日天下　みっか てんか

5級

意味　**短期間であること。権力の座にあることがきわめて短期間であること。**明智光秀が本能寺に織田信長を襲い天下を取ったが、日を経ずして豊臣秀吉に討たれたことからたとえていう。

補説　「天下」は「でんか」とも読む。

三日坊主　みっか ぼうず

準2級

意味　**何をしても飽きっぽくて長続きしないこと。**また、その人。「三日」は短い時間を表す。僧侶《そうりょ》修行も三日と続かないの意から。

類義語　三月庭訓《みつきていきん》

妙計奇策　みょうけい きさく

4級

意味　**人の意表をついた奇抜ですぐれたはかりごと。**「妙計」はすぐれた計略、「奇策」は人の思いつかないはかりごと。

補説　「奇策妙計」ともいう。

名字帯刀　みょうじ たいとう

5級

意味　**江戸時代、平民が家柄や功労によって姓を名のり、刀をさすことを許されたこと。**庄屋や豪商など。

補説　「名字」は「苗字」「苗氏」とも書く。

字体　「帯」の旧字体は「帶」。

類義語　名字《みょうじ》御免《ごめん》、帯刀《たいとう》御免《ごめん》

名詮自性　みょうせん じしょう

2級

意味　**名はそのものの本質を表すということ。**名称と実体とが相応ずること。「詮」は備える意、「自性」は自らの性質の意。仏教の語。

補説　「自性」は「自称」とも書く。

注意　「名詮」を「めいせん」と読まないこと。

出典　『成唯識論《じょうゆいしきろん》』〈二〉

類義語　名実相応《めいじつそうおう》、名実一体《めいじついったい》

妙法一乗　みょうほう いちじょう

4級

意味　**法華経《ほけきょう》の教え。**「妙法」は深遠な仏法。特に妙法蓮華経《みょうほうれんげきょう》をいう。「一乗」は悟りを得る唯一の道。

字体　「乗」の旧字体は「乘」。

出典　『本朝文粋《ほんちょうもんずい》』〈一〇〉

名聞利養　みょうもん りよう

準2級

意味　**名誉と財欲に執着すること。**「名聞」は世間の評判。「利養」は財を得て身を肥やすこと。

出典　『菩提心論《ぼだいしんろん》』

未来永劫　みらい えいごう

準1級

意味　**これから先はるかに長く。**これから未来にわたって永遠に続く長い年月の意。もとは仏教語で「劫」はインドの時間単位のうち最長のもの。無限の時間の意。

補説　「永劫」は「ようごう」とも読む。

字体　「来」の旧字体は「來」。

類義語　未来永久《みらいえいきゅう》、万劫末代《まんごうまつだい》

【む】

無為自然　むい しぜん

4級

意味　**何もしないであるがままにまかせる。**人為(人の行為)を用いないで、自然にまかせる意。老荘の思想。「無為」は何もしないこと。「自然」は人間の手を加えないそのもののありのままの状態。

補説　「老荘」は老子《ろうし》と荘子《そうし》。二人は、あらゆる人為的なものを否定して、無為・自然を重んじた。

字体　「為」の旧字体は「爲」。

無為徒食　むい としょく

4級

意味　**何もしないで、ただぶらぶらと**

日を過ごすこと。「無為」は何もしないこと。「徒食」は働かないで、ぶらぶらと遊んで暮らす意。
字体　「為」の旧字体は「爲」。
注意　「無為」を「無意」と書き誤らない。
類義語　酔生夢死《すいせいむし》、飽食終日《ほうしょくしゅうじつ》、靡衣媮食《びいとうしょく》

無位無官　むい むかん　5級
意味　**位階も官職もないこと。**「無官」は官職についていないこと。

無位無冠　むい むかん　3級
意味　**位のないこと。**「冠」は位階をあらわすかんむり。「無位」も「無冠」も同義。

無為無策　むい むさく　4級
意味　**なんの対策もないまま、腕をこまねいて見ていること。**「無為」は何もしないこと。「無策」は対策や方法がないこと。
字体　「為」の旧字体は「爲」。
類義語　無為無能《むいむのう》、拱手傍観《きょうしゅぼうかん》

無為無能　むい むのう　4級
意味　**何もしないし、何もできない。**「為」は行い・行為。「能」ははたらき・能力。それぞれがないという意。
補説　人をけなしていうのではなく、自分をへりくだっていうときに用いる。
字体　「為」の旧字体は「爲」。
類義語　無為無知《むいむち》、無学無能《むがくむのう》、無芸無能《むげいむのう》

無影無踪　むえい むそう　2級
意味　**行方《ゆくえ》のしれないこと。**消息のないこと。「踪」はあと・行方。
類義語　雪泥鴻爪《せつでいのこうそう》

無援孤立　むえん こりつ　3級
⇨**孤立無援**（こりつ むえん）

無学文盲　むがく もんもう　準2級
意味　**学問がなく、字も読めないこと。**また、その人。
字体　「学」の旧字体は「學」。
注意　「文盲」を「ぶんもう」と読み誤らないこと。
類義語　一文不通《いちもんふつう》、一文不知《いちもんふち》

无何之郷　むかの きょう
意味　**何もなく、果てしなく広い所。**荒涼として、ただ広いばかりの里のこと。「无」は無に通じる。
補説　『荘子《そうじ》』〈逍遥遊《しょうようゆう》〉の「無何有《むかゆう》の郷（何もなく果てしなく広い地）」をふまえた語。
出典　『本朝文粋《ほんちょうもんずい》』〈巻八〉

無我夢中　むが むちゅう　4級
意味　**あることに没頭して自分を忘れること。**また、**何かに熱中するあまり、他のことを気にかけないこと。**「無我」はもと仏教語で、己への執着をなくすこと、転じて我を忘れる意。
注意　「無我」を「夢我」、「夢中」を「無中」と書き誤りやすい。
類義語　一意専心《いちいせんしん》、一心不乱《いっしんふらん》

無芸大食　むげい たいしょく　5級
意味　**これといった特技や才能もなく、ただ人並み以上に食べるだけのこと。**また、そういう人。「無芸」は身についた芸がないこと。
字体　「芸」の旧字体は「藝」。
類義語　飲食之人《いんしょくのひと》、酒囊飯袋《しゅのうはんたい》

無稽之談　むけいの だん　準1級
意味　**根拠のないでたらめな話。**「稽」は考える意。
注意　「無稽」を「無形」と書き誤らない。
出典　『通志《つうし》』〈総序《そうじょ》〉
類義語　無稽之言《むけいのげん》

無間地獄　むけんじごく　3級

意味　**仏教でいう八大地獄の一つ。**大罪を犯したものが絶えることなく責め苦を受ける地獄。

補説　「無間」は「むげん」とも読む。

夢幻泡影　むげんほうよう　準1級

意味　**人生がはかないことのたとえ。**夢と幻《まぼろし》と泡《あわ》と影で、いずれもはかないもののたとえ。

注意　「夢幻」を「無限」、「泡影」を「抱擁」と書き誤りやすい。

出典　『金剛経《こんごうきょう》』

類義語　泡沫《ほうまつ》夢幻《むげん》

無告之民　むこくのたみ　準1級

意味　**訴える術《すべ》をもたない無力な人びと。**貧しい下積みの人、老人など弱者をいう。

出典　『書経《しょきょう》』〈大《たい》禹《う》謨《ぼ》〉

無辜之民　むこのたみ　1級

意味　**罪なき人びと。**「無辜」は罪のないこと。凶作や災害に遭い罪なくして虐げられる人びとをいう。

出典　『書経《しょきょう》』〈湯誥《とうこう》〉

無根無蔕　むこんむてい　1級

意味　**よりどころがまったくないこと。**「無根」は根づくところがないこと。「無蔕」は果実のへた(蔕)がないこと。果実はへたがないと木にぶらさがることができない。転じて、もと・根本の意。

補説　「根無《こんな》く蔕無《ていな》し」とも読む。

注意　「蔕」を「帯」と書き誤りやすい。

出典　『漢書《かんじょ》』〈叙伝《じょでん》・上〉

無慙無愧　むざんむき　1級

意味　**まったく恥じることなく悪いことを平気で行うこと。**「慙愧」は、はじる、恥ずかしく思うこと。「慙」も「愧」も同じ意だが、それぞれに無を添えて、全く恥じる心のないさまを表す。

補説　「慙《は》じること無く愧《は》じること無し」とも読む。

無始無終　むしむじゅう　5級

意味　**始めもなく終わりもないこと。**あの世からこの世へと迷いの世界を生きかわり死にかわりする輪《りん》廻《ね》を無限に繰り返すこと。仏教の語。

補説　「始め無く終わり無し」とも読む。「無終」は「むしゅう」とも読む。

無私無偏　むしむへん　準2級

意味　**私心がなく公平なこと。**「偏」はかたよること。

類義語　公平《こうへい》無《む》私《し》

矛盾撞着　むじゅんどうちゃく　準1級

意味　**前後がくいちがって論理があわないこと。**「矛盾」は前に言ったことと後に言ったことが一致しないこと。「撞着」はつきあたる意。「着」は助字。

補説　「撞着」は「撞著」とも書く。

注意　「撞着」を「童着」と書き誤らない。

故事　中国戦国時代、楚《そ》の商人が矛《ほこ》と盾《たて》を売りつけようとして、「この矛は鋭いので、どんな盾も突き通すし、この盾は堅固なので、どんな矛も防ぐことができる」といったので、「それでは、その矛でその盾を突いたらどうなるのか」と聞かれ、返答ができなかったという故事から(『韓《かん》非《び》子《し》』〈難一〉)。

類義語　自家《じか》撞着《どうちゃく》、自己《じこ》撞着《どうちゃく》、自己《じこ》矛盾《むじゅん》

無常迅速　むじょうじんそく　準2級

意味　**人の世は移り変わりが速く、はかないものであるということ。**「無常」はもと仏教の語で、世の転変や人の生死な

どが永久不変ではなく、はかないことの意。「迅速」は非常に速いさま。
出典 『六《ろく》祖《そ》壇《だん》経《きょう》』
類義語 老《ろう》少《しょう》不《ふ》定《じょう》

無声無臭 むせい むしゅう
準2級

意味 **誰《だれ》にも知られず、まったく目立たないこと。事の影響がないこと。**また、はかり知ることができない上天のたとえ。声もしなければ匂いもしない意。
字体 「声」の旧字体は「聲」。
出典 『詩《し》経《きょう》』〈大《たい》雅《が》・文《ぶん》王《おう》〉
類義語 平《へい》平《へい》凡《ぼん》凡《ぼん》

無駄方便 むだ ほうべん
準2級

意味 **一見するとなんの役にも立たないように見えるものも、なんらかの役に立っている場合があるということ。**「方便」は便宜的な手段。

無恥厚顔 むち こうがん
4級

⇩厚顔無恥（こうがん むち）

無知蒙昧 むち もうまい
準1級

意味 **知恵がなく、物事の道理がわからないこと。**「無知」は知識や知恵がないこと、「蒙」「昧」はともに道理にくらいこと。
補説 「無知」は「無智」とも書く。
注意 「蒙昧」を「妄昧」と書き誤らない。
類義語 無《む》知《ち》低《てい》能《のう》、無《む》知《ち》無《む》学《がく》、無《む》知《ち》無《む》能《のう》、愚《ぐ》昧《まい》無《む》知《ち》、不《ふ》学《がく》亡《む》術《じゅつ》

無茶苦茶 むちゃ くちゃ
5級

意味 **筋道が立たないこと。**また、物事のやり方が並みはずれて激しいさま。さらに、何がなんだかわからないさまにもいう。「無茶」だけでこれらの意をもち「苦茶」を添えて語意を強める。
補説 「無茶苦茶」は「むちゃくちゃ」という言葉に同音の漢字を当てたもの。
類義語 滅《め》茶《ちゃ》苦《く》茶《ちゃ》

無二無三 むに むさん
5級

意味 **ただ一つであること。ひたすら、一心不乱なさま。**転じて、『法《ほ》華《け》経《きょう》』にいう、仏になる道は二もなく三もなく、ただ一乗のみという意から。
補説 「むにむざん」とも読む。
出典 『法《ほ》華《け》経《きょう》』〈方《ほう》便《べん》品《ぽん》〉
類義語 唯《ゆい》一《いつ》無《む》二《に》、遮《しゃ》二《に》無《む》二《に》

無念無想 むねん むそう
5級

意味 **無我の境地に入り、何も考えないこと。**「無念」はもと仏教語で、迷いやこだわりを捨て、無我の境地に入ること。「無想」は心に何も思わない意。
注意 「無想」を「夢想」と書き誤らない。
対義語 千《せん》思《し》万《ばん》考《こう》、多《た》情《じょう》多《た》恨《こん》

無病呻吟 むびょう しんぎん
1級

意味 **大したことはないのに大げさに騒ぎたてること。**病気でもないのに苦しげにうめきたてる意。「呻吟」は苦しみうめく。ありもしないことにおおげさに騒ぎたてる意。また、ただおおげさに嘆息してみせるだけの真実味に乏しい詩文などのたとえ。

無病息災 むびょう そくさい
5級

意味 **病気をしないで健康であること。**「無病」は病気をしないこと。「息」はとどめる意。「息災」は仏の力で災いをとどめる意から、転じて健康で無事なさま。
類義語 一《いち》病《びょう》息《そく》災《さい》、無《ぶ》事《じ》息《そく》災《さい》、息《そく》災《さい》延《えん》命《めい》

霧鬢風鬟 むびん ふうかん
1級

意味 **美しい髪のたとえ。**「霧鬢」は黒々した美しい髪。「霧」は黒いたとえ。「風鬟」は髪が風にくしけずられる意。風の中の美しい髪。

出典 蘇軾《そしょく》の「洞庭春色賦《どうていしゅんしょくのふ》」

無辺無礙 むへん むげ
1級

意味 **広大で限りがなく自由で煩悩のさまたげがない。**仏教の語。「無礙」は自由自在で煩悩などのさまたげのないこと。

補説 「無礙」は「無碍」とも書く。

字体 「辺」の旧字体は「邊」。

注意 「無礙」を「むがい」とは読まない。

類義語 融通無礙《ゆうずうむげ》

無縫天衣 むほう てんい
3級

⇨**天衣無縫**（てんい むほう）

無妄之福 むぼうの ふく
準1級

意味 **思いがけない幸運。**「無妄」は思いがけなく起こること。「妄」は「望」に通じ、思いのぞむ意。

補説 「無」は「无」「毋」とも書く。また、「無妄」は「ぶぼう」「むもう」とも読む。

出典 『戦国策《せんごくさく》』〈楚策《そさく》〉

対義語 無妄之禍《むぼうのわざわい》

毋望之禍 むぼうの わざわい
1級

意味 **思いがけないわざわい。**「毋」は「ない」、否定の意を表す。「無」「无」に通じる。

補説 「毋」は「無」「无」とも書く。また、「毋望」は「ぶぼう」とも読む。

注意 「毋」を「母」と書き誤らない。

出典 『史記』〈春申君伝《しゅんしんくんでん》〉

対義語 毋望之福《むぼうのふく》

無味乾燥 むみ かんそう
4級

意味 **内容がなく、味わいやおもしろみがないこと。**「無味」は味わいがない、「乾燥」はかわいてうるおいがない意。

無明長夜 むみょう じょうや
準1級

意味 **衆生《しゅじょう》が煩悩にとらわれ悟りを得られないこと。**仏教語で、「無明」は邪心があるために物事の本質がとらえられず、仏法を理解できないこと。これを長い夜の闇《やみ》にたとえたもの。

無用之用 むようの よう
準1級

意味 **一見役に立たないと見えるものが、かえって役に立つ。**一見無用に見えるものが実は大きな働きをもつことを言った老子《ろうし》の哲学。器は中のうつろな空間部があればこそ物を入れ器の用を足すことができる。『老子』や『荘子《そうじ》』にはこの論が多くある。

出典 『老子《ろうし》』〈一一章〉

無欲恬淡 むよく てんたん
1級

意味 **あっさりしていて欲がなく、物にこだわらないこと。**「無欲」は欲がないこと、「恬淡」は執着心がなくあっさりしている意。

補説 「恬淡」は「恬澹」「恬惔」とも書く。

類義語 雲心月性《うんしんげっせい》

無余涅槃 むよ ねはん
1級

意味 **肉体など形の制約から解放された悟りの境地。**心だけでなく肉体のわずらいからも開放された悟りの世界。「無余」は残っていないこと。すべて。「涅槃」は煩悩を脱し悟りの境地に入ること。

字体 「余」の旧字体は「餘」。

出典 『法華経《ほけきょう》』〈序品《じょほん》〉

対義語 有余涅槃《ゆうよねはん》

無理往生 むり おうじょう
5級

意味 **むりやり押しつけて従わせること。**「無理」は道理にはずれること、「往生」は本来は「圧状」と書き、人を強迫してむりやり書かせた文書のことで、転じて無理に押しつけて承知させる意。

類義語　無《む》理《り》無《む》体《たい》

無理無体　むりむたい　5級

意味　**相手のことなど考えず、むりやり強制すること。**「無理」は道理にはずれたこと。「無体」は無法・乱暴の意。

字体　「体」の旧字体は「體」。

類義語　無理《むり》往生《おうじょう》

無量無辺　むりょうむへん　5級

意味　**限りなく広大なこと。**物事の程度や分量などがはかりしれないこと。仏教の語。

字体　「辺」の旧字体は「邊」。

出典　『法華経《ほけきょう》』〈序品《じょぼん》〉

【め】

冥頑不霊　めいがんふれい　2級

意味　**頑固で道理に暗く、頭の働きが鈍いこと。**「冥頑」はかたくなで道理がわからないこと、「霊」はすばやい、鋭敏なの意で、「不霊」は頭の回転が鈍いことをいう。

補説　「冥頑」は「迷頑」とも書く。

字体　「霊」の旧字体は「靈」。

注意　「不霊」を「不例」と書き誤らない。

出典　韓愈《かんゆ》の文

類義語　頑迷固陋《がんめいころう》

明鏡止水　めいきょうしすい　5級

意味　**邪念がなくすっきりと澄みきった心境。**「明鏡」は一点のくもりもないきれいな鏡。「止水」は静止して澄みきった水の意。

出典　『荘子《そうじ》』〈徳充符《とくじゅうふ》〉

類義語　光風霽月《こうふうせいげつ》、虚心坦懐《きょしんたんかい》

銘肌鏤骨　めいきるこつ　1級

意味　**心に深くきざみこんで忘れないこと。**「銘肌」は皮膚にきざむこと。「鏤骨」は骨にきざみこむこと。

補説　「肌《はだ》に銘《めい》じ骨に鏤《きざ》む」とも読む。「鏤骨」は「ろうこつ」とも読む。

出典　『顔氏家訓《がんしかくん》』〈序致《じょち》〉

類義語　銘心鏤骨《めいしんるこつ》

明月之珠　めいげつのたま　準1級

意味　**暗闇《くらやみ》でもみずから光を放って照らすという宝玉。**

注意　「明月」を「名月」と書き誤らない。

出典　『淮南子《えなんじ》』〈説山訓《せつざんくん》〉

類義語　夜光之璧《やこうのへき》

迷悟一如　めいごいちにょ　準2級

意味　**仏教で、迷いというも、悟りというも、たどりつくところは一つであるということ。**迷いとか悟りとかにこだわる必要はないという意。

冥行擿埴　めいこうてきしょく

意味　**学問をするのに、その方法を知らないことのたとえ。**「冥行」は暗闇《くらやみ》を歩くこと。「擿埴」は盲人が杖《つえ》で地面をたたきながら道を行くこと。「擿」はさぐる。「埴」は地面・粘土質の土。

補説　「冥行して埴《しょく》を擿《さぐ》る」とも読む。また、「擿埴冥行」ともいう。

出典　『法言《ほうげん》』〈脩身《しゅうしん》〉

明察秋毫　めいさつしゅうごう　1級

意味　**眼力の鋭いこと。**細かい点も逃さず見抜く意。「秋毫」は秋になって抜け変わる細密な獣の毛。転じて微細なもの。

補説　「秋毫を明察す」とも読む。

出典　『孟子《もうし》』〈梁恵王《りょうけいおう》・上〉

名実一体　めいじついったい　5級

意味　**名称と実質、評判と実際とが一致していること。**「名実」は表向きと内実

のこと、「一体」は一つのからだ、一つのものの意。
字体 「実」の旧字体は「實」、「体」の旧字体は「體」。
対義語 有名無実《ゆうめいむじつ》、名存実亡《めいそんじつぼう》

迷者不問 めいしゃふもん 4級

意味 **わからないことがあったら積極的に人に尋ねるべきだということ。**「迷者」は自分の行く道がわからない無知な者の意。無知な者は、人に尋ねて教えを受けようとしないので、ひとりよがりになってしまうということ。
補説 「迷える者は路《みち》を問わず」の略。
出典 『荀子《じゅんし》』〈大略《たいりゃく》〉

明珠暗投 めいしゅあんとう 準2級

意味 **どんなに貴重なものも、人に贈るときに礼儀を失すれば、かえって恨みを招くたとえ。**明珠(宝の玉)を暗闇《くらやみ》で人に投げ与える意。
故事 中国、梁《りょう》の孝王の臣鄒陽《すうよう》は讒言《ざんげん》によって死刑にされようとしたとき、孝王に「どんな明珠でも、暗闇の中を行く人に投げつければ、剣に手をかけてにらみつけない者はない。それはいわれもなく目の前に飛んでくるからだ」との書状を奉り、身の潔白を述べたという故事から。
出典 『史記』〈鄒陽伝《すうようでん》〉

盟神探湯 めいしんたんとう 5級

意味 **わが国の古代、真偽正邪を裁くのに神に誓って手で熱湯を探らせたこと。**神に誓って湯を探ると正しい者はただれず、邪《よこしま》な者はただれるとしたもの。神明裁判の一つ。
補説 「くがたち」「くかたち」「くだたち」とも読む。
注意 「探湯」を「深湯」と書き誤らない。
出典 『日本書紀《にほんしょき》』〈允恭紀《いんぎょうき》〉

名声赫赫 めいせいかくかく 準1級

意味 **よい評判が盛んにあがること。**「赫赫」は明らかに盛んなこと。
字体 「声」の旧字体は「聲」。
類義語 名声日月《めいせいじつげつ》、大名鼎鼎《たいめいていてい》

名声過実 めいせいかじつ 5級

意味 **実際よりも評判のほうが高いこと。**評判どおりではない意。
補説 「名声実に過ぐ」とも読む。
字体 「声」の旧字体は「聲」、「実」の旧字体は「實」。
出典 『史記』〈陳豨伝《ちんきでん》〉

命世之才 めいせいのさい 準1級

意味 **世にすぐれた才能。**また、そのような才能をもつ人。「命世」は世に有名なこと。
出典 李陵《りりょう》の「答蘇武書《そぶにこたうるのしょ》」
類義語 命世之英《めいせいのえい》

鳴蟬潔飢 めいせんけっき 準1級

意味 **高潔の士はどのようなときにも節操を変えないたとえ。**蟬《せみ》は高潔な性格なので飢えても汚いものは食べない意。

明窓浄几 めいそうじょうき 1級

意味 **清潔で快適に勉強できる書斎。**明るい窓辺に塵《ちり》ひとつない清らかな机の意。転じて、書斎を意味する。
補説 「浄几」は「浄机」とも書く。
字体 「浄」の旧字体は「淨」。
出典 欧陽脩《おうようしゅう》『試筆《しひつ》』
類義語 窓明几潔《そうめいきけつ》

名存実亡 めいそんじつぼう 5級

意味 **名前だけが残って実質が失われること。**物事が見かけだけになること。
補説 「名存《そん》し実亡《じつほろ》ぶ」とも読む。
字体 「実」の旧字体は「實」。

注意　「名存」を「めいぞん」と読まない。
出典　韓愈《かんゆ》の「処州孔子廟碑《しょしゅうこうしびょうひ》」
類義語　有名無実《ゆうめいむじつ》

明哲保身　めいてつほしん　3級

意味　**聡明《そうめい》で事理にくわしい人は危険を避けて身の安全を保つこと。**また、**賢く世に処して自分の地位を守ること。**「明哲」は聡明で事理をわきまえていること。本来は悪い意味はないが、「保身」が誤解されて、自分の身の安全のみを考える、こざかしい処世術を言う場合もある。
補説　「明哲、身を保つ」とも読む。
出典　『詩経《しきょう》』〈大雅《たいが》・烝民《じょうみん》〉
類義語　明哲防身《めいてつぼうしん》

明眸皓歯　めいぼうこうし　1級

意味　**美人のたとえ。**美しく澄んだ瞳《ひとみ》と白く美しい歯の意。出典ののち唐の詩人杜甫《とほ》が楊貴妃《ようきひ》の美貌《びぼう》を形容した語として有名(杜甫《とほ》の「哀江頭《あいこうとう》-詩」)。
字体　「歯」の旧字体は「齒」。
出典　曹植《そうしょく》の「洛神賦《らくしんふ》」
類義語　蛾眉皓歯《がびこうし》

明明赫赫　めいめいかくかく　準1級

意味　**明らかに光りかがやくさま。**「明明」ははっきりしていること。また、威名の輝くこと。「赫赫」は赤く輝くこと。
補説　「赫赫明明」ともいう。
出典　『詩経《しきょう》』〈大雅《たいが》・大明《たいめい》〉

冥冥之志　めいめいのこころざし　準1級

意味　**人知れず努力してつとめ励むこと。**また、**人知れず心の中に期すること。**「冥冥」は暗いさま。転じて、人に知られないさま。
出典　『荀子《じゅんし》』〈勧学《かんがく》〉

明明白白　めいめいはくはく　5級

意味　**はっきりとして疑う余地がないこと。**「明白」を重ねて意味を強調した四字句。
対義語　曖昧模糊《あいまいもこ》、暗中摸索《あんちゅうもさく》、五里霧《ごりむ》中《ちゅう》、渾渾沌沌《こんこんとんとん》

名誉挽回　めいよばんかい　準1級

意味　**失敗して落ちた信用や名声をその後の行いでとりもどすこと。**
字体　「誉」の旧字体は「譽」。
類義語　名誉回復《めいよかいふく》

明朗闊達　めいろうかったつ　1級

意味　**明るくほがらかで、小さなことにこだわらないこと。**「闊達」は心が広くて細かいことにこだわらないさま。
補説　「闊達」は「豁達」とも書く。
類義語　明朗快活《めいろうかいかつ》

名論卓説　めいろんたくせつ　3級

意味　**見識の高いすぐれた説論。**
類義語　高論卓説《こうろんたくせつ》

迷惑千万　めいわくせんばん　4級

意味　**たいへん迷惑なこと。**「千万」は数の多いこと。転じて、度合いのはなはだしいことについていう。
字体　「万」の旧字体は「萬」。
類義語　迷惑至極《めいわくしごく》

滅私奉公　めっしほうこう　3級

意味　**自分の利益や欲望を捨てて、公《おおやけ》のために尽くすこと。**「滅私」は私心を捨てること、「奉公」は国や社会などの公に仕える意。主人や主君・上位の者に尽くす意でも用いられる。
類義語　奉公守法《ほうこうしゅほう》

免許皆伝　めんきょかいでん　3級

意味　**極意《ごくい》を伝授すること。**「免許」は許すこと。師匠が武芸・技術などの奥義《おうぎ》

を門人に伝授すること。

字体 「伝」の旧字体は「傳」。

面向不背 めんこう ふはい
5級

意味 **どこから見ても、整っていて美しいこと。**また、**どこから見ても同じであること。**「面向」は額《ひたい》の真ん中のこと。「不背」は裏がない意。もと、三方に正面を向けた仏像のことをいった語。

麪市塩車 めんし えんしゃ
準1級

意味 **雪の積もる形容。**「麪」は麦粉・うどん粉で、「麪市」は雪におおわれた市街のたとえ。「塩車」は白い塩を運ぶ馬車で、町行く車も雪をかぶっている形容。

補説 「麪」は「麺」とも書く。「市」を「ふつ」と読む説もある。

字体 「塩」の旧字体は「鹽」。

出典 李商隠《りしょういん》の「喜雪《ゆきをよろこぶ》-詩」

面従後言 めんじゅう こうげん
5級

意味 **面と向かってはこびへつらって従い、裏にまわっては悪口を言うこと。**かげひなたのある意。

注意 「後言」を「口言」と書き誤らない。

出典 『書経《しょきょう》』〈益稷《えきしょく》〉

類義語 面従腹背《めんじゅうふくはい》、面従背毀《めんじゅうはいき》

面従腹背 めんじゅう ふくはい
5級

意味 **表面だけ服従するふりをして内心は反抗していること。**顔には笑みをうかべ、うまいことを言って相手を安心させ、その裏で相手の失脚を画策するといった態度をいう。「面従」は人の面前でへつらい従うこと。「背」はそむく意で、「腹背」は腹ではそむくこと。

注意 「面従」を「面渋」、「腹背」を「服背」と書き誤らない。

類義語 面従後言《めんじゅうこうげん》、面従腹誹《めんじゅうふくひ》

面折廷諍 めんせつ ていそう
1級

意味 **面と向かって臆《おく》することなく争論すること。**「面折」は面と向かって責める。「廷諍」は朝廷で争論すること。剛直の臣についていう。

補説 「廷諍面折」ともいう。「廷諍」は「廷争」とも書く。

注意 「面折」を「面接」と書き誤らない。

出典 『史記』〈呂后紀《りょこうき》〉

面張牛皮 めんちょう ぎゅうひ
5級

意味 **つらの皮の厚いこと。**顔に牛の皮を張る意。

出典 『源平盛衰記《げんぺいじょうすいき》』〈一八〉

面壁九年 めんぺき くねん
4級

意味 **長年わきめもふらず勉学すること。**また、長いあいだ人知れずある事に専念して苦しみ続けること。

補説 「九年面壁」ともいう。

故事 達磨《だるま》大師が中国の嵩山少林寺《すうざんしょうりんじ》で九年間、壁に向かって座禅を組み続け、ついに悟りを開いた故事から。

出典 『景徳伝灯録《けいとくでんとうろく》』〈三〉

面目一新 めんもく いっしん
5級

意味 **今までとは違う高い評価を得ること。**また、**今までとは外見や内容がすっかり変わること。**「面目」は世間の評価・世間に対する体裁の意。

補説 「面目」は「めんぼく」とも読む。

類義語 面目躍如《めんもくやくじょ》、名誉挽回《めいよばんかい》

面目躍如 めんもく やくじょ
3級

意味 **世間の評価にふさわしい活躍をして、いきいきとしていること。**また、**世間に対して顔が立つこと。**「面目」は世間の評価・世間に対する体裁のこと。「躍如」はいきいきとしたさま。

補説 「面目」は「めんぼく」とも読む。

類義語 面目一新《めんもくいっしん》、名誉挽回《めいよばんかい》

綿裏包針 めんりほうしん
4級

意味 **表面は柔和で当たりがよいが、ひそかに悪意を抱いていること。**「綿裏」は柔らかい綿《わた》の中のこと。「包針」は針を隠すこと。綿の中に相手を傷つける針をひそかに隠す意から。

補説 「綿裏《めんり》に針を包《つつ》む」とも読む。

類義語 綿裏《めんり》之《の》針《はり》、笑中有刀《しょうちゅうゆうとう》

【も】

盲亀浮木 もうきふぼく
2級

意味 **出会うことがきわめて難しいこと。**また、めったに起こらないこと。大海中にすみ百年に一度だけ水面に浮かび上がる盲目の亀が、漂流している浮木の穴に入ろうとしても容易に入ることはできないという寓話《ぐうわ》から、仏の教えにめぐりあうことがきわめて難しいことのたとえ。

補説 もと仏教説話の「盲亀浮木に値《あ》う」の略。

字体 「亀」の旧字体は「龜」。

出典 『雑阿含経《ぞうあごんきょう》』〈一六〉

類義語 千載一遇《せんざいいちぐう》

罔極之恩 もうきょくのおん
1級

意味 **父母の恩。**「罔極」は尽きることがない、限りがないこと。

補説 「罔極」は「ぼうきょく」とも読む。

出典 『詩経《しきょう》』〈小雅《しょうが》・蓼莪《りくが》〉

妄言多謝 もうげんたしゃ
準2級

意味 **いいかげんな言葉を並べたことを深くおわびしますの意。**手紙文などの末尾に置く語。

補説 「妄言」は「ぼうげん」とも読む。

注意 「妄言」を「盲言」と書き誤らない。

類義語 暴言《ぼうげん》多罪《たざい》

毛骨悚然 もうこつしょうぜん
1級

意味 **ひどく恐れおののくさま。**毛髪や骨の中にまで恐れを感じるということから。「悚然」は恐れてぞっとする、恐れてすくむさま。

補説 「悚然」は「竦然」とも書く。

妄想之縄 もうぞうのなわ
準1級

意味 **仏教で、限りなく身を苦しめる迷い。**「妄想」はみだらな考え・迷いの心。

字体 「縄」の旧字体は「繩」。

出典 『法蔵宝論《ほうぞうほうろん》』

孟仲叔季 もうちゅうしゅくき
準1級

意味 **兄弟姉妹の長幼の順。**長子・次子・三子・四子の称。

類義語 伯仲叔季《はくちゅうしゅくき》

妄評多罪 もうひょうたざい
準2級

意味 **見当はずれの批評を深くわびること。**他人の文章への批評のあとに書く謙称。

補説 「妄評」は「ぼうひょう」とも読む。

注意 「妄評」を「盲評」と書かないこと。また「多罪」を「多罰」と書き誤らないこと。

孟母三遷 もうぼさんせん
準1級

意味 **子供の教育には環境が大切であるというたとえ。**「孟母」は孟子《もうし》の母。「三遷」は三度移る、三回転居する。

故事 孟子の母は環境の悪い影響が子供におよぶのを避けるため、墓地の近くから市場の近く、そして学塾の近くへ住居を移した。孟子はのち学問に励み偉大な儒者となった。

出典 『列女伝《れつじょでん》』〈鄒孟軻母《すうもうかぼ》〉

類義語 孟母三居《もうぼさんきょ》

孟母断機　もうぼ だんき　準1級

⇨断機之戒（だんきの いましめ）

目指気使　もくし きし　5級

意味　**言葉を出さず、目くばせや顔つきだけで、目下の者をこき使うこと。**「目指」は目くばせで指図すること。威勢が盛んで傲慢《ごうまん》なさまをいう。

字体　「気」の旧字体は「氣」。

故事　中国、前漢の貢禹《こうう》が、元帝に上書した中で「行いが犬や豚のようであっても、家が富み勢いが十分あると、目くばせや顔つきだけで目下の者をこき使い、そうしたことをすぐれたこととしている」と述べた言葉にもとづく。

出典　『漢書《かんじょ》』〈貢禹伝《こううでん》〉

目食耳視　もくしょく じし　4級

意味　**外見にとらわれ、衣食の本源を忘れてぜいたくに流れること。**「目食」は味はともかく見かけの豪華なものを食うこと、「耳視」は評判を気にして身に合わなくても高価な衣服を着る意。

補説　「目もて食《く》らい耳もて視《み》る」とも読む。「耳視目食」ともいう。

出典　司馬光《しばこう》『迂書《うしょ》』〈官失《かんしつ》〉

目挑心招　もくちょう しんしょう　準2級

意味　**遊女が流し目で客を誘うさま。**「目挑」は目でいどむ、「心招」は心のうちで誘い招くこと。

補説　「目で挑《いど》み心で招く」とも読む。

出典　『史記』〈貨殖伝《かしょくでん》〉

沐浴斎戒　もくよく さいかい　1級

⇨斎戒沐浴（さいかい もくよく）

沐浴抒溷　もくよく じょこん　1級

意味　**髪やからだを洗い清めて、けがれをとり除くこと。**「沐浴」は湯水でからだを洗い清めること、「抒溷」の「抒」はとり除く、「溷」は「溷濁」などの語からわかるように、にごり・けがれの意。

補説　神聖なこと、神仏に関係することを行うときには、湯あみして身を清めてから臨む。

類義語　沐浴斎戒《もくよくさいかい》、斎戒沐浴《さいかいもくよく》、精進潔斎《しょうじんけっさい》

百舌勘定　もず かんじょう　準1級

意味　**うまいことを言って自分だけが得をするような勘定のしかた。**鳥のもずと鳩《はと》としぎが十五文の買物をした。支払う段になって、口のうまいもずが鳩に八文、しぎに七文ずつ払わせて自分は支払わずにすましたという昔話から。

物我一体　もつが いったい　4級

意味　**仏教で、他の物（者）と自己が一つになり、他もなく我もない境地。**

補説　「物我」は「ぶつが」とも読む。

字体　「体」の旧字体は「體」。

両刃之剣　もろはの つるぎ　準1級

意味　**利便なものも扱い方によってはたいへんな危険をもたらすたとえ。**「両刃」は身の背と腹の両方に刃がついている剣のこと。

補説　「両刃」は「諸刃」とも書く。

字体　「両」の旧字体は「兩」、「剣」の旧字体は「劍」。

出典　『資治通鑑《しじつがん》』〈晋紀《しんき》〉

門外不出　もんがい ふしゅつ　5級

意味　**秘蔵して、人に見せたり持ち出したりしないこと。**貴重なものを、家の門から外へは出さない意。

門巷填隘　もんこう てんあい　1級

意味　**人が多く集まりくる形容。**門や門前の小道に人が多く集まり、そこがふ

さがり狭くなる意。「塡」はふさぐ。「隘」は狭い意。

補説　「塡隘」を「塡溢」と書き誤らない。

出典　『唐書《とうじょ》』〈李邕伝《りようでん》〉

類義語　門巷塡集《もんこうてんしゅう》

門戸開放　もんこかいほう　5級

意味　**制限を廃し、自由にすること。**門戸を開け放って出入りを自由にする意から。

注意　「開放」を「解放」と書き誤らない。

文殊知恵　もんじゅのちえ　3級

意味　**すぐれたよい知恵。**「文殊」は「文殊菩薩《ぼさつ》」の略で知恵をつかさどる。「三人寄れば文殊の知恵」は衆知を集めればよい知恵が浮かぶということ。

字体　「恵」の旧字体は「惠」。

悶絶躄地　もんぜつびゃくじ

意味　**転げまわって悶《もだ》え苦しむこと。**「悶絶」は苦しみ悶えて気絶すること、「躄地」は這《は》うこと。

補説　「悶絶して地を躄《いざ》る」とも読む。

門前雀羅　もんぜんじゃくら　準1級

意味　**訪れる人もなくさびれ果てたさま。**「門前」は家の前、「雀羅」はすずめをとる霞網《かすみあみ》。かつて繁栄した家がさびれ、訪れる人もなく門前に雀《すずめ》が群れているので、霞網を張れば雀がとれるほどだ、という意から。

補説　「門前雀羅を設《もう》くべし」の略。

出典　『史記』〈汲鄭伝《きゅうていでん》・論《ろん》〉

対義語　門前成市《もんぜんせいし》

門前成市　もんぜんせいし　5級

意味　**人が多く集まることのたとえ。**人の出入りが多く門前が市場のようににぎわうこと。

補説　「門前市《いち》を成《な》す」とも読む。出典に「門庭、市の若《ごと》し」とあるのにもとづく。

出典　『戦国策《せんごくさく》』〈斉策《せいさく》〉

類義語　門巷塡隘《もんこうてんあい》

対義語　門前雀羅《もんぜんじゃくら》

問鼎軽重　もんていけいちょう　準1級

意味　**その人の権威・実力を疑うこと。**君主の地位をねらう野心のあること。「鼎」は皇帝の宝物《ほうもつ》とされた三本脚と二つの耳をつけた銅器。

補説　「鼎《かなえ》の軽重《けいちょう》を問《と》う」とも読む。

字体　「軽」の旧字体は「輕」。

故事　天下をねらう楚《そ》の荘王が周に行き、周王室象徴の鼎の重さをたずねたが、これは鼎の譲渡(君主の譲位)をねらったものであったという故事から。

出典　『春秋左氏伝《しゅんじゅうさしでん》』〈宣公《せんこう》三年〉

問答無益　もんどうむえき　5級

意味　**話し合ってもなんのたしにもならないということ。**話を打ち切るときに用いる。

補説　「無益」は「むやく」とも読む。

類義語　問答無用《もんどうむよう》

問答無用　もんどうむよう　5級

意味　**問い答えをする必要がない。**話し合ってもなんの役にもたたない意。

類義語　問答無益《もんどうむえき》

問柳尋花　もんりゅうじんか　準2級

意味　**春に柳や花をめでること。**春のきれいな景色をさぐり求めて散策すること。また、花街に遊びに行くこと。

補説　出典の「柳《やなぎ》を問《と》い、花を尋《たず》ねて野亭《やてい》に到《いた》る」による。

出典　杜甫《とほ》の詩

【や】

夜雨対牀　やう たいしょう
1級

意味　**兄弟や友人の間柄がたいへん親密なたとえ。**夜、雨の音を聞きながら寝台を並べて、兄と弟が仲よく寝ることから。「牀」はねどこ・寝台の意。「対牀」は寝台をならべる、連ねる意。

補説　「夜雨《やう》、牀《しょう》に対す」とも読む。また「対牀夜雨」ともいう。

字体　「対」の旧字体は「對」。

出典　蘇軾《そしょく》の詩

類義語　対牀風雪《たいしょうふうせつ》

冶金踊躍　やきん ようやく
2級

意味　**自分が置かれている立場に安んじることができないたとえ。**るつぼの中で熱し溶かされた金属が、るつぼの中ではねあがって、外へ出ようとすること。

注意　「冶金」を「治金」と書き誤らない。

出典　『荘子《そうじ》』〈大宗師《たいそうし》〉

薬石無効　やくせき むこう
5級

意味　**薬や医者の治療もききめがないこと。**人の病死にいう。「薬石」は病気を治す薬と石でつくった漢方の針のこと。

補説　「薬石《やくせき》、効無《こうな》し」とも読む。

字体　「薬」の旧字体は「藥」、「効」の旧字体は「效」。

出典　唐《とう》の宣宗《せんそう》の文

約法三章　やくほう さんしょう
5級

意味　**簡単な法やとり決めを作って民衆と約束すること。**また、広く簡潔な法律をいう。

故事　秦《しん》を破った劉邦《りゅうほう》は、関中《かんちゅう》の王となったら秦の多くの法律を廃止し、「殺人者は死刑、傷害と盗みは罰する」の三つの法令だけの実施を関中の長老たちに約束し、喜ばれたという故事から。

出典　『史記』〈高祖紀《こうそき》〉

野戦攻城　やせん こうじょう
4級

意味　**野原や平地で戦い、城を攻めること。**

補説　「攻城野戦」ともいう。

字体　「戦」の旧字体は「戰」。

出典　『史記』〈廉頗藺相如伝《れんぱりんしょうじょでん》〉

八咫之鏡　やたの かがみ
1級

意味　**三種の神器の一。**天照大神《あまてらすおおみかみ》が岩戸に隠れたとき、石凝姥命《いしこりどめのみこと》が作ったとされる鏡。わが国の皇位継承の象徴。

補説　三種の神器のうちのほかの二つは天叢雲剣《あめのむらくものつるぎ》と八尺瓊勾玉《やさかにのまがたま》。

山雀利根　やまがら りこん
準1級

意味　**広く世の中を知ることをせず、自分の知っていることだけにこだわることのたとえ。**やまがらは一つの芸を覚えることはできても、それを応用することはできないこと。小利口。「山雀」は飼いならすと芸をするシジュウカラ科の小鳥。「利根」は利口な生まれつきの意。

夜郎自大　やろう じだい
4級

意味　**自分の力量も知らず、偉そうな顔をしていばるたとえ。**「夜郎」は国の名。

注意　「夜郎」を「野郎」と書き誤らない。

故事　昔、中国の西南部の夜郎国が、漢《かん》の広大さを知らず、自分の国だけが大国だとして漢の使者に自分の国と漢の国の大小を問うたという故事から。

出典　『史記』〈西南夷伝《せいなんいでん》〉

類義語　埳井之鼃《かんせいのあ》、井蛙之見《せいあのけん》、用管窺《ようかんき》天《てん》、尺沢之鯢《せきたくのげい》

【ゆ】

唯一無二　ゆいいつ むに
準2級

意味　**ただそれ一つきりで、他に同じ**

ものはないこと。「唯一」と「無二」は同じ意味の語。
類義語　唯《ゆい》一《いつ》不《ふ》二《じ》

唯我独尊　ゆいがどくそん　準2級
意味　**自分だけがすぐれているとうぬぼれること。**ひとりよがり。もとは釈迦《しゃか》が生まれてすぐ一方の手は天を指し、一方の手では地を指して口にした語と伝えられる。宇宙でただ自分だけが尊い意から転じた。
補説　「天上天下《てんじょうてんげ》唯我独尊」の略。
字体　「独」の旧字体は「獨」。

維摩一黙　ゆいまいちもく
意味　**多弁より沈黙がまさっていることのたとえ。**「維摩」は古代インドの大富豪で、在家のまま釈迦《しゃか》の弟子としてその教化を助けた。
字体　「黙」の旧字体は「默」。
故事　釈迦の弟子たちが仏教の教理について議論し各自がその理解したところを述べたとき、文殊菩薩《もんじゅぼさつ》は文字では言い表すことはできないと言い、維摩はただ黙ってそのことを身をもって示した故事。
出典　『維摩経《ゆいまきょう》』〈入不二法門品《じゅふにほうもんぼん》〉
類義語　以心伝心《いしんでんしん》、不立文字《ふりゅうもんじ》、教外別《きょうげべつ》伝《でん》、拈華微笑《ねんげみしょう》

黝堊丹漆　ゆうあくたんしつ　1級
意味　**建物が古いしきたりにかなって作られていることをいう。**「黝」は黒色、「堊」は白色。「丹」は赤、「漆」はうるし塗り。異説もある。
出典　李覯《りこう》の「袁州学記《えんしゅうがくき》」

游雲驚竜　ゆううんきょうりょう　1級
意味　**空にながれ行く雲と空翔《か》ける竜。**能書(すぐれた筆跡)の形容。「雲」は千変万化なことのたとえ。「竜」は強く勇ましく、かつ神秘的な動きにたとえる。
補説　「驚竜」は「きょうりゅう」とも読む。
字体　「竜」の旧字体は「龍」。
出典　『晋書《しんじょ》』〈王羲之伝《おうぎしでん》〉

尤雲殢雨　ゆううんていう
意味　**男女の情交のこと。**よりそってむつみあうさま。しなだれかかるさま。「尤」「殢」はまつわりつく意。「雲雨」は楚《そ》の懐王《かいおう》が巫山《ふざん》の神女とむつみあった故事(→「雲雨巫山《うんうふざん》」)から、男女の情交を意味する。
補説　「殢雲尤雨」「殢雨尤雲」ともいう。
出典　柳永《りゅうえい》の「浪陶沙詞《ろうとうさし》」

勇往邁進　ゆうおうまいしん　1級
意味　**目的をめざしまっしぐらに突き進むこと。**「邁進」はひるまず勇ましく進むこと。
類義語　勇往猛進《ゆうおうもうしん》、直往邁進《ちょくおうまいしん》、猪突猛進《ちょとつもうしん》

有脚陽春　ゆうきゃくようしゅん　4級
意味　**行く先々で恩徳を施す人。**
故事　唐の宋璟《そうえい》が行く先々で恩徳を施す姿を、当時の人々は、陽春が物をあたため育てていく姿になぞらえ、「脚《あし》のある陽春(有脚陽春)」と称したという。
出典　『開元天宝遺事《かいげんてんぽういじ》』〈四〉

勇気凜凜　ゆうきりんりん　1級
意味　**ものに恐れず勇ましいさま。**「凜凜」は勇気のさかんなさま。また、姿や形のりりしいさま。
字体　「気」の旧字体は「氣」。

邑犬群吠　ゆうけんぐんばい　準1級
意味　**つまらない者どうしが集まって、あれこれ騒ぎたてること。**「邑」は村里のこと。村里の犬が群がって、さかんに吠《ほ》えたてる意から。

出典　『楚《そ》辞《じ》』〈九章《きゅうしょう》・懐《かい》沙《さ》〉

右賢左戚　ゆうけんさせき　2級

⇩左戚右賢（させきゆうけん）

有言実行　ゆうげんじっこう　5級

意味　**言ったことはかならず実行すること。**「不言実行」のもじり。

字体　「実」の旧字体は「實」。

対義語　不言実行《ふげんじっこう》

有厚無厚　ゆうこうむこう　4級

意味　**ほんとうに厚いものは厚薄をいうことができないから厚さがないのとかわらない。**「有厚」と「無厚」が同じであるとする詭《き》弁《べん》。

出典　『荀《じゅん》子《し》』〈脩身《しゅうしん》〉

類義語　堅白同異《けんぱくどうい》、白馬非馬《はくばひば》

雄材大略　ゆうざいたいりゃく　4級

意味　**すぐれて大きい才能とはかりごと。**「材」は才能。「略」は計略。

補説　「雄材」は「ゆうさい」とも読む。

出典　『漢書《かんじょ》』〈武帝紀《ぶていき》・賛《さん》〉

宥坐之器　ゆうざのき　準1級

意味　**座右において戒めとする道具。**「宥」は右の意。

出典　『荀子《じゅんし》』〈宥坐《ゆうざ》〉

幽愁暗恨　ゆうしゅうあんこん　準2級

意味　**深く人知れないうれいと恨み。**「幽愁」は人知れないなげき、「暗恨」は人知れない恨み。

補説　「暗」は「闇」とも書く。

出典　白居易《はくきょい》の「琵琶行《びわこう》」

有終之美　ゆうしゅうのび　準1級

意味　**終わりを全うすること。**最後の結果が立派にできあがること。

類義語　有終完美《ゆうしゅうかんび》

優柔不断　ゆうじゅうふだん　4級

意味　**いつまでもぐずぐずして物事の決断ができないこと。**「優柔」ははきはきしないさま。

字体　「断」の旧字体は「斷」。

注意　「優柔」を「優従」と書き誤らない。

類義語　優柔寡断《ゆうじゅうかだん》、優游不断《ゆうゆうふだん》、意志薄弱《いしはくじゃく》、薄志弱行《はくしじゃっこう》

対義語　剛毅果断《ごうきかだん》、進取果敢《しんしゅかかん》、勇猛果敢《ゆうもうかかん》

優勝劣敗　ゆうしょうれっぱい　4級

意味　**まさっている者が勝ち、劣っている者が負けること。**生存競争で強者が栄え、弱者がほろびること。

類義語　弱肉強食《じゃくにくきょうしょく》、適者生存《てきしゃせいぞん》、自然淘《しぜんとう》汰《た》、生存競争《せいぞんきょうそう》

雄心勃勃　ゆうしんぼつぼつ　2級

意味　**雄《お》々《お》しい勇気がふつふつと湧《わ》いてくること。**「雄心」は雄々しい心、勇ましいたましい。「勃勃」は気力が盛んにおこるさま。

類義語　勇気勃勃《ゆうきぼつぼつ》

融通無礙　ゆうずうむげ　1級

意味　**行動や思考がものにとらわれずのびのびしていること。**「融通」はとどこおりなく通る意。「無礙」はさまたげのないこと。

補説　「無礙」は「無碍」とも書く。

類義語　融通自在《ゆうずうじざい》、無礙自在《むげじざい》、異類無礙《いるいむげ》

対義語　四角四面《しかくしめん》

有職故実　ゆうそくこじつ　準1級

意味　**朝廷や武家の古来の法令や儀式・風俗・習慣のこと。**またそれらを研究する学問。

補説　「有職」は「ゆうしょく」「ゆうそこ」とも読む。

字体　「実」の旧字体は「實」。

雄大豪壮　ゆうだいごうそう　準2級

意味　**雄々《おお》しく大きくて盛んで立派なこと。**「雄大」は雄々しく大きいこと。「豪壮」は大きく立派なこと。

字体　「壮」の旧字体は「壯」。

有備無患　ゆうびむかん　準2級

意味　**ふだんから準備を整えておけば、万一の場合にも心配がないということ。**「患」は思い悩むこと、心配事の意。

補説　「備え有れば患《うれ》無し」とも読む。「転《ころ》ばぬ先の杖《つえ》」と類義。

出典　『春秋左氏伝《しゅんじゅうさしでん》』〈襄公《じょうこう》一一年〉

右文左武　ゆうぶんさぶ　5級

意味　**文武両道を兼ね備えること。**天下を治める道をいう。

補説　「文を右に武を左にす」とも読む。また「左武右文」ともいう。

有名無実　ゆうめいむじつ　5級

意味　**名ばかり立派で実質がそれに伴わないこと。**

字体　「実」の旧字体は「實」。

注意　「有名」を「勇名」と書き誤らない。

出典　『国語《こくご》』〈晋語《しんご》・八〉

類義語　有名亡実《ゆうめいぼうじつ》、名存実亡《めいそんじつぼう》

優孟衣冠　ゆうもういかん　準1級

意味　**他人のまねをする人、演技をする人のたとえ。また外形だけは似ていて実質の伴わないもののたとえ。**「優孟」は春秋時代、楚《そ》の俳優の名。

故事　中国、楚の俳優の優孟は亡くなった賢臣の孫叔敖《そんしゅくごう》の衣服と冠を身につけて叔敖になりすまし、歌をうたって荘王《そうおう》を感動させ、時に落ちぶれていた叔敖の子に領地を賜らせた故事から。

出典　『史記』〈優孟伝《ゆうもうでん》〉

勇猛果敢　ゆうもうかかん　3級

意味　**勇ましくて強く、決断力に富むこと。**「勇猛」は勇ましくたけだけしいこと。「果敢」は決断力が強く、押しきってなしとげること。

出典　『漢書《かんじょ》』〈翟方進伝《てきほうしんでん》〉

類義語　剛毅果断《ごうきかだん》

勇猛精進　ゆうもうしょうじん　4級

意味　**積極的に物事を行うこと。**「勇猛」は勇ましくたけだけしいこと。「精進」は精力的に進むこと。

補説　「勇猛」は「ゆうみょう」と読む場合(仏教語)もある。

類義語　勇猛果敢《ゆうもうかかん》

優游涵泳　ゆうゆうかんえい　1級

意味　**ゆったりとした気持ちで学問や技芸の深い境地を味わう。**「優游」はゆったりとしてこせつかないこと。「涵泳」は水にひたりおよぐ意から、ゆったりひたり味わう意。

出典　『論語』〈為政《いせい》・集注《しっちゅう》〉

悠悠閑閑　ゆうゆうかんかん　準2級

意味　**ゆったりして急がないさま。**のんきにゆっくりしたさま。「悠悠」は急がず落ち着いたさま、「閑閑」は静かで落ち着いたさま。

補説　「悠悠」は「優優」、「閑閑」は「緩緩」とも書く。

悠悠自適　ゆうゆうじてき　準2級

意味　**ゆったりとした気持ちでのんびり過ごすこと。**「自適」は自分の心のままに楽しむ意。

補説　「悠悠」は「優遊」「優游」などとも書く。

類義語　悠悠《ゆうゆう》自得《じとく》、悠然《ゆうぜん》自得《じとく》、採薪《さいしん》汲水《きゅうすい》

遊戯三昧　ゆげざんまい

準1級

意味　**仏の境地に遊んで何ものにもとらわれないこと。**また、**遊びたわむれふけること。**仏教の語。「…三昧」はそのことに夢中になって他をかえりみないこと。

字体　「戯」の旧字体は「戲」。

注意　「三昧」を「三味」と書かないこと。また「遊戯」の特殊な読みに注意。

類義語　遊蕩三昧《ゆうとうざんまい》

油断大敵　ゆだんたいてき

5級

意味　**注意を怠れば必ず失敗を招くから警戒せよという戒め。**「油断」は気をゆるすこと。

補説　「油断」は『涅槃経《ねはんぎょう》』にある「昔、ある王が家来に油の入った鉢《はち》を持たせ、一滴でもこぼしたら命を断つと言った」との寓話《ぐうわ》による。

字体　「断」の旧字体は「斷」。

類義語　油断強敵《ゆだんきょうてき》

【よ】

余韻嫋嫋　よいんじょうじょう

1級

意味　**音声が鳴りやんでもなお残るひびきが、細く長く続くさま。**詩や文章の表現の背後に感じられる風情にもたとえる。「嫋嫋」は音や声の細く長く続くさま。

補説　「余韻」は「余音」とも書く。

字体　「余」の旧字体は「餘」。

出典　蘇軾《そしょく》の「前赤壁賦《ぜんせきへきのふ》」

用意周到　よういしゅうとう

4級

意味　**心づかいがゆきとどいて、準備に手ぬかりのないさま。**

注意　「周到」を「周倒」と書き誤らない。

要害堅固　ようがいけんご

4級

意味　**備えのかたいこと。**「要害」は地勢が険しく、攻めるに難しく守るにたやすい地。また、とりで。

類義語　金城鉄壁《きんじょうてっぺき》、難攻不落《なんこうふらく》

妖怪変化　ようかいへんげ

2級

意味　**人間には理解できないふしぎな化け物。**「妖怪」「変化」ともに化け物。

字体　「変」の旧字体は「變」。

類義語　魑魅魍魎《ちみもうりょう》

用管窺天　ようかんきてん

準1級

意味　**視野や見識が狭いことのたとえ。**細い管から天をうかがい見る意。

補説　「管《くだ》を用《もっ》て天を窺《うかが》う」とも読む。

出典　『荘子《そうじ》』〈秋水《しゅうすい》〉

類義語　以管窺天《いかんきてん》、管中窺豹《かんちゅうきひょう》、管窺之見《かんきのけん》、管窺蠡測《かんきれいそく》、以蠡測海《いれいそくかい》

陽関三畳　ようかんさんじょう

4級

意味　**別れを繰り返し惜しむこと。**陽関の曲の第四句を三度反復して詠《うた》うこと。一説に、第二句以下の三句を二度繰り返して詠うこと。「陽関」は「陽関曲」、唐の王維《おうい》の「送元二使安西《げんじのあんせいにつかいするをおくる》-詩」を指す。送別詩の名作。「畳」は繰り返す意。

字体　「関」の旧字体は「關」、「畳」の旧字体は「疊」。

出典　蘇軾《そしょく》の詩

羊裘垂釣　ようきゅうすいちょう

1級

意味　**羊のかわごろもを着て釣り糸をたれる。隠者の姿をいう。**「裘」はかわごろも、獣の毛皮で作った服。「釣」は釣り針の意。

補説　「羊裘《ようきゅう》、釣《ちょう》を垂《た》る」とも読む。

出典　『後漢書《ごかんじょ》』〈厳光伝《げんこうでん》〉

鷹犬之才　ようけんのさい

準1級

意味　**自分が手先に使って役に立つ才能の持ち主。**「鷹犬」はたかと犬。ともに

〔出典〕 陳琳《ちんりん》の文

猾に用いる。悪事の手先。

庸言庸行　ようげん ようこう　準2級

〔意味〕 **ふだんの言行。**「庸行」は平生の行動・素行。「庸言」は平生の言葉。

〔出典〕 『易経《えききょう》』〈乾《けん》・文言伝《ぶんげんでん》〉

妖言惑衆　ようげん わくしゅう　2級

〔意味〕 **あやしげなことを言いふらして多くの人を惑わせること。**「妖言」は世の人を惑わすあやしい流言。

〔補説〕 「妖言、衆を惑わす」とも読む。

用行舎蔵　ようこう しゃぞう　5級

〔意味〕 **出処進退をわきまえていること。**君主に認められれば世に出て仕事を行い、捨てられれば引退して静かに暮らすこと。孔子が処世の基本的立場を述べた語。

〔補説〕 「用いらるれば行い舎《す》てらるれば蔵《かく》る」とも読む。出典には「之《これ》を用《もち》いれば則《すなわ》ち行《おこな》い、之《これ》を舎《す》つれば則《すなわ》ち蔵《かく》る」とある。また「用舎行蔵」ともいう。

〔字体〕 「舎」の旧字体は「舍」、「蔵」の旧字体は「藏」。

〔出典〕 『論語』〈述而《じゅつじ》〉

〔類義語〕 出処進退《しゅっしょしんたい》

羊很狼貪　ようこん ろうどん　1級

〔意味〕 **荒々しくて道理にそむき、また飽くことなく欲ばること。**「羊很」は羊のように荒々しく道理にそむくこと。「狼貪」はおおかみのように飽くことなく欲ばること。

〔出典〕 『史記』〈項羽紀《こううき》〉

容姿端麗　ようし たんれい　4級

〔意味〕 **姿かたちの美しいこと。**「端麗」はととのっていて美しいこと。

〔類義語〕 姿色端麗《ししょくたんれい》、眉目秀麗《びもくしゅうれい》

羊質虎皮　ようしつ こひ　2級

〔意味〕 **外見は立派だが中身がないこと。**実際は羊なのに、虎《とら》の皮をかぶっていること。

〔補説〕 「羊質にして虎皮す」とも読む。また「虎皮羊質」ともいう。

〔出典〕 『法言《ほうげん》』〈吾子《ごし》〉

〔類義語〕 羊頭狗肉《ようとうくにく》

妖姿媚態　ようし びたい　1級

〔意味〕 **いかにもなまめかしく美しい姿。**また、そのような女性が人を惑わすような、笑いこびるしぐさをすることにもいう。「妖姿」はなまめかしい、美しい、あだっぽい姿、「媚態」はなまめかしいさま。こびるさま、色っぽくするさま、女が男に対して、なまめかしい態度や表情をみせるさま。

〔出典〕 『本事詩《ほんじし》』〈人面桃花《じんめんとうか》〉

用舎行蔵　ようしゃ こうぞう　5級

⇩**用行舎蔵**（ようこう しゃぞう）

傭書自資　ようしょ じし　準1級

〔意味〕 **文章を書いて生活の糧《かて》とすること。**「傭書」は雇われて文章を書き写すこと、「自資」はみずから生計を立てること。

〔出典〕 『魏書《ぎしょ》』〈劉芳伝《りゅうほうでん》〉

〔類義語〕 筆耕硯田《ひっこうけんでん》

鷹視狼歩　ようし ろうほ　準1級

〔意味〕 **猛々《たけだけ》しく貪欲《どんよく》で残忍な人物のたとえ。**また、**勇猛ですきを与えない豪傑のたとえ。**鷹《たか》のような鋭い目つきと狼《おおかみ》が獲物をあさるような歩き方の意。

〔出典〕 『呉越春秋《ごえつしゅんじゅう》』〈句践伐呉外伝《こうせんばつごがいでん》〉

揚清激濁　ようせい げきだく　3級

⇩**激濁揚清**（げきだく ようせい）

養生喪死　ようせいそうし　準2級

意味　**生きているものを十分に養い、死んだものを手厚く弔う。**孟子《もうし》は人民にこのことを遺憾のないようにさせることが王道政治の始めであるとした。「養生」は生きている父母や妻子を十分に生活させる意。

補説　「生《せい》を養《やしな》い死《し》を喪《そう》す」とも読む。

注意　「養生」を「養成」と書き誤らない。

出典　『孟子《もうし》』〈梁恵王《りょうけいおう》・上〉

類義語　養生送死《ようせいそうし》

庸中佼佼　ようちゅうのこうこう　準1級

意味　**平凡な者の中でややすぐれた者の意。**「庸」は中ほど、平凡の意。「佼佼」はすぐれたさま。

補説　「庸中」は「傭中」とも書く。

出典　『後漢書《ごかんじょ》』〈劉盆子伝《りゅうぼんしでん》〉

類義語　鉄中錚錚《てっちゅうのそうそう》

羊腸小径　ようちょうしょうけい　5級

意味　**羊のはらわたのように曲がりくねった山道や小道をいう。**「径」は道。

字体　「径」の旧字体は「徑」。

注意　「径」を「経」と書き誤らない。

類義語　九十九折《つづらおり》、斗折蛇行《とせつだこう》

羊頭狗肉　ようとうくにく　準1級

意味　**見せかけはりっぱでも実質が伴わないこと。**看板に羊の頭をかけながら実際は犬の肉を売ること。見かけだおし。「狗」は犬の意。

補説　「羊頭を懸《か》けて狗肉を売る」の略。出典には「牛首を門に懸《かか》げて馬肉を内《うち》に売《う》るがごとし」とある。

出典　『晏子春秋《あんししゅんじゅう》』〈雑《ざつ》・下〉

類義語　羊頭馬脯《ようとうばほ》、羊質虎皮《ようしつこひ》

蠅頭細書　ようとうさいしょ　準1級

意味　**細かい文字のこと。**「蠅頭」ははえの頭。転じてきわめて小さいもの、わずかな利益のたとえ。「細書」は細かく書くこと。また細かな文字。

揺頭擺尾　ようとうはいび　1級

意味　**人に気に入られるようにこびへつらうさま。**頭を動かして尾を振る意で、仏門の修行にもとづく故事による。

補説　「頭を揺らし尾を擺《ふ》る」とも読む。

字体　「揺」の旧字体は「搖」。

故事　仏道修行の僧侶《そうりょ》たちも、ときには師の行動にへつらって、師の体得した境地に近づこうとすることもある、との語にもとづく。

出典　『五灯会元《ごとうえげん》』〈六〉

揚眉吐気　ようびとき　2級

意味　**やるべき事を成し遂げて喜ぶさま。**気がかりだったことが思い通りできて、それまで抑圧されていた気持ちが開放され、喜び楽しむさま。また、憤怒するさまにもいう。「揚眉」は眉《まゆ》を揚げる意、「吐気」は気を吐く意で、どちらも意気盛んなさま。

補説　「眉を揚《あ》げて気を吐く」とも読む。「吐気揚眉」ともいう。

字体　「気」の旧字体は「氣」。

出典　李白《りはく》の「与韓荊州書《かんけいしゅうにあたうるのしょ》」

耀武揚威　ようぶようい　準1級

意味　**武力や威力をあげ示すこと。**「耀」はかがやかす意。

補説　「武を耀《かがや》かし威を揚《あ》ぐ」とも読む。また「揚威耀武」ともいう。

容貌魁偉　ようぼうかいい　準1級

意味　**顔つきや体つきがたくましく堂堂としてりっぱなさま。**「容貌」は顔つき。「魁偉」は体つきが大きくてりっぱの意。

注意　「魁偉」を「魁異」と書き誤らない。

瑶林瓊樹 ようりん けいじゅ （1級）

[意味] **人品が卑しくなく高潔で、人並みすぐれていること。** 玉《ぎょく》の木や林。「瑶」「瓊」はともに美しい玉《ぎょく》の意。

[字体] 「瑶」の旧字体は「瑤」。

[出典] 『世《せ》説《せつ》新《しん》語《ご》』〈賞誉《しょうよ》〉

用和為貴 ようわ いき （4級）

[意味] **人と人とが仲よくすることが最もたいせつであるということ。**

[補説] 「和を用《もっ》て貴《とうと》しと為《な》す」とも読む。また「用」は「以」とも書く。聖徳太子が定めた「十七条憲法」の第一条にある語。

[字体] 「為」の旧字体は「爲」。

[出典] 『礼記《らいき》』〈儒行《じゅこう》〉

薏苡明珠 よくい めいしゅ （1級）

[意味] **無実の嫌疑をかけられること。**

「薏苡」ははとむぎ、花は数珠《じゅず》玉に似ており白い種子は食用・薬用にされる。「明珠」は宝玉。

[故事] 中国、後漢の馬援が交趾《こうし》(今のベトナム)から持ち帰った車一台分の薏苡の実を都の人々は南方の珍しいものだとおもい、宝玉だと天子に讒言《ざんげん》する者もあり天子の怒りに触れたという故事から。

[出典] 『後漢書《ごかんじょ》』〈馬援伝《ばえんでん》〉

翼覆嫗煦 よくふ うく （1級）

[意味] **翼で包み抱き温める。転じて、いつくしむこと、愛撫《あいぶ》すること。** 親が子を、為政者が人民を、男が女をいつくしむ。「翼覆」は翼でおおうこと。「嫗煦」は温め育てる。「嫗」は抱き温める意。「煦」は息を吹きかけて温める意。

沃野千里 よくや せんり （2級）

[意味] **土地のよく肥えた広々とした原。**

[補説] 「沃野」は「沃埜」とも書く。

抑揚頓挫 よくよう とんざ （2級）

[意味] **勢いが途中でくじけること。**「抑揚」は声の上げ下げ、調子。「頓挫」は急にくじけること。

輿馬風馳 よば ふうち （準1級）

[意味] **非常に速いことのたとえ。**「輿馬」は乗り物と馬の意。「風馳」は風のごとく馳《は》せる、風のように速く走ることをいう。

[注意] 「輿馬」を「輿馬」「與馬」と書き誤らない。

[出典] 『桃《とう》花《か》扇《せん》』〈余《よ》韻《いん》〉

夜目遠目 よめ とおめ （5級）

[意味] (女の人は) **はっきり見定められないときのほうが美しく見えるということ。** 暗い夜とか遠い所からとか笠《かさ》を着けていてはっきり見定められないときのほうが実際より美しく見える意。

[補説] 「夜目遠目笠《かさ》の内《うち》」の略。

余裕綽綽 よゆう しゃくしゃく （1級）

[意味] **ゆったりと落ち着いてあせらないさま。**「余裕」はゆとりの意、「綽綽」はゆったりとしていること。

[字体] 「余」の旧字体は「餘」。

[注意] 「余裕」を「予猶」と書き誤らない。

[出典] 『孟子《もうし》』〈公孫丑《こうそんちゅう》・下〉

[類義語] 泰然自若《たいぜんじじゃく》

【ら】

雷轟電撃 らいごう でんげき （準1級）

[意味] **勢いのきわめてはげしいことのたとえ。** 雷鳴が鳴り響き電光が走る。「雷轟」は雷がとどろきわたること。「電撃」は稲光がはしること。

[出典] 『近《きん》古《こ》史《し》談《だん》』〈織篇《しょくへん》〉

類義語　電光雷轟《でんこうらいごう》

雷轟電転　らいごう でんてん　準1級

意味　**町中の喧騒《けんそう》の激しいことのたとえ。**雷がとどろき稲妻がはしるように、人馬の叫びが激しいこと。「雷轟」は雷がとどろきわたること。「電転」は稲光があちらできらめきこちらできらめくさま。

字体　「転」の旧字体は「轉」。

出典　『長生殿《ちょうせいでん》』〈合囲《ごうい》〉

雷陳膠漆　らいちん こうしつ　1級

意味　**友情が深く堅いこと。**

故事　中国、後漢の雷義《らいぎ》と陳重《ちんちょう》の友情は、膠《にかわ》や漆《うるし》が固まると堅くなる以上に、確固とした深いものであるという故事から。

出典　『後漢書《ごかんじょ》』〈雷義伝《らいぎでん》〉

類義語　管鮑《かんぽう》之《の》交《まじわり》、金蘭《きんらん》之《の》契《けい》、膠漆《こうしつ》之《の》交《まじわり》、膠漆《こうしつ》之《の》約《やく》、水魚《すいぎょ》之《の》交《まじわり》、耐久《たいきゅう》之《の》朋《とも》、断《だん》金《きん》之《の》交《まじわり》、莫逆《ばくぎゃく》之《の》友《とも》、刎頸《ふんけい》之《の》交《まじわり》

雷霆万鈞　らいてい ばんきん　1級

意味　**威勢がきわめて大きく防ぎとめることのできないたとえ。**雷鳴のとどろきがきわめて大きく重い。「雷霆」は雷のとどろき。転じて威力などが激しいことの形容。「万鈞」はきわめて重いこと。「鈞」は重さの単位。周代は一鈞が七・七キログラム。

字体　「万」の旧字体は「萬」。

出典　『漢書《かんじょ》』〈賈山伝《かざんでん》〉

類義語　雷轟電撃《らいごうでんげき》

雷騰雲奔　らいとう うんぽん　準2級

意味　**一時もとどまらず過ぎ去っていくことのすみやかなたとえ。**雷が躍り上がり雲が走る。来たかと思うとすぐにいなくなってしまう。雷が急に鳴り出したかと思うと急にやみ、雲が一時も休まず過ぎ行くように、過ぎ去ることのすばやいこと。「雷騰」は雷が躍り上がること。

出典　柳宗元《りゅうそうげん》の「興州江運記《こうしゅうこううんき》」

磊磊落落　らいらい らくらく　1級

意味　**心が広くて、小さなことにこだわらないさま。**心が大きくてさっぱりしているさまの意の「磊落」を重ねて意味を強調した四字句。

類義語　豪放磊落《ごうほうらいらく》

落英繽紛　らくえい ひんぷん　1級

意味　**散る花びらが乱れ舞うさま。**「落英」は散り落ちる花びら。「英」は花、花びらの意。「繽紛」は盛んなさま。また、乱れ混じるさま。

注意　「紛」を「粉」と書き誤らない。

出典　陶潜《とうせん》の「桃花源記《とうかげんのき》」

楽禍幸災　らくか こうさい　準2級

⇩幸災楽禍（こうさい らくか）

落月屋梁　らくげつ おくりょう　準1級

意味　**友人を思う情が切なこと。**「屋梁」は屋根のはり。また屋根の意。

補説　「屋梁落月」ともいう。

故事　唐の杜甫《とほ》が友人の李白《りはく》の江南に流されたのを思いやり、「夜空におちかかった月が屋根を照らし、君の顔がそこに照らし出されているような気がする」と詠じた故事から。

出典　杜甫《とほ》の「夢李白《りはくをゆめむ》詩」

類義語　空梁月落《くうりょうげつらく》

落穽下石　らくせい かせき　1級

意味　**人の危難につけ込んでさらに痛めつけることをいう。**人が落とし穴に落ちたのに上から石を落とす意。「穽」は落とし穴の意。

補説　「穽《せい》に落ちて石を下《くだ》す」とも読む。「穽」を「井」と書くこともあるが、「井」

は井戸の意である。

出典　韓愈《かんゆ》の「柳子厚墓誌銘《りゅうしこうぼしめい》」

類義語　落井下石《らくせいかせき》、下井落石《かせいらくせき》

落筆点蠅　らくひつ てんよう　準1級

意味　**過ちをうまくとりつくろうこと。**誤って筆を落としてついた汚れをうまく蠅《はえ》にえがく意。

補説　「落筆《らくひつ》、蠅《はえ》を点《てん》ず」とも読む。

字体　「点」の旧字体は「點」。

故事　中国三国時代、呉の画家曹不興《そうふこう》が孫権《そんけん》の命で描いたとき、誤って筆を落として汚れをつけたが、巧みにつくろって蠅に描き変えてしまった故事から。

出典　『三国志《さんごくし》』〈呉書《ごしょ》・趙達伝《ちょうたつでん》・注〉

洛陽紙価　らくようの しか　準1級

意味　**著書が世にもてはやされて、よく売れること。**「洛陽」は中国の地名。「紙価」は紙の値段のこと。

字体　「価」の旧字体は「價」。

故事　中国西晋《せいしん》の左思《さし》は賦《ふ》に巧みで、その作品「三都賦《さんとのふ》」は傑作で評判がよかった。洛陽の人々は争ってこの作品を書写したので洛陽の紙が不足して値段が急騰したという故事から。「洛陽の紙価、高からしむ」の形で用いられる。

出典　『晋書《しんじょ》』〈左思伝《さしでん》〉

落落晨星　らくらく しんせい　1級

⇩晨星落落（しんせい らくらく）

落花流水　らっか りゅうすい　5級

意味　**散る花と流れ去る水のことで、去りゆく春をいった語。**転じて、**人や物がおちぶれることのたとえ。**また、**男女の気持ちが互いに通じあうことのたとえ。**水の流れのままに身を委ねたい落花を男に、落花を浮かべて流れたい水を女にたとえて、男に慕う気持ちがあれば、女もその男を慕う情が生まれるという意味にも用いられる。また一説に、花が散り流水をめざしても流れはかまわず流れ出ることから片思いの意ともいう。

補説　「流水落花」ともいう。

注意　「落花」を「落下」と書き誤らない。

出典　高駢《こうべん》の詩

落花狼藉　らっか ろうぜき　1級

意味　**落ちた花びらなどが入り乱れ取り散らかっているさま。**また、**女性に乱暴を働くこと。**「落花」は花が散ること。「狼藉」は狼《おおかみ》が草を敷いて寝た跡が乱れていることから、乱雑なこと。また、乱暴な振る舞いの意。花が散り乱れているさまをいう。また、花を女性にみたてて、女性に乱暴なことをする意にも用いられる。

注意　「落花」を「落下」、「狼藉」を「狼籍」「浪藉」などと書き誤りやすい。

出典　『和漢朗詠集《わかんろうえいしゅう》』〈上〉

類義語　乱暴狼藉《らんぼうろうぜき》

濫竽充数　らんう じゅうすう　1級

意味　**無能の者が才能のあるよう見せかけること。**また、**実力もないのに、分《ぶん》以上の位にいること。**「濫」はみだりに、むやみやたらにの意。「竽」は笛。「濫竽」はみだりに笛を吹くこと。「濫吹《らんすい》」に同じ。「充数」は必要な数の一員にあてる意。

字体　「数」の旧字体は「數」。

注意　「濫竽」を「濫竿」「濫芋」などと書き誤らない。

故事　斉の宣王が竽（笛の一種）を好んだので、南郭の処士（都城の南に住む無官の人）がその才能もないのに、多くの楽士に交わって竽を吹き、一時《いっとき》をごまかして優遇されたが、宣王の死後、閔王《びんおう》が立ち独奏を好み、一人ずつ竽を吹けといわれて逃げ去った故事から。

出典　『韓非子《かんぴし》』〈内儲説《ないちょせつ》・上〉

類義語　南郭濫竽《なんかくらんう》、南郭濫吹《なんかくらんすい》

嵐影湖光　らんえいここう　準1級

意味　**山の青々とした気と湖面のかがやき。山水の風景の美しいことの形容。**「嵐」は青々とした山の気。青いもや。「湖光」は湖面が日の光をうけてきらきら輝くこと。

出典　邵長衡《しょうちょうこう》の「夜遊孤山記《よるこざんにあそぶのき》」

類義語　山紫水明《さんしすいめい》

爛額焦頭　らんがくしょうとう　1級

⇨焦頭爛額（しょうとうらんがく）

蘭薫桂馥　らんくんけいふく　1級

⇨蘭桂騰芳（らんけい とうほう）

蘭桂騰芳　らんけいとうほう　準1級

意味　**蘭や桂が香りたつ。子孫が繁栄することのたとえ。**「蘭」はらん。「桂」はかつらの木。ともに香草・香木の類で、君子の美質また子孫のたとえ。「騰芳」はにおいたつ、香りたつこと。「騰」はあがる意。

類義語　蘭薫桂馥《らんくんけいふく》

覧古考新　らんここうしん　5級

意味　**古きをかえりみて、新しきを考え察すること。**「覧古」は、古きをおもうこと。懐古。

補説　「古きを覧《み》、新しきを考う」とも読む。「古」は「故」とも書く。

字体　「覧」の旧字体は「覽」。

注意　「考新」を「孝新」と書き誤らない。

出典　『漢書《かんじょ》』〈叙伝《じょでん》・下〉

類義語　温故知新《おんこちしん》

蘭摧玉折　らんさいぎょくせつ　1級

意味　**賢人や美人などの死をいう。**蘭の花が砕け散り玉が折れ割れる意。すぐれた人として終わりまでまっとうして死ぬことにもいう。「摧」はくだける意。

注意　「摧」を「催」と書き誤らない。

出典　『世説新語《せせつしんご》』〈言語《げんご》〉

対義語　蕭敷艾栄《しょうふがいえい》

乱雑無章　らんざつむしょう　5級

意味　**めちゃめちゃですじみちが立たないこと。**「無章」は秩序がないこと、すじみちが立たないこと。

補説　「乱雑《らんざつ》にして章無《しょうな》し」とも読む。

字体　「乱」の旧字体は「亂」、「雜」の旧字体は「雜」。

出典　韓愈《かんゆ》の「送孟東野序《もうとうやをおくるのじょ》」

類義語　支離滅裂《しりめつれつ》

鸞翔鳳集　らんしょうほうしゅう　1級

意味　**賢才が集まり来るたとえ。**「鸞」は鳳凰《ほうおう》に似た伝説上の霊鳥。「鳳」は鳳凰《ほうおう》、聖天子の世に現れるという伝説上の霊鳥。

出典　傅咸《ふかん》の「申懐賦《しんかいふ》」

対義語　理路整然《りろせいぜん》

乱臣賊子　らんしんぞくし　3級

意味　**国を乱す悪臣と親に背く子供。**「乱臣」は主君に背いて国を乱す家臣のこと。「賊子」は親不孝な子供の意。不忠不孝の者をいう。

字体　「乱」の旧字体は「亂」。

注意　「乱臣」を「乱心」と書き誤らない。

出典　『孟子《もうし》』〈滕文公《とうぶんこう》・下〉

類義語　乱臣逆子《らんしんぎゃくし》、逆臣賊子《ぎゃくしんぞくし》

蘭亭殉葬　らんていじゅんそう　準1級

意味　**書画や骨董《こっとう》、器物などを非常に愛好するたとえ。**「蘭亭」は王羲之《おうぎし》の「蘭《らん》亭帖《ていじょう》」、「殉葬」は死んだ人といっしょに葬ること。

故事　唐の太宗《たいそう》は書を好み、書聖といわれた東晋《とうしん》の王羲之の名筆「蘭亭帖」を酷愛し、その原本を遺命で棺中に入れさせたという故事から。

出典 何延之《かえんし》の「蘭亭記《らんていき》」

藍田生玉 らんでん しょうぎょく
2級

意味 **家柄のよい家から賢明な子弟の出るたとえ。**「藍田」は陝西《せんせい》省にある山の名で、美しい宝玉を産出することで有名。

補説 「藍田《らんでん》玉を生ず」とも読む。

出典 『三国志《さんごくし》』〈呉書《ごしょ》・諸葛恪伝《しょかつかくでん》・注〉

乱暴狼藉 らんぼう ろうぜき
1級

意味 **荒々しい振る舞いや無法な行為をすること。**「狼藉」は「乱暴」と同義で、荒々しい振る舞い・無法な行いの意。

字体 「乱」の旧字体は「亂」。

注意 「狼藉」を「狼籍」と書き誤らない。

乱離拡散 らんり かくさん
4級

意味 **世の乱れに遭《あ》って、人々が離れ離れになること。**また、世の中がめちゃめちゃになったありさま。

補説 「乱離」は「らり」とも読む。

字体 「乱」の旧字体は「亂」、「拡」の旧字体は「擴」。

類義語 乱《ら》離《り》粉灰《こっぱい》、乱《ら》離《り》骨灰《こっぱい》

【り】

利害得失 りがい とくしつ
5級

意味 **自分の利益になることとそうでないこと。**「利害」は利益と損害、「得失」は得ることと失うことで、二語は同義。得と損ということ。

類義語 利《り》害《がい》得《とく》喪《そう》

李下瓜田 りか かでん
準1級

意味 **人に疑われるようなことはしないほうがよいというたとえ。**「李下」は李《すもも》の木の下、「瓜田」は瓜畑《うりばたけ》のこと。「君子は未然に防ぎ、嫌疑の間に処《お》らず、瓜田に履《くつ》を納《い》れず、李下に冠《かんむり》を正さず」から出た語。君子は、未然に疑いをうけるようなことは避けなくてはならない。瓜畑で履物《はきもの》を直すと、瓜を盗むのではないかと疑われ、李の木の下で冠をかぶり直すと、李を盗むのではないかと疑われる。だから、そういう疑わしい行為はするなということ。

補説 「瓜田李下」ともいう。

出典 古楽府《こがふ》の「君子行《くんしこう》」

類義語 悪木盗泉《あくぼくとうせん》、瓜田《かでん》之《の》履《り》、李《り》下《か》之《の》冠《かんむり》

力戦奮闘 りきせん ふんとう
4級

意味 **力の限り努力すること。**「力戦」は全ての力を注いで戦うこと、「奮闘」は気持ちを奮《ふる》いおこして戦う・力いっぱい努力する意。

補説 「力戦」は「りょくせん」とも読む。

字体 「戦」の旧字体は「戰」、「闘」の旧字体は「鬭」。

六言六蔽 りくげんの りくへい
準1級

意味 **人には六つの徳があるが、学問や教養を積まなければ六つの弊害を生むということ。**「六言」は、仁(愛情)・知(知恵)・信(信義)・直(正直)・勇(勇気)・剛(剛強)の六つの徳。「六蔽」は、愚(馬鹿)・蕩《とう》(だらしない)・賊(人をそこなう)・絞(きびしい)・乱(無秩序)・狂(狂気)の六つの弊害をいう。「蔽」はおおい隠す意。

注意 「六」を「ろく」と読み誤らないこと。また、「蔽」を「弊」と書き誤らないこと。

出典 『論語』〈陽貨《ようか》〉

六合同風 りくごう どうふう
準1級

意味 **天下が統一され、風俗や教化を同じくすること。**「六合」は天地と四方で天下を意味する。「風」は風俗の意。

補説 「六合、風を同じうす」とも読む。

注意　「六合」を「ろくごう」と読み誤らない。
出典　『漢書《かんじょ》』〈王吉伝《おうきつでん》〉
類義語　六合《りくごう》一《いち》和《わ》

六菖十菊　りくしょうじゅうぎく　準1級

意味　**時期が過ぎて役に立たないことのたとえ。**五月五日の端午《たんご》の節句の翌日六日の菖蒲《しょうぶ》と、九月九日の重陽《ちょうよう》の節句の翌日十日の菊。「菖」はしょうぶ。
補説　「六菖」は「ろくしょう」とも読む。
類義語　夏《か》鑪《ろ》冬《とう》扇《せん》

六尺之孤　りくせきのこ　準1級

意味　**未成年の孤児。**また十四、五歳で父に死なれた幼君。「六尺」は約一・四メートルで、十四、五歳の身長。一説に一尺は二歳半で六尺は十五歳のこと。「孤」は父に死別した子、孤児。
注意　「六尺」を「ろくしゃく」と読まないこと。
出典　『論語』〈泰伯《たいはく》〉

六韜三略　りくとうさんりゃく　1級

意味　**中国の有名な兵法書である『六韜』と『三略』のこと。**『六韜』は周の太公望呂尚《りょしょう》の作とされ、文・武・竜・虎《こ》・豹《ひょう》・犬の六巻。『三略』は前漢の功臣、張《ちょう》良《りょう》に戦略をさずけた黄石公《こうせきこう》の作とされ、上略・中略・下略の三巻。「韜」は剣袋・弓袋のことで兵法の奥義、戦略の意。「略」ははかりごと・計略の意。

戮力協心　りくりょくきょうしん　1級

⇩**協心戮力**（きょうしん りくりょく）

戮力同心　りくりょくどうしん　1級

⇩**同心戮力**（どうしん りくりょく）

離群索居　りぐんさっきょ　準2級

意味　**同朋《どうほう》や友人、仲間と離れて一人でいること。**「群」はなかま・ともがら。「索」はさびしい、また、散る、離れる意。
補説　「群《むれ》から離れて索居す」とも読む。
注意　「群」を「郡」と書かないこと。
出典　『礼《らい》記《き》』〈檀弓《だんぐう》・上〉

離合集散　りごうしゅうさん　4級

意味　**離れたり集まったりすること。**また、**協力したり反目したりすること。**「離合」は離れることと合わさること、「集散」は集まることと散ること。
補説　「集散離合」ともいう。
類義語　分合集散《ぶんごうしゅうさん》、雲集《うんしゅう》霧《む》散《さん》

履霜堅氷　りそうけんぴょう　準2級

⇩**履霜之戒**（りそうの いましめ）

履霜之戒　りそうのいましめ　準1級

意味　**前兆を見て災難をさけよという戒め。**霜を踏んで歩けばやがて氷が張る時期になることから、前兆をみてやがて来るわざわいに対して用心せよという意。
出典　『易経《えききょう》』〈坤《こん》〉
類義語　履霜堅氷《りそうけんぴょう》

立身出世　りっしんしゅっせ　5級

意味　**社会的に高い地位につき、世に認められること。**「立身」は社会的な名声を得ること、「出世」はりっぱな地位・身分になる意。
類義語　立身揚名《りっしんようめい》

立錐之地　りっすいのち　準1級

意味　**とがった錐《きり》をやっと立てることができるほどのごく狭い土地。**「錐」は板などに穴をあける道具、きり。一般には「立錐の余地もない」と使うことが多い。
注意　「錐」を「推」と書き誤らない。
出典　『呂《りょ》氏《し》春秋《しゅんじゅう》』〈為《い》欲《よく》〉
類義語　立錐《りっすい》之《の》土《ど》、置《ち》錐《すい》之《の》地《ち》

理非曲直 りひきょくちょく 5級

意味 **道理にかなったことと道理にかなわないこと。** また、**正しいことと間違っていること。**「理非」は道理に合うこととそうでないこと、「曲直」はまがっていることとまっすぐなこと。物事の善悪や正不正のことをいう。

類義語 是非善悪《ぜひぜんあく》、是非曲直《ぜひきょくちょく》

柳暗花明 りゅうあんかめい 準2級

意味 **春の野の美しい景色のこと。** また、**花柳界・遊里のこと。** また、新しい展開がひらける意に用いる場合もある。「柳暗」は柳がほの暗く茂ること。「花明」は花が明るく咲く意で、春の美しい景色の形容。

補説 「柳は暗く花は明らか」とも読む。

出典 王維《おうい》の「早朝《そうちょう》-詩」

類義語 桃紅柳緑《とうこうりゅうりょく》、鳥語花香《ちょうごかこう》、柳媚花明《りゅうびかめい》、柳緑花紅《りゅうりょくかこう》

流汗淋漓 りゅうかんりんり 1級

意味 **汗が体中から流れ出て、したたり落ちること。**「流汗」は汗が流れること、「淋漓」は水や血や汗がしたたる意。

注意 「流汗」を「流感」と書かないこと。

流金鑠石 りゅうきんしゃくせき 1級

意味 **厳しい暑さのたとえ。** 金属を流し溶かし石を溶かすこと。「鑠石」は激しい火力や熱気の形容。

補説 「金《きん》を流《なが》し石《いし》を鑠《とか》す」とも読む。

注意 「鑠石」を「礫石」と書き誤らないこと。

故事 昔、十個の太陽が同時に昇り金石などの堅剛なものもみな照らし溶かしたという伝説による。

出典 『楚辞《そじ》』〈招魂《しょうこん》〉

類義語 流金焦土《りゅうきんしょうど》

流言蜚語 りゅうげんひご 1級

意味 **確かな根拠のないいいかげんなうわさ。**「流言」は根拠のないでたらめなうわさのこと。「蜚」は飛ぶ意で、「蜚語」は世間に飛び交う根拠のない話。根も葉もないデマのこと。

補説 「蜚語」は「飛語」とも書く。

注意 「蜚語」を「卑語」「非語」などと書き誤りやすい。

類義語 流言流説《りゅうげんりゅうせつ》、流言飛文《りゅうげんひぶん》、蜚流之言《ひりゅうのげん》

柳巷花街 りゅうこうかがい 準1級

意味 **遊里・色町のこと。**「柳巷」は柳の木が植えてある巷《ちまた》、「花街」は花の咲いている街《まち》の意。昔、色町には多く柳が植えられていたことからいう。

補説 「花街柳巷」ともいう。色町や遊女のことをいう「花柳」は、この語の略。

出典 黄庭堅《こうていけん》の「満庭芳《まんていほう》」〈妓女-詞〉

類義語 柳陌花街《りゅうはくかがい》、花柳狭斜《かりゅうきょうしゃ》、路花墻柳《ろかしょうりゅう》、路柳墻花《ろりゅうしょうか》

流觴曲水 りゅうしょうきょくすい 1級

⇨曲水流觴（きょくすいりゅうしょう）

流星光底 りゅうせいこうてい 5級

意味 **勢いよく振り下ろす刀の光を流星にたとえていう。**「光底」は剣のきらめきの下。

出典 頼山陽《らいさんよう》の詩

柳眉倒豎 りゅうびとうじゅ 準1級

意味 **女性が眉《まゆ》を逆立てて怒るさま。**

「柳眉」は柳の葉のように細い眉の意から、女性の眉。「倒」は逆さま、「豎」は立てるの意から、「倒豎」は逆さまに立てる意。

類義語 横眉怒目《おうびどもく》、張眉怒目《ちょうびどもく》

粒粒辛苦 りゅうりゅうしんく 3級

意味 **こつこつと努力や苦労を重ねる**

こと。 米の一粒一粒は、辛く苦しい農民の苦労と努力によってできたものであるというのがもとの意。

補説 「粒粒皆《みな》辛苦」の略。

注意 「粒粒」を「流流」、「辛苦」を「心苦」などと書き誤りやすい。

出典 李《り》紳《しん》の「憫農《のうをあわれむ》‐詩」

類義語 苦《く》心《しん》惨《さん》憺《たん》、艱《かん》難《なん》辛《しん》苦《く》、千《せん》辛《しん》万《ばん》苦《く》

柳緑花紅 **りゅうりょく かこう** 準2級

⇩**花紅柳緑**（かこうりゅうりょく）

流連荒亡 **りゅうれん こうぼう** 4級

意味 **家にも帰らず酒食や遊興にふけって仕事をなまけること。** 「流連」は遊びにふけって家に帰るのも忘れること。「荒亡」は狩猟や酒食などの楽しみにふけって国を滅ぼす意。

出典 『孟《もう》子《し》』〈梁《りょう》恵《けい》王《おう》・下〉

類義語 放《ほう》蕩《とう》無《ぶ》頼《らい》

凌雲之志 **りょううんの こころざし** 準1級

意味 **俗世間を遠く超越したいと願う高尚なこころざし。** また志気盛んに大いに飛躍しようとするこころざし。「凌雲」は雲を高くしのいで上る意。転じて俗世を超越すること。

補説 「凌」は「陵」とも書く。

出典 『漢《かん》書《じょ》』〈揚《よう》雄《ゆう》伝《でん》〉

類義語 凌霄《りょうしょう》之志《のこころざし》、凌雲《りょううん》之《の》気《き》、凌雲《りょううん》意《い》気《き》、壮《そう》士《し》凌雲《りょううん》

梁冀跋扈 **りょうき ばっこ** 1級

意味 **後《ご》漢《かん》の梁《りょう》冀《き》は朝廷でおごり高ぶり「跋《ばっ》扈《こ》将《しょう》軍《ぐん》」と呼ばれた。** 「梁冀」は後漢の大将軍。「跋扈」は強くわがままに振る舞うこと。また、臣下が権力を握って人君をおかすこと。

故事 梁冀は大将軍としておごり高ぶっていた。幼少ながら賢い質《しっ》帝《てい》に「跋扈将軍」とあだなされたため、深く憎んでこれを毒殺した故事による（『後《ご》漢《かん》書《じょ》』〈梁《りょう》冀《き》伝《でん》〉）。

出典 『蒙《もう》求《ぎゅう》』〈梁《りょう》冀《き》跋《ばっ》扈《こ》〉

良弓難張 **りょうきゅう なんちょう** 4級

意味 **才能ある人物は使いこなすのは難しいが、上手に使えば非常に役に立つということ。** 「良弓」は良い弓のこと。「難張」は(弓を)引くのが難しい意。良い弓は強くて引くのが難しいが、引くことさえできれば、その威力は抜群だという意。

補説 「良弓は張《は》り難《がた》し」とも読む。

出典 『墨《ぼく》子《し》』〈親《しん》士《し》〉

良玉精金 **りょうぎょく せいきん** 5級

⇩**精金良玉**（せいきんりょうぎょく）

竜吟虎嘯 **りょうぎん こしょう** 1級

意味 **同類は相応じ従うということ。** また、人の歌声が清く澄んでひびきわたることをいう。「竜吟」は竜がなき声をあげる。「虎嘯」は虎《とら》がほえる、うなること。竜が吟ずれば雲がおこり、虎が嘯《うそぶ》けば風が生ずるといわれる。

補説 「竜吟《ぎん》じ虎嘯《うそぶ》く」とも読む。「竜吟」は「りゅうぎん」とも読む。

字体 「竜」の旧字体は「龍」。

出典 張《ちょう》衡《こう》の「帰《き》田《でん》賦《ふ》」

良禽択木 **りょうきん たくぼく** 準1級

意味 **かしこい人物は自分の仕える主人をよく吟味して仕官するものであるということ。** かしこい鳥は自分がすみやすい木に巣をつくるということ。

補説 「良禽は木を択《えら》ぶ」とも読む。

字体 「択」の旧字体は「擇」。

出典 『春《しゅん》秋《じゅう》左《さ》氏《し》伝《でん》』〈哀《あい》公《こう》一一年〉

竜駒鳳雛 **りょうく ほうすう** 準1級

意味 **才知ある賢い少年のこと。** 「竜駒」

はすぐれた馬、名馬。「鳳雛」は鳳凰《ほうおう》のひな。将来、大人物になる素質をもつ、すぐれた少年のたとえ。

補説　出典の「此《こ》の児、若《も》し竜駒に非《あら》ざれば、当《まさ》に是《こ》れ鳳雛なるべし」による。「竜駒」は「りゅうく」とも読む。

字体　「竜」の旧字体は「龍」。

出典　『晋書《しんじょ》』〈陸雲伝《りくうんでん》〉

竜興致雲　りょうこう ちうん　(準1級)

意味　**聖徳ある天子が立つと賢明な臣下があらわれるたとえ。** 竜が奮い興って雲を湧《わ》き起こす意。「致」はもたらす意。ここでは湧き起こらせる意。

補説　「竜興《おこ》りて雲《くも》を致《いた》す」とも読む。また「竜興」は「りゅうこう」とも読む。

字体　「竜」の旧字体は「龍」。

出典　王褒《おうほう》の文

類義語　虎嘯風冽《こしょうふうれつ》

陵谷遷貿　りょうこく せんぼう　(準2級)

意味　**世の中の移り変わりの激しいこと。** 高く大きな丘陵が浸食されて険しい谷になり、深い谷がいつのまにか丘陵になる意。「遷貿」は「遷易《せんえき》」と同じで、移り変わること。

出典　『詩経《しきょう》』〈小雅《しょうが》・十月《じゅうがつ》之《し》交《こう》〉

類義語　陵谷変遷《りょうこくへんせん》、滄桑《そうそう》之《の》変《へん》、桑田滄《そうでんそう》海《かい》、陵谷《りょうこく》之《の》変《へん》

竜虎相搏　りょうこ そうはく　(1級)

意味　**強い者どうしが激しく戦うこと。** 竜と虎《とら》が戦う意から。

補説　「竜虎、相搏《あいう》つ」とも読む。「竜虎」は「りゅうこ」とも読む。

字体　「竜」の旧字体は「龍」。

出典　李白《りはく》の詩

類義語　竜攘虎搏《りょうじょうこはく》、竜挐虎擲《りょうだこてき》

良妻賢母　りょうさい けんぼ　(3級)

意味　**夫にとっては良い妻であり、子にとっては賢明な母であること。** また、そのような女性。

注意　「賢母」を「兼母」「健母」などと書き誤りやすい。

量才録用　りょうさい ろくよう　(5級)

意味　**人それぞれの才能をよく考えて登用すること。**「量才」は才能を量《はか》ること、「録用」は挙げ用いる、採用する意。

補説　「才《さい》を量《はか》りて録用す」とも読む。

出典　蘇軾《そしょく》の「上神宗皇帝書《しんそうこうていにたてまつるのしょ》」

類義語　量才取用《りょうさいしゅよう》、黜陟幽明《ちゅっちょくゆうめい》、適材適所《てきざいてきしょ》

対義語　驥服塩車《きふくえんしゃ》、大器小用《たいきしょうよう》、大材小用《たいざいしょうよう》

竜舟鷁首　りょうしゅう げきしゅ　(1級)

⇩竜頭鷁首（りょうとうげきしゅ）

竜舟鳳艒　りょうしゅう ほうぼう

意味　**天子の乗る船。また美しい船。**「竜舟」「鳳艒」はともに天子の乗る船。「竜」「鳳」は天子を象徴する。「舟」は大船。「艒」は小船。

補説　「竜舟」は「りゅうしゅう」とも読む。

字体　「竜」の旧字体は「龍」。

出典　『隋書《ずいしょ》』〈煬帝紀《ようだいき》〉

類義語　竜舟鷁首《りょうしゅうげきしゅ》

竜驤虎視　りょうじょう こし　(1級)

意味　**世に威勢を示し、意気が盛んなこと。**「驤」は躍りあがることで、「竜驤」は竜が天に昇る意、「虎視」は虎《とら》が獲物《えもの》をにらむこと。竜のように盛んで、虎のように威力があること。

補説　「竜驤」は「りゅうじょう」とも読む。

字体　「竜」の旧字体は「龍」。

注意　「竜驤」を「竜攘」と書き誤らない。

出典　『三国志《さんごくし》』〈蜀書《しょくしょ》・諸葛亮伝《しょかつりょうでん》〉

類義語　竜驤虎躍《りょうじょうこやく》、竜驤虎歩《りょうじょうこほ》

竜攘虎搏 りょうじょうこはく 1級

意味 **強い者どうしが激しく戦うこと。**「攘」ははらう、「搏」は打つことで、竜と虎《とら》が激しく戦う意。

補説 「竜攘」は「りゅうじょう」とも読む。

字体 「竜」の旧字体は「龍」。

注意 「竜攘」を「竜壌」、「虎搏」を「虎博」などと書き誤りやすい。

類義語 竜《りょう》挐《だ》虎《こ》擲《てき》、竜《りょう》戦《せん》虎《こ》争《そう》

梁上君子 りょうじょうのくんし 準1級

意味 **盗賊、どろぼうのこと。**転じて、鼠《ねずみ》の異名。

故事 中国、後漢の陳寔《ちんしょく》は、ある夜天井の梁《はり》の上に泥棒がひそんでいるのに気づき、子供を起こして「人は努力して学ばなければいけない。悪人だってはじめから悪人ではなく、ただ悪い習慣が身につくのだ。あの梁の上の紳士《しんし》もそうだ」と戒《いまし》めたところ、泥棒は降りてきて改心したという故事から。

出典 『後漢書《ごかんじょ》』〈陳寔伝《ちんしょくでん》〉

凌霄之志 りょうしょうのこころざし 1級

⇩凌雲之志（りょううんのこころざし）

竜章鳳姿 りょうしょうほうし 準1級

意味 **すぐれて立派な容姿をいう。**竜のように立派で美しいあやがあり、おおとりのような気高い姿をしている。「章」はあや模様。「竜」「鳳」とも想像上のめでたい動物。

補説 「竜章」は「りゅうしょう」とも読む。

字体 「竜」の旧字体は「龍」。

出典 『晋書《しんじょ》』〈嵆康伝《けいこうでん》〉

竜驤麟振 りょうじょうりんしん 1級

意味 **首を高く上げて竜のように上り、麒麟《きりん》が勢いよく振るい立つように、威力や勢力の盛んなたとえ。**一説に勢力・仁徳ともに備わるたとえ。「驤」は上がる意。首を上げて天に上がること。

補説 「竜驤」は「りゅうじょう」とも読む。

字体 「竜」の旧字体は「龍」。

出典 『晋書《しんじょ》』〈段灼伝《だんしゃくでん》〉

量体裁衣 りょうたいさいい 5級

意味 **状況に応じて物事を現実的に処理すること。**「量体」は体を量《はか》ること。「裁衣」は衣を作るために布を裁《た》つ意。体の寸法を量って、体型に合った衣服を作る意から。

補説 「体《たい》を量《はか》りて衣《い》を裁《た》つ」とも読む。

字体 「体」の旧字体は「體」。

出典 『南斉書《なんせいしょ》』〈張融伝《ちょうゆうでん》〉

類義語 称体裁衣《しょうたいさいい》、臨機応変《りんきおうへん》

竜挐虎擲 りょうだこてき

⇩虎擲竜挐（こてきりょうだ）

竜跳虎臥 りょうちょうこが 準1級

意味 **筆勢が縦横自在ですばらしいことのたとえ。**竜が天に向かって跳びあがり、虎《とら》が伏す意。

補説 「竜跳」は「りゅうちょう」とも読む。

字体 「竜」の旧字体は「龍」。

出典 『法書要録《ほうしょようろく》』引・袁昂《えんこう》『古今書評《ここんしょひょう》』

良知良能 りょうちりょうのう 5級

意味 **人間が生まれながらにそなえている知恵と才能のこと。**「良知」は人間が生まれながらにもっている判断能力、「良能」は生まれつきもっている才能の意。

補説 孟子《もうし》の性善説にもとづく考え方。

出典 『孟子《もうし》』〈尽心《じんしん》・上〉

類義語 生知安行《せいちあんこう》

竜頭鷁首　りょうとうげきしゅ　1級

意味　**風流を楽しむ舟のこと。**竜の頭のついた舟と、水鳥（鷁）の首のついた舟をいう。転じて、豪華な舟遊びの意に用いる場合もある。

補説　「竜頭」は「りゅうとう」とも読む。

類義語　竜舟鷁首《りょうしゅうげきしゅ》

竜騰虎闘　りょうとうことう　準1級

意味　**きわめて激しい争いのたとえ。**「竜騰」は竜が勢い盛んに飛昇すること。「虎闘」は虎《とら》どうしが激しく戦うこと。

補説　「竜騰」は「りゅうとう」とも読む。

字体　「竜」の旧字体は「龍」、「闘」の旧字体は「鬭」。

類義語　両虎相闘《りょうこそうとう》

竜頭蛇尾　りょうとうだび　準1級

意味　**最初は盛んであるが、終わりの方になると振るわなくなること。**頭は竜であるが、しっぽは蛇《へび》ということから、頭でっかち尻すぼみの意で用いられる。

補説　「竜頭」は「りゅうとう」とも読む。

字体　「竜」の旧字体は「龍」。

出典　『景徳伝灯録《けいとくでんとうろく》』〈一二〉

対義語　有終完美《ゆうしゅうかんび》

遼東之豕　りょうとうのいのこ　1級

意味　**世間知らずで、自分だけ得意になっていること。**「遼東」は遼河の東、中国遼寧省南部地方のこと。「豕」は豚の意。

補説　「豕」は「し」とも読む。

故事　昔、中国遼東地方の人が、白い頭の豚が生まれたので、大変珍しいものだと思って天子に献上しようと河東（山西省）まできたところ、豚の群れに出会い、それが皆白い頭の豚だったので、恥じて引き返したという故事から。

出典　『後漢書《ごかんじょ》』〈朱浮伝《しゅふでん》〉

類義語　埳井之鼃《かんせいのあ》、井底之蛙《せいていのあ》、尺沢之鯢《せきたくのげい》、夜郎自大《やろうじだい》、唯我独尊《ゆいがどくそん》

竜瞳鳳頸　りょうどうほうけい　準1級

意味　**竜のひとみと鳳凰《ほうおう》の首。きわめて高貴な人の人相をいう。**「頸」はくび。もと唐の則天武后《そくてんぶこう》が幼少のころにこう評された。

補説　「竜瞳」は「りゅうどう」とも読む。

字体　「竜」の旧字体は「龍」。

出典　『唐書《とうじょ》』〈袁天綱伝《えんてんこうでん》〉

竜蟠蚖肆　りょうばんげんし

意味　**聖人も民間にあれば俗人にあなどられるたとえ。**竜も水中でわだかまっていればいもりも恐れずきままに振る舞う意。「蟠」はわだかまる意。「蚖」はいもり。「肆」はほしいまま。

補説　「竜蟠」は「りゅうばん」とも読む。

字体　「竜」の旧字体は「龍」。

出典　『法言《ほうげん》』〈問神《もんしん》〉

竜蟠虎踞　りょうばんこきょ　1級

意味　**険しい地勢。攻めるのに困難で守るのに便利な地勢。**転じて、ある場所を占拠して権勢を振るうこと。また、文章などの勢いが盛んなことにもいう。「竜蟠」は竜がとぐろをまくこと、「虎踞」は虎《とら》がうずくまる意。

補説　「竜蟠」は「りゅうばん」とも読み、「竜盤」とも書く。

字体　「竜」の旧字体は「龍」。

出典　『太平御覧《たいへいぎょらん》』〈一五六引「呉録」注〉

良風美俗　りょうふうびぞく　4級

意味　**良く美しい風俗習慣。**

類義語　醇風美俗《じゅんぷうびぞく》

両鳳連飛　りょうほうれんぴ　準1級

意味　**二羽の鳳凰《ほうおう》が並び飛ぶ。兄弟がそろって栄達することのたとえ。**「鳳」は

おおとり。聖天子の世にあらわれるという想像上の鳥で、めでたい鳥とされる。もと北斉《ほくせい》の崔悛《さいしゅん》・仲文《ちゅうぶん》兄弟が同日に栄達したとき時人が評した語。

字体 「両」の旧字体は「兩」。

出典 『北史《ほくし》』〈崔仲文伝《さいちゅうぶんでん》〉

類義語 両鳳斉飛《りょうほうせいひ》

綾羅錦繡　りょうら きんしゅう　準1級

意味 **目をみはるほど美しいもの。**また、**美しく着飾ること。**「綾」はあやぎぬ、「羅」はうすぎぬ、「錦」はにしき、「繡」は刺繡をした織物で、いずれも高貴な人の衣服のこと。

緑酒紅灯　りょくしゅ こうとう　5級

⇩**紅灯緑酒**（こうとうりょくしゅ）

緑林白波　りょくりん はくは　5級

意味 **盗賊の異名。**中国、新代の王莽《おうもう》のとき緑林山に無頼の徒が拠点して強盗を働き、後漢代に黄巾《こうきん》の賊が白波谷に拠《よ》って乱を起こしたことからいう。

類義語 白波之賊《しらなみのぞく》、緑林好漢《りょくりんのこうかん》、梁上君子《りょうじょうのくんし》

驪竜之珠　りりょうの たま　1級

意味 **命懸けで求めなければ得られない貴重な物のたとえ。**また、**危険を冒して大きな利益を得ることのたとえ。**黒い竜のあごの下にあるという宝玉の意。また、要領を得たすばらしい詩文にもたとえる。「驪竜」は黒い竜。

補説 「驪竜」は「りりゅう」とも読む。

字体 「竜」の旧字体は「龍」。

出典 『荘子《そうじ》』〈列禦寇《れつぎょこう》〉

類義語 虎穴虎子《こけつこし》、頷下之珠《がんかのたま》

理路整然　りろ せいぜん　5級

意味 **話や考えの筋道がよく通っていること。**「理路」は論理の筋道、「整然」は整っているさま。

類義語 順理成章《じゅんりせいしょう》

対義語 支離滅裂《しりめつれつ》、乱雑無章《らんざつむしょう》

霖雨蒼生　りんう そうせい　1級

意味 **恵みを与えること。**また、**民を苦しみから救う人のこと。**「霖雨」は幾日も降り続く雨、ここでは旱魃《かんばつ》を救う三日以上降り続く恵みの雨。恩沢・恵みの意。「蒼生」は草木が青々と茂る所であるが、転じて、多くの人民のこと。

臨淵羨魚　りんえん せんぎょ　準1級

意味 **いたずらに空しい望みを抱くたとえ。**川のほとりに立って魚を得たいと願ってもまず家に帰って網を作らなければならない。望みだけでは願いはかなえられず適切な手段を講じなければならないという教え。

補説 「淵《ふち》に臨《のぞ》んで魚《うお》を羨《うらや》む」とも読む。

出典 『漢書《かんじょ》』〈董仲舒伝《とうちゅうじょでん》〉

類義語 臨淵之羨《りんえんのせん》、臨河羨魚《りんがせんぎょ》、羨魚結網《せんぎょけつもう》

麟角鳳嘴　りんかく ほうし　1級

意味 **非常にまれにしか存在しないもののたとえ。**麒麟《きりん》の角《つの》と鳳凰《ほうおう》の嘴《くちばし》。ともに想像上のもの。

輪奐一新　りんかん いっしん　1級

意味 **建築が新しくなり、壮大で美麗なことの形容。**「輪」は曲折して高大な意、「奐」は光り輝くさま。「一新」は全く新しくなること。

出典 『宋史《そうし》』〈礼志《れいし》〉

臨機応変　りんき おうへん　5級

意味 **状況や事態の変化に応じて適切な処置をすること。**「臨機」はその場にのぞむこと。「応変」は変化に応じる意。

補説 「機《き》に臨《のぞ》んで変《へん》に応《おう》ず」とも読む。

字体 「応」の旧字体は「應」、「変」の

旧字体は「變」。

注意　「臨機」を「臨期」「臨気」などと書き誤りやすい。

出典　『南史《なんし》』〈梁宋室伝《りょうそうしつでん》〉

類義語　深厲浅掲《しんれいせんけい》、随機応変《ずいきおうへん》、変幻自在《へんげんじざい》、量体裁衣《りょうたいさいい》

鱗次櫛比　りんじしっぴ　準1級

意味　**うろこや櫛《くし》の歯のように続き並ぶこと。**「鱗次」はうろこのように続き並ぶ。「次」は並ぶ意。「櫛比」は櫛の歯のようにびっしり並ぶ。「比」も並ぶ意。

注意　「鱗次」を「麟次」と書き誤らない。

麟子鳳雛　りんしほうすう　準1級

意味　**麒麟《きりん》の子と鳳凰《ほうおう》のひな。前途有望な子のたとえ。**麒麟も鳳凰も想像上の動物で、これらがあらわれると、めでたい兆しとされた。

出典　『易林《えきりん》』

類義語　竜駒鳳雛《りょうくほうすう》、飛兎竜文《ひとりょうぶん》、伏竜鳳雛《ふくりょうほうすう》

臨終正念　りんじゅうしょうねん　5級

意味　**死に臨んで心静かに乱れないこと。**また、死に臨んで心静かに阿弥陀仏《あみだぶつ》を念じて極楽往生を願うこと。

注意　「正念」を「せいねん」と読まないこと。

輪廻転生　りんねてんしょう　準1級

意味　**仏教で、人の生きかわり死にかわりしてとどまることのないことをいう。**「輪廻」は車輪が回転してきわまりないように人が迷いの生死を重ねてとどまらないこと、「転生」は生まれかわること。

補説　「転生輪廻」ともいう。

字体　「転」の旧字体は「轉」。

類義語　流転輪廻《るてんりんね》

麟鳳亀竜　りんぽうきりょう　準1級

意味　**太平の世にあらわれるというめでたい霊獣・霊鳥。**麒麟《きりん》・鳳凰《ほうおう》・亀・竜。転じて珍しいもの、聖賢のたとえ。麒麟・鳳凰・竜は想像上の動物。

補説　「亀竜」は「きりゅう」とも読む。

字体　「亀」の旧字体は「龜」、「竜」の旧字体は「龍」。

出典　『礼記《らいき》』〈礼運《れいうん》〉

琳琅珠玉　りんろうしゅぎょく　1級

意味　**非常に美しい玉。すぐれた人物や美しい詩文のたとえ。**「琳琅」は美しい玉。

出典　『世説新語《せせつしんご》』〈容止《ようし》〉

琳琅満目　りんろうまんもく　1級

意味　**美しいもの、すばらしいものが満ち溢《あふ》れていることのたとえ。**美しい玉が目の前に満ち溢れている意。「琳琅」は美しい玉。

補説　「琳琅《りんろう》、目《め》に満《み》つ」とも読む。

字体　「満」の旧字体は「滿」。

【る】

累世同居　るいせいどうきょ　準2級

意味　**幾代にもわたる同族が子々孫々同じ家にいっしょに住むこと。**「累世」は代々・歴代・世々・世を重ねること。

鏤塵吹影　るじんすいえい　1級

⇩吹影鏤塵（すいえいろうじん）

縷縷綿綿　るるめんめん　1級

意味　**話が長くてくどいこと。**「縷縷」は細く長く続くこと、こまごまと述べること。「綿綿」は続いて絶えないこと。

【れ】

冷汗三斗　れいかんさんと
(3級)

意味　**非常に恐ろしい目にあったり、恥ずかしい思いをすること。**冷や汗が三斗も出るような思いをすること。「一斗」は約十八リットル。「三斗」は量の多いことのたとえ。

類義語　冷《れい》水《すい》三《さん》斗《と》

零絹尺楮　れいけんせきちょ
(1級)

意味　**書画の小片。絹や紙のきれはし。**「零」はあまり・はした・わずか。「尺楮」は手紙のこと。「楮」は製紙の原料のこうぞのこと。

鴒原之情　れいげんのじょう
(1級)

意味　**兄弟の深い情愛のこと。**「鴒」は水鳥の鶺鴒(せきれい)のこと。「鴒原」は水鳥である鶺鴒がいま高原で鳴いていることで、このような危急の難儀のとき助けになるのは兄弟の深い情愛であるという意。

出典　『詩経《しきょう》』〈小雅《しょうが》・常棣《じょうてい》〉

類義語　棣鄂《ていがく》之《の》情《じょう》

霊魂不滅　れいこんふめつ
(3級)

意味　**人間の魂は肉体の死後も存在しているという考え方。**

字体　「霊」の旧字体は「靈」。

注意　「不滅」を「不減」と書き誤らない。

礪山帯河　れいざんたいが
(準1級)

⇩河山帯礪(かざんたいれい)

藜杖韋帯　れいじょういたい
(1級)

意味　**あかざの杖《つえ》となめし皮の帯。質素なことの形容。**「藜」はあかざ、この茎で杖を作る。「韋」はなめし皮。いずれも粗末なもの。

字体　「帯」の旧字体は「帶」。

出典　『陳書《ちんしょ》』〈宣帝紀《せんていき》〉

類義語　采《さい》椽《てん》不《ふ》斲《たく》、土《ど》階《かい》三《さん》等《とう》

冷暖自知　れいだんじち
(5級)

意味　**自分のことは他人から言われなくても自分でわかることのたとえ。**水の冷たいか暖かいかは飲む者自身がわかるという意。

補説　「冷暖自《みずか》ら知る」とも読む。

出典　『景徳伝灯録《けいとくでんとうろく》』〈四〉

冷嘲熱罵　れいちょうねつば
(2級)

意味　**冷ややかにあざけり熱心になじること。**

補説　上下二字ずつで「あざけりなじる」意の「嘲」「罵」を分け配し、「冷」「熱」という形容の語を対でそれぞれに付したもの。

零丁孤苦　れいていこく
(3級)

意味　**落ちぶれて助ける者もなく、独りで苦しむこと。**「零丁」は「伶仃」に同じく落ちぶれて孤独なこと。晋《しん》の李《り》密《みつ》が武帝から任官されたとき、それを辞退したい旨の上奏文で使った言葉。

補説　「零丁」は「伶仃」とも書く。また「孤苦零丁」ともいう。

故事　李密は病床の祖母を日夜看病していて、「私は早くにみなし子となり祖母が育ててくれましたが、幼いころから体が弱く、九歳になっても外へ出歩くこともできず、零丁孤苦して成人しました」と述べている。

出典　李《り》密《みつ》の「陳情表《ちんじょうひょう》」

冷土荒堆　れいどこうたい
(2級)

意味　**墓のこと。**「堆」はうずたかく土を盛ること。またそのもの。人もあまり訪れず冷ややかな土で盛り土も荒れているのでいう。

出典　『長生殿《ちょうせいでん》』〈冥追《めいつい》〉

烈士徇名
れっし じゅんめい　1級

意味　**道理のとおった正しい行いをする人は名誉のために命をかける。**利益や地位などで動かされることなく道理を押し通して名誉を守るということ。「烈士」は義理堅い正しい人。「徇」はあることのために一身をささげること。

補説　「烈士名に徇《じゅん》ず」「烈士名に徇《したが》う」とも読む。

出典　『史記』〈伯夷伝《はくいでん》〉

対義語　貪夫徇財《たんぷじゅんざい》

蓮華往生
れんげ おうじょう　準1級

意味　**死んで極楽浄土に行くこと。**「蓮華」は仏・菩薩《ぼさつ》の座、また釈迦《しゃか》の教化する世界のこと。

憐香惜玉
れんこう せきぎょく　準1級

意味　**香《こう》や玉をいつくしむ。**また、香や玉を女性にたとえて、女性をいつくしみ大切に思うことのたとえ。

補説　「惜玉憐香」ともいう。

注意　「憐香」を「りんこう」と読まない。

聯袂辞職
れんべい じしょく　1級

意味　**大ぜいが行動を共にして、いっせいに職を辞すること。**「聯袂」はたもとをつらねる意から、行動を共にすること。「聯」は「連」に同じく、連ねる意。

補説　「聯袂」は「連袂」とも書く。

字体　「辞」の旧字体は「辭」。

連璧賁臨
れんぺき ひりん　1級

意味　**二人の客が同時に来るのをいう。**「連璧」は客がつづいて来るのを二つ対の玉になぞらえたもので、才徳のすぐれた二人の友の意。「賁臨」は人が訪問してくることの敬称。「光臨」に同じ。「賁」は飾の意で、来て光彩を添える意。

注意　「連璧」を「連壁」と書き誤らない。また「賁臨」を「ふんりん」と読み誤らないこと。

【ろ】

螻蟻潰堤
ろうぎ かいてい　1級

意味　**ほんの些細《ささい》なことが、大きな事件や事故の原因となること。**「螻蟻」はけらとありのこと。「潰堤」は堤防が崩壊する意。けらやありのような小さな虫があけた穴でも、堤防を崩壊させる原因になることがあるという意。

補説　「螻蟻堤《つつみ》を潰《ついや》す」とも読む。

出典　『韓非子《かんぴし》』〈喩老《ゆろう》〉

類義語　小隙沈舟《しょうげきちんしゅう》

螻蟻之誠
ろうぎの せい　1級

意味　**螻《けら》や蟻《あり》のような小さな生き物の誠意。**転じて、自分の誠意の謙譲語。「螻」はけら、「蟻」はあり。

出典　蘇轍《そてつ》の文

老驥伏櫪
ろうき ふくれき　1級

意味　**人が年老いてもなお大きな志をいだくことのたとえ。**年老いてしまった駿馬《しゅんめ》が用いられることなく、馬屋のねだに伏し横たわっていながら、なお千里を駆けようとする志をすてない。「驥」は千里を走る駿馬。「櫪」はくぬぎの木、これが床下の横木に使われたことから、ねだの意。ここは馬屋のねだ、転じてうまや。

補説　「老驥、櫪《れき》に伏《ふ》す」とも読む。「老《ろう》驥櫪《きれき》に伏《ふ》すも、志千里《こころざしせんり》に在《あ》り」の略。

出典　曹操《そうそう》の「歩出夏門行《ほしゅつかもんこう》」

狼子野心
ろうし やしん　準1級

意味　**凶暴な人のたとえ。**また、**凶暴な人を教化しがたいたとえ。**おおかみの子の生まれついた野性は飼い慣らしにく

いという意。「狼子」はおおかみの子、「野心」は野性の心。

出典 『春秋左氏伝《しゅんじゅうさしでん》』〈宣公《せんこう》四年〉

類義語 狼子獣心《ろうしじゅうしん》

老少不定 ろうしょう ふじょう 5級

意味 **人間の寿命は年齢に関係なく、予知できないものだということ。**「不定」は一定しないこと、あてにならないこと。老人も少年もどちらが先に死ぬかわからないということで、人生の無常をいう仏教の語。

類義語 無常迅速《むじょうじんそく》

鏤塵吹影 ろうじん すいえい 1級

⇨**吹影鏤塵**(すいえい ろうじん)

老成円熟 ろうせい えんじゅく 5級

意味 **経験が豊富で、人格・知識・技能などが十分に熟達して、ゆたかな内容を持っていること。**「老成」は経験を積んで物事になれ、たけていること。「円熟」は熟達する意。

字体 「円」の旧字体は「圓」。

老成持重 ろうせい じちょう 5級

意味 **十分な経験があり、そのうえ慎重なこと。**「老成」は経験豊富で物事に慣れていること、「持重」は重々しく大事をとる意。

注意 「持重」を「自重」と書き誤らない。

籠鳥檻猿 ろうちょう かんえん 1級

意味 **自由を奪われ自分の思いどおりに生きることのできない境遇のたとえ。**かごの鳥とおりの中の猿。

補説 「檻猿籠鳥」ともいう。

出典 白居易《はくきょい》の文

籠鳥恋雲 ろうちょう れんうん 2級

意味 **捕らえられている者が自由になるのを望むこと。**かごに閉じこめられている鳥が、自由に大空を飛びまわっていた時の雲を恋しく思う意。

補説 「籠鳥《ろうちょう》雲を恋《こ》う」とも読む。

字体 「恋」の旧字体は「戀」。

狼貪虎視 ろうどん こし 準1級

意味 **野心の盛んなさま。**また、**無道で貪欲なさま。**狼《おおかみ》のように貪欲で虎《とら》が獲物を見るように見る意。「狼虎」は無道で貪欲で人を害するもののたとえ。

注意 「狼貪」は「狼貧」と書き誤らない。

出典 『長生殿《ちょうせいでん》』〈陥関《かんかん》〉

類義語 虎狼之心《ころうのこころ》、虎狼之毒《ころうのどく》

老婆心切 ろうばしん せつ 3級

意味 **必要以上に世話を焼きすぎること。**「老婆心」は年とった女性の必要以上の気遣いのこと。「切」は思いがひたすらで強いさま。もと仏教の語で、師匠である僧が修行者を親切に教え導くこと。

補説 語構成は「老婆心」＋「切」。

出典 『臨済録《りんざいろく》』〈行録《こうろく》〉

老馬之智 ろうばのち 準1級

意味 **長い経験を積んで得たすぐれた知恵や知識。**

補説 「智」は「知」とも書く。

故事 中国春秋時代、斉《せい》の桓公《かんこう》が戦いの帰途で道に迷ったとき、管仲《かんちゅう》は一度通った道を覚えているという老馬の知恵を信じてこれを放ち、その後につき従って無事帰ることができた故事から。

出典 『韓非子《かんぴし》』〈説林《ぜいりん》・上〉

類義語 識途老馬《しきとろうば》

老莱斑衣 ろうらい はんい 準1級

意味 **親孝行のたとえ。親に孝養のかぎりをつくすことのたとえ。**「斑衣」は模様のある派手な服。ここでは子供が身に

つける派手な服。

注意　「斑」を「班」と書き誤らない。

故事　中国周代、楚《そ》の老萊子が七十歳になっても親の前で子供の服を身につけ、小さな子が親にまとわりつくように戯れ、親に年を忘れさせようとした故事から(『孝《こう》子《し》伝《でん》』)。

出典　『蒙求《もうぎゅう》』〈老萊斑衣《ろうらいはんい》〉

類義語　斑衣《はんい》之《の》戯《たわむれ》

露往霜来　ろおう そうらい

準2級

意味　**時の過ぎるのがはやいことのたとえ。**露の季節が去り霜の季節になる。秋が去りいつのまにか冬になる意。

補説　「露往《つゆゆ》き霜来《しもきた》る」とも読む。

字体　「来」の旧字体は「來」。

出典　左思《さし》の「呉都賦《ごとのふ》」

類義語　烏飛兎走《うひとそう》

魯魚亥豕　ろぎょ がいし

1級

意味　**文字の書き誤り。**「魯」と「魚」、「亥」と「豕」とが、それぞれ字画が似ていて書き間違いやすいということ。

出典　魯魚=『抱朴子《ほうぼくし》』〈内篇《ないへん》・遐覧《からん》〉・亥豕=『呂氏春秋《りょししゅんじゅう》』〈察伝《さつでん》〉

類義語　魯魚章草《ろぎょしょうそう》、魯魚帝虎《ろぎょていこ》、魯魚陶陰《ろぎょとういん》、烏焉魯魚《うえんろぎょ》、三豕渡河《さんしとか》

魯魚章草　ろぎょ しょうそう

準1級

意味　**文字の書き誤り。**「魯」と「魚」、「章」と「草」がそれぞれ字画が似ていて誤りやすいことからいう。

類義語　魯魚之謬《ろぎょのあやまり》、魯魚亥豕《ろぎょがいし》、魯魚陶陰《ろぎょとういん》、烏焉成馬《うえんせいば》、亥豕之譌《がいしのか》、焉馬之誤《えんばのあやまり》、三豕渡河《さんしとか》

魯魚之謬　ろぎょの あやまり

準1級

意味　**文字の書き誤り。**「魯」と「魚」が字画が似ていて書き間違いやすいことからいう。

類義語　魯魚章草《ろぎょしょうそう》、魯魚亥豕《ろぎょがいし》、魯魚陶陰《ろぎょとういん》、烏焉成馬《うえんせいば》、亥豕之譌《がいしのか》、焉馬之誤《えんばのあやまり》、三豕渡河《さんしとか》

六十耳順　ろくじゅう じじゅん

4級

意味　**六十歳で人の言うことが素直に受け入れられるようになった。**「耳順」は人の言うことがなんでもすぐ理解でき、素直に受け入れられること。孔子が晩年自分の生涯を述懐した言葉。

補説　「六十にして耳順《したが》う」とも読む。

出典　『論語』〈為政《いせい》〉

類義語　十五志学《じゅうごしがく》、三十而立《さんじゅうじりつ》、四十不惑《しじゅうふわく》、五十知命《ごじゅうちめい》

六道輪廻　ろくどう りんね

準1級

意味　**この世に生きとし生けるものは六道の世界に生死を繰り返して迷い続けるということ。**仏教の語。「六道」は死後、善悪の行為で行く六つの世界。地獄・餓鬼・畜生・修羅・人間・天上。「輪廻」は霊魂は不滅でいろいろな異体に生まれ変わるという考え方。

注意　「輪廻」を「りんかい」と読み誤らない。

出典　張説《ちょうせつ》の「唐陳州竜興寺碑《とうちんしゅうりゅうこうじひ》」

類義語　流転輪廻《るてんりんね》、六趣輪廻《ろくしゅりんね》

盧生之夢　ろせいの ゆめ

1級

⇩邯鄲之夢(かんたんのゆめ)

六根清浄　ろっこん しょうじょう

準2級

意味　**欲や迷いから脱け出て、心身が清らかになること。**「六根」は迷いのもととなる目・耳・鼻・舌・身・意の六つの器官のこと。「清浄」は煩悩や私欲がなくて清らかな意。信仰的な登山のときなどに唱える言葉。

補説　略して「六根浄」ともいう。

字体　「浄」の旧字体は「淨」。

注意　「清浄」を「正浄」と書き誤らない。

魯般雲梯　ろはんうんてい　準1級

意味　**魯《ろ》の名工の魯般が作った雲まで届く高いはしご。**「魯般」は春秋時代、魯の哀公のときの名工。機械を作るのに巧みであった。「雲梯」は雲に届くほど高いはしご。敵城を攻めるのに用いた(『淮南子《えなんじ》』〈脩務訓《しゅうむくん》〉)。

補説　「般」は「盤」とも書く。

出典　『蒙求《もうぎゅう》』〈魯般雲梯《ろはんうんてい》〉

類義語　魯般之巧《ろはんのこう》

炉辺談話　ろへんだんわ　3級

意味　**いろりのそばでくつろいでする、うちとけた話。**「炉辺」はいろりのほとり、暖炉のそば。「談話」ははなし、会話の意。

字体　「炉」の旧字体は「爐」、「辺」の旧字体は「邊」。

驢鳴犬吠　ろめいけんばい　1級

意味　**拙劣でつまらない文章や聞くに値しない話のたとえ。**ろばが鳴き犬が吠《ほ》える、またその声。ありふれていて聞くに値しない意。「驢」はろば。

補説　「驢鳴《ろな》き犬吠《いぬほ》ゆ」とも読む。また「犬吠驢鳴」ともいう。

出典　『朝野僉載《ちょうやせんさい》』〈庾信《ゆしん》〉

類義語　驢鳴狗吠《ろめいくばい》、驢鳴牛吠《ろめいぎゅうばい》

論旨明快　ろんしめいかい　4級

意味　**議論の主旨・要旨が、はっきり筋道が通っていてわかりやすいこと。**「論旨」は議論(意見の内容)の要点・主旨、「明快」は筋道がはっきりしていること。

類義語　論旨明解《ろんしめいかい》

対義語　論旨不明《ろんしふめい》

【わ】

矮子看戯　わいしかんぎ　1級

意味　**見識のないことのたとえ。**観劇のとき背の低い人が高い人のうしろで芝居を見ること。よく見えないことから、前人の批評や意見を聞き、よく考えずそれに同調すること。「矮」は背が低いこと。「戯」は芝居の意。

字体　「戯」の旧字体は「戲」。

出典　『朱子語類《しゅしごるい》』〈一一六〉

類義語　矮人観場《わいじんかんじょう》、観場矮人《かんじょうのわいじん》、矮人看戯《わいじんかんぎ》

和顔愛語　わがんあいご　5級

意味　**なごやかで親しみやすい態度のこと。**「和顔」はなごやかな顔つき、柔和な顔のこと、「愛語」は親愛の情がこもった言葉の意。

字体　「顔」の旧字体は「顏」。

類義語　和顔悦色《わがんえつしょく》、和容悦色《わようえつしょく》

和気藹藹　わきあいあい　1級

意味　**なごやかな気分が満ちあふれているさま。**「和気」はなごやかで、のどかな気分のこと、「藹藹」はおだやかなさま、なごやかな意。

補説　「藹藹」は「靄靄」とも書く。

字体　「気」の旧字体は「氣」。

注意　「藹藹」を「愛愛」と書き誤らない。

類義語　和気靄然《わきあいぜん》、和気洋洋《わきようよう》

和敬清寂　わけいせいじゃく　4級

意味　**主人と客が心を和らげて敬い、茶室など身のまわりを清らかで静かに保つこと。**千利休の茶道の精神を象徴した言葉。

注意　「清寂」を「静寂」と書き誤らない。

和羹塩梅　わこうあんばい　1級

意味　**主君の施政を助けて天下をうまく治める大臣、宰相のこと。**種々のものをまぜ合わせて、味を調和させてつくった吸い物(あつもの)は、塩と、酸味をつ

ける調味料(梅酢)とのほどよい加減でできることから。

[補説] 「塩梅」は「えんばい」とも読む。

[字体] 「塩」の旧字体は「鹽」。

[出典] 『書経《しょきょう》』〈説命《えつめい》・下〉

和光同塵　わこう どうじん　準1級

[意味] **自分の才能や徳を隠して、世間に目立たないように暮らすこと。**「和光」は才智《さいち》のかがやきをやわらげること。「塵」はちり、転じて俗世間のことをいい、「同塵」は俗世間に合わす意。才智を隠して、俗世間にまじりあうこと。また、仏教では、仏や菩薩《ぼさつ》が衆生《しゅじょう》を救うために本来の姿を隠して、俗世に現れることをいう。

[補説] 「光を和《やわ》らげ塵《ちり》に同《どう》ず」とも読む。

[注意] 「同塵」を「同仁」と書き誤らない。

[出典] 『老子《ろうし》』〈四章・五六章〉

[類義語] 和《わ》光垂迹《こうすいじゃく》、内清外濁《ないせいがいだく》

和魂漢才　わこん かんさい　3級

[意味] **日本固有の精神を持ちながら、中国伝来の学問の才もそなえもつこと。**「和魂」は日本固有の精神のこと、「漢才」は漢学の知識の意。

[出典] 菅原道真《すがわらのみちざね》の「菅《かん》家《け》遺《い》誡《かい》」

[類義語] 和《わ》魂洋才《こんようさい》

和魂洋才　わこん ようさい　3級

⇩和魂漢才(わこん かんさい)

和衷共済　わちゅう きょうさい　準2級

⇩和衷協同(わちゅう きょうどう)

和衷協同　わちゅう きょうどう　準2級

[意味] **心を同じくしてともに力を合わせること。**「和衷」は心の底からやわらぐこと。また、心を同じくすること。

[出典] 『書経《しょきょう》』〈皐陶謨《こうようぼ》〉

[類義語] 協心戮力《きょうしんりくりょく》、同心戮力《どうしんりくりょく》、和《わ》衷共済《ちゅうきょうさい》

和風慶雲　わふう けいうん　準2級

[意味] **穏やかに吹く和らいだ風とめでたい雲。**「慶雲」はよい前兆をあらわすめでたい雲。もと孔子の高弟の顔淵《がんえん》を評した語。

[出典] 『近思録《きんしろく》』〈総論聖賢《そうろんせいけん》〉

和洋折衷　わよう せっちゅう　準2級

[意味] **日本と西洋の様式を取り合わせること。**また、そのもの。「折衷」は、いろいろな物や意見の両極端を捨てて、ほどよく調和させること。

[補説] 「折衷」は「折中」とも書く。

之のつく熟語の索引

本辞典に収録した四字熟語のうち、二字目・三字目に「之《の》」がつく熟語を集めて、五十音順に配列し、収録ページを示した。

●あ行

衣錦之栄《いきんのえい》……六九
韋弦之佩《いげんのはい》……六九
一日之長《いちじつのちょう》……七四
一割之利《いっかつのり》……八〇
一簣之功《いっきのこう》……八〇
一丘之貉《いっきゅうのかく》……八一
一狐之腋《いっこのえき》……八三
一炊之夢《いっすいのゆめ》……八六
一世之雄《いっせいのゆう》……八六
一朝之忿《いっちょうのいかり》……八八
一朝之患《いっちょうのうれい》……八八
一飯之恩《いっぱんのおん》……八九
鷸蚌之争《いつぼうのあらそい》……九〇
乙夜之覧《いつやのらん》……九〇
猗頓之富《いとんのとみ》……九一
移木之信《いぼくのしん》……九三
倚門之望《いもんのぼう》……九三
烏合之衆《うごうのしゅう》……九七
雲霞之交《うんかのまじわり》……一〇〇
詠雪之才《えいせつのさい》……一〇四
盈満之咎《えいまんのとがめ》……一〇四
越俎之罪《えっそのつみ》……一〇五
鴛鴦之契《えんおうのちぎり》……一〇六
猿臂之勢《えんぴのいきおい》……一〇九
横草之功《おうそうのこう》……一一三
屋烏之愛《おくうのあい》……一一四

●か行

会稽之恥《かいけいのはじ》……一一七
睚眥之怨《がいさいのうらみ》……一一八
亥豕之譌《がいしのか》……一一八
蓋世之才《がいせいのさい》……一一九
廻天之力《かいてんのちから》……一二〇
魁塁之士《かいるいのし》……一二一
柯会之盟《かかいのめい》……一二三
蝸角之争《かかくのあらそい》……一二三
下学之功《かがくのこう》……一二三
河漢之言《かかんのげん》……一二三
諤諤之臣《がくがくのしん》……一二三
鶴鳴之士《かくめいのし》……一二四
鶴翼之囲《かくよくのかこみ》……一二四
和氏之璧《かしのへき》……一二六
華燭之典《かしょくのてん》……一二六
華胥之夢《かしょのゆめ》……一二六
過庭之訓《かていのおしえ》……一三〇
烏之雌雄《からすのしゆう》……一三一
河梁之吟《かりょうのぎん》……一三三
餓狼之口《がろうのくち》……一三三
頷下之珠《がんかのしゅ》……一三四
関雎之化《かんしょのか》……一三六
埳井之鼃《かんせいのあ》……一三七
邯鄲之歩《かんたんのほ》……一三八
邯鄲之夢《かんたんのゆめ》……一三八
眼中之釘《がんちゅうのくぎ》……一三九
甘棠之愛《かんとうのあい》……一三九
汗馬之労《かんばのろう》……一四〇
管鮑之交《かんぽうのまじわり》……一四一
機械之心《きかいのこころ》……一四三
鬼瞰之禍《きかんのわざわい》……一四三
騎虎之勢《きこのいきおい》……一四四
箕山之志《きざんのこころざし》……一四五
机上之論《きじょうのろん》……一四六
希世之雄《きせいのゆう》……一四六

羈紲之僕《きせつのぼく》……一四六
橘中之楽《きっちゅうのたのしみ》……一四八
丘山之功《きゅうざんのこう》……一五〇
窮途之哭《きゅうとのこく》……一五三
薑桂之性《きょうけいのせい》……一五五
曲肱之楽《きょくこうのたのしみ》……一五八
漁夫之利《ぎょふのり》……一六一
巾幗之贈《きんかくのぞう》……一六三
巾箱之寵《きんそうのちょう》……一六六
区区之心《くくのこころ》……一六七
苦肉之計《くにくのはかりごと》……一六八
狗馬之心《くばのこころ》……一六八
君側之悪《くんそくのあく》……一七一
傾危之士《けいきのし》……一七三
桂玉之艱《けいぎょくのかん》……一七三
荊山之玉《けいざんのぎょく》……一七四
蛍雪之功《けいせつのこう》……一七四
勁草之節《けいそうのせつ》……一七五
鶏鳴之助《けいめいのたすけ》……一七七
撃壌之歌《げきじょうのうた》……一七七
結縄之政《けつじょうのまつりごと》……一七九
懸河之弁《けんがのべん》……一八〇
犬馬之歯《けんばのよわい》……一八四
犬馬之労《けんばのろう》……一八四
黔驢之技《けんろのぎ》……一八五
膏肓之疾《こうこうのしつ》……一九〇
鴻鵠之志《こうこくのこころざし》……一九一
後顧之憂《こうこのうれい》……一九一
口耳之学《こうじのがく》……一九二
曠世之感《こうせいのかん》……一九三
曠世之才《こうせいのさい》……一九四
浩然之気《こうぜんのき》……一九四
毫末之利《ごうまつのり》……一九八
鴻門之会《こうもんのかい》……一九九
黒貂之裘《こくちょうのきゅう》……二〇四
股肱之臣《ここうのしん》……二〇六
梧鼠之技《ごそのぎ》……二〇八
胡蝶之夢《こちょうのゆめ》……二〇九
今昔之感《こんじゃくのかん》……二一三

●さ行――

採薪之憂《さいしんのうれい》……二一六
三顧之礼《さんこのれい》……二二一
三枝之礼《さんしのれい》……二二三
三牲之養《さんせいのよう》……二二四
時雨之化《じうのか》……二二七
師曠之聡《しこうのそう》……二三〇
咫尺之書《しせきのしょ》……二三四
四塞之国《しそくのくに》……二三四
七歩之才《しちほのさい》……二三五
舐犢之愛《しとくのあい》……二三九
徙木之信《しぼくのしん》……二四〇
社稷之臣《しゃしょくのしん》……二四三
社稷之守《しゃしょくのまもり》……二四三
秋毫之末《しゅうごうのすえ》……二四五
衆妙之門《しゅうみょうのもん》……二四九
出藍之誉《しゅつらんのほまれ》……二五三
小人之勇《しょうじんのゆう》……二五九
掌中之珠《しょうちゅうのたま》……二六〇
松柏之寿《しょうはくのじゅ》……二六〇
賞罰之柄《しょうばつのへい》……二六〇
焦眉之急《しょうびのきゅう》……二六〇
杵臼之交《しょきゅうのまじわり》……二六三
黍離之歎《しょりのたん》……二六四
芝蘭之室《しらんのしつ》……二六五
芝蘭之交《しらんのまじわり》……二六五
浸潤之譖《しんじゅんのそしり》……二七〇
参商之隔《しんしょうのへだて》……二七一
薪水之労《しんすいのろう》……二七三
垂拱之化《すいきょうのか》……二七六
水魚之交《すいぎょのまじわり》……二七六
随侯之珠《ずいこうのたま》……二七七
青雲之志《せいうんのこころざし》……二八一
井底之蛙《せいていのあ》……二八六
積薪之嘆《せきしんのたん》……二八九
尺寸之功《せきすんのこう》……二九〇
尺寸之地《せきすんのち》……二九〇
尺寸之柄《せきすんのへい》……二九〇
刺草之臣《せきそうのしん》……二九〇

尺沢之鯢《せきたくのげい》……二九〇
窃鈇之疑《せっぷのぎ》……二九四
是非之心《ぜひのこころ》……二九四
先見之明《せんけんのめい》……二九六
千乗之国《せんじょうのくに》……二九九
川上之歎《せんじょうのたん》……二九九
千仞之谿《せんじんのたに》……三〇〇
吮疽之仁《せんそのじん》……三〇一
総角之好《そうかくのよしみ》……三〇六
喪家之狗《そうかのいぬ》……三〇六
糟糠之妻《そうこうのつま》……三〇七
荘周之夢《そうしゅうのゆめ》……三〇八
宋襄之仁《そうじょうのじん》……三〇八
滄桑之変《そうそうのへん》……三〇九
桑蓬之志《そうほうのこころざし》……三一〇
桑濮之音《そうぼくのおん》……三一〇
草莽之臣《そうもうのしん》……三一一
率土之浜《そっとのひん》……三一四

●た・な行

泰山之安《たいざんのやすき》……三一八
帯厲之誓《たいれいのちかい》……三二一
他山之石《たざんのいし》……三二三
多生之縁《たしょうのえん》……三二三
弾丸之地《だんがんのち》……三二五
断機之戒《だんきのいましめ》……三二五
断金之交《だんきんのまじわり》……三二六
探卵之患《たんらんのうれい》……三二九
湛盧之剣《たんろのけん》……三二九
徴羽之操《ちうのそう》……三二九
池魚之殃《ちぎょのわざわい》……三二九
竹帛之功《ちくはくのこう》……三三〇
竹馬之友《ちくばのとも》……三三〇
置錐之地《ちすいのち》……三三一
遅暮之嘆《ちぼのたん》……三三二
中原之鹿《ちゅうげんのしか》……三三三
誅心之法《ちゅうしんのほう》……三三四
疇昔之夜《ちゅうせきのよ》……三三四
沖和之気《ちゅうわのき》……三三五
長夜之飲《ちょうやのいん》……三四一
長夜之楽《ちょうやのたのしみ》……三四一
長幼之序《ちょうようのじょ》……三四一
重卵之危《ちょうらんのき》……三四一
樗櫟之材《ちょれきのざい》……三四二
陳蔡之厄《ちんさいのやく》……三四三
鄭衛之音《ていえいのおん》……三四五
棣鄂之情《ていがくのじょう》……三四五
輟鮒之急《てっぷのきゅう》……三四八
天淵之差《てんえんのさ》……三四九
天漢之派《てんこうのは》……三五一
天日之表《てんじつのひょう》……三五二
椽大之筆《てんだいのふで》……三五三
天之美禄《てんのびろく》……三五四
天之暦数《てんのれきすう》……三五四
天府之国《てんぷのくに》……三五四
天網之漏《てんもうのろう》……三五五
倒懸之急《とうけんのきゅう》……三五八
党錮之禍《とうこのわざわい》……三五九
冬日之温《とうじつのおん》……三五九
堂堂之陣《どうどうのじん》……三六一
橦末之伎《とうまつのぎ》……三六三
螳螂之衛《とうろうのえい》……三六三
螳螂之斧《とうろうのおの》……三六三
斗斛之禄《とこくのろく》……三六七
斗筲之人《としょうのひと》……三六七
屠所之羊《としょのひつじ》……三六七
屠羊之肆《とようのし》……三七〇
屠竜之技《とりょうのぎ》……三七〇
呑牛之気《どんぎゅうのき》……三七〇
呑舟之魚《どんしゅうのうお》……三七一
呑波之魚《どんぱのうお》……三七一
南山之寿《なんざんのじゅ》……三七二
難中之難《なんちゅうのなん》……三七三
二姓之好《にせいのこう》……三七四
日昃之労《にっしょくのろう》……三七四
燃犀之明《ねんさいのめい》……三七六
燃眉之急《ねんびのきゅう》……三七六
嚢沙之計《のうしゃのけい》……三七六
嚢中之錐《のうちゅうのきり》……三七六

●は行

敗軍之将 はいぐんのしょう……三七七
吠日之怪 はいじつのあやしみ……三七八
背水之陣 はいすいのじん……三七八
覇王之輔 はおうのほ……三八〇
白屋之士 はくおくのし……三八一
莫逆之交 ばくぎゃくのまじわり……三八二
麦秀之歌 ばくしゅうのうた……三八三
伯仲之間 はくちゅうのかん……三八四
破竹之勢 はちくのいきおい……三八七
伐性之斧 ばっせいのおの……三八九
伐氷之家 ばっぴょうのいえ……三八九
斑衣之戯 はんいのたわむれ……三九一
盤石之固 ばんじゃくのかため……三九三
万乗之君 ばんじょうのきみ……三九三
万全之策 ばんぜんのさく……三九四
万夫之望 ばんぷののぞみ……三九六
反哺之羞 はんぽのしゅう……三九六
半面之識 はんめんのしき……三九六
万里之望 ばんりののぞみ……三九六
匪躬之節 ひきゅうのせつ……三九八
尾生之信 びせいのしん……三九九
匪石之心 ひせきのこころ……三九九
匹夫之勇 ひっぷのゆう……四〇〇
髀肉之嘆 ひにくのたん……四〇一
皮膚之見 ひふのけん……四〇二
百世之師 ひゃくせいのし……四〇三
百世之利 ひゃくせいのり……四〇三
百年之業 ひゃくねんのぎょう……四〇四
百年之柄 ひゃくねんのへい……四〇四
百薬之長 ひゃくやくのちょう……四〇五
百里之命 ひゃくりのめい……四〇五
謬悠之説 びゅうゆうのせつ……四〇六
廟堂之器 びょうどうのき……四〇八
標末之功 ひょうまつのこう……四〇八
牝鶏之晨 ひんけいのしん……四〇九
布衣之極 ふいのきょく……四一〇
布衣之交 ふいのまじわり……四一〇
風魚之災 ふうぎょのわざわい……四一一
風樹之歎 ふうじゅのたん……四一二
風霜之任 ふうそうのにん……四一二
風木之悲 ふうぼくのかなしみ……四一三
浮雲之志 ふうんのこころざし……四一三
夫家之征 ふかのせい……四一四
不刊之書 ふかんのしょ……四一四
不羈之才 ふきのさい……四一四
俯仰之間 ふぎょうのかん……四一五
覆車之戒 ふくしゃのいましめ……四一五
不虞之誉 ふぐのほまれ……四一六
腹誹之法 ふくひのほう……四一六
不繋之舟 ふけいのふね……四一六
不言之教 ふげんのおしえ……四一六
巫山之夢 ふざんのゆめ……四一七
附耳之言 ふじのげん……四一七
膚受之愬 ふじゅのうったえ……四一七
負薪之憂 ふしんのうれい……四一八
負薪之病 ふしんのへい……四一八
敷天之下 ふてんのもと……四二〇
不抜之志 ふばつのこころざし……四二〇
舞馬之災 ぶばのわざわい……四二〇
榑木之地 ふぼくのち……四二一
不毛之地 ふもうのち……四二一
夫里之布 ふりのふ……四二一
刎頸之交 ふんけいのまじわり……四二三
蚊虻之労 ぶんぼうのろう……四二四
墳墓之地 ふんぼのち……四二五
分憂之寄 ぶんゆうのき……四二五
兵車之会 へいしゃのかい……四二六
米泉之精 べいせんのせい……四二七
汨羅之鬼 べきらのき……四二八
胼胝之労 へんちのろう……四二九
逢掖之衣 ほうえきのい……四三一
泛駕之馬 ほうがのうま……四三三
望蜀之嘆 ぼうしょくのたん……四三三
方正之士 ほうせいのし……四三三
抱柱之信 ほうちゅうのしん……四三四
亡羊之嘆 ぼうようのたん……四三六
濮上之音 ぼくじょうのおん……四三八

墨翟之守　ぼくてきのまもり……四三八
蒲柳之質　ほりゅうのしつ……四三九
賁育之勇　ほんいくのゆう……四三九

●ま・や・ら行――

麻中之蓬　まちゅうのよもぎ……四四一
无何之郷　むかのきょう……四四四
無稽之談　むけいのだん……四四四
無告之民　むこくのたみ……四四五
無辜之民　むこのたみ……四四五
無妄之福　むぼうのふく……四四七
毋望之禍　むぼうのわざわい……四四七
無用之用　むようのよう……四四七
明月之珠　めいげつのたま……四四八
命世之才　めいせいのさい……四四九
冥冥之志　めいめいのこころざし……四五〇
罔極之恩　もうきょくのおん……四五二
妄想之縄　もうぞうのなわ……四五二
両刃之剣　もろはのつるぎ……四五三
八咫之鏡　やたのかがみ……四五五
宥坐之器　ゆうざのき……四五七
有終之美　ゆうしゅうのび……四五七
鷹犬之才　ようけんのさい……四五九
六尺之孤　りくせきのこ……四六七
履霜之戒　りそうのいましめ……四六七
立錐之地　りっすいのち……四六七
凌雲之志　りょううんのこころざし……四六九
凌霄之志　りょうしょうのこころざし……四七一
遼東之豕　りょうとうのいのこ……四七二
驪竜之珠　りりょうのたま……四七三
鴒原之情　れいげんのじょう……四七五
螻蟻之誠　ろうぎのせい……四七六
老馬之智　ろうばのち……四七七
魯魚之謬　ろぎょのあやまり……四七八
盧生之夢　ろせいのゆめ……四七八

漢字の読める部分で引く索引

本辞典に収録した四字熟語のうち、第一字目が読みにくい漢字を、その漢字構成の読める部分の音または訓で引く例を示した。

●あ行

晏→安 あん →あん
韋→井 い →い
渭→胃 い →い
矮→委 い →わい・あい
薏→意 い →よく・い
囊→衣 い →のう
驥→異 い →き
轍→育 いく →てつ
尤→一 いち →ゆう・う
豕→一 いち →し
吮→允 いん →せん・しゅん
烟→因 いん →えん
无→于 う →む・ぶ
紆→于 う →う
樗→雨 う →ちょ
霓→雨 う →げい
糶→羽 う →ちょう
毀→臼 うす →き
韜→臼 うす →とう
鴻→江 え →こう
煖→爰 えん →だん・けん
蜿→宛 えん →えん
轅→袁 えん →えん・おん
匡→王 おう →きょう
尪→王 おう →おう
璞→王 おう →はく
瓊→王 おう →けい

●か行

卞→下 か →べん・へん
戎→戈 か →じゅう
秉→禾 か →へい
迦→加 か →か
焚→火 か →ふん
嘉→加 か →か
截→戈 か →せつ
戮→戈 か →りく・ろく
蝸→咼 か →か・け
穿→牙 が →せん
鴉→牙 が →あ・え
嗇→回 かい →しょく
賁→貝 かい →ほん・ふん・ひ
瑣→貝 かい →さ
贅→貝 かい →ぜい・せい
頽→貝 かい →たい
膾→會 かい →かい・け
磑→豈 がい →がい・げ
鞠→革 かく →きく
羈→革 かく →き
諤→咢 がく →がく
遏→曷 かつ →あつ・あち
兢→克 かつ →きょう
闊→活 かつ →かつ・かち
甕→瓦 かわら →おう
于→干 かん →う・く
旱→干 かん →かん・がん
旰→干 かん →かん・がん
邯→甘 かん →かん
捲→巻 かん →けん
甜→甘 かん →てん
濫→監 かん →らん
藍→監 かん →らん
轗→感 かん →かん

阮↓元　がん　↓げん・がん
翫↓元　がん　↓がん
頷↓含　がん　↓がん・かん
杞↓己　き　↓き・こ
倚↓奇　き　↓い・き
猗↓奇　き　↓い・あ
傀↓鬼　き　↓かい
凫↓几　き　↓ふ・ぶ
槐↓鬼　き　↓かい
瑰↓鬼　き　↓かい・け
綺↓奇　き　↓き
魁↓鬼　き　↓かい
熙↓己　き　↓き
巍↓鬼　き　↓ぎ
魑↓鬼　き　↓ち
佶↓吉　きち　↓きつ・ぎち
弩↓弓　きゅう　↓ど
犀↓牛　ぎゅう　↓さい・せい
彊↓弓　きゅう　↓きょう・ごう
薤↓韮　きゅう　↓かい・げ
蓋↓去　きょ　↓がい
魯↓魚　ぎょ　↓ろ
鰥↓魚　ぎょ　↓かん・けん
拱↓共　きょう　↓きょう
敦↓享　きょう　↓とん
嚮↓郷　きょう　↓きょう

鯨↓京　きょう　↓げい
驕↓喬　きょう　↓きょう
衍↓行　ぎょう　↓えん
跼↓局　きょく　↓きょく・ごく
銜↓金　きん　↓かん・がん・げん
槿↓菫　きん　↓きん・こん
擒↓禽　きん　↓きん・ごん
鏤↓金　きん　↓ろう・る
鑿↓金　きん　↓さく
苟↓句　く　↓こう・く
鉤↓句　く　↓こう・く
嘔↓區　く　↓おう・く・う
嫗↓區　く　↓おう・う
焄↓君　くん　↓くん
渾↓軍　ぐん　↓こん・ごん
葷↓軍　ぐん　↓くん
侃↓兄　けい　↓かん
荊↓刑　けい　↓けい
閨↓圭　けい　↓けい・け
厥↓欠　けつ　↓けつ
漱↓欠　けつ　↓そう
刖↓月　げつ　↓げつ
狷↓月　げつ　↓けん
膏↓月　げつ　↓こう
臍↓月　げつ　↓せい・ざい
哭↓犬　けん　↓こく

懸↓県　けん　↓けん・け
阮↓元　げん　↓げん・がん
訥↓言　げん　↓とつ・どつ・のち
頑↓元　げん　↓がん
翫↓元　げん　↓がん
謬↓言　げん　↓びゅう
涸↓固　こ　↓こ・がく・かく
杵↓午　ご　↓しょ
寤↓吾　ご　↓ご
咬↓交　こう　↓こう・きょう
郢↓口　こう　↓えい・よう
喙↓口　こう　↓かい・け
蛟↓交　こう　↓こう・きょう
慷↓康　こう　↓こう
敲↓高　こう　↓こう・きょう
衡↓行　こう　↓こう
嚆↓高　こう　↓こう・きょう
曠↓黄　こう　↓こう
耀↓光　こう　↓よう
洽↓合　ごう　↓こう
兢↓克　こく　↓きょう
黔↓黒　こく　↓けん・きん
豁↓谷　こく　↓かつ・かち
鵠↓告　こく　↓こう・こく
貪↓今　こん　↓たん・どん
黔↓今　こん　↓けん・きん

艱→艮　ごん　→かん・けん

●さ行

羞→差　さ　→しゅう・しゅ
隋→左　さ　→ずい
蹉→差　さ　→さ
豺→才　さい　→さい・ぜ
悽→妻　さい　→せい
凄→妻　さい　→せい
萋→妻　さい　→せい・さい
臍→齊　さい　→せい・ざい
盂→皿　さら　→う
盧→皿　さら　→ろ
尨→彡　さん　→ぼう・もう
揣→山　さん　→し・すい
咫→只　し　→し
祇→氏　し　→ぎ
紆→糸　し　→う
冢→豕　し　→ちょう
悖→子　し　→はい
舐→氏　し　→し
徙→止　し　→し
跂→支　し　→き・ぎ
緇→糸　し　→し
駟→四　し　→し
鴟→氏　し　→し
縷→糸　し　→る・ろう

耽→耳　じ　→たん
揣→而　じ　→し・すい
聯→耳　じ　→れん
躡→耳　じ　→じょう・にょう
塵→鹿　しか　→じん
叱→七　しち　→しつ
蟄→執　しつ　→ちつ・ちゅう
豬→者　しゃ　→ちょ
轂→車　しゃ　→こく
輿→車　しゃ　→よ
轍→車　しゃ　→てつ
咫→尺　しゃく　→し
誅→朱　しゅ　→ちゅう
聚→取　しゅ　→しゅう・しゅ・じゅ
叢→取　しゅ　→そう
攀→手　しゅ　→はん・へん
疇→壽　じゅ　→ちゅう・じゅう
躊→壽　じゅ　→ちゅう
凋→周　しゅう　→ちょう
綢→周　しゅう　→ちゅう・とう
鄭→酋　しゅう　→てい
雕→周　しゅう　→ちょう
朮→十　じゅう　→じゅつ・ずち・じゅち
尭→十　じゅう　→ぎょう

嘯→肅　しゅく　→しょう・しつ
瀟→肅　しゅく　→しょう
咄→出　しゅつ　→とつ・とち
黜→出　しゅつ　→ちゅつ・ちゅち
椿→春　しゅん　→ちん・しゅん
絢→旬　じゅん　→けん
婬→女　じょ　→いん
敝→小　しょう　→へい
漿→將　しょう　→しょう・そう
銷→肖　しょう　→しょう
悉→心　しん　→しつ・しち
掩→申　しん　→えん
晨→辰　しん　→しん
梓→辛　しん　→し
脣→辰　しん　→しん
蜃→辰　しん　→しん・じん
愍→心　しん　→いん
瞋→眞　しん　→しん
顛→眞　しん　→てん
廷→壬　じん　→てい
湛→甚　じん　→たん・ちん
氾→水　すい　→はん
穎→水　すい　→えい・よう
慧→彗　すい　→え・けい
漿→水　すい　→しょう・そう
洒→西　せい　→しゃ・さい・せい

旌↓生 せい ↓せい・しょう
笙↓生 せい ↓しょう・せい
夙↓夕 せき ↓しゅく
砥↓石 せき ↓し
跖↓石 せき ↓せき・しゃく
碧↓石 せき ↓へき
赫↓赤 せき ↓かく
磑↓石 せき ↓がい・げ
磊↓石 せき ↓らい
鵲↓昔 せき ↓じゃく・しゃく
礪↓石 せき ↓れい
櫛↓節 せつ ↓しつ
刮↓舌 ぜつ ↓かつ・けち
恬↓舌 ぜつ ↓てん・でん
舐↓舌 ぜつ ↓し
拈↓占 せん ↓ねん・でん
蓴↓専 せん ↓じゅん・しゅん
霑↓占 せん ↓てん
翦↓前 ぜん ↓せん
甑↓曾 そ ↓そう・しょう
爬↓爪 そう ↓は・べ
跿↓走 そう ↓と・ど
趨↓走 そう ↓すう・しゅ
跖↓足 そく ↓せき・しゃく
綀↓束 そく ↓しょ・そ
跫↓足 そく ↓きょう・こう

蹇↓足 そく ↓けん・こん
蹈↓足 そく ↓とう・どう
簇↓族 ぞく ↓そう・ぞく・そく
鏃↓族 ぞく ↓ぞく・そく
啐↓卒 そつ ↓そつ・しゅつ・さい
翠↓卒 そつ ↓すい
樽↓尊 そん ↓そん

●た・な行

侈↓多 た ↓し
墜↓隊 たい ↓つい
冶↓台 だい ↓や
踔↓卓 たく ↓たく・とう
佩↓凧 たこ ↓はい
咫↓只 ただ ↓し
栴↓丹 たん ↓せん
簞↓單 たん ↓たん
篝↓竹 ちく ↓こう・く
篳↓竹 ちく ↓ひつ・ひち
禹↓虫 ちゅう ↓う
蚤↓虫 ちゅう ↓そう
螻↓虫 ちゅう ↓ろう・る
蠹↓虫 ちゅう ↓と・つ
鳶↓鳥 ちょう ↓えん
鳳↓鳥 ちょう ↓ほう
廟↓朝 ちょう ↓びょう

鵬↓鳥 ちょう ↓ほう
鷸↓鳥 ちょう ↓いつ・いち
鸞↓鳥 ちょう ↓らん
爬↓爪 つめ ↓は・べ
剃↓弟 てい ↓てい
綈↓弟 てい ↓てい
擲↓鄭 てい ↓てき・じゃく
呑↓天 てん ↓どん
輾↓展 てん ↓てん・ねん
薑↓田 でん ↓きょう・こう
菟↓兎 と ↓と
斟↓斗 と ↓しん
魁↓斗 と ↓かい
杜↓土 ど ↓ず・と
堆↓土 ど ↓たい・つい
澆↓土 ど ↓ぎょう・きょう
駑↓奴 ど ↓ど・ぬ
鎧↓豆 とう ↓がい
恫↓同 どう ↓とう・どう・とう
橦↓童 どう ↓とう・どう・しゅ
瞠↓堂 どう ↓どう・とう
螳↓堂 どう ↓とう・どう
訥↓内 ない ↓とつ・どつ・のち
刎↓勿 なかれ ↓ふん・もん・ぶん
汨↓日 にち ↓べき
涅↓日 にち ↓ね・でつ・ねち

僭→日 にち →せん
薤→韮 にら →かい・げ
盈→乃 の →えい

●は行

邑→巴 は →ゆう・おう
馮→馬 ば →ふう・ひょう
羈→馬 ば →き
驢→馬 ば →ろ・りょ
碧→白 はく →へき
撥→發 はつ →はつ
槃→般 はん →はん・ばん
跛→皮 ひ →は・ひ
稗→卑 ひ →はい
髀→卑 ひ →ひ・へい
羹→美 び →こう・きょう・かん
飄→票 ひょう →ひょう・びょう
蜉→孚 ふ →ふ・ぶ・ふう
噬→巫 ふ →ぜい・せい
舳→舟 ふね →じく・ちく
苹→平 へい →へい・びょう
胼→并 へい →へん・べん
駢→并 へい →へん・べん
霹→辟 へき →へき・ひゃく
匍→甫 ほ →ほ・ぶ
榑→甫 ほ →ふ・ぶ
毋→母 ぼ →む・ぶ
旁→方 ほう →ぼう・ほう
捧→奉 ほう →ほう
游→方 ほう →ゆう
傲→方 ほう →ごう
鵬→朋 ほう →ほう
罔→亡 ぼう →もう・ぼう
泛→乏 ぼう →はん・ほう
禾→木 ぼく →か
沐→木 ぼく →もく・ぼく
椽→木 ぼく →てん・でん
濮→僕 ぼく →ぼく・ほく
汎→凡 ぼん →はん・ほん

●ま・や・ら行

靡→麻 ま →び・み
誨→毎 まい →かい・け
毀→又 また →き
礪→萬 まん →れい
熙→巳 み →き
允→ム む →いん
茅→矛 む →ぼう
譎→矛 む →けつ・けち
俛→免 めん →ふ・べん
菟→免 めん →と
毫→毛 もう →ごう
眥→目 もく →し・さい・せい
睚→目 もく →がい・げ
鼎→目 もく →てい
瞻→目 もく →せん
閻→門 もん →えん
爛→門 もん →らん
蕩→湯 ゆ →とう
夙→夕 ゆう →しゅく
宥→有 ゆう →ゆう
郁→有 ゆう →いく
舳→由 ゆう →じく・ちく
矛→予 よ →む・ぼう
叙→余 よ →じょ
彗→ヨ よ →すい
禾→夭 よう →か・わ
沃→夭 よう →よく
黝→幼 よう →ゆう
麪→來 らい →めん・べん
寵→龍 りゅう →ちょう
籠→龍 りゅう →ろう
楚→林 りん →そ
霖→林 りん →りん
鴒→令 れい →れい・りょう
灑→麗 れい →さい・しゃ
驪→麗 れい →り・れい・らい
只→ロ ろ →し
麤→鹿 ろく →そ・す

難読漢字総画索引

本辞典に収録した四字熟語のうちで特に読みにくいものを一字目の画数順・部首順に配列して示した。

●四画

允文允武《いんぶんいんぶ》……九五
卞和泣璧《べんかきゅうへき》……四二八
尤雲殢雨《ゆううんていう》……四五六
无何之郷《むかのきょう》……四四四
毋望之禍《むぼうのわざわい》……四四七

●五画

只管打坐《しかんたざ》……二二九
朮羹艾酒《じゅっこうがいしゅ》……二五三
氾愛兼利《はんあいけんり》……三九一
禾黍油油《かしょゆうゆう》……一二六

●六画

刎頸之交《ふんけいのまじわり》……四三
匡衡壁鑿《きょうこうへきさく》……一五五
夙興夜寝《しゅくこうやしん》……二五〇
夙夜夢寐《しゅくやむび》……二五〇
戎馬倥偬《じゅうばこうそう》……二四八
汎濫停蓄《はんらんていちく》……三九六

●七画

冶金踊躍《やきんようやく》……四五五
吮疽之仁《せんそのじん》……三〇一
尨眉皓髪《ぼうびこうはつ》……四三五
巫雲蜀雨《ふうんしょくう》……四一三
巫山雲雨《ふざんうんう》……四一七
巫山之夢《ふざんのゆめ》……四一七
旱天慈雨《かんてんじう》……一三九
杞人天憂《きじんてんゆう》……一四六
杜撰脱漏《ずさんだつろう》……二八〇
杜默詩撰《ともくしさん》……三七〇
泛駕之馬《ほうがのうま》……四三二
汨羅之鬼《べきらのき》……四二八
豕交獣畜《しこうじゅうちく》……二三〇
邑犬群吠《ゆうけんぐんばい》……四五六
阮簡曠達《げんかんこうたつ》……一八〇
阮籍青眼《げんせきせいがん》……一八三

●八画

佶屈聱牙《きっくつごうが》……一四七
侃侃諤諤《かんかんがくがく》……一三四
侈衣美食《しいびしょく》……三二七
佩韋佩弦《はいいはいげん》……三七七
刮目相待《かつもくそうたい》……一二九
尭階三尺《ぎょうかいさんじゃくい》……一五四
尭鼓舜木《ぎょうこしゅんぼく》……一五五
尭年舜日《ぎょうねんしゅんじつ》……一五七
尭風舜雨《ぎょうふうしゅんう》……一五七
咄咄怪事《とつとつかいじ》……三六八
咄嗟叱咤《とっさしった》……三六八
尫纎懦弱《おうせんだじゃく》……一一二
弩張剣抜《どちょうけんばつ》……三六八
拈華微笑《ねんげみしょう》……三七六
杵臼之交《しょきゅうのまじわり》……二六三
爬羅剔抉《はらてきけつ》……三九〇
盂蘭盆会《うらぼんえ》……九九
秉燭夜遊《へいしょくやゆう》……四二六
罔極之恩《もうきょくのおん》……四五二
苟且偸安《こうしょとうあん》……一九三
茅屋采椽《ぼうおくさいてん》……四三一
茅堵蕭然《ぼうとしょうぜん》……四三五
邯鄲之歩《かんたんのほ》……一三八
邯鄲之夢《かんたんのゆめ》……一三八
采椽不斲《さいてんふたく》……二一七

●九画

俛首帖耳《ふしゅちょうじ》……四一七
勁草之節《けいそうのせつ》……一七五
匍匐膝行《ほふくしっこう》……四三九
咳唾成珠《がいだせいしゅ》……一一九
咬文嚼字《こうぶんしゃくじ》……一九七
咫尺之書《しせきのしょ》……二三四

妍姿艶質《けんしえんしつ》……一八二
宥坐之器《ゆうざのき》……四五七
恪勤精励《かっきんせいれい》……一二八
恬淡寡欲《てんたんかよく》……三五三
恫疑虚喝《どうぎきょかつ》……三五七
拱手傍観《きょうしゅぼうかん》……一五六
洽覧深識《こうらんしんしき》……二〇〇
洒洒落落《しゃしゃらくらく》……二四三
盈盈一水《えいえいいっすい》……一〇三
盈満之咎《えいまんのとがめ》……一〇四
祇園精舎《ぎおんしょうじゃ》……一四二
禹行舜趨《うこうしゅんすう》……九七
禹湯文武《うとうぶんぶ》……九八
禹歩舜趨《うほしゅんすう》……九九
穿壁引光《せんぺきいんこう》……三〇四
紆余委蛇《うよいだ》……九九
紆余曲折《うよきょくせつ》……九九
胡漢陵轢《こかんりょうれき》……二〇二
胡説乱道《こせつらんどう》……二〇八
胡孫入袋《こそんにゅうたい》……二〇九
胡蝶之夢《こちょうのゆめ》……二〇九
胡馬北風《こばほくふう》……二一〇
衍曼流爛《えんまんりゅうらん》……二一〇
迦陵頻伽《かりょうびんが》……一三三
郁郁青青《いくいくせいせい》……六九

●一〇画

倚馬七紙《いばしちし》……九一
倚門之望《いもんのぼう》……九二
冢中枯骨《ちょうちゅう(の)ここつ》……三三九
凄凄切切《せいせいせつせつ》……二八四
凋氷画脂《ちょうひょうがし》……三四〇
凋零磨滅《ちょうれいまめつ》……三四一
凌雲之志《りょううんのこころざし》……四六九
凌霄之志《りょうしょうのこころざし》……四七一
哭岐泣練《こくききゅうれん》……二〇三
悖出悖入《はいしゅつはいにゅう》……三七八
悖徳没倫《はいとくぼつりん》……三七九
悖入悖出《はいにゅうはいしゅつ》……三七九
旁時掣肘《ぼうじせいちゅう》……四三三
旁若無人《ぼうじゃくぶじん》……四三三
晏嬰狐裘《あんえい(の)こきゅう》……六五
晏子高節《あんしのこうせつ》……六五
栴檀双葉《せんだんのふたば》……三〇二
涅槃寂静《ねはんじゃくじょう》……三七六
狷介固陋《けんかいころう》……一七九
狷介孤高《けんかいここう》……一七九
狷介不羈《けんかいふき》……一八〇
眥裂髪指《しれつはっし》……二六六
砥礪切磋《しれいせっさ》……二六六
舐糠及米《しこうきゅうまい》……二三〇
舐痔得車《しじとくしゃ》……二三二
舐犢之愛《しとくのあい》……二三九
君蒿凄愴《くんこうせいそう》……一七〇
蚤寝晏起《そうしんあんき》……三〇八
豺狼当路《さいろうとうろ》……二一七
郢書燕説《えいしょえんせつ》……一〇三

●一一画

偃武修文《えんぶしゅうぶん》……一〇九
婬虐暴戻《いんぎゃくぼうれい》……九四
彗氾画塗《すいはんがと》……二七九
徙薪曲突《ししんきょくとつ》……一五九
徙木之信《しぼくのしん》……二四〇
堆金積玉《たいきんせきぎょく》……三一七
悉皆成仏《しっかいじょうぶつ》……二三七
悽愴流涕《せいそうりゅうてい》……二八五
掩耳盗鐘《えんじとうしょう》……一〇七
捲土重来《けんどちょうらい》……一八三
捧腹絶倒《ほうふくぜっとう》……四三五
捧腹大笑《ほうふくたいしょう》……四三六
旌旗巻舒《せいきけんじょ》……二八二
晨去暮来《しんきょぼらい》……二六七
晨星落落《しんせいらくらく》……二七二
晨夜兼道《しんやけんどう》……二七五
曽参殺人《そうしんさつじん》……三〇八
曽参歌声《そうしんのかせい》……三〇八
曽母投杼《そうぼとうちょ》……三一〇
梓匠輪輿《ししょうりんよ》……二三三
毫末之利《ごうまつのり》……一九八

毫毛斧柯《ごうもうふか》……一九九
毫釐千里《ごうりせんり》……二〇〇
涸轍鮒魚《こてつのふぎょ》……二一〇
猗頓之富《いとんのとみ》……九一
甜言蜜語《てんげんみつご》……三五一
笙磬同音《しょうけいどうおん》……二五六
脣歯輔車《しんしほしゃ》……二七〇
脣亡歯寒《しんぼうしかん》……二七四
舳艫千里《じくろせんり》……二三九
萋斐貝錦《せいひばいきん》……二八六
菟糸燕麦《としえんばく》……三六七
萍水相逢《へいすいそうほう》……四二七
訥言敏行《とつげんびんこう》……三六八
貪夫徇財《たんぷじゅんざい》……三三八
跂行喙息《きこうかいそく》……一四四

●一二画

傀儡政権《かいらいせいけん》……一二一
厥角稽首《けっかくけいしゅ》……一七八
喙長三尺《かいちょうさんじゃく》……一二〇
喧喧囂囂《けんけんごうごう》……一八一
揣摩臆測《しまおくそく》……二四一
敦篤虚静《とんとくきょせい》……三七一
敦煌五竜《とんこうごりょう》……三七一
敝衣蓬髪《へいいほうはつ》……四二五
胼胝之労《へんちのろう》……四二九
棣鄂之情《ていがくのじょう》……三四五
渭樹江雲《いじゅこううん》……七〇
渭浜漁父《いひんのぎょほ》……九一
渾金璞玉《こんきんはくぎょく》……二一二
渾然一体《こんぜんいったい》……二一三
渾渾沌沌《こんこんとんとん》……二一三
渾崙呑棗《こんろんどんそう》……二一四
湛盧之剣《たんろのけん》……三一九
游雲驚竜《ゆううんきょうりょう》……四五六
焚琴煮鶴《ふんきんしゃかく》……四三二
焚書坑儒《ふんしょこうじゅ》……四三三
犀舟勁檝《さいしゅうけいしゅう》……二一六
皓月千里《こうげつせんり》……一八九
絢爛豪華《けんらんごうか》……一八五
菫酒山門《くんしゅさんもん》……一七一
蛙鳴蟬噪《あめいせんそう》……六四
蛟竜毒蛇《こうりょうどくだ》……二〇〇
跖狗吠尭《せきくはいぎょう》……二八八
跛鼈千里《はべつせんり》……三九〇
跛立箕坐《はりゅうきざ》……三九一
跋扈跳梁《ばっこちょうりょう》……三八八
跋山渉水《ばつざんしょうすい》……三八八
軻親断機《かしんだんき》……一二七
跌蕩放言《てっとうほうげん》……三四八
隋珠和璧《ずいしゅかへき》……二七七
馮異大樹《ふういたいじゅ》……四一〇

●一三画

傲岸不遜《ごうがんふそん》……一八八
嗇夫利口《しょくふりこう》……二六三
戢鱗潜翼《しゅうりんせんよく》……二四九
椽大之筆《てんだいのふで》……三五三
毀誉褒貶《きよほうへん》……一六一
滄海桑田《そうかいそうでん》……三〇五
滄海遺珠《そうかいのいしゅ》……三〇六
滄海一粟《そうかいのいちぞく》……三〇六
滄桑之変《そうそうのへん》……三〇九
煖衣飽食《だんいほうしょく》……三三五
瑶林瓊樹《ようりんけいじゅ》……四六二
睚眥之怨《がいさいのうらみ》……一一八
矮子看戯《わいしかんぎ》……四七九
稗官野史《はいかんやし》……三七七
綈袍恋恋《ていほうれんれん》……三四七
舜日尭年《しゅんじつぎょうねん》……二五三
蓋瓦級甎《がいがきゅうせん》……一一六
蓋棺事定《がいかんじてい》……一一七
蓋世之材《がいせいのざい》……一一九
蓋天蓋地《がいてんがいち》……一二〇
蒟蒻問答《こんにゃくもんどう》……二一三
蜃楼海市《しんろうかいし》……二七六
蜉蝣一期《ふゆうのいちご》……四二一
誅心之法《ちゅうしんのほう》……三三四
賁育之勇《ほんいくのゆう》……四三九
跫音空谷《きょうおんくうこく》……一五三

遏悪揚善 あつあくようぜん……六三
鄒衍降霜 すうえんこうそう……二七九
鄒魯遺風 すうろいふう……二八〇
鳧趨雀躍 ふすうじゃくやく……四一八
鼎新革故 ていしんかくこ……三四六
鼎鐺玉石 ていとうぎょくせき……三四六

● 一四画

僭賞濫刑 せんしょうらんけい……二九九
兢兢業業 きょうきょうぎょうぎょう……一五四
嘔唖嘲哳 おうあちょうたつ……一一一
嫗伏孕鬻 うふうよういく……九九
寤寐思服 ごびしふく……二一〇
慇懃無礼 いんぎんぶれい……九四
慷慨憤激 こうがいふんげき……一八七
截趾適屨 せっしてきく……二九二
截断衆流 せつだんしゅる……二九三
敲金撃石 こうきんげきせき……一八九
敲氷求火 こうひょうきゅうか……一九七
槐門棘路 かいもんきょくろ……一一一
槃根錯節 ばんこんさくせつ……三九三
榑木之地 ふぼくのち……四二一
漆身呑炭 しっしんどんたん……二三八
漸入佳境 ぜんにゅうかきょう……三〇三
漱石枕流 そうせきちんりゅう……三〇九
爾雅温文 じがおんぶん……二三八
瑰意琦行 かいいきこう……一一六
瑣砕細膩 ささいさいじ……二一八
碩学大儒 せきがくたいじゅ……二八八
碩師名人 せきしめいじん……二八九
碧眼紅毛 へきがんこうもう……四二八
碧血丹心 へきけつたんしん……四二八
碧落一洗 へきらくいっせん……四二八
綺襦紈袴 きじゅがんこ……一四五
緇林杏壇 しりんきょうだん……二六六
綢繆未雨 ちゅうびゅうみう……三三四
翠色冷光 すいしょくれいこう……二七七
翠帳紅閨 すいちょうこうけい……二七八
聚散十春 しゅうさんじっしゅん……二四六
聚蚊成雷 しゅうぶんせいらい……二四九
膏火自煎 こうかじせん……一八七
膏肓之疾 こうこうのしつ……一九〇
膏粱子弟 こうりょうしてい……二〇〇
蓴羹鱸膾 じゅんこうろかい……二五三
蜿蜿長蛇 えんえんちょうだ……一〇六
誨淫誨盗 かいいんかいとう……一一六
赫赫明明 かくかくめいめい……一二三
跼天蹐地 きょくてんせきち……一五九
跿跔科頭 とくかとう……三六五
銜哀致誠 がんあいちせい……一三三
銜尾相随 かんびそうずい……一四〇
閨英闈秀 けいえいいしゅう……一七一
魁塁之士 かいるいのし……一二一
鳶飛魚躍 えんぴぎょやく……一〇九
鳶目兎耳 えんもくとじ……一一〇
鳳凰在笯 ほうおうざいど……四三一
鳳凰来儀 ほうおうらいぎ……四三一
鳳凰于飛 ほうおううひ……四三一
鳳凰銜書 ほうおうがんしょ……四三一
鳳友鸞交 ほうゆうらんこう……四三六

● 一五画

廟堂之器 びょうどうのき……四〇八
慧可断臂 えかだんぴ……一〇四
戮力協心 りくりょくきょうしん……四六七
戮力同心 りくりょくどうしん……四六七
撥雲見日 はつうんけんじつ……三八七
撥乱反正 はつらんはんせい……三九〇
槿花一朝 きんかいっちょう……一六三
樗櫟散木 ちょれきさんぼく……三四二
樗櫟之材 ちょれきのざい……三四二
潁水隠士 えいすいのいんし……一〇三
漿酒霍肉 しょうしゅかくにく……二五七
澆季末世 ぎょうきまっせ……一五四
澆季溷濁 ぎょうきこんだく……一五四
熙熙壌壌 ききじょうじょう……一四三
瞋目張胆 しんもくちょうたん……二七五
磑風春雨 がいふうしょうう……一二〇
磊磊落落 らいらいらくらく……四六三
翫歳愒日 がんさいかいじつ……一三六

翦草除根《せんそうじょこん》……三〇一
蕩佚簡易《とういつかんい》……三五六
蝸角之争《かかくのあらそい》……一二三
蝸牛角上《かぎゅうかくじょう》……一二三
鄭衛桑間《ていえいそうかん》……三四五
鄭衛之音《ていえいのおん》……三四五
銷鑠縮栗《しょうしゃくしゅくりつ》……二五七
駟介旁旁《しかいほうほう》……二二八
駑馬十駕《どばじゅうが》……三六九
魯魚亥豕《ろぎょがいし》……四七八
魯魚章草《ろぎょしょうそう》……四七八
魯魚之謬《ろぎょのあやまり》……四七八
魯般雲梯《ろはんうんてい》……四七九
鴉雀無声《あじゃくむせい》……六三
鴉巣生鳳《あそうせいほう》……六三
麪市塩車《めんしえんしゃ》……四五一

●一六画

噬指棄薪《ぜいしきしん》……二八三
彊食自愛《きょうしょくじあい》……一五六
擒縦自在《きんしょうじざい》……一六五
橦末之伎《とうまつのぎ》……三六三
璞玉渾金《はくぎょくこんきん》……三八二
盧生之夢《ろせいのゆめ》……四七九
瞠目結舌《どうもくけつぜつ》……三六三
篝火狐鳴《こうかこめい》……一八七
薑桂之性《きょうけいのせい》……一五五
薏苡明珠《よくいめいしゅ》……四六二
諤諤之臣《がくがくのしん》……一二三
豬突豨勇《ちょとつきゆう》……三四二
輭紅塵中《なんこうじんちゅう》……三七二
閻浮檀金《えんぶだごん》……一〇九
雕文刻鏤《ちょうぶんこくる》……三四〇
霓裳羽衣《げいしょううい》……一七四
霑体塗足《てんたいとそく》……三五二
霖雨蒼生《りんうそうせい》……四七三
頷下之珠《がんかのしゅ》……一三四
頽堕委靡《たいだいび》……三三〇
鴟目虎吻《しもくこふん》……二四一
鴒原之情《れいげんのじょう》……四七五
黔驢之技《けんろのぎ》……一六五
黛蓄膏渟《たいちくこうてい》……三三〇

●一七画

嚆矢濫觴《こうしらんしょう》……一九三
戴盆望天《たいぼんぼうてん》……三三一
濮上之音《ぼくじょうのおん》……四三八
甑塵釜魚《そうじんふぎょ》……三〇九
簇酒斂衣《そうしゅれんい》……三〇八
篳路藍縷《ひつろらんる》……四〇一
縷縷綿綿《るるめんめん》……四七四
聯袂辞職《れんべいじしょく》……四七六
膾炙人口《かいしゃじんこう》……一一八
艱難辛苦《かんなんしんく》……一四〇
薤露蒿里《かいろこうり》……一二一
蟄居屏息《ちっきょへいそく》……三三三
螳臂当車《とうひとうしゃ》……三六二
螳螂之衛《とうろうのえい》……三六三
螳螂之斧《とうろうのおの》……三六三
螻蟻潰堤《ろうぎかいてい》……四七六
螻蟻之誠《ろうぎのせい》……四七七
轂撃肩摩《こくげきけんま》……二〇四
豁然大悟《かつぜんたいご》……一二九
豁達大度《かったつたいど》……一二九
趨炎附熱《すうえんふねつ》……二八〇
蹇蹇匪躬《けんけんひきゅう》……一八一
蹉跎歳月《さたさいげつ》……二一九
蹈常襲故《とうじょうしゅうこ》……三六〇
蹈節死義《とうせつしぎ》……三六〇
轅門二竜《えんもんにりょう》……一一〇
輾転反側《てんてんはんそく》……三五三
輿馬風馳《よばふうち》……四六二
闊達自在《かったつじざい》……一二九
鞠躬尽瘁《きっきゅうじんすい》……一四七
鴻雁哀鳴《こうがんあいめい》……一八七
鴻鵠之志《こうこくのこころざし》……一九一
鴻門玉斗《こうもんぎょくと》……一九九
鴻門之会《こうもんのかい》……一九九
黜陟幽明《ちゅっちょくゆうめい》……三三五
黝堊丹漆《ゆうあくたんしつ》……四五六

●一八画

叢軽折軸《そうけいせつじく》……三〇六
擲果満車《てきかまんしゃ》……三四七
濫竽充数《らんうじゅうすう》……四六四
甕牖縄枢《おうゆうじょうすう》……一一三
甕裡醯鶏《おうりけいけい》……一一三
瓊枝玉葉《けいしぎょくよう》……一七四
瓊枝栴檀《けいしせんだん》……一七四
瞻望咨嗟《せんぼうしさ》……三〇四
簞食瓢飲《たんしひょういん》……三二六
簞食壺漿《たんしこしょう》……三二六
臍下丹田《せいかたんでん》……二八一
藍田生玉《らんでんしょうぎょく》……四六六
藜杖韋帯《れいじょういたい》……四七五
謬悠之説《びゅうゆうのせつ》……四〇六
贅沢三昧《ぜいたくざんまい》……二八五
鎧袖一触《がいしゅういっしょく》……一一八
騏驥過隙《ききかげき》……一四三
駢四儷六《べんしれいろく》……四二九
駢拇枝指《べんぼしし》……四三〇
髀肉之嘆《ひにくのたん》……四〇一
鵠面鳥形《こくめんちょうけい》……二〇五

●一九画

嚮壁虚造《きょうへききょぞう》……一五七
攀轅臥轍《はんえんがてつ》……三九一
攀竜附鳳《はんりょうふほう》……三九七
攀竜附驥《はんりょうふき》……三九七
曠日弥久《こうじつびきゅう》……一九二
曠世之感《こうせいのかん》……一九三
曠世之才《こうせいのさい》……一九四
曠世不羈《こうせいふき》……一九四
櫛風沐雨《しっぷうもくう》……二三九
疇昔之夜《ちゅうせきのよ》……三三四
羹藜含糗《こうれいがんきゅう》……二〇一
譎詭変幻《けっきへんげん》……一七八
轍鮒之急《てっぷのきゅう》……三四八
轍乱旗靡《てつらんきび》……三四八
鏃礪括羽《ぞくれいかつう》……三一三
鏤塵吹影《ろうじんすいえい》……四七七
靡衣媮食《びいとうしょく》……三九七
韜光晦迹《とうこうかいせき》……三五八
顛委勢峻《てんいせいしゅん》……三四九
顛越不恭《てんえつふきょう》……三四九
顛沛流浪《てんぱいるろう》……三五四
顛撲不破《てんぼくふは》……三五五
鵲巣鳩居《じゃくそうきゅうきょ》……二四二
鵬程万里《ほうていばんり》……四三四

●二〇画以上

瀟湘八景《しょうしょうはっけい》……二五八
礪山帯河《れいざんたいが》……四七五
耀武揚威《ようぶようい》……四六一
轗軻不遇《かんかふぐう》……一三四
飄忽震蕩《ひょうこつしんとう》……四〇七
巍然屹立《ぎぜんきつりつ》……一四六
爛額焦頭《らんがくしょうとう》……四六五
躊躇逡巡《ちゅうちょしゅんじゅん》……三三四
霹靂一声《へきれきいっせい》……四二八
霹靂閃電《へきれきせんでん》……四二八
魑魅魍魎《ちみもうりょう》……三三二
鰥寡孤独《かんかこどく》……一三三
囊沙之計《のうしゃのけい》……三七六
囊中之錐《のうちゅうのきり》……三七六
灑灑落落《さいさいらくらく》……二一五
灑掃応対《さいそうおうたい》……二一六
鷸蚌之争《いつぼうのあらそい》……九〇
羈紲之僕《きせつのぼく》……一四六
蠹居棊処《ときょきしょ》……三六四
讒謗罵詈《ざんぼうばり》……三三六
糶糴斂散《ちょうてきれんさん》……三三九
躡足附耳《じょうそくふじ》……二六〇
驥服塩車《きふくえんしゃ》……一四八
驢鳴犬吠《ろめいけんばい》……四七九
鑿歯尺牘《さくしせきとく》……二一七
鑿窓啓牖《さくそうけいゆう》……二一八
鑿壁偸光《さくへきとうこう》……二一八
驪竜之珠《りりょうのたま》……四七三
鸞翔鳳集《らんしょうほうしゅう》……四六五
麤枝大葉《そしたいよう》……三一三

総合索引

本辞典に収録した四字熟語ならびに[類義語]・[対義語]欄に掲げた関連語、[補説]にある異なる表記・読み方を五十音順に配列し、収録ページを示した。見出し語のページは太字で示し、見出し語以外に収めた項目は＊をつけて示した。

●あ

哀哀父母《あいあいふぼ》……**六一**
合縁奇縁《あいえんきえん》……**六一**
＊合縁機縁《あいえんきえん》……六一
＊相縁奇縁《あいえんきえん》……六二
＊愛縁奇縁《あいえんきえん》……六一
＊愛屋及烏《あいおくきゅうう》……一一四
哀毀骨立《あいきこつりつ》……**六一**
愛及屋烏《あいきゅうおくう》……**六一**・一一四
＊哀鴻遍地《あいこうへんち》……六一
哀鴻遍野《あいこうへんや》……**六一**
相碁井目《あいごせいもく》……**六一**
哀糸豪竹《あいしごうちく》……**六一**
愛多憎生《あいたぞうせい》……**六一**
愛別離苦《あいべつりく》……**六一**・三四一
曖昧模糊《あいまいもこ》……**六二**・九九・二一二・四五〇
＊曖昧糢糊《あいまいもこ》……六二
哀鳴啾啾《あいめいしゅうしゅう》……**六二**
愛楊葉児《あいようように》……**六二**
青息吐息《あおいきといき》……**六二**
悪衣悪食《あくいあくしょく》……**六二**・二五〇・三〇五・三二五
悪因悪果《あくいんあっか》……**六二**・九三・二九四
＊悪因苦果《あくいんくか》……九三
＊悪逆非道《あくぎゃくひどう》……六二・二〇三・三一六・四三七
悪逆無道《あくぎゃくむどう》……**六二**・二〇三・三一一・三一六
悪事千里《あくじせんり》……**六二**
＊悪声狼藉《あくせいろうぜき》……二八七
悪戦苦闘《あくせんくとう》……**六二**
悪人正機《あくにんしょうき》……**六二**・三二五
握髪吐哺《あくはつとほ》……**六三**
悪木盗泉《あくぼくとうせん》……**六三**・四六六
浅瀬仇波《あさせあだなみ》……**六三**
鴉雀無声《あじゃくむせい》……**六三**
阿世曲学《あせいきょくがく》……**六三**・一五八
鴉巣生鳳《あそうせいほう》……**六三**
可惜身命《あたらしんみょう》……**六三**・四一七
遏悪揚善《あつあくようぜん》……**六三**・一三八・一七七
悪口雑言《あっこうぞうごん》……**六三**・三九一
＊悪口罵詈《あっこうばり》……六三
阿鼻叫喚《あびきょうかん》……**六三**
阿附迎合《あふげいごう》……**六四**
＊阿付迎合《あふげいごう》……六四
＊阿附雷同《あふらいどう》……四二二
＊蛙鳴雀噪《あめいじゃくそう》……六四
蛙鳴蟬噪《あめいせんそう》……**六四**・二五三
阿爺下頷《あやあがん》……**六四**
＊阿諛曲従《あゆきょくしょう》……六四
阿諛傾奪《あゆけいだつ》……**六四**
＊阿諛苟合《あゆこうごう》……六四
＊阿諛承迎《あゆしょうげい》……六四
阿諛追従《あゆついしょう》……**六四**・三九八
＊阿諛追随《あゆついずい》……六四
阿諛便佞《あゆべんねい》……**六四**
＊阿諛逢迎《あゆほうげい》……六四
＊阿諛奉承《あゆほうしょう》……六四
阿轆轆地《あろくろくじ》……**六四**
＊阿漉漉地《あろくろくじ》……六四
暗雲低迷《あんうんていめい》……**六四**
晏嬰狐裘《あんえい(の)こきゅう》……**六五**
＊晏嬰脱粟《あんえいだつぞく》……六六
＊安穏無事《あんおんぶじ》……六七
＊安家楽業《あんからくぎょう》……六五

安閑恬静《あんかんてんせい》……**六五**

安居危思《あんきょきし》……**六五**

安居楽業《あんきょらくぎょう》……**六五**

＊按軍不動《あんぐんふどう》……六七

暗香蓊葧《あんこうおうぼつ》……**六五**

＊暗香蓊勃《あんこうおうぼつ》……六五

按甲休兵《あんこうきゅうへい》……**六五**

＊按甲寝兵《あんこうしんぺい》……六五

暗香疎影《あんこうそえい》……**六五**

＊暗香浮動《あんこうふどう》……六五

晏子高節《あんしのこうせつ》……**六五**

＊安車軟輪《あんしゃなんりん》……六六

安車蒲輪《あんしゃほりん》……**六六**

＊安心決定《あんしんけつじょう》……六六

＊安心立命《あんしんりつめい》……六六

安心立命《あんじんりつめい》……**六六**

按図索驥《あんずさくき》……**六六**・一四六・一六七・二三三

按図索駿《あんずさくしゅん》……**六六**・一四六・一六七

暗箭傷人《あんせんしょうじん》……**六六**

暗送秋波《あんそうしゅうは》……**六六**

安宅正路《あんたくせいろ》……**六六**

暗中飛躍《あんちゅうひやく》……**六六**

暗中摸索《あんちゅうもさく》……**六六**・二一二・四五〇

＊暗中模索《あんちゅうもさく》……六六

＊安土楽業《あんどらくぎょう》……六五

安寧秩序《あんねいちつじょ》……**六六**

安穏無事《あんのんぶじ》……**六六**・四三五

安分守己《あんぶんしゅき》……**六七**・三三一

按兵不動《あんぺいふどう》……**六七**

＊安養宝国《あんようほうこく》……二〇五

安楽浄土《あんらくじょうど》……**六七**・二〇五・二一三

＊安楽世界《あんらくせかい》……二〇五

●い

帷幄上奏《いあくじょうそう》……**六七**

＊以夷攻夷《いいこうい》……六七

以夷征夷《いいせいい》……**六七**

＊以夷制夷《いいせいい》……六七・九一

唯唯諾諾《いいだくだく》……**六七**・四〇二・四三三

伊尹負鼎《いいんふてい》……**六七**

易往易行《いおういぎょう》……**六七**

＊易往易修《いおういしゅう》……六七

＊以管窺天《いかんきてん》……四五九

衣冠盛事《いかんせいじ》……**六八**

遺憾千万《いかんせんばん》……**六八**

衣冠束帯《いかんそくたい》……**六八**

＊以義割恩《いぎかつおん》……三一六

意気軒昂《いきけんこう》……**六八**・六九・一一九・二七九

＊意気昂然《いきこうぜん》……六九

＊意気自若《いきじじゃく》……六八

意気自如《いきじじょ》……**六八**・三三〇

意気銷沈《いきしょうちん》……**六八**・六九・一一九

＊意気消沈《いきしょうちん》……六八・二七九

意気衝天《いきしょうてん》……**六八**・六九・一一九・二七九

＊意気相投《いきそうとう》……六八

意気沮喪《いきそそう》……**六八**・六九・一一九

＊意気阻喪《いきそそう》……六八・二七九

意気投合《いきとうごう》……**六八**・二三五

＊易行易修《いぎょういしゅう》……六七

意気揚揚《いきようよう》……**六八**・一一九・二七九

異曲同工《いきょくどうこう》……**六九**・三五八

衣錦還郷《いきんかんきょう》……**六九**・七〇

衣錦尚絅《いきんしょうけい》……**六九**

衣錦之栄《いきんのえい》……**六九**

＊衣錦夜行《いきんやこう》……七〇

郁郁青青《いくいくせいせい》……**六九**

異口同音《いくどうおん》……**六九**

＊異口同辞《いくどうじ》……六九

＊異口同声《いくどうせい》……六九

夷険一節《いけんいっせつ》……**六九**

韋弦之佩《いげんのはい》……**六九**

＊異口同音《いこうどうおん》……六九

異国情緒《いこくじょうちょ》……**六九**

＊異国情調《いこくじょうちょう》……七〇

＊為虎添翼《いこてんよく》……七〇

為虎傅翼《いこふよく》……**七〇**

意在言外《いざいげんがい》……**七〇**・九二

＊為山止簣《いざんしき》……八一

意識朦朧《いしきもうろう》……**七〇**

意志薄弱《いしはくじゃく》……七〇・二七〇・三八三・四二〇・四五七
遺臭万載《いしゅうばんさい》……七〇
＊遺臭万歳《いしゅうばんさい》……七〇
衣繡夜行《いしゅうやこう》……七〇・六九
渭樹江雲《いじゅこううん》……七〇
意匠惨澹《いしょうさんたん》……七〇・七一・一六八・二五九
＊意匠惨憺《いしょうさんたん》……七〇
医食同源《いしょくどうげん》……七一
以身殉利《いしんじゅんり》……七一
遺簪墜屨《いしんついく》……七一
以心伝心《いしんでんしん》……七一・一五五・三七六・四二三・四五六
＊異人同辞《いじんどうじ》……六九
＊渭川漁父《いせんのぎょほ》……九一
＊衣帯一江《いたいいっこう》……七二
衣帯中賛《いたいちゅうのさん》……七一
異体同心《いたいどうしん》……七一・八五・二八一
＊衣帯之水《いたいのみず》……七二
衣帯不解《いたいふかい》……七一・四一四
＊為蛇画足《いだがそく》……一二八
＊為蛇添足《いだてんそく》……一二八
韋駄天走《いだてんばしり》……七一・四四〇
異端邪説《いたんじゃせつ》……七一
一意攻苦《いちいこうく》……七二
一意専心《いちいせんしん》……七二・八五・四四四
＊一意摶心《いちいせんしん》……七二
＊壱意専心《いちいせんしん》……七二
一衣帯水《いちいたいすい》……七三
一飲一啄《いちいんいったく》……七三
一韻到底《いちいんとうてい》……七三
一栄一辱《いちえいいちじょく》……七三
一詠一觴《いちえいいっしょう》……七三・八四
一往一来《いちおういちらい》……七三
一月三舟《いちがつさんしゅう》……七三
＊一牛吼地《いちぎゅうこうち》……七三
一牛鳴地《いちぎゅうめいち》……七三
一行三昧《いちぎょうざんまい》……七三
＊一月三舟《いちげつさんしゅう》……七二
一言一行《いちげんいっこう》……七三
＊一言九鼎《いちげんきゅうてい》……一五二
一言居士《いちげんこじ》……七三
＊一言千金《いちげんせんきん》……七三
＊一言半句《いちげんはんく》……七三・二九六
一元描写《いちげんびょうしゃ》……七三
＊一言片句《いちげんへんく》……七三
＊一言芳恩《いちげんほうおん》……七三
一期一会《いちごいちえ》……七三
＊一伍一什《いちごいちじゅう》……七六
＊一言一句《いちごんいっく》……七三
＊一言居士《いちごんこじ》……七三
一言半句《いちごんはんく》……七三・四二九
一言芳恩《いちごんほうおん》……七三
＊一時緩急《いちじかんきゅう》……八七
一字千金《いちじせんきん》……七三
一日三秋《いちじつさんしゅう》……七四
一日千秋《いちじつせんしゅう》……七四
一日之長《いちじつのちょう》……七四
＊一時之傑《いちじのけつ》……八六
＊一字百金《いちじひゃっきん》……七三
＊一字不識《いちじふしき》……七八
一字不説《いちじふせつ》……七四
一字褒貶《いちじほうへん》……七四・二五四
一汁一菜《いちじゅういっさい》……七四・二五七・二六三・三二六・三三九
一入再入《いちじゅうさいじゅう》……七四
一樹百穫《いちじゅひゃっかく》……七四
一上一下《いちじょういちげ》……七四
一場春夢《いちじょうのしゅんむ》……七四・二〇〇
一時流行《いちじりゅうこう》……七五・三九三・四一四
＊一字連城《いちじれんじょう》……七三
一新紀元《いちしんきげん》……七五
一族郎党《いちぞくろうとう》……七五・八〇・二一六
＊一族郎等《いちぞくろうとう》……七五
一大決心《いちだいけっしん》……七五
＊一代英雄《いちだいのえいゆう》……八六
一諾千金《いちだくせんきん》……七五・一四八・一七五
一団和気《いちだんのわき》……七五

一挙両失《いっきょりょうしつ》……八一・八二
＊一挙両全《いっきょりょうぜん》……八一・八二
一挙両得《いっきょりょうとく》……八一・八六・八七・一六二
一琴一鶴《いっきんいっかく》……八二
一薫一蕕《いっくんいちゆう》……八二
一蹶不振《いっけつふしん》……八二・一八三
一件落着《いっけんらくちゃく》……八二
＊一剣両段《いっけんりょうだん》……八九
一闔一闢《いっこういちびゃく》……八二
一口両舌《いっこうりょうぜつ》……八二
＊一刻三礼《いっこくさんらい》……八八
一刻千金《いっこくせんきん》……八二
＊一刻千秋《いっこくせんしゅう》……七四
＊一顧傾国《いっこけいこく》……八二・一七四
一顧傾城《いっこけいせい》……八二・八五・一七三・一七四・三一五・三五二
一壺千金《いっこせんきん》……八二
＊一壷千金《いっこせんきん》……八二
一狐之腋《いっこのえき》……八二
一切有情《いっさいうじょう》……八三
＊一切皆空《いっさいかいくう》……二〇一・三三九
一切合切《いっさいがっさい》……八三
＊一切合財《いっさいがっさい》……八三
一切衆生《いっさいしゅじょう》……八三
＊一殺他生《いっさつたしょう》……八六
一糸一毫《いっしいちごう》……八三
一弛一張《いっしいっちょう》……八三・八七
一士諤諤《いっしがくがく》……八三
一死七生《いっししちしょう》……八三
一子相伝《いっしそうでん》……八三・四一七
＊一失一得《いっしついっとく》……八九
一視同仁《いっしどうじん》……八三・一一五
＊一視之仁《いっしのじん》……八三
一紙半銭《いっしはんせん》……八四
一死報国《いっしほうこく》……八四
一瀉千里《いっしゃせんり》……八四
＊一瀉百里《いっしゃひゃくり》……八四
一種一瓶《いっしゅいっぺい》……八四
＊一入再入《いつじゅうさいじゅう》……七四
一宿一飯《いっしゅくいっぱん》……八四・八九
一觴一詠《いっしょういちえい》……八四
一笑一嚬《いっしょういっぴん》……八四・八〇・九〇
一生懸命《いっしょうけんめい》……八四・八五
一倡三歎《いっしょうさんたん》……八四・七五
＊一倡三嘆《いっしょうさんたん》……八四
＊一唱三歎《いっしょうさんたん》……八四
＊壱倡三歎《いっしょうさんたん》……八四
一笑千金《いっしょうせんきん》……八四・八二
一将万骨《いっしょうばんこつ》……八五
一生不犯《いっしょうふぼん》……八五
一触即発《いっしょくそくはつ》……八五・八九・一八四・三五九
一所懸命《いっしょけんめい》……八五・八四
＊一所不住《いっしょふじゅう》……一〇三・一八六
＊一心一意《いっしんいちい》……七二・八五
一進一退《いっしんいったい》……八五
一心一徳《いっしんいっとく》……八五・八九
一心同体《いっしんどうたい》……八五・七一・二八一
一心不乱《いっしんふらん》……八五・七二・四四四
一心発起《いっしんほっき》……八五・七六
一水盈盈《いっすいえいえい》……八五・一〇三
一酔千日《いっすいせんにち》……八五
一炊之夢《いっすいのゆめ》……八六・七五・一三九・二〇〇・三五一
一寸光陰《いっすんのこういん》……八六
＊一寸赤心《いっすんのせきしん》……八六
一寸丹心《いっすんのたんしん》……八六
一世木鐸《いっせい(の)ぼくたく》……八六
＊一世一代《いっせいいちだい》……八六
一世一代《いっせいちだい》……八六
＊一世一度《いっせいちど》……八六
＊一世之冠《いっせいのかん》……八六
＊一世師表《いっせいのしひょう》……三一八
一世之雄《いっせいのゆう》……八六
一世風靡《いっせいふうび》……八六
一石二鳥《いっせきにちょう》……八六・八一・八二・八七・一六一
一殺多生《いっせつたしょう》……八六
一銭一厘《いっせんいちりん》……八六・七七・八四

一箭双雕《いっせんそうちょう》……八七・八二・八六
一措一画《いっそいっかく》……八七・八八
*一草一木《いっそういちぼく》……七六
一体分身《いったいぶんしん》……八七
*一旦一夕《いったんいっせき》……八七
一短一長《いったんいっちょう》……八七・八八
一旦緩急《いったんかんきゅう》……八七
*一箪之食《いったんのし》……九〇
一治一乱《いっちいちらん》……八七
*一致団結《いっちだんけつ》……八九・一五六
一知半解《いっちはんかい》……八七
一張一弛《いっちょういっし》……八七・一三四
一朝一夕《いっちょういっせき》……八七
一長一短《いっちょういったん》……八七・七八・八九
一超直入《いっちょうじきにゅう》……八八
一朝之忿《いっちょうのいかり》……八八
一朝之患《いっちょうのうれい》……八八
一朝富貴《いっちょうのふうき》……八八
*一枕黄粱《いっちんのこうりょう》……二〇〇
*一擲乾坤《いってきけんこん》……一八二
一擲千金《いってきせんきん》……八八
*一擲百万《いってきひゃくまん》……八八
一点一画《いってんいっかく》……八八
一天四海《いってんしかい》……八八
一天万乗《いってんばんじょう》……八八・三九三
*一刀三拝《いっとうさんぱい》……八八
一刀三礼《いっとうさんらい》……八八
一刀両断《いっとうりょうだん》……八八・一二〇
*一刀両段《いっとうりょうだん》……八八
一得一失《いっとくいっしつ》……八九・七八・八八
一徳一心《いっとくいっしん》……八九
一登竜門《いっとりゅうもん》……八九
一敗塗地《いっぱいとち》……八九
一髪千鈞《いっぱつせんきん》……八九・七九・八五・一四三
*一発双貫《いっぱつそうかん》……八六・八七
一飯千金《いっぱんせんきん》……八九
一飯之恩《いっぱんのおん》……八九・八四
*一飯之徳《いっぱんのとく》……八九
*一飯之報《いっぱんのむくい》……八四・八九
一筆勾消《いっぴつこうしょう》……八九・九〇
*一筆勾銷《いっぴつこうしょう》……八九
*一筆勾断《いっぴつこうだん》……九〇
一筆抹殺《いっぴつまっさつ》……九〇
*一筆抹倒《いっぴつまっとう》……九〇
一瓢一箪《いっぴょういったん》……九〇
*一瓢之飲《いっぴょうのいん》……九〇
一嚬一笑《いっぴんいっしょう》……九〇
*一顰一笑《いっぴんいっしょう》……九〇
一碧万頃《いっぺきばんけい》……九〇
一片氷心《いっぺんのひょうしん》……九〇
*一片冰心《いっぺんのひょうしん》……九〇
鷸蚌之争《いっぽうのあらそい》……九〇・一六一
*一本調子《いっぽんちょうし》……三〇四
乙夜之覧《いつやのらん》……九〇
*意到心随《いとうしんずい》……九〇
*異榻同夢《いとうどうむ》……三六〇
意到筆随《いとうひつずい》……九〇
*以毒攻毒《いどくこうどく》……九一
以毒制毒《いどくせいどく》……九〇
猗頓之富《いとんのとみ》……九一・三一七
倚馬七紙《いばしちし》……九一
意馬心猿《いばしんえん》……九一・一六〇・二六七
*衣鉢相伝《いはちそうでん》……九一
衣鉢相伝《いはつそうでん》……九一
*倚馬之才《いばのさい》……九一
夷蛮戎狄《いばんじゅうてき》……九一・一六五・三七三
萎靡沈滞《いびちんたい》……九一
渭浜漁父《いひんのぎょほ》……九一
移風易俗《いふうえきぞく》……九一
遺風残香《いふうざんこう》……九一・二二一
威風堂堂《いふうどうどう》……九二
*遺風余香《いふうよこう》……九二・二二一
*威風凜凜《いふうりんりん》……九二
緯武経文《いぶけいぶん》……九二・一七六
*威武堂堂《いぶどうどう》……九二
異聞奇譚《いぶんきたん》……九二
韋編三絶《いへんさんぜつ》……九二
移木之信《いぼくのしん》……九二・二四〇

意味深長《いみしんちょう》……九二・七〇・三九八
＊倚門倚閭《いもんいりょ》……九二
倚門之望《いもんのぼう》……九二
衣履弊穿《いりへいせん》……九二
＊倚閭之望《いりょのぼう》……九二
異類中行《いるいちゅうぎょう》……九二
異類無礙《いるいむげ》……九三・四五七
＊異類無碍《いるいむげ》……九三
＊以蠡測海《いれいそくかい》……四五九
異路同帰《いろどうき》……九三・三五七
＊以和為貴《いわいき》……四六二
陰陰滅滅《いんいんめつめつ》……九三
飲灰洗胃《いんかいせんい》……九三
因果応報《いんがおうほう》……九三・二九四
因果覿面《いんがてきめん》……九三
＊飲河之願《いんがのねがい》……九三
飲河満腹《いんかまんぷく》……九三
＊因果歴然《いんがれきぜん》……九三
殷鑑不遠《いんかんふえん》……九三・三三
因機説法《いんきせっぽう》……九三・一一・一一三・三一九
婬虐暴戻《いんぎゃくぼうれい》……九四
＊淫虐暴戻《いんぎゃくぼうれい》……九四
韻鏡十年《いんきょうじゅうねん》……九四
＊慇懃尾籠《いんぎんびろう》……九四
慇懃無礼《いんぎんぶれい》……九四
飲至策勳《いんしさっくん》……九四
＊飲至之礼《いんしのれい》……九四
因循苟且《いんじゅんこうしょ》……九四
＊因循姑息《いんじゅんこそく》……九四
＊因循守旧《いんじゅんしゅきゅう》……三六七
因小失大《いんしょうしつだい》……九四・一二
＊引縄排根《いんじょうはいこん》……九五
印象批評《いんしょうひひょう》……九四
引縄批根《いんじょうへいこん》……九四
＊飲食之人《いんしょくのひと》……一九二・四四四
＊音信不通《いんしんふつう》……一一五
飲水思源《いんすいしげん》……九五・三六五
＊飲水知源《いんすいちげん》……九五
飲鴆止渇《いんちんしかつ》……九五
＊殷天動地《いんてんどうち》……一五六
陰徳陽報《いんとくようほう》……九五・九七
隠忍自重《いんにんじちょう》……九五・三七五
允文允武《いんぶんいんぶ》……九五・一七六・四二四
＊因病下薬《いんぺいかやく》……九四・一一一・二九五
陰謀詭計《いんぼうきけい》……九五
陰陽五行《いんようごぎょう》……九五
＊飲流懐源《いんりゅうかいげん》……九五

●う

有為転変《ういてんぺん》……九六・二六三・三九三
有為無常《ういむじょう》……九六
＊烏焉成馬《うえんせいば》……九六・四七八
烏焉魯魚《うえんろぎょ》……九六・一一八・四七八
右往左往《うおうさおう》……九六・二四七・三二〇
羽翮飛肉《うかくひにく》……九六・二八八・三〇七
＊雨過天青《うかてんせい》……九六
雨過天晴《うかてんせい》……九六
羽化登仙《うかとうせん》……九六
雨奇晴好《うきせいこう》……九六
于公高門《うこうこうもん》……九六
禹行舜趨《うこうしゅんすう》……九七
烏合之衆《うごうのしゅう》……九七・二四六
＊右顧左顧《うこさこ》……九七
右顧左眄《うこさべん》……九七・二〇二・三二九・三七〇
有財餓鬼《うざいがき》……九七
＊牛之一毛《うしのいちもう》……一五〇
＊烏集之衆《うしゅうのしゅう》……九七
＊有相無相《うそうむそう》……九七
有象無象《うぞうむぞう》……九七・二七五
迂疎空闊《うそくうかつ》……九七
＊迂疎空濶《うそくうかつ》……九七
有智高才《うちこうさい》……九七
内股膏薬《うちまたこうやく》……九七・四一九
有頂天外《うちょうてんがい》……九八・一六三
烏鳥私情《うちょうのしじょう》……九八・二三・二七・三九六
＊烏鳥之情《うちょうのじょう》……九八・二三
鬱鬱葱葱《うつうつそうそう》……九八
鬱鬱勃勃《うつうつぼつぼつ》……九八
鬱肉漏脯《うつにくろうほ》……九八

鬱塁神荼 うつりつ しんと……**九八**・二七四
禹湯文武 うとう ぶんぶ……**九八**
烏兎匆匆 うと そうそう……**九八**・一八六・三六八
＊烏兎怱怱 うと そうそう……九八
烏白馬角 うはく ばかく……**九八**・一四九
烏飛兎走 うひ とそう……**九八**・一八六・三六八・四七八
傴伏孕鬻 うふう よういく……**九九**
禹歩舜趨 うほ しゅんすう……**九九**・九七
＊海千河千 うみせん かわせん……九九
海千山千 うみせん やません……**九九**・二九六・四〇三・四三二
有無相生 うむ そうせい……**九九**
有耶無耶 うや むや……**九九**
紆余委蛇 うよ いだ……**九九**・一〇六
紆余曲折 うよ きょくせつ……**九九**・三九一・三九三
盂蘭盆会 うらぼん え……**九九**
雨霖鈴曲 うりんれい きょく……**九九**
雨露霜雪 うろ そうせつ……**九九**
有漏無漏 うろ むろ……**九九**
＊雲雨之夢 うんうの ゆめ……一〇〇・三一四・三三六
雲雨巫山 うんう ふざん……**一〇〇**・三一四・三三六
雲烟過眼 うんえん かがん……**一〇〇**
＊雲煙過眼 うんえん かがん……一〇〇
雲烟万里 うんえん ばんり……**一〇〇**
＊雲煙万里 うんえん ばんり……一〇〇
雲烟飛動 うんえん ひどう……**一〇〇**
＊雲煙飛動 うんえん ひどう……一〇〇

雲烟縹渺 うんえん ひょうびょう……**一〇〇**
＊雲烟縹眇 うんえん ひょうびょう……一〇〇
＊雲烟縹緲 うんえん ひょうびょう……一〇〇
＊雲煙縹渺 うんえん ひょうびょう……一〇〇
雲霞之交 うんかの まじわり……**一〇〇**
＊雲間之鶴 うんかんの つる……一〇一
運斤成風 うんきん せいふう……**一〇〇**・二六八
雲行雨施 うんこう うし……**一〇〇**
雲合霧集 うんごう むしゅう……**一〇一**
雲散鳥没 うんさん ちょうぼつ……**一〇一**
雲散霧消 うんさん むしょう……**一〇一**
雲集霧散 うんしゅう むさん……**一〇一**・四六七
＊雲消雨散 うんしょう うさん……一〇一
＊雲消霧散 うんしょう むさん……一〇一
＊雲蒸竜騰 うんじょう りょうとう……一〇一
雲蒸竜変 うんじょう りょうへん……**一〇一**
雲心月性 うんしん げっせい……**一〇一**・四四七
雲水行脚 うんすい あんぎゃ……**一〇一**
雲中白鶴 うんちゅうの はっかく……**一〇一**
＊雲泥之差 うんでいの さ……一〇一・三四九・三五〇
＊雲泥万天 うんでい ばんてん……一〇一
雲泥万里 うんでい ばんり……**一〇一**
雲濤煙浪 うんとう えんろう……**一〇一**
運否天賦 うんぷ てんぷ……**一〇二**・三四四
雲翻雨覆 うんぽん うふく……**一〇二**
雲遊萍寄 うんゆう へいき……**一〇二**・一八六

雲容烟態 うんよう えんたい……**一〇二**
＊雲容煙態 うんよう えんたい……一〇二
＊雲竜井蛙 うんりゅう せいあ……一〇二
雲竜井蛙 うんりょう せいあ……**一〇二**

● え

盈盈一水 えいえい いっすい……**一〇二**
永永無窮 えいえい むきゅう……**一〇二**
＊永遠回帰 えいえん かいき……一〇三
＊永遠不滅 えいえん ふめつ……四〇三
影駭響震 えいがい きょうしん……**一〇二**・四一二
栄諧伉儷 えいかい こうれい……**一〇二**
栄華秀英 えいか しゅうえい……**一〇三**
＊栄華之夢 えいがの ゆめ……一三九
英華発外 えいか はつがい……**一〇三**
＊永久不変 えいきゅう ふへん……三九二・四〇三
永劫回帰 えいごう かいき……**一〇三**
＊永劫末世 えいごう まっせ……一〇三
栄枯盛衰 えいこ せいすい……**一〇三**・七二・二八八
＊栄枯浮沈 えいこ ふちん……一〇三・二八八
英姿颯爽 えいし さっそう……**一〇三**
永字八法 えいじ はっぽう……**一〇三**
英俊豪傑 えいしゅん ごうけつ……**一〇三**
郢書燕説 えいしょ えんせつ……**一〇三**
＊詠絮之才 えいじょの さい……一〇四
穎水隠士 えいすいの いんし……**一〇三**
永垂不朽 えいすい ふきゅう……**一〇四**・四〇三

＊永世無窮《えいせいむきゅう》……一〇二
影隻形単《えいせきけいたん》……**一〇四**・一七五
詠雪之才《えいせつのさい》……**一〇四**
＊盈則必虧《えいそくひっき》……一〇四
＊永存不朽《えいぞんふきゅう》……一〇四
＊永伝不朽《えいでんふきゅう》……一〇四
盈満之咎《えいまんのとがめ》……**一〇四**
英明闊達《えいめいかったつ》……**一〇四**
＊英明豁達《えいめいかったつ》……一〇四
＊叡明闊達《えいめいかったつ》……一〇四
英雄欺人《えいゆうぎじん》……**一〇四**
栄耀栄華《えいようえいが》……**一〇四**・四一一
慧可断臂《えかだんぴ》……**一〇四**
益者三楽《えきしゃさんごう》……**一〇五**
益者三友《えきしゃさんゆう》……**一〇五**・三一五
易姓革命《えきせいかくめい》……**一〇五**
回光返照《えこうへんしょう》……**一〇五**
依怙贔屓《えこひいき》……**一〇五**
＊依怙贔屭《えこひいき》……一〇五
会者定離《えしゃじょうり》……**一〇五**・二五七・三四一
＊越犬吠雪《えっけんはいせつ》……二六三
越俎代庖《えっそだいほう》……**一〇五**
越俎之罪《えっそのつみ》……**一〇五**
越鳥南枝《えっちょうなんし》……**一〇五**・二〇七・二一〇
＊越畔之思《えっぱんのおもい》……一〇五
越鳧楚乙《えつふそいつ》……**一〇六**
得手勝手《えてかって》……**一〇六**・四三三
＊衣鉢相伝《えはつそうでん》……九一
＊栄耀栄華《えようえいが》……一〇四
宴安酖毒《えんあんちんどく》……**一〇六**
＊宴安鴆毒《えんあんちんどく》……一〇六
烟雲過眼《えんうんかがん》……**一〇六**・一〇〇
＊煙雲月露《えんうんげつろ》……四一〇
＊蜒蜒長蛇《えんえんちょうだ》……一〇六
＊蜿蜒長蛇《えんえんちょうだ》……一〇六
蜿蜿長蛇《えんえんちょうだ》……**一〇六**・九九
＊鴛鴦交頸《えんおうこうけい》……一〇六・四三一
＊鴛鴦之偶《えんおうのぐう》……一〇六
鴛鴦之契《えんおうのちぎり》……**一〇六**・一三四・一三七・三〇八・四三一
円滑洒脱《えんかつしゃだつ》……**一〇六**
烟霞痼疾《えんかのこしつ》……**一〇六**
＊煙霞痼疾《えんかのこしつ》……一〇六
燕頷虎頸《えんがんこけい》……**一〇六**
燕頷虎頭《えんがんことう》……**一〇六**
燕雁代飛《えんがんだいひ》……**一〇六**・二七一
燕頷投筆《えんがんとうひつ》……**一〇七**・一〇六
婉曲迂遠《えんきょくうえん》……**一〇七**・三四二
＊延頸鶴望《えんけいかくぼう》……一〇七・一二四
＊延頸企踵《えんけいきしょう》……一〇七
延頸挙踵《えんけいきょしょう》……**一〇七**・一二四
遠交近攻《えんこうきんこう》……**一〇七**
猿猴取月《えんこうしゅげつ》……**一〇七**・一三〇
円孔方木《えんこうほうぼく》……**一〇七**・四三四
円鑿方枘《えんさくほうぜい》……**一〇七**
＊縁山求魚《えんざんきゅうぎょ》……一一〇
掩耳盗鐘《えんじとうしょう》……**一〇七**
＊掩耳偸鈴《えんじとうりん》……一〇七
＊掩耳盗鈴《えんじとうりん》……一〇七
円首方足《えんしゅほうそく》……**一〇七**・一〇八・一一一
＊燕照築台《えんしょうちくだい》……二九九
怨女曠夫《えんじょこうふ》……**一〇八**
遠水近火《えんすいきんか》……**一〇八**
＊遠水近渇《えんすいきんかつ》……一〇八
＊偃鼠飲河《えんそいんが》……九三
円頂黒衣《えんちょうこくい》……**一〇八**
＊円頂緇衣《えんちょうしい》……一〇八
円転滑脱《えんてんかつだつ》……**一〇八**・一〇六
宛転蛾眉《えんてんがび》……**一〇八**
＊鉛刀一断《えんとういちだん》……一〇八
鉛刀一割《えんとういっかつ》……**一〇八**
円頭方足《えんとうほうそく》……**一〇八**・一一一
円頓止観《えんどんしかん》……**一〇八**
円融三諦《えんにゅうさんだい》……**一〇八**
＊延年益寿《えんねんえきじゅ》……一〇九
延年転寿《えんねんてんじゅ》……**一〇八**
＊焉馬之誤《えんばのあやまり》……九六・一一八・四七八
烟波縹渺《えんぱひょうびょう》……**一〇九**

＊烟波縹眇《えんぱひょうびょう》……一〇九
＊烟波縹緲《えんぱひょうびょう》……一〇九
＊煙波縹渺《えんぱひょうびょう》……一〇九
鳶飛魚躍《えんぴぎょやく》……一〇九
猿臂之勢《えんぴのいきおい》……一〇九
＊偃武恢文《えんぶかいぶん》……一〇九
偃武修文《えんぶしゅうぶん》……一〇九
閻浮檀金《えんぶだごん》……一〇九
厭聞飫聴《えんぶんよちょう》……一〇九
婉娩聴従《えんべんちょうじゅう》……一〇九
＊遠謀深慮《えんぼうしんりょ》……二七四
＊縁木希魚《えんぼくきぎょ》……一一〇
縁木求魚《えんぼくきゅうぎょ》……一〇九・一九七・三〇〇
円木警枕《えんぼくけいちん》……一一〇
円満具足《えんまんぐそく》……一一〇・四一六
衍曼流爛《えんまんりゅうらん》……一一〇
＊衍漫流爛《えんまんりゅうらん》……一一〇
＊延命息災《えんみょうそくさい》……一一〇
延命息災《えんめいそくさい》……一一〇
鳶目兎耳《えんもくとじ》……一一〇・三四〇
＊掩目捕雀《えんもくほじゃく》……一〇七
轅門二竜《えんもんにりょう》……一一〇
＊円融三諦《えんゆうさんだい》……一〇八
厭離穢土《えんりえど》……一一〇・一一五
延陵季子《えんりょうのきし》……一一〇
遠慮会釈《えんりょえしゃく》……一一〇
遠慮近憂《えんりょきんゆう》……一一〇
円顱方趾《えんろほうし》……一一一・一〇八

●お——

嘔唖嘲哳《おうあちょうたつ》……一一一
枉駕来臨《おうがらいりん》……一一一
桜花爛漫《おうからんまん》……一一一
＊応機接物《おうきせつぶつ》……九三
応機接物《おうきせつもつ》……一一一・九四・一一三・二九五・三一九
＊応急処置《おうきゅうしょち》……一一一
応急措置《おうきゅうそち》……一一一
＊応機立断《おうきりつだん》……三五七
横行闊歩《おうこうかっぽ》……一一一・一一三・三四一・四〇八
＊横行奡桀《おうこうごうけつ》……一一一
王侯将相《おうこうしょうしょう》……一一一
＊王公大人《おうこうたいじん》……一一一
横行跋扈《おうこうばっこ》……一一一・一一一
＊横行覇道《おうこうはどう》……一一一
往古来今《おうこらいこん》……一一一・二〇二・二〇六
往事渺茫《おうじびょうぼう》……一一一
往事茫茫《おうじぼうぼう》……一一一
＊往生極楽《おうじょうごくらく》……二〇五
往生素懐《おうじょうそかい》……一一一
＊往生本懐《おうじょうのほんかい》……一一三
枉尺直尋《おうせきちょくじん》……一一一・九四
＊横説縦説《おうせつじゅうせつ》……一一三
横説竪説《おうせつじゅせつ》……一一二
＊横説豎説《おうせつじゅせつ》……一一三
応接不暇《おうせつふか》……一一二
尫繊懦弱《おうせんだじゃく》……一一二
横草之功《おうそうのこう》……一一二
＊横草之労《おうそうのろう》……一一三
王道楽土《おうどうらくど》……一一二
椀飯振舞《おうばんぶるまい》……一一二
＊埦飯振舞《おうばんぶるまい》……一一三
横眉怒目《おうびどもく》……一一三・三四〇・四六八
応病与薬《おうびょうよやく》……一一三・九四・一一一・二九五・三一九
＊横眉立目《おうびりつもく》……一一三
＊傴伏孕鬻《おうふうよういく》……九九
枉法徇私《おうほうじゅんし》……一一二
甕牖縄枢《おうゆうじょうすう》……一一二
＊甕牖桑枢《おうゆうそうすう》……一一三
王楊盧駱《おうようろらく》……一一二
甕裡醯鶏《おうりけいけい》……一一二
＊甕裡醯雞《おうりけいけい》……一一三
＊甕裏醯鶏《おうりけいてい》……一一三
大盤振舞《おおばんぶるまい》……一一四・一一三
岡目八目《おかめはちもく》……一一四
＊傍目八目《おかめはちもく》……一一四
屋烏之愛《おくうのあい》……一一四
＊屋下架屋《おくかかおく》……一一四・二五八

＊外孫鼈臼《がいそんせいきゅう》……一九〇
海内奇士《かいだいのきし》……**一一九**
海内無双《かいだいむそう》……**一一九**・二〇六
咳唾成珠《がいだせいしゅ》……**一一九**
＊街談巷議《がいだんこうぎ》……一一九
街談巷語《がいだんこうご》……**一一九**
＊街談巷説《がいだんこうせつ》……一一九
＊海中撈月《かいちゅうろうげつ》……一二〇
喙長三尺《かいちょうさんじゃく》……**一二〇**
海底撈月《かいていろうげつ》……**一二〇**・一〇七
＊海底撈針《かいていろうしん》……一二〇・三一五
＊改轍易途《かいてつえきと》……一一七
蓋天蓋地《がいてんがいち》……**一二〇**
回天事業《かいてんのじぎょう》……**一二〇**
＊廻天事業《かいてんのじぎょう》……一二〇
廻天之力《かいてんのちから》……**一二〇**
開天闢地《かいてんへきち》……**一二〇**・三五三
＊開天辟地《かいてんへきち》……一二〇
誨盗誨淫《かいとうかいいん》……**一二〇**・一一六
＊改頭換尾《かいとうかんび》……一二〇
改頭換面《かいとうかんめん》……**一二〇**
快刀乱麻《かいとうらんま》……**一二〇**
磑風春雨《がいふうしょうう》……**一二〇**
開物成務《かいぶつせいむ》……**一二一**
槐門棘路《かいもんきょくろ》……**一二一**・二二〇
開門揖盗《かいもんゆうとう》……**一二一**
＊海約山盟《かいやくさんめい》……一一九
傀儡政権《かいらいせいけん》……**一二一**
怪力乱神《かいりきらんしん》……**一二一**
＊怪力乱神《かいりょくらんしん》……一二一
魁塁之士《かいるいのし》……**一二一**
偕老同穴《かいろうどうけつ》……**一二一**・四〇九
薤露蒿里《かいろこうり》……**一二二**
夏雲奇峰《かうんきほう》……**一二二**
瓦解土崩《がかいどほう》……**一二二**
柯会之盟《かかいのめい》……**一二二**
＊瓦解氷消《がかいひょうしょう》……四〇七
花街柳巷《かがいりゅうこう》……**一二二**・四六八
下学上達《かがくじょうたつ》……**一二二**
蝸角之争《かかくのあらそい》……**一二二**
下学之功《かがくのこう》……**一二二**
呵呵大笑《かかたいしょう》……**一二二**・四三五
夏下冬上《かかとうじょう》……**一二二**
＊河漢斯言《かかんしげん》……一二二
河漢之言《かかんのげん》……**一二二**
夏癸殷辛《かきいんしん》……**一二三**
蝸牛角上《かぎゅうかくじょう》……**一二三**・一二二
家給人足《かきゅうじんそく》……**一二三**
科挙圧巻《かきょあっかん》……**一二三**
＊河魚之患《かぎょのかん》……一二三
＊河魚之疾《かぎょのしつ》……一二三
河魚腹疾《かぎょのふくしつ》……**一二三**
諤諤之臣《がくがくのしん》……**一二三**
赫赫明明《かくかくめいめい》……**一二三**・四五〇
隔岸観火《かくがんかんか》……**一二三**・一五六・三一六
＊革旧鼎新《かくきゅうていしん》……一二三
革故鼎新《かくこていしん》……**一二三**
鶴寿千歳《かくじゅせんざい》……**一二三**
＊画脂鏤氷《かくしろうひょう》……一二六
＊各人各様《かくじんかくよう》……二三三・二四八
＊隔世之感《かくせいのかん》……二一三
廓然大公《かくぜんたいこう》……**一二四**
格致日新《かくちにっしん》……**一二四**
学知利行《がくちりこう》……**一二四**
廓然大悟《かくねんたいご》……**一二四**・三一八
格物致知《かくぶつちち》……**一二四**
鶴鳴之士《かくめいのし》……**一二四**
鶴翼之囲《かくよくのかこみ》……**一二四**
＊鶴翼之陣《かくよくのじん》……一二四
鶴立企佇《かくりつきちょ》……**一二四**・一〇七
＊鶴唳風声《かくれいふうせい》……四一二
嫁鶏随鶏《かけいずいけい》……**一二四**
＊嫁雞随雞《かけいずいけい》……一二四
瓦鶏陶犬《がけいとうけん》……**一二五**・三五八
家鶏野雉《かけいやち》……**一二五**
＊家雞野雉《かけいやち》……一二五
＊家鶏野鶩《かけいやぼく》……一二五
寡見少聞《かけんしょうぶん》……**一二五**・一三一

嘉言善行《かげんぜんこう》……**一二五**
＊寡見鮮聞《かけんせんぶん》……一三一
＊寡言沈黙《かげんちんもく》……三四四
夏侯拾芥《かこうしゅうかい》……**一二五**
歌功頌徳《かこうしょうとく》……**一二五**
花紅柳緑《かこうりゅうりょく》……**一二五**
＊画虎成狗《がこせいく》……一二五
画虎類狗《がこるいく》……**一二五**
＊華山帰馬《かざんきば》……一四八
河山帯礪《かざんたいれい》……**一二五**・三三一
＊河山帯厲《かざんたいれい》……一二五
加持祈禱《かじきとう》……**一二六**
和氏之璧《かしのへき》……**一二六**・二七七・四二八
＊画蛇添足《がじゃてんそく》……一二八
家常茶飯《かじょうさはん》……**一二六**・三七四
過剰防衛《かじょうぼうえい》……**一二六**・二八六
＊花燭洞房《かしょくどうぼう》……三六二
華燭之典《かしょくのてん》……**一二六**
＊華胥之国《かしょのくに》……一二六
華胥之夢《かしょのゆめ》……**一二六**
家書万金《かしょばんきん》……**一二六**
禾黍油油《かしょゆうゆう》……**一二六**
画脂鏤氷《がしろうひょう》……**一二六**・三四〇
＊画脂鏤冰《がしろうひょう》……一二七
雅人深致《がじん(の)しんち》……**一二七**
＊花晨月夕《かしんげっせき》……一二八

佳人才子《かじんさいし》……**一二七**・二一五
臥薪嘗胆《がしんしょうたん》……**一二七**・二一九
軻親断機《かしんだんき》……**一二七**
佳人薄命《かじんはくめい》……**一二七**・二一六・三九九
嘉辰令月《かしんれいげつ》……**一二七**
苛政猛虎《かせいもうこ》……**一二七**
＊下井落石《かせいらくせき》……四六四
雅俗折衷《がぞくせっちゅう》……**一二七**
＊家族団欒《かぞくだんらん》……八〇
画蛇添足《がだてんそく》……**一二七**・一一四
＊果断迅速《かだんじんそく》……二七三
夏虫疑氷《かちゅうぎひょう》……**一二八**
＊夏虫疑冰《かちゅうぎひょう》……一二八
花朝月夕《かちょうげっせき》……**一二八**
＊花朝月夜《かちょうげつや》……一二八
花鳥諷詠《かちょうふうえい》……**一二八**
花鳥風月《かちょうふうげつ》……**一二八**・二九二
隔靴搔痒《かっかそうよう》……**一二八**・四四一
＊隔靴搔癢《かっかそうよう》……一二八
＊隔靴爬痒《かっかはよう》……一二八
渇驥奔泉《かっきほんせん》……**一二八**
恪勤精励《かっきんせいれい》……**一二八**・二八八
＊葛屨履霜《かっくりそう》……七七
活計歓楽《かっけいかんらく》……**一二八**・二八五
割鶏牛刀《かっけいぎゅうとう》……**一二八**
＊確乎不動《かっこふどう》……一二九

確乎不抜《かっこふばつ》……**一二九**
活殺自在《かっさつじざい》……**一二九**・二八三
＊合従連横《がっしょうれんおう》……一二九
合従連衡《がっしょうれんこう》……**一二九**
＊合縦連衡《がっしょうれんこう》……一二九
豁然大悟《かつぜんたいご》……**一二九**
闊達自在《かったつじざい》……**一二九**
＊闊達自由《かったつじゆう》……二四五
豁達大度《かったつたいど》……**一二九**
＊勝手気儘《かってきまま》……一〇六・四三三・四三五・四三六
活剝生呑《かっぱくせいどん》……**一二九**
活潑潑地《かつはつはっち》……**一二九**
＊活潑潑地《かっぱつはっち》……一二九
＊活潑潑地《かっぱつぱっち》……一三〇
＊刮目相看《かつもくそうかん》……一三〇
刮目相待《かつもくそうたい》……**一二九**
華亭鶴唳《かていかくれい》……**一三〇**
過庭之訓《かていのおしえ》……**一三〇**
我田引水《がでんいんすい》……**一三〇**・二二八
＊瓜田之履《かでんのり》……四六六
瓜田李下《かでんりか》……**一三〇**・四六六
寡頭政治《かとうせいじ》……**一三〇**
家徒四壁《かとしへき》……**一三〇**・一四〇
＊家徒壁立《かとへきりつ》……一三〇
河図洛書《かとらくしょ》……**一三〇**

＊蛾眉皓歯《がびこうし》……四五〇
家貧孝子《かひんこうし》……一三〇
禍福倚伏《かふくいふく》……一三〇・一三一
禍福糾纆《かふくきゅうぼく》……一三一・七二・二一四
＊禍福相倚《かふくそうい》……一三一
＊禍福相貫《かふくそうかん》……一三一
＊禍福同門《かふくどうもん》……一三一
禍福得喪《かふくとくそう》……一三一
＊禍福之転《かふくのてん》……一三一
禍福無門《かふくむもん》……一三一
瓦釜雷鳴《がふらいめい》……一三一
寡聞少見《かぶんしょうけん》……一三一
瓜剖豆分《かぼうとうぶん》……一三一
＊我武者者《がむしゃもの》……一三一
我武者羅《がむしゃら》……一三一・二四四
烏之雌雄《からすのしゆう》……一三一
＊我利我利《がりがり》……三二八
＊花柳狭斜《かりゅうきょうしゃ》……四六八
＊画竜点睛《がりゅうてんせい》……一三二
＊臥竜鳳雛《がりゅうほうすう》……一三二
下陵上替《かりょうじょうたい》……一三一
画竜点睛《がりょうてんせい》……一三二
河梁之吟《かりょうのぎん》……一三二
＊河梁之誼《かりょうのよしみ》……一三二
迦陵頻伽《かりょうびんが》……一三二
臥竜鳳雛《がりょうほうすう》……一三一・一九八・四一六・四三一
寡廉鮮恥《かれんせんち》……一三二・一八八
苛斂誅求《かれんちゅうきゅう》……一三二
餓狼之口《がろうのくち》……一三二
夏鑪冬扇《かろとうせん》……一三二・四六七
＊夏炉冬扇《かろとうせん》……一三二
銜哀致誠《がんあいちせい》……一三二
含飴弄孫《がんいろうそん》……一三二
＊間雲孤鶴《かんうんこかく》……一三二・一六三・二〇一
閑雲野鶴《かんうんやかく》……一三二・一六三・二〇一
＊間雲野鶴《かんうんやかく》……一三二
含英咀華《がんえいしょか》……一三二
檻猿籠鳥《かんえんろうちょう》……一三二
＊寒灰枯木《かんかいこぼく》……二二一
韓海蘇潮《かんかいそちょう》……一三二
＊顔回簞瓢《がんかいたんぴょう》……三二六
＊寒灰復燃《かんかいふくねん》……二二八
感慨無量《かんがいむりょう》……一三三
干戈倥偬《かんかこうそう》……一三三・三五九
鰥寡孤独《かんかこどく》……一三三
＊矜寡孤独《かんかこどく》……一三三
含牙戴角《がんがたいかく》……一三三
頷下之珠《がんかのしゅ》……一三四
＊頷下之珠《がんかのたま》……三二九・四七三
＊坎坷不遇《かんかふぐう》……一三四
＊坎軻不遇《かんかふぐう》……一三四
＊轗軻不遇《かんかふぐう》……一三四
轗軻不遇《かんかふぐう》……一三四
緩歌慢舞《かんかまんぶ》……一三四
侃侃諤諤《かんかんがくがく》……一三四・一三三・一六二
観感興起《かんかんこうき》……一三四
寒巌枯木《かんがんこぼく》……一三四・二二一
関関雎鳩《かんかんしょきゅう》……一三四・一三七・一六五・
四〇九
官官接待《かんかんせったい》……一三四
＊歓喜雀躍《かんきじゃくやく》……一六三
＊管窺之見《かんきのけん》……一三五・一三九・四五九
歓喜抃舞《かんきべんぶ》……一三四
緩急自在《かんきゅうじざい》……一三四・八七
汗牛充棟《かんぎゅうじゅうとう》……一三五・二二六
管窺蠡測《かんきれいそく》……一三五・一三七・一三九・二九〇・
三〇四・四五九
歓欣鼓舞《かんきんこぶ》……一三五・一三四・一六三
甘言蜜語《かんげんみつご》……一三五
頑固一徹《がんこいってつ》……一三五
眼光炯炯《がんこうけいけい》……一三五
顔厚忸怩《がんこうじくじ》……一三五
眼光紙背《がんこうしはい》……一三五
眼高手低《がんこうしゅてい》……一三五・二三四
＊寛洪大量《かんこうたいりょう》……一三七
寒江独釣《かんこうどくちょう》……一三五
＊顔厚無慚《がんこうむざん》……一八八
換骨奪胎《かんこつだったい》……一三五

*還顧之憂《かんこのうれい》……一九一
冠婚葬祭《かんこんそうさい》……**一三六**
*冠昏葬祭《かんこんそうさい》……一三六
*冠婚喪祭《かんこんそうさい》……一三六
翫歳愒日《がんさいかいじつ》……**一三六**・二一九
寒山拾得《かんざんじっとく》……**一三六**
*顔子一瓢《がんしいっぴょう》……三三九
岸芷汀蘭《がんしていらん》……**一三六**
*含沙射人《がんしゃしゃじん》……一三六
含沙射影《がんしゃせきえい》……**一三六**
顔常山舌《がんじょうざんのした》……**一三六**
*観場矮人《かんじょうのわいじん》……四七九
干将莫邪《かんしょうばくや》……**一三六**
*干将莫耶《かんしょうばくや》……一三六
*干将鏌鎁《かんしょうばくや》……一三六
旰食宵衣《かんしょくしょうい》……**一三六**
関雎之化《かんしょのか》……**一三六**
玩人喪徳《がんじんそうとく》……**一三七**
寛仁大度《かんじんたいど》……**一三七**・一二九
韓信匍匐《かんしんほふく》……**一三七**
*韓信蒲伏《かんしんほふく》……一三七
甘井先竭《かんせいせんけつ》……**一三七**
埳井之鼃《かんせいのあ》……**一三七**・一一四・一二八・一三五・二九〇・四五五・四七二
*坎井之鼃《かんせいのあ》……一三七
干戚羽旄《かんせきうぼう》……**一三七**
冠前絶後《かんぜんぜつご》……**一三八**・一六七
勧善懲悪《かんぜんちょうあく》……**一三八**・六三
完全無欠《かんぜんむけつ》……**一三八**・一六二・二四七・二七三・三〇三
官尊民卑《かんそんみんぴ》……**一三八**
*邯鄲学歩《かんたんがくほ》……一三八
寒煖饑飽《かんだんきほう》……**一三八**
肝胆相照《かんたんそうしょう》……**一三八**
邯鄲之歩《かんたんのほ》……**一三八**
*肝胆朋友《かんたんほうゆう》……一三八
*邯鄲之枕《かんたんのまくら》……一三九・二〇〇
邯鄲之夢《かんたんのゆめ》……**一三八**・七五・二〇〇・三五一
簡単明瞭《かんたんめいりょう》……**一三九**・三三六・四一五
*奸智術策《かんちじゅっさく》……一三九・一八四
奸智術数《かんちじゅっすう》……**一三九**
*姦智術数《かんちじゅっすう》……一三九
管中窺豹《かんちゅうきひょう》……**一三九**・三〇四・四五九
管仲随馬《かんちゅうずいば》……**一三九**
眼中之釘《がんちゅうのくぎ》……**一三九**
*眼中之刺《がんちゅうのし》……一三九
*眼中之丁《がんちゅうのてい》……一三九
*眼中無人《がんちゅうむじん》……四三三
歓天喜地《かんてんきち》……**一三九**・一五五・一六三・二五三
旱天慈雨《かんてんじう》……**一三九**
撼天動地《かんてんどうち》……**一三九**・一五六
甘棠之愛《かんとうのあい》……**一三九**
*甘棠遺愛《かんとういあい》……一四〇
*甘棠之恵《かんとうのめぐみ》……一四〇
環堵蕭然《かんとしょうぜん》……**一四〇**
*環堵之室《かんとのしつ》……一四〇
*艱難苦労《かんなんくろう》……一四〇
艱難辛苦《かんなんしんく》……**一四〇**・三〇〇・四六九
*奸佞邪心《かんねいじゃしん》……一四〇
奸佞邪智《かんねいじゃち》……**一四〇**
肝脳塗地《かんのうとち》……**一四〇**・八九
*汗馬之功《かんばのこう》……一四〇
汗馬之労《かんばのろう》……**一四〇**・一八四
銜尾相随《かんびそうずい》……**一四〇**
*銜尾相属《かんびそうぞく》……一四〇
*完美無欠《かんびむけつ》……一三八
勧百諷一《かんぴゃくふういつ》……**一四〇**
玩物喪志《がんぶつそうし》……**一四〇**・一六〇
*感奮激厲《かんぷんげきれい》……一四一
感奮興起《かんぷんこうき》……**一四一**・七六
*緩兵之計《かんぺいのけい》……三一二
管鮑之交《かんぽうのまじわり》……**一四一**・二七七・三三六・四三三・四六三
含哺鼓腹《がんぽこふく》……**一四一**・二一一
頑迷固陋《がんめいころう》……**一四一**・一七九・四四八
*慣用手段《かんようしゅだん》……二六〇
*冠履顛倒《かんりてんとう》……一四一
冠履倒易《かんりとうえき》……**一四一**・四四〇

*冠履倒置《かんりとうち》……一四一
頑廉懦立《がんれんだりつ》……**一四一**
閑話休題《かんわきゅうだい》……**一四一**
*間話休題《かんわきゅうだい》……一四一

● き

気韻生動《きいんせいどう》……**一四二**
*気宇軒昂《きうけんこう》……一四二
気宇壮大《きうそうだい》……**一四二**
*気宇雄豪《きうゆうごう》……一四二
疑雲猜霧《ぎうんさいむ》……**一四二**
気炎万丈《きえんばんじょう》……**一四二**
*気焔万丈《きえんばんじょう》……一四二
既往不咎《きおうふきゅう》……**一四二**
祇園精舎《ぎおんしょうじゃ》……**一四二**
*奇怪至極《きかいしごく》……一四二
機械之心《きかいのこころ》……**一四二**
奇貨可居《きかかきょ》……**一四二**
*亀鶴之寿《きかくのじゅ》……一二三
*揮汗成雨《きかんせいう》……三九八
鬼瞰之禍《きかんのわざわい》……**一四三**・一九二
危機一髪《ききいっぱつ》……**一四三**・八五・八九
奇技淫巧《ききいんこう》……**一四三**
奇奇怪怪《ききかいかい》……**一四三**・一四七
騏驥過隙《ききかげき》……**一四三**
熙熙壌壌《ききじょうじょう》……**一四三**
*熙熙攘攘《ききじょうじょう》……一四三
*奇奇妙妙《ききみょうみょう》……一四三・一四七
危急存亡《ききゅうそんぼう》……**一四三**
*起居動作《ききょどうさ》……一六一
崎嶇坎坷《きくかんか》……**一四三**
*崎嶇坎軻《きくかんか》……一四三
規矩準縄《きくじゅんじょう》……**一四三**・一九二
*規矩縄墨《きくじょうぼく》……一四四
*鬼臉嚇人《きけんかくじん》……一四八
危言覈論《きげんかくろん》……**一四四**
危言危行《きげんきこう》……**一四四**
奇言奇行《きげんきこう》……**一四四**
棄甲曳兵《きこうえいへい》……**一四四**
跂行喙息《きこうかいそく》……**一四四**
規行矩歩《きこうくほ》……**一四四**・四〇九
*亀甲獣骨《きこうじゅうこつ》……一四七
*疑行無名《ぎこうむめい》……一四五
鬼哭啾啾《きこくしゅうしゅう》……**一四四**
気骨稜稜《きこつりょうりょう》……**一四四**
旗鼓堂堂《きこどうどう》……**一四四**
騎虎之勢《きこのいきおい》……**一四四**・三八七
奇策妙計《きさくみょうけい》……**一四四**・四四三
箕山之志《きざんのこころざし》……**一四五**
*箕山之節《きざんのせつ》……一四五
*箕山之操《きざんのみさお》……一四五
起死回生《きしかいせい》……**一四五**
*起死廻生《きしかいせい》……一四五
*起死再生《きしさいせい》……一四五
旗幟鮮明《きしせんめい》……**一四五**
貴耳賤目《きじせんもく》……**一四五**
疑事無功《ぎじむこう》……**一四五**
*騎獣之勢《きじゅうのいきおい》……一四四
綺襦紈袴《きじゅがんこ》……**一四五**・二〇〇
*綺襦紈絝《きじゅがんこ》……一四五
鬼出電入《きしゅつでんにゅう》……**一四五**・二七〇
貴種流離《きしゅりゅうり》……**一四五**
*魏紫姚黄《ぎしようこう》……二〇四
起承転結《きしょうてんけつ》……**一四五**
*起承転合《きしょうてんごう》……一四六
*机上空論《きじょうのくうろん》……一四六
机上之論《きじょうのろん》……**一四六**・一六七・二三三
喜色満面《きしょくまんめん》……**一四六**・三六四
疑心暗鬼《ぎしんあんき》……**一四六**・一六〇・二九四・三七九
*貴紳淑女《きしんしゅくじょ》……二六九
杞人天憂《きじんてんゆう》……**一四六**
規制緩和《きせいかんわ》……**一四六**
*規制強化《きせいきょうか》……一四六
希世之雄《きせいのゆう》……**一四六**
*稀世之雄《きせいのゆう》……一四六
*奇絶怪絶《きぜつかいぜつ》……一四三・一四七
羈紲之僕《きせつのぼく》……**一四六**
*羈絏之僕《きせつのぼく》……一四六
巍然屹立《ぎぜんきつりつ》……**一四六**

貴賤上下《きせんじょうげ》……**一四六**
＊貴賤貧富《きせんひんぷ》……四一〇
奇想天外《きそうてんがい》……**一四七**・二三三
気息奄奄《きそくえんえん》……**一四七**・三九三
吉日良辰《きちじつりょうしん》……**一四七**・一九五
＊機知縦横《きちじゅうおう》……一六二
吉祥悔過《きちじょうけか》……**一四七**
＊吉日良辰《きちにちりょうしん》……一四七
奇怪千万《きっかいせんばん》……**一四七**・一四三
鞠躬尽瘁《きっきゅうじんすい》……**一四七**
吉凶禍福《きっきょうかふく》……**一四七**
＊佶屈晦渋《きっくつかいじゅう》……一四七
佶屈聱牙《きっくつごうが》……**一四七**・一九二
＊詰屈聱牙《きっくつごうが》……一四七
＊詰倔聱牙《きっくつごうが》……一四七
＊詰詘聱牙《きっくつごうが》……一四七
亀甲獣骨《きっこうじゅうこつ》……**一四七**
＊吉日良辰《きつじつりょうしん》……一四七
＊吉祥悔過《きっしょうかいか》……一四七
橘中之楽《きっちゅうのたのしみ》……**一四八**
＊吉日良辰《きつにちりょうしん》……一四七
＊儀狄之酒《ぎてきのさけ》……四〇五
喜怒哀楽《きどあいらく》……**一四八**
肌肉玉雪《きにくぎょくせつ》……**一四八**
帰馬放牛《きばほうぎゅう》……**一四八**
＊杞人之憂《きひとのうれい》……一四六
驥服塩車《きふくえんしゃ》……**一四八**・三四七・四七〇
鬼斧神工《きふしんこう》……**一四八**・二六八
季布一諾《きふのいちだく》……**一四八**・七五
＊帰命稽首《きみょうけいしゅ》……一四八
帰命頂礼《きみょうちょうらい》……**一四八**
鬼面嚇人《きめんかくじん》……**一四八**
鬼面仏心《きめんぶっしん》……**一四九**・二七五
亀毛兎角《きもうとかく》……**一四九**・九八
＊逆施倒行《ぎゃくしとうこう》……三五八
逆取順守《ぎゃくしゅじゅんしゅ》……**一四九**
＊逆臣賊子《ぎゃくしんぞくし》……四六五
客塵煩悩《きゃくじんぼんのう》……**一四九**
＊喜躍抃舞《きやくべんぶ》……一三四
脚下照顧《きゃっかしょうこ》……**一四九**
牛飲馬食《ぎゅういんばしょく》……**一四九**・一七一・四三〇
旧雨今雨《きゅううこんう》……**一四九**
窮猿投林《きゅうえんとうりん》……**一四九**
九夏三伏《きゅうかさんぷく》……**一四九**
＊旧慣墨守《きゅうかんぼくしゅ》……一五三
＊牛驥一皁《ぎゅうきいっそう》……一五〇
＊牛驥共牢《ぎゅうききょうろう》……一五〇
牛鬼蛇神《ぎゅうきだしん》……**一五〇**
牛驥同皁《ぎゅうきどうそう》……**一五〇**・一五九
九牛一毛《きゅうぎゅうのいちもう》……**一五〇**
汲汲忙忙《きゅうきゅうぼうぼう》……**一五〇**
求魚縁木《きゅうぎょえんぼく》……**一五〇**・一一〇
九棘三槐《きゅうきょくさんかい》……**一五〇**・二三〇
鳩居鵲巣《きゅうきょじゃくそう》……**一五〇**・二四三
＊鳩形鵠面《きゅうけいこくめん》……三四〇
泣血漣如《きゅうけつれんじょ》……**一五〇**
躬行実践《きゅうこうじっせん》……**一五〇**・三三八
九皐鳴鶴《きゅうこうのめいかく》……**一五〇**
＊窮山通谷《きゅうざんつうこく》……一五一・二六九
丘山之功《きゅうざんのこう》……**一五〇**
泣斬馬謖《きゅうざんばしょく》……**一五〇**
窮山幽谷《きゅうざんゆうこく》……**一五一**・二六九
九死一生《きゅうしいっしょう》……**一五一**・二三七・三九三
宮車晏駕《きゅうしゃあんが》……**一五一**
＊宮車晩駕《きゅうしゃばんが》……一五一
牛溲馬勃《ぎゅうしゅうばぼつ》……**一五一**
＊旧習墨守《きゅうしゅうぼくしゅ》……一五三
＊鳩首協議《きゅうしゅきょうぎ》……一五一
鳩首凝議《きゅうしゅぎょうぎ》……**一五一**
＊鳩首密議《きゅうしゅみつぎ》……一五一
＊九仞一簣《きゅうじんいっき》……八一
救世済民《きゅうせいさいみん》……**一五一**・一七四
＊求全之毀《きゅうぜんのそしり》……四一六
＊牛溲馬勃《ぎゅうそうばぼつ》……一五一
窮鼠嚙猫《きゅうそごうびょう》……**一五一**・一六五
＊窮鼠嚙狸《きゅうそごうり》……一五一
旧態依然《きゅうたいいぜん》……**一五一**・二四八・三七五
九腸寸断《きゅうちょうすんだん》……**一五一**

窮鳥入懐《きゅうちょうにゅうかい》……**一五二**
＊泣涕如雨《きゅうていじょう》……一五〇
九鼎大呂《きゅうていたいりょ》……**一五二**
急転直下《きゅうてんちょっか》……**一五二**
牛刀割鶏《ぎゅうとうかっけい》……**一五二**・一二九
弓道八節《きゅうどうはっせつ》……**一五二**
旧套墨守《きゅうとうぼくしゅ》……**一五二**・二〇四・二五一・三六七・四三八
窮途之哭《きゅうとのこく》……**一五二**
窮途末路《きゅうとまつろ》……**一五二**・二九三
九年面壁《きゅうねんめんぺき》……**一五二**
＊窮年累月《きゅうねんるいげつ》……一五三
窮年累世《きゅうねんるいせい》……**一五二**
吸風飲露《きゅうふういんろ》……**一五三**
＊牛糞馬涎《ぎゅうふんばせん》……一五一
＊義勇奉公《ぎゆうほうこう》……二七三
＊朽木之材《きゅうぼくのざい》……一五三
朽木糞牆《きゅうぼくふんしょう》……**一五三**
朽木糞土《きゅうぼくふんど》……**一五三**
窮余一策《きゅうよのいっさく》……**一五三**・一六八
＊九流百家《きゅうりゅうひゃっか》……二六四
急流勇退《きゅうりゅうゆうたい》……**一五三**
挙案斉眉《きょあんせいび》……**一五三**
強悪強善《きょうあくきょうぜん》……**一五三**
＊尭雨舜風《ぎょううしゅんぷう》……一五七
＊矯枉過正《きょうおうかせい》……一五三
矯枉過直《きょうおうかちょく》……**一五三**・一五四
跫音空谷《きょうおんくうこく》……**一五三**・一六七
尭階三尺《ぎょうかいさんじゃく》……**一五四**・三六三
矯角殺牛《きょうかくさつぎゅう》……**一五四**・一五三
鏡花水月《きょうかすいげつ》……**一五四**
強幹弱枝《きょうかんじゃくし》……**一五四**
仰観俯察《ぎょうかんふさつ》……**一五四**
澆季溷濁《ぎょうきこんだく》……**一五四**
＊澆季混濁《ぎょうきこんだく》……一五四
＊驚喜雀躍《きょうきじゃくやく》……一六三
＊澆季之世《ぎょうきのよ》……一五四
澆季末世《ぎょうきまっせ》……**一五四**
兢兢業業《きょうきょうぎょうぎょう》……**一五四**
恐恐謹言《きょうきょうきんげん》……**一五四**・一五五
狂喜乱舞《きょうきらんぶ》……**一五四**・一三九・一六三・二五三
胸襟秀麗《きょうきんしゅうれい》……**一五五**
恐懼感激《きょうくかんげき》……**一五五**
僑軍孤進《きょうぐんこしん》……**一五五**・二〇六・二二一
薑桂之性《きょうけいのせい》……**一五五**
教外別伝《きょうげべつでん》……**一五五**・七一・三七六・四三三・四五六
狂言綺語《きょうげんきご》……**一五五**
恐惶謹言《きょうこうきんげん》……**一五五**
＊恐惶敬白《きょうこうけいはく》……一五五
匡衡壁鑿《きょうこうへきさく》……**一五五**・二一八
尭鼓舜木《ぎょうこしゅんぼく》……**一五五**
＊驚魂動魄《きょうこんどうはく》……一五六
教唆煽動《きょうさせんどう》……**一五五**
＊教唆扇動《きょうさせんどう》……一五五
驕奢淫逸《きょうしゃいんいつ》……**一五五**・二四二
＊驕奢淫佚《きょうしゃいんいつ》……一五五
行住坐臥《ぎょうじゅうざが》……**一五五**・二五七
＊翹首企足《ぎょうしゅきそく》……一〇七
拱手傍観《きょうしゅぼうかん》……**一五六**・一一三・二四七・四四四
彊食自愛《きょうしょくじあい》……**一五六**
＊強食自愛《きょうしょくじあい》……一五六
強食弱肉《きょうしょくじゃくにく》……**一五六**・二四二
驚心動魄《きょうしんどうはく》……**一五六**
協心戮力《きょうしんりくりょく》……**一五六**・三六〇・四八〇
＊澆世季世《ぎょうせいきせい》……一五四
＊翹足引領《ぎょうそくいんりょう》……一〇七
共存共栄《きょうぞんきょうえい》……**一五六**・二四二
＊驚地動天《きょうちどうてん》……一五六
胸中成竹《きょうちゅうせいちく》……**一五六**
＊驚天駭地《きょうてんがいち》……一五六
＊尭天舜日《ぎょうてんしゅんじつ》……一五七
驚天動地《きょうてんどうち》……**一五六**・一三九・二七三
仰天不愧《ぎょうてんふき》……**一五六**
尭年舜日《ぎょうねんしゅんじつ》……**一五七**
器用貧乏《きようびんぼう》……**一五七**・二〇九

尭風舜雨《ぎょうふうしゅんう》……一五七・一七六・三五〇
驕兵必敗《きょうへいひっぱい》……一五七
嚮壁虚造《きょうへききょぞう》……一五七
興味索然《きょうみさくぜん》……一五七
興味津津《きょうみしんしん》……一五七
狂瀾怒濤《きょうらんどとう》……一五七・三三九
＊澆漓末代《ぎょうりまつだい》……一五四
虚往実帰《きょおうじっき》……一五七
挙棋不定《きょきふてい》……一五七
虚気平心《きょきへいしん》……一五八
虚虚実実《きょきょじつじつ》……一五八
＊局外中立《きょくがいちゅうりつ》……一八三
曲学阿世《きょくがくあせい》……一五八
＊玉肌香膩《ぎょくきこうじ》……一四八
曲肱之楽《きょくこうのたのしみ》……一五八
玉砕瓦全《ぎょくさいがぜん》……一五八
旭日昇天《きょくじつしょうてん》……一五八・三八七
＊旭日東天《きょくじつとうてん》……一五八
＊曲水之宴《きょくすいのえん》……一五八
曲水流觴《きょくすいりゅうしょう》……一五八
玉石混淆《ぎょくせきこんこう》……一五八・一五九
＊玉石混交《ぎょくせきこんこう》……一五九
＊玉石在間《ぎょくせきざいかん》……一五九
＊玉石雑糅《ぎょくせきざつじゅう》……一五九
＊玉石同架《ぎょくせきどうか》……一五八
玉石同匱《ぎょくせきどうき》……一五九
玉石同砕《ぎょくせきどうさい》……一五九
曲折浮沈《きょくせつふちん》……一五九・九九
玉蟾金兎《ぎょくせんきんと》……一五九
跼天蹐地《きょくてんせきち》……一五九
＊局天蹐地《きょくてんせきち》……一五九
玉兎銀蟾《ぎょくとぎんせん》……一五九
曲突徙薪《きょくとつししん》……一五九
＊玉杯象箸《ぎょくはいぞうちょ》……三二七
曲筆舞文《きょくひつぶぶん》……一五九・四三〇
曲眉豊頬《きょくびほうきょう》……一五九・四三四
玉葉金枝《ぎょくようきんし》……一六〇・一六五
居敬窮理《きょけいきゅうり》……一六〇
＊御溝紅葉《ぎょこうのこうよう》……二〇〇
挙国一致《きょこくいっち》……一六〇
挙止進退《きょししんたい》……一六〇・一五六・一六一
虚実皮膜《きょじつひまく》……一六〇
＊挙止動作《きょしどうさ》……一六一
＊虚弱体質《きょじゃくたいしつ》……四三九
虚心坦懐《きょしんたんかい》……一六〇・一六一・一九七・二八一・四二六・四四八
＊虚心平意《きょしんへいい》……一六〇・一六一・四二六
＊虚心平気《きょしんへいき》……一六〇
虚静恬淡《きょせいてんたん》……一六〇・二八六
＊虚静恬惔《きょせいてんたん》……一六〇
＊虚静恬憺《きょせいてんたん》……一六〇
＊虚静恬澹《きょせいてんたん》……一六〇
＊挙世無双《きょせいむそう》……一一九
挙足軽重《きょそくけいちょう》……一六〇
挙措失当《きょそしっとう》……一六〇
挙措進退《きょそしんたい》……一六一・二一九
＊挙措動作《きょそどうさ》……一六一・二一九
玉昆金友《ぎょっこんきんゆう》……一六一
虚堂懸鏡《きょどうけんきょう》……一六一
漁夫之利《ぎょふのり》……一六一・九〇
＊漁父之利《ぎょほのり》……一六一
毀誉褒貶《きよほうへん》……一六一
＊虚無恬淡《きょむてんたん》……一六〇・二八六
虚無縹渺《きょむひょうびょう》……一六一
＊虚無縹眇《きょむひょうびょう》……一六一
＊虚無縹緲《きょむひょうびょう》……一六一
魚網鴻離《ぎょもうこうり》……一六一
魚目燕石《ぎょもくえんせき》……一六一
＊魚目混珠《ぎょもくこんしゅ》……一六二
許由巣父《きょゆうそうほ》……一六二
魚爛土崩《ぎょらんどほう》……一六二
＊魚鱗鶴翼《ぎょりんかくよく》……一三四
機略縦横《きりゃくじゅうおう》……一六二・三四三
騎驢覓驢《きろべきろ》……一六二
岐路亡羊《きろぼうよう》……一六二・三三三
議論百出《ぎろんひゃくしゅつ》……一六二・一三四・二〇一・二四五・二六四・三三九・四〇五
＊議論風生《ぎろんふうせい》……一六三

*議論沸騰《ぎろんふっとう》……一六二・二〇一
*議論紛紛《ぎろんふんぷん》……一六二・二〇一
錦衣玉食《きんいぎょくしょく》……**一六二**・三二五
*金衣玉食《きんいぎょくしょく》……三二五
金烏玉兎《きんうぎょくと》……**一六二**
金甌無欠《きんおうむけつ》……**一六二**・一三八
金塊珠礫《きんかいしゅれき》……**一六三**・三四六
*槿花一日《きんかいちじつ》……一六三
槿花一朝《きんかいっちょう》……**一六三**
金科玉条《きんかぎょくじょう》……**一六三**
*金科玉律《きんかぎょくりつ》……一六三
巾幗之贈《きんかくのぞう》……**一六三**
琴歌酒賦《きんかしゅふ》……**一六三**・二〇一
金亀換酒《きんきかんしゅ》……**一六三**
*琴棋詩酒《きんきししゅ》……一六三
欣喜雀躍《きんきじゃくやく》……**一六三**・一三四・一三九・一五五・二五三・四一八
琴棋書画《きんきしょが》……**一六三**
*琴棋書画《きんぎしょが》……一六三
*緊急措置《きんきゅうそち》……一一一
*緊急防衛《きんきゅうぼうえい》……二八六
*欣喜踊躍《きんきようやく》……一六三
金玉満堂《きんぎょくまんどう》……**一六四**
*謹厳温厚《きんげんおんこう》……一六四
謹厳実直《きんげんじっちょく》……**一六四**
*謹厳重厚《きんげんじゅうこう》……一六四
勤倹尚武《きんけんしょうぶ》……**一六四**
謹言慎行《きんげんしんこう》……**一六四**
勤倹力行《きんけんりっこう》……**一六四**
金口木舌《きんこうぼくぜつ》……**一六四**
金谷酒数《きんこくのしゅすう》……**一六四**
緊褌一番《きんこんいちばん》……**一六四**
禽困覆車《きんこんふくしゃ》……**一六四**・一五一
*金枝花蕚《きんしかがく》……一六五・一七四
金枝玉葉《きんしぎょくよう》……**一六五**・一七四
琴瑟相和《きんしつそうわ》……**一六五**・一三四・一三七
*琴瑟調和《きんしつちょうわ》……一六五
*琴瑟之和《きんしつのわ》……一六五
*琴瑟不調《きんしつふちょう》……一六五
禽獣夷狄《きんじゅういてき》……**一六五**
*錦繡心肝《きんしゅうしんかん》……一六六
禽獣草木《きんじゅうそうもく》……**一六五**・三一一
*錦繡之腸《きんしゅうのはらわた》……一六六
*錦繡綾羅《きんしゅうりょうら》……一八七
擒縦自在《きんしょうじざい》……**一六五**
金城鉄壁《きんじょうてっぺき》……**一六五**・一六五・三六一・三七二・三七三・四五九
錦上添花《きんじょうてんか》……**一六五**
金城湯池《きんじょうとうち》……**一六五**・一六五・三六一・三七二・三七三
近所合壁《きんじょがっぺき》……**一六五**
錦心繡口《きんしんしゅうこう》……**一六五**
*錦心繡腸《きんしんしゅうちょう》……一六六
金声玉振《きんせいぎょくしん》……**一六六**
巾箱之寵《きんそうのちょう》……**一六六**
金殿玉楼《きんでんぎょくろう》……**一六六**・一七五
銀盃羽化《ぎんぱいうか》……**一六六**
吟風弄月《ぎんぷうろうげつ》……**一六六**
金友玉昆《きんゆうぎょっこん》……**一六六**・一六一
*金蘭之契《きんらんのけい》……一四一・二七七・三二六・四二二・四六三

● く

空空寂寂《くうくうじゃくじゃく》……**一六六**
空空漠漠《くうくうばくばく》……**一六六**
*空谷跫然《くうこくきょうぜん》……一六七
空谷跫音《くうこくのきょうおん》……**一六六**
*空谷足音《くうこくのそくおん》……一六七
空前絶後《くうぜんぜつご》……**一六七**・一三八・三〇二
偶像崇拝《ぐうぞうすうはい》……**一六七**
空即是色《くうそくぜしき》……**一六七**
空中楼閣《くうちゅうのろうかく》……**一六七**・二一九
*空中楼台《くうちゅうろうだい》……一一八・一六七・二一九
空理空論《くうりくうろん》……**一六七**・一四六・二三三
*空梁月落《くうりょうげつらく》……四六三
苦学力行《くがくりっこう》……**一六七**・一七五・二一三・三一四・三二七
苦髪楽爪《くがみらくづめ》……**一六七**
区区之心《くくのこころ》……**一六七**

愚公移山《ぐこういざん》……一六七
苦口婆心《くこうばしん》……一六八
＊愚妻愚息《ぐさいぐそく》……一七三
愚者一得《ぐしゃのいっとく》……一六八・三〇五・三三一
苦心惨憺《くしんさんたん》……一六八・七一・二五九・四六九
＊苦心惨澹《くしんさんたん》……一六八
苦爪楽髪《くづめらくがみ》……一六八
＊苦肉之策《くにくのさく》……一五三・一六八
苦肉之計《くにくのはかりごと》……一六八
九年面壁《くねんめんぺき》……一六八・四五一
狗吠緇衣《くはいしい》……一六八
狗馬之心《くばのこころ》……一六八
狗尾続貂《くびぞくちょう》……一六八
＊九分九厘《くぶくりん》……二三八
求不得苦《ぐふとくく》……一六九
区聞陬見《くぶんすうけん》……一六九
＊九品浄土《くほんじょうど》……二〇五
＊九品之台《くほんのうてな》……一六九
九品蓮台《くほんれんだい》……一六九
＊愚昧無知《ぐまいむち》……四四六
愚問愚答《ぐもんぐとう》……一六九
＊愚問賢答《ぐもんけんとう》……一六九
君恩海壑《くんおんかいがく》……一六九
群蟻附羶《ぐんぎふせん》……一六九
＊群蟻付羶《ぐんぎふせん》……一六九
群疑満腹《ぐんぎまんぷく》……一六九
群軽折軸《ぐんけいせつじく》……一六九・九六・二八八・二八九・三〇七
群鶏一鶴《ぐんけいのいっかく》……一七〇・一七三
焄蒿凄愴《くんこうせいそう》……一七〇
＊君子徳風《くんしとくふう》……三〇五
君子九思《くんしのきゅうし》……一七〇
君子三畏《くんしのさんい》……一七〇
君子三戒《くんしのさんかい》……一七〇
君子三楽《くんしのさんらく》……一七〇
君子万年《くんしばんねん》……一七〇
君子豹変《くんしひょうへん》……一七〇・三一九
君子不器《くんしふき》……一七〇
葷酒山門《くんしゅさんもん》……一七一
＊君臣同志《くんしんどうし》……二五五
君側之悪《くんそくのあく》……一七一
＊君側之奸《くんそくのかん》……一七一
群雄割拠《ぐんゆうかっきょ》……一七一
＊群竜無首《ぐんりゅうむしゅ》……一七一
群竜無首《ぐんりょうむしゅ》……一七一

● け

鯨飲馬食《げいいんばしょく》……一七一・一四九・四三〇
閨英闈秀《けいえいいしゅう》……一七一
形影一如《けいえいいちにょ》……一七一・一七三
＊閨英閣秀《けいえいかくしゅう》……一七一
＊閨英閣香《けいえいかっこう》……一七一
経営惨憺《けいえいさんたん》……一七一
＊形影相親《けいえいそうしん》……一七二
＊形影相随《けいえいそうずい》……一七一
形影相弔《けいえいそうちょう》……一七一
形影相同《けいえいそうどう》……一七二・一七一
＊形影相伴《けいえいそうはん》……一七一
繋影捕風《けいえいほふう》……一七二
＊形骸土木《けいがいどぼく》……三六九
傾蓋知己《けいがいのちき》……一七二・三四五
桂冠詩人《けいかんしじん》……一七二
傾危之士《けいきのし》……一七二
桂宮柏寝《けいきゅうはくしん》……一七二
軽裘肥馬《けいきゅうひば》……一七二・四〇一
荊棘叢裏《けいきょくそうり》……一七二
荊棘銅駝《けいきょくどうだ》……一七二
桂玉之艱《けいぎょくのかん》……一七二
＊桂玉之地《けいぎょくのち》……一七三
軽挙妄動《けいきょもうどう》……一七三・九五・一七七・二六六・四二二
＊鶏群孤鶴《けいぐんこかく》……一七三
鶏群一鶴《けいぐんのいっかく》……一七三
＊雞群一鶴《けいぐんのいっかく》……一七三
＊醯鶏甕裡《けいけいおうり》……一一三
鶏口牛後《けいこうぎゅうご》……一七三
＊雞口牛後《けいこうぎゅうご》……一七三
＊迎合追従《げいごうついしょう》……六四
＊傾国傾城《けいこくけいせい》……一七四

＊経国済民《けいこくさいみん》……一七四
傾国美女《けいこくのびじょ》……**一七三**・三五二
＊傾国美人《けいこくびじん》……一七三
刑故無小《けいこむしょう》……**一七三**
荊妻豚児《けいさいとんじ》……**一七三**
荊釵布裙《けいさいふくん》……**一七三**
荊山之玉《けいざんのぎょく》……**一七四**
鶏尸牛従《けいしぎゅうしょう》……**一七四**・一七三
瓊枝玉葉《けいしぎょくよう》……**一七四**・一六五
瓊枝栴檀《けいしせんだん》……**一七四**
＊稽首作礼《けいしゅされい》……二〇九
霓裳羽衣《げいしょうい》……**一七四**
卿相雲客《けいしょううんかく》……**一七四**
傾城傾国《けいせいけいこく》……**一七四**・八二・一七三・三五二
経世済民《けいせいさいみん》……**一七四**・一五一
景星鳳凰《けいせいほうおう》……**一七四**
蛍雪之功《けいせつのこう》……**一七四**・一一〇・一八三・二一三・二四一・二四二・三〇四・三一四・三二七・三三三
蛍窓雪案《けいそうせつあん》……**一七五**・一八三・二一三・三一四・三二七・三三三・四四一
勁草之節《けいそうのせつ》……**一七五**
傾側偃仰《けいそくえんぎょう》……**一七五**
＊軽率短慮《けいそつたんりょ》……一七五・二六六
軽諾寡信《けいだくかしん》……**一七五**・七五・一四八
形単影隻《けいたんえいせき》……**一七五**
＊軽佻佞巧《けいちょうねいこう》……一七五

＊軽佻浮華《けいちょうふか》……一七五・三三九
軽佻浮薄《けいちょうふはく》……**一七五**・三三九
＊軽窕浮薄《けいちょうふはく》……一七五
＊兄弟鬩牆《けいていげきしょう》……二四四
敬天愛人《けいてんあいじん》……**一七五**
＊敬天愛民《けいてんあいみん》……一七五
桂殿蘭宮《けいでんらんきゅう》……**一七五**
軽薄短小《けいはくたんしょう》……**一七五**・二四五
＊啓発激励《けいはつげきれい》……二三八
鶏皮鶴髪《けいひかくはつ》……**一七五**
＊雞皮鶴髪《けいひかくはつ》……一七六
繋風捕影《けいふうほえい》……**一七六**
＊係風捕景《けいふうほけい》……一七六
経文緯武《けいぶんいぶ》……**一七六**・九二・四二四
刑鞭蒲朽《けいべんほきゅう》……**一七六**
軽妙洒脱《けいみょうしゃだつ》……**一七六**・二一〇・二四三
鶏鳴狗盗《けいめいくとう》……**一七六**・三三〇
＊雞鳴狗盗《けいめいくとう》……一七六
形名参同《けいめいさんどう》……**一七六**・一八一
＊刑名参同《けいめいさんどう》……一七六
＊形名審合《けいめいしんごう》……一七七
鶏鳴之助《けいめいのたすけ》……**一七七**
＊雞鳴之助《けいめいのたすけ》……一七七
形容枯槁《けいようここう》……**一七七**
＊形容枯稾《けいようここう》……一七七
軽慮浅謀《けいりょせんぼう》……**一七七**

桂林一枝《けいりんのいっし》……**一七七**
＊撃壌鼓腹《げきじょうこふく》……二一一
撃壌之歌《げきじょうのうた》……**一七七**・二一一
激濁揚清《げきだくようせい》……**一七七**
灰身滅智《けしんめっち》……**一七七**
外題学問《げだいがくもん》……**一七七**
結縁灌頂《けちえんかんじょう》……**一七七**
＊結縁八講《けちえんはっこう》……一七八
血脈相承《けちみゃくそうじょう》……**一七八**
厥角稽首《けっかくけいしゅ》……**一七八**
月下推敲《げっかすいこう》……**一七八**・四〇四
月下氷人《げっかひょうじん》……**一七八**
結跏趺坐《けっかふざ》……**一七八**
＊月下老人《げっかろうじん》……一七八
＊血気之勇《けっきのゆう》……四〇〇・四三三
譎詭変幻《けっきへんげん》……**一七八**
月卿雲客《げっけいうんかく》……**一七八**・一七四
＊齧指痛心《げっしつうしん》……二八三
刖趾適屨《げっしてきく》……**一七八**・二一八
＊刖趾適履《げっしてきり》……二九二
結縄之政《けつじょうのまつりごと》……**一七九**
＊刖足適履《げっそくてきり》……一七九・二一八
月中蟾蜍《げっちゅうのせんじょ》……**一七九**
血脈貫通《けつみゃくかんつう》……**一七九**
＊血脈相承《けつみゃくそうしょう》……一七八
兼愛交利《けんあいこうり》……**一七九**

兼愛《けんあい》無私《むし》……一七九・八三・一一五
言易《げんい》行難《こうなん》……一七九
牽衣《けんい》頓足《とんそく》……一七九
狷介《けんかい》孤高《ここう》……一七九
*狷介《けんかい》孤独《こどく》……一七九
狷介《けんかい》固陋《ころう》……一七九・一四一
懸崖《けんがい》撒手《さっしゅ》……一七九
狷介《けんかい》不羈《ふき》……一八〇
*狷介《けんかい》不屈《ふくつ》……一七九
懸崖《けんがい》勒馬《ろくば》……一八〇
減価《げんか》償却《しょうきゃく》……一八〇
*犬牙《けんが》相錯《そうさく》……一八〇
犬牙《けんが》相制《そうせい》……一八〇
懸河之《けんがの》弁《べん》……一八〇
阮簡《げんかん》曠達《こうたつ》……一八〇
*元気《げんき》溌溂《はつらつ》……二八二
牽強《けんきょう》附会《ふかい》……一八〇・一三〇
*牽強《けんきょう》付会《ふかい》……一八〇
*牽強《けんきょう》附合《ふごう》……一八〇
*堅苦《けんく》卓絶《たくぜつ》……一八三
元軽《げんけい》白俗《はくぞく》……一八〇
剣戟《けんげき》森森《しんしん》……一八〇
喧喧《けんけん》囂囂《ごうごう》……一八一
見賢《けんけん》思斉《しせい》……一八一
蹇蹇《けんけん》匪躬《ひきゅう》……一八一
拳拳《けんけん》服膺《ふくよう》……一八一
言行《げんこう》一致《いっち》……一八一・一七
*言行《げんこう》相反《そうはん》……一八一
言行《げんこう》齟齬《そご》……一八一
*堅甲《けんこう》利刃《りじん》……一八一
元亨《げんこう》利貞《りてい》……一八一
堅甲《けんこう》利兵《りへい》……一八一
*堅固《けんご》不抜《ふばつ》……一八五
乾坤《けんこん》一擲《いってき》……一八一
堅塞《けんさい》固塁《こるい》……一八二・二六八
厳塞《げんさい》要徼《ようきょう》……一八二
妍姿《けんし》艶質《えんしつ》……一八二
言者《げんしゃ》不知《ふち》……一八二・八七・三一
減収《げんしゅう》減益《げんえき》……一八二
現状《げんじょう》維持《いじ》……一八二
玄裳《げんしょう》縞衣《こうい》……一八二
*見性《けんしょう》悟道《ごどう》……一八二
言笑《げんしょう》自若《じじゃく》……一八二
見性《けんしょう》成仏《じょうぶつ》……一八二
*現状《げんじょう》凍結《とうけつ》……一八二
*現状《げんじょう》保持《ほじ》……一八二
厳正《げんせい》中立《ちゅうりつ》……一八二
阮籍《げんせき》青眼《せいがん》……一八三
*堅石《けんせき》白馬《はくば》……一八四
乾端《けんたん》坤倪《こんげい》……一八三
懸頭《けんとう》刺股《しこ》……一八三・一一〇
*懸頭《けんとう》錐股《すいこ》……一八三
捲土《けんど》重来《ちょうらい》……一八三・八二・二三五
*巻土《けんど》重来《ちょうらい》……一八三
*犬兎之《けんとの》争《あらそい》……一六一
堅忍《けんにん》果決《かけつ》……一八三
*堅忍《けんにん》持久《じきゅう》……一八三
堅忍《けんにん》質直《しっちょく》……一八三
堅忍《けんにん》不抜《ふばつ》……一八三・二三四・三四八
犬吠《けんばい》驢鳴《ろめい》……一八三・四七九
*堅白《けんぱく》異同《いどう》……一八四
堅白《けんぱく》同異《どうい》……一八四・三八五・四五七
剣抜《けんばつ》弩張《どちょう》……一八四・三五九
*犬馬之《けんばの》心《こころ》……一六八
*犬馬之《けんばの》年《とし》……一八四
犬馬之《けんばの》歯《よわい》……一八四
*犬馬之《けんばの》齢《よわい》……一八四
犬馬之《けんばの》労《ろう》……一八四
言文《げんぶん》一致《いっち》……一八四
*権謀《けんぼう》術策《じゅっさく》……一三九・一八四
権謀《けんぼう》術数《じゅっすう》……一八四・一三九
玄圃《げんぽ》積玉《せきぎょく》……一八四
肩摩《けんま》轂撃《こくげき》……一八四
賢明《けんめい》愚昧《ぐまい》……一八五
*絢爛《けんらん》華麗《かれい》……一八七
絢爛《けんらん》豪華《ごうか》……一八五・一八七
*懸梁《けんりょう》刺股《しこ》……一八三
*懸梁《けんりょう》錐股《すいこ》……一八三

賢良方正《けんりょうほうせい》……一八五
彦倫鶴怨《げんりんかくえん》……一八五
牽攣乖隔《けんれんかいかく》……一八五
堅牢堅固《けんろうけんご》……一八五
黔驢之技《けんろのぎ》……一八五
懸腕直筆《けんわんちょくひつ》……一八五
懸腕枕腕《けんわんちんわん》……一八五

● こ ―

＊挙一反三《こいちはんさん》……一八六
挙一明三《こいちみょうさん》……一八六
縞衣綦巾《こういききん》……一八六
香囲粉陣《こういふんじん》……一八六
黄衣廩食《こういりんしょく》……一八六
光陰如箭《こういんじょぜん》……一八六
＊光陰流水《こういんりゅうすい》……一八六
行雲流水《こううんりゅうすい》……一八六・一〇二
光焔万丈《こうえんばんじょう》……一八六
＊光炎万丈《こうえんばんじょう》……一八六
＊光燄万丈《こうえんばんじょう》……一八六
後悔噬臍《こうかいぜいせい》……一八六
＊慷慨悲歌《こうがいひか》……三九七
＊慷慨悲憤《こうがいひふん》……一八七
慷慨憤激《こうがいふんげき》……一八七
＊慷慨搤腕《こうがいやくわん》……一八七
口角飛沫《こうかくひまつ》……一八七
豪華絢爛《ごうかけんらん》……一八七
篝火狐鳴《こうかこめい》……一八七
膏火自煎《こうかじせん》……一八七
高牙大纛《こうがだいとう》……一八七
効果覿面《こうかてきめん》……一八七
広廈万間《こうかばんげん》……一八七
高歌放吟《こうかほうぎん》……一八七
鴻雁哀鳴《こうがんあいめい》……一八七
＊鴻鴈哀鳴《こうがんあいめい》……一八八
紅顔可憐《こうがんかれん》……一八八
合歓綢繆《ごうかんちゅうびゅう》……一八八
＊紅顔薄命《こうがんはくめい》……一三七
＊傲岸不屈《ごうがんふくつ》……一八八
傲岸不遜《ごうがんふそん》……一八八・四二七・四三三
＊傲岸無礼《ごうがんぶれい》……一八八
厚顔無恥《こうがんむち》……一八八・一三三
＊功虧一簣《こうきいっき》……八一
＊剛毅果敢《ごうきかかん》……一八八・四三〇
剛毅果断《ごうきかだん》……一八八・二七〇・四五七・四五八
＊綱紀厳正《こうきげんせい》……一八九
光輝燦然《こうきさんぜん》……一八八
＊光暉燦然《こうきさんぜん》……一八八
＊光熙燦然《こうきさんぜん》……一八八
綱紀粛正《こうきしゅくせい》……一八八・一八九
巧偽拙誠《こうぎせっせい》……一八八
剛毅直諒《ごうきちょくりょう》……一八九
好機到来《こうきとうらい》……一八九
綱紀廃弛《こうきはいし》……一八九・一八八
＊香気馥郁《こうきふくいく》……一八九
香気芬芬《こうきふんぷん》……一八九
剛毅木訥《ごうきぼくとつ》……一八九・一九〇
＊剛毅木吶《ごうきぼくとつ》……一八九
＊剛毅朴訥《ごうきぼくとつ》……一八九・三三七
＊剛毅勇敢《ごうきゆうかん》……一八八
綱挙網疏《こうきょもうそ》……一八九
＊敲金戛玉《こうきんかつぎょく》……一八九
敲金撃石《こうきんげきせき》……一八九
＊公卿大夫《こうけいたいふ》……一三一・三三〇
高下在心《こうげざいしん》……一八九
＊高下相傾《こうげそうけい》……九九
皓月千里《こうげつせんり》……一八九
＊皎月千里《こうげつせんり》……一九〇
＊黄絹色糸《こうけんしきし》……一九〇
剛健質実《ごうけんしつじつ》……一九〇・三三七
高軒寵過《こうけんちょうか》……一九〇
黄絹幼婦《こうけんようふ》……一九〇
巧言乱徳《こうげんらんとく》……一九〇
巧言令色《こうげんれいしょく》……一九〇・一八九・三三七
槁項黄馘《こうこうこうかく》……一九〇
＊槀項黄馘《こうこうこうかく》……一九〇
恍恍惚惚《こうこうこつこつ》……一九〇
膏肓之疾《こうこうのしつ》……一九〇・四〇八
＊膏肓之病《こうこうのやまい》……一九一

*紅口白牙《こうこうはくが》……一九七
鴻鵠之志《こうこくのこころざし》……一九一
後顧之憂《こうこのうれい》……一九一
*後顧之患《こうこのうれい》……一九一
*高材逸足《こうざいいっそく》……一九一
高材疾足《こうざいしっそく》……一九一・三三
*高才疾足《こうざいしっそく》……一九一
光彩奪目《こうさいだつもく》……一九一
幸災楽禍《こうさいらくか》……一九一
光彩陸離《こうさいりくり》……一九一
*光采陸離《こうさいりくり》……一九一
*巧詐拙誠《こうさせっせい》……一八九
高山景行《こうざんけいこう》……一九一
高山流水《こうざんりゅうすい》……一九一
*公子王孫《こうしおうそん》……二〇〇
口耳講説《こうじこうせつ》……一九一・一九三
行尸走肉《こうしそうにく》……一九二
*好事多阻《こうじたそ》……一九二
好事多魔《こうじたま》……一九二
*好事多磨《こうじたま》……一九二
*曠日持久《こうじつじきゅう》……一九二
*膠漆之交《こうしつのまじわり》……一四一・二七七・三二六・四二三・四六三
*膠漆之約《こうしつのやく》……四六三
曠日弥久《こうじつびきゅう》……一九二
口耳之学《こうじのがく》……一九二・一九三
*口耳末学《こうじまつがく》……一九三
高車駟馬《こうしゃしば》……一九二
*厚酒肥肉《こうしゅひにく》……四〇一
*拱手傍観《こうしゅぼうかん》……一五六
*考証該博《こうしょうがいはく》……三八一
鉤縄規矩《こうじょうきく》……一九二
鉤章棘句《こうしょうきょくく》……一九二・一四七
*鉤章棘句《こうしょうきょくく》……一九二
黄裳元吉《こうしょうげんきつ》……一九二
向上機縁《こうじょうのきえん》……一九二
攻城野戦《こうじょうやせん》……一九二・四五五
苟且偸安《こうしょとうあん》……一九三
公序良俗《こうじょりょうぞく》……一九三
口耳四寸《こうじよんすん》……一九三
嚆矢濫觴《こうしらんしょう》……一九三
鉤心闘角《こうしんとうかく》……一九三
黄塵万丈《こうじんばんじょう》……一九三
後生可畏《こうせいかい》……一九三
曠世之感《こうせいのかん》……一九三
曠世之才《こうせいのさい》……一九四
*曠世之度《こうせいのど》……一九四
*公正平等《こうせいびょうどう》……一九八・一九九
曠世不羈《こうせいふき》……一九四
*後世菩提《こうせいぼだい》……二〇七
功成名遂《こうせいめいすい》……一九四
荒瘠斥鹵《こうせきせきろ》……一九四・一九八
孔席墨突《こうせきぼくとつ》……一九四
考績幽明《こうせきゆうめい》……一九四
*口是心非《こうぜしんぴ》……一八一
*曠前空後《こうぜんくうご》……一六七
*曠前絶後《こうぜんぜつご》……一三八・一六七
恍然大悟《こうぜんたいご》……一九四・一二四
浩然之気《こうぜんのき》……一九四
宏大無辺《こうだいむへん》……一九四
*広大無辺《こうだいむへん》……一九四
*洪大無辺《こうだいむへん》……一九四
高談闊歩《こうだんかっぽ》……一九五
*高談放論《こうだんほうろん》……一九五
*荒誕無稽《こうたんむけい》……一九六
高談雄弁《こうだんゆうべん》……一九五
巧遅拙速《こうちせっそく》……一九五
黄中内潤《こうちゅうないじゅん》……一九五
口中雌黄《こうちゅうのしおう》……一九五
孝悌忠信《こうていちゅうしん》……一九五
*孝弟忠信《こうていちゅうしん》……一九五
向天吐唾《こうてんとだ》……一九五
*黄道吉日《こうどうきちじつ》……一四七
黄道吉日《こうどうきちにち》……一九五・三一五
交頭接耳《こうとうせつじ》……一九五
*荒唐不稽《こうとうふけい》……一九六
荒唐無稽《こうとうむけい》……一九六・四〇六
紅灯緑酒《こうとうりょくしゅ》……一九六

＊紅桃緑柳《こうとうりょくりゅう》……三五九
皇統連綿《こうとうれんめん》……**一九六**
＊皇統連緜《こうとうれんめん》……一九六
功徳兼隆《こうとくけんりゅう》……**一九六**
狡兎三窟《こうとさんくつ》……**一九六**
＊狡兎三穴《こうとさんけつ》……一九六
＊狡兎走狗《こうとそうく》……三六七
＊孔突墨席《こうとつぼくせき》……一九四
狡兎良狗《こうとりょうく》……**一九六**・三三八・三六五
項背相望《こうはいそうぼう》……**一九六**
侯覇臥轍《こうはがてつ》……**一九六**
黄髪垂髫《こうはつすいちょう》……**一九六**
黄髪番番《こうはつはは》……**一九七**
洪範九疇《こうはんきゅうちゅう》……**一九七**
香美脆味《こうびぜいみ》……**一九七**
＊狗尾続貂《こうびぞくちょう》……一六九
敲氷求火《こうひょうきゅうか》……**一九七**・一一〇・三〇〇
好評嘖嘖《こうひょうさくさく》……**一九七**・四〇一
光風霽月《こうふうせいげつ》……**一九七**・一六〇・二八一・四四八
咬文嚼字《こうぶんしゃくじ》……**一九七**・三三九
紅粉青蛾《こうふんせいが》……**一九七**
公平無私《こうへいむし》……**一九七**・一六一・一九九・二七三・四二六・四四五
光芒一閃《こうぼういっせん》……**一九八**
＊好謀善断《こうぼうぜんだん》……三二四
黄茅白葦《こうぼうはくい》……**一九八**・一九四
＊光芒万丈《こうぼうばんじょう》……一八六
高鳳漂麦《こうほうひょうばく》……**一九八**
豪放磊落《ごうほうらいらく》……**一九八**・四六三
槁木死灰《こうぼくしかい》……**一九八**・二一一
毫末之利《ごうまつのり》……**一九八**
＊傲慢不遜《ごうまんふそん》……一八八
黄霧四塞《こうむしそく》……**一九八**
＊孔明臥竜《こうめいがりゅう》……一九八
孔明臥竜《こうめいがりょう》……**一九八**・一三三・四一六・四三一
公明正大《こうめいせいだい》……**一九九**・一九八・二七三・二八五
＊鴻毛山岳《こうもうさんがく》……三一八
毫毛斧柯《ごうもうふか》……**一九九**
紅毛碧眼《こうもうへきがん》……**一九九**
孔孟老荘《こうもうろうそう》……**一九九**
鴻門玉斗《こうもんのぎょくと》……**一九九**
鴻門之会《こうもんのかい》……**一九九**
衡陽雁断《こうようがんだん》……**一九九**
＊衡陽帰雁《こうようきがん》……一九九
高陽酒徒《こうようのしゅと》……**一九九**
紅葉良媒《こうようりょうばい》……**二〇〇**
孔翊絶書《こうよくぜっしょ》……**二〇〇**
洽覧深識《こうらんしんしき》……**二〇〇**
毫釐千里《ごうりせんり》……**二〇〇**
＊蛟竜毒蛇《こうりゅうどくだ》……二〇〇
黄粱一炊《こうりょういっすい》……**二〇〇**・七五
膏粱子弟《こうりょうしてい》……**二〇〇**・一四五
蛟竜毒蛇《こうりょうどくだ》……**二〇〇**
＊黄粱之夢《こうりょうのゆめ》……一三九・二〇〇・三五一
亢竜有悔《こうりょうゆうかい》……**二〇〇**
羹藜含糗《こうれいがんきゅう》……**二〇一**・三二六・三三九
高楼大廈《こうろうたいか》……**二〇一**・三一五
光禄池台《こうろくのちだい》……**二〇一**
甲論乙駁《こうろんおつばく》……**二〇一**・一六二・二四五・二六四
高論卓説《こうろんたくせつ》……**二〇一**・四五〇
＊高論名説《こうろんめいせつ》……二〇一
五蘊皆空《ごうんかいくう》……**二〇一**
孤雲野鶴《こうんやかく》……**二〇一**・一三三・一六三
＊孤影孑然《こえいげつぜん》……二〇一
孤影悄然《こえいしょうぜん》……**二〇一**
＊孤影蕭然《こえいしょうぜん》……二〇一
＊孤影寥寥《こえいりょうりょう》……二〇一
呉越同舟《ごえつどうしゅう》……**二〇一**
古往今来《こおうこんらい》……**二〇二**・一一三
五陰盛苦《ごおんじょうく》……**二〇二**
狐仮虎威《こかこい》……**二〇二**
呉下阿蒙《ごかのあもう》……**二〇二**
孤寡不穀《こかふこく》……**二〇二**
胡漢陵轢《こかんりょうれき》……**二〇二**
狐疑逡巡《こぎしゅんじゅん》……**二〇二**・二五一・三二九・三三一
狐裘羔袖《こきゅうこうしゅう》……**二〇二**・三八六
呼牛呼馬《こぎゅうこば》……**二〇三**・三八七

呉牛喘月《ごぎゅうぜんげつ》……二〇三・一四六・二六三・三七八
狐裘蒙戎《こきゅうもうじゅう》……二〇三
五行相剋《ごぎょうそうこく》……二〇三
＊五行相生《ごぎょうそうしょう》……二〇三
＊五行相勝《ごぎょうそうしょう》……二〇三
枯魚銜索《こぎょかんさく》……二〇三
＊虎虚之誤《こきょのあやまり》……一一八
極悪非道《ごくあくひどう》……二〇三・六二・三一六
哭岐泣練《こくききゅうれん》……二〇三
＊哭逵泣練《こくききゅうれん》……二〇三
轂撃肩摩《こくげきけんま》……二〇四・一八五
＊刻鵠類鶩《こくこくるいぼく》……一二五
告朔餼羊《こくさくのきよう》……二〇四
黒歯彫題《こくしちょうだい》……二〇四・四〇一・四〇二
＊黒歯雕題《こくしちょうだい》……二〇四
＊黒子之地《こくしのち》……二九〇・三三五
国士無双《こくしむそう》……二〇四
刻舟求剣《こくしゅうきゅうけん》……二〇四・二五一
国色天香《こくしょくてんこう》……二〇四
黒貂之裘《こくちょうのきゅう》……二〇四
克伐怨欲《こくばつえんよく》……二〇四
黒白混淆《こくびゃくこんこう》……二〇五
＊黒白混交《こくびゃくこんこう》……二〇五
＊黒白分明《こくびゃくぶんめい》……二〇五
黒風白雨《こくふうはくう》……二〇五
国歩艱難《こくほかんなん》……二〇五
＊鵠面鳩形《こくめんきゅうけい》……二〇五・三四〇
鵠面鳥形《こくめんちょうけい》……二〇五・三四〇
極楽往生《ごくらくおうじょう》……二〇五
極楽浄土《ごくらくじょうど》……二〇五・六七・二一七・二二四・二四九
＊極楽世界《ごくらくせかい》……二〇五
極楽蜻蛉《ごくらくとんぼ》……二〇五
国利民福《こくりみんぷく》……二〇五
孤苦零丁《こくれいてい》……二〇五・四七五
＊孤苦伶仃《こくれいてい》……二〇五
刻露清秀《こくろせいしゅう》……二〇五・四一二
孤軍奮闘《こぐんふんとう》……二〇六・一五五・二〇七・二一一
虎渓三笑《こけいさんしょう》……二〇六
虎穴虎子《こけつこし》……二〇六・四七三
＊孤高之士《ここうのし》……二〇一
股肱之臣《ここうのしん》……二〇六
＊股肱之力《ここうのちから》……二〇六
＊股肱之良《ここうのりょう》……二〇六
＊虎口抜牙《ここうばつが》……二〇六
五穀豊穣《ごこくほうじょう》……二〇六・四三五
＊五穀豊登《ごこくほうとう》……二〇六
古今東西《ここんとうざい》……二〇六・一一三
古今独歩《ここんどっぽ》……二〇六
古今無双《ここんむそう》……二〇六・二〇四
＊古今無比《ここんむひ》……二〇六
＊古今無類《ここんむるい》……二〇六
狐死首丘《こししゅきゅう》……二〇七・一〇五・二一〇・二五三
虎視眈眈《こしたんたん》……二〇七
五十知命《ごじゅうちめい》……二〇七・二三二・二四六・四七八
枯樹生華《こじゅせいか》……二〇七・二一一
＊枯樹生花《こじゅせいか》……二〇七
五盛陰苦《ごじょうおんく》……二〇七・二〇二
後生大事《ごしょうだいじ》……二〇七
＊股掌之臣《こしょうのしん》……二〇六
虎嘯風生《こしょうふうしょう》……二〇七
＊虎嘯風洌《こしょうふうれつ》……二〇七・四七〇
後生菩提《ごしょうぼだい》……二〇七
＊孤城落月《こじょうらくげつ》……二〇七
孤城落日《こじょうらくじつ》……二〇七
五濁悪世《ごじょくあくせ》……二〇八
＊古色古香《こしょくここう》……二〇八
古色蒼然《こしょくそうぜん》……二〇八
故事来歴《こじらいれき》……二〇八
＊古事来歴《こじらいれき》……二〇八
古人糟魄《こじんのそうはく》……二〇八
＊古人糟粕《こじんのそうはく》……二〇八
＊胡説八道《こせつはちどう》……二〇八
鼓舌揺脣《こぜつようしん》……二〇八
＊鼓舌揺唇《こぜつようしん》……二〇八
胡説乱道《こせつらんどう》……二〇八
五臓六腑《ごぞうろっぷ》……二〇八

＊梧鼠五技《ごそごぎ》……二〇九

＊梧鼠五能《ごそごのう》……二〇九

梧鼠之技《ごそのぎ》……**二〇八**・一五七

＊鼯鼠之技《ごそのぎ》……二〇八

胡孫入袋《こそんにゅうたい》……**二〇九**

＊猢猻入袋《こそんにゅうたい》……二〇九

五体投地《ごたいとうち》……**二〇九**

誇大妄想《こだいもうそう》……**二〇九**

胡蝶之夢《こちょうのゆめ》……**二〇九**

＊蝴蝶之夢《こちょうのゆめ》……二〇九

克己復礼《こっきふくれい》……**二〇九**

＊刻苦精励《こっくせいれい》……二〇九

刻苦勉励《こっくべんれい》……**二〇九**・二八八

国君含垢《こっくんがんこう》……**二〇九**

滑稽洒脱《こっけいしゃだつ》……**二〇九**・一七六

＊骨肉相軌《こつにくそうき》……二一〇

骨肉相食《こつにくそうしょく》……**二一〇**

＊虎擲竜拏《こてきりゅうだ》……二一〇

虎擲竜拏《こてきりょうだ》……**二一〇**

涸轍鮒魚《こてつのふぎょ》……**二一〇**・三四八

梧桐一葉《ごどういちよう》……**二一〇**・七八

虎頭蛇尾《ことうだび》……**二一〇**

孤独矜寡《こどくかんか》……**二一〇**

＊孤独鰥寡《こどくかんか》……二一〇

＊孤独狷介《こどくけんかい》……一七九

胡馬北風《こばほくふう》……**二一〇**・一〇五・二〇七・二五三

寤寐思服《ごびしふく》……**二一〇**

虎尾春氷《こびしゅんぴょう》……**二一〇**

＊虎尾春冰《こびしゅんぴょう》……二一〇

＊虎皮羊質《こひようしつ》……四六〇

五風十雨《ごふうじゅうう》……**二一〇**

鼓腹撃壌《こふくげきじょう》……**二一一**・一四一・一七七

鼓舞激励《こぶげきれい》……**二一一**・三三八

＊虎吻鴟目《こふんしもく》……二七五

孤峰絶岸《こほうぜつがん》……**二一一**

枯木寒巌《こぼくかんがん》……**二一一**・一九八

＊枯木死灰《こぼくしかい》……一九八・二一一

＊枯木生花《こぼくせいか》……二〇七

＊枯木生葉《こぼくせいよう》……二〇七

＊枯木逢春《こぼくほうしゅん》……二一一

枯木竜吟《こぼくりょうぎん》……**二一一**

＊枯木冷灰《こぼくれいかい》……一九八

虚融澹泊《こゆうたんぱく》……**二一一**

孤立無援《こりつむえん》……**二一一**・一五五・二〇六・二〇七

＊孤立無親《こりつむしん》……二一一

五里霧中《ごりむちゅう》……**二一一**・四五〇

狐狸妖怪《こりようかい》……**二一二**

五倫五常《ごりんごじょう》……**二一二**

孤陋寡聞《ころうかぶん》……**二一二**

五倫十起《ごりんじっき》……**二一二**

＊虎狼之心《ころうのこころ》……四七七

＊虎狼之毒《ころうのどく》……四七七

渾金璞玉《こんきんはくぎょく》……**二一二**・三八二

困苦欠乏《こんくけつぼう》……**二一二**

欣求浄土《ごんぐじょうど》……**二一二**・一一五

＊金剛堅固《こんごうけんご》……二一二

金剛不壊《こんごうふえ》……**二一二**

言語道断《ごんごどうだん》……**二一二**

渾渾沌沌《こんこんとんとん》……**二一三**・四五〇

＊混混沌沌《こんこんとんとん》……二一二

＊崑山片玉《こんざんへんぎょく》……一七七

今昔之感《こんじゃくのかん》……**二一三**

＊困獣猶闘《こんじゅうゆうとう》……一五一

＊魂銷魄散《こんしょうはくさん》……二一四

根深柢固《こんしんていこ》……**二一三**・二六九

＊今昔之感《こんせきのかん》……二一三

今是昨非《こんぜさくひ》……**二一三**

＊懇切周到《こんせつしゅうとう》……二一三

＊懇切丁寧《こんせつていねい》……二一三

渾然一体《こんぜんいったい》……**二一三**

＊混然一体《こんぜんいったい》……二一三

困知勉行《こんちべんこう》……**二一三**

昏定晨省《こんていしんせい》……**二一三**

懇到切至《こんとうせっし》……**二一三**

＊狠到切至《こんとうせっし》……二一三

蒟蒻問答《こんにゃくもんどう》……**二一三**

＊魂飛胆裂《こんひたんれつ》……二一四

魂飛魄散《こんぴはくさん》……**二一四**
＊今来古往《こんらいこおう》……二〇二
金輪奈落《こんりんならく》……**二一四**
渾崙呑棗《こんろんどんそう》……**二一四**

●さ

塞翁失馬《さいおうしつば》……**二一四**
＊塞翁之馬《さいおうのうま》……一三一・二一四
斎戒沐浴《さいかいもくよく》……**二一四**・二五九・四五三
採菓汲水《さいかきっすい》……**二一四**
＊採果汲水《さいかきっすい》……二一四
＊採花汲水《さいかきっすい》……二一四
歳寒三友《さいかん(の)さんゆう》……**二一四**
歳寒松柏《さいかん(の)しょうはく》……**二一五**・二三八・二九三
＊才気横溢《さいきおういつ》……二一五
才気煥発《さいきかんぱつ》……**二一五**
歳月不待《さいげつふたい》……**二一五**
罪業消滅《ざいごうしょうめつ》……**二一五**
＊砕骨粉身《さいこつふんしん》……四三三
在在所所《ざいざいしょしょ》……**二一五**
＊洒洒落落《さいさいらくらく》……二四三
灑灑落落《さいさいらくらく》……**二一五**
再三再四《さいさんさいし》……**二一五**
才子佳人《さいしかじん》……**二一五**
在邇求遠《ざいじきゅうえん》……**二一五**・二四一
妻子眷族《さいしけんぞく》……**二一五**・八〇
＊妻子眷属《さいしけんぞく》……二一五
才子多病《さいしたびょう》……**二一六**・一二七・三九九
犀舟勁檝《さいしゅうけいしゅう》……**二一六**
載舟覆舟《さいしゅうふくしゅう》……**二一六**
才色兼備《さいしょくけんぴ》……**二一六**・二四五
採薪汲水《さいしんきゅうすい》……**二一六**・八〇・二六二・四五八
＊采薪汲水《さいしんきゅうすい》……二一六
採薪之憂《さいしんのうれい》……**二一六**
＊采薪之憂《さいしんのうれい》……二一六・四一八
＊砕身粉骨《さいしんふんこつ》……四三三
＊細心翼翼《さいしんよくよく》……二五九
祭政一致《さいせいいっち》……**二一六**
＊祭政分離《さいせいぶんり》……二一六
載籍浩瀚《さいせきこうかん》……**二一六**・一三五
＊差以千里《さいせんり》……二〇〇
灑掃応対《さいそうおうたい》……**二一六**
＊才色兼備《さいそくけんぴ》……二一六
裁断批評《さいだんひひょう》……**二一六**
採長補短《さいちょうほたん》……**二一七**・二四四・三一二
采椽不斲《さいてんふたく》……**二一七**・三六三・四七五
＊妻梅子鶴《さいばいしかく》……三七七
西方浄土《さいほうじょうど》……**二一七**・二〇五
彩鳳随鴉《さいほうずいあ》……**二一七**
＊西方世界《さいほうせかい》……二〇五
＊才貌両全《さいぼうりょうぜん》……二一六・二四五
菜圃麦隴《さいほばくろう》……**二一七**
豺狼当路《さいろうとうろ》……**二一七**
左往右往《さおううおう》……**二一七**・九六
坐臥行歩《ざがこうほ》……**二一七**
＊座臥行歩《ざがこうほ》……二一七
鑿歯尺牘《さくしせきとく》……**二一七**
作史三長《さくしのさんちょう》……**二一八**
＊削株掘根《さくしゅくっこん》……三〇一・三三四・三八九
鑿窓啓牖《さくそうけいゆう》……**二一八**
削足適履《さくそくてきり》……**二一八**・一七九・二九二
昨非今是《さくひこんぜ》……**二一八**・二一三
作文三上《さくぶんさんじょう》……**二一八**
鑿壁偸光《さくへきとうこう》……**二一八**
左建外易《さけんがいえき》……**二一八**
＊左顧右盼《さこうはん》……九七
左顧右眄《さこうべん》……**二一八**・九七
瑣砕細膩《ささいさいじ》……**二一八**
坐作進退《ざさしんたい》……**二一八**・一五六
＊座作進退《ざさしんたい》……二一八
＊坐視不救《ざしふきゅう》……一一三
左支右吾《さしゆうご》……**二一九**
＊左枝右捂《さしゆうご》……二一九
砂上楼閣《さじょうのろうかく》……**二一九**・一一八・一六七
坐薪懸胆《ざしんけんたん》……**二一九**・一三七
左戚右賢《させきゆうけん》……**二一九**
蹉跎歳月《さたさいげつ》……**二一九**
＊蹉跎白髪《さたはくはつ》……二一九

沙中偶語《さちゅうのぐうご》……二一九
察言観色《さつげんかんしき》……二一九
＊殺生与奪《さっしょうよだつ》……二八三
＊左武右文《さぶゆうぶん》……四五八
＊左文右武《さぶんゆうぶ》……一七六・四二四
左眄右顧《さべんうこ》……二一九・九七
＊左右傾側《さゆうけいそく》……九七・二五一
沙羅双樹《さらそうじゅ》……二一九
＊娑羅双樹《さらそうじゅ》……二一九
桟雲峡雨《さんうんきょうう》……二一九
三槐九棘《さんかいきゅうきょく》……二二〇・二二一
＊山海之盟《さんかいのめい》……二一九
三界無安《さんがいむあん》……二二〇
三界流転《さんがいるてん》……二二〇
山河襟帯《さんがきんたい》……二二〇・二三四
三寒四温《さんかんしおん》……二二〇
山簡倒載《さんかんとうさい》……二二〇
三跪九叩《さんききゅうこう》……二二〇・二二五・四二七
＊三跪九拝《さんききゅうはい》……二二〇・二二五
＊残虐非道《ざんぎゃくひどう》……二二一・二二五
＊山窮水尽《さんきゅうすいじん》……一五二
三釁三浴《さんきんさんよく》……二二〇
三薫三沐《さんくんさんもく》……二二〇
三軍暴骨《さんぐんばくこつ》……二二〇
三綱五常《さんこうごじょう》……二二一
残膏賸馥《ざんこうしょうふく》……二二一・九二
＊山光水色《さんこうすいしょく》……二二六
山高水長《さんこうすいちょう》……二二一
山肴野蔌《さんこうやそく》……二二一
＊残羹冷炙《ざんこうれいしゃ》……二二五
残酷非道《ざんこくひどう》……二二一・二二五
三顧之礼《さんこのれい》……二二一
斬衰斉衰《ざんさいしさい》……二二一
三三五五《さんさんごご》……二二一
残山剰水《ざんざんじょうすい》……二二一・二五九
＊三三両両《さんさんりょうりょう》……二二一
＊三豕己亥《さんしきがい》……二二二
＊三豕金根《さんしきんこん》……二二二
三思後行《さんしこうこう》……二二二
三豕渉河《さんししょうか》……二二二
山紫水明《さんしすいめい》……二二二・四六五
＊三豕渡河《さんしとか》……九六・一一八・二二二・四七八
三枝之礼《さんしのれい》……二二二・九八
三尺秋水《さんじゃく(の)しゅうすい》……二二二・二四七
三者三様《さんしゃさんよう》……二二二
三舎退避《さんしゃたいひ》……二二二
三者鼎談《さんしゃていだん》……二二二
三者鼎立《さんしゃていりつ》……二二二・二二六
三十而立《さんじゅうじりつ》……二二二・二〇七・二三三・二四六・四七八
三十六計《さんじゅうろくけい》……二二二
三種神器《さんしゅのじんぎ》……二二二
斬新奇抜《ざんしんきばつ》……二二三・一四七
三寸不律《さんずんふりつ》……二二三
三世一爨《さんせいいっさん》……二二三
三聖吸酸《さんせいきゅうさん》……二二三
＊山清水秀《さんせいすいしゅう》……二二三
＊三世同居《さんせいどうきょ》……二二三
＊三世同爨《さんせいどうさん》……二二三
＊三世同堂《さんせいどうどう》……二二三
三牲之養《さんせいのよう》……二二四
三尺童子《さんせきのどうじ》……二二四
三千世界《さんぜんせかい》……二二四
山藪蔵疾《さんそうぞうしつ》……二二四・二〇二
残息奄奄《ざんそくえんえん》……二二四・一四七
＊三足鼎立《さんそくていりつ》……二二三
三諦円融《さんだいえんにゅう》……二二四・一〇八
＊三多三上《さんたさんじょう》……二一八
惨憺経営《さんたんけいえい》……二二四
＊惨澹経営《さんたんけいえい》……二二四
山中暦日《さんちゅうれきじつ》……二二四
＊三徴七辟《さんちょうしちへき》……二二一
斬釘截鉄《ざんていせってつ》……二二四
参天弐地《さんてんじち》……二二四
讒諂面諛《ざんてんめんゆ》……二二四
山濤識量《さんとうしきりょう》……二二五
残忍酷薄《ざんにんこくはく》……二二五
三人成虎《さんにんせいこ》……二二五・二四九・三一〇・四一八

＊残忍非道《ざんにんひどう》……二二一・二二五
三人文殊《さんにんもんじゅ》……二二五
＊三人文珠《さんにんもんじゅ》……二二五
＊残念至極《ざんねんしごく》……二二五
残念無念《ざんねんむねん》……二二五
＊三拝九叩《さんぱいきゅうこう》……二二〇
三拝九拝《さんぱいきゅうはい》……二二五・四二七
＊残杯冷肴《ざんぱいれいこう》……二二五
残杯冷炙《ざんぱいれいしゃ》……二二五
三百代言《さんびゃくだいげん》……二二五
散文精神《さんぶんせいしん》……二二六
三分鼎足《さんぶんていそく》……二二六
＊三分鼎立《さんぶんていりつ》……二二三・二二六
三平二満《さんぺいじまん》……二二六
残編断簡《ざんぺんだんかん》……二二六
讒謗罵詈《ざんぼうばり》……二二六・六三・三九一
＊山木自寇《さんぼくじこう》……一三七・一八七
三位一体《さんみいったい》……二二六
＊山明水秀《さんめいすいしゅう》……二二三
三面六臂《さんめんろっぴ》……二二六・三八七
＊山容水色《さんようすいしょく》……二二六
山容水態《さんようすいたい》……二二六
三浴三薫《さんよくさんくん》……二二六・二二〇
山礪河帯《さんれいかたい》……二二六・一二五
三令五申《さんれいごしん》……二二六・三四六
＊暫労永逸《ざんろうえいいつ》……七九
三老五更《さんろうごこう》……二二六

● し

思案投首《しあんなげくび》……二二七
詩歌管弦《しいかかんげん》……二二七
＊詩歌管絃《しいかかんげん》……二二七
尸位素餐《しいそさん》……二二七・三九三
侈衣美食《しいびしょく》……二二七
子為父隠《しいふいん》……二二七
時雨之化《じうのか》……二二七
慈烏反哺《じうはんぽ》……二二七・九八・二二三
持盈保泰《じえいほたい》……二二七
四海兄弟《しかいけいてい》……二二七
四海同胞《しかいどうほう》……二二八
死灰復然《しかいふくねん》……二二八
＊死灰復燃《しかいふくねん》……二二八
駟介旁旁《しかいほうほう》……二二八
爾雅温文《じがおんぶん》……二二八・一二五
＊四角四面《しかくしめん》……二四三・四五七
自画自賛《じがじさん》……二二八・三四九
＊自画自讃《じがじさん》……二二八
止渇飲鴆《しかついんちん》……二二八・九五
＊歯豁頭童《しかつとうどう》……三六一
自家撞着《じかどうちゃく》……二二八・二三一・四四五
＊自家撞著《じかどうちゃく》……二二八
歯牙余論《しがのよろん》……二二八
自家薬籠《じかやくろう》……二二八
紫幹翠葉《しかんすいよう》……二二八
只管打坐《しかんたざ》……二二九
＊祇管打坐《しかんたざ》……二二九
＊自棄自暴《じきじぼう》……二四〇
時期尚早《じきしょうそう》……二二九
＊時機尚早《じきしょうそう》……二二九
色即是空《しきそくぜくう》……二二九・一六七
＊時機到来《じきとうらい》……一八九
＊識途老馬《しきとろうば》……四七七
自給自足《じきゅうじそく》……二二九
至恭至順《しきょうしじゅん》……二二九
史魚屍諫《しぎょしかん》……二二九
＊史魚尸諫《しぎょしかん》……二二九
＊史魚黜殯《しぎょちゅつひん》……二二九
＊史魚之直《しぎょのちょく》……二二九
四弘誓願《しぐぜいがん》……二二九
四衢八街《しくはちがい》……二二九
四苦八苦《しくはっく》……二二九・二六三
舳艫千里《じくろせんり》……二二九
子見南子《しけんなんし》……二三〇
子建八斗《しけんはっと》……二三〇
自己暗示《じこあんじ》……二三〇
舐糠及米《しこうきゅうまい》……二三〇
試行錯誤《しこうさくご》……二三〇
自業自得《じごうじとく》……二三〇・二三一・一三一・一九五・二三三

＊自業自縛《じごうじばく》……二三〇・二三三
至公至平《しこうしへい》……二三〇
豕交獣畜《しこうじゅうちく》……二三〇
＊師曠清耳《しこうせいじ》……二三〇
師曠之聡《しこうのそう》……二三〇
四荒八極《しこうはっきょく》……二三一
市虎三伝《しこさんでん》……二三一・二三五・三一〇
事後承諾《じごしょうだく》……二三一
自己韜晦《じことうかい》……二三一・三九八
＊自己撞着《じこどうちゃく》……二三八・二三一・四四五
＊刺股読書《しこどくしょ》……一八三
自己矛盾《じこむじゅん》……二三一・二三八・四四五
而今而後《じこんじご》……二三一
士魂商才《しこんしょうさい》……二三一
＊自在奔放《じざいほんぽう》……二四九
思索生知《しさくせいち》……二三一
屍山血河《しざんけつが》……二三一
＊四散五裂《しさんごれつ》……二四〇
時時刻刻《じじこくこく》……二三一
志士仁人《ししじんじん》……二三一
獅子身中《しししんちゅう》……二三一
師資相承《ししそうしょう》……二三二
子子孫孫《ししそんそん》……二三二
事実無根《じじつむこん》……二三二
舐痔得車《しじとくしゃ》……二三二
獅子搏兎《ししはくと》……二三二
事事物物《じじぶつぶつ》……二三三
獅子奮迅《ししふんじん》……二三三
刺字漫滅《しじまんめつ》……二三三
＊耳視目食《じしもくしょく》……四五三
四十不惑《しじゅうふわく》……二三三・二〇七・二四六・四七八
耳熟能詳《じじゅくのうしょう》……二三三
＊自主独立《じしゅどくりつ》……三六六
自縄自縛《じじょうじばく》……二三三・一九五・二三〇
紙上談兵《しじょうだんぺい》……二三三・一四六・一六七
事上磨錬《じじょうまれん》……二三三
梓匠輪輿《ししょうりんよ》……二三三
＊姿色端麗《ししょくたんれい》……四六〇
四書五経《ししょごきょう》……二三三
死屍累累《ししるいるい》……二三三
＊徙薪曲突《ししんきょくとつ》……一五九
詩人蛻骨《しじんぜいこつ》……二三三
四神相応《しじんそうおう》……二三三
＊詩人墨客《しじんぼっかく》……三〇九
＊詩人墨卿《しじんぼっけい》……三〇九
死生契闊《しせいけっかつ》……二三四
＊市井之臣《しせいのしん》……三一一
死生有命《しせいゆうめい》……二三四・四一一
＊咫尺之功《しせきのこう》……二九〇
咫尺之書《しせきのしょ》……二三四
＊志節堅固《しせつけんご》……二三四
＊時節到来《じせつとうらい》……一八九
＊自然選択《しぜんせんたく》……二三四
自然淘汰《しぜんとうた》……二三四・三四七・四五七
＊四戦之国《しせんのくに》……二三四
＊四戦之地《しせんのち》……二三四
紫髯緑眼《しぜんりょくがん》……二三四・一九九
＊志操堅確《しそうけんかく》……二三四
志操堅固《しそうけんご》……二三四・一七五・一八三・二九三
＊刺草之臣《しそうのしん》……二九〇
四塞之国《しそくのくに》……二三四
＊四塞之地《しそくのち》……二三四
＊止足之分《しそくのぶん》……三三一
志大才疎《しだいさいそ》……二三四・一三五
時代錯誤《じだいさくご》……二三四
至大至剛《しだいしごう》……二三四
＊志大智小《しだいちしょう》……二三四
舌先三寸《したさきさんずん》……二三四
＊四達八通《したつはっつう》……二三七
＊七擒七縦《しちきんしちしょう》……二三五
＊七死七生《しちししちしょう》……八三
七嘴八舌《しちしはちぜつ》……二三五
七十古稀《しちじゅうこき》……二三五
＊七十古希《しちじゅうこき》……二三五
七種菜羹《しちしゅのさいこう》……二三五
七縦七擒《しちしょうしちきん》……二三五
＊七縦八横《しちしょうはちおう》……二四六
＊七生報国《しちしょうほうこく》……八四

*四地相応《しちそうおう》……二三三
七転八起《しちてんはっき》……二三五
*七顛八起《しちてんはっき》……二三五
七顛八倒《しちてんばっとう》……二三五
*七転八倒《しちてんばっとう》……二三五
七堂伽藍《しちどうがらん》……二三五・三六一
七難九厄《しちなんくやく》……二三五
七難八苦《しちなんはっく》……二三五
*七歩成詩《しちほせいし》……二三六
七歩之才《しちほのさい》……二三五・二三六・二四四
七歩八叉《しちほはっさ》……二三六
死中求活《しちゅうきゅうかつ》……二三六
*死中求生《しちゅうきゅうせい》……二三六
史籀大篆《しちゅうだいてん》……二三六
*市中閑居《しちゅうのかんきょ》……三一五
視聴言動《しちょうげんどう》……二三六
詩腸鼓吹《しちょうのこすい》……二三六
四鳥別離《しちょうべつり》……二三六
七里結界《しちりけっかい》……二三六
*四通五達《しつうごたつ》……二三七
四通八達《しつうはったつ》……二三六
悉皆成仏《しっかいじょうぶつ》……二三七
十寒一暴《じっかんいちばく》……二三七・七六
質疑応答《しつぎおうとう》……二三七
日月星辰《じつげつせいしん》……二三七
日月逾邁《じつげつゆまい》……二三七
疾言遽色《しつげんきょしょく》……二三七
*失魂喪魄《しっこんそうはく》……二三七
失魂落魄《しっこんらくはく》……二三七
十死一生《じっしいっしょう》……二三七
実事求是《じつじきゅうぜ》……二三七
質実剛健《しつじつごうけん》……二三七
失笑噴飯《しっしょうふんぱん》……二三七
漆身呑炭《しっしんどんたん》……二三八
*失神落魄《しっしんらくはく》……二三七
*疾声大呼《しっせいたいこ》……三一九
実践躬行《じっせんきゅうこう》……二三八・三一四
叱咤激励《しったげきれい》……二三八・二二一
*叱咤督励《しったとくれい》……二三八
十中八九《じっちゅうはっく》……二三八
七珍万宝《しっちんまんぽう》……二三八
*七顛八倒《しってんばっとう》……二三五
疾風勁草《しっぷうけいそう》……二三八
疾風迅雷《しっぷうじんらい》……二三八・二七五
疾風怒濤《しっぷうどとう》……二三八・一五七
櫛風沐雨《しっぷうもくう》……二三九
*櫛風浴雨《しっぷうよくう》……二三九
失望落胆《しつぼうらくたん》……二三九
*日陵月替《じつりょうげったい》……三七四
*耳提面訓《じていめんくん》……三四六
耳提面命《じていめんめい》……二三九・二三六・三四六
紫電一閃《しでんいっせん》……二三九・一九八
紫電清霜《しでんせいそう》……二三九
舐犢之愛《しとくのあい》……二三九
自然法爾《じねんほうに》……二三九
士農工商《しのうこうしょう》……二三九
慈眉善目《じびぜんもく》……二三九
慈悲忍辱《じひにんにく》……二三九
四百四病《しひゃくしびょう》……二三九
雌伏雄飛《しふくゆうひ》……二四〇・二四九
*四分五割《しぶんごかつ》……二四〇
*四分五剖《しぶんごぼう》……二四〇
*四分五落《しぶんごらく》……二四〇
四分五裂《しぶんごれつ》……二四〇・二六五・四二五
資弁捷疾《しべんしょうしつ》……二四〇
自暴自棄《じぼうじき》……二四〇
子墨客卿《しぼくかくけい》……二四〇
子墨兎毫《しぼくとごう》……二四〇
徙木之信《しぼくのしん》……二四〇
慈母敗子《じぼはいし》……二四〇
揣摩臆測《しまおくそく》……二四一
*揣摩憶測《しまおくそく》……二四一
七五三縄《しめなわ》……二四一
四面楚歌《しめんそか》……二四一・二〇六・二二一
鴟目虎吻《しもくこふん》……二四一
*四門出遊《しもんしゅつゆう》……二四一
四門遊観《しもんゆうかん》……二四一
車胤聚蛍《しゃいんしゅうけい》……二四一・一七五・二四二・

三一四・三三七
社燕秋鴻《しゃえんしゅうこう》……**二四一**
舎近求遠《しゃきんきゅうえん》……**二四一**・二一五
＊舎近謀遠《しゃきんぼうえん》……二一五・二四一
釈根灌枝《しゃくこんかんし》……**二四一**・二四四・四四〇
＊釈根注枝《しゃくこんちゅうし》……四四〇
杓子果報《しゃくしかほう》……**二四二**
杓子定規《しゃくしじょうぎ》……**二四二**
鵲巣鳩居《じゃくそうきゅうきょ》……**二四二**
鵲巣鳩占《じゃくそうきゅうせん》……**二四二**
弱肉強食《じゃくにくきょうしょく》……**二四二**・一五六・二三四・三四七・四五七
＊弱能制強《じゃくのうせいきょう》……二四八
寂滅為楽《じゃくめついらく》……**二四二**
＊酌量減軽《しゃくりょうげんけい》……二五八
車蛍孫雪《しゃけいそんせつ》……**二四二**・二四一
＊社交辞令《しゃこうじれい》……一一七
＊舎虎逢狼《しゃこほうろう》……二九七
捨根注枝《しゃこんちゅうし》……**二四二**
車載斗量《しゃさいとりょう》……**二四二**
奢侈淫佚《しゃしいんいつ》……**二四二**
＊奢侈淫逸《しゃしいんいつ》……一五五・二四二
奢侈文弱《しゃしぶんじゃく》……**二四二**
洒洒落落《しゃしゃらくらく》……**二四三**
＊灑灑落落《しゃしゃらくらく》……二四三
射将先馬《しゃしょうせんば》……**二四三**
社稷之臣《しゃしょくのしん》……**二四三**
社稷之守《しゃしょくのまもり》……**二四三**
車水馬竜《しゃすいばりょう》……**二四三**
＊舎生取義《しゃせいしゅぎ》……二六二
射石飲羽《しゃせきいんう》……**二四三**
邪説異端《じゃせついたん》……**二四三**・七二
舎短取長《しゃたんしゅちょう》……**二四三**・二一七・三一二
邪智奸佞《じゃちかんねい》……**二四四**・一四〇
寂光浄土《じゃっこうじょうど》……**二四四**・二〇五・二四九
煮豆燃萁《しゃとうねんき》……**二四四**
＊煮豆然萁《しゃとうねんき》……二四四
遮二無二《しゃにむに》……**二四四**・四四六
＊射法八節《しゃほうはっせつ》……一五三
＊舎本事末《しゃほんじまつ》……二四四
舎本逐末《しゃほんちくまつ》……**二四四**・二四三・四四〇
＊捨本逐末《しゃほんちくまつ》……二四四
＊沙羅双樹《しゃらそうじゅ》……二一九
醜悪奸邪《しゅうあくかんじゃ》……**二四四**
＊醜悪姦邪《しゅうあくかんじゃ》……二四四
拾遺補闕《しゅういほけつ》……**二四四**
＊縦横自在《じゅうおうじざい》……二四五・二四六
＊縦横無礙《じゅうおうむげ》……二四五
縦横無尽《じゅうおうむじん》……**二四四**・二三六・二四六
秀外恵中《しゅうがいけいちゅう》……**二四五**・二一六
自由闊達《じゆうかったつ》……**二四五**・一三九
＊自由豁達《じゆうかったつ》……二四五
衆寡不敵《しゅうかふてき》……**二四五**
羞花閉月《しゅうかへいげつ》……**二四五**
衆議一決《しゅうぎいっけつ》……**二四五**
＊衆蟻慕羶《しゅうぎぼせん》……一六九
＊十行倶下《じゅうぎょうぐか》……七七
愁苦辛勤《しゅうくしんきん》……**二四五**
羞月閉花《しゅうげつへいか》……**二四五**
衆賢茅茹《しゅうけんぼうじょ》……**二四五**
衆口一致《しゅうこういっち》……**二四五**
＊衆口鑠金《しゅうこうしゃくきん》……二三五・二四九・三一〇
重厚長大《じゅうこうちょうだい》……**二四五**・一七五
秋毫之末《しゅうごうのすえ》……**二四五**
秋高馬肥《しゅうこうばひ》……**二四六**
十五志学《じゅうごしがく》……**二四六**・二〇七・二三二・四七八
修己治人《しゅうこちじん》……**二四六**
聚散十春《しゅうさんじっしゅん》……**二四六**
集散離合《しゅうさんりごう》……**二四六**・四六七
終始一貫《しゅうしいっかん》……**二四六**・二五三
自由自在《じゆうじざい》……**二四六**・二四五
獣聚鳥散《じゅうしゅうちょうさん》……**二四六**
囚首喪面《しゅうしゅそうめん》……**二四六**・四三五
袖手旁観《しゅうしゅぼうかん》……**二四六**
＊袖手傍観《しゅうしゅぼうかん》……一五六・二四七
周章狼狽《しゅうしょうろうばい》……**二四七**・九六・二六八・三三〇
＊修飾辺幅《しゅうしょくへんぷく》……四二九

修身斉家《しゅうしんせいか》……**二四七**・一七四
衆酔独醒《しゅうすいどくせい》……**二四七**
十全十美《じゅうぜんじゅうび》……**二四七**・一三八・二七三
秋霜三尺《しゅうそうさんじゃく》……**二四七**・二三三
秋霜烈日《しゅうそうれつじつ》……**二四七**・二三四・二五四
周知徹底《しゅうちてってい》……**二四七**
舟中敵国《しゅうちゅうてきこく》……**二四七**
＊十中八九《じゅうちゅうはっく》……二三八
獣蹄鳥跡《じゅうていちょうせき》……**二四八**
＊重蹈覆轍《じゅうとうふくてつ》……二九八
縦塗横抹《じゅうとおうまつ》……**二四八**
＊就毒攻毒《しゅうどくこうどく》……九一
終南捷径《しゅうなんしょうけい》……**二四八**
十人十色《じゅうにんといろ》……**二四八**・二三二・二九八・四〇四
＊十人十腹《じゅうにんとはら》……二四八
十年一日《じゅうねんいちじつ》……**二四八**・一五一
十年一剣《じゅうねんいっけん》……**二四八**
十年一昔《じゅうねんひとむかし》……**二四八**
＊柔能克剛《じゅうのうこくごう》……二四八
柔能制剛《じゅうのうせいごう》……**二四八**
戎馬倥偬《じゅうばこうそう》……**二四八**・四二七
十風五雨《じゅうふうごう》……**二四八**・二一一
秋風索莫《しゅうふうさくばく》……**二四八**
＊秋風索寞《しゅうふうさくばく》……二四八
＊秋風索漠《しゅうふうさくばく》……二四八
＊秋風寂莫《しゅうふうせきばく》……二四九
秋風落莫《しゅうふうらくばく》……**二四九**
＊秋風凜冽《しゅうふうりんれつ》……二四九
秋風冽冽《しゅうふうれつれつ》……**二四九**
＊秋風洌洌《しゅうふうれつれつ》……二四九
聚蚊成雷《しゅうぶんせいらい》……**二四九**・二三五・三一〇・四一八
自由奔放《じゆうほんぽう》……**二四九**・三五四・四四〇
十万億土《じゅうまんおくど》……**二四九**・二〇五・二四四
衆妙之門《しゅうみょうのもん》……**二四九**
＊自由無碍《じゆうむげ》……二四六
襲名披露《しゅうめいひろう》……**二四九**
戢鱗潜翼《しゅうりんせんよく》……**二四九**・二四〇
酒甕飯嚢《しゅおうはんのう》……**二四九**
主客転倒《しゅかくてんとう》……**二四九**・二四二・二四四・四四〇
＊主客顚倒《しゅかくてんとう》……二五〇
樹下石上《じゅかせきじょう》……**二五〇**
＊主客転倒《しゅきゃくてんとう》……二四九
縮衣節食《しゅくいせっしょく》……**二五〇**
夙興夜寝《しゅくこうやしん》……**二五〇**
＊夙興夜寐《しゅくこうやび》……二五〇・三九九
熟思黙想《じゅくしもくそう》……**二五〇**・三四三
縮地補天《しゅくちほてん》……**二五〇**
熟読玩味《じゅくどくがんみ》……**二五〇**
＊夙夜夢寤《しゅくやむご》……二五〇
夙夜夢寐《しゅくやむび》……**二五〇**
熟慮断行《じゅくりょだんこう》……**二五〇**・二六六・三四三
＊樹下石上《じゅげせきじょう》……二五〇
輸攻墨守《しゅこうぼくしゅ》……**二五〇**
取捨選択《しゅしゃせんたく》……**二五一**
珠襦玉匣《しゅじゅぎょっこう》……**二五一**
種種雑多《しゅじゅざった》……**二五一**
＊種種様様《しゅじゅさまざま》……二五一・二九八
守株待兎《しゅしゅたいと》……**二五一**・一五二・二〇四
衆生済度《しゅじょうさいど》……**二五一**
＊酒色財気《しゅしょくざいき》……三八九
＊首施両端《しゅしりょうたん》……二五一
朱脣皓歯《しゅしんこうし》……**二五一**・四四二
＊朱唇皓歯《しゅしんこうし》……一九七
＊殊俗帰風《しゅぞくきふう》……三七五
寿則多辱《じゅそくたじょく》……**二五一**
首鼠両端《しゅそりょうたん》……**二五一**・九七・二〇二
受胎告知《じゅたいこくち》……**二五一**
酒池肉林《しゅちにくりん》……**二五二**・三四一・三七三
＊取長補短《しゅちょうほたん》……二一七
朮羹艾酒《じゅっこうがいしゅ》……**二五二**
出谷遷喬《しゅっこくせんきょう》……**二五二**
＊十死一生《じゅっしいっしょう》……二三七
出将入相《しゅっしょうにゅうしょう》……**二五二**
出処進退《しゅっしょしんたい》……**二五二**・四六〇
出藍之誉《しゅつらんのほまれ》……**二五二**・二八七
殊塗同帰《しゅとどうき》……**二五二**・九三・三五七

酒嚢飯袋《しゅのうはんたい》……二五二・一九二・二四九・四四四
首尾一貫《しゅびいっかん》……二五二・二四六
＊首尾相応《しゅびそうおう》……二五二
手舞足踏《しゅぶそくとう》……二五二・一三四・一三九・一六三・四一八
＊入木三分《じゅぼくさんぶ》……三七五
朱墨爛然《しゅぼくらんぜん》……二五三
＊儒名墨行《じゅめいぼくこう》……四三九
儒林棟梁《じゅりんのとうりょう》……二五三
＊珠聯玉映《しゅれんぎょくえい》……二五三
珠聯璧合《しゅれんへきごう》……二五三
＊珠連璧合《しゅれんへきごう》……二五三
株連蔓引《しゅれんまんいん》……二五三
春蛙秋蟬《しゅんあしゅうぜん》……二五三
純一無雑《じゅんいつむざつ》……二五三
＊春花秋月《しゅんかしゅうげつ》……一二八・二九二
春寒料峭《しゅんかんりょうしょう》……二五三
蓴羹鱸膾《じゅんこうろかい》……二五三
＊春恨秋懐《しゅんこんしゅうかい》……二五四
舜日尭年《しゅんじつぎょうねん》……二五三・一五七
春日遅遅《しゅんじつちち》……二五三
春愁秋思《しゅんしゅうしゅうし》……二五四
＊春秋筆削《しゅんじゅうのひっさく》……二五四
春秋筆法《しゅんじゅうのひっぽう》……二五四・七四
＊春樹暮雲《しゅんじゅぼうん》……四三七
春宵一刻《しゅんしょういっこく》……二五四
純情可憐《じゅんじょうかれん》……二五四
＊循常習故《じゅんじょうしゅうこ》……三六〇
＊純真可憐《じゅんしんかれん》……二五四
純真無垢《じゅんしんむく》……二五四・三四九
＊純粋無垢《じゅんすいむく》……二五四
駿足長阪《しゅんそくちょうはん》……二五四
＊駿足長坂《しゅんそくちょうはん》……二五四
春風駘蕩《しゅんぷうたいとう》……二五四
醇風美俗《じゅんぷうびぞく》……二五四・四七二
＊淳風美俗《じゅんぷうびぞく》……二五四
順風満帆《じゅんぷうまんぱん》……二五五
＊春風満面《しゅんぷうまんめん》……一四六
＊順理成章《じゅんりせいしょう》……四七三
春和景明《しゅんわけいめい》……二五五
叙位叙勲《じょいじょくん》……二五五
上意下達《じょういかたつ》……二五五・一一八
宵衣旰食《しょういかんしょく》……二五五
情意投合《じょういとうごう》……二五五・六八
冗員淘汰《じょういんとうた》……二五五
上援下推《じょうえんかすい》……二五五
硝煙弾雨《しょうえんだんう》……二五五・四三一
＊硝烟弾雨《しょうえんだんう》……二五五
上下一心《しょうかいっしん》……二五五・一五六
上下天光《しょうかてんこう》……二五五
＊傷化敗俗《しょうかはいぞく》……二六一
小家碧玉《しょうかへきぎょく》……二五六
＊商鑑不遠《しょうかんふえん》……九三
上求菩提《じょうぐぼだい》……二五六
＊上下一心《じょうげいっしん》……二五五
笙磬同音《しょうけいどうおん》……二五六
＊小隙沈舟《しょうげきちんしゅう》……四七六
証拠隠滅《しょうこいんめつ》……二五六
＊証拠堙滅《しょうこいんめつ》……二五六
＊証拠湮滅《しょうこいんめつ》……二五六
上行下効《じょうこうかこう》……二五六
＊上行下従《じょうこうかじゅう》……二五六
小国寡民《しょうこくかみん》……二五六
城狐社鼠《じょうこしゃそ》……二五六・一三九・一七一
商山四皓《しょうざんのしこう》……二五六
＊常山蛇陣《じょうざんだじん》……二五七
常山蛇勢《じょうざんのだせい》……二五六
生死事大《しょうじじだい》……二五七
笑止千万《しょうしせんばん》……二五七
＊生死無常《しょうじむじょう》……二五七
銷鑠縮栗《しょうしゃくしゅくりつ》……二五七
＊乗車之会《じょうしゃのかい》……四二六
＊盛者必衰《しょうしゃひっすい》……二五七
＊盛者必衰《しょうじゃひっすい》……二五七
盛者必衰《じょうしゃひっすい》……二五七・一〇三・一〇四・一五七
生者必滅《しょうじゃひつめつ》……二五七・二五七・二九一
＊盛者必滅《じょうしゃひつめつ》……二五七

常住坐臥《じょうじゅうざが》……**二五七**・一五六・三七四
常住不断《じょうじゅうふだん》……**二五七**
漿酒霍肉《しょうしゅかくにく》……**二五七**
畳牀架屋《じょうしょうかおく》……**二五七**・一一四・二五八
*呫囁耳語《しょうしょうじご》……一九五
牀上施牀《しょうじょうししょう》……**二五八**・一一四
清浄寂滅《しょうじょうじゃくめつ》……**二五八**
情状酌量《じょうじょうしゃくりょう》……**二五八**
生生世世《しょうじょうせぜ》……**二五八**・二八五
*霄壌之差《しょうじょうのさ》……三四九・三五〇
瀟湘八景《しょうしょうはっけい》……**二五八**
*掌上明珠《しょうじょうめいしゅ》……二六〇
*生生流転《しょうじょうるてん》……二八五
相如四壁《しょうじょしへき》……**二五八**
情緒纏綿《じょうしょてんめん》……**二五八**
生死流転《しょうじるてん》……**二五八**・二八五
小人閑居《しょうじんかんきょ》……**二五八**
*小人間居《しょうじんかんきょ》……二五九
焦唇乾舌《しょうしんかんぜつ》……**二五九**・七一・一六八
*焦脣乾舌《しょうしんかんぜつ》……二五九
焦心苦慮《しょうしんくりょ》……**二五九**・一六〇
精進潔斎《しょうじんけっさい》……**二五九**・二一四・四五三
*小心狷介《しょうしんけんかい》……一七九
正真正銘《しょうしんしょうめい》……**二五九**
*正真正銘《しょうじんしょうめい》……二五九
小人之勇《しょうじんのゆう》……**二五九**・四〇〇
小心翼翼《しょうしんよくよく》……**二五九**・一九八
剰水残山《じょうすいざんざん》……**二五九**
*小水之魚《しょうすいのうお》……二一〇・三四八
*匠石運斤《しょうせきうんきん》……一〇〇・二六八
支葉碩茂《しようせきも》……**二五九**
*枝葉碩茂《しようせきも》……二五九
*饒舌多弁《じょうぜつたべん》……三四四
少壮気鋭《しょうそうきえい》……**二五九**・二七二
*少壮有為《しょうそうゆうい》……二七二
消息盈虚《しょうそくえいきょ》……**二六〇**
躡足附耳《じょうそくふじ》……**二六〇**
*称体裁衣《しょうたいさいい》……四七一
掌中之珠《しょうちゅうのたま》……**二六〇**
*笑中有刀《しょうちゅうゆうとう》……四五二
*情緒纏綿《じょうちょてんめん》……二五八
常套手段《じょうとうしゅだん》……**二六〇**
焦頭爛額《しょうとうらんがく》……**二六〇**
*燋頭爛額《しょうとうらんがく》……二六〇
*浄土往生《じょうどおうじょう》……二〇五
*松柏之質《しょうはくのしつ》……四三九
松柏之寿《しょうはくのじゅ》……**二六〇**
*松柏之操《しょうはくのみさお》……二一五
賞罰之柄《しょうばつのへい》……**二六〇**
笑比河清《しょうひかせい》……**二六〇**・三八〇
攘臂疾言《じょうひしつげん》……**二六〇**
焦眉之急《しょうびのきゅう》……**二六〇**・三七六
*焼眉之急《しょうびのきゅう》……二六一
常備不懈《じょうびふかい》……**二六一**
蕉風俳諧《しょうふうはいかい》……**二六一**
*正風俳諧《しょうふうはいかい》……二六一
傷風敗俗《しょうふうはいぞく》……**二六一**・四一三
*乗風破浪《じょうふうはろう》……二五五
嘯風弄月《しょうふうろうげつ》……**二六一**
*蕭敷艾栄《しょうふがいえい》……四六五
昭穆倫序《しょうぼくりんじょ》……**二六一**
枝葉末節《しようまっせつ》……**二六一**
*枝葉末端《しようまったん》……二六一
*上命下達《じょうめいかたつ》……二五五
鐘鳴鼎食《しょうめいていしょく》……**二六一**
生滅滅已《しょうめつめつい》……**二六一**・二四三
笑面夜叉《しょうめんやしゃ》……**二六一**・二六三
*笑面老虎《しょうめんろうこ》……二六一
将門有将《しょうもんゆうしょう》……**二六二**
*相門有相《しょうもんゆうしょう》……二六二
逍遥自在《しょうようじざい》……**二六二**
従容就義《しょうようしゅうぎ》……**二六二**
*縦容就義《しょうようしゅうぎ》……二六二
従容不迫《しょうようふはく》……**二六二**
*縦容不迫《しょうようふはく》……二六二
逍遥法外《しょうようほうがい》……**二六二**
乗輿車駕《じょうよしゃが》……**二六二**
乗輿播越《じょうよはえつ》……**二六二**

笑裏蔵刀《しょうりぞうとう》……**二六二**
＊小利大害《しょうりたいがい》……二六二
小利大損《しょうりだいそん》……**二六二**
常鱗凡介《じょうりんぼんかい》……**二六二**
上漏下湿《じょうろうかしゅう》……**二六二**
生老病死《しょうろうびょうし》……**二六三**
＊上漏旁風《じょうろうぼうふう》……二六三
＊除旧更新《じょきゅうこうしん》……三六七
杵臼之交《しょきゅうのまじわり》……**二六三**
諸行無常《しょぎょうむじょう》……**二六三**・九六・二九一・三三六・三四一
＊食牛之気《しょくぎゅうのき》……三七〇
＊食玉炊桂《しょくぎょくすいけい》……一七三
蜀犬吠日《しょくけんはいじつ》……**二六三**・一四六・二〇三・三七八
食前方丈《しょくぜんほうじょう》……**二六三**・七四・二五七・二七七
嗇夫利口《しょくふりこう》……**二六三**
初志貫徹《しょしかんてつ》……**二六三**
諸子百家《しょしひゃっか》……**二六四**
練裳竹笥《しょしょうちくし》……**二六四**
＊所所在在《しょしょざいざい》……二一五
処女脱兎《しょじょだっと》……**二六四**
＊処処方方《しょしょほうぼう》……二一五
諸説紛紛《しょせつふんぷん》……**二六四**・一六二
＊諸説芬芬《しょせつふんぷん》……二六四
助長抜苗《じょちょうばつびょう》……**二六四**
＊助長補短《じょちょうほたん》……二一七・二四四・三一二
職権濫用《しょっけんらんよう》……**二六四**
＊職権乱用《しょっけんらんよう》……二六四
初転法輪《しょてんぽうりん》……**二六四**
＊初唐四傑《しょとうのしけつ》……一一三
諸法無我《しょほうむが》……**二六四**
黍離之歎《しょりのたん》……**二六四**・三八三
＊除狼得虎《じょろうとくこ》……二九七
白河夜船《しらかわよふね》……**二六五**
＊白河夜舟《しらかわよふね》……二六五
＊白川夜船《しらかわよふね》……二六五
＊白波之賊《しらなみのぞく》……四七三
芝蘭玉樹《しらんぎょくじゅ》……**二六五**
芝蘭結契《しらんけっけい》……**二六五**
芝蘭之室《しらんのしつ》……**二六五**
芝蘭之交《しらんのまじわり》……**二六五**
自力更生《じりきこうせい》……**二六五**
＊自力甦生《じりきこうせい》……二六五
私利私欲《しりしよく》……**二六五**
＊私利私慾《しりしよく》……二六五
至理名言《しりめいげん》……**二六五**
事理明白《じりめいはく》……**二六五**
支離滅裂《しりめつれつ》……**二六五**・四六五・四七三
持粱歯肥《じりょうしひ》……**二六五**
思慮分別《しりょふんべつ》……**二六六**
緇林杏壇《しりんきょうだん》……**二六六**
砥礪切磋《しれいせっさ》……**二六六**
眥裂髪指《しれつはっし》……**二六六**
指鹿為馬《しろくいば》……**二六六**・三四四
四六時中《しろくじちゅう》……**二六六**・三七五
＊尸禄素餐《しろくそさん》……二一七
四六駢儷《しろくべんれい》……**二六六**
人為淘汰《じんいとうた》……**二六六**
＊人員整理《じんいんせいり》……二五五
＊神韻縹眇《しんいんひょうびょう》……二六七
神韻縹渺《しんいんひょうびょう》……**二六七**・一六一
＊神韻縹緲《しんいんひょうびょう》……二六七
心猿意馬《しんえんいば》……**二六七**
＊人海作戦《じんかいさくせん》……二六七
人海戦術《じんかいせんじゅつ》……**二六七**
心願成就《しんがんじょうじゅ》……**二六七**
人間青山《じんかんせいざん》……**二六七**
＊心寛体舒《しんかんたいじょ》……二六八
心機一転《しんきいってん》……**二六七**
心悸亢進《しんきこうしん》……**二六七**
＊心悸昂進《しんきこうしん》……二六七
新鬼故鬼《しんきこき》……**二六七**
神機妙算《しんきみょうさん》……**二六七**・二六九
＊神機妙道《しんきみょうどう》……二六七・二六九
＊新旧交替《しんきゅうこうたい》……三六七
晨去暮来《しんきょぼらい》……**二六七**
辛苦遭逢《しんくそうほう》……**二六八**

身軽言微《しんけいげんび》……二六八
＊神経衰弱《しんけいすいじゃく》……二七三
人権蹂躙《じんけんじゅうりん》……二六八
身言書判《しんげんしょはん》……二六八
＊人権侵害《じんけんしんがい》……二六八
心慌意乱《しんこういらん》……二六八
＊信口開河《しんこうかいが》……一九五
人口膾炙《じんこうかいしゃ》……二六八・二一八
神工鬼斧《しんこうきふ》……二六八・一〇〇
深溝高塁《しんこうこうるい》……二六八
＊信口雌黄《しんこうしおう》……一九五
心広体胖《しんこうたいはん》……二六八
人口稠密《じんこうちゅうみつ》……二六八
＊塵羹土飯《じんこうとはん》……二七四
深根固柢《しんこんこてい》……二六九
＊深根固蔕《しんこんこてい》……二六九
＊尋言逐語《じんごんちくご》……二七一・三一七
神采英抜《しんさいえいばつ》……二六九
＊神彩英抜《しんさいえいばつ》……二六九
神算鬼謀《しんさんきぼう》……二六九・二六七
深山幽谷《しんざんゆうこく》……二六九・一五一
慎始敬終《しんしけいしゅう》……二六九
＊心地公明《しんじこうめい》……二七三
参差錯落《しんしさくらく》……二六九
紳士淑女《しんししゅくじょ》……二六九
真実一路《しんじついちろ》……二六九
人事天命《じんじてんめい》……二六九
＊参差不斉《しんしふせい》……二六九
人事不省《じんじふせい》……二六九・二九七
脣歯輔車《しんしほしゃ》……二七〇・四三九
斟酌折衷《しんしゃくせっちゅう》……二七〇
＊斟酌折中《しんしゃくせっちゅう》……二七〇
仁者不憂《じんしゃふゆう》……二七〇
仁者無敵《じんしゃむてき》……二七〇
仁者楽山《じんしゃらくざん》……二七〇・三三一
進取果敢《しんしゅかかん》……二七〇・四五七
人主逆鱗《じんしゅげきりん》……二七〇
＊神出鬼行《しんしゅつきこう》……一四五
神出鬼没《しんしゅつきぼつ》……二七〇・一四五
浸潤之譖《しんじゅんのそしり》……二七〇
尋常一様《じんじょういちよう》……二七〇
＊神荼鬱塁《しんじょうつりつ》……二七四
尋章摘句《じんしょうてきく》……二七一・三一七
＊参商之隔《しんしょうのかく》……一〇七
参商之隔《しんしょうのへだて》……二七一
信賞必罰《しんしょうひつばつ》……二七一・三〇〇
針小棒大《しんしょうぼうだい》……二七一・二〇九
神色自若《しんしょくじじゃく》……二七一・三二〇・二四七
心織筆耕《しんしょくひっこう》……二七一
身心一如《しんしんいちにょ》……二七一
＊心身一如《しんしんいちにょ》……二七一
＊身心一如《しんじんいちにょ》……二七一
人心一新《じんしんいっしん》……二七一
薪尽火滅《しんじんかめつ》……二七一
新進気鋭《しんしんきえい》……二七二・二六〇
人心洶洶《じんしんきょうきょう》……二七二
心神耗弱《しんしんこうじゃく》……二七二
人心収攬《じんしんしゅうらん》……二七二
＊人心大快《じんしんたいかい》……三一五
真人大観《しんじんたいかん》……二七二・三二四
＊人心籠絡《じんしんろうらく》……二七二
薪水之労《しんすいのろう》……二七二
人生行路《じんせいこうろ》……二七二
晨星落落《しんせいらくらく》……二七二
人跡未踏《じんせきみとう》……二七二
神仙思想《しんせんしそう》……二七二
尽善尽美《じんぜんじんび》……二七三・二四七
深層心理《しんそうしんり》……二七三
＊迅速果敢《じんそくかかん》……三三八・二七三
迅速果断《じんそくかだん》……二七三
＊進退出処《しんたいしゅっしょ》……二五二
身体髪膚《しんたいはっぷ》……二七三
進退両難《しんたいりょうなん》……二七三
＊神荼鬱塁《しんだうつりつ》……二七四
心地光明《しんちこうめい》……二七三・一九九
＊震地動天《しんちどうてん》……一五六
尽忠報国《じんちゅうほうこく》……二七三・二八九
新陳代謝《しんちんたいしゃ》……二七三・三六七

＊震天駭地《しんてんがいち》……一三九・二七三

震天動地《しんてんどうち》……**二七三**・一三九・一五六

＊人頭畜鳴《じんとうちくめい》……二七五

神荼鬱塁《しんとうつりつ》……**二七四**

心頭滅却《しんとうめっきゃく》……**二七四**

塵飯塗羹《じんぱんとこう》……**二七四**

振臂一呼《しんぴいっこ》……**二七四**

＊人微言軽《じんびげんけい》……二六八

人品骨柄《じんぴんこつがら》……**二七四**

神仏混淆《しんぶつこんこう》……**二七四**・四四〇

＊神仏混交《しんぶつこんこう》……二七四

＊神仏習合《しんぶつしゅうごう》……二七四

＊神仏分離《しんぶつぶんり》……二七四・四四〇

＊神変出没《しんぺんしゅつぼつ》……一四五・二七〇

深謀遠慮《しんぼうえんりょ》……**二七四**・三二九

脣亡歯寒《しんぼうしかん》……**二七四**・四三九

＊唇亡歯寒《しんぼうしかん》……二七四

心満意足《しんまんいそく》……**二七四**

人面獣心《じんめんじゅうしん》……**二七四**・一四九

人面獣身《じんめんじゅうしん》……**二七五**

人面桃花《じんめんとうか》……**二七五**

瞋目張胆《しんもくちょうたん》……**二七五**

晨夜兼道《しんやけんどう》……**二七五**

＊神佑天助《しんゆうてんじょ》……三五六

迅雷風烈《じんらいふうれつ》……**二七五**

森羅万象《しんらばんしょう》……**二七五**・九七

＊森羅万象《しんらばんぞう》……二七五

＊森羅万象《しんらまんぞう》……二七五

新涼灯火《しんりょうとうか》……**二七五**・三五六

深慮遠謀《しんりょえんぼう》……**二七五**・二七四

深厲浅掲《しんれいせんけい》……**二七五**・四七四

蜃楼海市《しんろうかいし》……**二七六**・一一八

辛労辛苦《しんろうしんく》……**二七六**

●す

随鴉彩鳳《ずいあさいほう》……**二七六**

吹影鏤塵《すいえいろうじん》……**二七六**

＊垂涎三尺《すいえんさんじゃく》……二七八

＊隋和之材《ずいかのざい》……二七七

＊隋和之宝《ずいかのたから》……二七七

随感随筆《ずいかんずいひつ》……**二七六**

酔眼朦朧《すいがんもうろう》……**二七六**・二七九

随機応変《ずいきおうへん》……**二七六**・四七四

随喜渇仰《ずいきかつごう》……**二七六**

随宜所説《ずいぎしょせつ》……**二七六**・二七九

＊随宜説法《ずいぎせっぽう》……二七六

＊推究根源《すいきゅうこんげん》……二七九

垂拱之化《すいきょうのか》……**二七六**

＊垂拱之治《すいきょうのち》……二七六

＊水魚之親《すいぎょのしん》……二七七

水魚之交《すいぎょのまじわり》……**二七六**・一四一・三三六・四三二・四六三

炊金饌玉《すいきんせんぎょく》……**二七七**・七四・二六三

水月鏡花《すいげつきょうか》……**二七七**・一五四

＊水月鏡像《すいげつきょうぞう》……一五四

随侯之珠《ずいこうのたま》……**二七七**

＊隋侯之珠《ずいこうのたま》……二七七

＊水紫山明《すいしさんめい》……二二三

隋珠和璧《ずいしゅかへき》……**二七七**・一二六

随珠弾雀《ずいしゅだんじゃく》……**二七七**

＊隋珠弾雀《ずいしゅだんじゃく》……二七七

＊随珠弾鵲《ずいしゅだんじゃく》……二七七

翠色冷光《すいしょくれいこう》……**二七七**

水随方円《すいずいほうえん》……**二七七**・四三八

水清無魚《すいせいむぎょ》……**二七八**

酔生夢死《すいせいむし》……**二七八**・四四四

垂涎三尺《すいぜんさんじゃく》……**二七八**

水村山郭《すいそんさんかく》……**二七八**

＊吹竹弾糸《すいちくだんし》……一八九

＊水中撈月《すいちゅうろうげつ》……一二〇

翠帳紅閨《すいちょうこうけい》……**二七八**

垂髫戴白《すいちょうたいはく》……**二七八**

水滴石穿《すいてきせきせん》……**二七八**・三五三

＊水天一色《すいてんいっしょく》……二七八

水天一碧《すいてんいっぺき》……**二七八**

水天髣髴《すいてんほうふつ》……**二七八**

＊水天彷彿《すいてんほうふつ》……二七八

＊水到魚行《すいとうぎょこう》……二七九

水到渠成《すいとうきょせい》……**二七八**

垂頭喪気《すいとうそうき》……**二七九**・六八・六九
随波逐流《ずいはちくりゅう》……**二七九**
＊垂髪戴白《すいはつたいはく》……二七八
＊随波漂流《ずいはひょうりゅう》……二七九
彗氾画塗《すいはんがと》……**二七九**
＊酔歩蹣跚《すいほばんさん》……二七九
酔歩蹣跚《すいほまんさん》……**二七九**・二七六
推本溯源《すいほんそげん》……**二七九**
＊推本遡源《すいほんそげん》……二七九
＊揣摩臆測《すいまおくそく》……二四一
垂名竹帛《すいめいちくはく》……**二七九**・七〇・三三〇・四〇七
吹毛求疵《すいもうきゅうし》……**二七九**・二九六
＊吹毛之求《すいもうのもとめ》……二七九
随類応同《ずいるいおうどう》……**二七九**・二七三
鄒衍降霜《すうえんこうそう》……**二七九**
＊騶衍降霜《すうえんこうそう》……二七九
＊趨炎附勢《すうえんふせい》……二八〇
＊趨炎付熱《すうえんふねつ》……二八〇
趨炎附熱《すうえんふねつ》……**二八〇**
＊趨炎奉勢《すうえんほうせい》……二八〇
鄒魯遺風《すうろいふう》……**二八〇**
＊鄒魯之学《すうろのがく》……二八〇
＊頭寒足暖《ずかんそくだん》……二八〇
頭寒足熱《ずかんそくねつ》……**二八〇**
杜撰脱漏《ずさんだつろう》……**二八〇**・三七〇
寸指測淵《すんしそくえん》……**二八〇**
寸善尺魔《すんぜんしゃくま》……**二八〇**
＊寸善尺魔《すんぜんせきま》……一九二・二八〇
寸草春暉《すんそうしゅんき》……**二八〇**
＊寸草之心《すんそうのこころ》……二八〇
寸鉄殺人《すんてつさつじん》……**二八〇**・三四一
寸田尺宅《すんでんしゃくたく》……**二八〇**
＊寸土尺地《すんどしゃくち》……二八一
寸馬豆人《すんばとうじん》……**二八一**
寸歩不離《すんぽふり》……**二八一**・七一・八五

● せ ――

青鞋布韈《せいあいふべつ》……**二八一**・四二一
＊井蛙之見《せいあのけん》……一三八・四五五
晴雲秋月《せいうんしゅうげつ》……**二八一**
青雲之志《せいうんのこころざし》……**二八一**
精衛塡海《せいえいてんかい》……**二八一**
清音幽韻《せいおんゆういん》……**二八一**
臍下丹田《せいかたんでん》……**二八一**
星火燎原《せいかりょうげん》……**二八一**
誠歓誠喜《せいかんせいき》……**二八一**
旌旗巻舒《せいきけんじょ》……**二八二**
生寄死帰《せいきしき》……**二八二**
＊旌旗堂堂《せいきどうどう》……一四四
生気溌溂《せいきはつらつ》……**二八二**
＊生気溌剌《せいきはつらつ》……二八二
＊政教一致《せいきょういっち》……二一六
＊政教分離《せいきょうぶんり》……二一六
精金良玉《せいきんりょうぎょく》……**二八二**
斉駆並駕《せいくへいが》……**二八二**
晴好雨奇《せいこううき》……**二八二**
晴耕雨読《せいこううどく》……**二八二**
性行淑均《せいこうしゅくきん》……**二八二**
誠惶誠恐《せいこうせいきょう》……**二八二**
生殺与奪《せいさつよだつ》……**二八二**・一二九
青史汗簡《せいしかんかん》……**二八三**
噬指棄薪《ぜいしきしん》……**二八三**
＊生死存亡《せいしそんぼう》……一四三
生死肉骨《せいしにくこつ》……**二八三**
斉紫敗素《せいしはいそ》……**二八三**
西施捧心《せいしほうしん》……**二八三**
静寂閑雅《せいじゃくかんが》……**二八三**
西戎東夷《せいじゅうとうい》……**二八三**
西狩獲麟《せいしゅかくりん》……**二八四**
＊清浄潔白《せいじょうけっぱく》……二八八
清浄無垢《せいじょうむく》……**二八四**
青松落色《せいしょうらくしょく》……**二八四**
＊盛粧麗服《せいしょうれいふく》……二八五
精神一到《せいしんいっとう》……**二八四**・二四三
聖人君子《せいじんくんし》……**二八四**・四〇九
＊聖人賢者《せいじんけんじゃ》……二八四
誠心誠意《せいしんせいい》……**二八四**
＊聖人糟粕《せいじんのそうはく》……二〇八
精神統一《せいしんとういつ》……**二八四**

聖人無夢《せいじんむむ》……**二八四**
凄凄切切《せいせいせつせつ》……**二八四**
清聖濁賢《せいせいだくけん》……**二八四**・四〇五・四二七
＊済済多士《せいせいたし》……三三
正正堂堂《せいせいどうどう》……**二八五**
生生流転《せいせいるてん》……**二八五**
井渫不食《せいせつふしょく》……**二八五**
＊清泉濯足《せいせんたくそく》……四三
青銭万選《せいせんばんせん》……**二八五**
悽愴流涕《せいそうりゅうてい》……**二八五**
＊凄愴流涕《せいそうりゅうてい》……二八五
＊凄愴流涕《せいそうりゅうてい》……二八五
盛粧麗服《せいそうれいふく》……**二八五**
＊生存競争《せいぞんきょうそう》……二三四・三四七・四五七
＊正大之気《せいだいのき》……一九四
贅沢三昧《ぜいたくざんまい》……**二八五**・二二八
清濁併呑《せいだくへいどん》……**二八五**・二七八
清淡虚無《せいたんきょむ》……**二八五**
生知安行《せいちあんこう》……**二八六**・四七一
井底之蛙《せいていのあ》……**二八六**・一一四・一二八・一三五・一三七・二九〇・四七二
青天霹靂《せいてんのへきれき》……**二八六**
青天白日《せいてんはくじつ》……**二八六**・二八八
正当防衛《せいとうぼうえい》……**二八六**・一二六
＊正当防御《せいとうぼうぎょ》……二八六
斉東野語《せいとうやご》……**二八六**
盛徳大業《せいとくたいぎょう》……**二八六**
聖読庸行《せいどくようこう》……**二八六**
生呑活剝《せいどんかっぱく》……**二八六**・一二九
萋斐貝錦《せいひばいきん》……**二八六**
精疲力尽《せいひりきじん》……**二八七**・四〇九
清風故人《せいふうこじん》……**二八七**
清風明月《せいふうめいげつ》……**二八七**
＊清風朗月《せいふうろうげつ》……二八七
精明強幹《せいめいきょうかん》……**二八七**
声名狼藉《せいめいろうぜき》……**二八七**
星羅雲布《せいらうんぷ》……**二八七**
＊星羅棋布《せいらきふ》……二八七
青藍氷水《せいらんひょうすい》……**二八七**・二五二
＊生離死絶《せいりしぜつ》……二八七
生離死別《せいりしべつ》……**二八七**
＊精力旺盛《せいりょくおうせい》……二八七
精力絶倫《せいりょくぜつりん》……**二八七**
勢力伯仲《せいりょくはくちゅう》……**二八七**
精励恪勤《せいれいかっきん》……**二八八**・四二五
＊精励勤勉《せいれいきんべん》……二八八
清廉潔白《せいれんけっぱく》……**二八八**
世運隆替《せうんりゅうたい》……**二八八**
世外桃源《せがいとうげん》……**二八八**・四三三
＊世外之交《せがいのまじわり》……一〇〇
是耶非耶《ぜかひか》……**二八八**
＊積悪之報《せきあくのむくい》……九三
積悪余殃《せきあくのよおう》……**二八八**
積羽沈舟《せきうちんしゅう》……**二八八**・九六・一六九・二八九・三〇七
＊碩学鴻儒《せきがくこうじゅ》……二八八
碩学大儒《せきがくたいじゅ》……**二八八**
＊碩学名家《せきがくめいか》……二八九
＊惜玉憐香《せきぎょくれんこう》……四七六
＊積金累玉《せききんるいぎょく》……三一七
跖狗吠尭《せきくはいぎょう》……**二八八**
積厚流光《せきこうりゅうこう》……**二八八**
＊尺呉寸楚《せきごすんそ》……二八九
尺山寸水《せきざんすんすい》……**二八九**
隻紙断絹《せきしだんけん》……**二八九**
積日累久《せきじつるいきゅう》……**二八九**
碩師名人《せきしめいじん》……**二八九**
赤手空拳《せきしゅくうけん》……**二八九**・三六七
＊赤縄繋足《せきじょうけいそく》……一七八
＊石上樹下《せきじょうじゅか》……二五〇
石心鉄腸《せきしんてっちょう》……**二八九**・三四八
積薪之嘆《せきしんのたん》……**二八九**
＊積薪之歎《せきしんのたん》……二八九
赤心奉国《せきしんほうこく》……**二八九**
積水成淵《せきすいせいえん》……**二八九**・九六・二八八・三〇七
尺寸之功《せきすんのこう》……**二九〇**
＊尺寸之効《せきすんのこう》……二九〇
尺寸之地《せきすんのち》……**二九〇**・三二五

尺寸之柄《せきすんのへい》……二九〇
＊射石飲羽《せきせきいんう》……二四三
積善余慶《せきぜんのよけい》……二九〇・二九四・二八八
刺草之臣《せきそうのしん》……二九〇
尺沢之鯢《せきたくのげい》……二九〇・二二八・一三七・四五五・四七二
尺短寸長《せきたんすんちょう》……二九〇
＊積土成山《せきどせいざん》……九六・一六九・二八八・二八九・三〇七
責任転嫁《せきにんてんか》……二九〇
＊積年累月《せきねんるいげつ》……一五三
石破天驚《せきはてんきょう》……二九〇
尺璧非宝《せきへきひほう》……二九〇
隻履西帰《せきりせいき》……二九一
＊鶺鴒之情《せきれいのじょう》……三四五
＊世辞追従《せじついしょう》……六四
是生滅法《ぜしょうめっぽう》……二九一
是是非非《ぜぜひひ》……二九一
雪案蛍窓《せつあんけいそう》……二九一
＊節衣縮食《せついしゅくしょく》……六二・二五〇・三〇五・三三五
窃位素餐《せついそさん》……二九一・二二七
雪萼霜葩《せつがくそうは》……二九一・二九四
折花攀柳《せっかはんりゅう》……二九一
折檻諫言《せっかんかんげん》……二九一
窃玉偸香《せつぎょくとうこう》……二九一
雪月風花《せつげつふうか》……二九一・一二八
接見応対《せっけんおうたい》……二九二
節倹力行《せっけんりっこう》……二九二
絶巧棄利《ぜっこうきり》……二九二
切磋琢磨《せっさたくま》……二九二・二六六
＊切瑳琢磨《せっさたくま》……二九二
截趾適屨《せっしてきく》……二九二
切歯腐心《せっしふしん》……二九二
切歯扼腕《せっしやくわん》……二九二
＊切歯搤腕《せっしやくわん》……二九二
摂取不捨《せっしゅふしゃ》……二九二
折衝禦侮《せっしょうぎょぶ》……二九二
殺生禁断《せっしょうきんだん》……二九三
＊殺生与奪《せっしょうよだつ》……二八三
絶世独立《ぜっせいどくりつ》……二九三
切切偲偲《せつせつしし》……二九三
絶体絶命《ぜったいぜつめい》……二九三・一五三
舌端月旦《ぜったんげったん》……二九三
截断衆流《せつだんしゅる》……二九三
＊雪中四友《せっちゅうのしゆう》……二一五
雪中松柏《せっちゅうのしょうはく》……二九三・一七五・二一五・二三四・二三八
雪泥鴻爪《せつでいのこうそう》……二九三・四四四
刹那主義《せつなしゅぎ》……二九三
雪魄氷姿《せっぱくひょうし》……二九三・二九四
＊雪魄冰姿《せっぱくひょうし》……二九三
＊窃鈇之疑《せっぷのうたがい》……一四六
窃鈇之疑《せっぷのぎ》……二九四
切問近思《せつもんきんし》……二九四
雪裏清香《せつりせいこう》……二九四・二九一
世道人心《せどうじんしん》……二九四
是非曲直《ぜひきょくちょく》……二九四・四六八
是非善悪《ぜひぜんあく》……二九四・四六八
是非之心《ぜひのこころ》……二九四
潜移暗化《せんいあんか》……二九四
＊潜移黙化《せんいもくか》……二七八・二九四・四三八
＊前因後果《ぜんいんこうか》……九三
善因善果《ぜんいんぜんか》……二九四・六二・九三・九五
扇影衣香《せんえいいこう》……二九四
遷客騒人《せんかくそうじん》……二九五
＊浅学短才《せんがくたんさい》……二九五
＊千客万来《せんかくばんらい》……二九五
浅学非才《せんがくひさい》……二九五・三八二
＊浅学菲才《せんがくひさい》……二九五
千巌万壑《せんがんばんがく》……二九五
先義後利《せんぎこうり》……二九五
千客万来《せんきゃくばんらい》……二九五
善巧方便《ぜんぎょうほうべん》……二九五・九四・一一一・一一三・三一九
饌玉炊金《せんぎょくすいきん》……二九五・二七七
＊羨魚結網《せんぎょけつもう》……四七三
前倨後恭《ぜんきょこうきょう》……二九五

千金一刻《せんきんいっこく》……**二九六**・八二
＊千金一笑《せんきんいっしょう》……八五
千金一擲《せんきんいってき》……**二九六**・八八
千鈞一髪《せんきんいっぱつ》……**二九六**・八九
＊千金笑面《せんきんしょうめん》……二六一
＊千金之子《せんきんのこ》……二〇〇
＊千金之諾《せんきんのだく》……一四八
千金弊帚《せんきんへいそう》……**二九六**
＊先苦後甜《せんくこうてん》……三〇三
千軍万馬《せんぐんばんば》……**二九六**・九九・四〇三
＊千軍万馬《せんぐんまんば》……四三二
千荊万棘《せんけいばんきょく》……**二九六**
鮮血淋漓《せんけつりんり》……**二九六**
旋乾転坤《せんけんてんこん》……**二九六**
＊先見之識《せんけんのしき》……二九六
先見之明《せんけんのめい》……**二九六**
＊千言万句《せんげんばんく》……二九六
＊千言万言《せんげんばんげん》……二九六
千言万語《せんげんばんご》……**二九六**
＊洗垢求瘢《せんこうきゅうはん》……二七九・二九六
先庚後庚《せんこうこうこう》……**二九六**
洗垢索瘢《せんこうさくはん》……**二九六**
千紅万紫《せんこうばんし》……**二九七**・四〇六
＊千孔百瘡《せんこうひゃくそう》……四〇六
前虎後狼《ぜんここうろう》……**二九七**
＊前後相随《ぜんごそうずい》……九九

千呼万喚《せんこばんかん》……**二九七**
千古不易《せんこふえき》……**二九七**・七五・四〇三
前後不覚《ぜんごふかく》……**二九七**・二七〇
＊千古不朽《せんこふきゅう》……二九七
＊千古不抜《せんこふばつ》……二九七
＊千古不変《せんこふへん》……二九七
千古不磨《せんこふま》……**二九七**
潜在意識《せんざいいしき》……**二九七**
＊千載一会《せんざいいちえ》……二九七
千載一遇《せんざいいちぐう》……**二九七**・四五二
＊千載一合《せんざいいちごう》……二九七
＊千載一時《せんざいいちじ》……二九七
仙才鬼才《せんさいきさい》……**二九七**
＊千載不易《せんざいふえき》……二九七
千錯万綜《せんさくばんそう》……**二九七**
千差万別《せんさばんべつ》……**二九八**・二五一
千山万水《せんざんばんすい》……**二九八**・二九五
＊漸至佳境《ぜんしかきょう》……三〇三
仙姿玉質《せんしぎょくしつ》……**二九八**・三一五
＊仙姿玉色《せんしぎょくしょく》……二九八
＊善始善終《ぜんしぜんしゅう》……二六九
千思万考《せんしばんこう》……**二九八**・四四六
千紫万紅《せんしばんこう》……**二九八**・四〇六
＊千思万想《せんしばんそう》……二九八
千姿万態《せんしばんたい》……**二九八**
＊千思万慮《せんしばんりょ》……二九八

浅酌低唱《せんしゃくていしょう》……**二九八**・三〇〇
＊浅酌微吟《せんしゃくびぎん》……三〇〇
前車覆轍《ぜんしゃのふくてつ》……**二九八**・四一五
千射万箭《せんしゃばんせん》……**二九八**
先従隗始《せんじゅうかいし》……**二九八**
千秋万古《せんしゅうばんこ》……**二九九**
千秋万歳《せんしゅうばんざい》……**二九九**・一三・三五五
＊千種万別《せんしゅばんべつ》……二九八
＊千種万様《せんしゅばんよう》……二九八
千乗之国《せんじょうのくに》……**二九九**
川上之歎《せんじょうのたん》……**二九九**
＊川上之嘆《せんじょうのたん》……二九九
千乗万騎《せんじょうばんき》……**二九九**
千状万態《せんじょうばんたい》……**二九九**・二九八
禅譲放伐《ぜんじょうほうばつ》……**二九九**
僭賞濫刑《せんしょうらんけい》……**二九九**・二七一
千緒万端《せんしょばんたん》……**三〇〇**
＊千緒万縷《せんしょばんる》……三〇〇
専心一意《せんしんいちい》……**三〇〇**・七二
＊専心専意《せんしんせんい》……七二
＊全心全意《ぜんしんぜんい》……七二
＊全心全力《ぜんしんぜんりょく》……三〇〇
全身全霊《ぜんしんぜんれい》……**三〇〇**
浅斟低唱《せんしんていしょう》……**三〇〇**
千仞之谿《せんじんのたに》……**三〇〇**
千辛万苦《せんしんばんく》……**三〇〇**・六二・一四〇・四六九

前人未到《ぜんじん みとう》……**三〇〇**・三九〇
＊前人未踏《ぜんじん みとう》……三〇〇
煎水作氷《せんすい さくひょう》……**三〇〇**・一九七
＊煎水作冰《せんすい さくひょう》……三〇〇
先制攻撃《せんせい こうげき》……**三〇〇**・三〇二
全生全帰《ぜんせい ぜんき》……**三〇〇**
先聖先師《せんせい せんし》……**三〇一**
泉石膏肓《せんせき こうこう》……**三〇一**・一〇六
戦戦兢兢《せんせん きょうきょう》……**三〇一**
＊戦戦恐恐《せんせん きょうきょう》……三〇一
＊瞻前顧後《せんぜん こご》……三〇二
戦戦慄慄《せんせん りつりつ》……**三〇一**
蟬噪蛙鳴《せんそう あめい》……**三〇一**・六四
＊前爪後距《ぜんそう こうきょ》……一三四
翦草除根《せんそう じょこん》……**三〇一**・三八九
＊千瘡百孔《せんそう ひゃくこう》……四〇六
吮疽之仁《せんその じん》……**三〇一**
千村万落《せんそん ばんらく》……**三〇一**
＊千態万状《せんたい ばんじょう》……二九八
＊千態万様《せんたい ばんよう》……二九八
前代未聞《ぜんだい みもん》……**三〇一**・三九〇
＊川沢納汙《せんたく のうお》……二三四
千朶万朶《せんだ ばんだ》……**三〇二**
栴檀双葉《せんだんの ふたば》……**三〇二**
＊栴檀二葉《せんだんの ふたば》……三〇二
先知先覚《せんち せんがく》……**三〇二**

全知全能《ぜんち ぜんのう》……**三〇二**
＊全智全能《ぜんち ぜんのう》……三〇二
＊浅知短才《せんち たんさい》……二九五
＊千緒万端《せんちょ ばんたん》……三〇〇
扇枕温衾《せんちん おんきん》……**三〇二**・一一五・三五六
＊扇枕温被《せんちん おんぴ》……三〇二
＊前程遠大《ぜんてい えんだい》……三〇二
前程万里《ぜんてい ばんり》……**三〇二**・三〇三・四三四
先手必勝《せんて ひっしょう》……**三〇二**・三〇〇
旋転囲繞《せんてん いじょう》……**三〇二**
＊千頭万緒《せんとう ばんしょ》……三〇〇
前途多難《ぜんと たなん》……**三〇二**・二九六・三〇三
＊前途万里《ぜんと ばんり》……三〇三
＊前途有為《ぜんと ゆうい》……三〇三
前途有望《ぜんと ゆうぼう》……**三〇三**
前途洋洋《ぜんと ようよう》……**三〇三**
前途遼遠《ぜんと りょうえん》……**三〇三**・三〇二
千成瓢箪《せんなり びょうたん》……**三〇三**
先難後獲《せんなん こうかく》……**三〇三**
＊善男信女《ぜんなん しんにょ》……三〇三
善男善女《ぜんなん ぜんにょ》……**三〇三**
漸入佳境《ぜんにゅう かきょう》……**三〇三**
＊浅薄皮相《せんぱく ひそう》……四〇〇
前跋後疐《ぜんばつ こうち》……**三〇三**
全豹一斑《ぜんぴょう いっぱん》……**三〇三**・一三九
仙風道骨《せんぷう どうこつ》……**三〇四**

前覆後戒《ぜんぷく こうかい》……**三〇四**・二九八
＊千兵万馬《せんぺい ばんば》……二九六
穿壁引光《せんぺき いんこう》……**三〇四**
千篇一律《せんぺん いちりつ》……**三〇四**
＊千編一律《せんぺん いちりつ》……三〇四
＊千篇一体《せんぺん いったい》……三〇四
＊千変万化《せんぺん ばんか》……三〇四
千変万化《せんぺん ばんか》……**三〇四**・四二九
瞻望咨嗟《せんぼう しさ》……**三〇四**
＊羨望咨嗟《せんぼう しさ》……三〇四
＊千方百計《せんぽう ひゃっけい》……二九八
千万無量《せんまん むりょう》……**三〇四**
先憂後楽《せんゆう こうらく》……**三〇四**
千里同風《せんり どうふう》……**三〇四**・三九六
＊千里之駕《せんりの が》……三〇五
千里結言《せんりの けつげん》……**三〇四**
＊千里比隣《せんり ひりん》……三五〇
千里無烟《せんり むえん》……**三〇四**
＊千里無煙《せんり むえん》……三〇五
千里命駕《せんり めいが》……**三〇五**
＊千慮一得《せんりょ いっとく》……一六八
＊全力投球《ぜんりょく とうきゅう》……八一
千慮一失《せんりょの いっしつ》……**三〇五**・一六八・三三〇
千慮一得《せんりょの いっとく》……**三〇五**
善隣友好《ぜんりん ゆうこう》……**三〇五**
＊賤斂貴出《せんれん きしゅつ》……三〇五

賤斂貴発《せんれんきはつ》……三〇五
前狼後虎《ぜんろうこうこ》……三〇五・二九七

● そ

粗衣粗食《そいそしょく》……三〇五・六二・一六二・三〇八・三三五
＊粗衣糲食《そいれいしょく》……六二
創意工夫《そういくふう》……三〇五
草偃風従《そうえんふうじゅう》……三〇五
＊滄海一滴《そうかいいってき》……一五〇
滄海桑田《そうかいそうでん》……三〇五・三〇九
滄海遺珠《そうかいのいしゅ》……三〇六
滄海一粟《そうかいのいちぞく》……三〇六・一五〇
＊滄海揚塵《そうかいようじん》……三〇六
＊総角之交《そうかくのまじわり》……三〇六
総角之好《そうかくのよしみ》……三〇六
喪家之狗《そうかのいぬ》……三〇六
＊喪家之犬《そうかのいぬ》……三〇六
＊僧伽藍摩《そうがらんま》……三〇六
桑間濮上《そうかんぼくじょう》……三〇六
僧伽藍摩《そうぎゃらんま》……三〇六
創業守成《そうぎょうしゅせい》……三〇六
＊創業守文《そうぎょうしゅぶん》……三〇六
＊喪旗乱轍《そうきらんてつ》……三四九
痩軀長身《そうくちょうしん》……三〇六・三三八
蒼狗白衣《そうくはくい》……三〇六・三八一
叢軽折軸《そうけいせつじく》……三〇六・九六・一六九・二八八・二八九
造言蜚語《ぞうげんひご》……三〇七
＊造言飛語《ぞうげんひご》……三〇七
糟糠之妻《そうこうのつま》……三〇七
＊宋弘不諧《そうこうふかい》……三〇七
＊糟糠不飽《そうこうふほう》……二五七
草行露宿《そうこうろしゅく》……三〇七
送故迎新《そうこげいしん》……三〇七
痩骨窮骸《そうこつきゅうがい》……三〇七
桑弧蓬矢《そうこほうし》……三〇七
草根木皮《そうこんぼくひ》……三〇七
＊草根木皮《そうこんもくひ》……三〇七
走尸行肉《そうしこうにく》……三〇七
相思相愛《そうしそうあい》……三〇七
造次顚沛《ぞうじてんぱい》……三〇八
＊増収増益《ぞうしゅうぞうえき》……一八二
荘周之夢《そうしゅうのゆめ》……三〇八・二〇九
＊簇酒斂衣《そうしゅかんい》……三〇八
双宿双飛《そうしゅくそうひ》……三〇八
簇酒斂衣《そうしゅれんい》……三〇八
宋襄之仁《そうじょうのじん》……三〇八
壮士凌雲《そうしりょううん》……三〇八・四六九
蚤寝晏起《そうしんあんき》……三〇八
曽参殺人《そうしんさつじん》……三〇八・二二五・三一〇
＊痩身長軀《そうしんちょうく》……三三八
曽参歌声《そうしんのかせい》……三〇八
甑塵釜魚《そうじんふぎょ》……三〇九
騒人墨客《そうじんぼっかく》……三〇九・四二四
＊騒人墨客《そうじんぼっきゃく》……三〇九
痩身矮軀《そうしんわいく》……三〇九
漱石枕流《そうせきちんりゅう》……三〇九・一八〇・二六六・三四四
蒼然暮色《そうぜんぼしょく》……三〇九
＊草創守文《そうそうしゅぶん》……三〇六
滄桑之変《そうそうのへん》……三〇九・三〇六・四七〇
相即不離《そうそくふり》……三〇九
象箸玉杯《ぞうちょぎょくはい》……三〇九
桑田滄海《そうでんそうかい》……三〇九・三〇五・四七〇
桑田碧海《そうでんへきかい》……三〇九・三〇六
桑土綢繆《そうどちゅうびゅう》……三〇九
走馬看花《そうばかんか》……三一〇
造反無道《ぞうはんむどう》……三一〇・二一八
＊造反無理《ぞうはんむり》……三一〇
造反有理《ぞうはんゆうり》……三一〇
草茅危言《そうぼうきげん》……三一〇
＊双眸炯炯《そうぼうけいけい》……一三五
桑蓬之志《そうほうのこころざし》……三一〇・三〇七
＊草茅之臣《そうぼうのしん》……三一一
＊草莽之臣《そうぼうのしん》……三一一
桑濮之音《そうぼくのおん》……三一〇・三〇六
曽母投杼《そうぼとうちょ》……三一〇・二二五・二四九・四一八
草満囹圄《そうまんれいご》……三一〇
聡明叡知《そうめいえいち》……三一〇

＊聡明叡智《そうめいえいち》……三一〇
＊窓明几潔《そうめいきけつ》……四四九
＊争名競利《そうめいきょうり》……三一一
争名争利《そうめいそうり》……**三一一**
＊争名奪利《そうめいだつり》……三一一
草莽之臣《そうもうのしん》……**三一一**
草木皆兵《そうもくかいへい》……**三一一**・四一二
草木禽獣《そうもくきんじゅう》……**三一一**
装模作様《そうもさくよう》……**三一一**
蒼蠅驥尾《そうようきび》……**三一一**
＊相利共生《そうりきょうせい》……四三〇
総量規制《そうりょうきせい》……**三一一**
巣林一枝《そうりんいっし》……**三一一**
草廬三顧《そうろさんこ》……**三一一**
楚越同舟《そえつどうしゅう》……**三一一**・二〇二
＊足音跫然《そくいんきょうぜん》……三一一
足音跫然《そくおんきょうぜん》……**三一一**
＊束錦加璧《そくきんかへき》……三一三
＊息災延命《そくさいえんめい》……四四六
＊息災無事《そくさいぶじ》……四一七
＊粟散辺地《そくさんへんち》……三一二
粟散辺地《ぞくさんへんち》……**三一二**
＊粟散辺土《ぞくさんへんど》……三一二
即時一杯《そくじいっぱい》……**三一二**
俗臭芬芬《ぞくしゅうふんぷん》……**三一二**
＊俗臭紛紛《ぞくしゅうふんぷん》……三一二
即身成仏《そくしんじょうぶつ》……**三一二**
＊即身是仏《そくしんぜぶつ》……三一二
＊即身菩薩《そくしんぼさつ》……三一二
束皙竹簡《そくせきちくかん》……**三一二**
速戦即決《そくせんそっけつ》……**三一二**
即断即決《そくだんそっけつ》……**三一二**・二七三・三五七
続短断長《ぞくたんだんちょう》……**三一二**・二一七・二四四
＊俗談平話《ぞくだんへいわ》……四二七
＊続貂之譏《ぞくちょうのそしり》……一六九
則天去私《そくてんきょし》……**三一三**
束帛加璧《そくはくかへき》……**三一三**
束髪封帛《そくはつふうはく》……**三一三**
属毛離裏《ぞくもうりり》……**三一三**
鏃礪括羽《ぞくれいかつう》……**三一三**
＊狙公配事《そこうはいじ》……三三八
楚材晋用《そざいしんよう》……**三一三**
麤枝大葉《そしたいよう》……**三一三**
＊粗枝大葉《そしたいよう》……三一三
＊咀嚼英華《そしゃくえいか》……一三三
素車白馬《そしゃはくば》……**三一三**
楚囚南冠《そしゅうなんかん》……**三一三**
＊粗酒粗肴《そしゅそこう》……三一四
粗酒粗餐《そしゅそさん》……**三一四**
粗製濫造《そせいらんぞう》……**三一四**
＊粗製乱造《そせいらんぞう》……三一四
鼠窃狗盗《そせつくとう》……**三一四**
即決即断《そっけつそくだん》……**三一四**・三一二
率先躬行《そっせんきゅうこう》……**三一四**・二三八
率先垂範《そっせんすいはん》……**三一四**・二三八
＊率先励行《そっせんれいこう》……二三八・三一四
啐啄同時《そったくどうじ》……**三一四**
率土之浜《そっとのひん》……**三一四**
素波銀濤《そはぎんとう》……**三一四**
楚夢雨雲《そむうん》……**三一四**
孫康映雪《そんこうえいせつ》……**三一四**・一七五・二四一・二四二
＊損者三楽《そんしゃさんごう》……一〇五
損者三友《そんしゃさんゆう》……**三一五**・一〇五
樽俎折衝《そんそせっしょう》……**三一五**
＊尊俎折衝《そんそせっしょう》……三一五
孫楚漱石《そんそそうせき》……**三一五**・三四四
尊皇攘夷《そんのうじょうい》……**三一五**
＊尊王攘夷《そんのうじょうい》……三一五
＊飧風宿水《そんぷうしゅくすい》……四一二

●た

大安吉日《たいあんきちじつ》……**三一五**・一四七・一九五
＊大安吉日《だいあんきちじつ》……三一五
＊大異小同《だいいしょうどう》……三三〇
大隠朝市《たいいんちょうし》……**三一五**
太液芙蓉《たいえきのふよう》……**三一五**
＊大海一滴《たいかいいってき》……一五〇
大快人心《たいかいじんしん》……**三一五**
大海撈針《たいかいろうしん》……**三一五**

大廈高楼《たいかこうろう》……三一五
大喝一声《だいかついっせい》……三一六
大廈棟梁《たいかのとうりょう》……三一六
＊大旱慈雨《だいかんじう》……一三九
大願成就《たいがんじょうじゅ》……三一六
＊大願成就《だいがんじょうじゅ》……三一六
対岸火災《たいがんのかさい》……三一六
大器小用《たいきしょうよう》……三一六・一四八・三三五・三四七・四七〇
大器晩成《たいきばんせい》……三一六・三〇二
大義名分《たいぎめいぶん》……三一六
大義滅親《たいぎめっしん》……三一六
大逆無道《たいぎゃくむどう》……三一六・六二・二〇三・四三七
＊大逆無道《だいぎゃくむどう》……三一六
対牛弾琴《たいぎゅうだんきん》……三一六・三三二・三八七
＊耐久之朋《たいきゅうのとも》……一四一・三二六・四二三・四六三
大驚失色《たいきょうしっしょく》……三一七・三六三
堆金積玉《たいきんせききょく》……三一七
大衾長枕《たいきんちょうちん》……三一七
大桀小桀《たいけつしょうけつ》……三一七・三二一
大月小月《たいげつしょうげつ》……三一七
戴月被星《たいげつひせい》……三一七・三九九
体元居正《たいげんきょせい》……三一七
大賢虎変《たいけんこへん》……三一七・三一九
大言壮語《たいげんそうご》……三一七・二七一
滞言滞句《たいげんたいく》……三一七
太羹玄酒《たいこうげんしゅ》……三一七
＊大羹玄酒《たいこうげんしゅ》……三一八
大巧若拙《たいこうじゃくせつ》……三一八
＊大公無私《たいこうむし》……一九九・二七三
大悟徹底《たいごてってい》……三一八・一二四
＊大悟徹底《だいごてってい》……三一八
＊滞言滞句《たいごんたいく》……二七一
＊大才小用《たいさいしょうよう》……三一六
＊大材小用《たいざいしょうよう》……一四八・三一六・三三五・三四七・四七〇
＊大才晩成《たいさいばんせい》……三一六
泰山鴻毛《たいざんこうもう》……三一八
＊太山鴻毛《たいざんこうもう》……三一八
泰山之安《たいざんのやすき》……三一八
＊太山之安《たいざんのやすき》……三一八
泰山府君《たいざんふくん》……三一八
＊太山府君《たいざんふくん》……三一八
泰山北斗《たいざんほくと》……三一八
大山鳴動《たいざんめいどう》……三一八
＊太山鳴動《たいざんめいどう》……三一八
泰山梁木《たいざんりょうぼく》……三一八
＊太山梁木《たいざんりょうぼく》……三一八
＊大死一番《たいしいちばん》……三一八
大死一番《だいしいちばん》……三一八
大慈大悲《だいじだいひ》……三一九
＊大時不斉《たいじふせい》……三一九・三二一
対症下薬《たいしょうかやく》……三一九・九四・一一・一一三・二九五
対牀風雪《たいしょうふうせつ》……三一九・四五五
対牀夜雨《たいしょうやう》……三一九・四五五
大所高所《たいしょこうしょ》……三一九
大処着墨《たいしょちゃくぼく》……三一九
＊大処落墨《たいしょらくぼく》……三一九
大人虎変《たいじんこへん》……三一九・一七〇
＊大人大観《たいじんたいかん》……三二四
大信不約《たいしんふやく》……三一九・三二一
＊大声一喝《たいせいいっかつ》……三一六
大声疾呼《たいせいしっこ》……三一九
＊大成若欠《たいせいじゃくけつ》……三一八
泰然自若《たいぜんじじゃく》……三一九・六八・九六・二四七・二七一・四六二
頽堕委靡《たいだいび》……三二〇
大沢礨空《だいたくらいくう》……三二〇
大胆不敵《だいたんふてき》……三二〇・一九八
黛蓄膏渟《たいちくこうてい》……三二〇
＊大智若愚《だいちじゃくぐ》……三二〇
大智如愚《だいちじょぐ》……三二〇
大智不智《だいちふち》……三二〇・三一八・三三一・三九八
＊帯刀御免《たいとうごめん》……四四三
大同小異《だいどうしょうい》……三二〇・三五八
大同団結《だいどうだんけつ》……三二〇

大道不器《たいどうふき》……三二〇・三一九
＊大徳不官《だいとくふかん》……三一九・三二一
大貉小貉《たいばくしょうばく》……三二一・三一七
大兵肥満《だいひょうひまん》……三二一
＊太平無事《たいへいぶじ》……四二五
＊泰平無事《たいへいぶじ》……三五〇
＊大弁若訥《たいべんじゃくとつ》……三一八
体貌閑雅《たいぼうかんが》……三二一
大法小廉《たいほうしょうれん》……三二一
＊大本晩成《たいほんばんせい》……三一六
戴盆望天《たいぼんぼうてん》……三二一
大味必淡《たいみひったん》……三二一
大名鼎鼎《たいめいていてい》……三二一・四四九
大欲非道《たいよくひどう》……三二一
＊大慾非道《たいよくひどう》……三二一
＊大欲非道《だいよくひどう》……三二一
帯厲之誓《たいれいのちかい》……三二一・一二六
＊帯礪之誓《たいれいのちかい》……三二一
＊大牢滋味《たいろうのじみ》……三二一
太牢滋味《たいろうのじみ》……三二一・二六三・三四四
対驢撫琴《たいろぶきん》……三二二・三一七
大惑不解《たいわくふかい》……三二二
多岐亡羊《たきぼうよう》……三二二
濯纓濯足《たくえいたくそく》……三二二
択言択行《たくげんたくこう》……三二二
託孤寄命《たくこきめい》……三二二
度徳量力《たくとくりょうりき》……三二三
濁流滾滾《だくりゅうこんこん》……三二三
踔厲風発《たくれいふうはつ》……三二三・三一九
多言数窮《たげんすうきゅう》……三二三
＊多財餓鬼《たざいがき》……九七
＊多財善賈《たざいぜんこ》……三二四
他山之石《たざんのいし》……三二三
多士済済《たしせいせい》……三二三
＊多事多患《たじたかん》……三二三
多事多端《たじたたん》……三二三
多事多難《たじたなん》……三二三・四二六
＊多事多忙《たじたぼう》……三二三
＊多種多様《たしゅたよう》……二四八・二五一・二九八
＊打成一片《たじょういっぺん》……三二三
打成一片《だじょういっぺん》……三二三
多情多感《たじょうたかん》……三二三
多情多恨《たじょうたこん》……三二三・四四六
多生之縁《たしょうのえん》……三二三
＊他生之縁《たしょうのえん》……三二四
多情仏心《たじょうぶっしん》……三二四・三二三
多銭善賈《たせんぜんこ》……三二四・三二八
打草驚蛇《だそうきょうだ》……三二四
多蔵厚亡《たぞうこうぼう》……三二四
達人大観《たつじんたいかん》……三二四
奪胎換骨《だったいかんこつ》……三二四・一三六
蛇蚹蜩翼《だふちょうよく》……三二四
多謀善断《たぼうぜんだん》……三二四
他力本願《たりきほんがん》……三二四
＊多略善断《たりゃくぜんだん》……三二四
煖衣飽食《だんいほうしょく》……三二五・一六二・二〇〇・二五〇・三〇五
断崖絶壁《だんがいぜっぺき》……三二五
断鶴続鳧《だんかくぞくふ》……三二五
短褐穿結《たんかつせんけつ》……三二五
＊短褐不完《たんかつふかん》……三二五
弾丸雨注《だんがんうちゅう》……三二五
弾丸黒子《だんがんこくし》……三二五・二九〇
弾丸黒痣《だんがんこくし》……三二五
＊断簡残編《だんかんざんぺん》……三二八
弾丸之地《だんがんのち》……三二五・二九〇
断簡零墨《だんかんれいぼく》……三二五・三二六
＊短期決戦《たんきけっせん》……三一二
断機之戒《だんきのいましめ》……三二五・一二七
＊断機之誡《だんきのいましめ》……三二五
＊断金之契《だんきんのちぎり》……三二六
断金之交《だんきんのまじわり》……三二六・一四一・二七七・四二三・四六三
＊断金之利《だんきんのり》……三二六
談言微中《だんげんびちゅう》……三二六
男耕女織《だんこうじょしょく》……三二六
断港絶潢《だんこうぜっこう》……三二六
＊断根枯葉《だんこんこよう》……三〇一・三三四・三八九・

四一九
箪食壺漿《たんしこしょう》……三二六
箪食瓢飲《たんしひょういん》……三二六・二〇一・二五七・三三九
単純明快《たんじゅんめいかい》……三二六・三四二・四一五
＊貪小失大《たんしょうしつだい》……九四・一一二
＊断章取意《だんしょうしゅい》……三二六
断章取義《だんしょうしゅぎ》……三二六
＊断章截句《だんしょうせつく》……三二六
淡粧濃抹《たんしょうのうまつ》……三二七
＊淡粧濃沫《たんしょうのうまつ》……三二七
丹書鉄契《たんしょてっけい》……三二七
断齏画粥《だんせいかくしゅく》……三二七・三三三
＊丹石之心《たんせきのこころ》……四二八
袒裼裸裎《たんせきらてい》……三二七
胆戦心驚《たんせんしんきょう》……三二七
＊胆大心細《たんだいしんさい》……三二七
胆大心小《たんだいしんしょう》……三二七
＊断長続短《だんちょうぞくたん》……三二二
＊断腸之思《だんちょうのおもい》……一五三
談天雕竜《だんてんちょうりょう》……三二七
単刀直入《たんとうちょくにゅう》……三二七
断悪修善《だんなくしゅぜん》……三二八
断髪文身《だんぱつぶんしん》……三二八
耽美主義《たんびしゅぎ》……三二八
貪夫徇財《たんぷじゅんざい》……三二八・四七六
単文孤証《たんぶんこしょう》……三二八・三八一
断編残簡《だんぺんざんかん》……三二八・三二五
＊断篇零楮《だんぺんれいちょ》……三二五
＊断篇零墨《だんぺんれいぼく》……三二五
端木辞金《たんぼくじきん》……三二八
断爛朝報《だんらんちょうほう》……三二八
探卵之患《たんらんのうれい》……三二九
探驪獲珠《たんりかくしゅ》……三二九
＊探驪得珠《たんりとくしゅ》……三二九
短慮軽率《たんりょけいそつ》……三二九・三四二
湛盧之剣《たんろのけん》……三二九
談論風発《だんろんふうはつ》……三二九・四〇五

● ち

徴羽之操《ちうのそう》……三二九
地角天涯《ちかくてんがい》……三二九・三五〇
遅疑逡巡《ちぎしゅんじゅん》……三二九・二〇二・二五一・三三一
知己朋友《ちきほうゆう》……三二九
＊池魚故淵《ちぎょこえん》……一〇五・二〇七・二一〇・二五三
池魚之殃《ちぎょのわざわい》……三二九
＊池魚之禍《ちぎょのわざわい》……三二九
池魚籠鳥《ちぎょろうちょう》……三三〇
築室道謀《ちくしつどうぼう》……三三〇
竹頭木屑《ちくとうぼくせつ》……三三〇
竹帛之功《ちくはくのこう》……三三〇
竹馬之友《ちくばのとも》……三三〇・三〇六
＊竹馬之好《ちくばのよしみ》……三三〇
竹苞松茂《ちくほうしょうも》……三三〇
竹林七賢《ちくりん(の)しちけん》……三三〇
知行合一《ちこうごういつ》……三三〇
智者一失《ちしゃのいっしつ》……三三〇・三〇五
＊知者一失《ちしゃのいっしつ》……一六八・三三〇
知者不言《ちしゃふげん》……三三一・三三〇
知者不惑《ちしゃふわく》……三三一・二七〇
＊智者不惑《ちしゃふわく》……三三一
知者楽水《ちしゃらくすい》……三三一・二七〇
＊智者楽水《ちしゃらくすい》……三三一
置酒高会《ちしゅこうかい》……三三一
知小謀大《ちしょうぼうだい》……三三一
置錐之地《ちすいのち》……三三一・四六七
知崇礼卑《ちすうれいひ》……三三一
知足安分《ちそくあんぶん》……三三一・六七
＊知足者富《ちそくしゃふ》……三三一
知足不辱《ちそくふじょく》……三三一
致知格物《ちちかくぶつ》……三三一・一二四
＊逐禍之馬《ちっかのうま》……三八九
蟄居屏息《ちっきょへいそく》……三三二
＊蟄居閉門《ちっきょへいもん》……三三二
地平天成《ちへいてんせい》……三三二・三五五
＊知謀縦横《ちぼうじゅうおう》……三四三
智謀浅短《ちぼうせんたん》……三三二

*知謀浅短《ちぼうせんたん》……三三二
*遅莫之嘆《ちぼのたん》……三三二
遅暮之嘆《ちぼのたん》……**三三二**
魑魅魍魎《ちみもうりょう》……**三三一**・二〇〇・四五九
*螭魅罔両《ちみもうりょう》……三三二
着眼大局《ちゃくがんたいきょく》……**三三二**
*着手小局《ちゃくしゅしょうきょく》……三三二
*中央集権《ちゅうおうしゅうけん》……一五四
忠君愛国《ちゅうくんあいこく》……**三三二**
忠言逆耳《ちゅうげんぎゃくじ》……**三三二**
中権後勁《ちゅうけんこうけい》……**三三二**
中原逐鹿《ちゅうげんちくろく》……**三三二**
中原之鹿《ちゅうげんのしか》……**三三三**
智勇兼備《ちゆうけんび》……**三三三**
*知勇兼備《ちゆうけんび》……一九一・三三三
忠孝一致《ちゅうこういっち》……**三三三**
*忠孝双全《ちゅうこうそうぜん》……三三三
抽黄対白《ちゅうこうたいはく》……**三三三**
*忠孝不並《ちゅうこうふへい》……三三三
昼耕夜誦《ちゅうこうやしょう》……**三三三**・二八二
忠孝両全《ちゅうこうりょうぜん》……**三三三**
*忠孝両立《ちゅうこうりょうりつ》……三三三
忠魂義胆《ちゅうこんぎたん》……**三三三**
鋳山煮海《ちゅうさんしゃかい》……**三三三**
中秋玩月《ちゅうしゅうがんげつ》……**三三四**
*中秋翫月《ちゅうしゅうがんげつ》……三三四

中秋名月《ちゅうしゅうのめいげつ》……**三三四**
*仲秋名月《ちゅうしゅうのめいげつ》……三三四
抽薪止沸《ちゅうしんしふつ》……**三三四**・三八九・四一九
誅心之法《ちゅうしんのほう》……**三三四**
疇昔之夜《ちゅうせきのよ》……**三三四**
昼想夜夢《ちゅうそうやむ》……**三三四**
躊躇逡巡《ちゅうちょしゅんじゅん》……**三三四**
中通外直《ちゅうつうがいちょく》……**三三四**
中途半端《ちゅうとはんぱ》……**三三四**
綢繆未雨《ちゅうびゅうみう》……**三三四**
*綢繆牖戸《ちゅうびゅうゆうこ》……三一〇・三三四
昼夜兼行《ちゅうやけんこう》……**三三五**・二七五・三七八・三九九・四一四・四二一
忠勇義烈《ちゅうゆうぎれつ》……**三三五**
中流砥柱《ちゅうりゅうのしちゅう》……**三三五**
仲連蹈海《ちゅうれんとうかい》……**三三五**
沖和之気《ちゅうわのき》……**三三五**
黜陟幽明《ちゅっちょくゆうめい》……**三三五**・三四七・四七〇
寵愛一身《ちょうあいいっしん》……**三三五**
*懲悪勧善《ちょうあくかんぜん》……一三八
長安日辺《ちょうあんにっぺん》……**三三五**
朝衣朝冠《ちょういちょうかん》……**三三六**
超軼絶塵《ちょういつぜつじん》……**三三六**
*超逸絶塵《ちょういつぜつじん》……三三六
朝雲暮雨《ちょううんぼう》……**三三六**・一〇〇・三一四
朝盈夕虚《ちょうえいせききょ》……**三三六**

*朝栄夕滅《ちょうえいせきめつ》……三三六
張王李趙《ちょうおうりちょう》……**三三六**
朝改暮変《ちょうかいぼへん》……**三三六**・三四一
鳥革翬飛《ちょうかくきひ》……**三三六**
朝過夕改《ちょうかせきかい》……**三三六**
*朝活暮死《ちょうかつぼし》……三三九
朝歌夜絃《ちょうかやげん》……**三三六**
朝観夕覧《ちょうかんせきらん》……**三三六**
*彫肝琢腎《ちょうかんたくじん》……三三八
張冠李戴《ちょうかんりたい》……**三三六**
重熙累洽《ちょうきるいこう》……**三三六**
長頸烏喙《ちょうけいうかい》……**三三七**
重見天日《ちょうけんてんじつ》……**三三七**
朝憲紊乱《ちょうけんびんらん》……**三三七**
*朝憲紊乱《ちょうけんぶんらん》……三三七
懲羹吹膾《ちょうこうすいかい》……**三三七**・一四六・二〇三
*懲羹吹韲《ちょうこうすいかい》……三三七
長江天塹《ちょうこうてんざん》……**三三七**
朝耕暮耘《ちょうこうぼうん》……**三三七**
*張甲李乙《ちょうこうりいつ》……三三八
鳥語花香《ちょうごかこう》……**三三七**・三五九・四六八
兆載永劫《ちょうさいようごう》……**三三七**
朝三暮四《ちょうさんぼし》……**三三七**
張三李四《ちょうさんりし》……**三三八**・三三六
*張三呂四《ちょうさんりょし》……三三八
*朝四暮三《ちょうしぼさん》……三三七

長袖善舞《ちょうしゅうぜんぶ》……三三八・三二四
＊朝出暮改《ちょうしゅつぼかい》……三四一
朝種暮穫《ちょうしゅぼかく》……三三八
鳥尽弓蔵《ちょうじんきゅうぞう》……三三八・三六五・三六七・四二三
長身痩躯《ちょうしんそうく》……三三八
朝真暮偽《ちょうしんぼぎ》……三三八
朝秦暮楚《ちょうしんぼそ》……三三八
彫心鏤骨《ちょうしんるこつ》……三三八・一六八
長生久視《ちょうせいきゅうし》……三三八
長生不死《ちょうせいふし》……三三八
＊長生不老《ちょうせいふろう》……三三八・四二三
朝齏暮塩《ちょうせいぼえん》……三三八・二〇一・三二六
朝成暮毀《ちょうせいぼき》……三三九
朝生暮死《ちょうせいぼし》……三三九
朝穿暮塞《ちょうせんぼそく》……三三九
＊彫題黒歯《ちょうだいこくし》……二〇四
＊長短相形《ちょうたんそうけい》……九九
冢中枯骨《ちょうちゅう(の)ここつ》……三三九
彫虫篆刻《ちょうちゅうてんこく》……三三九・一九七
＊雕虫篆刻《ちょうちゅうてんこく》……三三九
＊雕虫小技《ちょうちゅうのしょうぎ》……三三九
喋喋喃喃《ちょうちょうなんなん》……三三九
打打発止《ちょうちょうはっし》……三三九
＊丁丁発止《ちょうちょうはっし》……三三九
＊打打発矢《ちょうちょうはっし》……三三九
朝朝暮暮《ちょうちょうぼぼ》……三三九
長枕大被《ちょうちんたいひ》……三三九・三一七
長汀曲浦《ちょうていきょくほ》……三三九
耀羅斂散《ちょうてきれんさん》……三三九
頂天立地《ちょうてんりっち》……三四〇
張眉怒目《ちょうびどもく》……三四〇・一一三・四六八
凋氷画脂《ちょうひょうがし》……三四〇・一二七
＊凋冰画脂《ちょうひょうがし》……三四〇
＊嘲風弄月《ちょうふうろうげつ》……二六一
嘲風哢月《ちょうふうろうげつ》……三四〇
雕文刻鏤《ちょうぶんこくる》……三四〇
長鞭馬腹《ちょうべんばふく》……三四〇
＊朝変暮改《ちょうへんぼかい》……三四一
長命富貴《ちょうめいふうき》……三四〇
鳥面鵠形《ちょうめんこくけい》……三四〇
長目飛耳《ちょうもくひじ》……三四〇・一一〇
頂門一針《ちょうもんのいっしん》……三四〇・二八〇・三四一
＊頂門一鍼《ちょうもんのいっしん》……三四一
頂門金椎《ちょうもんのきんつい》……三四一
長夜之飲《ちょうやのいん》……三四一
長夜之楽《ちょうやのたのしみ》……三四一
朝有紅顔《ちょうゆうこうがん》……三四一
長幼之序《ちょうようのじょ》……三四一
朝蠅暮蚊《ちょうようぼぶん》……三四一
重卵之危《ちょうらんのき》……三四一
＊朝立暮廃《ちょうりつぼはい》……三四一
跳梁跋扈《ちょうりょうばっこ》……三四一・一一一・一一二・四〇八
朝令暮改《ちょうれいぼかい》……三四一
凋零磨滅《ちょうれいまめつ》……三四一
直往邁進《ちょくおうまいしん》……三四二・四五六
直言極諫《ちょくげんきょっかん》……三四二
直言骨鯁《ちょくげんこっこう》……三四二
＊直言直行《ちょくげんちょっこう》……三四二
＊直言無諱《ちょくげんむき》……三四二
直情径行《ちょくじょうけいこう》……三四二
直截簡明《ちょくせつかんめい》……三四二・一〇七・三二六・四一五
佇思停機《ちょしていき》……三四二
豬突豨勇《ちょとつきゆう》……三四二
猪突猛進《ちょとつもうしん》……三四二・四〇〇・四五六
樗櫟散木《ちょれきさんぼく》……三四二
樗櫟之材《ちょれきのざい》……三四二
＊樗櫟庸材《ちょれきようざい》……三四二
＊治乱興廃《ちらんこうはい》……三四三
治乱興亡《ちらんこうぼう》……三四二・八七・一七一
知略縦横《ちりゃくじゅうおう》……三四三・一六二
＊智略縦横《ちりゃくじゅうおう》……三四三
沈鬱頓挫《ちんうつとんざ》……三四三
＊枕戈寝甲《ちんかしんこう》……三四三
枕戈待旦《ちんかたいたん》……三四三
沈魚落雁《ちんぎょらくがん》……三四三・二四五

椿萱並茂《ちんけんへいも》……**三四三**
陳蔡之厄《ちんさいのやく》……**三四三**
沈思凝想《ちんしぎょうそう》……**三四三**・二五〇
＊陳思七歩《ちんししちほ》……二三六
沈思黙考《ちんしもっこう》……**三四三**・二五〇
陳勝呉広《ちんしょうごこう》……**三四三**
沈著痛快《ちんちゃくつうかい》……**三四四**
＊沈着痛快《ちんちゃくつうかい》……三四四
＊椿庭萱堂《ちんていけんどう》……三四三
沈博絶麗《ちんぱくぜつれい》……**三四四**
＊珍聞奇聞《ちんぶんきぶん》……九二
珍味佳肴《ちんみかこう》……**三四四**
沈黙寡言《ちんもくかげん》……**三四四**
枕流漱石《ちんりゅうそうせき》……**三四四**

●つ

墜茵落溷《ついいんらくこん》……**三四四**
＊追本究源《ついほんきゅうげん》……二七九
追奔逐北《ついほんちくほく》……**三四四**
＊痛飲大食《つういんたいしょく》……一四九・一七一
＊痛快無比《つうかいむひ》……三一五
通暁暢達《つうぎょうちょうたつ》……**三四四**
通儒碩学《つうじゅせきがく》……**三四四**・二八八
痛定思痛《つうていしつう》……**三四五**
津津浦浦《つつうらうら》……**三四五**
＊津津浦浦《つづうらうら》……三四五
九十九折《つづらおり》……**三四五**・四六一

●て

＊定員削減《ていいんさくげん》……二五五
殢雨尤雲《ていうゆううん》……**三四五**・四五六
＊殢雲尤雨《ていうんゆうう》……四五六
鄭衛桑間《ていえいそうかん》……**三四五**
鄭衛之音《ていえいのおん》……**三四五**
＊鄭衛之声《ていえいのこえ》……三四五
低回顧望《ていかいこぼう》……**三四五**
＊低徊顧望《ていかいこぼう》……三四五
＊彽徊顧望《ていかいこぼう》……三四五
低徊趣味《ていかいしゅみ》……**三四五**
＊低回趣味《ていかいしゅみ》……三四五
＊彽回趣味《ていかいしゅみ》……三四五
棣鄂之情《ていがくのじょう》……**三四五**・三六八・四七五
＊棣華増映《ていかぞうえい》……三四五
＊低吟微詠《ていぎんびえい》……三四六
程孔傾蓋《ていこうけいがい》……**三四五**・一七二
渟膏湛碧《ていこうたんぺき》……**三四六**
提耳面命《ていじめんめい》……**三四六**
泥車瓦狗《でいしゃがこう》……**三四六**
泥首銜玉《でいしゅかんぎょく》……**三四六**
低唱浅斟《ていしょうせんしん》……**三四六**・三〇〇
低唱微吟《ていしょうびぎん》……**三四六**
鼎新革故《ていしんかくこ》……**三四六**・一一三
定省温清《ていせいおんせい》……**三四六**・一一五
泥船渡河《でいせんとか》……**三四六**
鼎鐺玉石《ていそうぎょくせき》……**三四六**・一六三
廷諍面折《ていそうめんせつ》……**三四六**・四五一
低頭傾首《ていとうけいしゅ》……**三四六**
＊低頭平身《ていとうへいしん》……四二六
剃頭辮髪《ていとうべんぱつ》……**三四六**
＊程邈隷書《ていばくれいしょ》……二三六
剃髪落飾《ていはつらくしょく》……**三四七**
綈袍恋恋《ていほうれんれん》……**三四七**
擲果満車《てきかまんしゃ》……**三四七**
適材適所《てきざいてきしょ》……**三四七**・三一六・三三五・四七〇
適者生存《てきしゃせいぞん》……**三四七**・二三四・四五七
擿埴冥行《てきしょくめいこう》……**三四七**・四四八
＊滴水成凍《てきすいせいとう》……三四七
滴水成氷《てきすいせいひょう》……**三四七**
＊滴水成冰《てきすいせいひょう》……三四七
滴水嫡凍《てきすいてきとう》……**三四七**
適楚北轅《てきそほくえん》……**三四七**・四三七
＊鉄意石心《てついせきしん》……三四八
＊鉄肝石腸《てっかんせきちょう》……三四八
＊鉄硯磨穿《てっけんません》……四四一
鉄樹開花《てつじゅかいか》……**三四七**
鉄心石腸《てっしんせきちょう》……**三四八**
＊鉄石心腸《てっせきしんちょう》……三四八
＊鉄石之心《てっせきのこころ》……三九九
鉄中錚錚《てっちゅうのそうそう》……**三四八**・四六一
鉄腸石心《てっちょうせきしん》……**三四八**・三九九

徹頭徹尾《てっとうてつび》……**三四八**・二四六・二五三・二六九
跌蕩放言《てっとうほうげん》……**三四八**
哲婦傾城《てっぷけいせい》……**三四八**・四〇九
＊哲夫成城《てっぷせいじょう》……三四八
轍鮒之急《てっぷのきゅう》……**三四八**・二一〇
鉄網珊瑚《てつもうさんご》……**三四八**
轍乱旗靡《てつらんきび》……**三四八**
＊手前勝手《てまえがって》……一三〇
手前味噌《てまえみそ》……**三四九**・二一八
手練手管《てれんてくだ》……**三四九**
天威咫尺《てんいしせき》……**三四九**
顚委勢峻《てんいせいしゅん》……**三四九**
天一地二《てんいちちに》……**三四九**
天衣無縫《てんいむほう》……**三四九**・三五三
天宇地廬《てんうちろ》……**三四九**
顚越不恭《てんえつふきょう》……**三四九**
田園将蕪《でんえんしょうぶ》……**三四九**
天淵之差《てんえんのさ》……**三四九**・三五〇
＊天淵之別《てんえんのべつ》……三四九・三五〇
天淵氷炭《てんえんひょうたん》……**三五〇**
＊天淵冰炭《てんえんひょうたん》……三五〇
＊天涯一望《てんがいいちぼう》……七六
＊天涯海角《てんがいかいかく》……三五〇
天涯孤独《てんがいこどく》……**三五〇**
天涯地角《てんがいちかく》……**三五〇**
＊天開地辟《てんかいちへき》……一二〇
＊塡海之志《てんかいのこころざし》……二八一
天涯比隣《てんがいひりん》……**三五〇**
＊天下至大《てんかしだい》……三三四
＊天下第一《てんかだいいち》……一一九・二〇四
天下泰平《てんかたいへい》……**三五〇**・一〇九・一七六
＊天下太平《てんかたいへい》……三五〇
伝家宝刀《でんかのほうとう》……**三五〇**
＊天下法度《てんかはっと》……三四一
天下無双《てんかむそう》……**三五〇**・一一九・二〇四・三一八
＊天下無敵《てんかむてき》……三一八
天花乱墜《てんからんつい》……**三五〇**
＊天華乱墜《てんからんつい》……三五〇
天顔咫尺《てんがんしせき》……**三五〇**
伝観播弄《でんかんはろう》……**三五〇**
天空海闊《てんくうかいかつ》……**三五一**・一一六・一九八・二四五
＊天懸壌隔《てんけんじょうかく》……三五一
＊天玄地黄《てんげんちおう》……三五三
天懸地隔《てんけんちかく》……**三五一**・三五〇
＊甜言美語《てんげんびご》……三五一
甜言蜜語《てんげんみつご》……**三五一**
電光影裏《でんこうえいり》……**三五一**
天香桂花《てんこうけいか》……**三五一**
天香国色《てんこうこくしょく》……**三五一**・二〇四・三一五
電光石火《でんこうせっか》……**三五一**・二三八
電光朝露《でんこうちょうろ》……**三五一**
天潢之派《てんこうのは》……**三五一**
電光雷轟《でんこうらいごう》……**三五一**・四六三
＊甜語花言《てんごかげん》……三五一
天閫地垠《てんこんちぎん》……**三五一**
天災地変《てんさいちへん》……**三五一**・三三二・三五五
天姿国色《てんしこくしょく》……**三五二**
天日之表《てんじつのひょう》……**三五二**
＊天上五衰《てんじょうごすい》……三五四
天井桟敷《てんじょうさじき》……**三五二**
＊天壌之別《てんじょうのべつ》……三四九・三五〇
天壌無窮《てんじょうむきゅう》……**三五二**・三五三
転生輪廻《てんしょうりんね》……**三五二**・四七四
＊天人感応《てんじんかんのう》……三五二
＊天人相応《てんじんそうおう》……三五二
＊天人相関《てんじんそうかん》……三五二
＊天人相与《てんじんそうよ》……三五二
天神地祇《てんしんちぎ》……**三五二**
＊天神地祇《てんじんちぎ》……三五二・三五三
天人冥合《てんじんめいごう》……**三五二**
天真爛漫《てんしんらんまん》……**三五二**・三四九
点睛開眼《てんせいかいがん》……**三五二**・一三二
天造草昧《てんぞうそうまい》……**三五二**
天孫降臨《てんそんこうりん》……**三五二**
霑体塗足《てんたいとそく》……**三五二**
椽大之筆《てんだいのふで》……**三五三**・二八五
恬淡寡欲《てんたんかよく》……**三五三**
天地一指《てんちいっし》……**三五三**・三九五

天地開闢《てんちかいびゃく》……**三五三**・一二〇
天地玄黄《てんちげんこう》……**三五三**
天地四時《てんちしいじ》……**三五三**
天地神明《てんちしんめい》……**三五三**・三五二
＊天地創造《てんちそうぞう》……三五三
＊天地長久《てんちちょうきゅう》……三五三
天地無用《てんちむよう》……**三五三**
天長地久《てんちょうちきゅう》……**三五三**・三五二・四〇二
点滴穿石《てんてきせんせき》……**三五三**
＊点鉄成金《てんてつせいきん》……一三六
輾転反側《てんてんはんそく》……**三五三**
＊展転反側《てんてんはんそく》……三五三
天人五衰《てんにんのごすい》……**三五四**
天之美禄《てんのびろく》……**三五四**・四〇五
天之暦数《てんのれきすう》……**三五四**
＊天之歴数《てんのれきすう》……三五四
＊顛沛流離《てんぱいりゅうり》……三五四
顛沛流浪《てんぱいるろう》……**三五四**
天馬行空《てんばこうくう》……**三五四**
天罰覿面《てんばつてきめん》……**三五四**・一八七
天覆地載《てんぷうちさい》……**三五四**
＊天覆之心《てんぷうのこころ》……三五四
天府之国《てんぷのくに》……**三五四**
＊田父之功《でんぷのこう》……一六一
田夫野人《でんぷやじん》……**三五四**
田夫野老《でんぷやろう》……**三五四**
天変地異《てんぺんちい》……**三五四**・三三二・三五一
＊天変地変《てんぺんちへん》……三五一・三五五
天保九如《てんぽうきゅうじょ》……**三五五**
天歩艱難《てんぽかんなん》……**三五五**
顛撲不破《てんぼくふは》……**三五五**
典謨訓誥《てんぼくんこう》……**三五五**
＊天馬行空《てんまこうくう》……三五四
転迷開悟《てんめいかいご》……**三五五**
＊転迷解悟《てんめいかいご》……三五五
天網恢恢《てんもうかいかい》……**三五五**・三五四
天網之漏《てんもうのろう》……**三五五**
天門開闔《てんもんかいこう》……**三五五**
天門登八《てんもんとうはち》……**三五五**
天佑神助《てんゆうしんじょ》……**三五六**
＊天祐神助《てんゆうしんじょ》……三五六
天理人欲《てんりじんよく》……**三五六**
＊転轆轆地《てんろくろくじ》……六四

●と――

＊東夷西戎《とういせいじゅう》……三七三
当意即妙《とういそくみょう》……**三五六**
蕩佚簡易《とういつかんい》……**三五六**
桃園結義《とうえんけつぎ》……**三五六**
＊桃園之契《とうえんのちぎり》……三五六
冬温夏凊《とうおんかせい》……**三五六**
＊東海桑田《とうかいそうでん》……三〇六
凍解氷釈《とうかいひょうしゃく》……**三五六**
＊凍解冰釈《とうかいひょうしゃく》……三五六
＊東海撈針《とうかいろうしん》……三一五
灯火可親《とうかかしん》……**三五六**・二七五
桃花癸水《とうかきすい》……**三五六**
冬夏青青《とうかせいせい》……**三五六**
堂下周屋《どうかのしゅうおく》……**三五七**
恫疑虚喝《どうぎきょかつ》……**三五七**
＊恫疑虚猲《どうぎきょかつ》……三五七
同帰殊塗《どうきしゅと》……**三五七**
＊同帰殊途《どうきしゅと》……三五七
東窺西望《とうきせいぼう》……**三五七**
同気相求《どうきそうきゅう》……**三五七**
同軌同文《どうきどうぶん》……**三五七**・三六二
道揆法守《どうきほうしゅ》……**三五七**
刀鋸鼎鑊《とうきょていかく》……**三五七**
当機立断《とうきりつだん》……**三五七**・三一二
同衾共枕《どうきんきょうちん》……**三五七**
＊董遇三余《とうぐうさんよ》……三六五
陶犬瓦鶏《とうけんがけい》……**三五八**・三四六
洞見癥結《どうけんちょうけつ》……**三五八**
倒懸之急《とうけんのきゅう》……**三五八**
同工異曲《どうこういきょく》……**三五八**・三二〇
＊韜光隠迹《とうこういんせき》……三五八
韜光晦迹《とうこうかいせき》……**三五八**・二三一・三九八
＊韜光晦跡《とうこうかいせき》……三五八
刀耕火種《とうこうかしゅ》……**三五八**

*刀耕火耨《とうこうかどう》……三五八
騰蛟起鳳《とうこうきほう》……**三五八**
倒行逆施《とうこうぎゃくし》……**三五八**
刀光剣影《とうこうけんえい》……**三五八**・八五・一八四
*堂高三尺《どうこうさんじゃく》……三六三
灯紅酒緑《とうこうしゅりょく》……**三五九**・一九六
東行西走《とうこうせいそう》……**三五九**・三六二・三七三
韜光晦迹《とうこうまいせき》……**三五九**
*韜光養晦《とうこうようかい》……二三一・三五八
桃紅柳緑《とうこうりゅうりょく》……**三五九**・三三七・四六八
桃弧棘矢《とうこきょくし》……**三五九**
党錮之禍《とうこのわざわい》……**三五九**
倒載干戈《とうさいかんか》……**三五九**・一一三
東西古今《とうざいここん》……**三五九**・二〇六
刀山剣樹《とうざんけんじゅ》……**三五九**
桃三李四《とうさんりし》……**三五九**
道之以徳《どうしいとく》……**三五九**
冬日之温《とうじつのおん》……**三五九**
*陶朱猗頓《とうしゅいとん》……九一・三一七
*同舟共済《どうしゅうきょうさい》……二〇二
*投珠報宝《とうしゅほうほう》……三六二
*頭上安頭《とうじょうあんとう》……一一四
同床異夢《どうしょういむ》……**三六〇**
*同床各夢《どうしょうかくむ》……三六〇
蹈常襲故《とうじょうしゅうこ》……**三六〇**
*蹈常習故《とうじょうしゅうこ》……三六〇
銅牆鉄壁《どうしょうてっぺき》……**三六〇**
桃傷李仆《とうしょうりふ》……**三六〇**
同仁一視《どうじんいっし》……**三六〇**・八三
*同心協力《どうしんきょうりょく》……一五六
*道心堅固《どうしんけんご》……二三四
*同心同徳《どうしんどうとく》……八九
同心戮力《どうしんりくりょく》……**三六〇**・四八〇
同声異俗《どうせいいぞく》……**三六〇**
動静云為《どうせいうんい》……**三六〇**
*同声相応《どうせいそうおう》……三五七
蹈節死義《とうせつしぎ》……**三六〇**
冬扇夏鑪《とうせんかろ》……**三六〇**・一一三
陶潜帰去《とうせんききょ》……**三六〇**
*冬箑夏裘《とうそうかきゅう》……一一三
*東走西奔《とうそうせいほん》……三六二・三七三
銅駝荊棘《どうだけいきょく》……**三六一**
*倒置干戈《とうちかんか》……三五九
湯池鉄城《とうちてつじょう》……**三六一**・一六五
道聴塗説《どうちょうとせつ》……**三六一**・一一九・一九二・一九三
洞庭春色《どうていしゅんしょく》……**三六一**
*当頭一棒《とうとういちぼう》……三四一
*党同異伐《とうどういばつ》……三六一
堂塔伽藍《どうとうがらん》……**三六一**
頭童歯豁《とうどうしかつ》……**三六一**
銅頭鉄額《どうとうてつがく》……**三六一**
堂堂之陣《どうどうのじん》……**三六一**
党同伐異《とうどうばつい》……**三六一**
*塔同伐異《とうどうばつい》……四二三
投桃報李《とうとうほうり》……**三六一**
頭髪上指《とうはつじょうし》……**三六二**・三六九
螳臂当車《とうひとうしゃ》……**三六二**・三六三
同病相憐《どうびょうそうれん》……**三六二**
*豆分瓜剖《とうぶんかぼう》……一三一
同文同軌《どうぶんどうき》……**三六二**
洞房花燭《どうぼうかしょく》……**三六二**
*洞房華燭《どうぼうかしょく》……三六二
豆剖瓜分《とうぼうかぶん》……**三六二**・一三一
*掉棒打星《とうぼうだせい》……一二八
同袍同沢《どうほうどうたく》……**三六二**
道傍苦李《どうぼうのくり》……**三六二**
東奔西走《とうほんせいそう》……**三六二**・三五九・三七三
稲麻竹葦《とうまちくい》……**三六二**
橦末之伎《とうまつのぎ》……**三六三**
*唐明有悌《とうめいゆうてい》……三一七
瞠目結舌《どうもくけつぜつ》……**三六三**・三一七
同憂相救《どうゆうそうきゅう》……三六二
桐葉知秋《どうようちしゅう》……**三六三**・七八
*桃来李答《とうらいりとう》……三六二
桃李成蹊《とうりせいけい》……**三六三**
党利党略《とうりとうりゃく》……**三六三**
桃李満門《とうりまんもん》……**三六三**

等量斉視《とうりょうせいし》……**三六三**
＊同類相求《どうるいそうきゅう》……三五七
螳螂之衛《とうろうのえい》……**三六三**
＊蟷蜋之衛《とうろうのえい》……三六三
＊蟷螂之衛《とうろうのえい》……三六三
螳螂之斧《とうろうのおの》……**三六三**・一〇七・四二三
＊蟷蜋之斧《とうろうのおの》……三六三
＊蟷螂之斧《とうろうのおの》……三六三
＊螳螂之力《とうろうのちから》……三六三
＊土階三尺《どかいさんじゃく》……一五四
土階三等《どかいさんとう》……**三六三**・一五四・三六四・四七五
土階茅茨《どかいぼうし》……**三六四**
兎角亀毛《とかくきもう》……**三六四**・一四九
＊奴顔婢膝《どがんひしつ》……四二七
兎葵燕麦《ときえんばく》……**三六四**・三六七
兎起鶻落《ときこつらく》……**三六四**
兎起鳧挙《ときふきょ》……**三六四**
＊土牛木馬《どぎゅうもくば》……三四六
吐気揚眉《ときようび》……**三六四**・四六一
蠹居棊処《ときょきしょ》……**三六四**
得意忘形《とくいぼうけい》……**三六四**
得意忘言《とくいぼうげん》……**三六四**
得意満面《とくいまんめん》……**三六四**・一四六
独学孤陋《どくがくころう》……**三六四**
＊独学固陋《どくがくころう》……三六五
跿跔科頭《とくかとう》……**三六五**
得魚忘筌《とくぎょぼうせん》……**三六五**・九五・三三八・三六四・三六七・四三二
独弦哀歌《どくげんあいか》……**三六五**
徳高望重《とくこうぼうじゅう》……**三六五**
読書三到《どくしょさんとう》……**三六五**
読書三余《どくしょさんよ》……**三六五**
読書尚友《どくしょしょうゆう》……**三六五**
読書百遍《どくしょひゃっぺん》……**三六五**
読書亡羊《どくしょぼうよう》……**三六五**
徳性滋養《とくせいじよう》……**三六六**
独断専行《どくだんせんこう》……**三六六**
＊得兎忘蹄《とくとぼうてい》……三六五
特筆大書《とくひつたいしょ》……**三六六**
独立自尊《どくりつじそん》……**三六六**
＊独立独行《どくりつどっこう》……三六六
独立独歩《どくりつどっぽ》……**三六六**
独立不羈《どくりつふき》……**三六六**
独立不撓《どくりつふとう》……**三六六**・四〇三・四二〇
徳量寛大《とくりょうかんだい》……**三六六**
得隴望蜀《とくろうぼうしょく》……**三六六**
＊土豪悪覇《どごうあくは》……三六七
土豪劣紳《どごうれっしん》……**三六六**
斗斛之禄《とこくのろく》……**三六七**
吐故納新《とこのうしん》……**三六七**
菟糸燕麦《としえんばく》……**三六七**・三六四
兎死狗烹《としくほう》……**三六七**・三三八
徒手空拳《としゅくうけん》……**三六七**・二八九
斗酒隻鶏《としゅせきけい》……**三六七**
＊斗酒隻雞《としゅせきけい》……三六七
斗酒百篇《としゅひゃっぺん》……**三六七**
＊斗筲之器《としょうのうつわ》……三六七
＊斗筲之材《としょうのさい》……三六七
＊斗筲之子《としょうのし》……三六七
斗筲之人《としょうのひと》……**三六七**
＊斗升之禄《としょうのろく》……三六七
屠所之羊《としょのひつじ》……**三六七**
斗折蛇行《とせつだこう》……**三六八**・四六一
兎走烏飛《とそううひ》……**三六八**・九八
斗粟尺布《とぞくしゃくふ》……**三六八**
弩張剣抜《どちょうけんばつ》……**三六八**・一八四
＊訥言実行《とつげんじっこう》……四一六
訥言敏行《とつげんびんこう》……**三六八**・四一六
＊得匣還珠《とっこうかんしゅ》……三七九
咄嗟叱咤《とっさしった》……**三六八**
突怒偃蹇《とつどえんけん》……**三六八**
咄咄怪事《とつとつかいじ》……**三六八**
屠毒筆墨《とどくのひつぼく》……**三六八**
斗南一人《となんのいちにん》……**三六九**・三一八
図南鵬翼《となんのほうよく》……**三六九**・一二〇
＊図南之翼《となんのよく》……一二〇・三六九
駑馬十駕《どばじゅうが》……**三六九**
＊怒髪指冠《どはつしかん》……三六二・三六九

*怒髪衝冠《どはつしょうかん》……二六六・三六九
怒髪衝天《どはつしょうてん》……**三六九**・三六二
吐哺握髪《とほあくはつ》……**三六九**・八〇
土崩瓦解《どほうがかい》……**三六九**・四〇七
土崩魚爛《どほうぎょらん》……**三六九**・一六二
途方途轍《とほうとてつ》……**三六九**
土木形骸《どぼくけいがい》……**三六九**
土木壮麗《どぼくそうれい》……**三六九**
吐哺捉髪《とほそくはつ》……**三七〇**・八〇・三六九
塗抹詩書《とまつししょ》……**三七〇**
左見右見《とみこうみ》……**三七〇**
*怒目横眉《どもくおうび》……二六六
杜黙詩撰《ともくしさん》……**三七〇**
*怒目切歯《どもくせっし》……二六六
*都門桂玉《ともんけいぎょく》……一七三
屠羊之肆《とようのし》……**三七〇**
*屠竜之技《とりゅうのぎ》……三七〇
斗量帚掃《とりょうそうそう》……**三七〇**
屠竜之技《とりょうのぎ》……**三七〇**
呑雲吐霧《どんうんとむ》……**三七〇**
呑花臥酒《どんかがしゅ》……**三七〇**
呑牛之気《どんぎゅうのき》……**三七〇**
敦煌五竜《とんこうごりょう》……**三七一**
*燉煌五竜《とんこうごりょう》……三七一
*敦厚周慎《とんこうしゅうしん》……三七一
呑舟之魚《どんしゅうのうお》……**三七一**
頓首再拝《とんしゅさいはい》……**三七一**
呑炭漆身《どんたんしっしん》……**三七一**・二三八
豚蹄穣田《とんていじょうでん》……**三七一**
呑刀刮腸《どんとうかっちょう》……**三七一**
敦篤虚静《とんとくきょせい》……**三七一**
呑吐不下《どんとふげ》……**三七一**
呑波之魚《どんぱのうお》……**三七一**

●な

*内患外禍《ないかんがいか》……三七二
内剛外柔《ないごうがいじゅう》……**三七一**・一一八
内柔外剛《ないじゅうがいごう》……**三七一**・一一八
内清外濁《ないせいがいだく》……**三七一**・四八〇
内政干渉《ないせいかんしょう》……**三七二**
内疎外親《ないそがいしん》……**三七二**
内憂外患《ないゆうがいかん》……**三七二**・四二六
南無三宝《なむさんぼう》……**三七二**・一四八
南轅北轍《なんえんほくてつ》……**三七二**・四三七
*南郭濫竽《なんかくらんう》……三七二・四六四
南郭濫吹《なんかくらんすい》……**三七二**・四六四
*南柯之夢《なんかのゆめ》……一三九
南橘北枳《なんきつほくき》……**三七二**・四三八・四四一
難行苦行《なんぎょうくぎょう》……**三七二**・六七
*輭紅香塵《なんこうこうじん》……三七二
*軟紅車塵《なんこうしゃじん》……三七二
輭紅塵中《なんこうじんちゅう》……**三七二**
*軟紅塵中《なんこうじんちゅう》……三七二
難攻不落《なんこうふらく》……**三七二**・一六五・三六一・三七三・四五九
*南行北走《なんこうほくそう》……三六二・三七三
南洽北暢《なんこうほくちょう》……**三七二**
南山捷径《なんざんしょうけい》……**三七二**・二四八
南山之寿《なんざんのじゅ》……**三七二**・三九三
南山不落《なんざんふらく》……**三七三**・三七二
*南征北討《なんせいほくとう》……三七三
南征北伐《なんせいほくばつ》……**三七三**
南船北馬《なんせんほくば》……**三七三**・三六二
難中之難《なんちゅうのなん》……**三七三**
南都北嶺《なんとほくれい》……**三七三**
*喃喃喋喋《なんなんちょうちょう》……三三九
南蛮鴃舌《なんばんげきぜつ》……**三七三**
南蛮北狄《なんばんほくてき》……**三七三**・一六五・二八四

●に

二河白道《にがびゃくどう》……**三七三**
*肉山酒海《にくざんしゅかい》……三七三
肉山脯林《にくざんほりん》……**三七三**・二五二
肉食妻帯《にくじきさいたい》……**三七三**
*肉食妻帯《にくしょくさいたい》……三七四
肉袒牽羊《にくたんけんよう》……**三七四**
肉袒負荊《にくたんふけい》……**三七四**
*肉袒面縛《にくたんめんばく》……三七四
*二者選一《にしゃせんいつ》……三七四
二者択一《にしゃたくいつ》……**三七四**

二姓之好《にせいのこう》……**三七四**
二束三文《にそくさんもん》……**三七四**
*二足三文《にそくさんもん》……三七四
日常坐臥《にちじょうざが》……**三七四**
日常茶飯《にちじょうさはん》……**三七四**
日陵月替《にちりょうげったい》……**三七四**
日居月諸《にっきょげっしょ》……**三七四**
*日就月将《にっしゅうげっしょう》……三七五
日昃之労《にっしょくのろう》……**三七四**
*日新月異《にっしんげつい》……三七五
日進月歩《にっしんげっぽ》……**三七五**
二人三脚《ににんさんきゃく》……**三七五**
*入郷従郷《にゅうきょうじゅうきょう》……三七五
入境問禁《にゅうきょうもんきん》……**三七五**
入木三分《にゅうぼくさんぶ》……**三七五**
如是我聞《にょぜがもん》……**三七五**
女人禁制《にょにんきんせい》……**三七五**
如法暗夜《にょほうあんや》……**三七五**
二律背反《にりつはいはん》……**三七五**
二六時中《にろくじちゅう》……**三七五**
忍気呑声《にんきどんせい》……**三七五**
*忍之一字《にんのいちじ》……三七五
*人面獣心《にんめんじゅうしん》……二七五

● ね

熱願冷諦《ねつがんれいてい》……**三七五**
涅槃寂静《ねはんじゃくじょう》……**三七六**
拈華微笑《ねんげみしょう》……**三七六**・一五五・四二三・四五六
年災月殃《ねんさいげつおう》……**三七六**
*燃犀之見《ねんさいのけん》……三七六
燃犀之明《ねんさいのめい》……**三七六**
*年頭月尾《ねんとうげつび》……三七六
年年歳歳《ねんねんさいさい》……**三七六**
燃眉之急《ねんびのきゅう》……**三七六**・二六一
年百年中《ねんびゃくねんじゅう》……**三七六**
念仏三昧《ねんぶつざんまい》……**三七六**

● の

*嚢蛍映雪《のうけいえいせつ》……二四一
嚢沙之計《のうしゃのけい》……**三七六**
*嚢中之穎《のうちゅうのえい》……三七七
嚢中之錐《のうちゅうのきり》……**三七六**
能鷹隠爪《のうよういんそう》……**三七七**

● は

佩韋佩弦《はいいはいげん》……**三七七**・六九
吠影吠声《はいえいはいせい》……**三七七**・四二三
*肺肝相照《はいかんそうしょう》……一三八
稗官野史《はいかんやし》……**三七七**
*杯弓蛇影《はいきゅうだえい》……三七九
*買牛売剣《ばいぎゅうばいけん》……三七七
敗軍之将《はいぐんのしょう》……**三七七**
*吠形吠声《はいけいはいせい》……三七七
杯賢杓聖《はいけんしゃくせい》……**三七七**
売剣買牛《ばいけんばいぎゅう》……**三七七**
梅妻鶴子《ばいさいかくし》……**三七七**
買妻恥醮《ばいさいちしょう》……**三七八**
*背山起楼《はいざんきろう》……四二三
吠日之怪《はいじつのあやしみ》……**三七八**・二六三
倍日并行《ばいじつへいこう》……**三七八**・三三五
杯酒解怨《はいしゅかいえん》……**三七八**
悖出悖入《はいしゅつはいにゅう》……**三七八**
背信棄義《はいしんきぎ》……**三七八**
廃寝忘食《はいしんぼうしょく》……**三七八**
杯水車薪《はいすいしゃしん》……**三七八**
背水之陣《はいすいのじん》……**三七八**・三九〇
*杯水輿薪《はいすいよしん》……三七八
杯中蛇影《はいちゅうのだえい》……**三七九**・一四六
*倍道兼行《ばいどうけんこう》……三七八
*売刀買犢《ばいとうばいとく》……三七七
買櫝還珠《ばいとくかんしゅ》……**三七九**
悖徳没倫《はいとくぼつりん》……**三七九**
*背徳没倫《はいとくぼつりん》……三七九
悖入悖出《はいにゅうはいしゅつ》……**三七九**
杯盤狼藉《はいばんろうぜき》……**三七九**
*盃盤狼藉《はいばんろうぜき》……三七九
廃仏毀釈《はいぶつきしゃく》……**三七九**
*排仏棄釈《はいぶつきしゃく》……三七九
*背本趨末《はいほんすうまつ》……二四四
敗柳残花《はいりゅうざんか》……**三七九**
覇王之輔《はおうのほ》……**三八〇**

破戒無慙《はかいむざん》……三八〇
＊破戒無慚《はかいむざん》……三八〇
馬鹿慇懃《ばかいんぎん》……三八〇
馬鹿果報《ばかかほう》……三八〇
＊馬角烏白《ばかくうはく》……九八
＊馬鹿丁寧《ばかていねい》……三八〇
破顔一笑《はがんいっしょう》……三八〇
＊破顔大笑《はがんたいしょう》……四三五
＊破顔微笑《はがんみしょう》……三七六
波詭雲譎《はきうんけつ》……三八〇
馬牛襟裾《ばぎゅうきんきょ》……三八〇
波及効果《はきゅうこうか》……三八〇
破鏡重円《はきょうじゅうえん》……三八〇・四一五
＊破鏡不照《はきょうふしょう》……三八〇・四一五
灞橋驢上《はきょうろじょう》……三八〇
伯夷叔斉《はくいしゅくせい》……三八一
白衣蒼狗《はくいそうく》……三八一
白衣宰相《はくいのさいしょう》……三八一
白衣三公《はくいのさんこう》……三八一
＊伯夷之清《はくいのせい》……三八一
＊伯夷之廉《はくいのれん》……三八一
博引旁証《はくいんぼうしょう》……三八一・三二八
＊博引旁捜《はくいんぼうそう》……三八一
白雲孤飛《はくうんこひ》……三八一
＊白雲親舎《はくうんしんしゃ》……三八一
白屋之士《はくおくのし》……三八一
＊博学洽聞《はくがくこうぶん》……二〇〇
博学審問《はくがくしんもん》……三八一
博学多才《はくがくたさい》……三八一・二九五・三八五
＊博学多識《はくがくたしき》……三八二
博学篤志《はくがくとくし》……三八二
伯牙絶弦《はくがぜつげん》……三八二
＊伯牙絶絃《はくがぜつげん》……三八二
白眼青眼《はくがんせいがん》……三八二・一八三
＊莫逆之契《ばくぎゃくのちぎり》……三八二
＊莫逆之友《ばくぎゃくのとも》……一四一・二七七・三三六・三八二・四六三
莫逆之交《ばくぎゃくのまじわり》……三八二
璞玉渾金《はくぎょくこんきん》……三八二
＊麦曲之英《ばくきょくのえい》……二八四・四〇五
白玉微瑕《はくぎょくのびか》……三八二・三八六
＊白玉楼成《はくぎょくろうせい》……三八二
白玉楼中《はくぎょくろうちゅう》……三八二
＊莫逆之友《ばくげきのとも》……四三三
白虹貫日《はくこうかんじつ》……三八二
＊白砂青松《はくさせいしょう》……三八三
博識洽聞《はくしきこうぶん》……三八三
＊博識広聞《はくしきこうぶん》……三八三
博施済衆《はくしさいしゅう》……三八三
薄志弱行《はくしじゃっこう》……三八三・七〇・四五七
白日昇天《はくじつしょうてん》……三八三
白日青天《はくじつせいてん》……三八三・二八六
白砂青松《はくしゃせいしょう》……三八三
＊白沙青松《はくしゃせいしょう》……三八三
麦秀黍離《ばくしゅうしょり》……三八三
麦秀之歌《ばくしゅうのうた》……三八三
＊麦秀之歎《ばくしゅうのたん》……二六五・三八三
拍手喝采《はくしゅかっさい》……三八三
白首窮経《はくしゅきゅうけい》……三八三
白水真人《はくすいしんじん》……三八三
麦穂両岐《ばくすいりょうき》……三八四
百代過客《はくたいのかかく》……三八四・四〇四
伯仲叔季《はくちゅうしゅくき》……三八四・四五二
伯仲之間《はくちゅうのかん》……三八四・二八八
幕天席地《ばくてんせきち》……三八四
白兎赤烏《はくとせきう》……三八四
白荼赤火《はくとせきか》……三八四
漠漠濛濛《ばくばくもうもう》……三八四
白髪青衫《はくはつせいしん》……三八四
白馬非馬《はくばひば》……三八四・一八四・四五七
白板天子《はくはんのてんし》……三八五
白眉最良《はくびさいりょう》……三八五
＊博物広聞《はくぶつこうぶん》……三八三
薄物細故《はくぶつさいこ》……三八五
博聞強記《はくぶんきょうき》……三八五・三八三
＊博聞強志《はくぶんきょうし》……三八五
＊博聞強識《はくぶんきょうしき》……三八五
博聞強識《はくぶんきょうしき》……三八五・三八二・三八三

＊博聞彊識《はくぶんきょうしき》……三八五
＊博聞多識《はくぶんたしき》……二〇〇
博文約礼《はくぶんやくれい》……**三八五**
白璧断獄《はくへきだんごく》……**三八五**
白璧微瑕《はくへきのびか》……**三八五**・二〇三
薄暮冥冥《はくぼめいめい》……**三八六**
白面書生《はくめんのしょせい》……**三八六**
伯兪泣杖《はくゆきゅうじょう》……**三八六**
＊伯瑜泣杖《はくゆきゅうじょう》……三八六
伯楽一顧《はくらくのいっこ》……**三八六**
博覧強記《はくらんきょうき》……**三八六**・三八二・三八三・三八五
＊博覧強識《はくらんきょうしき》……二〇〇・三八五
薄利多売《はくりたばい》……**三八六**
＊白竜魚服《はくりゅうぎょふく》……三八六
白竜魚服《はくりょうぎょふく》……**三八六**
白竜白雲《はくりょうはくうん》……**三八六**
＊馬歯加長《ばしかちょう》……三八七
馬氏五常《ばしごじょう》……**三八六**・三八五
馬耳東風《ばじとうふう》……**三八六**・二〇三・三一七・三二二
馬歯徒増《ばしとぞう》……**三八七**
破邪顕正《はじゃけんしょう》……**三八七**
破綻百出《はたんひゃくしゅつ》……**三八七**
破竹之勢《はちくのいきおい》……**三八七**
八元八愷《はちげんはちがい》……**三八七**
馬遅枚速《ばちばいそく》……**三八七**
八面玲瓏《はちめんれいろう》……**三八七**・三八九
八面六臂《はちめんろっぴ》……**三八七**・三二六
撥雲見日《はつうんけんじつ》……**三八七**
＊撥雲見天《はつうんけんてん》……三三七・三八八
＊白駒過隙《はっくかげき》……一四三
白駒空谷《はっくくうこく》……**三八八**
抜苦与楽《ばっくよらく》……**三八八**
＊八紘為宇《はっこういう》……三八八
八紘一宇《はっこういちう》……**三八八**
白黒分明《はっこくぶんめい》……**三八八**
跋扈跳梁《ばっこちょうりょう》……**三八八**・三四一
八索九丘《はっさくきゅうきゅう》……**三八八**
抜山蓋世《ばつざんがいせい》……**三八八**・一一八
跋山渉水《ばつざんしょうすい》……**三八八**
＊抜山倒河《ばつざんとうか》……三八八
＊抜山倒海《ばつざんとうかい》……三八八
＊抜山翻海《ばつざんほんかい》……三八八
発縦指示《はっしょうしじ》……**三八八**
＊発蹤指示《はっしょうしじ》……三八八
発人深省《はつじんしんせい》……**三八九**
伐性之斧《ばっせいのおの》……**三八九**
伐氷之家《ばっぴょうのいえ》……**三八九**
＊伐冰之家《ばっぴょうのいえ》……三八九
発憤興起《はっぷんこうき》……**三八九**
＊発奮興起《はっぷんこうき》……三八九
発憤忘食《はっぷんぼうしょく》……**三八九**
＊発奮忘食《はっぷんぼうしょく》……三八九
八方美人《はっぽうびじん》……**三八九**
抜本塞源《ばっぽんそくげん》……**三八九**・三〇一・三三四・四一九
発揚蹈厲《はつようとうれい》……**三八九**
抜来報往《ばつらいほうおう》……**三九〇**
撥乱反正《はつらんはんせい》……**三九〇**
破天荒解《はてんこうかい》……**三九〇**・三〇二
波濤万里《はとうばんり》……**三九〇**
＊鼻先思案《はなさきしあん》……一七五
破釜沈船《はふちんせん》……**三九〇**・三七九
跛鼈千里《はべつせんり》……**三九〇**
＊破帽弊衣《はぼうへいい》……四二五
爬羅剔抉《はらてきけつ》……**三九〇**
波瀾曲折《はらんきょくせつ》……**三九〇**
＊波乱曲折《はらんきょくせつ》……三九一
波瀾万丈《はらんばんじょう》……**三九一**
＊波乱万丈《はらんばんじょう》……三九一
罵詈讒謗《ばりざんぼう》……**三九一**・六三
罵詈雑言《ばりぞうごん》……**三九一**・六三
跛立箕坐《はりゅうきざ》……**三九一**
馬良白眉《ばりょうはくび》……**三九一**・三八五
氾愛兼利《はんあいけんり》……**三九一**
蛮夷戎狄《ばんいじゅうてき》……**三九一**
斑衣之戯《はんいのたわむれ》……**三九一**・四七八
攀轅臥轍《はんえんがてつ》……**三九一**
＊攀轅扣馬《はんえんこうば》……三九一
＊半覚半醒《はんかくはんせい》……三九四

反間《はんかん》苦肉《くにく》……**三九一**
*判官《はんがん》贔屓《びいき》……四三三
半饑《はんき》半渇《はんかつ》……**三九一**
*半飢《はんき》半渇《はんかつ》……三九二
反逆《はんぎゃく》縁坐《えんざ》……**三九二**
*反逆《はんぎゃく》縁座《えんざ》……三九二
班荊《はんけい》道故《どうこ》……**三九二**
万頃《ばんけい》瑠璃《るり》……**三九二**
*万頃《ばんけい》琉璃《るり》……三九二
繁劇《はんげき》紛擾《ふんじょう》……**三九二**
繁絃《はんげん》急管《きゅうかん》……**三九二**
煩言《はんげん》砕辞《さいじ》……**三九二**
万古《ばんこ》千秋《せんしゅう》……**三九二**
*万古《ばんこ》長春《ちょうしゅん》……三九二
万古《ばんこ》長青《ちょうせい》……**三九二**
*反顧之《はんこの》憂《うれい》……一九一
万古《ばんこ》不易《ふえき》……**三九二**・七五・二九七・四〇三
槃根《ばんこん》錯節《さくせつ》……**三九三**
*盤根《ばんこん》錯節《さくせつ》……三九三
万死《ばんし》一生《いっせい》……**三九三**
*万死《ばんし》九生《きゅうしょう》……一五一
*万紫《ばんし》千紅《せんこう》……二九七
*万事《ばんじ》如意《にょい》……二五五
半死《はんし》半生《はんしょう》……**三九三**
*半死《はんじ》半生《はんしょう》……三九三
*盤石之《ばんじゃくの》安《あん》……三九三

盤石之《ばんじゃくの》固《かため》……**三九三**
*磐石之《ばんじゃくの》固《かため》……三九三
反首《はんしゅ》抜舎《ばっしゃ》……**三九三**
万寿《ばんじゅ》無疆《むきょう》……**三九三**・三七三
万乗之《ばんじょうの》君《きみ》……**三九三**
*万乗之《ばんじょうの》国《くに》……二九九
*万乗之《ばんじょうの》主《しゅ》……三九三
*万乗之《ばんじょうの》尊《そん》……三九三
伴食《ばんしょく》宰相《さいしょう》……**三九三**
伴食《ばんしょく》大臣《だいじん》……**三九四**・三九三
*蛮触之《ばんしょくの》争《あらそい》……一二三
班女《はんじょ》辞輦《じれん》……**三九四**
万杵《ばんしょ》千砧《せんちん》……**三九四**
半信《はんしん》半疑《はんぎ》……**三九四**
万水《ばんすい》千山《せんざん》……**三九四**・二九八
*半睡《はんすい》半醒《はんせい》……三九四
万世《ばんせい》一系《いっけい》……**三九四**
半醒《はんせい》半睡《はんすい》……**三九四**
万世《ばんせい》不易《ふえき》……**三九四**・二九七
万世《ばんせい》不刊《ふかん》……**三九四**
版籍《はんせき》奉還《ほうかん》……**三九四**
*藩籍《はんせき》奉還《ほうかん》……三九四
*范冉《はんぜん》生塵《せいじん》……三〇九
*万全之《ばんぜんの》計《けい》……三九五
万全之《ばんぜんの》策《さく》……**三九四**
万代《ばんだい》不易《ふえき》……**三九五**

*万代《ばんだい》不刊《ふかん》……三九四
半知《はんち》半解《はんかい》……**三九五**・八七
班田《はんでん》収授《しゅうじゅ》……**三九五**
万能《ばんのう》一心《いっしん》……**三九五**
万馬《ばんば》奔騰《ほんとう》……**三九五**
万万《ばんばん》千千《せんせん》……**三九五**
帆腹《はんぷく》飽満《ほうまん》……**三九五**
万物《ばんぶつ》一馬《いちば》……**三九五**・三五三
*万物《ばんぶつ》一府《いっぷ》……三九五
万物《ばんぶつ》殷富《いんぷ》……**三九五**
万物《ばんぶつ》斉同《せいどう》……**三九五**
万物之《ばんぶつの》逆旅《げきりょ》……**三九五**
*万物《ばんぶつ》流転《るてん》……二六三
万夫之《ばんぷの》望《のぞみ》……**三九六**
万夫《ばんぷ》不当《ふとう》……**三九六**
繁文《はんぶん》縟礼《じょくれい》……**三九六**
*反哺之《はんぽの》孝《こう》……九八・二二二・二二七・三九六
*反哺之《はんぽの》心《こころ》……三九六
反哺之《はんぽの》羞《しゅう》……**三九六**
反面《はんめん》教師《きょうし》……**三九六**・三三三
半面之《はんめんの》識《しき》……**三九六**
万目《ばんもく》睚眥《がいさい》……**三九六**・四四二
汎濫《はんらん》停蓄《ていちく》……**三九六**
万里《ばんり》同風《どうふう》……**三九六**
万里之《ばんりの》望《のぞみ》……**三九六**
万里《ばんり》鵬程《ほうてい》……**三九六**・四三四

万里鵬翼《ばんりほうよく》……三九六
＊攀竜附驥《はんりゅうふき》……三九七
＊攀竜附鳳《はんりゅうふほう》……三九七
攀竜附驥《はんりょうふき》……三九七
攀竜附鳳《はんりょうふほう》……三九七
万緑一紅《ばんりょくいっこう》……三九七

● ひ ―

美意延年《びいえんねん》……三九七
靡衣婾食《びいとうしょく》……三九七・四四四
被害妄想《ひがいもうそう》……三九七
悲歌慷慨《ひかこうがい》……三九七・一八七・三九九・四〇二
＊悲歌忼慨《ひかこうがい》……三九七
被褐懐玉《ひかつかいぎょく》……三九七
飛花落葉《ひからくよう》……三九八
眉間一尺《びかんいっしゃく》……三九八
媚眼秋波《びがんしゅうは》……三九八
＊悲喜交集《ひきこうしゅう》……三九八
悲喜交交《ひきこもごも》……三九八
＊卑躬屈膝《ひきゅうくっしつ》……三九八
卑躬屈節《ひきゅうくっせつ》……三九八
匪躬之節《ひきゅうのせつ》……三九八
披荊斬棘《ひけいざんきょく》……三九八
被堅執鋭《ひけんしつえい》……三九八
＊披堅執鋭《ひけんしつえい》……三九八
比肩随踵《ひけんずいしょう》……三九八・一八五
＊微言精義《びげんせいぎ》……三九八
微言大義《びげんたいぎ》……三九八・七〇・七四
＊美事多磨《びじたま》……一九二
飛耳長目《ひじちょうもく》……三九八・三四〇
美酒佳肴《びしゅかこう》……三九九
美須豪眉《びしゅごうび》……三九九
＊肥酒大肉《ひしゅたいにく》……三九九
悲傷憔悴《ひしょうしょうすい》……三九九
飛絮漂花《ひじょひょうか》……三九九
＊飛絮流花《ひじょりゅうか》……三九九
美辞麗句《びじれいく》……三九九
美人薄命《びじんはくめい》……三九九・一二七・二一六
披星戴月《ひせいたいげつ》……三九九
＊披星帯月《ひせいたいげつ》……三九九
尾生之信《びせいのしん》……三九九
匪石之心《ひせきのこころ》……三九九
皮相浅薄《ひそうせんぱく》……四〇〇
＊皮相之見《ひそうのけん》……四〇二
悲壮淋漓《ひそうりんり》……四〇〇
＊肥大繁殖《ひだいはんしょく》……四〇〇
肥大蕃息《ひだいはんそく》……四〇〇
尾大不掉《びだいふとう》……四〇〇
＊美中不足《びちゅうのふそく》……三八六
筆耕硯田《ひっこうけんでん》……四〇〇・四六〇
筆削褒貶《ひっさくほうへん》……四〇〇
匹夫之勇《ひっぷのゆう》……四〇〇・四三三
匹夫匹婦《ひっぷひっぷ》……四〇〇
筆力扛鼎《ひつりょくこうてい》……四〇〇
篳路藍縷《ひつろらんる》……四〇一
飛兎竜文《ひとりょうぶん》……四〇一・四七四
非難囂囂《ひなんごうごう》……四〇一・一九七
肥肉厚酒《ひにくこうしゅ》……四〇一
＊肥肉大酒《ひにくたいしゅ》……四〇一
＊皮肉之見《ひにくのけん》……四〇二
髀肉之嘆《ひにくのたん》……四〇一
＊脾肉之嘆《ひにくのたん》……四〇一
＊髀肉之歎《ひにくのたん》……四〇一
肥馬軽裘《ひばけいきゅう》……四〇一
被髪纓冠《ひはつえいかん》……四〇一
被髪左衽《ひはつさじん》……四〇一・四〇二
＊被髪左袵《ひはつさじん》……四〇一
被髪文身《ひはつぶんしん》……四〇一
被髪佯狂《ひはつようきょう》……四〇二
皮膚之見《ひふのけん》……四〇二
悲憤慷慨《ひふんこうがい》……四〇二・三九七
＊悲憤忼慨《ひふんこうがい》……四〇二
微妙玄通《びみょうげんつう》……四〇二
＊被毛求瑕《ひもうきゅうか》……二七九
眉目秀麗《びもくしゅうれい》……四〇二・四六〇
眉目清秀《びもくせいしゅう》……四〇二
百依百順《ひゃくいひゃくじゅん》……四〇二・六七
＊百依百随《ひゃくいひゃくずい》……四〇二
百載無窮《ひゃくさいむきゅう》……四〇二

＊百尺竿頭《ひゃくしゃくかんとう》……四〇三
百舎重趼《ひゃくしゃちょうけん》……**四〇二**
＊百舎重繭《ひゃくしゃちょうけん》……四〇二
＊百術千慮《ひゃくじゅつせんりょ》……二九八
＊百順百依《ひゃくじゅんひゃくい》……四〇二
百姓一揆《ひゃくしょういっき》……**四〇二**
百縦千随《ひゃくしょうせんずい》……**四〇三**
百世之師《ひゃくせいのし》……**四〇三**
百世之利《ひゃくせいのり》……**四〇三**
＊百世不易《ひゃくせいふえき》……四〇三
百世不磨《ひゃくせいふま》……**四〇三**・七五・三九三・四〇六
百尺竿頭《ひゃくせきかんとう》……**四〇三**
百折不撓《ひゃくせつふとう》……**四〇三**・三六六・四二〇
百川帰海《ひゃくせんきかい》……**四〇三**
百戦百勝《ひゃくせんひゃくしょう》……**四〇三**・四〇六
百戦錬磨《ひゃくせんれんま》……**四〇三**・九九・二九六・四三二
＊百戦練磨《ひゃくせんれんま》……四〇三
＊百代過客《ひゃくたいのかかく》……四〇四
百代過客《ひゃくだいのかかく》……**四〇三**
百鍛千練《ひゃくたんせんれん》……**四〇四**
＊百二河山《ひゃくにのかざん》……四〇四
百二山河《ひゃくにのさんが》……**四〇四**
百人百様《ひゃくにんひゃくよう》……**四〇四**・二二二
百年河清《ひゃくねんかせい》……**四〇四**
百年之業《ひゃくねんのぎょう》……**四〇四**
百年之柄《ひゃくねんのへい》……**四〇四**
百八煩悩《ひゃくはちぼんのう》……**四〇四**
百福荘厳《ひゃくふくしょうごん》……**四〇四**
百味飲食《ひゃくみのおんじき》……**四〇五**
百薬之長《ひゃくやくのちょう》……**四〇五**・二八四・三五四
＊百様依順《ひゃくよういじゅん》……四〇三
百様玲瓏《ひゃくようれいろう》……**四〇五**
百里之命《ひゃくりのめい》……**四〇五**
＊百慮一失《ひゃくりょいっしつ》……三〇五
＊百慮一得《ひゃくりょいっとく》……三〇五
百伶百利《ひゃくれいひゃくり》……**四〇五**
＊百伶百俐《ひゃくれいひゃくり》……四〇五
百錬成鋼《ひゃくれんせいこう》……**四〇五**
＊百煉成鋼《ひゃくれんせいこう》……四〇五
＊百練之鋼《ひゃくれんのごう》……四〇五
＊百家九流《ひゃっかきゅうりゅう》……二六四
百花斉放《ひゃっかせいほう》……**四〇五**・四〇六
百家争鳴《ひゃっかそうめい》……**四〇五**・一三四・三二九・四〇六
百下百全《ひゃっかひゃくぜん》……**四〇五**
百花繚乱《ひゃっかりょうらん》……**四〇五**
＊百花撩乱《ひゃっかりょうらん》……四〇六
百鬼夜行《ひゃっきやこう》……**四〇六**・三二
百挙百捷《ひゃっきょひゃくしょう》……**四〇六**
＊百挙百全《ひゃっきょひゃくぜん》……四〇六
百孔千瘡《ひゃっこうせんそう》……**四〇六**・四四二
＊百孔千創《ひゃっこうせんそう》……四〇六
＊百口嘲謗《ひゃっこうちょうぼう》……四四二
百古不磨《ひゃっこふま》……**四〇六**
百発百中《ひゃっぱつひゃくちゅう》……**四〇六**
百歩穿楊《ひゃっぽせんよう》……**四〇六**
謬悠之説《びゅうゆうのせつ》……**四〇六**
氷甌雪椀《ひょうおうせつわん》……**四〇六**
＊冰甌雪椀《ひょうおうせつわん》……四〇六
氷肌玉骨《ひょうきぎょっこつ》……**四〇七**・一六〇
＊冰肌玉骨《ひょうきぎょっこつ》……四〇七
氷壺秋月《ひょうこしゅうげつ》……**四〇七**
＊氷壷秋月《ひょうこしゅうげつ》……四〇七
＊冰壺秋月《ひょうこしゅうげつ》……四〇七
飄忽震蕩《ひょうこつしんとう》……**四〇七**
＊氷散瓦解《ひょうさんがかい》……四〇七
＊氷姿玉骨《ひょうしぎょっこつ》……四〇七
氷姿雪魄《ひょうしせっぱく》……**四〇七**・二九一・二九三
剽疾軽悍《ひょうしつけいかん》……**四〇七**
氷消瓦解《ひょうしょうがかい》……**四〇七**
＊冰消瓦解《ひょうしょうがかい》……四〇七
＊庇葉傷枝《ひようしょうし》……一五四
豹死留皮《ひょうしりゅうひ》……**四〇七**
飛鷹走狗《ひようそうく》……**四〇七**
＊猫鼠同処《びょうそどうしょ》……四〇七
猫鼠同眠《びょうそどうみん》……**四〇七**
氷炭相愛《ひょうたんそうあい》……**四〇七**
＊冰炭相愛《ひょうたんそうあい》……四〇八
廟堂之器《びょうどうのき》……**四〇八**

＊廟堂之量《びょうどうのりょう》……四〇八
漂蕩奔逸《ひょうとうほんいつ》……**四〇八**
病入膏肓《びょうにゅうこうこう》……**四〇八**・一九一
飛揚跋扈《ひようばっこ》……**四〇八**・一一一・一一三・三四一
標末之功《ひょうまつのこう》……**四〇八**
表裏一体《ひょうりいったい》……**四〇八**
＊比翼双飛《ひよくそうひ》……四三一
比翼連理《ひよくれんり》……**四〇八**・一〇六・一三四・一三七・一六五・三〇八・四三一
＊皮裏春秋《ひりしゅんじゅう》……四〇九
皮裏陽秋《ひりのようしゅう》……**四〇九**・二九三
＊飛竜乗雲《ひりゅうじょううん》……四〇九
＊蜚流之言《ひりゅうのげん》……四六八
飛竜乗雲《ひりょうじょううん》……**四〇九**
疲労困憊《ひろうこんぱい》……**四〇九**・四四二
＊牝鶏司晨《ひんけいししん》……四〇九
＊牝鶏晨鳴《ひんけいしんめい》……四〇九
牝鶏之晨《ひんけいのしん》……**四〇九**・三四八
＊牝雞之晨《ひんけいのしん》……四〇九
牝鶏牡鳴《ひんけいぼめい》……**四〇九**
＊牝雞牡鳴《ひんけいぼめい》……四〇九
品行方正《ひんこうほうせい》……**四〇九**・一四四・四三三
貧者一灯《ひんじゃのいっとう》……**四〇九**
＊貧女一灯《ひんじょのいっとう》……四〇九
＊貧賤憂戚《ひんせんゆうせき》……四一一
貧富貴賤《ひんぷきせん》……**四〇九**
牝牡驪黄《ひんぼりこう》……**四一〇**

●ふ――

＊父為子隠《ふいしいん》……二三七
布衣之極《ふいのきょく》……**四一〇**
＊布衣之友《ふいのとも》……四一〇
布衣之交《ふいのまじわり》……**四一〇**
馮異大樹《ふういたいじゅ》……**四一〇**
風雨凄凄《ふううせいせい》……**四一〇**
風雨対牀《ふううたいしょう》……**四一〇**
風雲月露《ふううんげつろ》……**四一〇**
＊風花雪月《ふうかせつげつ》……二九二
風鬟雨鬢《ふうかんうびん》……**四一〇**
風岸孤峭《ふうがんこしょう》……**四一一**・一七九
富貴栄華《ふうきえいが》……**四一一**
富貴在天《ふうきざいてん》……**四一一**
＊富貴長生《ふうきちょうせい》……三四〇
風紀紊乱《ふうきびんらん》……**四一一**・二六一・四一二
富貴浮雲《ふうきふうん》……**四一一**・四一四
富貴福沢《ふうきふくたく》……**四一一**
＊風紀紊乱《ふうきぶんらん》……四一一
風魚之災《ふうぎょのわざわい》……**四一一**
富貴利達《ふうきりたつ》……**四一一**
風月玄度《ふうげつげんたく》……**四一一**
風光明媚《ふうこうめいび》……**四一二**
風餐雨臥《ふうさんうが》……**四一二**
風餐露宿《ふうさんろしゅく》……**四一二**
風櫛雨沐《ふうしつうもく》……**四一二**
＊風樹之感《ふうじゅのかん》……四一二
風樹之歎《ふうじゅのたん》……**四一二**
＊風樹之嘆《ふうじゅのたん》……四一二
風声鶴唳《ふうせいかくれい》……**四一二**・一〇三・一四六・三一一
＊風前之灯《ふうぜんのともしび》……二一〇・二九三・三四八
風霜高潔《ふうそうこうけつ》……**四一二**・二〇六
風霜之任《ふうそうのにん》……**四一二**
風俗壊乱《ふうぞくかいらん》……**四一二**・二六一
＊風俗潰乱《ふうぞくかいらん》……四一二
＊夫婦胖合《ふうふはんごう》……四一七
＊風木含悲《ふうぼくがんぴ》……四一二
風木之悲《ふうぼくのかなしみ》……**四一三**・四一二
＊風木之歎《ふうぼくのたん》……四一二
風流韻事《ふうりゅういんじ》……**四一三**
＊風流佳事《ふうりゅうかじ》……四一三
＊風流閑事《ふうりゅうかんじ》……四一三
風流三昧《ふうりゅうざんまい》……**四一三**
風林火山《ふうりんかざん》……**四一三**
浮雲翳日《ふうんえいじつ》……**四一三**
浮雲驚竜《ふうんきょうりょう》……**四一三**
巫雲蜀雨《ふうんしょくう》……**四一三**
武運長久《ぶうんちょうきゅう》……**四一三**
浮雲朝露《ふうんちょうろ》……**四一三**
浮雲之志《ふうんのこころざし》……**四一三**・四一一

不易流行《ふえきりゅうこう》……**四一四**・七五
不壊金剛《ふえこんごう》……**四一四**・二二
不解衣帯《ふかいいたい》……**四一四**・四三一
＊不学亡術《ふがくむじゅつ》……四四六
不可抗力《ふかこうりょく》……**四一四**
浮瓜沈李《ふかちんり》……**四一四**
夫家之征《ふかのせい》……**四一四**
浮家泛宅《ふかはんたく》……**四一四**
浮花浪蕊《ふかろうずい》……**四一四**
不刊之書《ふかんのしょ》……**四一四**
＊不刊之典《ふかんのてん》……四一四
＊不刊之論《ふかんのろん》……四一四
不羈之才《ふきのさい》……**四一四**
不羈奔放《ふきほんぽう》……**四一四**・二四九・三五四・四四〇
＊不朽之書《ふきゅうのしょ》……四一四
不朽不滅《ふきゅうふめつ》……**四一五**
俯仰之間《ふぎょうのかん》……**四一五**
＊俛仰之間《ふぎょうのかん》……四一五
覆雨翻雲《ふくうほんうん》……**四一五**・一〇二
伏寇在側《ふくこうざいそく》……**四一五**
複雑怪奇《ふくざつかいき》……**四一五**・三二六
複雑多岐《ふくざつたき》……**四一五**・三九三
＊複雑多様《ふくざつたよう》……四一五
覆車之戒《ふくしゃのいましめ》……**四一五**・二九八
＊腹心之臣《ふくしんのしん》……二〇六
覆水不返《ふくすいふへん》……**四一五**
＊福善禍淫《ふくぜんかいいん》……一三一
不倶戴天《ふぐたいてん》……**四一五**
不屈不撓《ふくつふとう》……**四一六**・四三〇
福徳円満《ふくとくえんまん》……**四一六**
不虞之誉《ふぐのほまれ》……**四一六**
腹誹之法《ふくひのほう》……**四一六**
＊腹非之法《ふくひのほう》……四一六
＊伏竜鳳雛《ふくりゅうほうすう》……四一六
伏竜鳳雛《ふくりょうほうすう》……**四一六**・一三二・一九八・四三一・四七四
不繋之舟《ふけいのふね》……**四一六**
不言実行《ふげんじっこう》……**四一六**・三六八・四五七
不言之教《ふげんのおしえ》……**四一六**
不言不語《ふげんふご》……**四一六**
＊傅虎以翼《ふこいよく》……七〇
不耕不織《ふこうふしょく》……**四一六**
富国強兵《ふこくきょうへい》……**四一七**
夫妻胖合《ふさいはんごう》……**四一七**
＊夫妻判合《ふさいはんごう》……四一七
俯察仰観《ふさつぎょうかん》……**四一七**・一五四
巫山雲雨《ふざんうんう》……**四一七**・一〇〇
＊巫山之雨《ふざんのあめ》……一〇〇
巫山之夢《ふざんのゆめ》……**四一七**・一〇〇・三一四・三三六
父子相伝《ふしそうでん》……**四一七**・八三
無事息災《ぶじそくさい》……**四一七**・一一〇・四四六
＊不失正鵠《ふしつせいこう》……四一七
不失正鵠《ふしつせいこく》……**四一七**
附耳之言《ふじのげん》……**四一七**
＊付耳之言《ふじのげん》……四一七
＊無事平安《ぶじへいあん》……四一七
不惜身命《ふしゃくしんみょう》……**四一七**・六三
俛首帖耳《ふしゅちょうじ》……**四一七**
＊俯首帖耳《ふしゅちょうじゅ》……四一七
膚受之愬《ふじゅのうったえ》……**四一七**・二七〇
＊不将不逆《ふしょうふぎゃく》……四一八
不将不迎《ふしょうふげい》……**四一八**
夫唱婦随《ふしょうふずい》……**四一八**・一三四
＊夫倡婦随《ふしょうふずい》……四一八
＊不食之地《ふしょくのち》……四三一
負薪汲水《ふしんきゅうすい》……**四一八**・二一六
負薪之憂《ふしんのうれい》……**四一八**・二一六
負薪之病《ふしんのへい》……**四一八**
鳧趨雀躍《ふすうじゃくやく》……**四一八**
附贅懸疣《ふぜいけんゆう》……**四一八**
＊附贅県疣《ふぜいけんゆう》……四一八
＊附贅懸肬《ふぜいけんゆう》……四一八
＊付贅懸疣《ふぜいけんゆう》……四一八
浮声切響《ふせいせっきょう》……**四一八**
浮石沈木《ふせきちんぼく》……**四一八**・二三五・二四九・三一〇
不即不離《ふそくふり》……**四一八**
二股膏薬《ふたまたこうやく》……**四一九**・九八
不断節季《ふだんせっき》……**四一九**

不知案内《ふちあんない》……四一九
＊物我一体《ぶつがいったい》……四五三
物換星移《ぶっかんせいい》……四一九
＊物議洶然《ぶつぎきょうぜん》……四一九
物議騒然《ぶつぎそうぜん》……四一九・四二六
＊物質代謝《ぶっしつたいしゃ》……二七三
＊物情騒然《ぶつじょうそうぜん》……四一九
仏足石歌《ぶっそくせきか》……四一九
物論囂囂《ぶつろんごうごう》……四一九
釜底抽薪《ふていちゅうしん》……四一九・三〇一・三三四・三八九
＊釜底遊魚《ふていゆうぎょ》……三四八
普天率土《ふてんそつど》……四一九
＊敷天率土《ふてんそつど》……四二〇
＊溥天率土《ふてんそつど》……四二〇
敷天之下《ふてんのもと》……四二〇
＊普天之下《ふてんのもと》……四二〇
＊溥天之下《ふてんのもと》……四二〇
不撓不屈《ふとうふくつ》……四二〇・二三五・三六六・四〇三
不得要領《ふとくようりょう》……四二〇
腐敗堕落《ふはいだらく》……四二〇
不買美田《ふばいびでん》……四二〇
＊巫馬戴星《ふばたいせい》……三九九
不抜之志《ふばつのこころざし》……四二〇
舞馬之災《ぶばのわざわい》……四二〇
舞文曲筆《ぶぶんきょくひつ》……四二〇・一五九
＊舞文巧法《ぶぶんこうほう》……四二一
舞文弄法《ぶぶんろうほう》……四二〇
布韈青鞋《ふべつせいあい》……四二一
普遍妥当《ふへんだとう》……四二一
不偏不党《ふへんふとう》……四二一
＊無妄之福《ぶぼうのふく》……四四七
＊母望之禍《ぶぼうのわざわい》……四四七
榑木之地《ふぼくのち》……四二一
＊扶木之地《ふぼくのち》……四二一
不眠不休《ふみんふきゅう》……四二一・三三五・四一四
不毛之地《ふもうのち》……四二一
蜉蝣一期《ふゆうのいちご》……四二一
＊蜉蝣之命《ふゆうのいのち》……四二一
不埒千万《ふらちせんばん》……四二一
夫里之布《ふりのふ》……四二一
＊不離不即《ふりふそく》……四一九
不立文字《ふりゅうもんじ》……四二一・七一・一五五・三七六・四五六
武陵桃源《ぶりょうとうげん》……四二二
不老長寿《ふろうちょうじゅ》……四二二・三三八
＊不老長生《ふろうちょうせい》……三三八
不老不死《ふろうふし》……四二二
＊附和随行《ふわずいこう》……四二二
附和雷同《ふわらいどう》……四二二
＊付和雷同《ふわらいどう》……三七七・四二二
焚琴煮鶴《ふんきんしゃかく》……四二二
＊刎頸之友《ふんけいのとも》……四二三
刎頸之交《ふんけいのまじわり》……四二三・一四一・三三六・四六三
文芸復興《ぶんげいふっこう》……四二三
分合集散《ぶんごうしゅうさん》……四二三・四六七
粉骨砕身《ふんこつさいしん》……四二三・三三八
蚊子咬牛《ぶんしこうぎゅう》……四二三
文質彬彬《ぶんしつひんぴん》……四二三
＊文事武備《ぶんじぶび》……一七六・四二四
粉愁香怨《ふんしゅうこうえん》……四二三
文従字順《ぶんじゅうじじゅん》……四二三
粉粧玉琢《ふんしょうぎょくたく》……四二三
文章絶唱《ぶんしょうのぜっしょう》……四二三
粉飾決算《ふんしょくけっさん》……四二三
＊扮飾決算《ふんしょくけっさん》……四二三
焚書坑儒《ふんしょこうじゅ》……四二三
＊粉身砕骨《ふんしんさいこつ》……四二三
文人墨客《ぶんじんぼっかく》……四二四・二四〇・三〇九
文恬武嬉《ぶんてんぶき》……四二四
＊粉白黛黒《ふんぱくたいこく》……四二四
粉白黛墨《ふんぱくたいぼく》……四二四
＊粉白黛緑《ふんぱくたいりょく》……四二四
文武一途《ぶんぶいっと》……四二四
聞風喪胆《ぶんぷうそうたん》……四二四
＊文武兼資《ぶんぶけんし》……四二四
＊文武兼備《ぶんぶけんび》……四二四

＊文武二道《ぶんぶにどう》……四二四
文武両道《ぶんぶりょうどう》……**四二四**・九二・一七六
＊紛紛聚訴《ふんぷんしゅうそ》……二六四
蚊虻走牛《ぶんぼうそうぎゅう》……**四二四**
蚊虻之労《ぶんぼうのろう》……**四二四**
＊蚊蝱之労《ぶんぼうのろう》……四二四
分崩離析《ぶんぽうりせき》……**四二四**・二四〇
墳墓之地《ふんぼのち》……**四二五**
文明開化《ぶんめいかいか》……**四二五**
＊分憂之官《ぶんゆうのかん》……四二五
分憂之寄《ぶんゆうのき》……**四二五**
奮励努力《ふんれいどりょく》……**四二五**・二八八

●へ

＊平安無事《へいあんぶじ》……四二五
＊敝衣草履《へいいそうく》……四二五
＊弊衣破袴《へいいはこ》……四二五
弊衣破帽《へいいはぼう》……**四二五**
＊敝衣破帽《へいいはぼう》……四二五
敝衣蓬髪《へいいほうはつ》……**四二五**・四三五
＊弊衣蓬髪《へいいほうはつ》……四二五
米塩博弁《べいえんはくべん》……**四二五**
平穏無事《へいおんぶじ》……**四二五**・六七・三三三・四一七
並駕斉駆《へいがせいく》……**四二六**
兵戈槍攘《へいかそうじょう》……**四二六**
平気虚心《へいききょしん》……**四二六**
並駆斉駕《へいくせいが》……**四二六**
閉月羞花《へいげつしゅうか》……**四二六**・二四五・三四三
閉口頓首《へいこうとんしゅ》……**四二六**
平沙万里《へいさばんり》……**四二六**
平沙落雁《へいさらくがん》……**四二六**
兵車之会《へいしゃのかい》……**四二六**
＊兵車之属《へいしゃのぞく》……四二六
秉燭夜遊《へいしょくやゆう》……**四二六**
平身低頭《へいしんていとう》……**四二六**・二二五
萍水相逢《へいすいそうほう》……**四二七**
米泉之精《べいせんのせい》……**四二七**・二八四
弊帚千金《へいそうせんきん》……**四二七**
平談俗語《へいだんぞくご》……**四二七**
＊平談俗話《へいだんぞくわ》……四二七
瓶墜簪折《へいついしんせつ》……**四二七**
兵者凶器《へいはきょうき》……**四二七**
兵馬倥偬《へいばこうそう》……**四二七**・二四八
平伏膝行《へいふくしっこう》……**四二七**
平平凡凡《へいへいぼんぼん》……**四二七**・四四六
閉明塞聡《へいめいそくそう》……**四二七**
＊閉目塞聴《へいもくそくちょう》……四二八
碧眼紅毛《へきがんこうもう》……**四二八**・一九九
碧血丹心《へきけつたんしん》……**四二八**
碧落一洗《へきらくいっせん》……**四二八**
汨羅之鬼《べきらのき》……**四二八**
壁立千仞《へきりつせんじん》……**四二八**
＊壁立千仞《へきりゅうせんじん》……四二八
霹靂一声《へきれきいっせい》……**四二八**
霹靂閃電《へきれきせんでん》……**四二八**
別有天地《べつゆうてんち》……**四二八**
＊別有洞天《べつゆうどうてん》……四二八
卞和泣璧《べんかきゅうへき》……**四二八**
＊卞和之璧《べんかのへき》……一二六・四二八
片簡零墨《へんかんれいぼく》……**四二八**・三二五
変幻自在《へんげんじざい》……**四二九**・三〇四・四七四
＊変幻出没《へんげんしゅつぼつ》……四二九
片言隻句《へんげんせきく》……**四二九**・七三
＊片言隻言《へんげんせきげん》……四二九
＊片言隻語《へんげんせきご》……七三・四二九
＊片言隻辞《へんげんせきじ》……七三・四二九
＊弁才無礙《べんさいむげ》……四二九
＊弁才無碍《べんざいむげ》……四二九
弁才無礙《べんざいむげ》……**四二九**
駢四儷六《べんしれいろく》……**四二九**
鞭声粛粛《べんせいしゅくしゅく》……**四二九**
変態百出《へんたいひゃくしゅつ》……**四二九**
偏袒扼腕《へんたんやくわん》……**四二九**
辺地粟散《へんちぞくさん》……**四二九**・三一二
胼胝之労《へんちのろう》……**四二九**
辺幅修飾《へんぷくしゅうしょく》……**四二九**
鞭辟近裏《べんぺききんり》……**四二九**
偏僻蔽固《へんぺきへいこ》……**四三〇**
偏旁冠脚《へんぼうかんきゃく》……**四三〇**

＊偏傍冠脚《へんぼうかんきゃく》……四三〇
変法自強《へんぽうじきょう》……**四三〇**
＊変法自彊《へんぽうじきょう》……四三〇
駢拇枝指《べんぼしし》……**四三〇**
片利共生《へんりきょうせい》……**四三〇**
＊片利共棲《へんりきょうせい》……四三〇

●ほ—

縫衣浅帯《ほういせんたい》……**四三〇**・四三七
＊豊衣足食《ほういそくしょく》……三三五
褒衣博帯《ほういはくたい》……**四三〇**・四三七
暴飲暴食《ぼういんぼうしょく》……**四三〇**・一四九・一七一
冒雨剪韮《ぼううせんきゅう》……**四三〇**
＊望雲之情《ぼううんのじょう》……三八一
逢掖之衣《ほうえきのい》……**四三一**
報怨以徳《ほうえんいとく》……**四三一**
砲煙弾雨《ほうえんだんう》……**四三一**・二五五・三三五
＊砲烟弾雨《ほうえんだんう》……四三一
鳳凰于飛《ほうおううひ》……**四三一**
＊鳳皇于飛《ほうおううひ》……四三一
鳳凰銜書《ほうおうがんしょ》……**四三一**
鳳凰在笯《ほうおうざいど》……**四三一**・一三三・四一六
鳳凰来儀《ほうおうらいぎ》……**四三一**
＊鳳皇来儀《ほうおうらいぎ》……四三一
茅屋采椽《ぼうおくさいてん》……**四三一**・二一七
忘恩負義《ぼうおんふぎ》……**四三一**・三三八・三六五
法界悋気《ほうかいりんき》……**四三二**

放歌高吟《ほうかこうぎん》……**四三二**・一八七
＊方駕斉駆《ほうがせいく》……四二六
泛駕之馬《ほうがのうま》……**四三二**
抱関撃柝《ほうかんげきたく》……**四三二**
＊旁観縮手《ぼうかんしゅくしゅ》……二四七
判官贔屓《ほうがんびいき》……**四三二**
＊判官贔負《ほうがんびいき》……四三二
＊判官贔屭《ほうがんびいき》……四三二
暴虐非道《ぼうぎゃくひどう》……**四三二**
＊暴虐無道《ぼうぎゃくむどう》……四三二
＊罔極之恩《ぼうきょくのおん》……四五二
飽経風霜《ほうけいふうそう》……**四三二**・二九六・四〇三
放言高論《ほうげんこうろん》……**四三二**・三一七
暴言多罪《ぼうげんたざい》……**四三二**・四五二
＊妄言多謝《ぼうげんたしゃ》……四五二
奉公守法《ほうこうしゅほう》……**四三二**・四五〇
貌合心離《ぼうごうしんり》……**四三二**
＊蓬戸甕牖《ほうこおうゆう》……一一三
暴虎馮河《ぼうこひょうが》……**四三二**・四〇〇
放語漫言《ほうごまんげん》……**四三三**・四四二
方趾円顱《ほうしえんろ》……**四三三**
＊方址円顱《ほうしえんろ》……一一二
旁時掣肘《ぼうじせいちゅう》……**四三三**
封豕長蛇《ほうしちょうだ》……**四三三**
＊茅茨不翦《ぼうしふせん》……二一七・三六三
旁若無人《ぼうじゃくぶじん》……**四三三**・一〇六・一一〇

＊傍若無人《ぼうじゃくぶじん》……四三三
＊放縦不羈《ほうじゅうふき》……四三五
＊鵬霄万里《ほうしょうばんり》……四三四
飽食終日《ほうしょくしゅうじつ》……**四三三**・四四四
飽食煖衣《ほうしょくだんい》……**四三三**
望蜀之嘆《ぼうしょくのたん》……**四三三**・三六六
亡脣寒歯《ぼうしんかんし》……**四三三**
抱薪救火《ほうしんきゅうか》……**四三三**
方枘円鑿《ほうぜいえんさく》……**四三三**・一〇七・四三四
方正之士《ほうせいのし》……**四三三**
蜂準長目《ほうせつちょうもく》……**四三四**
茫然自失《ぼうぜんじしつ》……**四三四**
＊呆然自失《ぼうぜんじしつ》……四三四
包蔵禍心《ほうぞうかしん》……**四三四**
放胆小心《ほうたんしょうしん》……**四三四**
抱柱之信《ほうちゅうのしん》……**四三四**・三九九
忙中有閑《ぼうちゅうゆうかん》……**四三四**
方底円蓋《ほうていえんがい》……**四三四**
鵬程万里《ほうていばんり》……**四三四**・三〇三
宝鈿玉釵《ほうでんぎょくさい》……**四三四**
＊蓬頭垢面《ほうとうくめん》……四三五
蓬頭垢面《ほうとうこうめん》……**四三四**・四三五
放蕩三昧《ほうとうざんまい》……**四三五**
＊蓬頭赤脚《ほうとうせききゃく》……四三五
朋党比周《ほうとうひしゅう》……**四三五**
放蕩不羈《ほうとうふき》……**四三五**

放蕩無頼《ほうとうぶらい》……**四三五**・九四・四六九
蓬頭乱髪《ほうとうらんぱつ》……**四三五**
＊法統連綿《ほうとうれんめん》……一七八
茅堵蕭然《ぼうとしょうぜん》……**四三五**
法爾自然《ほうにじねん》……**四三五**・二三九
＊法爾法然《ほうにほうねん》……二三九
豊年満作《ほうねんまんさく》……**四三五**・二〇六
＊蓬髪垢面《ほうはつこうめん》……四三五
＊放馬南山《ほうばなんざん》……一四八
尨眉皓髪《ぼうびこうはつ》……**四三五**
＊妄評多罪《ぼうひょうたざい》……四五二
＊暴風怒濤《ぼうふうどとう》……一五七
捧腹絶倒《ほうふくぜっとう》……**四三五**
＊抱腹絶倒《ほうふくぜっとう》……四三五
捧腹大笑《ほうふくたいしょう》……**四三六**
望文生義《ぼうぶんせいぎ》……**四三六**
望聞問切《ぼうぶんもんせつ》……**四三六**
放辟邪侈《ほうへきじゃし》……**四三六**
蜂房水渦《ほうぼうすいか》……**四三六**
＊忙忙碌碌《ぼうぼうろくろく》……一五〇
報本反始《ほうほんはんし》……**四三六**
泡沫夢幻《ほうまつむげん》……**四三六**・四四五
蜂目豺声《ほうもくさいせい》……**四三六**
＊忘憂之物《ぼうゆうのもの》……二八五・四〇五
＊鳳友鸞諧《ほうゆうらんかい》……四三六
鳳友鸞交《ほうゆうらんこう》……**四三六**
亡羊之嘆《ぼうようのたん》……**四三六**・三二
亡羊補牢《ぼうようほろう》……**四三六**
蓬莱弱水《ほうらいじゃくすい》……**四三六**
＊忙裡偸閑《ぼうりとうかん》……四三四
方領矩歩《ほうりょうくほ》……**四三七**
暴戻恣睢《ぼうれいしき》……**四三七**
暮雲春樹《ぼうんしゅんじゅ》……**四三七**
母猿断腸《ぼえんだんちょう》……**四三七**・一五二
保革伯仲《ほかくはくちゅう》……**四三七**
北轅適楚《ほくえんてきそ》……**四三七**
撲朔謎離《ぼくさくめいり》……**四三七**
墨子泣糸《ぼくしきゅうし》……**四三八**・二〇三・二七八・三七二
墨子兼愛《ぼくしけんあい》……**四三八**
墨子薄葬《ぼくしはくそう》……**四三八**
墨子悲糸《ぼくしひし》……**四三八**
＊墨子悲染《ぼくしひせん》……二〇三・四三八
墨守成規《ぼくしゅせいき》……**四三八**・一四一・一五二
濮上之音《ぼくじょうのおん》……**四三八**・三〇六
北窓三友《ほくそうのさんゆう》……**四三八**
墨翟之守《ぼくてきのまもり》……**四三八**
北轍南轅《ほくてつなんえん》……**四三八**・四三七
北斗七星《ほくとしちせい》……**四三八**
墨名儒行《ぼくめいじゅこう》……**四三九**
輔車脣歯《ほしゃしんし》……**四三九**
＊輔車唇歯《ほしゃしんし》……四三九
輔車相依《ほしゃそうい》……**四三九**
暮色蒼然《ぼしょくそうぜん》……**四三九**
＊保泰持盈《ほたいじえい》……二二七
＊法界悋気《ほっかいりんき》……四三二
法華三昧《ほっけざんまい》……**四三九**
墨痕淋漓《ぼっこんりんり》……**四三九**
発菩提心《ほつぼだいしん》……**四三九**
＊捕風捉影《ほふうそくえい》……一七六
匍匐膝行《ほふくしっこう》……**四三九**
＊匍匐前進《ほふくぜんしん》……四三九
＊蒲柳之姿《ほりゅうのし》……四三九
蒲柳之質《ほりゅうのしつ》……**四三九**・一一三
賁育之勇《ほんいくのゆう》……**四三九**
奔逸絶塵《ほんいつぜつじん》……**四四〇**・三三六
＊奔佚絶塵《ほんいつぜつじん》……四四〇
翻雲覆雨《ほんうんふくう》……**四四〇**・一〇二
＊本地垂迹《ほんじすいじゃく》……二七四・四四〇
凡聖一如《ぼんしょういちにょ》……**四四〇**
＊凡聖不二《ぼんしょうふに》……四四〇
＊翻然大悟《ほんぜんたいご》……一二四
本地垂迹《ほんちすいじゃく》……**四四〇**
奔南狩北《ほんなんしゅほく》……**四四〇**
煩悩菩提《ぼんのうぼだい》……**四四〇**
奔放不羈《ほんぽうふき》……**四四〇**
本末転倒《ほんまつてんとう》……**四四〇**・二四二・二四四・二五〇
＊本末顛倒《ほんまつてんとう》……四四〇
本来面目《ほんらいのめんもく》……**四四〇**

本領安堵《ほんりょうあんど》……**四四一**

● ま

真一文字《まいちもんじ》……**四四一**
＊摩訶止観《まかしかん》……一〇八
＊摩肩接踵《まけんせっしょう》……三九八
麻姑掻痒《まこそうよう》……**四四一**・一二八
磨穿鉄硯《ませんてっけん》……**四四一**
＊股座膏薬《またぐらこうやく》……九八
麻中之蓬《まちゅうのよもぎ》……**四四一**
摩頂放踵《まちょうほうしょう》……**四四一**
末法末世《まっぽうまっせ》……**四四一**
末路窮途《まつろきゅうと》……**四四一**・一五三
磨礱砥礪《まろうしれい》……**四四一**
＊万言倚馬《まんげんいば》……九一
漫言放語《まんげんほうご》……**四四二**
満腔春意《まんこうしゅんい》……**四四二**
万劫末代《まんごうまつだい》……**四四二**・一〇二・四四三
＊満場一致《まんじょういっち》……二〇一
＊満身傷痍《まんしんしょうい》……四四二
満身創痍《まんしんそうい》……**四四二**・四〇六
＊万能一心《まんのういっしん》……三九五
万目睚眥《まんもくがいさい》……**四四二**
満目荒涼《まんもくこうりょう》……**四四二**
＊満目荒寥《まんもくこうりょう》……四四二
満目蕭条《まんもくしょうじょう》……**四四二**
＊満目蕭然《まんもくしょうぜん》……四四二

曼理皓歯《まんりこうし》……**四四三**

● み

密雲不雨《みつうんふう》……**四四二**
三日天下《みっかてんか》……**四四三**
＊三日天下《みっかでんか》……四四三
＊三日法度《みっかはっと》……三四一
三日坊主《みっかぼうず》……**四四三**
＊三月庭訓《みつきていきん》……四四三
妙計奇策《みょうけいきさく》……**四四三**
＊名字御免《みょうじごめん》……四四三
名字帯刀《みょうじたいとう》……**四四三**
＊苗氏帯刀《みょうじたいとう》……四四三
＊苗字帯刀《みょうじたいとう》……四四三
名詮自性《みょうせんじしょう》……**四四三**
＊名詮自称《みょうせんじしょう》……四四三
妙法一乗《みょうほういちじょう》……**四四三**
名聞利養《みょうもんりよう》……**四四三**
＊未来永久《みらいえいきゅう》……四四三
未来永劫《みらいえいごう》……**四四三**・一〇二・四四二
＊未来永劫《みらいようごう》……四四三

● む

無為自然《むいしぜん》……**四四三**
無為徒食《むいとしょく》……**四四三**・一三六・二一九・三九七・四三三
無位無官《むいむかん》……**四四四**
無位無冠《むいむかん》……**四四四**

無為無策《むいむさく》……**四四四**
＊無為無知《むいむち》……四四四
無為無能《むいむのう》……**四四四**
無影無踪《むえいむそう》……**四四四**・二九三
無援孤立《むえんこりつ》……**四四四**
＊無学無能《むがくむのう》……四四四
無学文盲《むがくもんもう》……**四四四**
无何之郷《むかのきょう》……**四四四**
無我夢中《むがむちゅう》……**四四四**
＊無稽荒唐《むけいこうとう》……一九六
無芸大食《むげいたいしょく》……**四四四**・二四九
＊無稽之言《むけいのげん》……四四四
無稽之談《むけいのだん》……**四四四**
＊無芸無能《むげいむのう》……四四四
＊無礙自在《むげじざい》……四五七
無間地獄《むけんじごく》……**四四五**
＊無間地獄《むげんじごく》……四四五
夢幻泡影《むげんほうよう》……**四四五**・四三六
無告之民《むこくのたみ》……**四四五**
無辜之民《むこのたみ》……**四四五**
無根無蔕《むこんむてい》……**四四五**
＊無財餓鬼《むざいがき》……九七
無慚無愧《むざんむき》……**四四五**
＊無始無終《むしむしゅう》……四四五
無始無終《むしむじゅう》……**四四五**
無私無偏《むしむへん》……**四四五**・一九八・四二一

矛盾撞着《むじゅんどうちゃく》……**四四五**・二二八・二三一
無常迅速《むじょうじんそく》……**四四五**・二五七・四七七
無声無臭《むせいむしゅう》……**四四六**・四二七
無駄方便《むだほうべん》……**四四六**
無恥厚顔《むちこうがん》……**四四六**・一八八
＊無知低能《むちていのう》……四四六
＊無知無学《むちむがく》……四四六
＊無知無能《むちむのう》……四四六
無知蒙昧《むちもうまい》……**四四六**
＊無智蒙昧《むちもうまい》……四四六
無茶苦茶《むちゃくちゃ》……**四四六**
無二無三《むにむさん》……**四四六**・二四四
無念無想《むねんむそう》……**四四六**・一五八
無病呻吟《むびょうしんぎん》……**四四六**
無病息災《むびょうそくさい》……**四四六**・七六・一一〇・四一七
霧鬢風鬟《むびんふうかん》……**四四六**
無辺無礙《むへんむげ》……**四四七**
＊無辺無碍《むへんむげ》……四四七
＊無偏無党《むへんむとう》……四二一
無縫天衣《むほうてんい》……**四四七**・三四九
無妄之福《むぼうのふく》……**四四七**
＊无妄之福《むぼうのふく》……四四七
＊毋妄之福《むぼうのふく》……四四七
＊毋望之福《むぼうのふく》……四四七
毋望之禍《むぼうのわざわい》……**四四七**
＊无望之禍《むぼうのわざわい》……四四七
＊無妄之禍《むぼうのわざわい》……四四七
＊無望之禍《むぼうのわざわい》……四四七
無味乾燥《むみかんそう》……**四四七**
無明長夜《むみょうじょうや》……**四四七**
＊無妄之福《むもうのふく》……四四七
無用之用《むようのよう》……**四四七**
無欲恬淡《むよくてんたん》……**四四七**・一〇一
＊無欲恬憺《むよくてんたん》……四四七
＊無欲恬澹《むよくてんたん》……四四七
無余涅槃《むよねはん》……**四四七**
無理往生《むりおうじょう》……**四四七**・四四八
無理無体《むりむたい》……**四四八**
無量無辺《むりょうむへん》……**四四八**

● め

冥頑不霊《めいがんふれい》……**四四八**・一四一
＊迷頑不霊《めいがんふれい》……四四八
明鏡止水《めいきょうしすい》……**四四八**・一六〇・一九七・二八一
銘肌鏤骨《めいきるこつ》……**四四八**
＊銘肌鏤骨《めいきろうこつ》……四四八
明月之珠《めいげつのたま》……**四四八**
迷悟一如《めいごいちにょ》……**四四八**
冥行擿埴《めいこうてきしょく》……**四四八**
明察秋毫《めいさつしゅうごう》……**四四八**
名実一体《めいじついったい》……**四四八**・四四三
＊名実相応《めいじつそうおう》……四四三
迷者不問《めいしゃふもん》……**四四九**
明珠暗投《めいしゅあんとう》……**四四九**
盟神探湯《めいしんたんとう》……**四四九**
＊銘心鏤骨《めいしんるこつ》……四四八
名声赫赫《めいせいかくかく》……**四四九**・三二一
名声過実《めいせいかじつ》……**四四九**
＊名声嘖嘖《めいせいさくさく》……一九七
＊名声日月《めいせいじつげつ》……四四九
＊命世之英《めいせいのえい》……四四九
命世之才《めいせいのさい》……**四四九**
鳴蟬潔飢《めいせんけっき》……**四四九**
明窓浄几《めいそうじょうき》……**四四九**
＊明窓浄机《めいそうじょうき》……四四九
名存実亡《めいそんじつぼう》……**四四九**・四五八
＊明哲防身《めいてつぼうしん》……四五〇
明哲保身《めいてつほしん》……**四五〇**
明眸皓歯《めいぼうこうし》……**四五〇**・一九七・四四二
明明赫赫《めいめいかくかく》……**四五〇**
冥冥之志《めいめいのこころざし》……**四五〇**
明明白白《めいめいはくはく》……**四五〇**・六二・二一三
＊名誉回復《めいよかいふく》……四五〇
名誉挽回《めいよばんかい》……**四五〇**・四五一
＊明朗快活《めいろうかいかつ》……四五〇
明朗闊達《めいろうかったつ》……**四五〇**
＊明朗豁達《めいろうかったつ》……四五〇
名論卓説《めいろんたくせつ》……**四五〇**・二〇一

＊迷惑至極《めいわくしごく》……四五〇
迷惑千万《めいわくせんばん》……**四五〇**
＊滅茶苦茶《めちゃくちゃ》……四四六
滅私奉公《めっしほうこう》……**四五〇**・四三二
免許皆伝《めんきょかいでん》……**四五〇**
面向不背《めんこうふはい》……**四五一**
麪市塩車《めんしえんしゃ》……**四五一**
面従後言《めんじゅうこうげん》……**四五一**
＊面従背毀《めんじゅうはいき》……四五一
面従腹背《めんじゅうふくはい》……**四五一**
＊面従腹誹《めんじゅうふくひ》……四五一
面折廷諍《めんせつていそう》……**四五一**
＊面折廷争《めんせつていそう》……四五一
面張牛皮《めんちょうぎゅうひ》……**四五一**
＊麪市塩車《めんふつえんしゃ》……四五一
面壁九年《めんぺきくねん》……**四五一**
面目一新《めんもくいっしん》……**四五一**・四五一
面目躍如《めんもくやくじょ》……**四五一**・四五一
＊綿裏之針《めんりのはり》……四五二
綿裏包針《めんりほうしん》……**四五二**

●も

＊妄画蛇足《もうがだそく》……一二八
盲亀浮木《もうきふぼく》……**四五二**・二九七
罔極之恩《もうきょくのおん》……**四五二**
妄言多謝《もうげんたしゃ》……**四五二**・四三二
＊孟光挙案《もうこうきょあん》……一五三
毛骨悚然《もうこつしょうぜん》……**四五二**
＊毛骨竦然《もうこつしょうぜん》……四五二
＊猛虎伏草《もうこふくそう》……一三二・一九八・四一六
妄想之縄《もうぞうのなわ》……**四五二**
＊妄誕無稽《もうたんむけい》……一九六
孟仲叔季《もうちゅうしゅくき》……**四五二**
妄評多罪《もうひょうたざい》……**四五二**
＊孟母三居《もうぼさんきょ》……四五二
孟母三遷《もうぼさんせん》……**四五二**
孟母断機《もうぼだんき》……**四五三**・一二七・三二六
＊朦朧模糊《もうろうもこ》……六二
目指気使《もくしきし》……**四五三**
目食耳視《もくしょくじし》……**四五三**
目挑心招《もくちょうしんしょう》……**四五三**
沐浴斎戒《もくよくさいかい》……**四五三**・二一四
沐浴抒溷《もくよくじょこん》……**四五三**
百舌勘定《もずかんじょう》……**四五三**
物我一体《もつがいったい》……**四五三**
両刃之剣《もろはのつるぎ》……**四五三**
門外不出《もんがいふしゅつ》……**四五三**
門巷塡隘《もんこうてんあい》……**四五三**・四五四
＊門巷塡集《もんこうてんしゅう》……四五四
門戸開放《もんこかいほう》……**四五四**
文殊知恵《もんじゅのちえ》……**四五四**
悶絶躄地《もんぜつびゃくじ》……**四五四**
門前雀羅《もんぜんじゃくら》……**四五四**・二九五
門前成市《もんぜんせいし》……**四五四**・二九五
問鼎軽重《もんていけいちょう》……**四五四**
問答無益《もんどうむえき》……**四五四**
＊問答無益《もんどうむやく》……四五四
問答無用《もんどうむよう》……**四五四**
問柳尋花《もんりゅうじんか》……**四五四**

●や

夜雨対牀《やうたいしょう》……**四五五**・三一九
冶金踊躍《やきんようやく》……**四五五**
薬石無効《やくせきむこう》……**四五五**
約法三章《やくほうさんしょう》……**四五五**
＊夜光之璧《やこうのへき》……四四八
＊夜行被繡《やこうひしゅう》……七〇
野戦攻城《やせんこうじょう》……**四五五**・一九三
八咫之鏡《やたのかがみ》……**四五五**
山雀利根《やまがらりこん》……**四五五**
夜郎自大《やろうじだい》……**四五五**・四七二

●ゆ

＊唯一不二《ゆいいつふじ》……四五六
唯一無二《ゆいいつむに》……**四五五**・四四六
唯我独尊《ゆいがどくそん》……**四五六**・四七二
＊唯美主義《ゆいびしゅぎ》……三二八
維摩一默《ゆいまいちもく》……**四五六**・七一・一五五・三七六・四二三
黝堊丹漆《ゆうあくたんしつ》……**四五六**
游雲驚竜《ゆううんきょうりょう》……**四五六**

尤雲殢雨《ゆううんていう》……**四五六**・一〇〇
勇往邁進《ゆうおうまいしん》……**四五六**・一八〇・三四二
＊勇往猛進《ゆうおうもうしん》……四五六
＊勇気勃勃《ゆうきぼつぼつ》……四五七
有脚陽春《ゆうきゃくようしゅん》……**四五六**
勇気凜凜《ゆうきりんりん》……**四五六**
＊雄鶏生卵《ゆうけいせいらん》……三四八
邑犬群吠《ゆうけんぐんばい》……**四五六**
右賢左戚《ゆうけんさせき》……**四五七**・二一九
有言実行《ゆうげんじっこう》……**四五七**・四一六
有厚無厚《ゆうこうむこう》……**四五七**・三八五
＊雄材大略《ゆうさいたいりゃく》……四五七
雄材大略《ゆうざいたいりゃく》……**四五七**
宥坐之器《ゆうざのき》……**四五七**
＊勇者不懼《ゆうしゃふく》……二七〇
幽愁暗恨《ゆうしゅうあんこん》……**四五七**
＊幽愁闇恨《ゆうしゅうあんこん》……四五七
＊優柔寡断《ゆうじゅうかだん》……四五七
＊有終完美《ゆうしゅうかんび》……四五七・四七二
有終之美《ゆうしゅうのび》……**四五七**
優柔不断《ゆうじゅうふだん》……**四五七**・七〇・一八八・二七〇・三一二・三八三・四二〇
優勝劣敗《ゆうしょうれっぱい》……**四五七**・二三四・二四二・三四七
＊有職故実《ゆうしょくこじつ》……四五七
雄心勃勃《ゆうしんぼつぼつ》……**四五七**
＊融通自在《ゆうずうじざい》……四五七
融通無礙《ゆうずうむげ》……**四五七**・二四二・四四七
＊融通無碍《ゆうずうむげ》……四五七
＊遊生夢死《ゆうせいむし》……二七八
＊悠然自得《ゆうぜんじとく》……四五八
有職故実《ゆうそくこじつ》……**四五七**
＊有職故実《ゆうそここじつ》……四五七
雄大豪壮《ゆうだいごうそう》……**四五八**
＊遊蕩三昧《ゆうとうざんまい》……四五九
有備無患《ゆうびむかん》……**四五八**・二六一・三一〇
右文左武《ゆうぶんさぶ》……**四五八**
＊勇猛精進《ゆうみょうしょうじん》……四五八
＊有名亡実《ゆうめいぼうじつ》……四五八
有名無実《ゆうめいむじつ》……**四五八**・三六四・四四九・四五〇
優孟衣冠《ゆうもういかん》……**四五八**
勇猛果敢《ゆうもうかかん》……**四五八**・一八〇・一八八・二七〇・四五七
勇猛精進《ゆうもうしょうじん》……**四五八**・二三五
優游涵泳《ゆうゆうかんえい》……**四五八**
悠悠閑閑《ゆうゆうかんかん》……**四五八**
＊悠悠緩緩《ゆうゆうかんかん》……四五八
＊優優閑閑《ゆうゆうかんかん》……四五八
悠悠自適《ゆうゆうじてき》……**四五八**・八〇・二六一・二六二
＊優游自適《ゆうゆうじてき》……四五八
＊優遊自適《ゆうゆうじてき》……四五八
＊悠悠自得《ゆうゆうじとく》……四五八
＊優游不断《ゆうゆうふだん》……四五七
＊有余涅槃《ゆうよねはん》……四四七
遊戯三昧《ゆげざんまい》……**四五九**
＊油断強敵《ゆだんきょうてき》……四五九
油断大敵《ゆだんたいてき》……**四五九**・四一五

● よ

＊余音嫋嫋《よいんじょうじょう》……四五九
余韻嫋嫋《よいんじょうじょう》……**四五九**
用意周到《よういしゅうとう》……**四五九**
＊揚威耀武《よういようぶ》……四六一
要害堅固《ようがいけんご》……**四五九**
＊要害之地《ようがいのち》……二三四
妖怪変化《ようかいへんげ》……**四五九**
用管窺天《ようかんきてん》……**四五九**・四五五
陽関三畳《ようかんさんじょう》……**四五九**
羊裘垂釣《ようきゅうすいちょう》……**四五九**
鷹犬之才《ようけんのさい》……**四五九**
庸言庸行《ようげんようこう》……**四六〇**
妖言惑衆《ようげんわくしゅう》……**四六〇**・二七三
用行舎蔵《ようこうしゃぞう》……**四六〇**
羊很狼貪《ようこんろうどん》……**四六〇**
＊楊子岐泣《ようしききゅう》……四三八
容姿端麗《ようしたんれい》……**四六〇**・一六〇・四〇二・四二四
羊質虎皮《ようしつこひ》……**四六〇**・四六一
妖姿媚態《ようしびたい》……**四六〇**
用舎行蔵《ようしゃこうぞう》……**四六〇**
＊楊朱泣岐《ようしゅきゅうき》……二〇三・四三八

＊戮力一心《りくりょくいっしん》……一五六
戮力協心《りくりょくきょうしん》……**四六七**・一五六
＊戮力斉心《りくりょくせいしん》……一五六
戮力同心《りくりょくどうしん》……**四六七**・一五六・三六〇
離群索居《りぐんさっきょ》……**四六七**
離合集散《りごうしゅうさん》……**四六七**・一〇一
＊李広成蹊《りこうせいけい》……三六三
履霜堅氷《りそうけんぴょう》……**四六七**
履霜之戒《りそうのいましめ》……**四六七**
立身出世《りっしんしゅっせ》……**四六七**
＊立身揚名《りっしんようめい》……四六七
立錐之地《りっすいのち》……**四六七**・三三一
＊立錐之土《りっすいのど》……四六七
＊利鈍斉列《りどんせいれつ》……一五〇
理非曲直《りひきょくちょく》……**四六八**・二九四
柳暗花明《りゅうあんかめい》……**四六八**・三三七・三五九
＊竜淵太阿《りゅうえんたいあ》……一三六
流汗淋漓《りゅうかんりんり》……**四六八**
＊竜吟虎嘯《りゅうぎんこしょう》……四六九
流金鑠石《りゅうきんしゃくせき》……**四六八**
＊流金焦土《りゅうきんしょうど》……四六八
＊竜駒鳳雛《りゅうくほうすう》……四七〇
流言蜚語《りゅうげんひご》……**四六八**・一一九・三〇七
＊流言飛語《りゅうげんひご》……四六八
＊流言飛文《りゅうげんひぶん》……四六八
＊流言流説《りゅうげんりゅうせつ》……四六八
柳巷花街《りゅうこうかがい》……**四六八**
＊竜虎相搏《りゅうこそうはく》……四七〇
＊竜舟鳳艒《りゅうしゅうほうぼう》……四七〇
流觴曲水《りゅうしょうきょくすい》……**四六八**・一五八
＊竜驤虎視《りゅうじょうこし》……四七〇
＊竜攘虎搏《りゅうじょうこはく》……四七一
＊竜章鳳姿《りゅうしょうほうし》……四七一
＊竜驤麟振《りゅうじょうりんしん》……四七一
＊柳絮才高《りゅうじょさいこう》……一〇四
＊柳絮之才《りゅうじょのさい》……一〇四
＊流水行雲《りゅうすいこううん》……一八六
＊流水高山《りゅうすいこうざん》……一九一
＊流水落花《りゅうすいらっか》……四六四
流星光底《りゅうせいこうてい》……**四六八**
＊竜跳虎臥《りゅうちょうこが》……四七一
＊竜頭鷁首《りゅうとうげきしゅ》……四七二
＊竜騰虎闘《りゅうとうことう》……四七二
＊竜頭蛇尾《りゅうとうだび》……四七二
＊竜瞳鳳頸《りゅうどうほうけい》……四七二
＊柳陌花街《りゅうはくかがい》……四六八
＊竜蟠蚖肆《りゅうばんげんし》……四七二
＊竜蟠虎踞《りゅうばんこきょ》……四七二
＊柳媚花明《りゅうびかめい》……四六八
柳眉倒豎《りゅうびとうじゅ》……**四六八**・一一三
＊流芳後世《りゅうほうこうせい》……七〇
粒粒辛苦《りゅうりゅうしんく》……**四六八**・七一・一四〇・一六八・二五九・三〇〇
柳緑花紅《りゅうりょくかこう》……**四六九**・一二五・四六八
＊柳緑桃紅《りゅうりょくとうこう》……三五九
流連荒亡《りゅうれんこうぼう》……**四六九**・四三五
＊亮遺巾幗《りょういきんかく》……一六三
＊凌雲意気《りょううんいき》……四六九
＊凌雲之気《りょううんのき》……四六九
凌雲之志《りょううんのこころざし》……**四六九**
＊陵雲之志《りょううんのこころざし》……四六九
梁冀跋扈《りょうきばっこ》……**四六九**
良弓難張《りょうきゅうなんちょう》……**四六九**
良玉精金《りょうぎょくせいきん》……**四六九**・二八二
竜吟虎嘯《りょうぎんこしょう》……**四六九**
良禽択木《りょうきんたくぼく》……**四六九**
竜駒鳳雛《りょうくほうすう》……**四六九**・四七四
竜興致雲《りょうこうちうん》……**四七〇**・二〇七
陵谷遷貿《りょうこくせんぼう》……**四七〇**
＊陵谷之変《りょうこくのへん》……四七〇
＊陵谷変遷《りょうこくへんせん》……四七〇
＊両虎相闘《りょうこそうとう》……四七二
竜虎相搏《りょうこそうはく》……**四七〇**・二一〇・四七一
良妻賢母《りょうさいけんぼ》……**四七〇**
＊量才取用《りょうさいしゅよう》……三三五・四七〇
量才録用《りょうさいろくよう》……**四七〇**・三三五・三四七
竜舟鷁首《りょうしゅうげきしゅ》……**四七〇**・四七二
竜舟鳳艒《りょうしゅうほうぼう》……**四七〇**

竜驤虎視《りょうじょうこし》……**四七〇**
竜攘虎搏《りょうじょうこはく》……**四七一**・二一〇・四七〇
＊竜驤虎歩《りょうじょうこほ》……四七〇
＊竜驤虎躍《りょうじょうこやく》……四七〇
梁上君子《りょうじょうのくんし》……**四七一**・四七三
凌霄之志《りょうしょうのこころざし》……**四七一**・四六九
竜章鳳姿《りょうしょうほうし》……**四七一**
竜驤麟振《りょうじょうりんしん》……**四七一**
＊竜戦虎争《りょうせんこそう》……四七一
量体裁衣《りょうたいさいい》……**四七一**・二七六・四七四
竜拏虎擲《りょうだこてき》……**四七一**・二一〇・四七〇
竜跳虎臥《りょうちょうこが》……**四七一**
良知良能《りょうちりょうのう》……**四七一**・二八六
竜頭鷁首《りょうとうげきしゅ》……**四七二**
竜騰虎闘《りょうとうことう》……**四七二**
竜頭蛇尾《りょうとうだび》……**四七二**・二一〇
遼東之豕《りょうとうのいのこ》……**四七二**
竜瞳鳳頸《りょうどうほうけい》……**四七二**
竜蟠蚖肆《りょうばんげんし》……**四七二**
竜蟠虎踞《りょうばんこきょ》……**四七二**
良風美俗《りょうふうびぞく》……**四七二**・二五四
＊両鳳斉飛《りょうほうせいひ》……四七三
両鳳連飛《りょうほうれんぴ》……**四七三**
綾羅錦繡《りょうらきんしゅう》……**四七三**
緑酒紅灯《りょくしゅこうとう》……**四七三**・一九六
＊力戦奮闘《りょくせんふんとう》……四六六
＊緑林好漢《りょくりんのこうかん》……四七三
緑林白波《りょくりんはくは》……**四七三**
＊驪竜之珠《りりゅうのたま》……四七三
驪竜之珠《りりょうのたま》……**四七三**・二〇六・三二九
理路整然《りろせいぜん》……**四七三**・二六五・四六五
霖雨蒼生《りんうそうせい》……**四七三**
臨淵羨魚《りんえんせんぎょ》……**四七三**
＊臨淵之羨《りんえんのせん》……四七三
麟角鳳嘴《りんかくほうし》……**四七三**
＊臨河羨魚《りんがせんぎょ》……四七三
輪奐一新《りんかんいっしん》……**四七三**
臨機応変《りんきおうへん》……**四七三**・二四二・二七六・三五七・四二九・四七一
鱗次櫛比《りんじしっぴ》……**四七四**
麟子鳳雛《りんしほうすう》……**四七四**
臨終正念《りんじゅうしょうねん》……**四七四**
輪廻転生《りんねてんしょう》……**四七四**
麟鳳亀竜《りんぽうきりょう》……**四七四**
琳琅珠玉《りんろうしゅぎょく》……**四七四**
琳琅満目《りんろうまんもく》……**四七四**

● る

累世同居《るいせいどうきょ》……**四七四**
＊累卵之危《るいらんのき》……七九・八五・三四一
鏤塵吹影《るじんすいえい》……**四七四**
＊流転輪廻《るてんりんね》……二八五・四七四・四七八
縷縷綿綿《るるめんめん》……**四七四**

● れ

冷汗三斗《れいかんさんと》……**四七五**
＊冷眼傍観《れいがんぼうかん》……一二三・一五六
零絹尺楮《れいけんせきちょ》……**四七五**
鴒原之情《れいげんのじょう》……**四七五**
霊魂不滅《れいこんふめつ》……**四七五**
礪山帯河《れいざんたいが》……**四七五**・一二五
藜杖韋帯《れいじょういたい》……**四七五**・三六三
＊冷水三斗《れいすいさんと》……四七五
＊励声疾呼《れいせいしっこ》……三一九
冷暖自知《れいだんじち》……**四七五**
冷嘲熱罵《れいちょうねつば》……**四七五**
零丁孤苦《れいていこく》……**四七五**・二〇五
＊伶仃孤苦《れいていこく》……四七五
冷土荒堆《れいどこうたい》……**四七五**
烈士徇名《れっしじゅんめい》……**四七六**・三二八
蓮華往生《れんげおうじょう》……**四七六**
憐香惜玉《れんこうせきぎょく》……**四七六**
＊連日連夜《れんじつれんや》……三七八
＊連城之璧《れんじょうのへき》……一二六・四二八
＊連戦連勝《れんせんれんしょう》……四〇三
＊廉頗負荊《れんぱふけい》……三七四
聯袂辞職《れんべいじしょく》……**四七六**
＊連袂辞職《れんべいじしょく》……四七六
連璧賁臨《れんぺきひりん》……**四七六**

● ろ

螻蟻潰堤《ろうぎかいてい》……四七六
螻蟻之誠《ろうぎのせい》……四七六
老驥伏櫪《ろうきふくれき》……四七六
＊螻蛄之才《ろうこのさい》……二〇九
＊狼子獣心《ろうしじゅうしん》……四七七
狼子野心《ろうしやしん》……四七六
老少不定《ろうしょうふじょう》……四七七・四四六
鏤塵吹影《ろうじんすいえい》……四七七
老成円熟《ろうせいえんじゅく》……四七七
老成持重《ろうせいじちょう》……四七七
籠鳥檻猿《ろうちょうかんえん》……四七七
籠鳥恋雲《ろうちょうれんうん》……四七七
狼貪虎視《ろうどんこし》……四七七
老婆心切《ろうばしんせつ》……四七七
＊老馬之知《ろうばのち》……四七七
老馬之智《ろうばのち》……四七七
＊鏤氷雕朽《ろうひょうちょうきゅう》……一二七・三四〇
老萊斑衣《ろうらいはんい》……四七七
露往霜来《ろおうそうらい》……四七八・九八・一八六・三六八
＊路花墻柳《ろかしょうりゅう》……四六八
魯魚亥豕《ろぎょがいし》……四七八・九六・一一八・二三三
魯魚章草《ろぎょしょうそう》……四七八・九六・一一八
＊魯魚帝虎《ろぎょていこ》……九六・一一八・四七八
＊魯魚陶陰《ろぎょとういん》……九六・一一八・四七八
魯魚之謬《ろぎょのあやまり》……四七八・九六
＊魯魚之誤《ろぎょのあやまり》……一一八
六十耳順《ろくじゅうじじゅん》……四七八・二〇七・二三二・二四六
＊六趣輪廻《ろくしゅりんね》……四七八
＊六菖十菊《ろくしょうじゅうぎく》……四六七
六道輪廻《ろくどうりんね》……四七八
盧生之夢《ろせいのゆめ》……四七八・七五・一三九
六根清浄《ろっこんしょうじょう》……四七八
魯般雲梯《ろはんうんてい》……四七九
＊魯盤雲梯《ろはんうんてい》……四七九
＊魯般之巧《ろはんのこう》……四七九
炉辺談話《ろへんだんわ》……四七九
＊驢鳴牛吠《ろめいぎゅうばい》……四七九
＊驢鳴狗吠《ろめいくばい》……四七九
驢鳴犬吠《ろめいけんばい》……四七九・六四
＊路柳墻花《ろりゅうしょうか》……四六八
＊論旨不明《ろんしふめい》……四七九
論旨明快《ろんしめいかい》……四七九
＊論旨明解《ろんしめいかい》……四七九

● わ

矮子看戯《わいしかんぎ》……四七九
＊矮人看戯《わいじんかんぎ》……四七九
＊矮人観場《わいじんかんじょう》……四七九
＊我儘放題《わがままほうだい》……四三六
和顔愛語《わがんあいご》……四七九
＊和顔悦色《わがんえつしょく》……四七九
和気藹藹《わきあいあい》……四七九
＊和気靄然《わきあいぜん》……四七九
＊和気洋洋《わきようよう》……四七九
和敬清寂《わけいせいじゃく》……四七九
和羹塩梅《わこうあんばい》……四七九
＊和光垂迹《わこうすいじゃく》……四八〇
和光同塵《わこうどうじん》……四八〇・三七二
和魂漢才《わこんかんさい》……四八〇
和魂洋才《わこんようさい》……四八〇
和衷共済《わちゅうきょうさい》……四八〇
和衷協同《わちゅうきょうどう》……四八〇
和風慶雲《わふうけいうん》……四八〇
＊和容悦色《わようえつしょく》……四七九
＊和洋折中《わようせっちゅう》……四八〇
和洋折衷《わようせっちゅう》……四八〇

【編集協力】
株式会社 日本レキシコ
【本文写植】
いなば写植

漢検 四字熟語辞典［第二版］

一九九七年 三 月二四日 初 版 発行
二〇一四年一二月二五日 第二版第五刷発行

編者 公益財団法人 日本漢字能力検定協会

発行者―髙坂 節三
発行所―公益財団法人 日本漢字能力検定協会
京都市下京区烏丸通松原下る五条烏丸町三九八 郵便番号六〇〇―八五八五
電話 〇七五―三五二―八三〇〇 FAX 〇七五―三五二―八三一〇
ホームページ http://www.kanken.or.jp/
印刷・製本―大日本印刷株式会社

Printed in Japan
ISBN978-4-89096-263-1 C0581